Johannes Mario Simmel, geboren 1924 in Wien, wurde 1948 durch seinen ersten Roman »Mich wundert, daß ich so fröhlich bin« bekannt. Mit seinen brillant erzählten zeit- und gesellschaftskritisch engagierten Romanen – sie sind in 26 Sprachen übersetzt und haben eine Auflage von weit über 60 Millionen erreicht – hat sich Simmel international einen Namen gemacht. Nicht minder erfolgreich sind seine drei Kinderbücher.

D1208207

Von Johannes Mario Simmel sind außerdem als
Knaur-Taschenbücher erhältlich:

»Alle Menschen werden Brüder« (Band 262)
»Die Antwort kennt nur der Wind« (Band 481)
»Hurra, wir leben noch« (Band 728)
»Wir heißen euch hoffen« (Band 1058)
»Zweiundzwanzig Zentimeter Zärtlichkeit« (Band 819)
»Der Stoff, aus dem die Träume sind« (Band 437)
»Bitte, laßt die Blumen leben« (Band 1393)
»Bis zur bitteren Neige« (Band 118)
»Die Erde bleibt noch lange jung« (Band 1158)
»Es muß nicht immer Kaviar sein« (Band 29)
»Lieb Vaterland magst ruhig sein« (Band 209)
»Liebe ist nur ein Wort« (Band 145)
»Und Jimmy ging zum Regenbogen« (Band 397)
Simmel-Reader (Band 1731)

Vollständige Taschenbuchausgabe 1988
© 1985 Droemersche Verlagsanstalt Th. Knaur Nachf., München
Umschlaggestaltung Fritz Blankenhorn
Umschlagfoto Studio Schmatz
Druck und Bindung Ebner Ulm
Printed in Germany 5 4 3 2
ISBN 3-426-01570-6

Johannes Mario Simmel:
Die im Dunkeln sieht man nicht

Roman

In memoriam Lulu Simmel

Denn die einen sind im Dunkeln
Und die andern sind im Licht
Und man siehet die im Lichte
Die im Dunkeln sieht man nicht.

BERTOLT BRECHT,
Schlußstrophe des Films »Die Dreigroschenoper«

Man traue keinem erhabenen Motiv für eine Handlung,
wenn sich auch ein niedriges finden läßt.

EDWARD GIBBON (1737 – 1794)

ERSTES BUCH

I

Am 11. Februar 1984 gegen 18 Uhr ging ein gewisser Daniel Ross daran, sich in seiner Wohnung zu ebener Erde eines Hauses an der stillen Sandhöfer Allee in Frankfurt am Main das Leben zu nehmen. Der 11. Februar 1984 war ein Samstag. Ross hatte den Zeitpunkt für seinen Selbstmord umsichtig gewählt. Es besteht bei derartigen Unternehmungen, auch wenn die Methoden, die zum Freitod führen sollen, noch so sicher sind, stets die Gefahr, daß man gestört, vorzeitig entdeckt und ins Leben zurückgeholt wird, wobei nicht reparable Schäden des Gehirns und der Funktionen zahlreicher anderer Organe auftreten können. Darum gehen Selbstmörder häufig in den Wald, auf einen Berg, in eine Bootshütte an einem See, oder sie suchen einen Zeitpunkt aus, zu dem sie ihrer Überzeugung nach lange genug ungestört sind und erst aufgefunden werden, wenn es zu spät ist. Daniel Ross hatte einen Samstagnachmittag gewählt. Diesem folgten die Nacht zum Sonntag, der ganze Sonntag und die Nacht zum Montag. Dann erst kam wieder die Reinemachefrau. Die Erlebnisse des Ross in den vergangenen vier Monaten waren solcher Art, daß er guten Grund hatte, keinen Anruf, keinen Besuch, ja keinerlei Interesse irgendeines Menschen für sich und seinen Zustand zu erwarten. So sehr er darüber verzweifelt war, so sehr erfüllte ihn diese Lage indessen an jenem späten Nachmittag mit Frieden. In Frankfurt schneite es, aber nur ein wenig.

Also warf er sich, nun schon zum zweitenmal, eine hohle Hand voll weißer Kapseln in den Mund und spülte diese mit einem großen Schluck Whisky hinunter. Den Scotch trank er pur, im Glas waren nur Eiswürfel. Nun aß er ein halbes Schinkenbrot, sehr sorgsam kauend. Muß etwas essen dazu, dachte er, sonst kotze ich das ganze Zeug wieder aus. Er saß an seinem Schreibtisch, auf dem eine grünbeschirmte Lampe brannte. Es gab kein anderes Licht in dem großen Arbeitszimmer voller Bücher. Das Fenster neben dem Schreibtisch ging auf einen verwilderten Garten hinaus, in dem sich kreischend zwei Katzen jagten. Ross wandte den Kopf. Die Scheibe spiegelte sein Gesicht, denn draußen war es dunkel geworden. Schnell sah er wieder weg. Dabei glitt sein Blick über den mit Manuskripten bedeckten Schreibtisch und blieb auf einer kleinen, schrägstehenden Silberplatte haften, die von einer Stütze gehalten wurde. Worte waren darauf eingraviert. Lies das noch einmal, dachte er. Es war deine glücklichste Zeit.

DIE WELT, IN DER WIR LEBEN, LÄSST SICH ALS DAS ERGEBNIS VON WIRRWARR UND ZUFALL VERSTEHEN; WENN SIE JEDOCH DAS ERGEBNIS EINER ABSICHT IST, MUSS ES DIE ABSICHT EINES TEUFELS GEWESEN SEIN. ICH HALTE DEN ZUFALL FÜR EINE WENIGER PEINLICHE UND ZUGLEICH PLAUSIBLERE ERKLÄRUNG.

BERTRAND RUSSELL

Darunter las er die handschriftliche Gravur:

FÜR DANIEL ZUM ERSTEN JAHRESTAG IN GROSSER LIEBE
SIBYLLE
WIEN, 17. NOVEMBER 1971

So, sagte er zu sich selber, nun hast du noch einmal an sie gedacht. Nun mach weiter! Aus einem kleinen Schraubdeckelglas ließ er aufs neue weiße Kapseln in die hohle rechte Hand fallen. Er war Linkshänder. Alles, was er brauchte, hatte er zum Schreibtisch getragen: ein Glas, eine Flasche Whisky, Eiswürfel in einem kleinen silbernen Kübel, mehrere belegte Brote auf einem Teller und vier Packungen Nembutal – nun geöffnet, die Schraubdeckelgläser herausgenommen.

Es war ganz einfach gewesen, sich das Schlafmittel zu verschaffen. Er hatte wegen einer schweren Erkältung im Dezember des vergangenen Jahres einen Arzt in dem weit entfernten Stadtteil Eschersheim aufgesucht, ein kleines Ablenkungsmanöver inszeniert und im günstigsten Augenblick einen Block mit Rezepten gestohlen. Sie waren vorgestempelt gewesen. Er hatte sie nur ausfüllen müssen. Danach war er in vier verschiedene Apotheken gegangen. Eine Packung enthielt fünfundzwanzig Kapseln, und er brauchte hundert. Er hatte sich im Sender genau erkundigt – bei einem Arzt, der wissenschaftlicher Berater des Gesundheitsmagazins SPRECHSTUNDE war. Eine Kapsel Nembutal enthielt hundert Milligramm Phenobarbitat. Die höchste noch vertretbare Tagesdosis waren achthundert Milligramm, also acht Kapseln. Zehn Gramm Phenobarbitat brachten einen Menschen garantiert um. Das waren hundert Kapseln. Ross spülte eine vierte Handvoll mit Whisky hinunter und aß danach die zweite Hälfte des Schinkenbrots. Draußen schrien die Katzen.

Er war schon im Dezember so verzweifelt gewesen, daß für ihn feststand: Er mußte sich umbringen. Er mußte es einfach tun. Ein Mann kann nicht weiterleben, sagte er sich, wenn alles mit ihm zu Ende geht. Er hatte es schon im Dezember tun wollen, doch dann war sein ältester Freund gestorben. Im Berliner Martin-Luther-Krankenhaus. Er war sofort hingeflogen. Eine Nachtschwester hatte ihm die letzten Worte seines Freundes Fritz mitgeteilt. »Er hat gesagt: ›Zeit, daß ich abhau'.‹ Dann hat er die Augen zugemacht und war tot...«

Zeit, daß ich abhau'.

Die Worte hatten sich bis zur Besessenheit bei Daniel Ross festgesetzt. Zeit, daß er abhaute. Es war Zeit für ihn, höchste Zeit. Er mußte an den Satz denken, viele Male jeden Tag. Nachts träumte er von Fritz und hörte ihn die Worte sprechen. Er hörte ihn auch ein paarmal am Tag sprechen, im Wachen. Ganz laut. So weit hatte ihn das verfluchte Nobilam schon gebracht. Wie weit ihn das verfluchte Nobilam sonst noch gebracht hatte, daran durfte er gar nicht denken.

Dann wollte er es gleich nach dem Begräbnis seines Freundes tun, noch in Berlin, aber da bekam er das Angebot einer unabhängigen Fernsehproduktionsgesellschaft. Es dauerte drei Wochen, und die Sache zerschlug sich. Anschließend sah es so aus, als würde es ihm mit verzweifelter Anstrengung gelingen, von dem Höllenzeug loszukommen, und er war drei Tage lang außer sich vor Seligkeit, bis ihn dann der Rückschlag traf. Was für ein Rückschlag! Mit scheußlichsten Entzugserscheinungen. Es gab keinen Weg mehr für ihn, keinen mehr, nein. Vergangenen Donnerstag hatte er schließlich einen neuen Rekord aufgestellt. Dreizehn Tabletten Nobilam waren nötig gewesen, um ihm halbwegs die Angst zu nehmen, um ihn einigermaßen ruhig werden zu lassen. Da war der Ekel vor sich selbst dann übergroß geworden, und er beschloß, am Samstag Schluß zu machen. Er hatte nie Selbstmitleid empfunden, wie das üblicherweise der Fall ist. Nein, kein Selbstmitleid. Nur Ekel, Wut und Abscheu. Das half ihm nun, half ihm enorm.

Wieder schluckte er eine Handvoll Kapseln, wieder trank er Whisky, wieder aß er. Ross fluchte, während er kaute. Scheißspiel mit diesen Milligrammkapseln. Es waren immer noch eine Menge da. Er mußte sie sich alle in den Rachen schmeißen. Natürlich erhöhte der Whisky die Wirkung. Na ja, verdammt, dachte er, darum trinkst du ihn ja, Kapselschmeißer. Du darfst kein Risiko eingehen. Schräg gegenüber sind die Universitätskliniken. Und fünfhundert Meter entfernt, in der Heinrich-Hoffmann-Straße, ist die Psychiatrie. Kein Risiko also. Und kein Fluchen, kein Theater, ja? Marilyn hat es auch geschafft mit Schmeißen. Oder, wie glaubst du, ist die abgehauen? Also weiter. Hurtig, hurtig. Er schluckte eben den letzten Bissen des zweiten Brotes, als das Telefon läutete. Bereits benommen, nahm er mechanisch ab, bereits so benommen, daß er nicht über die Störung verärgert war.

»Ja?«

»Wer spricht dort?«

Eine Frauenstimme. Mit Akzent. Was für einem Akzent? Scheißegal, mit was für einem Akzent, dachte er. »Wen wollen Sie denn sprechen?«

»Herrn Daniel Ross.«

Er gab keine Antwort.

»Hallo!«

»Ja.«

»Sind Sie Herr Daniel Ross?«

»Ja. Was wünschen Sie?« Er bemerkte, daß er leicht lallend sprach, und das erfüllte ihn mit Genugtuung. Es geht los, dachter er. Er trank einen großen Schluck.

»Mein Name ist Mercedes Olivera. Ich muß Sie dringend sprechen.«

Ross stellte das Glas hart auf den Schreibtisch. Jetzt war er wütend. »Haha.«

»Bitte?«

»Großer Spaß. Wer sind Sie? Jemand vom Sender? Mit wem sind Sie zusammen? Wer sind die anderen Spaßmacher? Wer sind die Arschlöcher?« schrie er unbeherrscht und erschrak. Nicht. Nicht schreien. Die Person hat dann das Gefühl, hier ist etwas nicht in Ordnung. Kommt her. Schickt wen her. Die Polizei. Plötzlich wurde ihm widerlich heiß, Schweiß brach aus. Das kannte er. Kam vom Nobilam. Er hatte seit langem Schweißausbrüche, sehr oft nachts, im Schlaf, auch im Sender, bei der Arbeit. Ganz plötzlich. Der Schweiß rann ihm von der Stirn in die Augen. Das brannte. Über den Rücken rann auch Schweiß, er spürte es unter der Pyjamajacke. Ross trug einen Pyjama, er hatte sich für das Bett fertig gemacht, bevor er mit dem Kapselschlucken anfing. Er sagte: »Entschuldigen Sie. Tut mir leid. Nerven verloren. Sie suchen einen anderen Ross. Ross ist ein häufiger Name.«

»Sie wohnen in der Sandhöfer Allee?« Die Stimme klang sehr bestimmt.

»Ja.«

»Dann sind Sie es!«

Das wird ein Idiotengespräch, dachte er. Und wenn da noch ein paar im Sender hocken und mich auf den Arm nehmen? Nein, dachte er. Nein. Die sind alle froh, daß sie nichts mehr zu tun haben mit mir. Nicht anstreifen an mich. Ich habe die Pest. Die Pest habe ich. Aber wer ist dann die Frau? Wo ist die Frau? »Wo sind Sie?«

»In Kloten.«

»*Wo?*«

»Flughafen von Zürich. Heißt doch Kloten – oder?«

Plötzlich war da leise Musik. Langsame, altmodische, wehmütige Musik. Eine dunkle Frauenstimme sang: »...wenn ich mir was wünschen dürfte...« Sibylle. Unser Lied, dachte er. Wie kommt dieses Lied in die Leitung?

Jetzt zitterte er vor Schreck am ganzen Körper. Was soll das, dachte er entsetzt. Höre ich wieder eine Stimme, so wie ich die Stimme von Fritz gehört habe? Und Musik dazu? Unser Lied? Und eine zweite Stimme? Ist es das verfluchte Nobilam? Gehen die Erscheinungen wieder los? Fängt ein Medikamentendelirium an? Jetzt? Am Samstagabend? Mit all dem Nembutal im Bauch? Er geriet in Panik, sprang auf, schrie: »Sind Sie wirklich...?«

»Ich verstehe nicht.«

»... käm’ ich in Verlegenheit...« sang die Frauenstimme, rauschend setzte ein Orchester ein.

Oh, bitte, nein. Nein, nein, nein, dachte er verzweifelt. Er biß sich auf die Unterlippe. Er setzte sich. Auf einmal wurde ihm übel. So etwas kam häufig vor, ganz plötzlich. Das verdankte er auch dem verfluchten Nobilam. Aber ohne das verfluchte Nobilam kann ich nicht leben, dachte er. Immer schlimmer. Das wird immer schlimmer. Verrückt! Ich *will* ja gar nicht leben! Sterben will ich! Er trank, schenkte Whisky nach und trank wieder. Die Flasche stieß gegen das Glas, so sehr bebte seine Hand.

»Hallo!« Jetzt war die Frauenstimme unruhig. »Hallo! Was ist mit Ihnen? Sind Sie krank? Fehlt Ihnen etwas, Herr Ross?«

»Mir... geht... es... ausgezeichnet... Sind Sie wirklich...« Er schluckte. Die Übelkeit schwand.

»Was soll das heißen: Sind Sie *wirklich?*«

»Sind Sie wirklich... in... Kloten?« Nimm dich zusammen, Mensch. Scheißkerl. Neurotiker. Hysteriker, verfluchter. Zusammennehmen sollst du dich.

»Das sage ich doch! Ich spreche aus einer Bar. Der Mixer war so freundlich...«

»...was ich mir denn wünschen sollte...«

Das halte ich nicht aus. Das halte ich nicht aus. Er rief: »Ist da Musik?«

»Ja. Der Mixer hat eine Kassette in das Stereogerät gelegt. Sie können die Musik hören, wie?«

»Ah...« Große Erleichterung erfüllte ihn. Seine Stimmung wechselte von einer Sekunde zur anderen. Es gab diese Frau. Es gab ja auch »Wenn ich mir was wünschen dürfte«. Alles war wirklich. Kein Delirium würde ihm den Tod versauen. Aber weshalb wollte diese Frau ihn sprechen?

»... eine schlimme oder gute Zeit...« Die dunkle Frauenstimme. Das Orchester. Ein Klavier. Sibylle. Damals in Wien, als wir so jung und glücklich waren. Aber jetzt? Ausgerechnet jetzt? Ach, Sibylle...

»Ich bin gerade gelandet, Herr Ross.«

»Von wo kommen Sie?«

»Aus Buenos Aires.«

»... wenn ich mir was wünschen dürfte...« Die Dietrich war das, die sang! Die Dietrich. Marlene Dietrich.

»*Woher?*«

»Aus Buenos Aires.«

»... möcht' ich etwas glücklich sein...«

»Es ist von größter Wichtigkeit. Ich muß Sie gleich sprechen.«

»... denn wenn ich gar zu glücklich wär'...«

»Ich kenne Sie nicht!«

»... hätt' ich Heimweh nach dem Traurigsein«, sang Marlene Dietrich. Das Orchester wurde lauter und brachte das Lied zu Ende. Andere Musik erklang.

»Aber *ich* kenne *Sie!*«

Das hielt kein Mensch aus. Das war unerträglich. Er ließ den Hörer fallen. Der Hörer fiel in seinen Schoß. Er legte ihn auf den Apparat und trank wieder, lange. Er keuchte ein wenig. Plötzlich ekelte er sich vor dem feuchten Pyjama. Unsicher stand er auf und ging durch das große, dunkle Arbeitszimmer mit den Bücherregalen ins Schlafzimmer, wo er eine der beiden Lampen links und rechts vom Bett anknipste. Aus dem Wandschrank holte er einen Schlafanzug, streifte den anderen ab, trat ins

Badezimmer, rieb den Körper trocken und mit Eau de Cologne ein und zog den neuen Pyjama an. Wie eine mächtige Woge schlug Müdigkeit über ihm zusammen. Ins Bett. Jetzt ins Bett. Er hatte schon die Decke zurückgezogen, da fiel ihm etwas ein. Die Kapseln! Er mußte alle nehmen, auch die letzten. Und die Tür absperren! Er taumelte nun bereits auf dem Weg zurück zum Schreibtisch. Als er die letzten Kapseln mit Whisky geschluckt hatte, begann wieder das Telefon zu läuten. Jetzt schwer benommen, hob er ab und hörte sofort wieder ihre Stimme: »Hier ist...«

»Ja, ich weiß. Gehen Sie zum Teufel!« Er hatte genug. Ins Bett. Er wollte ins Bett. Schlafen. Tod. Frieden.

»Herr Ross, ich flehe Sie an!«

»Ja, ja«, sagte er und dachte: Die Dietrich singt nicht mehr. Diese andere Musik kenne ich nicht.

»Wir müssen eine Reise zusammen machen.«

»Nix«, sagte er.

»Was?«

»Nix. Ich reise gerade ab.«

»Aber... aber... Das dürfen Sie nicht!« schrie sie. Jetzt schrie *sie*.

Er lachte böse.

»Lachen Sie nicht! Sie wissen ja nicht, worum es geht!«

»Okay, okay«, sagte er und legte den Hörer auf.

Danach bückte er sich und stöpselte den Apparat aus. So. Nun konnte die Verrückte nicht mehr anrufen. Nun konnte niemand mehr anrufen. Er ging in die Diele, drehte das Sicherheitsschloß der Eingangstür zu, sperrte ab und legte die Kette vor. Aus dem Schlafzimmer fiel eine Lichtbahn in den Arbeitsraum. Ross knipste die Schreibtischlampe aus und taumelte zurück in das Schlafzimmer. Auch hier gingen die Fenster auf den Garten hinaus. Der Kater und die brünstige Katze schrien noch immer. Ross mußte ins Badezimmer. Den mysteriösen Anruf jener Frau hatte er längst vergessen. Er war jetzt sehr betrunken und sehr schläfrig. Plötzlich fielen ihm die Sätze Bertrand Russells auf der kleinen Silberplatte ein, und er dachte an den Teufel, der diese Welt aus Wirrwarr und Zufall mit Absicht geschaffen hatte. Er lächelte. Jetzt wirst du sterben, sagte er zu sich, und eine große Glückseligkeit überkam ihn. Er wurde mit jeder Minute ruhiger. Schlafen, dachte er. Schlafen und nie mehr aufwachen müssen. Er lächelte stärker. Es gibt kein Leben nach dem Tod, und es gibt keinen Gott. Das Argument, dachte er, das die, die an ihn glauben, anführen, nämlich das der ersten Ursache, ist Unfug. Sie behaupten, daß alles, was auf dieser Welt geschieht, eine Ursache hat und daß man zu einer ersten Ursache kommen muß, sofern man die Ketten aller Wirkungen und Ursachen immer weiter zurückverfolgt. Und diese erste Ursache nennen sie Gott. Wenn aber *alles* eine Ursache haben muß, dann muß auch Gott eine Ursache haben. Und wenn es etwas gibt, das keine Ursache hat, dann kann das ebensogut Gott wie die Welt sein. Wer, verflucht, dachte er, vermag mir einen Grund zu nennen, warum die Welt nicht auch ohne Ursache begonnen haben könnte oder warum sie nicht schon immer bestanden hat? Wer sagt, daß die Welt einen Anfang gehabt haben muß? Warum? Diese fixe Idee, daß alles einen Anfang gehabt haben muß, ist nur eine Folge unserer lächerlich beschränkten Vorstellungskraft.

Er verließ das Badezimmer, legte sich ins Bett und knipste das Licht aus. So hat also doch noch alles ein gutes Ende gefunden, dachte er. Im Garten kreischten die Katzen nun sehr laut, und aus einem von den Lichtern der großen Stadt milchig erhellten Himmel sanken Schneeflocken herab auf die schmutzige Erde. Wenige Minuten später war er eingeschlafen. Er träumte von dem Teufel, der die Welt erschaffen hatte.

2

»Wir werden unser Recht natürlich niemals mit Gewalt durchsetzen, aber wir bestehen auf ihm, und wir halten es für selbstverständlich, daß dieses Recht auf Heimat und die Wiedervereinigung unseres Vaterlands in Frieden und Freiheit für alle wirklich deutsch denkenden Politiker eine Conditio sine qua non ist – und für alle anständigen ausländischen Politiker auch. Deshalb reagieren wir auf die seinerzeitige sogenannte Ostpolitik des Herrn Brandt und die skandalöse Anerkennung der Oder-Neisse-Linie immer weiter mit leidenschaftlicher Empörung. *Wir* haben diese Linie nicht anerkannt, und wir werden es niemals tun!«

Diese Worte sagte am Dienstag, dem 8. November 1983, im Studio III des Senders Frankfurt ein Mann namens Siegfried

Woitech, von Beruf Stellvertretender Vorsitzender der Vereinigten Vertriebenenverbände Deutschlands e.V.

Daniel Ross, ein schlanker, fast hagerer Mann von sechsundvierzig Jahren mit dichtem, bereits völlig weißem Haar, schwermütigen grauen Augen und einem großen Mund in dem schmalen Gesicht, saß dem Funktionär an einem Tisch gegenüber. Die alle vierzehn Tage ausgestrahlte Sendung FOCUS, deren Redakteur und Moderator Ross seit sechs Jahren war, lief bereits fünf Minuten. Dieses bei den Zuschauern wegen seiner absoluten Natürlichkeit außerordentlich beliebte Magazin – es gab nur Interviews zu aktuellen Themen, und alle Diskussionen wurden live, ohne vorherige Probe gesendet – beschäftigte sich ähnlich wie das Magazin KENNZEICHEN D des Senders Freies Berlin mit Ereignissen, welche beide deutsche Staaten betrafen. In der dreiviertel Stunde, die FOCUS zwischen 21 Uhr und 21 Uhr 45 lief, gab es stets mehr Beiträge, und Ross sprach stets mit mehreren Menschen. Siegfried Woitech war eingeladen worden, weil sein Verband in der Dortmunder Westfalenhalle am 4. November eine Großkundgebung veranstaltet hatte, bei welcher es zu Tumulten und schweren Schlägereien zwischen sehr unterschiedlich orientierten Zuhörern gekommen war. Zwei Hundertschaften der Polizei hatten eingreifen müssen, es hatte elf Schwerverletzte und eine große Zahl Leichtverletzter gegeben. Eine Reihe von Personen war vorübergehend festgenommen worden. Zeitungen, Funk und Fernsehen berichteten daraufhin je nach Einstellung von »kommunistischen Terrortrupps« beziehungsweise von »rechtsradikalen Exzessen gefährlichster Art«.

Siegfried Woitech war Daniel Ross' erster Gast in der FOCUS-Sendung vom 8. November 1983. Drei elektronische Kameras nahmen das Gespräch auf. Ross hatte Woitech vor Beginn der Sendung in den Regieraum geführt, der einen Stock höher lag und durch dessen sehr großes Fenster man in das Studio hinabblicken konnte. Er hatte ihn mit dem Regisseur, der Bildmischerin und dem Produktions-Ingenieur bekannt gemacht, und der Funktionär wußte nun, daß Bildmischerinnen nach Weisung des Regisseurs ihre Auswahl unter den Aufnahmen trafen, welche die Kameraleute ihnen mit ihren schweren Apparaten auf die Monitorschirme im Regieraum lieferten. Alle Monitoren befanden sich über dem großen Regiepult. Die Tonqualität wurde in einem anderen Raum kontrolliert.

»Wenn bei der Kamera, die auf Sie gerichtet ist, ein Rotlicht zu blinken beginnt, dann ist Ihr Bild ausgewählt und geht direkt in den Äther hinaus. Sie sind dann auf allen Fernsehschirmen, auf denen Focus läuft, zu sehen«, hatte Ross dem Funktionär Woitech erklärt. Nun, da dieser seine Grundsatzerklärung und seine leidenschaftliche Empörung über die Ostpolitik Willy Brandts kundtat, blinkte das Rotlicht der Kamera, welche ihm gegenüber auf einer massigen Säule angebracht war. Die Vorstellung, daß viele Hunderttausende von Menschen im Land ihn sozusagen bei sich in der Stube hatten, brachte Woitech in einen leicht rauschartigen Zustand.

Da das Lämpchen der Kamera vor ihm noch immer zuckte, fügte er hinzu: »Herr Brandt war während des Krieges nicht hier. Wir wissen nicht, was er draußen gemacht hat. Wir waren hier. Wir wissen, was wir hier drinnen gemacht haben. Für meine Freunde und mich jedenfalls sind dies« – hier hob er die Stimme und den runden Kopf – »noch immer heilige Worte…« Er räusperte sich, blickte ernst direkt in das Objektiv der auf ihn gerichteten Kamera, und man sah, wie seine Augen feucht wurden. »Ich hab' mich ergeben mit Herz und mit Hand dir, Land voll Lieb und Leben, mein teures Vaterland!«

Während dieser längeren Ausführung, bei der nur Woitech im Bild war, hatte eine Maskenbildnerin Daniel Ross' Gesicht mit der aufweichenden Schminke frisch abgetupft und besorgt festgestellt, daß der Moderator einen heftigen Schweißausbruch hatte. Tropfen perlten ihm vom Kopf in den Nacken und in den Hemdkragen. Ross' Lippen bebten. Seine Finger zitterten, er verschränkte die Hände über dem Knie.

»Was ist los?« flüsterte die Maskenbildnerin erschrocken. Der Moderator war bei allen beliebt und geschätzt.

Auf die Frage der jungen Frau schüttelte er nur den Kopf.

»Alles in Ordnung?«

Er nickte und machte ein Zeichen, ihn allein zu lassen. Die Maskenbildnerin verschwand hinter der Studiokulisse. Zu den dort stehenden Studioarbeitern und zwei weiteren Gesprächspartnern von Ross, die hier warteten, sagte sie besorgt: »Der hat was. Sollen wir nicht einen Arzt…«

»Quatsch«, sagte ein Arbeiter. »Das ist dem doch schon ein paarmal passiert, Olga. Schluckt dauernd Pillen, weißt doch, vor jedem Focus. Die Pillen sind's. Der braucht keinen Arzt.«

In der Tat hatte Ross schon solche Schweißausbrüche während einer Sendung gehabt, und sie waren, das sah der Arbeiter ganz richtig, auf eine größere Menge des Psychopharmakons Nobilam zurückzuführen, das Ross seit zwölf Jahren regelmäßig jeden Morgen in zu hoher Dosierung einnahm. Vor jeder Focus-Sendung und auch sonst bei allen Gelegenheiten, die große Konzentration und Anspannung erforderten, schluckte er eine zusätzliche Ration. Heute abend indessen, und er bemerkte es mit größter Nervosität, wirkte das Mittel, das ihn stets beruhigte und sicher machte, verkehrt. *Es regte ihn auf!* Er fühlte den Schweiß am ganzen Körper, sein Herz klopfte rasend, und blinder Zorn über das, was Woitech da von sich gegeben hatte, erfüllte ihn. Zuletzt hatte der seinem Poem noch die Worte »Armes, geteiltes Vaterland!« hinzugefügt.

Ross neigte sich vor. Auf der Stirn standen schon wieder einzelne Schweißtropfen. In seinem Gesicht zuckte es.

»Ajajajaj«, sagte der Regisseur oben in der Kabine. Er bog das Mikrofon, das vor ihm im Pult steckte, zu sich und sagte: »Zwo, Charley, geh ganz groß an Daniel ran!«

Der Mann hinter der Kamera 2 trug – wie seine Kollegen – Kopfhörer. Gleich darauf erschien Ross' Gesicht bildfüllend auf einem Monitorschirm.

»Zwei«, sagte der Regisseur zu der Bildmischerin. Sie nickte, neigte sich über das Pult mit den vielen Reglern, Lämpchen und Schaltern, und sofort darauf begann das Rotlicht auf Kamera 2 zu blinken.

Ross sagte sehr erregt: »Unser armes Vaterland, lieber Herr Woitech, ist deshalb geteilt, weil wir Deutsche unter einem Verbrecherregime, unter den größten Verbrechern der mir bekannten Geschichte, einen verbrecherischen Krieg, den größten der mir bekannten Geschichte, begonnen haben…«

»Hohoho!« sagte der Regisseur am Pult in der einen Stock höher gelegenen Kabine. Er hieß Kramsky und war einigermaßen betrunken. Das war er häufig. Sehr viele Mitarbeiter des Senders Frankfurt – und anderer Sender – waren sehr häufig einigermaßen betrunken.

»… einen Krieg«, fuhr Ross immer lauter, immer leidenschaftlicher fort, während er das Blut in seinem Körper pochen fühlte und das verfluchte Nobilam verkehrt wirkte, verkehrt, verkehrt, »in dem sechzig Millionen Menschen krepiert sind, darunter allein vier Komma acht Millionen Deutsche und zwanzig Millionen Russen… einen Krieg…«

»Einen Moment, bitte«, sagte der Funktionär sehr ruhig.

»Jetzt rede ich, Herr Woitech. Ich habe Sie auch reden lassen…
einen Krieg, in dem große, alte und schöne Städte, darunter die
unsere, in Schutt und Asche sanken…«
»Immer gib ihm!« sagte Kramsky erfreut, und in das Mikrofon:
»Noch näher ran an Daniel, wenn's geht, Charley!«
Charley unten im Studio hinter der Kamera 2 nickte. Ross' Bild
wurde übergroß auf dem Monitor. Das Rotlicht der Kamera 2
blinkte, blinkte, blinkte…
Ross geriet außer sich. »… einen Krieg, in dem blühende Länder, darunter unser armes Vaterland, total verwüstet wurden
und wir den unglücklichen Bewohnern all dieser Länder nichts
gelassen haben als ihre Augen zum Weinen, einen Krieg, in dem
in Konzentrationslagern deutsche Menschen ihre deutschen
Menschenbrüder und sechs Millionen Juden ermordeten… einen Krieg, in dem…«
Woitech schüttelte den Kopf. »Fangen auch Sie wieder mit diesem empörenden Unsinn an, Herr Ross! Ein deutscher Moderator im deutschen Fernsehen will unbedingt die deutsche Schuld
beweisen, tck, tck, tck.«
»Schorsch«, sagte der betrunkene Regisseur Kramsky entzückt,
»jetzt du, schnell! Und geh auch ganz groß ran an den Kerl!«
Die Bildmischerin, eine hübsche junge Frau in einem blauen
Kittel, begann zu zittern. »Aufhören!« rief sie. »Schluß!«
»Scheiße, aufhören«, sagte Kramsky. »Wann passiert schon mal
so was?« Er schlug der Bildmischerin, die einen Schalter umdrehen wollte, auf die Hand. »Wirst du das sein lassen, du Luder?
Scher dich weg! Weg, habe ich gesagt!« Er stieß sie fort. Sie glitt
von ihrem Sitz, kam ins Taumeln, fing sich und landete mit dem
Rücken an der Kabinenwand, wo sie stehen blieb, beide Fäuste
an den Mund gepreßt.
Unterdessen hatte Woitech – man hörte es in der Kabine über
Lautsprecher – leise, fast mahnend, weitergesprochen: »Was
reden Sie doch für unverantwortliches Zeug, Herr Ross! Weltbe-
kannte und geachtete amerikanische und englische Historiker
wie Toland und Irving haben in ihren Werken festgestellt, daß
dieser Krieg uns aufgezwungen worden ist. Und hören Sie bloß
auf mit Ihren Juden! Gewiß, es wurden welche getötet. Aber
niemals sechs Millionen. Höchstens zwei. Die alte Lüge, damit
sich auch noch unsere Urenkel Israel gegenüber schuldig fühlen
und zahlen, zahlen, zahlen…« Er warf eine Hand auf. »Wie
viele Deutsche sind von Russen, Polen und Tschechen von Haus

und Hof vertrieben worden? Wie vielen hat man die Heimat genommen? Ich will es Ihnen sagen, Herr Ross: Zwölf Millionen! Jawohl, *zwölf* Millionen Vertriebene! Wie viele Deutsche sind umgekommen auf der Flucht, durch Vertreibung und Verschleppung? Fast *drei* Millionen! Und wie viele sind nach fünfundvierzig viehisch ermordet worden? Hunderttausende, viele Hunderttausende! Man soll doch endlich aufhören, unser Volk in den Dreck zu ziehen!«

Während Woitech sprach, versuchte die Maskenbildnerin wieder, Daniel Ross' Gesicht zu restaurieren. Er war nicht im Bild. Sie verteilte mit einer Quaste Pancake und flehte flüsternd: »Bitte, bitte, lieber Herr Ross, lassen Sie das! Hören Sie auf! Sie machen sich unglücklich...«

Er schüttelte stumm und erbittert den Kopf.

»Der hat doch was!« rief die Bildmischerin oben in der Kabine. »Seht ihr denn nicht, wie elend es dem Daniel geht? Abschalten, abschalten!«

»Finde ich ja auch«, sagte der Produktions-Ingenieur, der in einer Ecke saß. »Kramsky, du kriegst Ärger, sage ich dir.«

»Und die Zeitungen morgen? Und der Skandal, Mensch? Glaubst du, das lass' ich mir nehmen?«

»Du bist verrückt! Du fliegst! Die feuern dich!«

»Ich bin besoffen. Kennst du einen einzigen Schwanz, den sie schon gefeuert haben, weil er besoffen war? Noch näher ran an den Woitech, eins!«

Woitech hatte weitergesprochen. »Wer waren die wahren Verbrecher? Wer hat die polnischen Offiziere in Katyn ermordet? Wer hat Dresden zerstört, als es von Flüchtlingen verstopft war? Wer hat unsere Frauen und Töchter vergewaltigt? Wer hat Menschen an Scheunentore genagelt? Sie aus dem Fenster gestürzt? In die Flüsse geschmissen, aneinandergebunden? Sie totgeprügelt, totgetreten, totgequält? Diese asiatischen Horden...«

In der Regiekabine läutete das Telefon. Der Produktions-Ingenieur nahm ab und meldete sich. Eine laute Stimme schlug ihm aus dem Hörer entgegen. Erschrocken richtete er sich auf.

»Hier ist Colledo!« rief die Männerstimme. »Wer sind Sie?«

»Zettler. Produktions-Ingenieur, Herr Colledo.«

Aus dem Lautsprecher drang die Stimme von Ross unten im Studio. »Asiatische Horden... Da haben wir ja endlich wieder auch den schönen alten Ton! Und *Sie* wollen eine Wiedervereinigung in Frieden und Freiheit, ein Mann wie Sie?«

»Wer ist Regisseur?«

»Kramsky.«

»Geben Sie ihn mir! Na, los, los, los!«

Der Produktions-Ingenieur reichte dem Regisseur den Hörer.

»Da hast du jetzt die Scheiße«, sagte er. »Colledo.«

Der Regisseur meldete sich.

»Kramsky!« brüllte Conrad Colledo, Hauptabteilungsleiter für Politik und Zeitgeschehen des Senders. »Was ist los mit Ihnen? Wieder besoffen, was?«

»Ja, Herr Colledo...«

Währenddessen hatte Ross weitergeschrien. Schminke rann ihm nun mit dem Schweiß vom Gesicht über den Hals auf das Hemd. Von Zeit zu Zeit rang er nach Luft. »Wiedervereinigung! Hören Sie, wir haben drei Kriege in siebzig Jahren angefangen! Ein vereintes Deutschland ist viel zu gefährlich. Es muß geteilt bleiben. Das ist die Meinung der ganzen Welt.«

»Wieso läuft das immer noch?« ertönte Colledos Stimme aus dem Hörer.

»Ich habe... Wir sind... völlig außer uns... Wir... Entschuldigen Sie, Herr Colledo, entschuldigen Sie, bitte!«

»Abschalten, sage ich!« schrie Colledo.

»Nicht mal Sie, Herr Woitech, nicht mal Sie wollen die Wiedervereinigung, seien Sie doch ehrlich! Wie hoch ist denn Ihr Gehalt als...«

Ross' Stimme brach ab. Die Monitoren in der Regiekabine flimmerten schwarz. Kramsky hatte endlich die Sendung unterbrochen. Durch die große Glasscheibe sah er, wie die drei Kameraleute, die Maskenbildnerin und die Studioarbeiter zu den beiden Männern am Tisch in der Dekoration eilten und sie zu beruhigen suchten. Auf den Monitoren erschien eine Schrift: STÖRUNG. Musik setzte ein.

»Gott sei Dank, ein normaler Mensch im Haus«, erklang Colledos Stimme aus dem Hörer. »Wer ist Abendsprecherin?«

»Die Ilse.«

»Ich rufe sie sofort an und sage ihr, was sie sagen soll. Sie kümmern sich um Ross und diesen Woitech. Der darf auf keinen Fall das Haus verlassen. Verstecken Sie ihn in einer Garderobe. Der Mann muß bewacht werden. Geben Sie ihm Sekt, Kaviar, was weiß ich... Auf keinen Fall dürfen Journalisten an ihn ran, bevor ich mit ihm gesprochen habe.«

»Alle Tore sind abgeschlossen, Herr Colledo.«

»Übers Telefon, meine ich, Sie besoffener Lump! Das haben Sie absichtlich gemacht, geben Sie es zu!«

»Herr Colledo, ich schwöre...«

»Jajaja. Keiner von Ihnen geht fort! Ich fahre sofort los. In dreißig Minuten bin ich im Sender.«

»Herrje...« Kramsky hatte durch die Scheibe ins Studio gesehen.

»Was heißt herrje?«

»Herrn Ross geht's nicht gut. Zwei Studioarbeiter stützen ihn. Dem geht's ganz mies, Herr Colledo.«

»Sie sollen ihn zum Studioarzt bringen!«

Kramsky stellte die Lautsprecherverbindung zum Atelier her und rief in das Mikrofon: »Bringt ihn zum Arzt!«

»Auf deine Eitzes hamwa jewartet!« schrie ein Arbeiter zurück.

»Sie«, tobte Colledo, »gehen sofort auch zum Arzt und blasen ins Röhrchen, Kramsky! *Sofort,* habe ich gesagt. Der Zettler *auch!* Haben Sie verstanden?« Die Verbindung war unterbrochen.

Die Bildmischerin schluchzte laut auf.

»Hör auf, blöde Kuh«, sagte Kramsky, und zu dem Produktions-Ingenieur: »Also, was ist, gehen wir?«

»Ich komme gleich nach.«

Kramsky verschwand. Die Tür fiel hinter ihm zu.

Der Produktions-Ingenieur bückte sich tief und zog eine Cognacflasche aus einer Bodenlade. Er entkorkte sie und trank in mächtigen Schlucken.

»Was machen Sie da?« rief die Bildmischerin entsetzt.

»Siehste doch. Ich besaufe mich. Muß auch besoffen sein. Wenn ich nicht besoffen bin, gibt's keine Entschuldigung für mich dafür, daß ich nicht früher abgeschaltet habe.« Er hob die Flasche wieder. Dann sagte er: »Idioten, die wir sind.«

3

»Kramsky und Zettler haben beide mehr als eineinhalb Promille«, sagte Conrad Colledo und ging in seinem großen Dienstzimmer schnell auf und ab. »Du überhaupt nichts. Es ist zum Heulen, Mensch. Warum hast du dich nicht auch besaufen können?«

Daniel Ross antwortete nicht.

Er saß in einem Stahlrohrsessel und starrte die Picasso-Lithographie an der Wand an. Sie zeigte einen Frauenkopf im Profil und zugleich von vorne. Die Frau hatte nur ein Auge.

Das große Verwaltungsgebäude war durch einen Gangtrakt mit den Aufnahmestudios verbunden. Der Sender Frankfurt befand sich nahe der Stadt Königstein im Taunus am Fuß des Großen Feldbergs, fünfundzwanzig Autominuten von Frankfurt entfernt.

»Wenn du betrunken gewesen wärst, würde gar nichts passieren. Du weißt doch, in den Anstalten wird derart ungeheuerlich gesoffen, daß man ein extrastarkes soziales Netz für Alkoholiker installiert hat. Niemand wird gefeuert, weil er blau ist, auch wenn er etwas ganz Übles anstellt. Schau dir den Juhnke an. Was der schon für Sendungen geschmissen hat! Und? Alle lieben ihn. Du mit deinen Scheißpillen. Jetzt haben wir die Katastrophe.«

Ross antwortete noch immer nicht.

Er war sehr blaß, und sein Gesicht glänzte von der Creme, mit welcher die Maskenbildnerin die Schminke abgerieben hatte. Es war ihr zuviel Creme auf die Haut geraten, und als sie den Überschuß mit einem Kleenextuch entfernen wollte, hatte Ross sie, bebend vor Unruhe, weggestoßen und war fortgelaufen. Schminke befleckte den weißen Kragen des Hemdes, den Ross geöffnet trug, die Krawatte herabgezerrt, die Jacke ausgezogen, weil ihm wieder heiß war. Unter den grauen Augen lagen dunkle Ringe, das weiße Haar glänzte im Licht der starken Deckenbeleuchtung.

Es war nach Mitternacht. Colledo hatte Stunden mit dem erbitterten Siegfried Woitech zugebracht und all seine Überredungskunst aufgeboten. Zwischendurch waren ihm die Blutalkoholwerte Kramskys und Zettlers mitgeteilt worden, und er hatte lautlos geflucht, als er auf dem Formular des Arztes den Namen seines alten Freundes Daniel Ross las und daneben eine durchgestrichene Null sah.

Dann hatte er sich wieder dem Funktionär zugewandt, dem in seiner Ehre zutiefst getroffenen aufrechten Demokraten – mit diesen Worten charakterisierte Woitech sich selber. Colledo war klar, daß er alles tun mußte, um ihn zu beruhigen. Kein vernünftiger Mensch legte sich mit den Vertriebenenverbänden an. Colledo hatte noch von zu Hause mit dem Intendanten, Herrn von Karrelis, telefoniert und über Daniel Ross' Zukunft gesprochen. Dem übererregten Siegfried Woitech erklärte Colledo dann; der

Intendant des Senders sichere zu, daß Ross morgen, Mittwoch, zur besten Sendezeit, im Anschluß an die 20-Uhr-Nachrichten, vor der Kamera darum bitten würde, ihm seine schwere Entgleisung zu verzeihen.

»Das wird er tatsächlich tun?« fragte der Funktionär ungläubig.

»Sie haben das Wort des Intendanten, Herr Woitech. Daniel Ross wird sich in aller Form entschuldigen und eine Ehrenerklärung für Sie und die Vertriebenenverbände abgeben. Damit ist Ihre Ehre dann aber doch wahrhaftig wiederhergestellt – oder?«

»Na ja, schon«, sagte Woitech. Er lachte plötzlich.

»Was gibt es?« fragte Colledo.

»Sie haben mir die ganze Zeit Sekt angeboten, Herr Colledo, und ich habe natürlich abgelehnt. Tja, wenn das so ist – wirklich, ich glaube, ich trinke doch ein Glas nach der ganzen Aufregung. Aber Sie müssen mit mir trinken!«

»Gerne.« Colledo nahm eine Flasche aus einem Kübel, den ein Mädchen vor Stunden zusammen mit zwei Gläsern aus der Kantine gebracht hatte. Colledo öffnete die Flasche, goß die Gläser halb voll und reichte eines davon dem Mann mit dem Rundkopf.

»Anstoßen!« rief Woitech.

Also stießen sie die Gläser aneinander und tranken, nachdem Woitech sein Glas zuvor noch hochgehoben und Colledo ernst in die Augen gesehen hatte, während er laut »Ihr Wohl!« wünschte.

Nach dem dritten Glas war er gerührt und feierlich. »Sie sind ein unerhört anständiger Mensch, Herr Colledo. Und Ihr Herr Intendant auch. Ich werde selbstverständlich meinen Kameraden sagen, wie Sie sich benommen, wie Sie durchgegriffen haben. Hut ab, Herr Colledo! Das ist schon *sehr* korrekt! Auch allen Journalisten werde ich das sagen. Es tut mir ja leid um den Herrn Ross, aber ein Mann, der kein Interview leiten kann, ist für so eine Sendung wirklich unmöglich. Wirklich, nicht?«

»Herr Ross ist ein sehr tüchtiger Mann, nur leider krank.«

»Was fehlt ihm denn?«

»Die Nerven, Herr Woitech.«

»Ja, dann. Ja, dann aber erst recht! Sie können doch nicht einen Nervenkranken hier rumtoben lassen!«

4

Diese letzten Sätze berichtete Conrad Colledo dann später in seinem Dienstzimmer Daniel Ross nicht. Alles andere schon. Ross saß reglos und hörte ohne Widerspruch zu. Colledo rannte noch immer hin und her.

»Würde es dir sehr viel ausmachen, dich hinzusetzen, Conny?« fragte Ross heiser.

»Entschuldige.«

»Entschuldige du. Ich habe wahnsinnige Kopfschmerzen.« Colledo ließ sich in den Stahlrohrsessel hinter seinem Stahlrohrschreibtisch mit dicker Glasplatte fallen. Der sehr große Raum war modern eingerichtet und hatte vier Fenster, die man des Airconditionings wegen nicht öffnen konnte. Die vier Fenster waren ein Statussymbol. Sie zeigten an, daß Colledo eine sehr hohe Position innerhalb der Hierarchie des Senders bekleidete. Es gab Drei-, Zwei- und eine Menge Ein-Fenster-Angestellte. Das Büro des Intendanten hatte sechs Fenster und war riesenhaft.

»Du wirst dich also heute abend entschuldigen, Danny«, sagte Colledo leise. Es klang wie eine Bitte.

»Natürlich«, sagte Ross, ohne den Kopf zu heben. »Ich tue alles. Es tut mir auch wirklich leid.«

»Und daß du danach nicht mehr vor eine Kamera darfst, verstehst du auch.«

»Verstehe ich auch. Ich habe sehr an Focus gehangen. Es war meine Sendung. Ich habe sie aufgebaut. Sechs Jahre lang hat mir dank dir niemand auch nur ein einziges Mal reingeredet.«

»Ja, aber jetzt...«

»... ist Schluß. Klar. Völlig klar.« Ross fragte: »Und was geschieht mit mir?«

»Kinderstunde«, sagte Colledo erschöpft. Auch er zerrte seine Krawatte herunter und öffnete den Kragen.

»*Was?*«

»Natürlich nicht Kinderstunde!« Colledo schlug mit der Hand auf die Glasplatte. »Ich wollte damit sagen: etwas ähnlich Attraktives. Irgendeine absolut unwichtige Position in einer absolut unwichtigen Abteilung.«

»Es ist dir doch klar«, sagte Ross, während er den Freund endlich ansah, »daß ich mir das nicht leisten kann. Wegen der Kollegen in den anderen Sendern. Und aus Gründen der – verzeih das harte Wort – Selbstachtung. Ist dir das auch klar?«

»Natürlich.«

»Was geschieht also, wenn ich mich weigere, eine solche Position anzunehmen?«

»Dann mußt du kündigen. Schau mich nicht so an, Mensch!« schrie Colledo. »Verflucht, schau nicht so! Ich bin dein Freund! Einundzwanzig Jahre lang haben wir zusammen gearbeitet. Dir verdanke ich, daß ich auf diesem Sessel sitze. Du hast mich von der SÜDDEUTSCHEN weggeholt, als hier die Stelle frei wurde. Glaubst du, das kann ich je vergessen? Deine gottverdammten Tabletten! Mußt du die unbedingt nehmen? Kannst du denn ohne den Dreck nicht leben?«

»Nein«, sagte Ross. »Das kann ich nicht.«

»Verzeih!« sagte Colledo.

Danach schwiegen beide. Sie hörten die an- und wieder abschwellende Sirene einer Ambulanz.

»Wenn ich kündige, bekomme ich dann eine Abfindung?« fragte Ross endlich.

»Nein.«

»Und wenn ich mich nicht versetzen lasse und nicht kündige?«

»Ich habe das schon alles mit dem Intendanten besprochen. Du hast so lange prima gearbeitet, Danny. Der *Sender* wird dir kündigen. Dann *kriegst* du eine Abfindung. Aber raus mußt du. In deinem Zustand passiert das nächste Mal wieder so was. Herrgott, was für eine gemeine, dreckige Geschichte! Deine Tabletten! Deine Tablettenfresserei ist schuld an allem! Deine Karriere ruinierst du dir mit dem Zeug, deine Gesundheit, deine Arbeitskraft!«

»Das stimmt nicht«, sagte Ross. Es klang hochmütig. »Ich nehme das Zeug seit zwölf Jahren. Hast du je bemerkt, daß ich deshalb nicht anständig arbeiten konnte? *Nie* hast du es bemerkt! *Ohne* das Zeug könnte ich nicht arbeiten.«

»Weil du süchtig bist.«

»Ich bin nicht süchtig. Ich brauche nur mein Quantum. Es wird nicht mehr. Bleibt immer gleich. Was glaubst du, wie viele Menschen Tranquilizer nehmen? Woraus besteht denn unser Leben? Aus Nervosität, Angespanntheit, Angst, es nicht zu schaffen, unbestimmter Angst, Angst vor der nächsten Katastrophe. Angst! Angst! Angst! Muß man sich eben helfen, wenn man so veranlagt ist. Du, du bist nicht so veranlagt, sei froh! Viele saufen, du siehst es ja, das ganze Fernsehen geht unter in Schnaps. Andere nehmen Tranquilizer. Ich zum Beispiel.«

»Die Zustände, die du nennst, sind Teile unseres Lebens. Angst ist oft eine wichtige Sicherheitsvorkehrung. Angespanntheit kann die Leistungsfähigkeit erhöhen.«

»Und wenn du den Streß nicht mehr aushältst? Die Hetze? Die Angst? Ach was, das verstehst du ja doch nicht. Ich würde auch lieber saufen, das kannst du mir glauben. Jedermann wäre lieb zu mir. Und so besorgt. Saufen ist erlaubt, Pillen sind verboten.«

»Du kannst die Menschen nicht befreien, aber du kannst ihnen helfen, sich weniger schlecht zu fühlen«, sagte Colledo.

»Was heißt das?«

»Amerikanischer Werbetext für Ärzte. Habe ich gelesen, als ich das letzte Mal in New York war. Soll die Ärzte motivieren, Beruhigungsmittel zu verschreiben – das größte pharmazeutische Geschäft der Welt.«

Ross winkte fahrig ab. »Keine Diskussion, bitte. Ich entschuldige mich heute abend. Kündigen tue ich jetzt schon.« Er hatte in seiner Hosentasche gewühlt, nun zog er eine Packung Nobilam heraus und ein Blatt bedrucktes Papier. »Nur eines noch: Ich weiß jetzt, warum mir das gestern abend passiert ist. Kommt unter zehntausend Fällen einmal vor. Ausgerechnet mich mußte es erwischen.«

»Wovon redest du, verflucht nochmal?«

»Hier!« Ross hielt das Papier hoch. »Das ist ein Waschzettel. Liegt jedem Medikament bei. Auch dem da. Ja, schau es an! Nobilam heißt das Zeug, ohne das ich nicht arbeiten kann – und nicht leben. Schau es dir gut an!«

»Rede nicht so mit mir, Mensch!«

»Entschuldige. Tut mir leid. Wirklich. Paß auf, Conny. Nachdem... nachdem ich die Sendung geschmissen hatte, fiel mir ein, auf dem Waschzettel einmal etwas gelesen zu haben. Und da steht es! Da steht...« Ross fuhr mit einem Finger die Zeilen entlang. »Hier!« Er las vor: »›Auf die Möglichkeit einer paradoxen Reaktion, Erregung statt Sedierung‹ – verstehst du? Erregung statt Sedierung! – ›die auch bei vergleichbar sedativ wirkenden Medikamenten einsetzen kann, wird hingewiesen!‹« Ross schlug mit einer Hand auf den Zettel. »*Erregung statt Sedierung!* Das Zeug hat verkehrt gewirkt heute abend. Zwölf Jahre nehme ich es, und alles geht gut. Und dann passiert so was. Und natürlich prompt in der Sendung!«

»Danny! Ich bitte dich! Ich bin dein Freund. Ich kann nicht mitansehen, wie du verreckst an dem Zeug. Doch, sei ruhig, *verreckst,* habe ich gesagt, und das tust du. Jetzt, ohne Job, wird die Angst immer größer werden. Die Unruhe. Die Nervosität. Sei ruhig, unterbrich mich nicht! Denkst du, in unserer Branche hält einer die Schnauze? Was glaubst du, wie viele Kollegen schon wissen von deiner Tablettenfresserei? Die meisten, Danny, die meisten. Und die, die es noch nicht wissen, werden es jetzt erfahren. Laß mal erst die Jungs von der Revolverpresse anfangen! Warte, bis Du-weißt-schon-wer auftaucht! Es wird dir nach dem, was passiert ist, nicht möglich sein, einen anderen Job zu finden – in deinem Zustand. Du mußt, hörst du, du *mußt* ganz einfach eine Entziehungskur machen! Das ist das erste, was du machen mußt. Darum bitte ich dich. Ich flehe dich an, geh in eine Klinik, mach eine Entziehungskur, mir zuliebe, ja, Danny?«

»Nein«, sagte Ross und sah wieder zu Boden.

»Aber warum nicht? Warum nicht, Mensch?«

»Weil ich schon eine gemacht habe.«

»Du hast schon...«

»Ja.«

»Wann?«

»Vor zwölf Jahren.«

»Vor zwölf Jahren? Neunzehnhunderteinundsiebzig? Da hast du doch noch das Südosteuropa-Studio in Wien geleitet!«

»Ich habe die Kur in Wien gemacht. Deshalb weißt du nichts davon. Niemand im Haus weiß etwas davon. In Wien, ja. Psychiatrie der Universitätskliniken. Allgemeines Krankenhaus.«

»Aber... aber... Du sagst doch, du nimmst dieses Zeug seit zwölf Jahren. Ich versteh' das nicht. Was haben sie dir denn da vor zwölf Jahren entzogen in Wien?«

»Oxazepam«, sagte Ross.

»Oxa...«

»Oxazepam. Ein anderes Mittel. Ein sehr gutes. Ich habe es nur ein einziges Jahr lang genommen. Viel zu viel. Von dem Oxazepam mußte ich wirklich runter. Das ging nicht mehr weiter. So was wie heute abend hätte damals jeden Tag passieren können.«

»Und da haben sie dir vor zwölf Jahren dann Nobilam gegeben anstelle von Oxazepam?«

»Ja«, sagte Ross. »Und *vor* dem Oxazepam habe ich sieben Jahre lang Valium genommen.«

Colledo flüsterte: »Und nach sieben Jahren Valium hast du schon eine Entziehungskur gemacht?«

»Ja. Auch in Wien. Auch Allgemeines Krankenhaus. Großartige

Leute. Sie haben erkannt, daß ich mein verrücktes Leben ohne irgendein Mittel einfach nicht ertragen kann. *Nicht ertragen kann!* Deshalb haben sie versucht, mich stufenweise zu entziehen. Deshalb bekam ich also Nobilam. Was hast du, Conny? Conny, was ist los mit dir?«

Colledo war aufgestanden und an eines der nachtdunklen Fenster getreten. Sein Büro lag im achten Stock des Gebäudes. Er sah hinüber auf den grandiosen Lichterteppich von Frankfurt. Regen schlug gegen die Scheibe.

»Mein Gott«, sagte er erstickt, »was bist du für ein armer Hund.«

Wieder folgte Schweigen.

Dann sagte Colledo, auf die Millionen bunten Lichter der Stadt in der Ferne blickend: »Geh wieder nach Wien, Danny! Bitte! Geh wieder zu diesen Spezialisten! Mach wieder eine Kur!«

»Nein«, sagte Ross, und seine Stimme klang plötzlich hart. »Nein, ich gehe nicht nach Wien. Niemals.«

»Aber warum nicht? Warum nicht, Danny?«

»Weil dort die einzigen arbeiten, zu denen ich Vertrauen habe, die mich kennen, die wissen, was mit mir los ist.«

»Du meinst: Deshalb gehst du zu niemand *anderem?*«

»Ja.«

»Ich verstehe nicht. Aber warum dann nicht nach Wien? Zu deinen Freunden, zu dem Arzt, der dein Vertrauen hat, der dich so gut kennt. Warum nicht, Danny? Warum nicht?«

»Es ist kein Arzt«, sagte Ross, sehr leise. »Es ist eine Ärztin. Und ich ... ich schäme mich zu sehr vor ihr.«

5

Da waren Wärme, goldenes Licht und Stille.

Da waren Wolken, silbern, gewaltig, phantastisch geformt.

Und da war keine Sorge mehr, keine Mühsal, keine Eile, keine Traurigkeit. Da war keine Angst mehr, nein, keine Angst.

Da war die rote Rose.

Er betrachtete sie glücklich und dachte: Die Rose bin ich. Mein Körper, in Erde gebettet, ist zerfallen. Ein Teil von ihm, seine organischen Bestandteile, haben sich verwandelt in Kohlensäure und Ammoniak und ausgebreitet über die ganze Welt. Die anorganischen Bestandteile, die verschiedenen Salze, sind eingedrungen in den Boden, in dem ich liege, und sie haben diese Rose zum Wachsen gebracht, diese wunderbare Rose. Ich bin eine Rose geworden. Eine Rose und auch eine Wolke, denn die Gase in meinem Körper sind zum Himmel aufgestiegen. Ich bin eine Wolke.

Es begann zu regnen, sanft und leicht. Ich bin der Regen, dachte er, ja, auch der Regen. Es gibt eine Weltenergie, deren Größe genau festgelegt ist. Nicht das kleinste Partikel dieser Energie darf jemals verlorengehen. Nur verwandeln darf sie sich. In andere Energie. In unendlich viele andere Energien. Wärme zum Beispiel. Die Energie, die meinen Körper verließ, als ich starb, ist Wärme geworden, Wärme, die ich spüre, goldenes Licht, das die Rose bescheint. Ich bin das Licht, dachte er. Ich bin die Wärme. Jeder Baum, jedes Blatt, jeder Stein enthält einen Teil von mir. Denn die Bestandteile meines Körpers sind nun überall, am Himmel und auf Erden. Ich bin die Erde. Ich bin der Fluß. Ich bin das Meer. Ich bin etwas von allem geworden, das es in dem unendlichen Weltall gibt. Ich bin das Weltall. Das Weltall, das immer da war, das niemals begonnen hat, das es nicht nötig hatte, jemals zu beginnen. Nichts bin ich mehr, nun bin ich alles. Und habe endlich Frieden.

Wie schön ist das, dachte er. Wie schön ist der Tod, wie schön die Ewigkeit. Ja, auch die Ewigkeit bin ich nun. Warum habe ich das nicht früher gewußt? Warum habe ich mir das früher nicht vorstellen können? Ich wollte, ich wäre sofort nach meiner Geburt gestorben. Nein, überlegte er, das ist ein falscher Gedanke. Ich durfte nicht gleich sterben. Ich mußte heranwachsen, damit mein Körper alle jene Bestandteile erhielt, die sich nun verwandelt haben. Ich habe leben müssen, um auf diese Weise universell sein zu dürfen: ein Teil von allem, was blüht und lebt und gedeiht, ja, was *geschieht* auf dieser Welt, in diesem Weltall, denn gewiß habe ich auch mit meinen Erlebnissen, den guten und den bösen, mit meinen Gedanken, mit meiner Arbeit Energie geschaffen und eingebracht in den Tod, auf daß diese Energie ein Teil der Weltenergie wird.

Und er sah wieder die Rose, und da waren Wärme, goldenes Licht und Stille.

Etwas Furchtbares geschah. Er wußte nicht, was. Aber die Stille wurde plötzlich gestört durch ein lautes, grauenvolles Durcheinander von abscheulichen Tönen, einen infernalischen Lärm, und da war kein goldenes Licht mehr, sondern Finsternis, oh, grauenvolle Finsternis, und da war keine Wärme mehr, sondern Kälte, schreckliche Kälte, die ihn erschauern ließ.

Schwerelos war er gewesen im Glück. Nun fühlte er plötzlich wieder seinen Körper. Sein Körper wurde hin und her gezerrt, hochgezogen, fallen gelassen. Immer mehr physische Empfindungen machten sich bemerkbar – Kopfschmerz, Gliederschmerz und Kälte, die Kälte, die große Kälte. Voll Entsetzen dachte er: Das ist nicht der Tod.

Im nächsten Moment schlug jemand ihm zweimal sehr heftig ins Gesicht, und eine Frauenstimme schrie: »*Schlucken Sie!*« Gleich darauf glaubte er, ersticken zu müssen. Seine Nase war verschlossen, schmerzhaft wurden ihre Flügel zusammengedrückt. Luft! Er brauchte Luft. Er hatte keine Luft gebraucht eben noch, nun brauchte er sie. Er empfand wieder Angst, elende Angst. Sein Körper, das fühlte er, wand sich, dann riß er den Mund auf, weit auf, um durch den Mund atmen zu können. Bevor er es konnte, floß heiße, höchst grauenvoll schmeckende Flüssigkeit in seine Kehle. Er wollte sie ausspeien, so entsetzlich schmeckte sie, aber statt dessen schluckte er. Es kam immer mehr von dieser bestialischen Jauche, und er schluckte, schluckte, denn er mußte doch atmen, atmen durch den offenen Mund. Er stöhnte. Das hielt er nicht aus. Das hielt niemand aus. Das war zu arg. Zu arg. Die Flüssigkeit hatte seinen Magen erreicht. Der revoltierte sofort. Die Flüssigkeit schoß wieder hoch. Er fühlte, wie er sich erbrach, erbrach mit größter Heftigkeit. Ekel schüttelte ihn. Er öffnete mühsam, so mühsam die Augen. Alles sah er durch Schleier und Schlieren. Sein Kopf schmerzte zum Zerspringen. Wo war er? In der Badewanne. Wie war er in die Badewanne gekommen? Über sich erblickte er eine Frau, die sich zu ihm herabbeugte. Sie schien nackt zu sein wie er. Warmes Wasser traf ihn. Diese Frau... diese Frau... Sie spülte ihn mit der Brause sauber.

Er saß, bemerkte er jetzt, mit dem Rücken gegen die Wannenwand gelehnt. Er holte Luft, tief Luft, jetzt war die Nase frei. Gleich darauf war sie wieder verschlossen. Die Frau preßte die Flügel zusammen. Er riß den Mund auf. Im nächsten Augenblick schoß die heiße Jauche in seinen Hals, diese widerliche Jauche. Die Frau sagte etwas. Er verstand sie nicht. Er begann von neuem, sich zu übergeben. Das halte ich nicht aus, dachte er. Das ist zuviel. Das ertrage ich nicht. Tot! Tot! Ich will tot sein.

Ein furchtbarer Verdacht regte sich in ihm: *Er sollte ins Leben zurückgeholt werden!* In das elende, schmutzige Leben. Aus dem Weltall des Todes. Von jener nackten Frau mit den großen Brüsten, die sich jetzt wieder über ihn geneigt hatte, während die Brause alles fortspülte.

Rasselnd holte er Luft durch den Mund. Er weinte jetzt vor Wut und Hilflosigkeit. Wieder sagte die Frau etwas. Wieder verstand er sie nicht. Ohne Mitleid war sie. Ohne Mitleid drückte sie seine Nasenflügel zusammen, wieder mußte er den Mund aufreißen, wieder schoß die Jauche in seinen Hals, ließ ihn erbrechen, erbrechen.

Er fühlte sich entsetzlich schwach. Sein Herz klopfte rasend. Dann war die Qual wieder vorbei. Er konnte atmen. Warm floß das Wasser der Brause über seine Brust. Eine Hand berührte seine Hand. Es dauerte lange, bis er begriff: Die fremde Frau fühlte seinen Puls. Plötzlich war er allein. Sie hatte das Badezimmer verlassen. Sein Kopf glitt seitlich auf die kalten Kacheln des Wannenrandes. Er war so schwach, daß er die Augen nicht länger offenhalten konnte. Sein Schädel schmerzte zum Zerspringen. Die Rose, dachte er.

Dann war sie wieder da.

Sie packte ihn bei den Haaren und zog seinen Kopf zurück. Sie kniff seine Nasenflügel zusammen. Er riß den Mund auf. Die Tortur ging weiter. Sie goß ihm neue Jauche in den Hals. Er übergab sich. Sie brauste ihn sauber und sagte wieder etwas. Diesmal schrie sie. Sein ganzer Körper bebte nun. Vor seinen Augen drehten sich schwarze Schlieren und Ringe. Er hörte die junge Frau keuchen. Es mußte für sie eine große Anstrengung bedeuten, was sie tat. Sie hielt seinen Kopf, sie verhinderte, daß er in die Wanne hineinglitt. In der anderen Hand hielt sie ein Gefäß mit der widerwärtigen Flüssigkeit. Ja, sie keuchte vor Anstrengung. Aber sie gab erst auf, als er das Bewußtsein verlor.

Er kam zu sich, und sofort drückte sie ihm wieder die Nase zu. Es ging weiter. Er wurde immer schwächer. Sie goß ihm die Jauche in den Mund. Er übergab sich. Er verlor das Bewußtsein. Er kam wieder zu sich. Alles begann von neuem. Nach der ersten Sekunde der Ewigkeit war es dann so weit, daß er nur noch bittere Galle ausspie. Nun war eine Weile Ruhe. Dann goß die Frau warmes Wasser in seine Kehle. Auch das behielt er nicht.

Dreimal warmes Wasser. Darauf fühlte er, wie sein Herz stehenblieb. Sie hat dich getötet, dachte er. Danke. Alles wurde schwarz um ihn. Die Stille kehrte wieder. Willkommen, Tod, dachte er.

Er schlug die Augen auf.
Jetzt sah er klar. Sie saß auf dem Bettrand. Er lag bis zum Hals zugedeckt. Sie war nun nicht mehr nackt. Sie trug einen fleischfarbenen Büstenhalter und einen fleischfarbenen Slip. Sie hatte glänzend schwarzes Haar und leuchtende blaue Augen. Ihre Haut war von der Sonne tief gebräunt.
»Wer sind Sie?« Er brachte die Worte kaum verständlich heraus.
»Nicht reden!«
»Wie sind Sie hier hereingekommen?«
Sie schüttelte nur den Kopf und legte einen Zeigefinger auf die vollen, schön geschwungenen Lippen.
»Muß ich jetzt leben?«
»Nicht reden!« sagte sie.
Alles wurde wieder schwarz.

Er erwachte. Sie saß an seinem Bett. Nun trug sie einen blauen Morgenmantel. Ihr Gesicht war bleich. Sie sah erschöpft aus. Die Lampe neben dem Bett brannte noch, aber es war Tag. Vor den Fenstern schneite es heftig. Sturm tobte und trieb Schneewehen vor sich her. Er hörte einen Fensterladen klappern.
»Hallo«, sagte sie.
Er antwortete nicht.
»Sie haben lange geschlafen. Dreizehn Stunden. Vierzehn. Es ist fast elf.« Sie hatte auf das Tischchen neben dem Bett gesehen. Dort stand ein elektrischer Musikwecker.
»Fast vierzehn Studen?« Sein Kopf schmerzte noch immer.
»Ja, Herr Ross.«
»Sie kennen meinen...« Er brach ab.
»Ich bin Mercedes Olivera.«
Er zuckte mit den Schultern. Sein Kopf schmerzte immer heftiger.
»Sie erinnern sich nicht?«
»Woran?«
»Ich habe angerufen. Gestern.«
Er sah sie stumm an.
»Aus Zürich. Vom Flughafen.«

»Oh…« Er stöhnte. Alles fiel ihm wieder ein.

»Jetzt erinnern Sie sich, ja?«

»Ja.«

»Sie wollten sich das Leben nehmen, Herr Ross. Warum?«

»Das geht Sie nichts an. Sie haben mich zurückgeholt. Warum?«

»Ich konnte Sie doch nicht sterben lassen, mein Gott!«

»Weshalb nicht?«

»Herr Ross, bitte!« Sie legte eine Hand an seine Wange.

»Nicht« sagte er.

»Was nicht?«

»Nehmen Sie die Hand fort! Ich mag das nicht.«

Sie zog die Hand zurück.

»Was geht es Sie an, wenn ich sterben will? Sie haben alles kaputtgemacht.«

»Sie sind noch sehr schwach, Herr Ross. Jeder Mensch geht mich etwas an, der im Sterben liegt.«

»Florence Nightingale«, sagte er. »Edle Schwester. Guter Mensch. Alles kaputtgemacht haben Sie.«

»Lassen Sie mich Ihren Puls fühlen!«

»Rühren Sie mich nicht an!« Zornig sagte er: »Ohne Sie hätte ich jetzt meinen Frieden. Gemein. Es ist gemein, was Sie getan haben.«

»Sie stehen vor dem wichtigsten Moment Ihres Lebens. Sie *müssen* leben!«

»Ich hasse Sie«, sagte er. Dann war er wieder eingeschlafen.

Als er erwachte, war es vor den Fenstern dunkel. Der Sturm heulte noch immer. Er peitschte Schnee gegen die Scheiben. Wieder saß die junge Frau an seinem Bett. Sie sah nun unendlich müde aus, aber sie lächelte.

»Na, Murmeltier?«

»Wie lange habe ich diesmal geschlafen?«

»Über sieben Stunden. Es ist sechs Uhr abends.«

Er versuchte sich aufzurichten, ächzte und fiel in das Kissen zurück.

»Was ist?«

»Ich muß ins Bad.«

Sie neigte sich vor. »Warten Sie, ich stütze Sie.«

»Ich kann allein gehen.«

»Nein, das können Sie nicht.« Ihr Gesicht war nun sehr nahe vor seinem. Der Morgenrock klaffte, er sah die großen, schönen

Brüste in dem weit ausgeschnittenen Büstenhalter, aber er fühlte keine Begierde, er war viel zu schwach. Sie zog ihn an den Schultern hoch, zu sich empor. Einen Moment lang ruhte sein Kopf an ihrer Schulter. Er spürte den Duft von Parfum. »So«, sagte sie, »jetzt die Beine aus dem Bett! Langsam! Ihr Kreislauf!« Folgsam ließ er langsam die Beine aus dem Bett gleiten.

Sie legte eine Hand um seine Schultern. »Ich führe Sie.«

»Nicht nötig...« Er stand auf. Wild drehte sich alles um ihn. »Doch, bitte«, sagte er. Dann bemerkte er, daß er nackt war. Schritt um Schritt führte sie ihn ins Badezimmer. Er ließ sich auf die Klosettbrille sinken. Immer noch stützte sie ihn.

»Kann ich Sie allein lassen?«

»Bleiben Sie lieber da! Mir ist sehr flau. Eine Zumutung, ich weiß. Verzeihen Sie!«

»Ich habe schon mal einen nackten Mann gesehen, Herr Ross. Auch in einer solchen Situation.«

Das Badezimmer war sauber. Er sagte: »In der Wanne haben Sie mir dieses Dreckszeug in den Mund geschüttet, um meinen Magen leerzukriegen, ja?«

»Ja, Herr Ross. Es war eine höllisch schwere Arbeit. Zuerst mußte ich Sie vom Bett hierher schleifen. Sie waren so schwer, daß ich Sie zweimal fallen ließ. Dann mußte ich mich ausziehen, weil mir zu heiß wurde. Und um meine Sachen zu schützen. Das Ärgste war, Sie über den Wannenrand zu kriegen. Und wieder heraus. Aber ich mußte es in der Wanne tun, weil ich doch Wasser brauchte. Während Sie schliefen, habe ich hier saubergemacht und gebadet.«

»Was für eine Konversation«, sagte er.

»Glauben Sie, Sie können jetzt etwas essen? Fleischbrühe?«

»Ich weiß nicht.«

»Sie müssen. Sie haben ein paar Flaschen Mineralwasser getrunken.«

»Wann?«

»Immer, wenn Sie kurz wach waren, gab ich es Ihnen.«

»Keine Ahnung.«

»Sie haben enorm viel Flüssigkeit verloren. Wir mußten sie ersetzen.«

»Ich habe enorm viel getrunken?«

»Merken Sie das nicht?« Sie sah ihn lächelnd an.

Er erwiderte das Lächeln mit zitternden Lippen. »Wie alt sind Sie?«

»Dreiunddreißig. Warum?«

»Ganz schön schamlos für dreiunddreißig.«

»Absolut schamlos. Gott, bin ich froh!«

»Worüber?«

»Daß es Ihnen schon wieder so viel besser geht.«

»Was haben Sie mit meinem Pyjama gemacht?«

»Ihnen ausgezogen. Ich konnte Sie doch nicht mit dem Pyjama in die Wanne...«

»Natürlich nicht.« Er stand auf. Seine Knie zitterten heftig.

»Wenn Sie noch einmal so freundlich sein wollen?«

Sie stützte ihn auf dem Weg zurück zum Bett, und wieder roch er den Duft des Parfums und den Duft ihrer Haut.

»Was haben Sie da in mich hineingeschüttet?« fragte er, als er wieder lag.

»Alles mögliche. Als ich Sie sah...«

»Wie sind Sie hereingekommen?«

»Ich habe ein Küchenfenster eingeschlagen, vom Garten aus, und den Riegel geöffnet. Gott sei Dank wohnen Sie parterre! Natürlich habe ich zuerst geläutet – lange. Als Sie nicht aufmachten, bekam ich es mit der Angst. Sie hatten am Telefon eine so seltsame Stimme. Es wohnen Leute über Ihnen, nicht wahr?«

»Ein altes Ehepaar und ein Mann allein.«

»Ich hatte ein schlimmes Gefühl. Ich wollte keinesfalls Aufsehen erregen. Sonst wären die anderen Mieter mißtrauisch geworden. Sie hätten gewiß die Polizei gerufen – jedenfalls bestand die große Gefahr –, und die hätte Ihre Wohnungstür aufgebrochen. Und dann wären Sie auf der Psychiatrie gelandet. Dorthin werden Selbstmörder doch gebracht, nicht wahr?«

»Sie ist ganz in der Nähe.«

»Wer?«

»Die Psychiatrie. Keinen halben Kilometer entfernt.«

»Sehen Sie! Natürlich hätte man Sie dortbehalten. Wochenlang. Und das ist einfach unmöglich.«

»Warum?«

»Ihr Vater erwartet Sie.«

Er schluckte schwer. Er starrte sie an. Er versuchte zu sprechen. Der Versuch mißlang. Zu groß war der Schock.

»Was haben Sie?«

»Mein Vater...«

»Ja?«

»Mein Vater ist im März neunzehnhundertfünfundvierzig gefallen.«

»Nein.«

»Was nein?«

»Nein, er ist nicht gefallen. Er lebt. In Buenos Aires. Er heißt jetzt Olivera und erwartet Sie. Deshalb bin ich nach Deutschland gekommen.«

»Warum?«

»Um Sie zu ihm zu bringen.«

»Sie können mich nicht zu ihm bringen. Was soll der Unsinn?« Er regte sich auf. »Mein Vater ist seit neununddreißig Jahren tot!«

»Er ist *nicht* tot. Er *lebt*. Er *lebt*. So glauben Sie mir doch! Bitte, bitte, bitte! Er lebt und will Ihnen etwas geben. Schnellstens.« Das alles war zu viel für ihn. Er schwieg und starrte sie an.

»Was ist? Warum sprechen Sie nicht?«

»Wer...wer sind Sie eigentlich?«

»Ich bin seine Tochter«, antwortete sie sehr langsam und sehr ruhig. »Seine Stieftochter, meine ich. Er hat meine Mutter geheiratet. Also bin ich Ihre Stiefschwester, Herr Ross.«

Er schloß die Augen. »Und was will er mir geben?«

»Ein internationales Geheimabkommen. Ich *mußte* das Küchenfenster einschlagen. Dann mußte ich mich mächtig beeilen. Zum Glück fand ich alles in der Küche. Kernseife, ein paar Riegel, Salz, Essig, Senf.«

»Versteh' kein Wort.«

»Ich mußte doch Ihren Magen entleeren, das ganze Nembutal wieder herauskriegen!«

Er öffnete die Augen wieder.

»Woher wissen Sie, daß ich...«

»Die Packungen liegen auf dem Schreibtisch. Ich habe einen großen Topf mit Wasser gefüllt und auf die stärkste Platte gestellt. Dann alles rein, viel Salz, viel Essig, Senf, was da war. Die Kernseife habe ich in ganz dünne Scheiben aufgeschnitten. Flokken fast, dann mußte ich das Ganze aufkochen und wieder abkühlen lassen. Immer von einem Topf in den anderen schütten. Bis Sie es vertragen konnten.«

»Geschabte Kernseife habe ich...«

»Und alles andere, ja.«

»Woher ist der Trick?«

»Kursus für Erste Hilfe.«

»Und wenn ich nun abgenibbelt wäre? Trotz allem?«

»Dann wäre *ich* drangewesen. Fahrlässige Tötung. Aber ich mußte es riskieren. Ich mußte einfach. Ich hatte Glück. Sie auch.«

»Ich nicht.« Eben hatte er sich noch gut gefühlt. Plötzlich war ihm wieder elend.

»Sie werden mir alles erzählen.«

Er schüttelte den Kopf.

»Aber ja doch. Später, Daniel. Wenn es Ihnen wieder ganz gut geht. Ich darf doch Daniel zu Ihnen sagen?«

»Natürlich, Mercedes – wenn Sie gestatten.«

»Selbstverständlich.« Sie sagte: »Wissen Sie, Daniel, wir haben schon ein Riesenglück, alle beide. Zwanzig Minuten nachdem ich mit Ihnen telefoniert habe, ging eine Maschine hierher. Ich kriegte noch einen Platz. Um halb neun war ich schon da.« Sie stand auf. »Und jetzt bekommen Sie eine feine, starke Fleischbrühe.« Sie ging zur Tür. Ihm war, als erwache er plötzlich erst aus einem tiefen Traum.

»Mercedes!«

»Ja?« Sie drehte sich um und lächelte.

»Was haben Sie gesagt?«

»Jetzt bekommen Sie eine feine, starke Fleischbrühe.«

»Nein«, sagte er. »Vorher. Was muß mein Vater, der vor neununddreißig Jahren gestorben ist, mir in Buenos Aires geben, schnellstens?«

»Das internationale Geheimabkommen. Ich habe in der Küche alles vorbereitet. Ich bin gleich wieder da.«

Er starrte die Decke an. Der Sturm heulte und orgelte, tobte und wimmerte. Wenn ich verrückt geworden bin, soll's mir auch recht sein, dachte Ross.

6

Mit schwarzer Farbe war auf dem Deckblatt der Adler eingepreßt, der das Hakenkreuz in den Krallen hielt. SOLDBUCH stand darunter.

Ross öffnete das alte, dünne Heft.

Da war die Fotografie seines Vaters. Ein schmales Gesicht mit großen Augen und dünnen Lippen. Das graue Haar kurz geschnitten. Ross bemerkte, daß seine Hand zitterte. Er las auf der Seite mit dem Foto die Angaben zur Person. *Name: Ross, Georg. Geboren: 11. Januar 1907. Ort: Wien/Ostmark. Rang: Major.* Er blätterte. Die Seiten waren vergilbt und stockig.

»Ist das Ihr Vater?«

»Ja«, seine Stimme bebte.

»Sie haben nicht den geringsten Zweifel?«

»Nicht den geringsten.« Er sah sie an. »Wie kommt das in Ihren Besitz?«

»Er hat es mir mitgegeben, mein Gott! Wie sollte es sonst in meinen Besitz kommen? Aus dem Reich der Toten? Ihr Vater *lebt*, so glauben Sie mir endlich!«

Er antwortete nicht. Er starrte das Foto in dem Soldbuch an.

Mercedes saß wieder vor ihm. Ein Kissen im Rücken stützte ihn. Er hatte einen neuen Pyjama angezogen, drei Tassen Fleischbrühe getrunken, und er fühlte sich noch immer sehr schwach, aber viel besser und ganz klar. Mercedes trug nun ein graues Kostüm mit einem hellblauen Seidenschal im Ausschnitt. Sie hatte sich geschminkt.

»Hier«, sagte sie und reichte ihm eine gelblich gewordene, verblichene Fotografie. Er sah sie entgeistert an. Da war er! Ein kleiner Junge mit Spielhosen und darüberhängendem Hemdchen, das Haar zur Pagenfrisur geschnitten. Glücklich lachend zeigte ihn das Foto auf der Schulter seines Vaters, der die Uniform eines Majors der Deutschen Wehrmacht trug. Der Vater hatte eine Pfeife im Mund. Er stand vor einer weinbewachsenen Villa in einem großen Garten.

»Erinnern Sie sich an das Foto?« fragte Mercedes.

»Ja. Meine Mutter hat es aufgenommen. In diesem Haus haben wir gewohnt. Zur Miete. Sternwartestraße. Achtzehnter Bezirk. Im Cottage. Ich erinnere mich an Vaters Pfeife. Gegen Ende des Krieges gab es nur noch wenige Zigaretten. Da fing er an, Pfeife zu rauchen. Das Foto muß gemacht worden sein, als er das letzte Mal auf Urlaub kam vor seinem Tod.«

Sie sagte geduldig: »Er hat mir dieses Foto vor drei Tagen gegeben. Er ist nicht tot. Mit diesem Foto soll ich Sie davon überzeugen.«

»Aber wir bekamen doch die offizielle Todesnachricht!« Er zitierte skandierend: »»Gefallen in treuer Pflichterfüllung für Führer, Volk und Vaterland bei schweren Abwehrkämpfen am zweiten März neunzehnhundertfünfundvierzig im Großraum

Küstrin.‹ Wie kann er da noch leben? Und wieso haben wir niemals etwas von ihm gehört – niemals, all die Jahre?«

»Das wird er Ihnen selber erzählen. Hier, wer ist das?« Sie reichte ihm ein zweites Foto.

Er sah sich als kleinen Jungen und eine zarte Frau, die um ein Lächeln rang. Sie saßen nebeneinander auf einem Sofa neben einem Radioapparat.

»Meine Mutter – und das war ein sogenannter Volksempfänger«, sagte Ross. »Es gab sie zu Millionen. Wir hatten noch ein großes Gerät, mit dem hörte Mutter nachts immer London. Natürlich hörte sie nur London, wenn Vater nicht da war. Er hätte sie glatt angezeigt. Er war ein fanatischer Nazi. Ich bin sicher, er *hat* viele Menschen angezeigt. Das Schwein, das verfluchte. Ah, wie ich ihn gehaßt habe!«

»Weil er ein fanatischer Nazi war?«

»Damals war ich viel zu klein, kaum sieben Jahre alt. Ich verstand noch nichts. Damals war ich immer selig, wenn er auf Urlaub kam. Damals *liebte* ich ihn noch. Sie sehen ja, wie glücklich ich lache auf dem Foto. Nein, später, Jahre später, als ich erwachsen wurde und begreifen konnte, hat meine arme Mutter mir alles über ihn erzählt. Was für ein grauenvoller Nazi er war. Und daß ihr Leben die Hölle war. Daß sie heimlich weinte vor Angst, tagelang, bevor er kam. Weil er ihr Szenen machte, die schlimmsten Szenen. Nachts, wenn ich schlief, tobte er herum. Das hörte ich natürlich nicht... ein kleiner Junge. Später erst habe ich alles begriffen. Die Ehe war zerbrochen. Er wollte sich scheiden lassen, sobald der Krieg aus war. Meine arme Mutter. Da begann ich ihn zu hassen.« Er sagte: »Sie wissen alles über mich und ihn und meine Mutter, wie?«

»Ja.«

»Dann sagen Sie mir auch, wo er gearbeitet hat, bevor er zur Wehrmacht mußte!«

Die Antwort kam prompt: »Er war Leiter einer Filiale der Österreichischen Sparkasse.«

Ross starrte sie lange an. »Also gut, er lebt. Das verfluchte Schwein lebt. Ich begreife es immer noch nicht. Wieso heißt er nicht mehr Ross? Wieso heißt er Olivera? Wie ist er nach Argentinien gekommen? Der Drecksack. Oh, jetzt hasse ich ihn erst! Dabei konnte er so charmant sein, so lieb, so freundlich – wenn er wollte. Auch zu meiner armen Mutter.« Er wies auf das vergilbte Foto. »Sehen Sie! Die Riemenschuhe mit den hohen, dicken Absätzen! Korkschuhe nannte man sie. Komisch, woran man sich erinnert. Ich erinnere mich an die ganze Geschichte... Vater brachte diese Korkschuhe einmal mit, als er auf Urlaub kam. Die Schuhe – das alles hat mir Mutter später erzählt, und nun fällt es mir wieder ein nach so langer Zeit –, die Schuhe waren aus Italien. Vater muß sie von einem Kameraden bekommen haben, denn er war ja dauernd an der Ostfront. Große Sensation damals: italienische Korkschuhe! Sie sehen, der Kork ist mit Leder verkleidet. Mutter hat sich so gefreut, als Vater sie ihr schenkte. Zwei Stunden später weinte sie. Seinetwegen. Ein Sadist. Machte ihm Spaß, wenn meine Mutter weinte. Schauen Sie sie an! Mitte Dreißig, kaum älter als Sie, Mercedes. Eine alte Frau ohne Hoffnung.«

»Was warf er ihr denn vor?«

»Nichts! Er hatte sie einfach satt. Mutter war sicher, daß es eine andere Frau in seinem Leben gab. Ich auch.«

»Was heißt: Sie auch?«

»Ich war auch sicher – später, als ich Verstand hatte und Mutter mit mir über alles sprach.«

»Warum kam Ihr Vater überhaupt nach Wien auf Urlaub, wenn es doch nur Tränen und Szenen gab?«

»Er war verrückt mit mir. Ich war sein Schatz.«

»Sie wären doch der Mutter zugesprochen worden bei der Scheidung.«

»Ja«, sagte er verblüfft. »Natürlich.«

»Das muß er gewußt haben.«

»Das muß er... Vielleicht war ich ihm auch völlig egal, und er spielte bloß Theater. Vielleicht hatte er einen ganz anderen Grund, nach Wien zu kommen.«

»Das könnte sein«, sagte sie.

»Kennen Sie den Grund?«

»Ja.«

»Nämlich?«

»Ihr Vater«, sagte Mercedes, »Ihr Vater wird Ihnen alles erzählen. Ihr Vater, nicht ich. Ich darf das nicht. Er hat es mir verboten.«

»Warum tun Sie das alles?«

»Weil ich ihn liebe«, sagte sie fest. »Er ist der wunderbarste Mensch, den ich kenne.«

»Dann muß es ein anderer Mann sein. Ein Doppelgänger. Verrückt! Ein Lump, ein gottverfluchter Lump ist mein Vater.«

»Der großartigste Mann der Welt«, sagte sie leidenschaftlich.

Sie sahen einander stumm an.

Der Sturm heulte noch immer.

Mercedes reichte Ross eine Reihe vergilbter Blätter.

»Briefe«, sagte er. »Briefe von mir an ihn.«

»Ja, Briefe von Ihnen. Er hat sie aufgehoben. Vierzig Jahre lang. Vor drei Tagen gab er sie mir. Sie konnten schon sehr früh gut lesen und schreiben, sagte er.«

Ross starrte ein altes Blatt Papier an, das mit der ungelenken Schrift eines Kindes bedeckt war.

Lieber Vati! Mutti hat gesagt, daß es dort, wo Du bist, eine große Schlacht gegeben hat. Hoffentlich ist Dir nichts zugestoßen. Bitte, schreib ganz schnell... Ross drehte das Blatt um. Er las: *14. September 1943.* Er nahm einen anderen Brief und überflog ein paar Zeilen. *21. Feber 1945... Es ist etwas ganz Schreckliches passiert. Am 18. Feber war wieder ein Angriff am Vormittag und diesmal auch auf unser Viertel. Unser Haus ist getroffen worden. Es ist alles ganz kaputt, und alle unsere schönen Sachen sind auch kaputt. Mutti weint immerzu, und ich muß auch weinen, denn das Laufradl ist hin, auch der Teddy. Wir waren in dem Bunker beim Apollo-Kino, Du weißt schon, sonst wären wir jetzt tot. Sie haben uns zu fremden Leuten eingewiesen. Mutti schreibt Dir genau, wo. Die fremden Leute sind ekelhaft zu uns...*

»Ja, wir wurden ausgebombt«, sagte er, »und verloren alles. Knapp vor Ende des Krieges. Jahrelang wohnten wir dann bei fremden Leuten in einem Zimmer...« Er starrte die junge Frau an. »Das ist aber doch unmöglich.«

»Was?«

»Daß Sie mir jetzt diese Briefe bringen.« Er sagte laut: »Wo haben Sie sie her? Sagen Sie die Wahrheit! Für wen arbeiten Sie?«

Sie erwiderte seinen Blick stumm.

Er murmelte: »Entschuldigen Sie... Aber wenn *Sie* neunund-dreißig Jahre lang glauben würden, daß Ihr Vater tot ist, und plötzlich kommt jemand, der sagt... Es tut mir leid... Bitte, verzeihen Sie!«

Sie nickte.

Er griff nach einem anderen Brief: *6. Jänner 1943... Lieber Vati! Zu Deinem Geburtstag wünsche ich Dir viel Glück und Gesundheit und daß Du gut zu uns zurückkommst. Mutti schreibt Dir auch einen Brief. Sie hat einen sehr schönen neuen Hut. Er ist aus Panama, hat sie gesagt, das ist so ein Stoff, der schaut aus wie*

Eierschalen. Er geht vorn in die Stirn und hinten ein bisserl runter und ist sehr klein und sehr lustig, und Mutti hat gesagt, er macht jung und er heißt Koletschhut... »Collegehut«, sagte Ross und starrte das alte Blatt Papier an. »Ich erinnere mich genau an ihn. Ja, er macht jung, hat Mutter gesagt. Noch Jahre später sprachen wir über diesen Hut...« Seine Stimme verlor sich. Er las: *Zum Geburtstag habe ich Dir viele Blumen gemalt...* Er sah den Brief umrandet von bunten Zeichnungen. *... Die roten sind Tulpen und die blauen sind Glockenblumen und die braunen Margeriten. Statt Gelb habe ich Braun genommen, denn ich habe keinen gelben Buntstift mehr, und es gibt auch keine. Und die beiden Herzen sind das von der Mutti und das von mir... Dein lieber Daniel.*

Er sah sie hilflos an. Seine Stimme klang flehend. »Was soll ich glauben? Wem soll ich glauben?«

»Mir«, sagte sie. »Ihr Vater lebt und muß Sie sofort sehen. Das ist die Wahrheit.«

»Warum erzählen Sie mir nicht, was das für eine Geschichte ist mit dem internationalen Geheimvertrag?«

»Weil *er* es Ihnen erzählen muß. *Mir* würden Sie nicht glauben. Es ist ein zu ungeheuerliches Abkommen. Sie müssen es lesen. Es geht um den Frieden. Und gibt es denn, um Gottes willen, etwas Wichtigeres? Wir alle müssen unser Äußerstes tun, damit es nicht zu einem Atomkrieg kommt.«

Er sah sie erstaunt an, denn ihre Stimme war plötzlich sehr laut geworden. In ihrem Gesicht zuckte es.

»Sie sind doch auch für den Frieden!«

»Nein«, sagte er. »Ich bin für den Krieg. Ich will, daß mir eine SS-Zwanzig direkt auf den Kopf fällt.«

Ihr Gesichtsausdruck wurde kalt.

»Was soll man auf eine solche Frage antworten?« fragte er Mercedes.

»Schon gut«, sagte sie. Aber sie war verletzt. »Hier.« Sie reichte ihm ein großes Farbfoto. »Habe ich vor einer Woche aufgenommen.«

Ross sah zwischen zwei alten, sehr großen Palmen einen Mann in hellem Anzug und weißen Schuhen. Er stand auf dem kurzgeschnittenen Rasen vor einem weißen, zweistöckigen Haus mit Flachdach. Das Haus lag in einem Park voll exotischer Bäume und hatte hohe französische Fenster. Man konnte kiesbestreute Wege, präzise geschnittene Hecken und große Blumenbeete erkennen, die in allen Farben leuchteten. Der Mann sah direkt in die Kamera. Er lachte. Er hatte gute, kräftige Zähne. Er war schlank und besaß ein schmales Gesicht mit grauen Augen und einem dünnlippigen Mund. Sein Haar war wie das von Ross schlohweiß und noch sehr dicht. An der rechten Schläfe verlief senkrecht, was von einer tiefen Narbe übriggeblieben war: ein heller Strich in der sonnengebräunten Haut.

»Erkennen Sie Ihren Vater?«

»Vielleicht«, sagte er, und er fühlte, wie jene unbestimmte Angst, die Angst, die man nicht beschreiben konnte und die er seit so vielen Jahren so gut kannte, in ihm aufstieg, langsam noch, ganz langsam. »Ja, das ist er. Die Narbe an der Schläfe... Er hatte einen schweren Motorradunfall als junger Mann. Beinahe wäre er dabei ums Leben gekommen. Die Narbe... Das ist das Haus, in dem er lebt?«

»Ja.«

»Scheint ihm sehr gut zu gehen. Woher hat Herr Olivera soviel Geld?«

»Bitte, Daniel... Er hat sehr schwer gearbeitet... sein Leben lang.«

»Ja? Als was?«

»Er war Bankier.«

»*War?*«

»Er ist siebenundsiebzig!« Sie gab Ross ein weiteres Foto. »Das habe ich sehr nah aufgenommen. Beachten Sie das Datum der Zeitung in seiner Hand!«

Der Mann hielt auf diesem Foto eine Zeitung so, daß man genau den Titel und die Zeilen darunter lesen konnte. Die Zeitung hieß LA PRENSA. »Das Datum«, sagte Mercedes noch einmal. Er las: 3. Febrero 1984.

»Glauben Sie *jetzt*, daß er lebt?«

»Er lebt...« Seine Stimme war nur ein Flüstern. »Der Schuft lebt...« Und da war die Angst, die namenlose Angst in ihm, noch fern, doch sie kam näher, näher, näher. »Verflucht«, sagte er und sah Mercedes an, »warum haben Sie mich nicht sterben lassen!«

Anstatt zu antworten reichte sie ihm ein verschlossenes Kuvert.

Er riß es auf und entfaltete den mit winziger, aber klarer, exakter Handschrift bedeckten Bogen, der links oben, erhaben gedruckt, die Adresse des Absenders aufwies.

EDUARDO OLIVERA
CESPEDES 1006
BUENOS AIRES

8. Februar 1984

Mein lieber Sohn Daniel,
diesen Brief überbringt Dir Deine Stiefschwester Mercedes. Ge-
wiß ist es ein Schock für Dich zu erfahren, daß ich noch am Leben
bin, aber für mich gab es 1945 keine andere Möglichkeit als die,
offiziell tot zu sein. Es ist eine lange und abenteuerliche Geschich-
te, die ich Dir nur erzählen kann, wenn Du mir gegenübersitzt.
Dann vermag ich Dir auch zu erklären, warum ich mich erst
jetzt, nach so vielen Jahren, melde, und warum ich es früher nicht
getan habe.
Ich bitte Dich inständig, sofort mit Mercedes zu mir zu kommen,
denn ich bin im Besitz eines geheimen Dokuments, dessen Be-
kanntwerden in der Öffentlichkeit den Machthabern der beiden
Supermächte einen tödlichen Schlag versetzen und die schreckli-
che Gefahr eines atomaren Krieges bannen wird.
Ich weiß, daß Du in Frankfurt beim Fernsehen arbeitest. Was ich
Dir zu geben habe, würde Dir und Deinem Sender zu einer
Riesensensation verhelfen, welche die Welt verändert. Du wirst
verstehen, daß ich auch hierüber mit Dir persönlich sprechen
muß. Wenn ich Dir alles erzählt habe, wirst Du auch alles verste-
hen, was geschehen ist – und Du wirst mir vergeben, ich weiß es.
Ich bin siebenundsiebzig Jahre alt. Ich will meinen Frieden mit
Dir machen, Daniel, – und ich will noch erleben, wie das, was ich
Dir zu geben habe, die Menschen aller Nationen erkennen läßt,
welch teuflisches Spiel mit ihnen getrieben wird. Bitte, halte mich
nicht für einen Phantasten. Und: Ich bin zu alt, um zu lügen. Ich
flehe Dich an, mein Sohn, komm zu mir!

Dein Vater

Er ließ den Brief sinken.
»Was ist?« Mercedes sah ihn erschrocken an. »Sie sind ganz blaß.
Sie zittern, Daniel.«
»Würden Sie…« Er schluckte mühsam. »Würden Sie bitte ins
Badezimmer gehen… Da hängt eine Hausapotheke…«
»Ja, ja, und?«
»In der Apotheke finden Sie ein Medikament, das Nobilam
heißt…«
»Nobilam…«

»Ja... bitte... bringen... Sie... mir... eine... Packung... *Schnell!«*

Jetzt schoß die Angst in ihm hoch gleich einem Springbrunnen. Er fühlte, wie er schwindlig wurde. Er ließ sich im Bett zurückfallen. In seiner Brust pochte etwas, das er nicht lokalisieren, nicht benennen konnte – wie schon so oft, so oft.

Zu lange nichts genommen... zu viel gesprochen... mich zu sehr aufgeregt, dachte er.

Mercedes kam mit der Packung und einem Glas voll Wasser zurück. Sie riß die Packung auf, sie zog den Plastikverschluß aus dem Glasröhrchen. Er hielt ihr die bebende hohle Hand entgegen.

»Wieviel?«

»Fünf... sechs... acht...«

Die Tabletten fielen aus dem Röhrchen. Er warf sie in den Mund. Mit Wasser spülte er sie hinunter.

Mercedes sah ihn entsetzt an. »Was ist?«

»Deswegen... wollte ich mich... umbringen.« Das Sprechen strengte ihn maßlos an. »Warten Sie... eine halbe Stunde... Dann wirkt das Zeug... Dann will ich Ihnen alles erzählen... alles... Die ganze verfluchte Geschichte...«

7

Niemand sprach.

Draußen tobte der Sturm. Ross lag still auf dem Rücken und hielt die Augen geschlossen. Wie eine starke Luftblase pochte die Angst an sein Brustbein, auf der Höhe des Herzens. Er kannte das. Es war immer aufs neue unheimlich. Plop. Plop. Plop. Danach wieder Minuten lang Ruhe. Und dann im Hals. Plop. Plop. Plop. Er schluckte dauernd. Das Pochen konnte er nicht hinunterschlucken. Muskeln in seinen Armen und Beinen zuckten. Das war auch so ein Zeichen. Komisch, dachte er, wenn es ganz schlimm ist, schwitze ich nicht. Da war der Schwindel wieder. Er sah Mercedes an. Er brauchte einen Punkt, den er fixieren konnte.

»Sehr schlimm?«

Er nickte.

Er hob seine Hände und spreizte die Finger. Sie bebten heftig. Hübscher, grobschlägiger Tremor, dachte er. Aber er konnte es nicht sagen. Er hätte jetzt keine Silbe herausgebracht. In seinem Mund sammelte sich Speichel. Er schluckte ihn mit größter Mühe hinunter. Es war, als hätte er überhaupt keine Muskeln mehr.

»Sind Sie süchtig?«

Nicken.

Da war die Luftblase. Plop, plop, plop.

Er ließ die Hände auf die Bettdecke fallen. Mercedes strich mit kühlen, glatten Fingern darüber, sehr behutsam, sehr vorsichtig. Sie lächelte. Das Klopfen der Luftblase, die es nicht gab, da war es wieder, in seiner Kehle. Er wollte etwas sagen.

»Nicht sprechen«, sagte sie.

Er wand sich im Bett. Seine Zehen verkrampften sich. Er rutschte hin und her. Er ließ ihr Gesicht nicht aus den Augen.

»Es wird vorübergehen«, sagte sie. »Ich werde beten, daß es vorübergeht.«

In seine Augen trat ein Ausdruck des Staunens, als er sah, daß sie den Kopf senkte.

Nach einer langen Weile blickte sie wieder auf. »Besser?«

Er wollte den Kopf schütteln, doch dann nickte er und grinste wie ein armer Idiot. Es ging ihm tatsächlich besser. Die imaginäre Luftblase klopfte nicht mehr. Die Angst, die imaginäre Angst, zog sich zurück. Zehn Minuten später war alles vorbei.

»Sie haben wieder Farbe im Gesicht.«

»Ich danke Ihnen fürs Beten.«

»Beten Sie nie?«

»Ich?« Auf einmal war alles wieder in Ordnung, auf einmal konnte er wieder fließend sprechen. »Ich bin ein armes Heidenkind, das nicht zu seinem Heiland find't.«

»Trotzdem. Betet nicht auch das arme Heidenkind in einem solchen Zustand?«

Er starrte sie an.

»Was ist?«

»Sie sind großartig.«

»Weil ich es erraten habe?«

»Ja.«

»Das war nicht schwer. Sie hatten große Angst, nicht wahr?«

Er nickte.

»Wer betet da nicht?«

»Sicherlich«, sagte er. »Aber bei mir hat es noch nie funktioniert.«

Ross dachte: Wie kann etwas funktionieren, das es nicht gibt? Er sagte: »Also, hören Sie, Mercedes...«

Sie unterbrach ihn. »Wollen Sie mir nicht alles morgen erzählen? Ihr Gesicht ist ganz spitz. Sie brauchen Schlaf.«

»Nein... Ich... ich will jetzt erzählen. Ich bin nicht müde. Das Nobilam hat geholfen... Ich meine: Ihr Gebet.«

»Es war schon das Nobilam.«

Er sagte: »Wenn ich mir was wünschen dürfte...«

»Bitte?«

»Als Sie mich anriefen, aus der Bar am Flughafen, da hörte ich die Dietrich dieses Lied singen. Sie sagten mir, der Mixer habe eine Kassette in das Stereogerät gelegt. Ich war schon benommen von Nembutal und Whisky. Aber als ich die Melodie hörte, erschrak ich richtig... ›Wenn ich mir was wünschen dürfte...‹ Marlene Dietrich hat dieses Lied weltberühmt gemacht... Eine wunderbare Frau... Ich verehre sie... Wissen Sie, was Hemingway über sie geschrieben hat?«

»Hemingway?«

»Selbst wenn sie nichts anderes hätte als ihre Stimme, könnte sie dir damit das Herz brechen...« zitierte er.

»Ja«, sagte Mercedes. »Ja, das stimmt.«

»... aber sie hat dazu noch diesen schönen Körper und die zeitlose Schönheit ihres Gesichts««, fuhr er fort. »›Einerlei, womit sie dir das Herz bricht, wenn sie nur da ist, um es wieder zusammenzustücken...‹ Das ist großartig, wie?«

»Großartig, ja«, sagte Mercedes.

»Und wahr«, sagte er. »Jeder muß so empfinden. Ich wünschte, ich hätte die Dietrich einmal kennengelernt. Oder nur gesprochen – am Telefon.« Wieder benützte er Hemingways Worte: »Ich weiß, daß ich Marlene niemals sehen konnte, ohne daß sie etwas mit meinem Herzen tat und ohne daß sie mich glücklich machte. Falls sie dadurch geheimnisvoll wird, so ist es ein schönes Geheimnis...‹ Ein schönes Geheimnis«, wiederholte er. »Ja, das ist Marlene Dietrich!«

»Sie reden zuviel«, sagte Mercedes.

»›Wenn ich mir was wünschen dürfte!‹ Sehen Sie, neunzehnhunderteinunddreißig, in einem UFA-Film – ›Der Mann, der seinen Mörder sucht‹ hieß er, Regie Robert Siodmak –, da hat eine andere zum erstenmal dieses Lied gesungen... eine andere... Wir sammelten alte Platten, achtundsiebziger, verstehen Sie. Und gerade von dieser Schellackplatte waren die beiden Aufkleber ganz abgekratzt. Trotzdem bekamen diese Frau und ich das damals alles heraus – nur nicht, wer das Lied gesungen hat. Wir haben in Wien die Besitzerin des Bellaria-Kinos gefragt. Das spielt regelmäßig Reprisen ganz alter Filme. Gesungen hat ein Mädchen, sagte die Dame. An den Namen erinnerte sie sich nicht mehr... Ganz seltsam war das. Wir haben den Namen niemals erfahren... So lange ist das nun schon her... So viele Jahre... Und dann hörte ich dieses Lied wieder... Das muß eine Bedeutung haben – oder?

»Sind Sie abergläubisch, Daniel?«

»Wenn einer nicht glauben kann, ist er abergläubisch.« Er wiederholte: »Wenn ich mir was wünschen dürfte...«« Er lächelte.

»Sie haben einander sehr geliebt«, sagte sie leise.

»Ja, sehr. Sie war die Frau, die mich... gerettet hat.« Seine Stimme wurde immer langsamer. Er schloß die Augen. »Immer wieder gerettet... Ich würde längst nicht mehr leben ohne sie... Leben und Liebe... hat sie mir gegeben... so viel Liebe... ›Wenn ich mir was wünschen...‹ unser Lied... in Wien. Und jetzt hörte ich es wieder... bei Ihrem Anruf... seltsam... nicht wahr? Sibylle kennt mich wie niemand anderer. Aber ich kann nicht zu Sibylle. Ich kann nicht... Zuletzt... zuletzt haben wir einander getötet...« Er war jetzt kaum noch zu verstehen. »Man tötet immer das, was man liebt...«

Mercedes neigte sich über ihn. Er atmete tief. Er war eingeschlafen. Die junge Frau zog die Decke zurecht. Dann saß sie wieder aufrecht und sah Ross an. Ihr Gesicht war sehr ernst.

8

Sibylle hatte sich erhoben und stand nun, mit dem Rücken zu ihm, an ihrem Schreibtisch. Sibylle war sechsunddreißig Jahre alt, mittelgroß und schlank. Sie hatte kastanienbraunes Haar und besonders große Augen derselben Farbe. Ihr Mund war breit, die Lippen waren sanft geschwungen und zum Lachen geschaffen. Daniel war dreiunddreißig Jahre alt, und sein Haar war noch blond. Er sah erholt und gesund aus. Es war still in Sibylles großem Behandlungszimmer im ersten Stock der Klinik für Psychiatrie und Neurologie im riesigen Areal des Allgemeinen Krankenhauses zu Wien.

»Wir sind also dahintergekommen, daß Ihre Valiumsucht – Ihr Suchtverhalten überhaupt – kaum mit Streß oder Ihrem verrückten Beruf zu tun hat, sondern vielmehr mit Faktoren der Kindheitsentwicklung und einer überstarken Mutterbindung.«

Ross erhob sich gleichfalls. »Frau Doktor...«

»Ja?« Sie drehte sich um.

Er stand dicht vor ihr. Er sagte: »Da wäre noch eine Komplikation, über die ich zu berichten habe.«

»Welche?«

»Ich liebe Sie, Sibylle. Seit ich Sie kenne. Ich bete Sie an.«

Ihre Augen waren plötzlich riesengroß. Er schlang die Arme um sie und preßte seinen Körper an den ihren. Sie wehrte sich vergeblich. Die Lippen trafen aufeinander. Er küßte sie hart, und hart blieb ihr Mund. Dann öffneten sich ihre Lippen und wurden weich und wunderbar. Der Kuß dauerte lange. Zuletzt legte sie den Kopf an seine Schulter, ihre Wange an die seine.

Sie flüsterte: »Ich verstehe dich, Daniel...« Ihre Arme umklammerten ihn. Sie küßten sich wieder. Danach sahen sie einander in die Augen.

»Für alle Zeit«, sagte er.

»Für alle Zeit«, erwiderte sie.

Sibylle lächelte plötzlich.

»Was ist?«

»Nichts, Liebster.«

»Doch! Warum hast du gelächelt?«

»Bitte nicht.«

»Bitte ja! Woran hast du gedacht?«

»Ich habe gedacht: Mutterbindung! Natürlich bin ich älter«, sagte Sibylle und lächelte wieder.

Er fror plötzlich und erwachte abrupt.

Mercedes saß an seinem Bettrand. Sie trug einen schwarzen, glänzenden Pyjama.

»Was ist... Wieso...« Er war noch sehr benommen. Die Sonne schien ins Schlafzimmer. »Ich bin wieder eingeschlafen, ja?«

Sie nickte.

»Ich wollte Ihnen doch erzählen, in was für einer Lage ich bin. Warum ich nicht nach Wien kann... aber müßte... Habe ich das erzählt?«

»Sie waren einfach noch zu schwach.«

Er sah zu dem Musikwecker auf dem Tischchen neben dem Bett. »Halb zehn. Wieder zehn Stunden geschlafen.«

»Dreizehn. Wie fühlen Sie sich heute, an diesem wunderschönen Montag?«

»Gut«, sagte er. »Aber Sie… Wo haben Sie geschlafen?«

»Neben Ihnen.«

»*Was?*«

Sie zuckte mit den Achseln. »Wenn es eine Couch in Ihrer Wohnung geben würde… Aber es gibt nur dieses Bett. Dieses sehr breite Bett. Mit zweiter Decke und zusätzlichen Kissen. Also habe ich mir auch einen Pyjama angezogen und mich neben Sie gelegt. Sind Sie schockiert?«

»Nein.« Er sah sie an. Eine Sonnenbahn traf ihr schwarzes Haar und ließ es mit rötlichem Schimmer leuchten.

»Die Dame war es auch nicht.«

»Was für eine Dame?«

»Ich kenne sie nicht. Kam Punkt neun. Ältere Dame. Lodenmantel und Jägerhut. Und eine sehr große Einkaufstasche voll Lebensmittel.«

»Das war Frau Glanzer. Meine Haushälterin.«

»Ja, das dachte ich mir gleich. Sehr energisch. Trägt Gesundheitsschuhe.«

»Woher wissen… Ach so, die machen viel Krach, wenn sie geht.«

»Ich wachte jedenfalls davon auf.«

»Was hat sie gesagt?«

»›Schon wieder eine Neue.‹«

»Sehr ungehörig.«

»Wieso? Ich lag mit Ihnen im Bett. Sie scheinen ein bewegtes Privatleben zu haben.«

»Mercedes, wirklich…« Sehr verlegen sagte er: »Manchmal halte ich das Alleinsein nicht aus. Die Angst. Ich habe doch vor allem Angst. Vor Menschen. Wetterumschwüngen. Dem Leben. Angst vor der Angst. Seit einer Ewigkeit wache ich nachts auf und fühle mich grauenhaft… Und wenn dann jemand neben mir liegt… ein Mädchen… junges, festes, warmes Fleisch, an das ich mich schmiegen kann, ohne das Mädchen zu wecken… Nur zu wissen: Da ist Leben, Sorglosigkeit, Gesundheit… dann…«

»Dann?«

»… dann glaube ich zuletzt doch immer wieder, daß ich nicht sterben muß.«

»Wenn Sie nachts aufwachen, glauben Sie, sterben zu müssen?«

»Sehr oft. Ja.«

»Woran sterben zu müssen?«

»Das weiß ich nicht. Die Nächte sind schlimmer als die Tage...
Darum die Mädchen... Sie lächeln...«

»Aber nein!«

»Aber ja!« Er setzte sich auf. »Bitte lächeln Sie nicht. Ich bin
erledigt, Mercedes. Der Sender hat mir gekündigt, da ist etwas
passiert. Kein anderer Sender nimmt mich. Die Produktionsge-
sellschaft, bei der ich mich beworben habe, gibt es nicht
mehr...« Er neigte sich vor. »Ich habe noch etwas Geld auf der
Bank. Dieser Dreckskerl von einem Vater! Aber was er
schreibt... und was Sie sagen über dieses Abkommen... Wenn
Sie behaupten, daß da eine Sensation liegt... Das könnte doch
meine Chance sein... Also muß ich zu meinem Vater fliegen...«
Er unterbrach sich. »Fein haben Sie das hingekriegt. Meinen
Glückwunsch!«

Sie strahlte ihn an.

»Aber ich bin so down... Was ist, wenn ich den Flug nicht mehr
aushalte... wenn ich drüben umkippe...«

»Rufen Sie doch Ihre Sibylle an. Anrufen ist nicht zu ihr kommen. Anrufen – das werden Sie doch noch fertigbringen! Wenn
sie der einzige Arzt ist, zu dem Sie Vertrauen haben. Ihr können
Sie alles erzählen – über Ihren Zustand natürlich nur. Sonst bloß
das *absolut Notwendige*. Ein Wort zuviel wäre Selbstmord. Sagen Sie ihr, Sie werden abgehört.«

Er unterbrach nervös: »Ich bin kein Idiot.«

»Entschuldigen Sie! Aber es geht um so viel. Unter anderem um
unser Leben. Sie machen das schon richtig, ich weiß. Sibylle
wird Sie beraten, wird einen Ausweg finden. Los, kommen Sie!«

»Wohin?«

»Zum Telefon. Sibylle anrufen.« Sie sah, daß sein Gesicht sich
verzerrte. »Daniel! Sie dürfen auch nicht zu verrückt spielen,
wissen Sie?«

»Will ich ja nicht. Ich rufe an. Bestimmt. Mir ist nur so... Ich
brauche Kaffee. Nach dem Frühstück rufe ich an.«

»Ehrenwort, Heidenkind!«

»Ehrenwort.«

Sie hielt Ross die rechte Hand hin, er schüttelte sie. Etwas fiel
ihm ein.

»Wie ist Frau Glanzer in die Wohnung gekommen? Ich habe
doch abgesperrt und die Kette vorgelegt.«

»Und ich habe alles wieder geöffnet, nachdem ich durch das
Küchenfenster eingestiegen war. Meine Koffer standen doch auf

der Straße. So, ich mache Frühstück. Sie müssen etwas in den Magen bekommen. Können Sie sich allein waschen und rasieren?«

Er stand auf. Seine Knie zitterten nur noch ganz leicht.

»Ja«, sagte er. »Aber Frau Glanzer...«

»Ich habe gesagt, Sie hätten etwas Schlechtes gegessen und eine kleine Vergiftung hinter sich. Ich würde mich um Sie kümmern. Der Arzt sei auch schon dagewesen. Ruhe. Absolute Ruhe.«

»Und das hat sie Ihnen geglaubt?«

»Jedes Wort. Sie kommt erst am Mittwoch wieder. Ich bin sehr überzeugend, wissen Sie. So, los ins Bad!«

Die Sonne schien blendend ins Zimmer, ein Flugzeug flog tief über das Haus, und alles erschien ihm unwirklich, absolut unwirklich.

9

Sie frühstückten in der Küche.

Beide trugen Morgenmäntel. Vor die eingeschlagene Fensterscheibe hatte Mercedes einen großen Karton geklemmt. Es gab Kaffee, Orangensaft, frische Brötchen, Butter, Schinken, weiche Eier, Käse und Marmelade. Ross hatte plötzlich enormen Appetit. Darüber freute sich Mercedes.

Zwischen ihnen lag die FRANKFURTER ALLGEMEINE vom Tage. Frau Glanzer hatte sie mitgebracht. Sein Blick fiel auf die Schlagzeile.

»Andropow ist tot!«

»Er starb am Donnerstag. Haben Sie das nicht gewußt?«

Ross schüttelte den Kopf.

»Ach so«, sagte sie. »Die Russen haben es erst am Freitag abend bekanntgegeben. Am Samstag stand es in den Zeitungen. Ich sah die Schlagzeilen, als ich in Zürich gelandet war.«

»Am Samstag habe ich keine Zeitungen mehr...« Er brach ab, nahm die Zeitung und begann zu lesen.

Jurij Andropow war in der Tat am vergangenen Donnerstag im Alter von neunundsechzig Jahren um 16 Uhr 50 Ortszeit nach langer Krankheit und kurzer Dienstzeit in Moskau gestorben: Vierhundertvierundfünfzig Tage zuvor, am 12. November 1982, hatte das Zentralkomitee ihn zum Generalsekretär gewählt, et-

was später zum Partei- und Staatschef. Die letzten einhundert-
vierundsiebzig Tage war Andropow, Nachfolger von Leonid
Breschnew, dem Blick der Öffentlichkeit entzogen gewesen –
seit dem 18. August 1983.

»Morgen wird er begraben«, sagte Ross, die Zeitung in den
Händen. »Seinen Nachfolger bestimmen sie heute. Man rechnet
damit, daß es Konstantin Tschernenko sein wird, ein Bauern-
sohn aus Sibirien, zweiundsiebzig. Nie von ihm gehört.«

»Wir schon«, sagte Mercedes.

»Wer wir?«

»Vater und ich. Tschernenko ist der älteste Funktionär, der je
Parteichef wurde, er ist nur ein Jahr jünger, als Stalin nach fast
dreißigjähriger Herrschaft bei seinem Tode war.«

»Das wissen Sie?«

»Ich habe Politologie studiert, Daniel. Ich arbeite und denke
politisch, seit ich richtig denken gelernt habe.«

»Was heißt das: Sie arbeiten?« Er sah sie über die Zeitung hinweg
an.

»In der internationalen Friedensbewegung.« Sie sprach jetzt
lauter, ihre Augen glänzten.

»Ach, du herzliebstes Herr Jesulein«, sagte er. »Internationale
Friedensbewegung! Frieden schaffen ohne Waffen! Vier Komma
sechs Milliarden Menschen wollen sich nicht von zweihundert
alten Männern in den Atomtod jagen lassen! Schwerter zu Pflug-
scharen...« Er brach verblüfft ab, denn Mercedes hatte etwas
ausgerufen. Ihr Gesicht war vollkommen verändert. Die Muskeln zuckten, die Brauen hatten sich zusammengezogen, ein
Ausdruck von verrückter Leidenschaft stand in ihren Augen.

»Schweigen Sie!« hatte Mercedes gerufen. Und sie fuhr fort: »Sie
machen sich lustig über die Friedensbewegung? Sie finden uns
naiv und versponnen und moskauhörig, wie? Träumer und Sek-
tierer, ja?«

»Aber nein...«

»Doch! Aber Sie täuschen sich, Herr Ross! Jetzt, gerade jetzt,
wenn Sie das Dokument sehen, werden Sie erkennen, daß die
Friedensbewegung – und noch dazu mit dem Material, das mein
Vater hat – die wichtigste Bewegung der Welt überhaupt ist. In
Argentinien haben wir uns bis vor kurzem schwergetan. Sehr
schwer. Acht Jahre Militärdiktatur! Aber dann kam die Wahl am
dreißigsten Oktober. Seidem ist Argentinien eine Demokratie.
Schon am dreizehnten Dezember, drei Tage nach seiner Vereidi-

gung, erließ Präsident Alfonsin neue Gesetze. Am fünfzehnten schickte er achtundvierzig hohe Offiziere in den vorzeitigen Ruhestand. Am neunundzwanzigsten begann schon der Monsterprozeß gegen Mitglieder der drei Militärjuntas. Nun ist alles leichter. Nun können wir endlich richtig arbeiten.« Sie sah sein erschrockenes Gesicht. »Entschuldigen Sie diesen Ausbruch, aber...«

»Sie sind eine Fanatikerin, Mercedes.«

»Für den Frieden, ja. Für den Frieden alles. Mein Leben – sofort!–, wenn das den Frieden erhalten hilft.«

»Es tut mir leid«, sagte er, während er dachte: Nicht nur *ihr* Leben vermutlich. Auch jedes andere. Großer Gott, in was für eine Sache gleite ich da hinein?

Sie sagte, wieder ruhig: »Tschernenko ist ein Bilderbuch-Apparatschik. Er hat allerdings niemals ein Staatsunternehmen geleitet oder ein Staatsamt verwaltet. Kein Mensch weiß, was er nun, nachdem er an der Macht ist, tun wird. *Ist* er wirklich an der Macht? Sind es die Männer *hinter* ihm? Ist er nur eine Übergangslösung! Andropow war neunundsechzig, Tschernenko ist schon jetzt zweiundsiebzig. Das böse Wort, die Partei sei ein Begräbnisinstitut, macht in Moskau die Runde.«

»Und Reagan?« sagte er. »Der ist dreiundsiebzig!«

»Und Amerika wählt heuer.« Mercedes hatte nun wieder den wildentschlossenen Ausdruck im Gesicht. »Sie können mich nicht verstehen, weil Sie nicht wissen, was Sie in Buenos Aires erwartet. Aber Sie *werden* mich verstehen. Deshalb bin ich doch herübergekommen – um Sie zu holen, so schnell wie möglich. Mein Gott, unsere Uhr läuft ab! Unsere Uhr läuft ab!«

»Sie sind mir unheimlich«, sagte er.

»Nicht ich bin unheimlich.« Mercedes schüttelte den Kopf. »Die Regierungen der Supermächte sind es! Und werden es mehr und mehr. Immer unheimlicher. Immer unberechenbarer – durch dieses Abkommen. Sie müssen es lesen! Das kann man nicht erklären. Alte Männer! Alte Männer, die ihr Leben gelebt haben. Wissen Sie, daß in zweiundzwanzig von den sechsundsechzig Jahren seines Bestehens Kranke an der Spitze des Sowjetstaates standen?«

Ross sagte: »George Orwell hat in ›Neunzehnhundertvierundachtzig‹ geschrieben: ›Ob der Große Bruder lebt, ist unwichtig.‹«

»Orwell! Wenn Orwell Vater begegnet wäre, hätte er das nicht geschrieben.«

Er beobachtete sie gebannt. Diese Frau ist wirklich besessen, dachte er. Besessen von ihrer Überzeugung, daß sie und mein Lump von Vater den Frieden der Welt in Händen halten, die Welt bewahren können vor einem furchtbaren Krieg, der das Ende dieser Welt brächte. In rasender Eile ist sie. Angst hat sie, daß unsere Uhr abläuft.

Mercedes rief: »Das ganze Buch hätte Orwell nicht geschrieben, diesen harmlosen, freundlichen Unterhaltungsroman – verglichen mit der *Wahrheit* von neunzehnhundertvierundachtzig.« Ihre Lippen zitterten. »Sie werden sie kennenlernen, diese Wahrheit«, sagte Mercedes Olivera. »Jetzt werden Sie sie kennenlernen.«

10

»Allgemeines Krankenhaus.«

»Puh! Endlich.«

»Bitte?«

»Nichts, nichts. Ich spreche aus Frankfurt. Bitte Frau Doktor Mannholz von der Psychiatrie.«

»Nicht bei uns.«

»Unsinn. Natürlich ist sie bei Ihnen. Sie hat mich behandelt.«

»Und ich sage Ihnen, wir haben keine Frau Doktor Mannholz.«

»Liebes Fräulein, ich bin ganz sicher, daß Sie eine Frau Doktor Mannholz haben. An der Psychiatrischen Universitätsklinik.« Er hörte das Stimmendurcheinander der Mädchen in der Telefonzentrale. »Sie sind überlastet. Natürlich. Es ist sehr wichtig. Vielleicht arbeiten Sie noch nicht lange auf diesem Posten. Dürfte ich Sie bitten, eine Kollegin zu fragen?«

»Ich arbeite seit elf Jahren in der Zentrale. Aber schön... Moment...« Er hörte, wie die Telefonistin undeutlich mit einer Kollegin sprach.

»Etwas nicht in Ordnung?« fragte Mercedes. Sie stand dicht neben Ross an seinem Schreibtisch, auf dem noch die aufgebrochenen Nembutal-Packungen lagen. Zwischen einem Glas voll schalem Whisky und der Chivas-Flasche blinkte die glänzende Silbertafel mit den Worten Bertrand Russells, die Sibylle ihm geschenkt hatte – 1971, vor dreizehn Jahren. Mercedes las den

eingravierten Text, während seine Finger nervös auf die Schreibtischplatte trommelten.

»Das ist großartig.«

»Was? Hallo! Hallo, Fräulein… Was ist großartig?«

Mercedes wies mit dem Kinn auf die Tafel. »Auch wenn man nicht
der gleichen Meinung ist«, sagte sie. »War es Sibylle?«

»Was?«

»War sie der gleichen Meinung wie Russell?«

»Nein. Sie glaubte an… Hallo! Ja, Fräulein?«

»Wir haben sie jetzt gefunden«, kam die Stimme aus Wien.

»Na, fein.«

»Frau Doktor Mannholz ist seit acht Jahren nicht mehr hier.«

»Nicht mehr im Allgemeinen Krankenhaus?«

»Nein. Sie arbeitet woanders. Ich kann Ihnen Adresse und Telefonnummer geben.«

»O ja, bitte!« Er griff nach einem Bleistift.

»Also: Privatsanatorium Kingston bei Heiligenkreuz, Telefon:
neun-drei-vier. Vorwahl: null-zwo, zwo-fünf, acht. Haben Sie?«

»Ja. Ich danke Ihnen sehr, liebes Fräulein.«

»Nichts zu danken. Grüß Gott!«

Er legte den Hörer auf.

Mercedes setzte sich in einen Fauteuil neben dem Schreibtisch.

»Sonderbar.« Er starrte die Silberplatte an.

»Daß sie anderswo arbeitet? Was ist daran sonderbar?«

»Sie war so gern an dieser Klinik. Sie konnte sich nicht vorstellen,
jemals von dort wegzugehen.« Er hob die Schultern und drückte
die Vorwahl für Österreich – 0043 –, danach jene für Heiligenkreuz und zuletzt die Nummer des Sanatoriums.

Es wurde sofort abgehoben.

Eine Männerstimme: »Sanatorium Kingston, guten Tag.«

»Guten Tag. Ich möchte Frau Doktor Mannholz sprechen. Dies
ist ein Ferngespräch aus Frankfurt.«

»Ich verbinde mit dem Sekretariat.«

»Danke.«

Eine Frauenstimme: »Sekretariat Frau Primaria Mannholz.«

Er wiederholte seine Bitte.

»Wie ist der Name?«

»Ross. Daniel Ross aus Frankfurt.«

»Einen Moment, bittschön. Ich muß die Frau Primaria auspiep-
sen lassen. Sie ist nicht in ihrem Zimmer. Müssen S' ein bisserl
warten, ja?«

»Ja.«

»Was ist?« fragte Mercedes.

»Ich muß ein bisserl warten. Die Frau Primaria wird ausgepiepst. Sie ist nicht in ihrem Zimmer. Libanon im Todeskampf.«

»Wie?«

Er wies auf ein TIME-Heft. »Steht da.«

»Hören Sie, Daniel, man kann auch übertreiben. Ihre Freundin hat Ihren Anruf schließlich nicht erwartet.«

»Schon gut. Schon gut.« Er fuhr sich mit der Hand durch das weiße Haar.

»Hallo, Herr Ross?«

»Ist sie jetzt da?«

»Wir haben die Frau Primaria ausgepiepst. Sie kommt. Noch einen Moment, bittschön.«

»Aber gewiß.« Er begann zu pfeifen.

»*Danny!*«

Er zuckte wie in einem Schock zusammen, als sie seinen Namen rief. »*Sibylle!* Endlich. Was bin ich froh, deine Stimme zu hören.«

»Und ich, Danny! Und ich! Mein Gott, du hast nie mehr etwas von dir hören lassen seit damals.« Die Stimme stockte. »Fast dreizehn Jahre, Danny.«

»Du hast dich doch auch nicht gemeldet«, sagte er mühsam.

»Das haben wir so besprochen. Du hast gesagt, es muß sein. Wir dürfen keinen Kontakt haben, nie mehr. Erinnere dich!«

»Ich erinnere mich genau. Wir haben uns beide an die Übereinkunft gehalten.«

»Ja, das haben wir.« Seine Augen brannten plötzlich.

»Ich habe auf einmal ganz brennende Augen«, kam die Stimme, die er so sehr geliebt hatte, aus Österreich an sein Ohr. »Was ist los, Danny? Ist was passiert? Geht's dir schlecht?«

»Ja«, sagte er.

»Das Nobilam. Wieder zu viel davon?«

»Viel zu viel.«

»Du nimmst das nächste Flugzeug und kommst nach Wien! Heiligenkreuz liegt neunundzwanzig Kilometer südlich. Setz dich in ein Taxi! Warum hast du nicht längst angerufen?«

»Ich habe mich so geschämt vor dir, Sibylle. Wegen meiner Schwäche, meiner Sucht. Sie hat uns auseinandergebracht...«

»Das ist nicht wahr!«

»Doch ist es wahr!« Ross sprach jetzt lauter. Er schien vergessen zu haben, daß Mercedes zuhörte. »Wir hatten unsere Zeit. Eine so wunderbare Zeit. Aber es konnte nicht gutgehen mit uns... Mit einem Kerl wie mir... der feige ist und unsicher und voller Angst... der jammert und nicht leben kann ohne die elenden Tabletten... Immer andere... Immer neue...«

»Danny! Danny! Sprich nicht so! Du bist jetzt down, du bist jetzt out. Deshalb kommst du sofort her! Du bist der großartigste Mann der Welt, wenn du dich nicht gerade wieder mal so kaputtgemacht hast...«

»Ein Dreck bin ich. Überstarke Mutterbindung – nebbich! Doch auch nur eine Ausrede fürs Tablettenfressen. Gute Ausrede. Gute Entschuldigung, Sibylle... Du hast mir auch Oxazepam gegeben, und sofort habe ich zuviel von dem Zeug genommen – wie vorher vom Valium –, und wieder bin ich auf die Schnauze gefallen, und die liebe Frau Doktor mußte mir helfen... einmal, zweimal... Das hat doch die größte Liebe geschafft! Das ist doch sogar der guten Sibylle, die alles versteht, schließlich zum Kotzen gewesen.«

Mercedes sah ihn erschrocken an. Er weiß nicht mehr, daß ich hier bin, dachte sie. Er liebt diese Frau natürlich noch immer. Und sie?

IN GROSSER LIEBE, SIBYLLE.

»Danny!« hatte Sibylle mittlerweile gesagt. »Bitte! Du weißt, daß es nicht so war.«

»Genauso war es. Hör zu! Witz. Kleiner Junge kommt aus der Schule und heult: ›Mami, Mami, der Herr Lehrer hat einem anderen Herrn Lehrer gesagt, ich hab' einen Ödipuskomplex!‹ Sagt die Mami: ›Das ist doch Unsinn! Da mußt du überhaupt nicht hinhören, Schatz. Solange du nur deine Mami lieb hast!‹« Er lachte schallend, und Tränen liefen über seine Wangen. Mercedes sah ihn besorgt an. »Du lachst ja nicht, Sibylle! Nicht komisch?«

»Nein. Und nun ist Schluß. Wann bist du hier?«

»Das ist es ja. Darum rufe ich an. Ich kann nicht kommen.«

»Warum kannst du nicht kommen?«

»Das darf ich dir nicht sagen.«

»Danny, was soll der Unsinn?«

»Das ist kein Unsinn, Sibylle. Ich muß davon ausgehen, daß unsere Anschlüsse abgehört werden. Deiner vielleicht nicht. Meiner sehr wahrscheinlich. Sie haben Zeit genug gehabt, seit...« Er brach ab.

»Seit was? Danny, mach kein Theater!«

»Bitte, bitte, glaub mir! Bei dir hört niemand mit, nein?«

»Nein.«

»Bestimmt nicht?«

»Ganz bestimmt nicht, Danny. Du beleidigst mich.«

»Verzeih! Das wollte ich nicht. Also bestimmt niemand?«

»*Nein!*« schrie sie unbeherrscht.

Etwa sechshundert Kilometer Luftlinie entfernt von Daniel stand die Dozentin Dr. Sibylle Mannholz in ihrem großen, ganz in Weiß gehaltenen Besprechungszimmer vor dem Schreibtisch. Sie hielt den Telefonhörer ans Ohr. Die braunen Augen waren vor Aufregung geweitet. Sie strich mit der Hand über das kurzgeschnittene kastanienbraune Haar. Neben ihr stand ein großer Mann. Der große Mann trug wie sie einen weißen Ärztekittel, sein ebenmäßiges, sehr blasses Gesicht war unbewegt, und er hielt eine zweite Hörmuschel des Telefonapparates ans Ohr. Auf diese Weise vernahm er jedes Wort, das Daniel sprach, ebenso deutlich wie die Ärztin. Der große, blasse Mann hatte dichtes schwarzes Haar, das straff nach hinten gekämmt war, und Augen, die dem Betrachter eine seltsame Kombination von Eigenschaften verrieten: Eiseskälte und Traurigkeit.

»Gut, gut, ich glaube dir ja! Ich muß jetzt nur so achtgeben. So sehr achtgeben... Ich erzähle dir alles, was ich erzählen darf.«

Er berichtete, daß er seine Stellung im Sender verloren hatte und warum, daß er wochenlang vergebens neue Arbeit gesucht hatte. Er schilderte die Nebenwirkungen des Nobilams, seine Verzweiflung, seinen vereitelten Selbstmordversuch. Er erzählte von der Frau, die ihm das Leben gerettet hatte. Sibylle und der große blasse Mann lauschten. Der Arzt sah in einen tiefverschneiten Park hinaus, der von hohen Mauern umgeben war. Ein Pfleger und ein Patient stapften durch den Schnee.

»... ja, und das wär's«, erklang Ross' Stimme aus beiden Hörmuscheln.

»Was heißt ›das wär's‹? Wieso kannst du dann nicht sofort zu mir kommen?«

Der große schwarzhaarige und bleiche Mann schrieb auf einen Block:

WER IST DIE FRAU? WAS WILL SIE?

»Weil ich vorher noch etwas erledigen muß, Sibylle. Muß! Unbedingt!«

»Hängt das mit dieser Frau zusammen?«

Pause, dann: »Ja.«

»Wer ist diese Frau, Danny? Wie konnte sie dir das Leben retten?«

»Es tut mir leid, das darf ich nicht sagen.«

»Und was sie von dir will, auch nicht?«

»Sie hat mir eine Nachricht überbracht.«

»Nachricht? Von wem?«

»Nicht am Telefon.«

Sibylle sah den Arzt an. Ein Ausdruck von verrücktem Triumph stand in ihrem Gesicht. Auch er sah sie an – traurig und eiskalt. Er schrieb auf den Block:

WOHER?

»Und woher auch nicht?«

»Doch, das schon. Das muß ich sagen. Das ist mein Problem. Ich soll dorthin. Die Nachricht kam aus Buenos Aires . . .«

»Woher?«

»Aus Buenos Aires.«

BUENOS AIRES

schrieb der bleiche Arzt auf den Block. Dann blickte er wieder in den verschneiten Park hinaus. Die beiden Männer trugen dicke Mäntel und Pelzkappen. Es war bitterkalt draußen, obwohl heller Sonnenschein in den weißen Raum fiel.«

»Und«, erklang Ross' Stimme, »ich weiß nicht, ob ich den weiten Flug aushalte. Ich habe dir meine Symptome geschildert – was das Nobilam bei mir angerichtet hat. Ich meine: Was ich mit dem Nobilam angerichtet habe. Und nun noch der Selbstmordversuch.«

»Bist du sehr geschwächt?«

»Ganz hübsch. Drüben in Buenos Aires ist jetzt die heißeste Jahreszeit, Sibylle.«

»Ich weiß.«

Auf dem Schreibtisch, zwischen Aktenbergen, Büchern und Medikamentenpackungen, stand ein großes Farbfoto in einem breiten Rahmen. Es zeigte einen etwa vierzigjährigen Mann mit braunen Augen und braunem Haar. Der Mann lachte. Er hatte große Ähnlichkeit mit Sibylle.

»Aber ich muß hinüber!« fuhr Ross fort.

»Warum?«

»Dort ist ein Mann, der hat Arbeit für mich.«

»Was für Arbeit?«

»Meine. Nachrichten. Eine Story. Ich bin doch rausgeflogen, Sibylle. Mir gibt doch kein Hund mehr ein Stück Brot. Das ist die letzte Chance. Der Mann verschafft mir wieder einen Job. Einen großartigen Job, Sibylle.«

»Kann er das nicht tun, *nachdem* du bei mir warst?«

»Nein, eben nicht. Ich muß zu ihm, so schnell wie möglich. So viel hängt davon ab für mich, Sibylle.«

Der blasse, schwarzhaarige Mann, dessen Augenbrauen zusammengewachsen waren, schrieb auf den Block:

ER MUSS NACH B. A. *UNBEDINGT!*

Sibylle sagte: »Ich verstehe, was das für dich bedeutet, Danny – in deiner Lage. Du mußt selbstverständlich hinüber.« Das Beben ihrer Stimme vernahm Ross nicht.

»Nicht wahr, Sibylle, nicht wahr?«

Sie hörte ihn kurz und befreit lachen. Der Arzt hörte das Lachen auch. Er schrieb auf den Block:

ABER DANN SOFORT HIERHER! *SOFORT!*

Das letzte Wort unterstrich er. Anschließend klopfte er mit dem Bleistift auf den Block.

Sibylle sah ihn an. Maßloser Haß mischte sich in ihrem Blick mit maßloser Ohnmacht. Sie sagte: »Dann kommst du aber sofort zu mir, Danny! Das mußt du mir versprechen! Ich habe dich zweimal hingekriegt. Ich kriege dich ein drittes Mal hin. Unter keinen Umständen darfst du jetzt zu einem Arzt, der dich nicht so gut kennt wie ich!«

»Natürlich komme ich dann sofort zu dir. Aber ich sage dir doch, ich weiß nicht, ob ich es überhaupt schaffe hinüberzufliegen. Kannst du mir da helfen – ich hab' keine Ahnung, wie?«

Der schwarzhaarige Mann schrieb:

REINSTEIN! ABER REINSTEIN MUSS IHN GENAU UNTERSUCHEN!
WIR BRAUCHEN DEN MANN LEBEND – UND DIE FRAU!

Sibylle zögerte. Sie sah den Arzt flehend an. Seine seltsamen Augen erwiderten den Blick – jetzt nur eiskalt, nicht auch traurig, nur eiskalt.

»Sibylle! Bist du noch da?«

Mit einer brutalen Bewegung stellte der blasse Mann das große Farbfoto des jungen lachenden Mannes direkt vor Sibylle. Sie zuckte zusammen.

»Ja«, sagte sie. »Ja, Danny...«

»Was war denn?«

»War denn was?«

»Warum hast du nicht geantwortet? Hört da doch jemand mit?«

»Ob da jemand... Danny! Ich habe dir gesagt, ich bin allein!«

Der Mann an ihrer Seite lächelte zum erstenmal. Er war amüsiert. Und ungeheuer erregt. Aber er beherrschte sich vollkommen. Sie hatten ihn in fünf Jahren Spezialausbildung dazu erzogen, sich in jeder Situation vollkommen zu beherrschen.

»Du bist *wirklich* allein?«

»Danny!« sagte Sibylle, und Verzweiflung klang mit in ihrer Stimme, Verzweiflung, die er nicht wahrnahm. »Glaubst du, ich lüge dich an? Glaubst du das, ja?«

Seine Worte kamen überstürzt: »Nicht... nicht... bitte! Ich habe das nicht so gemeint. Da siehst du, wie es um mich steht. Kannst du... kannst du mir irgendwie helfen?«

Der Arzt klopfte mit dem Bleistift auf ein Wort, das er geschrieben hatte, das Wort REINSTEIN.

Mit aller Kraft um Beherrschung kämpfend, sagte Sibylle: »Schon gut, Danny. Du mußt beruhigt sein, wenn du fliegst. Ja, ich glaube, ich kann dir helfen.«

»Ach, Sibylle!«

»Jetzt, wo du einen neuen Job in Aussicht hast, wirst du doch nicht etwa noch einmal versuchen, dich umzubringen?«

»Bestimmt nicht. Warum?«

»Ich dachte gerade daran, dich an die Psychiatrie in Frankfurt zu schicken und dort einen Arzt anzurufen, der mit mir in Wien an der Klinik gearbeitet hat.«

»*Nein, keine Psychiatrie!* Die behalten mich wochenlang, monatelang. Das muß jetzt schnell gehen, Sibylle, so schnell wie möglich.«

»Eben. Auch daran dachte ich gerade. Es genügt im Grunde, wenn man dich internistisch untersucht. Herz, Kreislauf, Blutwerte, Lungenröntgen – nach dem Suizidversuch. Nieren und so weiter. Ein kompletter Check-up. Ich habe einen alten Freund. Großartiger Arzt. An der Ersten Medizinischen Uni-Klinik.«

»Ich wohne gleich daneben.«

Der Arzt, der neben Sibylle stand, nickte zufrieden.

»Reinstein heißt der Mann. Doktor Ernst Reinstein. Ich rufe ihn sofort an. Bis morgen müßtest du wieder laufen können. Diesem Reinstein darfst du dich vollkommen anvertrauen. Du kannst dir vorstellen, was Ärzte manchmal zu vertreten haben, in was für Lagen sie kommen, nicht wahr? Ich habe Reinstein oft geholfen und Reinstein mir. Er wird uns genau sagen, was mit dir los ist. Alle Werte telefoniert er mir durch. Wenn wir beide sagen, du darfst nach Buenos Aires fliegen, bevor du zu mir kommst, kannst du ohne Sorgen fliegen.«

»Ich danke dir, Sibylle!«

»Danke für gar nichts«, sagte sie klanglos.

NAME UND ADRESSE DES MANNES IN B. A.

schrieb der große, blasse Mann mit den absonderlichen Augen auf den Block.

»Wie lange werden die Untersuchungen dauern?« kam Ross' Stimme.

»Einen ganzen Tag. Von morgens bis abends. Da wirst du aber durch die Mühle gedreht! Das tut Reinstein nur für mich. Sonst dauert es viel länger. Blutabnahme ganz früh. Mußt du absolut nüchtern sein. Ohne Nobilam! Unter keinen Umständen Nobilam vor der Blutabnahme! Du hast genug im Körper – leider. Dann kannst du es wieder nehmen. Die kurze Zeit spielt nun auch keine Rolle mehr. Sobald du dich schlecht fühlst, los, alter Tablettenschmeißer, du! Ich werde das mit Reinstein besprechen. Wo wohnt dieser Mann?«

»In Buenos Aires. Habe ich doch gesagt, Sibylle.«

Der Arzt hob das Foto mit dem breiten Rahmen hoch und hielt es dann direkt vor Sibylles Gesicht. Ihr ganzer Körper bebte jetzt.

»Buenos Aires – *wo*?«

»Tut mir leid.«

»Du willst mir die Adresse nicht geben?«

»Ich darf nicht. Auch nicht den Namen. Das ist auch gar nicht wichtig.«

»Natürlich nicht. Es wäre bloß eine Vorsichtsmaßnahme gewesen. Falls doch etwas passiert.« Sibylle sah den schwarzhaarigen Mann an, wieder stand ein Ausdruck des Triumphes in seinem Gesicht. Armseliger, elender Triumph. Der Arzt hob gelassen

die Schultern und ließ sie wieder fallen. »Jetzt gib mir deine Nummer! Ich rufe sofort Reinstein an und dann wieder dich.«
Er nannte seinen Anschluß.

»Bis gleich, Danny!«

»Ich warte.«

Sie legte auf und sank in einen weißen Sessel. Ihr Atem kam stoßweise.

Sie preßte beide Hände gegen die Wangen.

»Na los, Frau Primaria!« sagte der große, blasse Arzt. Er nahm den Telefonhörer vom Apparat und hielt ihn ihr hin. »Vorwärts! Rufen Sie Reinstein an!«

»Ich... kann... nicht.«

»Natürlich können Sie!« Mit der anderen Hand hielt er ihr wieder die Fotografie des lachenden jungen Mannes vor das Gesicht. »Denken Sie an *ihn!*«

»Ich denke ja an ihn...«

»Dann los jetzt! Ich wähle die Nummer.« Er tat es schon. »Reden müssen Sie!«

Sibylle nahm den Hörer. Sie hörte die Zahlen einrasten. Dann ertönte das Signal. Danach eine Frauenstimme: »Universitätskliniken.«

»Bitte... Herrn... Doktor... Reinstein!« Sibylle hatte Mühe, genug Atemluft zu bekommen.

In Frankfurt sagte Ross zu Mercedes: »Sie ist großartig, was?«

»Ja«, sagte Mercedes, und ihre leuchtendblauen Augen waren ganz flach. »Wirklich großartig.«

Er ging in die Küche und holte ein Glas Wasser. Dann nahm er ein Röhrchen Nobilam und spülte fünf Tabletten mit Wasser hinunter.

»Jetzt ist es egal, hat Sibylle gesagt. Jetzt kann ich das Zeug nehmen, sobald mir schwummrig wird. Mir ist ein bißchen schwummrig. Kunststück!«

Mercedes sagte: »Wenn Sie einen Termin für morgen bekommen, geht alles noch perfekt.«

»Was meinen Sie?«

»Morgen ist Dienstag. Am Mittwoch hat ihre Freundin die Resultate. Die nächste Direktmaschine von Frankfurt nach Buenos Aires fliegt erst am Donnerstag. LUFTHANSA. Freitags und sonntags fliegen Maschinen der AEROLINEAS ARGENTINAS. Samstags LUFTHANSA.«

»Sie haben sich schon informiert?«

»Wie Sie sehen.«

»Wann?«

»Bevor ich in Buenos Aires abgeflogen bin.«

Er sah sie stumm an.

»Ich bin auch großartig«, sagte sie. »Passen Sie nur auf, wie großartig ich noch sein werde!« Er setzte sich. »Daniel?«

»Ja?«

»Ihre Mutter, Thea Ross, ist doch schon neunzehnhundertneunundsechzig gestorben.«

»Das stimmt. Warum?«

»Und trotzdem...« Sie verstummte.

»Was ›und trotzdem‹?«

Sie schüttelte den Kopf.

»Nein, ich will es wissen!« rief er.

Das Telefon läutete.

»Heben Sie ab!« sagte Mercedes. Er ergriff den Hörer und vernahm die Männerstimme von zuvor: »Grüß Gott! Sanatorium Kingston. Herr Ross in Frankfurt?«

»Ja.«

»Einen Moment, ich verbinde mit der Frau Primaria.«

Es klickte in der Leitung. Dann hörte er Sibylles Stimme: »Danny?«

»Ja.«

»Also, ich habe mit Reinstein gesprochen. Alles okay. Morgen um halb acht Uhr früh, nüchtern. Ich gebe dir seine Duchwahlnummer in der Klinik.« Sie tat es. Er notierte. »Wenn ich aufgelegt habe, rufe ihn sofort an! Er wird dir alles Nötige sagen – wo du hinkommen sollst, was untersucht wird.«

»Prima!«

»Allerdings wird es Mittwoch nachmittag werden, bis er alle Werte hat.«

»Das macht nichts, Sibylle. Die Direktmaschine geht erst am Donnerstag.«

Der große, blasse Arzt lächelte wieder. Auf den Block schrieb er:

DONNERSTAG

Und darunter:

DAS GENÜGT

Dann riß er das oberste Blatt ab und steckte es ein.

»Wenn du morgen abend fertig bist, rufe mich bitte unbedingt an!«

»Warum unbedingt?«

»Ich muß wissen, wie du dich fühlst, damit ich mit Reinstein besprechen kann, was wir dir auf die Reise mitgeben. Und am Mittwoch nachmittag bleib' ich zu Hause. Sobald ich alle Befunde kenne und Bescheid weiß, rufe ich dich an.«

»Ich danke dir, ich danke dir, Sibylle. Ach...«

»Ja?«

»Fast vergessen. Sag mal: Was um alles in der Welt machst du da bei Heiligenblut?«

»Heiligenkreuz.«

»Kreuz. Egal. Was machst du da? Wieso bist du nicht mehr am Allgemeinen Krankenhaus?«

»Weißt du, ich habe ein großartiges Angebot bekommen. Das *mußte* ich einfach akzeptieren.«

»Aber du wolltest doch nie vom Allgemeinen Krankenhaus weg!«

»Das war etwas anderes. Ich erzähle es dir, wenn du kommst. Und diese Frau muß *mitkommen!* Sie muß jetzt *immer* bei dir sein. Falls dir übel wird. Und du kommst so schnell wie möglich! Du hast es versprochen. Denk an die Liebe, die wir hatten. Bei dieser Liebe, Danny! Du schwörst, daß du sofort danach herkommst?«

»Ich schwöre es, Sibylle.«

»Also, bis später! Leb wohl, Danny!«

»Leb wohl, Sibylle! Ich umarme dich.« Er legte auf und blickte Mercedes an. »Bitte, beten Sie, daß die Befunde gut sind! Dann wird es klappen.«

»Es *muß* klappen«, sagte Mercedes. »Ich bete schon die ganze Zeit.«

»Jetzt dieser Reinstein...«

Ross sah nach der Nummer, die er notiert hatte, dann begann er zu wählen.

Zur gleichen Zeit eilte der große, schwarzhaarige und sehr bleiche Arzt über einen Gang im ersten Stock des Sanatoriums. Er erreichte sein Dienstzimmer und sperrte auf. Die Tür fiel hinter ihm zu. Ein Schild war an ihr angebracht. Mit Druckbuchstaben stand darauf: DR. GERD HERDEGEN. Der Mann, der Herdegen hieß, trat an seinen Schreibtisch. Auch hier war alles in Weiß gehalten. Der Mann, der Herdegen hieß, setzte sich und zog das Telefon heran, nachdem er ein kleines, mit dem Apparat verbundenes Gerät, einen sogenannten Zerhacker, eingeschaltet hatte. Was er nun sagte, war für jeden, der mitzuhören versuchte, unverständliches Gestammel. Nur *ein* Mensch, dessen Apparat mit einem Gegenstück des Zerhackers verbunden war, verstand Herdegen.

Umgekehrt verstand außer Herdegen auch niemand, was der Mensch am Telefon sagte, dessen Nummer er nun in größter Eile wählte. Die Nummer begann mit 00441.

00441 war die Vorwahl für London.

In ihrem Zimmer saß Sibylle vor der Fotografie des lachenden jungen Mannes und weinte. Mit einem Taschentuch wischte sie die Tränen fort. Es kamen immer neue. Die Dozentin Sibylle Mannholz weinte, als würde sie niemals wieder aufhören können zu weinen.

I I

»Achtung, bitte!« ertönte eine Mädchenstimme aus vielen Lautsprechern. Sie redete spanisch. »LUFTHANSA gibt Ankunft ihres Fluges neunhundertsiebzehn aus Frankfurt über Rio de Janeiro und São Paulo bekannt.« Die Stimme wiederholte die Ansage in Englisch und Portugiesisch.

Ein riesenhafter Jumbo des Typs Boeing 747 E schoß weit draußen über eine der Landebahnen, wurde langsamer, rollte aus und bog in einen Taxiway ein. Es war Freitag, der 17. Februar 1984, 11 Uhr 45, und es war wahnwitzig heiß in Ezeiza, dem größten Flughafen Südamerikas, dreiunddreißig Kilometer von Buenos Aires entfernt. Das Thermometer zeigte zweiundvierzig Grad Celsius im Schatten. Die Luft kochte. Der Asphalt weichte auf. Zubringerbusse rollten an den gelandeten Jumbo heran. Er war fast bis auf den letzten Platz ausgebucht gewesen und brachte zweihunderteinundsiebzig Passagiere.

Als Daniel Ross aus der Kühle des Flugzeugs auf die oberste Treppe der Gangway trat, traf ihn die Glut der Sonne wie ein Hammer auf den Schädel. Er stöhnte und schwankte leicht.

»Sehr schlimm?« Mercedes, dicht hinter ihm, legte besorgt eine Hand auf seine Schulter.

»Es geht«, sagte er.

Beide trugen ganz leichte Kleidung und weiße Leinenhüte.

Mercedes hatte einen solchen Hut für Daniel nach Frankfurt mitgebracht. Er müsse ihn haben, sagte sie. Alle Menschen trügen eine Kopfbedeckung bei dieser Hitze. Es sei lebensgefährlich, auch nur kurze Zeit barhäuptig zu gehen.

Das Geländer der Gangway glühte. Sie war nun voller Passagiere. Vier Stufen hinter Ross ging ein junger Mann in einem beigefarbenen Tropenanzug. Er trug eine beige Stoffkappe mit Schirm und sah aus wie der Schauspieler Alain Delon.

In den Zubringerbussen herrschte eine Temperatur von gewiß weit über fünfzig Grad. Die eben angekommenen Passagiere hatten ausnahmslos bleiche, erschöpfte Gesichter. Ross fühlte sich schwindlig. Der Bus, in dem er stand, schlingerte. Ross fluchte leise.

»Es ist bald vorüber«, sagte Mercedes. »Ich habe meinen Wagen hier.«

Aber es dauerte natürlich noch eine ganze Weile, bis sie die Paß- und Zollkontrollen hinter sich hatten. Ross trug seinen Wintermantel über dem Arm, Mercedes einen Nerz. Dort, wo die Mäntel auflagen, waren ihre Ärmel durchtränkt von Schweiß. Die riesige Halle des Flughafens hatte man klimatisiert, alle Kühlmaschinen arbeiteten auf Hochtouren, aber sie kamen nicht gegen die Hitze an. Die Luft war feucht und schwül.

Am Vorabend, am Donnerstag um 22 Uhr, war die Maschine im winterlichen Frankfurt auf einer eben wieder frisch geräumten Bahn zwischen Schneebergen gestartet. Der Zeitunterschied zwischen Frankfurt und Buenos Aires betrug vier Stunden, die Flugdauer also siebzehn Stunden und fünfundvierzig Minuten, einschließlich der Zwischenlandungen.

Viele Beamte fertigten die Fluggäste an zahlreichen Schaltern ab. Der junge Mann in dem beigefarbenen Tropenanzug mit der beigen Kappe, der aussah wie Alain Delon, brachte die Paßkontrolle geschickt vor Mercedes und Ross hinter sich. Er ging zu dem großen rundumlaufenden Metallband der Gepäckausgabe. Auf halbem Weg kam er an zwei anderen jungen Männern vorbei, die weiße Leinenhosen und darüberhängende bunte Baumwollhemden trugen, die Ärmel aufgekrempelt; einer ein grünes Hemd, einer ein rotes. Der Mann, der aussah wie Alain Delon, blieb stehen und drehte sich einen Moment um.

»Schalter acht«, sagte er. »Die beiden, mit denen der Beamte gerade spricht. Sie trägt ein fliederfarbenes Kleid, er ein weißes

Hemd und eine blaue Hose. Beide weiße Leinenhüte. Sie haben ihre Mäntel über dem Arm. Seht ihr sie?«

Die zwei Männer nickten. Sie trugen Basthüte.

»Ihr wißt, was ihr zu tun habt?«

»Natürlich«, sagte der mit dem roten Hemd.

»Der Teufel holt euch, wenn ihr sie verliert. Ich habe sie bis hierher begleitet. Jetzt gehören sie euch.«

Der Mann im Tropenanzug setzte seinen Weg zum laufenden Band der Gepäckausgabe fort, hinter der zahlreiche Zöllner warteten.

Gegen 13 Uhr 15 – eineinhalb Stunden später – fuhr ein maronenfarbener Cadillac Seville im Metalliclook von Ezeiza über eine hypermoderne Autobahn in Richtung Buenos Aires. Sie hieß Autopista Tte. General Riccheri, Ross hatte es auf mehreren großen Tafeln gelesen.

Die Autopista war belebt. In großem Abstand folgte dem Cadillac ein roter Ferrari. Am Steuer saß der junge Mann im roten Hemd, der mit seinem Kollegen in der Halle gestanden hatte. In gebührendem Abstand dahinter fuhr ein weißer Chevrolet. An seinem Steuer saß der junge Mann mit dem grünen Hemd.

Zu beiden Seiten der breiten Autobahn erstreckten sich dichte Wälder. Ross sah Haine von Zedern, Zypressen, Palmen, Pinien, Eukalyptus und Kakteen, hoch wie Eichen. Mercedes fuhr schnell und sicher. Sie trug jetzt eine dunkelgetönte Brille. Im Wagen war es kühl. Das Airconditioning rauschte leise.

»Daniel?«

»Ja?«

»Daniel, ich möchte Sie um etwas bitten. Aber werden Sie nicht gleich böse!«

»Bestimmt nicht. Was ist es?«

Sie sah auf das blendende Band der Autobahn hinaus, das ihnen entgegenflog, und von Zeit zu Zeit in den Rückspiegel.

»Ich weiß, Sie hassen Ihren Vater. Ich weiß, wie sehr und warum. Ich bitte Sie von Herzen – im Interesse der Sache –, attackieren Sie ihn nicht sofort, fallen Sie nicht gleich über ihn her mit Anklagen und Beschimpfungen! Ich verstehe Sie sehr gut, wirklich. Sie *müssen* Ihren Vater hassen. Aber wollen Sie sich beherrschen, so gut Sie können? Betrachten Sie ihn als Partner bei einem großen Geschäft! Sie sollen ihn ja nicht lieben. Sie sollen mit ihm arbeiten. Dazu ist ein Minimum an Entgegenkommen und Verständnis von beiden Seiten nötig. Glauben Sie, dieses Minimum aufbringen zu können?«

Er legte eine Hand auf ihre Rechte, die das Lenkrad hielt.

»Ich verspreche, mich normal zu betragen, Mercedes.«

»Ich danke Ihnen«, sagte sie.

»Ach, und... Mercedes?«

»Ja?«

»Ich habe auch eine Bitte. Wir erzählen nichts von meiner Sucht und meinem Selbstmordversuch, nein?«

»Kein Wort. Das bleibt ein Geheimnis zwischen uns beiden.«

»Auch ich danke Ihnen«, sagte Ross.

Der Cadillac erreichte die Vororte von Buenos Aires. Je länger sie fuhren, um so überwältigter fühlte sich Ross. Er hatte oft Nordamerika besucht, Südamerika noch nie. Buenos Aires war eine riesenhafte, alle Vorstellungen sprengende, unvorstellbar große Stadt. Die Autopista fiel nun leicht ab. Ross sah über ein unendliches Häusermeer. Er wußte aus einem Informationsheft im Flugzeug, daß hier zehn Millionen Menschen wohnten. Die Stadt hatte sich explosionsartig vergrößert, man mußte sie zu Beginn dieses Jahrhunderts buchstäblich neu bauen, vollkommen neu. Nur die Altstadt war einigermaßen unberührt geblieben. Beinahe alle Straßen verliefen in endlos langen, parallelen Geraden, die von anderen parallelen Geraden geschnitten wurden. Trotz dieser fast mathematischen Anordnung der Avenidas und Häuserblocks war Buenos Aires eine der schönsten Städte der Welt. Sie erstickte nicht in Beton, Hochhäusern und verstopften Hauptverkehrsadern. Überall, so hatte Ross gelesen, lockerten Parks das Stadtbild auf, und jetzt, da sie von Südwesten her in Buenos Aires einfuhren, sah er den ersten davon, sah er wieder Palmen, das tiefe Grün von Zypressen, Korkeichen, Banyanbäume, rote, weiße, blaue, gelbe, ja goldene Blumen in größten Mengen – und einen See, auf dem Schwäne schwammen.

»Der See!« sagte er verblüfft.

»Davon gibt es Hunderte, große und kleine.« Mercedes fuhr mit der Sicherheit eines Taxichauffeurs.

Die Autopista Tte. General Riccheri zog sich ein weites Stück nach Osten in die Metropole hinein, rechts und links umgeben von Bäumen, Sträuchern, Blumen und Rasen. Sie kamen an eine riesige Kleeblattkreuzung mit Über- und Unterführungen. Direkt nach Norden hinauf und nach Süden hinunter lief die Stadtautobahn Avenida General Paz, auch sie eingebettet in leuchtendes Grün. Mercedes fuhr weiter ostwärts. Die Autopista wechselte nun ihren Namen in Avenida Tte. General Dellepiane und diente als weitere Stadtautobahn. Ihre Seiten säumten Palmen, Zypressen und blühende Blumenbeete.

»Bißchen viel Generäle«, sagte Ross.

»Wir hatten acht Jahre auch jede Menge davon«, antwortete Mercedes. »Aber die, nach denen die Straßen und Autobahnen benannt sind, das waren die Gründerväter des Staates Argentinien.« Sie sah wieder in den Rückspiegel.

»Ist was?«

»Hoffentlich nicht. Ein roter Ferrari folgt uns seit dem Flughafen. Ich habe ihn die ganze Zeit beobachtet. Warten Sie einmal...«
Mercedes trat auf die Bremse und fuhr langsamer. Der rote Ferrari kam schnell näher. Der junge Mann mit dem roten Hemd hob eine Hand und lachte Mercedes freundlich zu, als die Wagen sich auf gleicher Höhe befanden. Sie winkte zurück. Der rote Ferrari schoß vorbei und war gleich darauf im Verkehr verschwunden.

»Netter Kerl«, sagte Mercedes.

»Wunderschöne Dame«, sagte Ross. »Ich hätte an seiner Stelle auch gewinkt.«
Sie sah ihn lächelnd an und strich mit der rechten Hand über sein weißes Haar. »Danke, Daniel«, sagte sie.

»Aber bitte, gnädige Frau«, sagte er.

»Ich habe mich geirrt, Gott sei Dank«, sagte Mercedes.

»Wir sind beide nervös«, sagte Ross.
Keiner von ihnen bemerkte den weißen Chevrolet, der jetzt anstelle des Ferraris folgte.
Die Avenida Tte. General Dellepiane endete in einem Verkehrskreisel. Nun fuhr Mercedes ein weites Stück die Avenida San Pedrito in nördlicher Richtung empor, um dann wieder nach Osten, in die schier endlos lange Avenida J. B. Justo einzubiegen. Der weiße Chevrolet folgte.
Weit im Osten, das wußte Ross, wurde die Stadt vom breiten Rio de la Plata begrenzt. Er sah wieder Palmen einer Größe und eines Alters, die ihn phantastisch anmuteten. Alles ist phantastisch, dachte er. Diese Gigantenstadt. Die vielen Blumen. Die Parks und die Seen. Der wahnwitzige Verkehr. Die ruhige, besonnene Frau an meiner Seite. Es ist noch keine Woche her, da schluckte ich Nembutal, um zu sterben. Jetzt bin ich hier, auf der anderen Seite der Erde und erwarte die größte Sensation meines Lebens. Alle Untersuchungsergebnisse waren halbwegs gut. Si-

bylle sagte, ich könne den Flug ohne Risiko wagen. Ich werde einen Mann wiedersehen, den ich neununddreißig Jahre lang für tot gehalten habe. Einen Mann mit einem Geheimnis, das die Welt erschüttern soll. Leise rauschte die kühle Luft des Airconditionings. Phantastisch, dachte er. Total phantastisch.

Der Cadillac fuhr noch immer die Avenida J. B. Justo entlang. Der weiße Chevrolet folgte.

»Daniel?«

»Ja?«

Sie sah nach vorne, während sie sprach: »Wir werden nun zusammen arbeiten. Zusammen werden wir nach Europa zurückkehren. Wir werden zusammen leben – wer weiß, wie lange. Ich wollte Ihnen nur sagen: Ich bin sehr glücklich, mit Ihnen arbeiten zu dürfen. Sie sind so klug. So sympathisch.«

Er antwortete: »Danke. Das ist sehr freundlich von Ihnen, Mercedes. Mir geht es genauso. Ich habe Sie vom ersten Augenblick an bewundert. Ich bin froh, Sie kennengelernt zu haben – ohne Sie wäre ich tot.«

»Nicht mehr daran denken! Zusammen werden wir es schaffen. Es gibt nichts, was wir nicht zusammen schaffen werden, ich weiß es.« Sie sah ihn durch ihre dunklen Gläser an und lächelte. Gleich darauf bog sie nach links, wieder in nördliche Richtung, in die Avenida Cabildo ein. Er sah pompöse Villen, große Gärten, die in allen Farben glühten, kleine Wäldchen, dann wieder zwei Parks mit Seen darin, deren Wasseroberfläche in der Sonne blendete. Der Verkehrslärm blieb zurück. Summend glitt der Wagen durch schmälere Straßen.

»Palermo heißt dieses Viertel«, sagte Mercedes. »Hinter uns liegen der Botanische und der Zoologische Garten, rechts befindet sich der Polo-Club, dahinter der Parque Tres de Febrero mit seinen Seen, dem Velodrom und dem Planetarium. Ich glaube, es ist der größte und schönste Park der Stadt. Vom Planetarium aus können Sie schon hinunter auf die Hafenbecken und den Rio de la Plata sehen.« Sie bog nach links in eine lange Straße ein. Zu beiden Seiten standen Palmen.

Endlich hielt Mercedes vor einem schmiedeeisernen Tor mit Blattgoldeinlagen, das sich in einer hohen, ein großes Grundstück umschließenden Steinmauer befand. Seitwärts an der Mauer waren schmiedeeiserne Buchstaben und eine Nummer angebracht. Ross las: CESPEDES 1006.

Mercedes griff nach einem kleinen elektronischen Sendegerät

von der Größe einer Zigarettenpackung und drückte auf einen Knopf. Die Torhälften des Eingangs schwangen zur Seite. Mercedes fuhr auf einem breiten Kiesweg in einen Park hinein. Palmen standen auch hier.

Ross drehte sich um. Durch die Rückscheibe sah er, wie sich die Torhälften wieder schlossen. Was er nicht mehr sah, war der weiße Chevrolet, der ihnen bis hierher gefolgt war. Der junge Mann mit dem grünen Baumwollhemd, der am Steuer saß, betrachtete den Eingang einen Augenblick, dann fuhr er rasch weiter.

Der Cadillac rollte gewiß fünf Minuten durch den Park. Dann kam das zweistöckige, weiße Haus mit dem Flachdach und den französischen Fenstern in Sicht, das Ross von der Fotografie her kannte. Ein sehr großer Balkon im ersten Stock, auf den mehrere Fenster hinausgingen, deren Läden geschlossen waren, ruhte auf schweren Marmorsäulen.

Mercedes lenkte den Wagen bis vor den Eingang und hielt. Sie stiegen aus. Ein Mann und zwei Frauen, alle in heller, leichter Kleidung, kamen aus dem Inneren des Hauses. Sie grüßten freundlich. Mercedes sagte ihnen, sie sollten das Gepäck aus dem Kofferraum nehmen.

Ross trat auf den kurzgeschnittenen Rasen neben dem Kiesweg. Er stand nun im Park. Wieder fielen ihm die zahlreichen Arten von Bäumen auf, und in den Blumenbeeten leuchteten weiße, gelbe, rote und dunkelviolette Gladiolen, rote, weiße und lila Geranien und winzige Rosen in den verschiedensten Farben. Viele der mächtigen Baumstämme waren von Efeu umschlungen, von üppigem, weiß blühendem Jasmin, von Bougainvilleen, diesen dornigen, kletternden Pflanzen mit ihren kleinen quirlig-ovalen Blättern und ihren Blüten in allen Schattierungen zwischen Rot, Violett und Orange. Und – es war wie in einem psychedelischen Traum – aus den Bäumen herab hingen große Büschel von Orchideen in solchen Formen und von solcher Schönheit, wie Ross sie noch nie gesehen hatte.

Rechts neben dem Haus befand sich ein Tennisplatz, davor ein großer Swimmingpool, dessen Kacheln das Wasser leuchtend-blau erscheinen ließen. Weiße Korbmöbel standen unter Sonnenschirmen an seinem Rand. Ein Mann entstieg gerade dem Bassin. Sein Körper war schlank, muskulös und braungebrannt, das kurzgeschnittene Haar schlohweiß und sehr dicht. Er hatte ein schmales Gesicht und durchdringende, etwas hochmütige

Augen. Der Mund war dünnlippig. Die Zähne leuchteten weiß, als er nun lachend, mit erhobenem Arm, auf Ross zukam. Der stand reglos. Er fühlte, wie sein Herz klopfte, schnell und stark. Nach vier Jahrzehnten sah er seinen Vater wieder. Er wollte ihm entgegengehen, aber er konnte sich, wie gelähmt, nicht vom Fleck bewegen. Näher und näher kam sein Vater mit weitausholenden, sicheren Schritten. Sehr aufrecht, sehr souverän war sein Gang. Er hatte den Arm sinken lassen, aber er lächelte noch immer. So eilte er mit fast jugendlichem Elan herbei, den Kopf zurückgeworfen. Und plötzlich fiel Ross das Wort für diese Art von Mann ein, das er gesucht hatte, seit er seinen Vater sah. Plötzlich wußte er es wieder, dieses Wort. Der da auf ihn zukam, lächelnd und scheinbar so stark, so unbesiegbar, das war ein »Herrenmensch«.

12

»Daniel!«
Ross stand immer noch reglos, unfähig, ein Glied zu rühren.
Der Mann, auf dessen weißbehaarter, braungebrannter Brust Wassertropfen glitzerten, ergriff Ross' Rechte mit beiden weißbehaarten, braungebrannten, sehnigen Händen und schüttelte sie so fest, daß Ross Schmerz empfand.
»Guten Tag«, sagte er und dachte an das, was er Mercedes versprochen hatte. Sie stand neben ihm und sah die beiden Männer lächelnd, aber mit ernsten Augen an. Ich werde mein Wort halten, ich muß mein Wort halten, sagte sich Daniel Ross. Der Mann, der einmal, vor sehr langer Zeit, Georg Ross geheißen hatte und nun seit sehr langer Zeit Eduardo Olivera hieß, packte Ross an den Armen und hielt ihn fest an sich gepreßt. Mit den Fäusten schlug er ihm dann auf den schmalen Rücken. Ross ließ es mit sich geschehen. Das Gesicht unmittelbar vor dem des Sohnes, sagte der Vater im Rhythmus der Schläge: »Junge… mein Junge…« Er sah ihm aus nächster Nähe in die Augen, voller Bewegtheit und Liebe, ohne Falsch. »Daß du gekommen bist! Ich danke dir.« Er ließ Ross los und umarmte Mercedes. »Ich danke dir, geliebtes Herz. Du hast ihn mir gebracht.« Er ließ die Arme sinken und sagte (nein, dachte Ross, *nein!*), die Augen zum Himmel gerichtet: »Und ich danke Ihm. So viele

Jahre... Mein Leben ist fast zu Ende... Und nun wird es doch noch Wirklichkeit... Ein Wunder... ein großes Wunder...« Er trat einen Schritt zurück. »Verzeiht«, sagte er, »ich bin bewegt.« Er schwieg, und auch Mercedes und Ross schwiegen. Die Angestellten holten die Koffer aus dem Cadillac. Ein Papagei, der auf einer Palme saß, ein großes, zirkusbuntes Tier, schrie lange und aufgeregt. Andere Papageien im Park antworteten.

Eduardo Olivera ergriff die Hände seines Sohnes und seiner Halbtochter. »Meine Kinder!« sagte er.

Das halte ich nicht aus, dachte Ross.

Olivera mußte einen sechsten Sinn haben. Er ließ sofort die Hände los, und seine Stimme war plötzlich fröhlich und normal, als er sich erkundigte, ob der Flug gut gewesen, was sie bejahten, und ob einer von ihnen müde sei, was sie verneinten.

»Habt ihr Hunger?«

»Wir haben noch in der Maschine gegessen, Vater«, sagte Mercedes.

»Also keinen Hunger?«

»Nein.«

»Ich auch nicht«, sagte Olivera. »Ich habe heute sehr spät gefrühstückt. Schön, kein Mittagessen. Aber sicherlich wollt ihr euch erfrischen. Kommt zum Pool! Das Wasser ist herrlich. Ihr müßt schwimmen! Es wird euch guttun. Danach Siesta. Alles schläft. Und nach dem Tee werden wir reden. Was trinkt ihr?« Er sagte zu Ross: »Keinen Whisky bei dieser Hitze, der bringt dich um. Ich empfehle Gin-Tonic mit viel Eis. Okay?«

»Okay«, sagte Mercedes. Ross nickte stumm.

»Miguel!« Olivera wandte sich an den jungen, dunkelhäutigen Mann beim Wagen. Er bestellte die Drinks. Miguel antwortete kurz und sehr höflich und verneigte sich.

»Kommt«, sagte Olivera und schritt über den Rasen voran zum Pool. Er wies auf eine Reihe von weißgestrichenen Holzkabinen. »Geh in die rechte, Daniel. Es ist alles da, was du brauchst. Mercedes hat ihre Sachen immer hier unten. Die Brausen sind hinter den Kabinen.«

Ross sah, daß im Park menschengroße Marmorfiguren auf hohen Sockeln standen. Sie leuchteten grell in dem unbarmherzigen Sonnenlicht. Auf dem Kopf einer Göttin saß ein Kolibri.

»Daniel!«

Ross drehte sich um. Der Vater war schon beim Pool, Mercedes verschwand eben in ihrer Kabine. Der Vater winkte, trat auf das

Sprungbrett, streckte die Arme vor, wippte ein paarmal auf und nieder und sprang dann elegant, sehr elegant, in das aufspritzende Wasser. Er kam wieder an die Oberfläche und schwamm mit kräftigen Stößen entlang der Längsseite des großen Beckens. Ein ohrenbetäubendes Dröhnen erfüllte plötzlich die Stille und ließ die Luft, ließ den Boden, auf dem Ross stand, erbeben. Schatten glitten rasend schnell über ihn hinweg. Eine Formation Düsenjäger der argentinischen Luftwaffe raste im Tiefflug vorbei. Der »Herrenmensch«, dachte Daniel, und die Reiter der Apokalypse. Die Welt soll zittern bei der Germanen Untergang. *Untergang?* dachte er. Wann geht dieser Typ jemals unter.

13

Zur gleichen Zeit hielt der weiße Chevrolet, der Mercedes und Ross vom Flughafen bis zu Oliveras Besitz in Cespedes 1006 gefolgt war, ein großes Stück weiter westlich vor dem Haupteingang des riesenhaften Friedhofs Federico Lacroze im Stadtteil Chacarta. Der junge Mann mit dem grünen Baumwollhemd stieg aus und trat in eine Telefonzelle. Er warf Münzen in den Automaten und wählte. Nach dem ersten Läuten wurde abgehoben.
»Ja?« fragte eine Männerstimme.
»Roberto hier. Die Adresse ist Cespedes tausendsechs.«
»Cespedes tausendsechs«, wiederholte der Mann am anderen Ende der Leitung.
»Stand kein Name am Tor.«
»Macht nichts. Ende.«
Klick. Die Verbindung war unterbrochen.
Der Mann, der sich Roberto nannte, verließ schnell die glühendheiße Zelle und ging zu dem geparkten Chevrolet zurück. Er setzte sich hinter das Steuer und fuhr los.
Noch weiter entfernt, im Nordwesten der Stadt, saß ein Mann, der wegen der irrsinnig hohen Temperatur nur ein Tuch um die Lenden trug, in einem Zimmer seiner kleinen Wohnung an einer Straße mit Namen Husares. Vor dem Fenster lagen die trostlosen Kasernen und Exerzierplätze des »Regimento 3 de Infanteria General Belgrano«. In der sengenden, mörderischen Hitze des frühen Nachmittags war kein Mensch zu sehen. Die Luft kochte

über den leeren Plätzen. Der einsame Mann – er war etwa sechzig Jahre alt und völlig kahl – hatte die Füße auf den Tisch gelegt und hielt einen Telefonhörer ans Ohr. Er besaß einen guten Freund im Einwohnermeldeamt. Das Einwohnermeldeamt besaß einen guten Computer.

Es dauerte keine fünf Minuten, dann meldete sich der Freund:

»Cristobal?«

»Ja.«

»Cespedes tausendsechs gehört einem gewissen Eduardo Olivera.«

»Ich danke dir, Ruiz«, sagte Cristobal. Er legte auf, drehte einen elektrischen Ventilator so, daß die heiße, bewegte, aber wenigstens bewegte Luft direkt sein Gesicht traf, und nahm die Füße vom Tisch. Dann schaltete er einen Zerhacker neben dem Telefon ein, der seine Stimme für Dritte unverständlich machen würde, hob den Hörer wieder ab und wählte eine lange Nummer. Die Nummer begann mit 00441.

00441 ist auf der ganzen Welt die Vorwahl für London.

14

Nun schwammen sie alle drei.

Mercedes trug einen sehr kleinen zweiteiligen Badeanzug, der fast ihren ganzen schönen, etwas üppigen Körper sehen ließ. Ross hatte eine der schwarzen Schwimmshorts gewählt, von denen in seiner Kabine mehrere lagen. Er schämte sich ein wenig. Die Haut seines Körpers war weiß, die der beiden anderen tief goldbraun. Ross schwamm mit Mercedes zwei Längen, bekam dann aber Herzschmerzen. Er dachte daran, was ein Notarzt gesagt hatte vor einem Jahr in einem Hotel in Istanbul. Er hatte ihn rufen lassen, weil er, zur ersten Morgenstunde erwacht, wieder einmal wie so oft geglaubt hatte, sterben zu müssen.

»Ihnen fehlt überhaupt nichts«, hatte jener Arzt gesagt, »nur körperliche Anstrengung. Sie treiben keinen Sport, wie? Nie, was? Nur immer hinter dem Schreibtisch und im Flugzeug und im Auto. Um Himmels willen keinen Schritt gehen! Schön, sehr schön. Wissen Sie, warum Ihnen so mies ist? Weil Sie einen völlig verrotteten Kreislauf haben. Ja, ja, ja, schauen Sie mich nur an! Ich gebe Ihnen eine Spritze. Dann schlafen Sie. Aber damit ist nichts getan, mein Freund, gar nichts. Sechsundvierzig sind Sie? Sechzig viel eher. Sie müssen sofort Ihr Leben ändern!«

Das weiß ich selber, Klugscheißer, hatte Ross damals gedacht. Was ahnst du von Nobilam? Könntest du trinken aus dem Kelch, aus dem ich trinke? Wärest du noch am Leben?

Das fiel ihm ein, als er sein Herz spürte. Es stach. Die Blutzufuhr stockte. Ich bin wirklich ein Wrack, dachte er. Dagegen Mercedes. Dagegen mein Vater. Ich bin älter und verbrauchter als er, der verfluchte Hund. Nein! Nicht! Ich habe es Mercedes versprochen.

»Schwimmen wir um die Wette!« rief Olivera.

Zum Teufel mit dem Herzstechen, dachte Ross. Klar, wir zwei, um die Wette, du beschissener Lump. Immer noch wir zwei! Der Vater befand sich seitlich von ihm auf halber Länge des Pools. Plötzlich bekam Ross einen schmerzhaften Schlag vor die Brust und wurde im Wasser zurückgedrängt. Olivera lachte laut. Mercedes kletterte aus dem Bassin und blieb mit unbewegtem Gesicht am Rand stehen. Ihre großen festen Brüste traten oben und unten aus der schmalen Stoffbahn hervor.

Ross begriff: Der Vater hatte einen seitlich angebrachten Hahn des Jet-Stream ganz aufgedreht. Von der Frontseite des Beckens schossen ihnen jetzt unter hohem Druck Wassermassen entgegen.

»Los, Sohn! Wer zuerst da ist!« Der Vater stieß sich von der Seitenwand des Beckens ab und begann mit dem Jet-Stream zu kämpfen. Ross holte tief Atem, dann warf er sich den sprühenden Wogen entgegen. Er ging unter, kam wieder hoch, schluckte Wasser, spie es aus und schwamm, schwamm wie um sein Leben. Der Körper tat ihm weh, jeder einzelne Muskel. Das Herz klopfte im Hals. Vor seinen Augen drehten sich feurige Räder. Aber er gab nicht auf. Nicht immer wieder, »Herrenmensch«, dachte er. Nicht immer wieder und für alle Zeit. Und wenn ich jetzt verrecke mit meinem von der Sucht geschädigten Körper, meinem verrotteten Kreislauf, und wenn du mich tot aus deinem protzigen Pool fischen mußt, Scheißkerl, du darfst nicht gewinnen, du darfst nicht gewinnen!

Er begann zu kraulen. Der Vater auch. Sie waren nun Seite an Seite. Ross dachte: Wenigstens lacht er nicht mehr. Wild schlug Ross die Arme im Kreis. Der Gegendruck des Stream wurde immer größer, je näher er den Düsen kam. Er hatte das Gefühl, daß ihm das plötzlich eiskalte Wasser das Fleisch von den Knochen fetzte. Sein Kopf schmerzte rasend, er hatte einen leichten Krampf im rechten Bein, aber er gab nicht auf. Voller Triumph sah er, wie sein Vater zurückblieb, einen halben Meter, einen Meter. Ross strengte sich noch mehr an. Die reißenden Wellen des Stream peitschten seinen krebsrot gewordenen Körper. Hoch sprühte die Gischt. Ich habe nie etwas Besonderes übrig gehabt für Kämpfer, dachte er, aber manchmal mußt du einfach einer sein. Er tauchte. Er schwamm unter der tosenden Jet-Stream-Flut. Er kam wieder an die Oberfläche, erhielt einen Schlag, tauchte wieder unter, wieder auf, wieder unter. In seinem Kopf dröhnten nun Glocken. Er sah fast nichts mehr, als er plötzlich gegen die Frontwand stieß. Er packte einen Griff und drehte sich um. Während Wassermassen über ihn hereinbrachen, sah er, mindestens sechs Meter abgeschlagen, seinen Vater. Na also, dachte Ross. Er fühlte sich auf einmal großartig.

15

Sie ruhten in den weißen Korbsesseln. Miguel hatte die Drinks serviert. Die Gläser beschlugen in der Hitze. Nun trugen sie alle drei weiße Frotteemäntel. Mercedes hatte ein rotes Tuch um ihre nassen schwarzen Haare gebunden.
»Auf den Sieger!« sagte Eduardo Olivera.
Sie tranken.
Der Drink war so kalt, daß Ross die Zähne schmerzten. In dem großen Glas waren vier Eiswürfel. Oben schwamm die Hälfte einer sehr kleinen und grünen Zitrone. Der Gin-Tonic schmeckte bitter und herrlich nach der Anstrengung. Ross fühlte, wie unter dem Stoff des Bademantels seine Schenkel zitterten.
»Alle Welt liebt den Sieger«, sagte Olivera. Ross sah die Narbe an seiner rechten Schläfe, die helle Spur der alten Narbe. »Kein Mensch mag den Verlierer. Wir fühlen uns schlecht in seiner Gesellschaft. Man erwartet, daß er uns leid tut, daß er unsere Sympathie hat. Mitleid und Trost erwartet man von uns für den Verlierer. Wo ist der Schoß, in den er seinen Kopf legen und weinen kann? Ich habe gehofft, daß du es schaffst, Daniel. Gefühlt *habe* ich deine Stärke. Sonst hätte ich Mercedes nicht losgeschickt, dich zu holen. Du bist stark, obwohl du wahrhaft

elend aussiehst. Du hast es in dir, wenn es darauf ankommt. Ja, das habe ich gefühlt. Schließlich bist du mein Sohn. Ich muß dich jetzt die Arbeit tun lassen. Das Wettschwimmen soeben war ein Test, keine Herausforderung. Du hast es als Herausforderung betrachtet, weil du mich haßt. Du haßt mich doch, nicht wahr?«

Mercedes sah Ross flehend an. Er sagte laut: »Ja.«

Olivera lachte dröhnend. Er fragte: »Sehr?«

»Sehr, ja«, sagte Ross. »Tut mir leid, Mercedes.«

»Du mußt dich nicht entschuldigen, Sohn«, sagte der Vater. »Ich weiß es doch. Wie könnte es anders sein? Du haßt mich über alle Maßen. Richtig?«

»Richtig«, sagte Ross. »Über alle Maßen.«

»Darum hast du im Pool auch gedacht: Er darf nicht siegen! Und wenn ich verrecke dabei. Das hast du doch gedacht, Sohn?«

»Ja.«

»Und darum hast du mich besiegt. Haß macht stark. Wer haßt, ist zu allem fähig, auch zum Schwersten. Trinken wir auf den Haß, Sohn?«

»Gerne«, sagte Ross.

»Bitte...«, begann Mercedes unglücklich.

»Du nicht! Das ist eine Sache zwischen Männern. Eine Sache zwischen Vater und Sohn. Verlorenem Vater und Sohn, sollte ich sagen. Wiedergefundenem Vater und Sohn. A tu salud, Sohn, auf den Haß!«

»Auf den Haß!« sagte Ross und trank sein Glas aus.

Olivera nahm ein Sprechfunkgerät, das auf dem Tisch stand, und rief Miguels Namen. Der meldete sich. Olivera bestellte neue Drinks, das verstand Ross.

»Si, Señor«, kam die Stimme des Dieners.

»Was hast du zuletzt gesagt?« fragte Ross.

»Mit etwas mehr Gin, bitte. Ausgezeichnet, die Drinks, aber sie können noch ein wenig mehr Gin vertragen, finde ich. Mercedes, du bist die schönste Frau Argentiniens. Sei ruhig! Man widerspricht dem Vater nicht. Ist sie nicht wunderschön, Daniel?«

»Ganz wunderschön«, sagte dieser. »Wieso lebst du?«

»Sie haben mir doch versprochen...«, begann Mercedes.

»Ich halte mein Versprechen«, sagte Ross. »Ich bin ganz freundlich und gar nicht aggressiv. Er weiß, daß ich ihn hasse.

Meine Antwort war keine Überraschung für ihn. Im Gegenteil. Sie hat ihn erfreut. Er sieht, daß ich nicht lüge. Seien Sie ganz beruhigt, Mercedes. Es gibt keinen Streit, nicht wahr?«

»Streit?« sagte Olivera. »Was ist das?«

In den Bäumen sangen viele Vögel. Ross blickte hoch. Die Vögel saßen auf den Wedeln der uralten Palmen, in den Zypressen und Pinien, in den Eukalyptusbäumen und in den Kakteen, die so hoch waren wie Eichen. Die Vögel hatten Federn in allen Farben.

»Also«, sagte Ross. »Wieso lebst du? Du hast einmal Georg Ross geheißen und warst Leiter einer Filiale der Österreichischen Sparkasse in Wien. Im Krieg warst du Major. Der Major Georg Ross ist gefallen in treuer Pflichterfüllung für Führer, Volk und Vaterland bei schweren Abwehrkämpfen am zweiten März neunzehnhundertfünfundvierzig im Großraum Küstrin. Das hat man Mutter geschrieben, und sie hat sehr geweint.«

»Tatsächlich?« Olivera hob die Brauen. »Was ist ihm Hekuba, was ist er ihr, daß sie um ihn soll weinen? Hamlet, ein wenig verändert. Sie hat geweint? Und sogar sehr?«

»Als ich älter wurde und verstand, was Mutter mir über dich erzählte, konnte ich ihre Tränen auch nicht verstehen.« Ross sah Mercedes an. »Das ist eine freundliche Konversation zwischen uns beiden.«

Miguel kam über den Rasen. Er brachte die neuen Drinks auf einem Silbertablett, stellte sie geschickt ab und nahm die leeren Gläser mit.

»Ich danke dir, Miguel«, sagte Olivera.

»Stets zu Ihren Diensten, Señor«, sagte Miguel und eilte zum Haus zurück.

Olivera sah im nach. »Ein guter Mann«, sagte er. »Chauffeur, Gärtner, kann perfekt servieren. Versteht etwas von Technik. Erstklassiger Masseur. Würde sich für mich in Stücke reißen lassen. Noch gar nicht lange bei mir. Ich habe ihn von Carlo Alvarez übernommen.«

»Wer ist das?«

»General Alvarez war einer der Chefs der Militärjunta. Alter Freund von mir. Er steht jetzt vor Gericht. Du weißt doch, dies ist seit neuestem eine Demokratie.«

»Und du hältst nichts von Demokratie.«

Olivera sah Ross erstaunt an. »Was soll das heißen, Daniel? Ich halte die Demokratie für die beste aller möglichen Staatsformen.«

»Ausgerechnet du?« Ross lachte.

»Ja, ich«, sagte Olivera sehr ernst.

»Aber du warst doch ein skrupelloser Nazi!«

»Wann? Vor fast vierzig Jahren! Ich bin seit vielen Jahren kein Nazi mehr. Was ich erlebt, was ich gehört, was ich gesehen und gelesen habe, das hat mir die Augen geöffnet für die unsagbaren Verbrechen der Nazis. Ich bin ein anderer geworden. Das war ein sehr dummes Lachen, Daniel. Nur ein Idiot behält sein Leben lang die gleiche Überzeugung.«

Ross starrte Olivera lange an. »Also, du bist ein Demokrat«, sagte er schließlich überwältigt.

»Gewiß«, sagte Olivera.

»Meinst du, wir würden uns sonst so wunderbar verstehen?« fragte Mercedes.

»Ach, Mercedes«, sagte Ross.

»Was soll das bedeuten? Wenn jemand Vater kennt, dann bin das ich. Als ich drei Jahre alt war, lernte ich ihn kennen. Seither hat er sich um mich gekümmert. Als ich größer wurde, um meine Erziehung, um meine Ansichten. Er hat mich nie bevormundet. Er gab mir Bücher. Er führte mich zu Vorträgen, ins Theater, ins Kino. Er wollte, daß ich mir eine eigene Meinung bilde. Er hat mich in *demokratischer* Weise erzogen. Er hat bereut, er hat gebüßt. Er *ist* ein anderer geworden! Sehen Sie mich an! Ich bin doch eine überzeugte Anhängerin der Demokratie. Glauben Sie das?«

»Ich glaube es, Mercedes.«

»Dann muß Vater das aber auch sein!« rief sie.

Ross schwieg.

»Ich bin es wirklich. Übrigens: Präsident Alfonsin hat äußerst fähige Leute. Ich bin oft eingeladen bei den wichtigsten von ihnen, und noch häufiger kommen sie hierher, um mir von ihren Schwierigkeiten und Plänen zu erzählen und mich um Rat zu bitten.«

»Dich?« fragte Ross. »Mit deinem Freund, dem General?«

»Sie wissen genau, daß er mein Freund ist, *obwohl* er General war. Ich bin als wirklicher Demokrat bekannt, Daniel. Natürlich versuche ich nun, Alfonsins Leuten zu helfen, wo ich kann. In Argentinien halte ich eine Demokratie allerdings für ungeeignet«, sagte Olivera.

»Warum?«

»Das sind wilde Leute hier. Sie brauchen eine starke Hand.«

»Eine Diktatur meinst du.«

Olivera zuckte mit den Achseln. »Wir werden ja sehen, wie lang diese Demokratie hält.«

Plop, machte die imaginäre Luftblase in Ross' Brust. Plop, plop. »Was ist los mit dir? Du siehst blaß aus. Erregt dich meine Ehrlichkeit so sehr?«

»Das wird's wohl sein. Ehrlichkeit bei dir!« sagte Ross.

»Daniel!« rief Mercedes.

Olivera lachte. »Mein Sohn«, sagte er. »Wir trinken auf deinen Verstand – und auf deine Schönheit, Tochter.«

Sie tranken.

»A tu salud«, sagte Olivera wieder.

»Nun aber zurück zu dir!« sagte Ross.

»Hast du schon einmal so winzig kleine Zitronen gesehen? Wachsen nur hier. Zurück zu mir. Bitte. Am zweiten März neunzehnhundertfünfundvierzig ist Georg Ross, Major und Filialleiter der Österreichischen Sparkasse, bei schweren Abwehrkämpfen im Großraum Küstrin gefallen – in treuer Pflichterfüllung für Führer, Volk und Vaterland. Nun, er ist auferstanden. Auch Lazarus ist auferstanden.«

»Du bist auferstanden als Eduardo Olivera«, sagte Ross.

»Und als Bankier«, sagte sein Vater. »Neunzehnhundertfünfundvierzig gab es viele Lazarusse.«

»O ja«, sagte Ross.

»Du verstehst jetzt, wie?«

»Ich verstehe jetzt«, sagte Ross.

»Zuerst war ich ein kleiner Bankier. Da wohnte ich noch nicht hier. Dann wurde ich ein großer Bankier. Und übersiedelte.«

Wieder erfüllte jäh donnerndes Toben die Luft. Wieder bebte die Erde. Eine neue Staffel von Düsenjägern raste im Tiefflug über den Park. Die Gläser klirrten.

»Diese Jäger«, sagte Olivera, »sind auch manchmal über das Haus geflogen, als General Alvarez, mein Freund, Miguel noch brauchte. Sie fliegen auch jetzt, da er ihn nicht mehr braucht und Miguel bei mir und dieses Land eine Demokratie ist. Dieselben Maschinen. Mit denselben Piloten. Sie müssen bereit sein, unser Land zu schützen. Das Land ist immer dasselbe geblieben.« Olivera breitete weit die Arme aus. »Meine Kinder! Bin ich glücklich, euch bei mir zu haben, beide! Kommt, gehen wir noch einmal in den Pool!«

»Ich möchte dich fragen...«

»Nein«, sagte Eduardo Olivera, erhob sich und streifte den

weißen Frotteemantel ab. »Keine Fragen mehr jetzt, Daniel. Nach der Siesta werde ich dir dieses Dokument zeigen. Dann beantworte ich jede Frage. Hast du die Orchideen in den Bäumen gesehen? Die braun-gelben mit den violetten Lippen? Sind sie nicht wunderbar? Vanda tricolor heißen sie. Ich liebe Orchideen...«

Plop, plop, plop.

Ross preßte die Lippen zusammen. Die Angst, die Angst, die unwirklich war, aber viel schlimmer als erklärliche Angst, da kam sie, aus der Ferne noch, aber sie war auf dem Weg. Ross stand schnell auf. Mercedes sah ihn besorgt an. Er schüttelte lächelnd den Kopf und ging zu den Umkleidekabinen.

»Was ist los?« fragte Olivera.

»Nichts. Bin sofort da. Ich muß nur...«

»Ach so.«

Ross erreichte die Kabinen. Er trat in die seine und schloß die Tür. Aus der Jackentasche nahm er ein Glasröhrchen und schüttete fünf Tabletten Nobilam auf die Hand. Er öffnete den Mund und warf die Tabletten hinein. Er konnte seit Jahren Pillen jeder Art ohne Wasser schlucken. Sibylle hat gesagt, ich darf Nobilam nehmen, sobald ich glaube, es zu brauchen, beruhigte er sich. Dann steckte er das Röhrchen wieder in die Tasche und trat ins Freie. Eine Viertelstunde, und alles ist in Ordnung, dachte er auf dem Weg zum Pool. Olivera und Mercedes waren schon im Wasser. Sie bespritzten einander und lachten. Ross sah lange den Vater an, der mit den Händen ruderte und Mercedes etwas zurief. Ross merkte, daß er sich schon besser fühlte. Der Haß war eine feine Sache.

16

Der Mann, der einmal Georg Ross geheißen hatte und sich nun seit langer Zeit Eduardo Olivera nannte, ging in der großen Bibliothek seines Hauses von einem hohen französischen Fenster zum anderen und ließ durch Knopfdruck elektrisch betriebene, schwere, eiserne Rolläden herab. In der Bibliothek brannte Licht. Mercedes und Daniel saßen in tiefen Fauteuils. Sie trug einen Hausanzug aus dünnem, goldfarbenem Stoff – lange Hosen, weite Bluse – und goldene Slipper. Das ganze Haus war klimatisiert, in der Bibliothek mit ihren vielen tausend Bänden herrschte angenehm kühle Temperatur. Eine antike Standuhr auf dem Kaminsims zeigte die Zeit: vier Minuten nach sechs. Ross fühlte sich ausgeruht. Er hatte traumlos und sehr tief geschlafen. Dann hatten sie in der Bibliothek Tee getrunken. Miguel — er trug weiße Hosen und eine am Hals geschlossene weiße Jacke — räumte gerade Tassen, Kanne und alles übrige von einem niedrigen Marmortisch vor dem großen offenen Kamin auf einen Servierwagen. Ein Löffel fiel zu Boden. Miguel kniete nieder. Es dauerte ein paar Sekunden, bis er den Löffel gefunden hatte.

»Ich bitte um Vergebung, Señorita«, sagte er zu Mercedes und stand auf.

»Aber, Miguel!«

»Nein, es war sehr ungeschickt von mir.« Er sah gut aus, dieser junge, schlanke, dunkelhäutige Mann mit den großen, mandelförmigen Augen und den vollen Lippen. Seine Stimme hatte einen warmen, angenehmen Klang.

»Schon gut«, sagte Mercedes, »schon gut.«

»Wünschen Sie noch etwas, Señorita?«

»Nichts. Danke, Miguel.«

»Meine Herren?«

»Du kannst gehen«, sagte Olivera von einem der Fenster aus. »Die Bar haben wir hier. Abendessen in zwei Stunden, bitte. Sagst du Maria Bescheid?«

»Ja, Señor. In zwei Stunden. Stets zu Ihren Diensten.« Miguel verschwand, den Servierwagen mit dem Teegeschirr langsam vor sich herschiebend. Die große Tür der Bibliothek schloß sich lautlos hinter ihm. Mercedes nahm eine Zigarette aus der silbernen Dose, die auf dem niederen Marmortisch stand. Ross erhob sich und gab ihr Feuer.

»Danke, Daniel.« Sie sah ihn lächelnd an.

Er setzte sich wieder.

»Du wirst jetzt, Daniel, einen Film sehen«, sagte Olivera und beschäftigte sich immer noch mit den eisernen Rollos. »Dieser Film spielt in Teheran, der Hauptstadt des heutigen Iran. Bevor ich ihn dir zeige, muß ich noch einige Worte zum besseren Verständnis sagen.« Olivera trug eine weiße Leinenhose und ein lose hängendes, blaues Hemd. Die dritte Eisenjalousie sank herab, über Knopfdruck angetrieben von kleinen, unsichtbaren Elektromotoren. »Bis neunzehnhundertfünfunddreißig hieß der

Iran ›Kaiserreich Persien‹. Dieses Kaiserreich wurde neunzehnhundertsieben in eine britische und in eine russische Interessensphäre geteilt, seit neunzehnhunderteinundzwanzig existierte ein Schutzvertrag mit der Sowjetunion.« Olivera ging zum vierten Fenster und ließ den schweren Rolladen herunter. »Vom achtundzwanzigsten November bis zum ersten Dezember neunzehnhundertdreiundvierzig fand in Teheran eine Konferenz der sogenannten Großen Drei statt: Stalin, Roosevelt und Churchill. Es war das erste Mal, daß Roosevelt und Churchill mit Stalin zusammentrafen.« Olivera trat vor das fünfte und letzte Fenster. »Stalin hatte auf Teheran bestanden, und keiner alliierten Kriegskonferenz ist ein so langes und zähes Ringen um Ort und Zeit der Begegnung vorausgegangen wie dieser, für die Churchill den Decknamen ›Eureka‹ angeregt hatte.« Die fünfte eiserne Jalousie rastete ein. »So«, sagte Olivera, »nun ist der Raum absolut schalldicht.«

Er trat vor ein Bücherbord neben dem Kamin und drückte auf eine verborgene Feder. Ein Regalteil schwang seitwärts, und ein großer, in die Mauer eingelassener Tresor mit Nummernschloß wurde sichtbar. Olivera stellte, wobei er die Anlage mit seinem breiten Rücken verdeckte, die richtige Zahlenkombination ein. Er sagte dabei: »Das Beharren Stalins auf Teheran hatte dann allerdings auch Nachteile. Hier war das Wetter zu dieser Jahreszeit äußerst unbeständig. Prompt nötigte die Witterung den damals schon schwerkranken Präsidenten Roosevelt, den Konferenzort früher als vorgesehen zu verlassen. Auf Anraten seines Leibarztes wollte er es vermeiden, beim Herannahen einer Schlechtwetterfront in größerer Höhe fliegen zu müssen. Die Besprechungen am ersten Dezember wurden darum allzusehr komprimiert, nur um sicherzustellen, daß Roosevelt am nächsten Tag über Ägypten die Rückreise antreten konnte.« Die schwere, gut dreißig Zentimeter dicke Panzerstahltür des Tresors schwang auf. Aus dem geräumigen Inneren nahm Olivera einen Gegenstand ähnlich einem schmalen Buch, das in einem Schuber steckte. »Heute wissen wir«, fuhr er fort, »daß auf der Konferenz von Teheran über die definitive Errichtung einer zweiten Front in Frankreich gesprochen wurde. Das führte dann zur alliierten Landung in der Normandie am sechsten Juni vierundvierzig. In Teheran einigte man sich lediglich darüber, diese zweite Front zu eröffnen, die mit einer russischen Gegenoffensive im Frühjahr desselben Jahres koordiniert werden sollte. Ausgearbeitete Pläne gab es noch nicht. Ferner, nach der offiziellen Geschichtsschreibung allerdings vergebens, bemühten sich die Großen Drei um die Grundzüge ihrer Nachkriegspolitik.«

Olivera hatte den Tresor wieder geschlossen. Ross sah, daß das, was er in der Hand hielt, eine Videokassette war. Olivera ging mit ihr zu einer großen Wandbar auf der anderen Seite des Kamins und öffnete die beiden Hälften einer Tür aus Mahagoniholz. Ein Fernsehapparat wurde sichtbar. Olivera zog ihn ein wenig heraus. Neben dem Fernseher stand ein modernes Videogerät, auf ihm eine kleine, zierliche Schirmlampe. Olivera knipste sie an und schaltete gleichzeitig die Deckenbeleuchtung aus. Licht kam jetzt nur noch von einer einzigen Stelle. Die riesige Bibliothek lag im Dunkeln und im Halbschatten.

»Damals«, sagte Olivera und beschäftigte sich mit der Videoapparatur, »wurden natürlich zahlreiche Filmteams eingeflogen, die Aufnahmen für die westlichen und sowjetischen Kinowochenschauen machten. Daneben aber entstand ein vierunddreißig Minuten langer Film, von dessen Herstellung mit Ausnahme der an seiner Produktion Beteiligten niemand etwas wußte außer Roosevelt und Stalin und ihren beiden politischen Beratern. Bis zu dieser Stunde wissen auf der Welt nur jene Männer etwas von der Existenz dieses Films, die zu den engsten Mitarbeitern Stalins und Roosevelts gehörten – falls sie noch leben –, dazu die Nachfolger Roosevelts und Stalins als Führer der beiden größten Mächte dieser Erde sowie deren engste Mitarbeiter. Und Mercedes und ich. Ich muß mich korrigieren: Der Außenminister Joachim von Ribbentrop, der Reichspropagandaminister Joseph Goebbels und der Reichsführer SS Heinrich Himmler wußten natürlich auch von der Existenz dieses Films, der, wie Stalin und Roosevelt glaubten, durch speziell ausgesuchte, absolut zuverlässige und integre amerikanische Spezialisten in nur zwei Exemplaren hergestellt worden war: einer Fassung mit russischem Text und russischer Sprecherstimme, einer mit englischem Text und englischer Sprecherstimme. Was ich hier habe, ist eine Kopie des amerikanischen Exemplars.«

»Was heißt Kopie? Neunzehnhundertdreiundvierzig gab es doch noch keine Videoaufzeichnungen! Filme wurden damals auf Fünfunddreißig-Millimeter-Film gedreht.«

»Das ist richtig, Daniel. Ich habe zuerst auch die Kopie auf Fünfunddreißig-Millimeter-Kodak-Film besessen. Erst später ließ ich diesen Film auf Videokassette überspielen.«

»Warum?«

»Aus zwei Gründen: Das Kodak-Material hielt natürlich nicht ewig. Neunzehnhundertdreiundvierzig – das ist einundvierzig Jahre her! So lange bleibt das beste Material nicht intakt. Ich *mußte* den Film auf Video umkopieren. Ich bin sicher, daß man das im Kreml und im Weißen Haus auch getan hat. Der Urfilm war etwa sechshundert Meter lang, wog an die sechs Kilo und befand sich in einer großen Aluminiumtrommel. Damit wäre kein Mensch jemals auch nur durch eine einzige Zollkontrolle gekommen. Ich habe übrigens drei Videokopien anfertigen lassen bei einem Deutschen hier in einem Werk. Der Mann starb vor fünf Jahren. Klein hieß er. Paulo Klein. Ein vertrauenswürdiger Freund.«

»Warum wolltest du Kopien deiner Kopie?«

»Zu meinem Schutz. Die zweite Kassette liegt in einem Banksafe. Wenn mir etwas zustößt, wenn ich eines plötzlichen oder unnatürlichen Todes sterbe, hat mein Anwalt Vollmacht, diese Kopie aus dem Safe zu holen und auf einer internationalen Pressekonferenz vorzuführen. Dasselbe gilt«, fuhr Olivera fort, »wenn ich länger als zwei Wochen verschollen bin oder mich nicht melde. Ich habe die Kassette seinerzeit sehr auffällig deponiert. Man kann nicht vorsichtig genug sein. Du wirst es ebenfalls sein müssen, Daniel, wenn du den Film jetzt bekommst.«

»Wie soll ich das anstellen?« fragte Ross.

»Genau wie ich«, sagte Olivera. »Die dritte Kopie liegt hier im Tresor. Du bekommst also zwei Kopien und deponierst auch sofort eine mit entsprechenden Anweisungen, die du publik machst.«

»Wie ist der Film überhaupt in deinen Besitz gelangt?«

Olivera lehnte sich gegen die Bücherwand und steckte die Hände in die Taschen der Leinenhose. »Der Außenminister Joachim von Ribbentrop«, sagte er, »war ein Idiot. Er verfügte über ein einziges Talent: hervorragende Mitarbeiter zu verpflichten. So besaß er den bei weitem am besten funktionierenden hausinternen Geheimdienst – er war sogar besser als der von Canaris. Ribbentrops Dienst hatte erstklassige Leute an allen wichtigen Punkten der Erde. Ende fünfundvierzig war dieser Apparat noch vollkommen intakt. In der Bundesrepublik gibt es doch mehrere miteinander konkurrierende Dienste, nicht wahr? Nun, im Dritten Reich lief das genauso. Auch im Kaiserreich Iran hatte man seit langem ein Spionagenetz aufgebaut als Teil eines viel größeren Systems, das den ganzen Mittleren Osten überzog. Und *ein* Mann hatte dieses gewaltige Netzwerk geschaffen.«

»Du?« fragte Ross.

»Ja, ich«, sagte Eduardo Olivera, der vor langer Zeit einmal Georg Ross geheißen hatte.

»Du warst also nie Soldat?«

»Nie.« Olivera schüttelte den Kopf. »In allen wichtigen Städten des Mittleren Ostens und in allen Stützpunkten hatte ich absolut zuverlässige Residenten eingesetzt. Das waren stets Einheimische. In Teheran residierte ein Mann namens Chan Ragai, jung, sehr dynamisch, sehr erfolgreich. *Seine* Agenten kannte ich nicht – einem alten Gesetz aller Dienste der Welt zufolge. Man kennt immer nur *einen* anderen Mann des jeweiligen Netzes.«

»Wie hast du mit diesem Chan Ragai verkehrt?«

»Über Funk oder durch Kuriere. Ribbentrops Außenministerium befand sich in der Berliner Wilhelmstraße. Dort hatte auch ich mein Büro. Dort waren große Sende- und Empfangsstationen installiert. Chan Ragai erhielt von mir den Auftrag, alles, was bei dieser Konferenz der Großen Drei geschah, auf das genaueste zu verfolgen. Seine Männer leisteten hervorragende Arbeit. Besonders ein Agent, der mir bis heute nur unter dem Kürzel CX einundzwanzig bekannt ist. CX einundzwanzig brachte es fertig, in den Besitz einer Kopie des Films zu gelangen, den ich dir jetzt zeigen will, Daniel.«

Olivera ließ sich auf eine Couch vor dem Kamin fallen und drückte auf die Taste eines kleinen Fernbedienungsgeräts, das er nun in der Hand hielt. Über den Fernsehschirm lief leicht schlissiger Schwarzfilm.

Zu kurzen Pfeiftönen erscheinen die Ziffern 3, 2 und 1. Danach – es handelt sich um einen Schwarzweißfilm – sieht man das Signet der Vereinigten Staaten: einen stilisierten Adler mit einem stilisierten Friedenszweig in der rechten und einem ebenso stilisierten Liktorenbündel in der linken Kralle, vor der Brust, viereckig und stilisiert, die amerikanische Flagge, über dem Kopf des Adlers ein auf beiden Seiten hochflatterndes Band mit den Worten E PLURIBUS UNUM.

Um den Adler läuft ein geschlossener Kreis. Man liest: SEAL OF THE PRESIDENT OF THE UNITED STATES. Das Signet bleibt eine Weile stehen. Es folgen, in großen Buchstaben, die Worte TOP SECRET und danach in englischer Sprache die Worte:

VON DIESEM FILM EXISTIERT NUR EINE EINZIGE WEITERE ANFERTIGUNG MIT RUSSISCHEM TEXT UND KOMMENTAR IN RUSSISCHER SPRACHE. DIE ENGLISCHE VERSION IST BESTIMMT FÜR DAS GEHEIMARCHIV DES PRÄSIDENTEN DER VEREINIGTEN STAATEN VON AMERIKA IM WEISSEN HAUS, WASHINGTON, D.C. DIE RUSSISCHE VERSION IST BESTIMMT FÜR DAS GEHEIMARCHIV DES GENERALSEKRETÄRS DES ZENTRALKOMITEES DER KOMMUNISTISCHEN PARTEI DER SOWJETUNION BEZIEHUNGSWEISE DES STAATSCHEFS DER UNION DER SOZIALISTISCHEN SOWJETREPUBLIKEN IM KREML ZU MOSKAU. NACH BESCHWORENER SCHWEIGEPFLICHT DÜRFEN DIE ENGSTEN MITARBEITER DER BEIDEN GEGENWÄRTIGEN STAATENLENKER SOWIE DIE ENGSTEN MITARBEITER DER DEN GEGENWÄRTIGEN FOLGENDEN BEIDEN STAATENLENKER KENNTNIS VON DIESEM FILM UND SEINEM INHALT ERLANGEN. KEIN ANDERER MENSCH DARF DIESES FILMDOKUMENT JEMALS SEHEN ODER VON SEINER EXISTENZ KENNTNIS ERHALTEN. DIE BEIDEN EXEMPLARE DES FILMS SIND AUFZUBEWAHREN FÜR ALLE ZEIT.

ABBLENDEN

AUFBLENDEN

Eine Totale der Stadt Teheran. Es ertönt das amerikanische Englisch eines

SPRECHERS

Dies ist die Stadt Teheran, Hauptstadt des Kaiserreichs Iran, aufgenommen am Vormittag der 27. November 1943. Morgen, am 28. November 1943, beginnt hier die Konferenz der Großen Drei: des Premierministers der Vereinigten Königreiche Großbritannien und Nordirland, Winston Churchill, des Präsidenten der Vereinigten Staaten von Amerika, Franklin Delano Roosevelt, und des Vorsitzenden des Rates der Volkskommissare der Union der Sozialistischen Sowjetrepubliken, Marschall Josef Wissarionowitsch Stalin.

Militärflughafen vor der Stadt. Im Hintergrund, mächtig und unheimlich, die hohe Bergkette des schneebedeckten

Elbrus-Gebirges. Eine große viermotorige Maschine vom Typ »Liberator« landet soeben und rollt aus. Die Gangway wird herangefahren. Es scheint sehr kalt zu sein, die wenigen Männer, die zum Empfang erschienen sind, Zivilisten und Militärs, tragen dicke Mäntel und Kopfbedeckungen, die meisten Pelzmützen. Man sieht eine sehr große Zahl von sowjetischen Armeefahrzeugen und Soldaten mit Maschinenpistolen rund um das Flughafengelände. Schwerste Sicherheitsvorkehrungen wurden getroffen. Die Luke der Maschine öffnet sich. Es erscheint auf der obersten Treppe der Gangway in Uniformmantel und mit Schirmmütze Winston Churchill. Er hält eine dicke Zigarre im Mund, lächelt breit und hebt den Zeigefinger und den Mittelfinger der rechten Hand zu dem berühmt gewordenen V-Zeichen, das für »Victory« (Sieg) steht. Die sowjetischen Sicherheitskräfte in höchster Alarmbereitschaft. Hektische und nervöse Atmosphäre. Die kleine Gruppe von Männern begrüßt Churchill, der die Gangway herabgeschritten ist. Etwa ein Dutzend anderer Personen verläßt die gelandete Maschine.

SPRECHER

14 Uhr 35 Ortszeit. Zu diesem geheimgehaltenen Zeitpunkt landet die Maschine mit Premierminister Churchill – aus Sicherheitsgründen – nicht auf dem zivilen Flughafen Mehrabad, sondern auf dem sowjetischen Militärflughafen. Der Premier ist mit einem kleinen Stab von Mitarbeitern gekommen. Hier begrüßt ihn der britische Gesandte in Teheran. Premierminister Churchill wird in seinem Wagen zur britischen Gesandtschaft gebracht.

Churchill steigt in einen auf dem Flugfeld vorgefahrenen Wagen, der britische Gesandte folgt. Churchills Begleitung benützt drei weitere auf das Rollfeld gekommene Wagen. Die kleine Kolonne setzt sich in Bewegung. Vorneweg ein großes Polizeiauto mit blinkenden Blaulichtern. Auf den ausgefahrenen Trittbrettern stehen schwerbewaffnete persische Polizisten.

»Wer hat diese Aufnahmen gemacht?« fragte Ross, der gebannt auf den Fernsehschirm sah.
»Ausgesuchte amerikanische und sowjetische Armeekameraleute«, antwortete Olivera. »Die Reporter, Wochenschauoperateu-

re und Fotografen landeten erst später auf dem zivilen Flughafen Mehrabad.« Olivera hatte eine Stehlampe angeknipst, und Ross sah, daß ein Buch neben dem Vater lag. Ein zweites hielt er geöffnet auf den Knien.

»Churchill lachte zwar für die Kameras, aber er war wütend«, sagte Mercedes. Sie hatte die goldenen Slipper abgestreift und die Beine hochgezogen. So kauerte sie in ihrem Fauteuil.

»Warum wütend?« fragte Ross. Das Bild hatte gewechselt...

Der kleine Konvoi fährt über eine Landstraße vom Militärflughafen zur Stadt. In kurzen Abständen bewachen persische Kavalleristen die Straße. Zunächst sind nur wenige winkende Menschen zu sehen.

»Er war unzufrieden mit den Sicherheitsmaßnahmen«, sagte Olivera und setzte eine Brille mit schwerer Hornfassung auf. »Ich habe hier einen Band seiner Memoiren. Churchill schreibt: ›... Als wir uns der Stadt näherten, säumten mindestens fünf Kilometer weit alle fünfzig Meter persische Kavallerieposten die Straße. Böswillige Leute vermochten daraus unschwer zu entnehmen, daß eine hohe Persönlichkeit erwartet und welchen Weg sie nehmen würde... Das Tempo war langsam, und bald füllte eine große Menge die Zwischenräume zwischen den Reitern aus. Polizisten zu Fuß gab es, wenn überhaupt, nur wenige...‹ Der Film bestätigt, was Churchill später schrieb.«

Vororte von Teheran. Plötzlich viele Menschen zwischen den Reitern. Die meisten überrascht und ernst. KAMERA zeigt ein kleines Mädchen, das auf den Schultern seines Vaters sitzt und winkt. In mehreren Einstellungen die Fahrt durch das Stadtzentrum. Hier drängen sich die Menschen auf beängstigende Weise, sie kommen, ohne daran gehindert zu werden, dicht an die Wagen heran.

Olivera sagte, das Buch auf den Knien: »Churchill weiter: ›Im Stadtzentrum stand die Menge zu viert und fünft hintereinander. Man kam freundlich, aber zurückhaltend, bis auf wenige Schritte an den Wagen heran. Gegen zwei oder drei entschlossene Individuen mit Revolvern oder Bomben hätte es keinen Schutz gegeben...‹«

Die Menge wird immer dichter. Der Konvoi fährt im Schrittempo. An einer Kreuzung muß er sogar halten. Die

Straße ist von Menschen verstopft. Persische Soldaten werden der Lage nur mühsam Herr. Die Menschen weichen unwillig und zögernd zurück.

Die Stimme Oliveras erklang: »Churchill schreibt, und ich zitiere: ›An der zur Gesandtschaft führenden Kreuzung entstand eine Stockung; wir standen drei bis vier Minuten unbeweglich inmitten der Menge der gaffenden Perser. Wenn man sich vorgenommen hätte, das größte Risiko zu laufen und sowohl auf den Schutz einer geheimen Ankunft wie auf die Bedeckung durch eine starke Eskorte zu verzichten, hätte man das Problem nicht besser lösen können. Doch ereignete sich nichts. Ich lächelte der Menge zu, und die meisten lächelten zurück...‹«

Das Bild auf dem Fernsehschirm zeigt einen unerschütterlichen ruhigen Churchill mit der Zigarre im Mund. Er winkt den Menschen zu, die seinen Wagen umdrängen, und lacht. Viele winken zurück und lachen gleichfalls. Ohne die Zigarre aus dem Mund zu nehmen, sagt Churchill etwas zu dem neben ihm sitzenden britischen Gesandten. Dieser nickt und macht ein wütendes Gesicht.
Die Kreuzung ist endlich geräumt, die Wagen können weiterfahren. Enge Straßen, die zuletzt einer breiteren weichen. Der Konvoi erreicht eine große Villa, welche in einem Garten liegt. Das Gartentor steht offen. Das ganze Gelände, die Einfahrt, der Weg durch den Garten und die Villa werden von britisch-indischen Soldaten bewacht. Sie tragen weiße Turbane. Alle sind schwer bewaffnet. Der Konvoi fährt auf die Villa zu. KAMERA SCHWENKT und zeigt das danebenliegende Grundstück, einen im Vergleich zum Garten der britischen Gesandtschaft riesenhaften Park, in dem mehrere große Gebäude stehen. Hier wimmelt es von sowjetischen Soldaten.

SPRECHER

Die Wagenkolonne mit Premierminister Churchill hat nun die britische Gesandtschaft erreicht. Churchill und seine Begleiter werden hier wohnen. Bewacht wird die Residenz von britisch-indischen Soldaten. (Nach dem KAMERASCHWENK:) Gleich nebenan befindet sich die sowjetische Botschaft, in der Marschall Stalin mit seiner Begleitung bereits eingezogen ist.

Olivera las, an seiner Brille rückend, weiter vor: »»Die Gebäude«, schreibt Churchill, ›lagen nebeneinander. Unsere über unsere Sicherheit wachende britisch-indische Brigade kam dadurch in Kontakt mit den noch zahlreicheren, ihr eigenes Areal absperrenden Russen, und bald machten sie gemeinsame Sache, so daß wir uns in einer isolierten, kriegsmäßig gesicherten Enklave befanden...‹«

Wieder der sowjetische Militärflughafen. Eine Maschine vom Typ »Flying Fortress« landet und rollt an der gleichen Stelle aus wie zuvor die Maschine, mit der Churchill kam. Das Flughafengelände ist wieder hermetisch abgesperrt. Eine lange Kolonne großer amerikanischer Wagen – Chevrolets, Buicks, Chryslers, Lincolns und Cadillacs – rollt an die Maschine heran. Die Luke der »Flying Fortress« öffnet sich, die Gangway ist herangerollt. Unbarmherzig zeigt die KAMERA, wie Präsident Roosevelt von zwei amerikanischen Sicherheitsbeamten die Treppe herabgetragen und in einen Rollstuhl gesetzt wird. (Nach seiner Erkrankung an Kinderlähmung kann der Präsident nicht mehr gehen und nur kurze Zeit mit größter Mühe stehen.) Zahlreiche Zivilisten und Militärs begrüßen ihn. Der Rollstuhl verschwindet hinter einer Limousine. Der Präsident wird offenbar in einen Wagen gehoben. Man sieht sein bleiches, von Krankheit gezeichnetes Gesicht gleich darauf in einem Fondfenster.

SPRECHER

16 Uhr 47. Zu diesem ebenfalls geheimgehaltenen Zeitpunkt landet die Maschine mit Präsident Roosevelt auf dem russischen Militärflughafen. Der Präsident kommt zur Konferenz »Eureka«, wie sie auf Vorschlag des britischen Premiers genannt wird, mit einer sechsundsiebzig Personen umfassenden Begleitung.

Diese außerordentlich große Anzahl von Mitreisenden sehen wir nun. Immer mehr Zivilisten und Militärs kommen über die Gangway herab aus dem Flugzeug. Die Männer steigen in die Wagen. Wie bei Churchill rollt ein Polizeiauto mit zuckenden Blaulichtern an der Spitze des diesmal sehr langen Konvois.

»Allmächtiger«, sagte Ross. »Sechsundsiebzig Mann Begleitung!«

Die Bilder, die der Videofilm nun zeigte, entsprachen im Grunde jenen von der Ankunft Churchills und seiner Fahrt in die Stadt. Mit der Fernsteuerung ließ Olivera die Stimme des Sprechers leiser werden. Zu den Bildern der amerikanischen Delegation auf ihrem Weg zur und durch die Stadt sagte Olivera, das zweite Buch nehmend: »Ich habe hier ein – übrigens ausgezeichnetes – Werk zur Zeitgeschichte von Gottfried Zieger. Der Verfasser dieses 1967 erschienenen Buches mit dem Titel ›Die Teheran-Konferenz neunzehnhundertdreiundvierzig‹ war damals am Institut für Völkerrecht der Universität Göttingen tätig. Er schreibt in Kapitel römisch drei: ›...von den Schwierigkeiten der Unterbringung dieses riesigen Stabes abgesehen, erwies sich sogleich die Lage des amerikanischen Quartiers als recht ungeeignet...‹«

Der Film zeigt die Ankunft der Wagenkolonne des Präsidenten vor der amerikanischen Gesandtschaft, einem großen, weißen Gebäude, das gleichfalls in einem Garten liegt. Sehr viele amerikanische Soldaten, schwer bewaffnet, sichern das Gelände.

»... Die Gesandtschaft der Vereinigten Staaten befand sich nämlich fast zwei Kilometer von den Missionsgebäuden Großbritanniens und der Sowjetunion entfernt‹, schreibt Zieger. ›Es wurden Befürchtungen laut, dem Präsidenten könne bei den täglichen Fahrten dorthin etwas zustoßen...‹ Und an anderer Stelle notiert Zieger: ›Dem Logbuch des Präsidenten zufolge war den Amerikanern bekannt gewesen, daß Teheran noch bis vor kurzem ‚vollständig unter deutscher Kontrolle‘ gestanden hat‹« – Olivera begann, zuerst unterdrückt, zu lachen, während er weiterlas – »›oder, wie sich Roosevelt drastisch ausdrückte, ‚das Hauptquartier für die ganze Spionage der Achse im Mittleren Osten‘ war und genügend Parteigänger Deutschlands sich in der persischen Hauptstadt aufhalten würden...‹« Nun lachte Olivera schallend. Er beruhigte sich erst allmählich wieder und sagte, immer noch von Heiterkeitsausbrüchen unterbrochen: »Schlaue Köpfe, wie? Die hatten doch tatsächlich mitbekommen, daß wir in Teheran tätig waren! Ich will mich ja wirklich nicht selber loben...«

»Das mußt du auch nicht«, sagte Ross zwischen den Zähnen. »Roosevelt tut es.«

»O Daniel«, stöhnte Olivera, »ist das vielleicht kein Kompliment?«

Ross sah, daß Mercedes in flehend anblickte. Ihre Augen bettelten: Bitte nicht! Sie haben versprochen, die Nerven zu bewahren. Ross nickte. Sie lächelte ihm zu. Er sah wieder zum Fernsehapparat.

> Der Film zeigt nun einen Saal in einer der Villen, die zur sowjetischen Botschaft gehören. Sehr prunkvoll. Im Raum und im Gespräch: Stalin in Uniform (weiße Jacke), ein kleiner Mann mit altmodischem Kneifer auf der Nase und ein weiterer mächtiger Mann in Uniform.

Olivera hatte den Ton durch Knopfdruck wieder lauter werden lassen.

SPRECHER

Die schon früher eingetroffenen sowjetischen Sicherheitsorgane behaupteten am späten Nachmittag des 27. November, einem Komplott gegen einen der Großen Drei auf die Spur gekommen zu sein. Marschall Stalin beriet sich mit Außenminister Wjatscheslaw Michailowitsch Molotow und seinem persönlichen politischen Berater General Kliment Jefremowitsch Woroschilow…

> Abend. Außenminister Molotow fährt von der sowjetischen Botschaft zur amerikanischen Gesandtschaft, verläßt den Wagen, wird von Zivilisten ins Haus geführt und in einem Raum von einem etwa fünfzigjährigen Zivilisten empfangen. Begrüßung, Händeschütteln, die beiden gehen in einen anderen Raum.

SPRECHER

Noch am Abend des Ankunfttages begibt sich Außenminister Molotow in die amerikanische Gesandtschaft und macht den persönlichen politischen Berater Präsident Roosevelts, Harry Lloyd Hopkins, noch einmal nachdrücklich auf die Existenz deutscher Agenten und ihre verbrecherischen Umtriebe aufmerksam.

Olivera hatte das erste Buch wieder in die Hand genommen. Zu den Bildern des Umzugs, der sehr ausführlich gezeigt wurde, sagte er, den Ton leiser stellend: »Wieder Churchill: ›Die von amerikanischen Truppen bewachte amerikanische Gesandtschaft lag fast zwei Kilometer weit von uns entfernt; das bedeutete, daß entweder der Präsident oder Stalin und ich die engen Straßen Teherans zwei- oder dreimal täglich in beiden Richtungen passieren mußten. Molotow, bereits vierundzwanzig Stunden vor uns eingetroffen, meldete zu allem Überfluß, der russische Sicherheitsdienst sei einem Komplott auf die Spur gekommen, einen der Großen Drei, wie wir genannt wurden, zu ermorden, und der Gedanke, daß wir beständig die Straßen passieren sollten, erfüllte ihn mit Entsetzen. Jedes derartige Ereignis würde einen denkbar schlechten Eindruck machen, meinte er. Das war nicht zu leugnen. Ich unterstützte deshalb mit aller Energie Molotows Appell an den Präsidenten, in der Sowjetbotschaft Quartier zu nehmen, die, räumlich drei- bis viermal größer als die anderen Missionen, in einem großen Park stand und von Sowjettruppen und Sowjetpolizei umringt war...‹«

Gerade da zeigt der Film die ungeheuer große Anzahl von sowjetischen Sicherheitskräften während des Umzugs der Amerikaner.

»›... Es gelang uns‹, schreibt Churchill, ›den Präsidenten zur Annahme dieses guten Rates zu bewegen, und am nächsten Nachmittag zog er mit seinem persönlichen Stab, die ausgezeichneten philippinischen Köche von seiner Jacht mit eingeschlossen, ins russische Besitztum um, wo ihm reichliche und bequeme Unterkunft geboten wurde.‹«

Szenen vom Umzug der Amerikaner in die sowjetische Botschaft. KAMERA zeigt wieder GROSS den persönlichen Berater Roosevelts, Harry Hopkins.

»Du siehst, Daniel«, sagte Olivera, »der Sprechertext und der Text aus Churchills Memoiren sind fast identisch an dieser Stelle. Nur, daß Churchill seine Memoiren erst viele Jahre später zu schreiben begann. An der Echtheit der Bilder und des Filmkommentars kann also kein Zweifel bestehen. Churchill schreibt: ›Damit befanden wir uns alle innerhalb eines kleinen Bezirks, in dem wir ohne die Gefahr einer Störung die Weltkriegsprobleme besprechen konnten. Mir wurde es in der britischen Gesandtschaft sehr behaglich gemacht; und zum Palast der Sowjets, von dem man sehr wohl sagen kann, daß er für den Moment den Mittelpunkt der Welt bildete, brauchte ich nur einige hundert Meter zurückzulegen. Ich fühlte mich immer noch schlecht; meine Erkältung und mein schmerzender Hals verhielten sich so bösartig, daß ich zeitweise kaum zu reden vermochte. Doch setzte mich Lord Moran mit Einpinselungen und unermüdlicher

Fürsorge in die Lage, das zu sagen, was ich zu sagen hatte – und das war viel.«‹‹
Olivera nahm die Brille ab und schloß das Buch.

Die KAMERA zeigt nun GROSS das Gebäude der Sowjetbotschaft und fährt sehr nahe an sie heran.

ABBLENDEN

AUFBLENDEN

Ein Saal mit riesigen Teppichen, Gobelins, alten Gemälden und antiken Möbeln. Einander gegenübersitzend und für Fotografen und Kamerateams posierend: Roosevelt und Stalin.

Olivera drehte den Ton wieder auf laut.

SPRECHER

28. November 1943: Erste Unterredung Stalin – Roosevelt in der sowjetischen Botschaft. Beginn: 15 Uhr Ortszeit, Ende: 16 Uhr Ortszeit. Anwesend außerdem: zwei Dolmetscher, ein Stenograf.

BLENDE

Ein großer Sitzungssaal. Etwa zwei Dutzend Männer, teils in Uniform, teils in Zivil.

SPRECHER

Erste Vollsitzung am 28. November 1943 in der sowjetischen Botschaft. Beginn: 16 Uhr. Ende: 19.30 Uhr. Teilnehmer: Präsident Roosevelt, sein persönlicher Berater Harry Hopkins, Admiral Leahy, Admiral King, Major General Deane, Captain Royal und Charles Bohlen. – Premierminister Churchill, Außenminister Eden, Field Marshall Dill, General Brooke, Admiral of the Fleet Cunningham, Air Chief Marshall Portal, Lieutenant General Ismay, Major Birse. – Marschall Stalin, Volkskommissar für Auswärtige Angelegenheiten Molotow, General Woroschilow, Pavlov und Berezkov...

BLENDE

Olivera sagte: »Über diese Zusammenkünfte berichtet Zieger in seinem Buch übrigens exakt – mit denselben Daten und Zeitangaben. Über das folgende Treffen berichtet er natürlich nicht...«

Ein kleiner Raum. Darin Harry Hopkins und General Woroschilow. Beide sehr ernst.

SPRECHER
29. November 1943, 2 Uhr morgens. Erstes geheimes Treffen zwischen Harry Hopkins und General Woroschilow, den persönlichen politischen Beratern Präsident Roosevelts und Marschall Stalins, in einem abgelegenen Salon der sowjetischen Botschaft. Später anwesend: zwei Dolmetscher, ein Stenograf. Von diesem Treffen sind nur Roosevelt und Stalin unterrichtet. Es dauert bis 4 Uhr 30 früh. Erster Gedankenaustausch und erster Entwurf eines beidseitigen Geheimprotokolls zwischen der Sowjetunion und den Vereinigten Staaten von Amerika...

BLENDE

Daniel Ross, der Bluejeans und ein weißes Netzhemd trug, fuhr hoch. Atemlos sagte er: »Beidseitiges Geheimprotokoll – neunzehnhundertdreiundvierzig schon?«
»Gewiß. Und was für eins! Meinst du, ich habe dich zum Spaß von Mercedes herholen lassen? Meinst du, ich bin zu Unrecht der Ansicht, daß man mit diesem Film die Welt aus den Angeln heben kann? Sei ruhig und hör zu!«
Ross sank in den Fauteuil zurück.
»Ich habe es Ihnen prophezeit«, flüsterte Mercedes.
Inzwischen hatte das Bild auf dem Fernsehschirm gewechselt und zeigte die erste gemeinsame Sitzung der Militärvertreter der drei Großmächte am 29. November 1943 – wieder in der Botschaft der UdSSR – Beginn 10 Uhr 30, Ende circa 13 Uhr 30.
Es folgten Bilder von der zweiten Unterredung Stalin – Roosevelt am 29. November 1943 in der Sowjetbotschaft, Beginn: 14 Uhr 45. Ende: 5 Uhr 30.
Als nächstes waren Aufnahmen von der zweiten Vollsitzung am 29. November 1943 in der Sowjetbotschaft zu sehen. Beginn: 16 Uhr. Ende: 19 Uhr 30.
Olivera sagte: »Auch diese Treffen werden in dem Werk Ziegers minuziös aufgeführt. Was folgt, natürlich nicht...«

BLENDE

Der kleine Botschaftsraum, darin Harry Hopkins und General Woroschilow. Ein mit vielen Papieren bedeckter Schreibtisch, an dem die beiden Männer einander gegenübersitzen.

SPRECHER

30. November 1943, 1 Uhr 30 morgens. Zweites geheimes Treffen zwischen Harry Hopkins und General Woroschilow in dem abgelegenen Salon der sowjetischen Botschaft. Anwesend später: die beiden Dolmetscher, ein Stenograf. Zwei absolut zuverlässige Spezialisten der amerikanischen Armee haben diese Aufnahmen und die vom ersten geheimen Treffen gemacht. Es war zwischen Roosevelt und Stalin verabredet, daß diese geheimen Treffen im Bild festgehalten werden sollten. Die Spezialisten standen selbstverständlich unter Schweigepflicht. Zweck des Treffens: endgültige Ausarbeitung des beidseitigen Geheimprotokolls. Ende des Treffens 3 Uhr 45 früh.

BLENDE

»Phantastisch«, sagte Ross.
»Warte ab!« sagte Olivera.
Es folgten Bilder der Unterredung Stalin – Churchill am 30. November, Beginn 12 Uhr 40, Ende zirka 13 Uhr 30, Ort: britische Gesandtschaft; danach Aufnahmen von einer Unterredung während des Lunch am 30. November 1943 im Speisesaal der Sowjetbotschaft, Beginn: 13 Uhr 30, Ende: 15 Uhr 45; sodann Bilder der dritten Vollsitzung am 30. November 1943, Beginn: 16 Uhr, Ende: 18 Uhr 15. Ort: sowjetische Botschaft; anschließend eine Sitzung am runden Tisch am 30. November 1943 in der Sowjetbotschaft, Beginn: 18 Uhr, Ende: 19 Uhr 40.
»Das alles«, sagte Olivera, »kann man bei Zieger in ›Die Teheran-Konferenz neunzehnhundertdreiundvierzig‹ nachlesen. Daten und Zeiten stimmen präzise überein. Das Folgende wird nicht erwähnt, denn Zieger ahnte nichts davon...«

Der Bildschirm zeigt den kleinen Salon in der Sowjetbotschaft. Anwesend: Stalin, Roosevelt, Harry Hopkins, Woroschilow, zwei Dolmetscher. Roosevelt und Stalin sitzen nebeneinander an dem Schreibtisch. Jeder signiert ein in einer Ledermappe liegendes dünnes Schriftstück. Sie wechseln die Mappen und signieren noch einmal.

1. Dezember 1943, 6 Uhr früh. Stalin und Roosevelt unterzeichnen das von ihren persönlichen Beratern ausgearbeitete und in englischer und russischer Sprache mit der Maschine geschriebene Geheimprotokoll. Auch diese Aufnahmen wurden auf Wunsch der beiden Staatschefs von den erwähnten amerikanischen Spezialisten gemacht, so wie es der Wunsch Roosevelts und Stalins war, das Protokoll selber abzufilmen, und zwar Seite für Seite so langsam, daß der Text unter allen Umständen leicht zu verfolgen ist. – Hier nun dieser Text.

BLENDE

Die erste Seite des Protokolls, oberer Teil. Sehr klar zu lesen, obwohl diese Partie wie der ganze Film vom Alter mitgenommen und leicht »verregnet« ist, einzelne Risse und Tonsprünge aufweist, dazu Kratzer und Flecken.

Es ist nun totenstill in der Bibliothek.
Ross liest:

BEIDSEITIGES PROTOKOLL (STRENGST GEHEIM)

Der Präsident der Vereinigten Staaten von Amerika und der Vorsitzende des Rates der Volkskommissare der Union der Sozialistischen Sowjetrepubliken haben ihre politischen Berater beauftragt, die langfristigen Perspektiven der Politik ihrer beiden Staaten zu formulieren. Aus Anlaß der Unterzeichnung der Verlautbarung vom 1. Dezember 1943 über Verlauf und Ergebnisse der Konferenz der Hohen Alliierten in Teheran erklären die Regierung der Vereinigten Staaten von Amerika und die Regierung der Union der Sozialistischen Sowjetrepubliken – im folgenden Mächte genannt – diese Grundsätze ihrer zukünftigen Politik:

DIE KAMERA GLEITET SEHR LANGSAM TIEFER VON ZEILE ZU ZEILE

Die Regierungen der Vereinigten Staaten von Amerika und der Union der Sozialistischen Sowjetrepubliken
– im Bewußtsein, daß sie die Hauptlast des Kampfes gegen das Deutsche Reich und seine Verbündeten tragen,

– vereint in der Entschlossenheit, sich der Verantwortung für den Weltfrieden auch nach der siegreichen Beendigung dieses Kampfes nicht zu entziehen und diese gemeinsam zu tragen,

– in der Überzeugung, daß nur zwei starke und unabhängige Mächte für das alleinige Ziel der Aufrechterhaltung von Frieden, Gerechtigkeit und Wohlergehen auf der Welt wirklich eintreten können,

– bewußt ihrer Verantwortung, sich selbst und die Völker der Welt von den Bedrohungen einer Angriffspolitik zu befreien,

– in der Erkenntnis der Notwendigkeit, einen geordneten Übergang vom Krieg zum Frieden zu sichern und die internationale Sicherheit künftig zu garantieren,

erklären gemeinsam:

I.

Die Mächte verpflichten sich, sich in ihren gegenseitigen Beziehungen jedes Gewaltaktes, jeder aggressiven Haltung und jedes Angriffs gegeneinander, und zwar sowohl einzeln als auch gemeinsam mit anderen Mächten, zu enthalten. Falls eine der Mächte Ziel aggressiver Handlungen seitens eines dritten Staates werden sollte, wird die andere Macht in keiner Weise den dritten Staat unterstützen.

Diese Übereinkunft hindert keine der Mächte daran, einem...

Die erste Seite wird weggehoben, die KAMERA fotografiert den oberen Teil der Seite 2.

... dritten Staat zu Hilfe zu kommen, auch wenn diese Anstrengungen gegen die andere Macht oder eine Gruppe von Mächten, der die andere Macht angehört, gerichtet sind. In einer solchen Situation werden die beiden Mächte jedoch jede direkte und unmittelbare Konfrontation ihrer Truppen und ihres Militärpersonals vermeiden.

2.

Die Mächte erkennen gegenseitig die besondere Verantwortung an, die jede Macht hinsichtlich bestimmter Gebiete innehat.

I.

Die Gebiete besonderer Verantwortung der Union der Sozialistischen Sowjetrepubliken werden in Europa begrenzt durch die Linie, die die sowjetischen Truppen bei Abschluß eines Waffenstillstands mit dem Deutschen Reich erreicht haben werden, bzw. durch eine zwischen den Alliierten und assoziierten Mächten vereinbarte Demarkationslinie. Die Union der Sozialistischen Sowjetrepubliken strebt eine politische und territoriale Umgestaltung dieser Gebiete an.

»Und bei Gott, die Sowjetunion *hat* diese Gebiete umgestaltet, politisch und territorial!« sagte Mercedes. Sie war aufgestanden und hatte den Film durch einen Druck auf die Stoptaste des Videogerätes angehalten. Ihre Stimme klang ungemein sachlich. *Ungarn!* Riesiger Bevölkerungsaustausch mit der Tschechoslowakei. Großgrundbesitz, Banken und Industrie verstaatlicht. Kirchliche und private Schulen verstaatlicht, Landwirtschaft brutal verstaatlicht. Neunzehnhundertsiebenundvierzig können die Kommunisten, gestützt auf die Rote Armee, die Opposition ausschalten. Um den Widerstand des Klerus zu brechen, wird Kardinal Mindszenty zu lebenslänglicher Haft verurteilt. Unbequeme Politiker werden in grausigen Schauprozessen als ›Titoisten‹ und ›imperialistische Agenten‹ zum Tode verurteilt und hingerichtet. Unter Imre Nagy werden sie dann rehabilitiert – was für ein Hohn, wenn man daran denkt, daß Ende sechsundfünfzig die Truppen der Roten Armee einfallen, Imre Nagy stürzen und er später umgebracht wird. Haben die Amerikaner mit einer Wimper gezuckt bei alldem? Nicht mit einer *einzigen!* Haben sie den Ungarn geholfen? Nicht mit einer einzigen *Handbewegung.* Warum nicht? *Weil es doch so vereinbart worden ist in Teheran!«*
Mercedes zündete sich eine neue Zigarette an. Ross betrachtete sie fasziniert.
»*Tschechoslowakei!«* sagte Mercedes, immer sachlich. »Ein Teil, die Karpato-Ukraine, geht sechsundvierzig – unter Druck natürlich – an Rußland. Auseinandersetzungen zwischen nichtsozialistischen Parteien ermöglichen den Kommunisten zwei Jahre später den Staatsstreich. Außenminister Jan Masaryk, der Sohn des großen Tomas Masaryk, stürzt unter mysteriösen Umständen aus dem Fenster seines Arbeitszimmers in den Tod. Selbstmord? Mord? Auf Wunsch Stalins wird vielen prominenten Kommunisten der Prozeß wegen ›titoistischer und zionistischer Umtriebe‹ gemacht. Alle werden hingerichtet. Viele Tausende werden ermordet. Die *Amerikaner?* Mit *einer* Wimper

gezuckt? Nicht mit *einer*. *Geholfen?* Nicht mit einer *Handbewegung*. Warum nicht? *Weil es doch so vereinbart worden ist in Teheran!*«

Die Mattscheibe des Fernsehers warf flackerndes Licht über Mercedes. Der goldfarbene Hausanzug leuchtete. Sie redete immer gleich – scheinbar ruhig und scheinbar kalt. Ross starrte sie überwältigt an.

»Polen!« sagte Mercedes. »Die Exilregierung wird seit Juli fünfundvierzig nicht mehr anerkannt und aufgelöst. Freie Wahlen sind nicht durchzusetzen und die Sowjetisierung Polens ist nicht aufzuhalten. Die Sowjetunion erzwingt den Austausch eines verkehrsmäßig und durch Bodenschätze wertvollen Gebietes gegen ein anderes ohne jede Bedeutung. Nach der Angleichung folgt ab neunundvierzig die völlige Beugung unter die sowjetische Politik. Neunzehnhundertfünfundfünfzig kommt Polen wie die DDR, die Tschechoslowakei, Ungarn und andere Ostblockländer in den Warschauer Pakt. Alle diese Länder sind zu Satelliten der UdSSR geworden. Der Eiserne Vorhang hat sich längst gesenkt. Haben die Amerikaner auch nur das Geringste, das *Allergeringste* einzuwenden gehabt? Nichts und niemals. Warum nicht? *Weil es doch so vereinbart worden ist in Teheran!*« Mercedes sagte: »Ich bin keine Russenfresserin. Die Amerikaner kommen auch gleich an die Reihe. Wir gehen nur das Protokoll der Reihe nach durch, dieses wunderbare Protokoll.« Sie drückte eine andere Taste des Videogeräts. Der Film lief weiter.

Die KAMERA gleitet an das Ende von Seite 2. Auf dem Bildschirm steht zu lesen:
Die Vereinigten Staaten von Amerika übernehmen eine besondere Verantwortung hinsichtlich der westlich und südlich dieser Linie gelegenen Gebiete Europas...

Mercedes hielt den Film wieder an.
»Und haben die Amerikaner sich da vielleicht nicht bemüht?« fragte sie. »Was die Sowjets mit Gewalt schaffen mußten, weil sie keine Milliarden hatten, das schafften die Amerikaner *ohne* Gewalt, denn sie *haben* Milliarden. Der Marshall-Plan. Europa wird wieder aufgebaut, besonders Deutschland, damit kein Land im Elend kommunistisch wird. Eine Bundeswehr für Westdeutschland – unter alten Nazigenerälen, weil es gerade keine anderen gibt. Macht das den Amerikanern etwas aus? Überhaupt nichts macht es ihnen aus. Im Gegenteil: Sie wissen, die Nazigeneräle

sind besonders zuverlässige Verbündete. Daraufhin gibt's in der DDR natürlich sofort eine Nationale Volksarmee. Auch mit alten Nazigenerälen. General muß man sein. Am besten deutscher General. Wird immer gebraucht. Wird immer geehrt. Von Freund und Feind. Ob er den Krieg gewinnt, ob er ihn verliert – er wird geehrt. Warum? Weil man ihn doch gleich wieder brauchen wird! Weshalb sind Sie nicht General, Daniel! Unverzeihlich. Ein feines Leben hätten Sie – und keine Sorgen. Hurra, das Wirtschaftswunder wird geschaffen. Mit amerikanischem Geld und deutschen ehemaligen Wehrwirtschaftsführern! Na und? Der Staatssekretär Globke, persönlicher Referent Adenauers, ist Verfasser eines Kommentars zu den Nürnberger Rassengesetzen. ›Auf den Mann kann ich nicht verzichten‹, sagt Adenauer. Tja, wenn er nicht auf ihn verzichten kann! Freundschaft mit dem faschistischen Diktator Franco. Wenn der nur Luftstützpunkte für die US-Air-Force zur Verfügung stellt – für Hunderte Millionen Dollar jährlich, die in seine Tasche fließen. Freundschaft mit übelsten Typen in der Türkei und Griechenland. Millionen auch für sie. Wenn ihre Regierungen nur stramm antikommunistisch sind. Wenn sie später nur alle reingehen in die NATO oder zumindest Stützpunkte vermieten für die Bomber und Schlachtschiffe der ›freien Welt‹! Protest der Russen? *Ernsthafter* Protest? Warum denn? *Wenn es doch so vereinbart worden ist in Teheran!«*

Der Film läuft weiter.

II.
Als Gebiete besonderer Verantwortung der Vereinigten Staaten von Amerika betrachten die Mächte den amerikanischen Doppelkontinent einschließlich der vorgelagerten Inseln sowie Grönland und Island.
III.
Die Mächte werden ihren Einfluß geltend machen, damit die derzeit unter der Verwaltung der europäischen Mächte stehenden Gebiete Afrikas in die vollständige Unabhängigkeit entlassen werden. Die Mächte erklären, daß sie auf dem afrikanischen Kontinent nicht einseitig Interessen wahrnehmen und Positionen anstreben werden, die mit den Interessen der anderen Macht nicht zu vereinbaren sind. Entsprechende Bestrebungen dritter Staaten werden sie mit geeigneten Mitteln zurückweisen.

»Mit geeigneten Mitteln zurückweisen, Daniel! In Angola, im Kongo *haben* die Sowjets entsprechende Bestrebungen dieser Staaten mit geeigneten Mitteln zurückgewiesen. Die Amerikaner haben kein Wort gesagt. Das heißt, *gesagt* haben sie viel, *getan* haben sie nichts. Sie waren sich ja mit den Sowjets einig.« Mercedes trat nahe an den Fernsehapparat.

Nein, dachte Ross, nein...

IV.
Mit Zustimmung der Union der Sozialistischen Sowjetrepubliken betrachten die Vereinigten Staaten von Amerika die Türkei und die Länder des Nahen Ostens südlich der Südgrenze der Union der Sozialistischen Sowjetrepubliken bis zur Ostgrenze des Kaiserreichs Iran als Gebiete der besonderen Verantwortung der Vereinigten Staaten von Amerika. Die Mächte sind sich dabei darin einig, daß das Problem des heimatlosen jüdischen Volkes einer Lösung zugeführt werden muß, und sie stimmen darin überein, die Gründung eines jüdischen Staates in Palästina zu unterstützen.

»Das haben sie getan«, sagte Mercedes, immer mit der gleichen sachlichen Stimme. »Die Amerikaner haben Israel unterstützt mit Geld und Waffen und Beratern, und die Sowjets haben die Araber, die Syrer und die Saudis unterstützt mit Beratern und Waffen und Geld. Genau wie es weiter oben im Protokoll heißt: ›Diese Übereinkunft hindert keine der Mächte daran, einem dritten Staat zu Hilfe zu kommen, auch wenn diese Anstrengungen gegen die andere Macht gerichtet sind.‹« Sie drückte die Zigarette aus. »›In einer solchen Situation‹, Daniel, Sie haben es gelesen, ›werden die beiden Mächte jedoch jede direkte und unmittelbare Konfrontation ihrer Truppen und ihres Militärpersonals vermeiden!‹ Und wie das geklappt hat. Bravo! Alles ging wie am Schnürchen. Hat im Nahen Osten oder sonst irgendwo auf der Welt seit Kriegsende auch nur *ein* amerikanischer Soldat auf *einen* russischen Soldaten geschossen oder umgekehrt – selbst wenn es sich um ein Krisengebiet wie Israel gehandelt hat? Niemals, nein. Das tun die Herren nicht. *Einander* tun die Herren niemals etwas. Hundertachtundvierzig Kriege hat es seit neunzehnhundertfünfundvierzig gegeben. Kleine Kriege. Millionen sind in diesen kleinen Kriegen verreckt. Hundertachtundvierzig Kriege, in denen eine Seite oder auch beide

Seiten von den Sowjets und Amerika unterstützt worden sind, natürlich ohne daß es jemals zu einer ›unmittelbaren Konfrontation ihrer Truppen kam‹.« Mercedes blieb nach wie vor sachlich: *»Neue Waffensysteme haben die beiden in diesen Kriegen erprobt!* Trainingsplätze brauchten sie. Sie mußten doch *gleich stark* bleiben, nicht wahr, sonst wäre dieses Geheimprotokoll sinnlos gewesen. Sehen Sie jetzt, Daniel, was die Sowjets und die Amerikaner dreiundvierzig in Teheran getan haben? *Sie haben die Welt unter sich aufgeteilt!* Die Supermächte müssen sich einigen, schreien heute alle. *Einigen?* Sie *haben* sich doch längst geeinigt!« Mercedes hatte die Stoptaste des Videogeräts gedrückt. Film und Protokollauszug waren stehengeblieben, während sie sprach. Jetzt ließ sie die Kassette weiterlaufen. Die Kamera filmte den untersten Teil von Seite 3.

V.

Die Abgrenzung der Verantwortung auf dem indischen Subkontinent und im Fernen Osten wird einer besonderen Übereinkunft der Mächte nach der endgültigen Niederwerfung des Kaiserreichs Japan vorbehalten. Die Mächte werden diese Frage im Wege einer freundschaftlichen Verständigung lösen. Dabei werden sie der zukünftigen Rolle Chinas besonderes Gewicht beimessen. Sie gehen davon aus, daß Korea und die Länder der indochinesischen Halbinsel sowie des südostasiatischen Archipels die volle…

Seite 4

… politische Selbständigkeit erhalten werden.

Mercedes drückte wieder auf die Stoptaste des Videogeräts. »Volle politische Selbständigkeit!« sagte sie. »Indem man sie teilte. *Korea!* Achtunddreißigster Breitegrad. Nord- und Südkorea. Jedem das Seine. In ›freundschaftlicher Verständigung‹. *Vietnam!* Nord- und Südvietnam, bis die Amerikaner einfielen. In ›freundschaftlicher Verständigung‹. *Teilen!* Der brillanteste Einfall der Politiker unserer Zeit. *Berlin. Deutschland. Ost und West.* Alles in ›freundschaftlicher Verständigung‹!« Sie ließ den Film weiterlaufen.

VI.

Die Union der Sozialistischen Sowjetrepubliken anerkennt die besondere Verantwortung der Vereinigten Staaten von

Amerika hinsichtlich Australiens, Neuseelands und der pazifischen Inseln.

3.

Die Mächte stimmen in der Auffassung überein, daß nach der vollständigen militärischen und politischen Niederwerfung des Deutschen Reiches die Errichtung eines einheitlichen, neuen deutschen Staates erst wird erfolgen können, wenn Sicherheit besteht, daß von diesem Staat keine Bedrohung des internationalen Friedens und der durch diese Übereinkunft geschaffenen Ordnung ausgehen kann.

»Also nie«, sagte Mercedes. »Deutschland muß für immer geteilt bleiben. Gleich zwei Trainingsplätze!«

4.

Die Mächte betrachten die Arktis und die Antarktis als einer besonderen Verantwortung nicht bedürftig. Sie werden sich allen Ansprüchen seitens dritter Staaten widersetzen. Für künftige Aktivitäten auf dem antarktischen Kontinent wird eine internationale Lösung unter Beteiligung dritter interessierter Staaten angestrebt.

5.

Die Freiheit der Meere bleibt unangetastet. Die Mächte behalten sich jedoch vor, die an ihre Küsten angrenzenden Gewässer zu Zonen zu erklären, in denen sie besondere Zuständigkeiten ausüben können. Die Mächte stimmen darin überein, daß der Grundbesitz der Freiheit der Meere insbesondere auch die Ausbeutung der in und unter den Meeren aufgefundenen nutzbaren Vorkommen einschließt.

Die Videokopie des alten Films flimmerte und flackerte ein wenig. Das Bild sah vergilbt aus. Aber die Schreibmaschinenschrift war deutlich zu erkennen. Olivera lehnte sich auf der Couch zurück.

»Hübsch, Daniel, wie?« sagte er. »Ach, und es kommt noch viel hübscher.« Er streckte sich zufrieden.

Seite 5 wird aufgedeckt.

6.

Sollten Meinungsverschiedenheiten über die Ausdehnung der Gebiete besonderer Verantwortung der beiden Mächte entstehen, werden diese unverzüglich in Verhandlungen darüber eintreten und die Frage im Wege einer freundschaftlichen Verständigung lösen.

Freundschaftlich! Schon wieder dieses Wort!« sagte Mercedes und unterbrach die Projektion. »Verstehen Sie, Daniel? Sie sind Freunde, die beiden Superfeinde, die einander gleich nach dem Krieg und bis heute immer wüster, immer infamer beschimpfen, bedrohen, verfluchen, zum ›Hort alles Bösen‹ erklären, zum ›kapitalistischen Verbrechersumpf‹, zu Mördern und Banditen, die allein auf Macht bedacht seien, zur tödlichen Gefahr für die Menschheit, weshalb man rüsten muß, rüsten, rüsten, um diese Welt vor dem Untergang zu retten. Theater, Daniel, Theater! Kasperletheater. Die ergebnislosen Abrüstungsgespräche: Theater! Hereinspaziert, meine Herrschaften, immer hereinspaziert! Hier sehen Sie das große, das Superwelttheater. Hier zeigen wir Ihnen, wie wir uns hassen. Was für ein gefährlicher, skrupelloser Schwerstkrimineller der andere ist. Wie man ihn deshalb ausmerzen, ausbrennen, vom Antlitz der Erde tilgen muß. Und wir alle, Milliarden, wir leben in diesem Zirkus des Betrugs, wir *glauben* den Betrügern, wir *zittern* um unsere Welt. Wir sehen ein, es *muß* weitergerüstet werden, weiter, weiter, weiter. Nur so haben wir noch eine Chance, den einen Bösen niederzuringen oder den anderen, den einen Bösen in Schach zu halten oder den anderen. Wählen Sie, Herrschaften, immer nur wählen! Es ist ganz gleich, was Sie wählen. Die Großen haben sich verständigt – neunzehnhundertdreiundvierzig in Teheran, als sie die Welt aufteilten unter sich. Das Spiel wurde schon damals gemacht. Rien ne va plus!«

»Aber ich verstehe nicht...«

»Was verstehen Sie nicht, Daniel?«

»›Rüsten, rüsten!‹ sagen Sie. Die rüsten ja *wirklich*, die rüsten so wahnsinnig, die beiden Supermächte, daß ihre Volkswirtschaften dabei draufgehen.«

»Natürlich!«

»Ja, aber *warum*, verflucht, wenn sie sich die Welt doch geteilt haben und in allem einig sind – menschenverachtend und zynisch?«

»Ah«, sagte Olivera und streckte sich wieder. »Eine sehr gute Frage. Du wirst eine sehr gute Antwort darauf bekommen, Daniel, wenn du Punkt fünfzehn gelesen hast. Dann wirst du *alles* verstehen, was Mercedes sagt. Punkt fünfzehn. Warte Punkt fünfzehn ab. Weiter, Mercedes, mein Liebling, bitte!«

Sie ließ den Film wieder laufen und sagte: »Punkt sieben und acht, Daniel, passen Sie auf jetzt!«

7.

Sollten in den Gebieten besonderer Verantwortung einer der Mächte Situationen entstehen, die diese veranlassen, ihrer Verantwortung aktiv nachzukommen, wird diese alle Maßnahmen ergreifen, die sie für notwendig erachtet, um gegen jede Verletzung des Friedens und der Sicherheit Vorsorge zu treffen. Die andere Macht wird diese Maßnahmen respektieren und sich ihrerseits bei allen von ihr selbst aus diesem Anlaß zu ergreifenden Maßnahmen der Verpflichtungen aus dieser Übereinkunft bewußt sein und nichts unternehmen, was die Stellung der anderen Macht beeinträchtigen könnte.

»Na, bitte!« Mercedes drückte wieder auf die Stoptaste. Das Bild blieb stehen. »Offener kann man es doch wahrhaftig nicht formulieren! Wo überall sind solche Situationen angeblich schon entstanden? Beim *Prager Frühling*? Als ihn Sowjetpanzer niederwalzten? Als die Rote Armee die ganze Tschechoslowakei besetzte und den ›Frühling‹ in einem Meer von Blut und Tränen untergehen ließ? Die Amerikaner wußten durch den deutschen Bundesnachrichtendienst schon vorher von dem Überfall. Die Sowjets hatten sie indirekt verständigt. Der Überfall war einfach unumgänglich, um gegen jede Verletzung des Friedens und der Sicherheit Vorsorge zu treffen! Was haben die Amerikaner getan? Sie haben sich an das Protokoll gehalten – genauso wie die Sowjets sich an das Protokoll halten und einsehen, daß die Amerikaner in *Nicaragua*, *Grenada* und *ganz Mittelamerika* ›gegen jede Verletzung des Friedens und der Sicherheit Vorsorge‹ treffen müssen. Die Sowjets betragen sich genauso korrekt wie die Amerikaner. Hut ab! So, wie man es von Gentlemen erwartet.«

Mercedes drückte die Zigarette aus.

Ross starrte sie an.

»Neunzehnhundertfünfzig, *Korea*! Nordkoreanische Truppen überschreiten den achtunddreißigsten Breitengrad nach Südkorea. Der Status quo zwischen den vereinbarten Einflußgebieten der beiden Supermächte ist bedroht, militärisch und politisch. Der Sicherheitsrat verurteilt Nordkorea als Aggressor. Aufstellung einer UN-Streitmacht gegen den Aggressor. Die Amerikaner, die ein besonderes Interesse am Status quo in Korea haben, tragen die Hauptlast des Krieges. Die Amerikaner *müssen* eingreifen. Nach dem Wortlaut des Protokolls! ›Frieden und Sicherheit‹ eines Gebietes ihrer ›besonderen Verantwortung‹ stehen auf dem Spiel! Die Sowjets sehen das ein. Sie unterstützen Nordkorea nicht. Höchstens mit Waffen und Geld. Hunderttausende fallen – für Frieden und Sicherheit.« Mercedes fuhr sich mit einer Hand über die Stirn. »*Libanon*!« sagte sie, immer in der gleichen übersachlichen, unnatürlich ruhigen Art. »Libanon achtundfünfzig und Libanon heute. Achtundfünfzig *müssen* die Ledernacken der Amerikaner landen, um einen Bürgerkrieg zu ›befrieden‹! Heute müssen sie das wieder. Es geht um Frieden und Sicherheit. Die Sowjets sehen es ein. Warum? *Weil es doch so vereinbart worden ist in Teheran*!«

Ross starrte Mercedes immer noch an.

»*Ungarn* neunzehnhundertsechsundfünfzig!« fuhr sie fort. »Aufstand gegen die kommunistischen Machthaber. Sowjetpanzer und Sowjettruppen schlagen den Aufstand blutig nieder. Zehntausende werden getötet. Hunderttausende fliehen ins Ausland. Was tut Amerika? Nichts tut Amerika. Es respektiert das sowjetische Vorgehen. Die Sowjets halten sich genau an Punkt sieben des Geheimprotokolls. ›Frieden und Sicherheit‹ eines Gebiets ihrer ›besonderen Verantwortung‹! Und Frieden und Sicherheit kehren ein in Ungarn – wie in Korea, wie in der Tschechoslowakei...«

»Und *Afghanistan*«, sagte Olivera. »Nach der Vertreibung des Königs gibt es verschiedene kommunistische Parteien, die nichts von Moskau wissen wollen. Die moskautreuen Kommunisten aber geraten immer mehr ins Hintertreffen und laufen Gefahr, aus dem Land gejagt zu werden. Es handelt sich nur um eine kleine Splittergruppe. Aber bitte: Anruf genügt, schon fallen die Freunde in Afghanistan ein.« Olivera räusperte sich. »Spekulationen im Westen unterstellen den Sowjets freilich, daß sie den Zugang zum Indischen Ozean wollen. Der ›Weg zum warmen Meer‹ gehörte schon zur zaristischen Politik. Wir alle müssen der Sowjetunion danken, daß sie Afghanistan Frieden und Sicherheit gebracht hat.«

»Nicht ohne – wie immer – zuvor die Amerikaner davon verständigt und deren Zustimmung eingeholt zu haben«, sagte Mercedes. »Was tun die Amerikaner? In ihren Medien protestieren sie empört, genauso wie die sowjetischen Medien jedesmal empört reagieren. *Tun*? Was tun die Amerikaner? Nichts. Wirklich, sie sind ehrbare Vertragspartner. Jedem seine halbe Welt!« Sie holte Atem. »Siebzehnter Juni dreiundfünfzig: *Aufstand in der DDR gegen das SED-Regime.* Sowjetische Soldaten mit Panzern schlagen ihn blutig nieder.« Mercedes wurde immer eisiger. »Was tun die Amerikaner? Nichts.«

»Dreizehnter August einundsechzig. Die *Berliner Mauer* wird gebaut. Was tun die Amerikaner?« fragte Olivera. »Nichts. Ein Dutzend Panzer, ein halbes Dutzend hätte genügt, um die Mauer niederzuwalzen. Taucht ein einziger Panzer auf? Natürlich nicht. Wieder haben die Sowjets ihre Vertragspartner zuvor verständigt und auf das Protokoll verwiesen. Die Amerikaner sehen ein, daß die Mauer für die Sowjets notwendig ist – wie für sie Südkorea. Aber bitte sehr, sagen die Amerikaner, bedient euch, baut die Mauer! Ihr habt da einen schweren Krisenherd. Schafft ›Frieden und Sicherheit‹! Wir wünschen euch alles Gute.«

Er hatte immer schneller gesprochen, noch schneller fiel jetzt Mercedes ein: »*Vietnam!* Wieder eine Situation, die Amerika veranlaßt, seiner Verpflichtung nachzukommen. Ein langer, langer Krieg! Viele Hunderttausende Tote, Verstümmelte, von Napalm verbrannte, von abgesprühtem Gift getötete Menschen! Kleine Menschen, unwichtige Menschen. Auch Amerikaner. Ein Land zerstört. Eine uralte Kultur zerstört. Unwichtig! Amerika muß seiner Verpflichtung nachkommen, ›Frieden und Sicherheit‹ in einem ›Gebiet seiner besonderen Verantwortung‹ herzustellen. Mit einem bestialischen Krieg. Die Sowjets sehen es ein. Die Sowjets liefern dem Norden Waffen, aber sie greifen nicht aktiv ein. Die Sowjets können ganz ruhig sein. *Alles wurde in Teheran festgelegt.* Jeder hat das Seine. Jeder achtet das, was dem anderen gehört. Sollen Menschen doch verrecken zu Millionen, wenn es sein muß, Amerika und die Sowjetunion sind die Besitzer der Welt! Die Welt gehört ihnen, jedem die Hälfte. Aber muß das Schlachtvieh Menschheit das wissen? Darf es das wissen? Niemals! Nie!«

»September dreiundachtzig«, sagte Olivera. »Sowjetische Jäger schießen einen Jumbo der südkoreanischen Gesellschaft KAL mit zweihundertneunundsechzig Menschen an Bord ab, weil er südwestlich von Sachalin in den sowjetischen Luftraum eingedrungen ist. Zuerst ungeheuere Empörung. Der amerikanische Präsident droht mit dem Ärgsten. Dann ist es sehr schnell wieder still, ganz still um diesen Massenmord. Flog da nicht im Schatten des Jumbos ein amerikanisches Spionageflugzeug? Reden wir nicht mehr darüber! Sarajewo, der angeblich polnische Überfall auf den Sender Gleiwitz – sie haben den Ersten und den Zweiten Weltkrieg ausgelöst. Und diesmal? Nichts geschieht. Überhaupt nichts. Welch ein Segen für die Menschheit ist doch das beidseitige Geheimprotokoll von Teheran!«

Der Film läuft weiter.

8.
Die Mächte gehen davon aus, daß die Staaten Europas versuchen werden, ihre durch Ereignisse des gegenwärtigen Krieges verlorene politische Bedeutung wiederzuerlangen.

»Jetzt paß auf, Daniel!« sagt Olivera.

Sollten sich daraus Situationen ergeben, welche die durch diese Übereinkunft errichtete Ordnung der Sicherheit und des Friedens gefährden könnten – beispielsweise in dem ständigen Unruheherd Deutschland –, wird sich jede Macht gegenüber den zu ergreifenden Maßnahmen der anderen Macht verständnisvoll verhalten, und die Mächte werden notwendigerweise gemeinsam gegen diese Bedrohung von Frieden und Sicherheit vorgehen.

»Notwendigerweise gemeinsam!« rief Mercedes. »Und tun die Mächte das nicht? Tun sie das nicht mit allem, was in ihren Kräften steht? Hat die Nachrüstung nicht noch einmal Hunderte von Atomwaffen nach Deutschland gebracht, in diesen ständigen Unruheherd, der Frieden und Sicherheit gefährdet? Pershings-Zwei und Cruise Missiles? In dieses Deutschland, in dem schon fünftausend Atomsprengköpfe lagerten – mehr als in irgendeinem anderen Land Europas? Und haben die Sowjets daraufhin nicht in der DDR neue Abschußrampen für ihre SS-Zwanzig errichtet? Ist nicht ganz Deutschland eine einzige Atomrampe? Niemand weiß *wirklich*, was geschieht, wenn eine Atombombe der heutigen Stärke – Hiroshima war nur ein Witz dagegen – explodiert. Niemand! Niemand weiß, was geschieht, wenn fünfzig, hundert, zweihundert Wasserstoffbomben explodieren. Keine Ahnung haben die Wissenschaftler. Die Militärs erst recht nicht. Aber man muß es doch wissen! Man muß doch informiert sein! Es gibt begrenzte Atomkriege, sagt Reagan.

Man kann sie sogar gewinnen. Na, also dann los! Lassen wir den ständigen Unruheherd Deutschland, lassen wir das ganze verdammte Europa hochgehen! Gehen damit sechshundert Millionen Menschen hops! Na und! Die Erde ist ohnedies unerträglich übervölkert. Zeit, daß etwas geschieht. Sechshundert Millionen. Was ist das schon? Tropfen auf einen heißen Stein. Also vorwärts! Hoch die Pershings-Zwo! Hoch die SS-Zwanzig! Hoch die Cruise Missiles! Dann werden wir wissen, was passiert.«

Mercedes hielt sich am Fernsehapparat fest und unterdrückte ein Beben ihres Körpers. Ross fiel ihr Ausbruch in Frankfurt ein. Sie war eine Fanatikerin.

»Für den Frieden, ja. Für den Frieden alles. Mein Leben – sofort! – wenn das den Frieden erhalten hilft.« Das hatte sie gerufen, er erinnerte sich genau. Staunend sah er sie an. Was für eine Frau!

»Aber ich verstehe nicht...« Ross blickte zu Olivera. »Wieso Atomkrieg in Deutschland?... In Europa? Die beiden Supermächte wollen doch keinen Atomkrieg, in den sie *selbst* hineingezogen werden! Konventionelle Kriege, ja! Vietnam, okay! Aber doch keinen Atomkrieg, der sie selber treffen muß!«

»Natürlich wollen sie das nicht, Daniel«, sagte Olivera.

»Aber Mercedes...«

»... hat die Nerven verloren. Sieht alles zu nah. Nah genug ist es. Aber noch nicht ganz so nah. Noch ist keiner der beiden Großen sicher, ob er den anderen auch wirklich schaffen kann. Sie bereiten sich vor, gewiß, sie stopfen die Welt voll mit Atomraketen, besonders Europa. Aber sie wollen absolut geschützt sein vor einem Atomangriff auf das *eigene* Land. Warte Punkt fünfzehn ab, Daniel, dann wirst du verstehen. Bitte, Mercedes, laß den Film weiterlaufen! Und beruhige dich, du mußt dich beruhigen...«

»Ich muß mich nicht beruhigen, ich muß mich aufregen!« rief sie.

Der Film läuft weiter.

9.

In Situationen, in denen es sich als notwendig erweisen sollte, daß eine der Mächte Maßnahmen in Wahrnehmung ihrer besonderen Verantwortung ergreift, wird sie zuvor die andere Macht in...

Seite 6 ist jetzt auf dem Fernsehschirm zu sehen.

... geeigneter Weise unterrichten.

»Na, das ist ja bisher auch jedesmal geschehen«, sagte Olivera. Mercedes war auf einen Hocker neben dem Videogerät gesunken. »Vergessen wir übrigens nicht das arme Polen. Als es da losging und die Sowjets bereit waren, beim Ausbruch von Auseinandersetzungen zwischen polnischen Zivilisten und polnischem Militär sofort mit Panzern ins Land zu kommen, teilten sie das der Regierung Reagan natürlich auch mit. Die Amerikaner konnten eine strenge Haltung Polen gegenüber nur richtig finden. Sie sahen ein, daß die Sowjets nicht ein Gebiet ihrer ›besonderen Verantwortung‹ aus den Ländern des Ostblocks mit einer freien Gewerkschaft und anderen Freiheiten ausbrechen lassen durften, und so sperrten die Amerikaner Polen die Lebensmittellieferungen, obwohl sie wußten, daß die Menschen dort hungerten – aber sie lieferten den Sowjets wie zuvor riesige Weizenmengen. Auch da hatte alles seine Ordnung. Genau nach dem Protokoll.«

Für die Übermittlung dringender Informationen in Situationen, die der sofortigen Klärung bedürfen, werden die Mächte eine direkte Fernmeldeverbindung zwischen der Regierung der Vereinigten Staaten von Amerika und der Regierung der Union der Sozialistischen Sowjetrepubliken einrichten. Darüber hinaus werden die Mächte weitere notwendige Informationen unter höchster Geheimhaltung auf jedem anderen Wege einschließlich diplomatischer Kanäle austauschen. Die Botschafter der Mächte haben jederzeit das Recht, mit der respektiven Regierung vorrangig in Verbindung zu treten. Die Regierungschefs der Mächte werden sich treffen, wenn die Lage es angezeigt erscheinen läßt.

10.
Die Mächte anerkennen die Notwendigkeit, eine allgemeine internationale Organisation zur Erhaltung des internationalen Friedens und der internationalen Sicherheit zu schaffen. Die Mächte werden in dieser künftigen Organisation der Vereinten Nationen nach Kräften mitarbeiten.

»Nach Kräften mitarbeiten!« sagte Mercedes, die sich gefangen hatte, mit wieder ruhiger Stimme. »Und wie sie mitarbeiten! Welche Erfolge, welche großartigen Erfolge hat die UNO doch zu verzeichnen!«

Sie sind sich indessen bewußt, daß sie die Existenz einer solchen Organisation nicht der besonderen Verantwortung enthebt, die sie nach dem Inhalt dieser Übereinkunft wahrzunehmen haben.

»Womit der Wert der UNO gleich Null ist, wie man jeden Tag sehen kann«, sagte Olivera. Er lachte. »Gefällt dir, was ich da biete, Daniel? Es ist doch eine ganze Menge, wie?«
Ross antwortete nicht.

Bei der bevorstehenden Ausarbeitung der Satzung dieser Organisation werden die Mächte dafür Sorge tragen, daß eine Beeinträchtigung der von einer Macht in Wahrnehmung ihrer besonderen Verantwortung ergriffenen Maßnahmen seitens der Organisation der Vereinten Nationen oder eines dritten Staates nicht stattfinden wird.

»Das ist für mich der schönste Satz«, sagte Olivera. »Ich kann ihn immer wieder lesen.«
Plötzlich war da die Angst. Sie schoß in Ross hoch wie eine Fontäne. Angst... Angst... Er schluckte... Die Luftblase, die es nicht gab, pochte gegen sein Herz... Schnell holte er das Röhrchen hervor, öffnete es, ließ Tabletten auf die Hand fallen – fünf, sechs, sieben, acht – und schluckte sie. Seine Knie schlotterten. Er sah, daß Mercedes bemerkt hatte, was er tat. Egal, sie weiß, was mit mir los ist, dachte er. Dieser Lump da hat es nicht gesehen. Das allein ist wichtig.

II.
Die Mächte werden für den Bereich der Gebiete ihrer besonderen Verantwortung zur Aufrechterhaltung und Sicherung von Frieden und Sicherheit geeignete Staatenverbindungen ins Leben rufen...

»Die NATO, den Warschauer Pakt! Organisationen, die beide Seiten gegründet haben zum Schutz voreinander, zum gegenseitigen Angriff. Und ihre Entstehung haben sie in Teheran in freundlichstem Einvernehmen beschlossen, um die Welt aufzuteilen«, sagte Mercedes.

... um durch diese Zusammenschlüsse militärischer, politischer oder wirtschaftlicher Zielsetzung in Zukunft in den betreffenden Gebieten eine kontinuierliche Politik zu bewirken.

Ross atmete flach und vorsichtig. Es ging ihm ein wenig besser. Nein, dachte er, zuerst muß ich schnellstens zu Sibylle und mich wieder auf die Beine bringen lassen. Dann erst habe ich die Kraft, mich um diese Geschichte zu kümmern. Die größte Geschichte des Jahrhunderts.

Seite 7 ist nun im Bild.

12.
Im Bewußtsein, daß ihr langfristiger Bedarf an Erdöl und anderen Mineralien erheblich zunehmen wird, betrachten die Mächte ihre Versorgung mit diesen Rohstoffen als eine Angelegenheit von gemeinsamem Interesse.

13.
Die Mächte erwarten große Fortschritte bei der Erkundung und Nutzung des Weltraums. Sie betrachten den Weltraum und die sich dort eröffnenden Möglichkeiten als eine Angelegenheit von gemeinsamem Interesse.

14.
Die Mächte erwarten eine schnelle Weiterentwicklung von unbemannten Flugkörpern mit Raketenantrieb für militärische Zwecke sowie von Waffen auf der Basis der Anwendung der Kernspaltung. Damit diese Entwicklung nicht zu einer Gefährdung der Ziele dieser Übereinkunft führt, werden die Mächte bei diesen Waffen keine entscheidende Überlegenheit über die andere Macht anstreben. Andererseits werden die Mächte durch gemeinsame Anstrengungen dafür Sorge tragen, daß die durch diese Techniken eröffneten Möglichkeiten nicht in die Verfügungsgewalt dritter Staaten gelangen. Sollten sich die Mächte genötigt sehen, von diesen Waffen Gebrauch zu machen, wird deren Einsatz in einer solchen Weise erfolgen, daß die Hoheitsgebiete der Mächte unter keinen Umständen in Mitleidenschaft gezogen werden.

»Wasserstoffbomben, Atomraketen auf die ganze Welt, auf das verfluchte Europa, aber niemals eine sowjetische Rakete auf Amerika, niemals eine amerikanische auf Sowjetrußland!« rief Mercedes, wieder erregt. »Daß Hopkins und Woroschilow nicht an dieser Formulierung erstickt sind! Sie haben doch damals schon genau gewußt, daß alle Erforschung des Weltraums ausschließlich militärischen Zwecken dienen wird! Heute haben wir

Satelliten im All, die abrufbare atomare Sprengköpfe tragen. Heute haben wir die Himmelsspione, die aus ihrer irrsinnigen Höhe noch das Nummernschild eines Autos auf dem Territorium fotografieren und melden können, das sie gerade überqueren. Heute haben wir Killersatelliten, die anfliegende Raketen in der Luft zerstören. Jetzt werden Sie gleich alles begreifen, Daniel, die ganze ungeheuerliche Infamie, die wirkliche Infamie dieses Abkommens, den wahren Grund dafür, daß dieses Abkommen neunzehnhundertdreiundvierzig geschlossen worden ist. Es ist ärger, als ein Menschenhirn fassen kann. Warten Sie! Noch einen Moment... Warten sie auf Punkt fünfzehn!«

Schlußbestimmungen:

15.
Die vorstehende Übereinkunft soll Gültigkeit haben bis zum 1. Januar 2000. Bis dahin bindet sie die gegenwärtigen und künftigen Regierungen der beiden Mächte. Jede der beiden Mächte ist in Ausübung ihrer staatlichen Souveränität berechtigt, von dieser Übereinkunft zum Zeitpunkt des 1. Januar 2000 zurückzutreten, wenn sie entscheidet, daß durch außergewöhnliche, mit dem Inhalt dieser Übereinkunft zusammenhängende Geschehnisse eine Gefährdung ihrer höchsten Interessen eingetreten ist. Jede der beiden Mächte muß dabei jedoch eine rechtzeitige Kündigung dieser Vereinbarung beachten, die wir auf fünf Jahre vor Ablauf festlegen, also auf den 1. Januar 1995. Spätestens zu diesem Zeitpunkt ist der anderen Macht der eventuelle Rücktritt von der Vereinbarung mitzuteilen. Die Mitteilung hat eine Darlegung der außergewöhnlichen Geschehnisse zu enthalten, durch die nach Ansicht der die Mitteilung machenden Macht eine Gefährdung ihrer höchsten Interessen eingetreten ist.

Mercedes drückte die Stoptaste des Videogeräts. Das Bild auf dem Fernsehschirm blieb stehen.
»Und jetzt«, sagte sie, »wären wir soweit. Jetzt werden Sie verstehen, Daniel, warum dieses beidseitige Geheimabkommen damals in Teheran überhaupt geschlossen worden ist.«
»Weil Amerika und Sowjetrußland eine *Atempause* brauchten«, sagte Ross, und seine Stimme war klanglos. Er preßte eine Hand gegen die andere.
»So ist es! Weil diese beiden Mächte eine Atempause brauchten – und das wußten.« Mercedes war nun sehr erregt.

Er dachte: Wenn ein Mensch auf der Welt ahnt, was wir drei hier wissen, was wir als Beweis haben. Wenn *ein* Mensch einer der beiden Mächte das auch nur als Vermutung mitteilt...

Mercedes rief: »Deutschland war noch nicht besiegt! Die Amerikaner wußten, daß die Invasion für sie eine ungeheuere militärische Anstrengung – die größte der Geschichte – sein würde. Die Sowjets hatten vom Osten her noch gegen Deutschland zu kämpfen. Der sowjetische Geheimdienst meldete – das steht heute fest –, daß die Amerikaner bereits eine Atombombe bauten. Die sowjetische Forschung lag weit, viel zu weit, zurück. Die Sowjets mußten aufholen, sie mußten ebenfalls die Atombombe haben, bevor es ein Gleichgewicht der Mächte gab. Rußland war zerstört bis zum Kaukasus. Zwanzig Millionen Menschen waren getötet worden. Das Land stand nahe am Kollaps, das wußten die Sowjets, und sie wußten, daß die Amerikaner das wußten. Und die Amerikaner wiederum wußten, daß die Sowjets wußten, daß die Amerikaner nach der deutschen Kapitulation beinahe ihr ganzes Volksvermögen in das zerstörte Europa würden stecken müssen, jedenfalls in den westlichen Teil, um die verwüsteten Länder wieder aufbauen zu helfen, um die Menschen in diesen Ländern zu Feinden des Kommunismus zu machen, um neue europäische Armeen zu schaffen, auch eine deutsche, die mit ihnen gegen die Sowjets kämpfen würden. Und die Russen wußten dasselbe von den Ländern, die nun unter ihre Herrschaft fielen bei der Teilung der Welt. Auch sie brauchten neue Armeen in diesen Ländern, die mit ihnen gegen die Amerikaner kämpften, darunter eine deutsche Armee. Deutsche Armeen brauchte es zwei! Die Sowjets wußten, daß sie ihre Bevölkerung am Leben halten mußten. Und die Amerikaner befürchteten nach den irrsinnigen Ausgaben für die Rüstung Arbeitslosigkeit für viele Millionen Menschen und den Zusammenbruch der Wirtschaft. Ja, eine *Atempause* brauchten sie. So lange, bis sie wieder oben waren. Stark. Bis an die Zähne gerüstet. Bis an die Grenzen der Möglichkeit in ihrem Territorium – alle anderen waren ihnen egal – unverwundbar.«

»Glauben Sie das wirklich?« fragte Ross erschüttert. »Ich meine: Glauben Sie wirklich, Hopkins und Woroschilow gingen schon in Teheran davon aus, daß ihre beiden Riesenländer sich den nächsten Riesenkrieg liefern würden? Ist das nicht zu phantastisch? Schlimm genug, wenn sie sich daranmachten, die Welt zu teilen, aber das kann ich mir eben noch vorstellen. Dafür sprach bei Roosevelt und bei Stalin vielleicht wirklich der – ebenfalls schwer erträgliche – Gedanke, auf diese Weise mit vielen Millionen Menschen zwar selbstherrlich und willkürlich zu verfahren, aber so doch eine Katastrophe vom Ausmaß der letzten zu verhindern. Sie brauchten eine Atempause, sagte ich – aus heutiger Sicht. Damals... vielleicht wollten Roosevelt und Stalin damals wirklich den Frieden sicherer machen, indem sie ihre Interessen – die Interessen der beiden Supermächte – gleich von vornherein festlegten. Kann es nicht auch so gewesen sein?«

Stockend sagte Mercedes: »Vielleicht, Daniel. Zugegeben, das ist eine Möglichkeit. Ich glaube nicht an sie, aber es ist eine Möglichkeit. Die beiden Großen wollten sich ein für allemal arrangieren auf Kosten des Rests der Welt – und dann sollte es Frieden geben oder nur kleine, begrenzte Kriege. Lassen Sie uns unterstellen, daß die Verfasser dieses Protokolls wenigstens noch solcher – auch schon dubioser – menschlicher Gefühle fähig waren. Eines ist sicher: Sie mißtrauten einander bereits damals zutiefst! Ganz gewiß wußte kein Mensch auf beiden Seiten auch nur mit einiger Sicherheit vorauszusagen, ob zwei so unterschiedliche Gesellschaftssysteme auf Dauer in Koexistenz leben können würden. Sie können es *nicht*, wir sehen es. Schon neunzehnhundertachtundvierzig kam es zur Blockade Berlins. Da prallten die beiden Mächte bereits zum erstenmal zusammen. Nach drei Jahren Ruhe nur, nur nach drei Jahren Ruhe! Sie wissen, was Churchill, den sie nicht mitspielen ließen – sie ließen niemanden mitspielen –, gesagt hat. Er hat gesagt: ›Ich fürchte, wir haben das falsche Schwein geschlachtet.‹ Sehr, sehr verzweifelt, sein Zynismus. Was geschah achtundvierzig? Nichts. Jeder der beiden Riesen war noch viel zu schwach, um dem andern den Todesstoß versetzen zu können. Spätestens von da ab muß aber selbst der Blauäugigste das Protokoll so auffassen, wie Sie, Daniel, es sofort instinktiv aufgefaßt haben.«

»Aus heutiger Sicht!« wiederholte der laut. »Und weil ich mich zu glauben weigere...« Er stockte.

»Weil Sie sich zu glauben weigern, der Mensch könne ein derartiger Abgrund sein. Daniel, lieber Daniel, ich fürchte, der Mensch *ist* ein derartig grauenvoller Abgrund. Wenn die Verfasser und Unterzeichner dieses Protokolls wirklich nicht an die ›Atempause‹ dachten – in ihrem Unterbewußtsein, in the back of their minds, war er da, dieser Gedanke. Davon bin ich überzeugt. Ich kann mir vorstellen, daß alle Beteiligten tiefste Trauer erfüllt hat über die Zukunft der menschlichen Rasse. Ehrliche Trauer. Verzweifelte Trauer. Das Fazit aber war Verantwortung nur der eigenen Nation gegenüber. Und grenzenlose Naivität: Soll doch der Rest der Welt zum Teufel gehen – unsere beiden Nationen müssen überleben! Und dazu brauchten die beiden Mächte eine Zeit der Ruhe, die nicht gestört wurde durch Gezänk in der restlichen Welt, durch – Alptraum im Zeitalter der Atomwaffen – einen zu früh ausgebrochenen neuen Krieg, in den sie hineingezogen wurden, obwohl sie noch nicht perfekt unverwundbar und superstark waren. Diese Gefahr sollte das Protokoll verhindern, unter allen Umständen. Und darum hielten beide Seiten sich so lange Zeit auch so genau daran.«

»Und die Raumfahrt sollte sie dann perfekt unverwundbar und superstark machen«, sagte Ross.

»Ja, Daniel, ja! Die friedliche, allein wissenschaftlichen Zwekken dienende Raumfahrt, die allein mörderischen, militärischen Zwecken diente. Wann wären für friedliche, vernünftige, der Menschheit dienliche Zwecke jemals solch aberwitzige Geldsummen investiert worden? Wissenschaft? Fortschritt? Lächerlich! Krieg! Krieg! Krieg! Dafür war natürlich Geld da, war schon immer Geld da!«

»Und so wetteiferten sie also und wetteifern noch immer bis zu dieser Stunde«, sagte Daniel, und er hatte das Gefühl, wie in einem Traum zu sprechen. »Sowjets und Amerikaner – um Überlegenheit im Weltall.«

»So ist es, Daniel.« Mercedes nickte. »Die Bombe haben sie beide. Die Raketen auch. Aber die Weltraum-Verteidigungssysteme, die Killersatelliten und sämtliche anderen phantastischen Instrumente, die heute im All kreisen und so etwas wie einen Zaun, eine Mauer gegen anfliegende Raketen bilden sollen, sie genügen noch nicht. Der Zaun ist noch durchlässig. Die Killersatelliten sind nicht die Lösung. Es gibt schon Killersatelliten-Killer! Oh, man wird den Zaun undurchlässig machen. Keine Angst! Es dauert nicht mehr lange. Sehen Sie, deshalb wird bereits alles vorbereitet für einen Atomkrieg, deshalb starren Europa und insbesondere Deutschland – die beiden Deutschland – vor Raketen mit Atomsprengköpfen, deshalb wird die politische Lage immer mehr und mehr verschärft.« Mercedes wurde wieder leidenschaftlich und rief: »Damit in dem Moment, im *gleichen* Moment, in dem eine der beiden Mächte den totalen Schutz für ihr Territorium gefunden hat, damit dann sofort, in der nächsten Minute, der atomare Angriff gegen die andere Macht geführt werden kann! Erster Januar zweitausend! Einen Dreck werden die beiden Supermächte sich an die Laufdauer des Vertrages und an den ersten Januar fünfundneunzig, die letzte Frist für seine Aufkündigung, halten. Noch ein Jahr. Noch zwei Jahre. Es dauert auf keinen Fall mehr lange. Dann ist eine der beiden Mächte der anderen voraus beim Schutz ihres Landes. Dann ist dieses Protokoll vergessen. Dann schlägt diese Macht zu. Und beide wissen das. Und vier Milliarden Menschen wissen es nicht und beten um Frieden, hoffen auf Frieden, kämpfen für den Frieden. Weil sie die Wahrheit nicht kennen. Weil sie die Wahrheit nicht kennen...« Ihr Körper bebte wieder.

Ross stand auf, trat zu ihr, drückte sie an sich und strich ihr über den Rücken.

»Hier muß sogar der Teufel weinen«, sagte Mercedes, »und sich abwenden in Grausen vor solchem Menschenfrevel. Die beiden Supermächte arbeiten fieberhaft daran, ihre Länder vollkommen zu sichern. Sie werden es schaffen. Sie werden es schaffen, natürlich! Die Möglichkeit besteht. Es dauert nicht mehr lange. Es dauert nicht mehr lange, dann haben sie es geschafft. Dann schlägt der erste los. Dann kommt die Apokalypse. Und weil das so ist, müssen wir schnell handeln. Schnell. Schnell. Schnell. Verstehen Sie jetzt, warum die Zeit so drängt? Die Zeit, sie jagt uns wirklich.«

»Ich verstehe«, sagte Ross.

»Dann lesen Sie auch noch den Schluß«, sagte Mercedes und ließ den Film weiterlaufen.

16.

Diese Übereinkunft wird in zwei Exemplaren unterfertigt, dessen eines in englischer und dessen anderes in russischer Sprache abgefaßt ist. Die Sprachfassungen sind identisch. Diese Übereinkunft tritt mit der Unterzeichnung in Kraft. Sie wird jetzt und für alle Zeit als strengst geheim behandelt. Zur Sicherung dessen werden beide Exemplare der Übereinkunft nach ihrer Unterzeichnung abgefilmt und in Gegenwart der Unterzeichner vernichtet. Jede Macht erhält ihr Exemplar des Films. Beide Mächte werden das Dokument so behandeln, daß es auf alle Zeiten gegen eine Veröffentlichung, insbesondere durch die Öffnung der normalen Staatsarchive, gesichert ist.

Gegeben zu Teheran am ersten Dezember eintausendneun-
hundertdreiundvierzig

Der Präsident der	In Vollmacht des Rates
Vereinigten Staaten	der Volkskommissare der
von Amerika	Union der Sozialistischen
	Sowjetrepubliken

| Unterschrift | Unterschrift |
| (Franklin D. Roosevelt) | (J. W. Stalin) |

Das Bild der Seite 8 unten bleibt noch eine Weile stehen,
dann BLENDET es aus.

Olivera erhob sich und schaltete den Videorecorder und den
Fernseher ab. Er schaltete das Licht von zwei großen Lüstern an.
Niemand sprach, als er die Kassette wieder in den Tresor ein-
schloß. Niemand sprach, als er danach von Fenster zu Fenster
wanderte und die schweren Eisenrolläden hochgleiten ließ. Er
öffnete eines der Fenster. Dann setzte er sich auf die Couch und
blickte in den dunklen Kamin.
Mercedes sagte: »Sie fragen sich, warum dieses Protokoll abgefilmt worden ist, Daniel, nicht wahr?«
»Ja«, sagte dieser. »Das frage ich mich allerdings. Die Nieder-
schrift hätte doch genügt.«
»Eben nicht«, sagte Mercedes.
»Verstehe ich nicht.«
»Die Amerikaner haben den Sowjets schon damals nicht getraut.
Die Amerikaner hatten Angst, daß die Sowjets die Existenz
dieses Protokolls, wenn es *nur* schriftlich vorlag, einfach ableug-
nen würden, falls es ihnen einmal nicht mehr in den Kram paßte.
Dieses Protokoll haben wir nie unterzeichnet, dieses Protokoll
hat es nie gegeben, hätten die Sowjets sagen können. Das ist eine
Erfindung der Amerikaner, und die Unterschriften sind nicht
echt. Ohne Film hätten aber auch die Amerikaner leicht leugnen
können, daß es das Abkommen gibt. Darum, verstehen Sie,
Daniel, wurde der Film gedreht. Der *ganze* Film! Die Treffen
zwischen Hopkins und Woroschilow. Die Unterzeichnung des
Protokolls durch Roosevelt und Stalin. Der Film zeigt die wichtigsten Personen. Was der Film zeigt, kann man nicht einfach
ableugnen. Man kann nicht sagen, daß man sich niemals getroffen hatte, um das Protokoll zu unterzeichnen. Auch nicht, daß
es das gefilmte Protokoll nie gegeben hat.«

»Nein, das nicht«, sagte Ross. »Aber die Sowjets oder die Amerikaner oder beide hätten trotzdem zumindest sagen können – und das können sie im übrigen noch heute: ›Der ganze Film mitsamt dem Protokoll ist eine Fälschung.‹ Eine Fälschung der Nazis in erster Linie.«

»Das werden sie auf jeden Fall sagen, wenn die Öffentlichkeit nun von dem Film erfährt«, schaltete sich Olivera ein. »Vollkommen richtig überlegt, Daniel. Sie werden es sagen *müssen*, es bleibt ihnen gar nichts anderes übrig. Und wenn der Film tausendmal echt ist.«

»Auch wenn der Film tausendmal gefälscht ist«, sagte Ross.

»Er *ist* echt, Daniel«, sagte Olivera. »Die *Bilder* sind nun einmal nicht aus der Welt zu schaffen. Die Männer *wurden* gefilmt. Die Amerikaner, die den Film ja drehten, wollten, wie gesagt, verhindern, daß die Russen die Existenz des Protokolls einfach bestritten. Darum kein schriftlicher Vertrag. Darum ein gefilmter Vertrag mit dem Film seiner Vorgeschichte.«

Ross ging zu dem offenen Fenster. Der abendliche Park und seine wunderbaren Bäume, Sträucher und Blumen lagen vor ihm. Die Luft war süß und schwer vom Duft des blühenden Jasmins. Ross atmete tief.

Dann bemerkte er, daß Mercedes neben ihn getreten war. Ihre Hand ergriff die seine und hielt sie fest. So standen sie stumm, lange Zeit.

17

Sie aßen schon um acht Uhr zu Abend. Die Lichtbahnen der sinkenden Sonne durchfluteten noch den Park und drangen in das dunkelgetäfelte Eßzimmer mit seinen Gobelins, dem großen Tisch und den Stühlen, die hohe, geschnitzte Lehnen aus schwarzem Ebenholz besaßen. Die lange, viereckige Tafel bot Platz für sechzehn Personen. Miguel hatte nur an einem Ende gedeckt. Mercedes saß zwischen Ross und Olivera. Sie hatten sich umgezogen.

Der so gut aussehende Diener Miguel – er trug noch die weißen Hosen und die weiße, am Hals geschlossene Jacke vom Nachmittag – servierte geschickt und diskret wie der Maître eines Luxusrestaurants. Schwere Teppiche machten seine Schritte unhörbar. Die Speisen kamen mit einem Aufzug aus der Küche herauf und wurden auf einer ebenfalls geschnitzten Anrichte abgestellt. Der Diener war von größter Höflichkeit. Daniel Ross erfuhr, warum so früh gegessen wurde: Von Freitag abends bis Sonntag früh hatte Miguel frei. Olivera, der immer wieder von seinem Angestellten schwärmte, erklärte, er achte sehr darauf, daß dieser seinen Dienst nicht verspätet beende. Zu besonderen Anlässen, beispielsweise wenn Olivera just am Freitag eine Einladung gab und Miguel Morales benötigt wurde, verschob der Diener natürlich seine Freizeit.

Miguel offerierte den zweiten Gang. Mercedes nahm sehr wenig, desgleichen Ross. Olivera hatte guten Appetit.

»So geht das aber nicht«, sagte er. »Ihr müßt ordentlich essen, meine Kinder!«

»Mir ist immer wieder elend, wenn ich den Film sehe«, sagte Mercedes. Sie trug jetzt ein dunkelgrünes Kleid.

Ross schaute Miguel nach, der mit einer schweren Silberplatte zur Anrichte zurückging, dann sah er Olivera an. »Versteht er wirklich nicht Deutsch?«

»Kein Wort, Daniel. Köstlich, der Fisch. Ganz köstlich.« Olivera sprach spanisch mit Miguel, welcher erfreut lächelte und sich verneigte. Der Diener sagte etwas. »Er ist sehr betrübt darüber, daß ihr so wenig eßt«, übersetzte Olivera. Und wieder spanisch zu dem Diener: »Der weite Flug, weißt du. Der Klimawechsel.«

»O natürlich, Señor. Wie dumm von mir, daran nicht zu denken.«

Der dritte Gang kam: Fleisch. Olivera nahm ein großes Stück. Er schien bester Laune zu sein. Mercedes und Ross lehnten ab. Mercedes sagte zu Miguel: »Morgen ist wieder alles in Ordnung.«

»Ich hoffe es von Herzen, Señorita«, sagte der Diener ernst.

Auch vom Käse und vom Dessert aß nur Olivera. Mokka tranken sie dann alle. Miguel hatte zuvor Teller und Bestecke fortgeräumt und sie wie die Servierplatten mit dem Aufzug hinunter in die Küche geschickt.

Olivera sah auf die Uhr. Es war Viertel vor neun.

»So«, sagte er, »Schluß für dich, Miguel. Wir werden nachher wieder in die Bibliothek gehen. Drinks kann ich selber machen. Also hopp, verschwinde!«

»Ich danke, Señor.«

»Was hast du vor heute abend?«

»In Chacarta gibt es eine neue Discothek.«

Olivera übersetzte für Ross. Er sagte: »Das ist ein Stadtteil weiter westlich.« Und wieder spanisch zu Miguel: »Hast du noch immer die niedliche Rothaarige?«

»Carmelita? Nein, Señor.« Miguel wurde verlegen. »Ich habe Schluß gemacht mit ihr.«

»Warum?«

»Sie war zu eifersüchtig.«

»Natürlich hast du schon eine andere.«

»Ja, Señor. Sie heißt Maria Perichole.«

»Schwarz?«

»Blond. Fast golden. Langes, goldenes Haar.«

»Der Knabe wechselt die schönsten Mädchen der Stadt wie seine Hemden. Kunststück, wenn man so aussieht!«

Miguel verneigte sich noch einmal und sagte ein paar Worte.

»Er wünscht uns allen einen schönen Abend«, übersetzte Mercedes.

»Sei brav, Junge!« sagte Olivera. »Und wenn du schon nicht brav sein kannst, sei vorsichtig!«

Miguel lachte, zeigte dabei seine schönen Zähne und verschwand.

»Im ganzen Land findest du nicht noch so einen Diener wie Miguel«, sagte Olivera. »Ich muß meinem Freund, dem General Alvarez, wirklich dankbar sein, daß er ihn mir geschickt hat. So etwas von Treue, von Ergebenheit! Hat er nicht perfekt serviert? Genauso perfekt fährt er Auto. Hält den Garten in Ordnung. Repariert einfach alles, was kaputtgeht. Und ist ein phantastischer Masseur, also wirklich.« Zu Ross sagte er: »Er soll dich auch massieren, Daniel. Dein Körper braucht es dringend.«

»Ja, ja«, sagte Ross.

»Nein, nein! Du bist nicht mehr so jung. Dein Herz, dein Kreislauf. Schau mich an! Es gibt keinen Tag, an dem ich nicht mindestens zwei Stunden etwas für meine Gesundheit tue. Das mußt du einfach auch machen. Versprich mir das, ja?«

»Ja«, sagte Ross. »Ja, verflucht.«

Olivera lachte.

»Schau nicht so erschreckt, Mercedes! Daniel will jetzt mit dem gehaßten Vater zusammenarbeiten. Das ist schon arg. Nein, wirklich, ich kann mich in deine Lage versetzen, Daniel.« Olivera lachte wieder schallend.

Miguel Morales hörte ihn. Er war gerade in die Bibliothek getreten und hatte das Licht angeknipst. Nun kroch er unter den niedrigen Marmortisch, der beim Kamin stand, legte sich auf den Rücken und suchte kurze Zeit. Dann nahm er von der Unterseite der Marmorplatte einen halbkugelförmigen Gegenstand ab. Der Gegenstand war aus Metall und hatte die Größe eines Zweimarkstückes. Es war eine sogenannte Wanze, ein winzig kleines elektronisches Instrument, das ein hochempfindliches Mikrofon und einen starken Transmitter hatte. Die Wanze – japanisches Erzeugnis – konnte Gespräche, welche das Mikrofon aufnahm, bis zu dreihundert Meter weit senden, selbst durch Betonwände und Betondecken. Miguel hatte sie an die Unterseite des Marmortisches geklebt, als er am Nachmittag die Teetassen forträumte. Er hatte dabei einen Löffel fallen lassen, um einen Vorwand dafür zu haben, sich tief bücken und unter dem Tisch suchen zu müssen. Niemandem war etwas aufgefallen. Olivera hatte recht: Miguel war in der Tat ungemein geschickt.

Der junge Mann mit der glatten, dunkelgetönten Haut und den großen schwarzen Mandelaugen steckte die Wanze in eine Tasche seines weißen Anzugs. Aus einer anderen Tasche nahm er eine neue, noch ungebrauchte. Gleich darauf hatte er sie anstelle der alten unten an der Marmortischplatte befestigt.

Nun verließ er die Bibliothek und ging in den zweiten Stock des Hauses hinauf. Dort hatten die Angestellten ihre Zimmer. Miguel sperrte das seine auf, trat ein und verschloß die Tür hinter sich wieder. Der Raum war groß, nebenan gab es ein Bad. Die Wände des Zimmers hatte Miguel mit Fotografien und Plakaten von berühmten Filmstars und den beliebtesten argentinischen Schlagersängern vollgeklebt. In einer Ecke befand sich ein Tischchen mit einer sehr bunten Madonna aus bemaltem Ton. Eine Vase voll Blumen stand daneben; Miguel sorgte immer für frische. Oft kniete er vor dem Tischchen. Miguel war fromm.

Er ging ins Bad und dort zum Klosett. Wieder kauerte er auf dem Boden. Hinter der Muschel zog er einen elektronischen Empfänger vom Ausmaß einer Zigarillopackung sowie einen etwas größeren Recorder hervor. Empfänger und Recorder waren durch ein dünnes Kabel miteinander verbunden und ebenfalls in Japan hergestellt. Es handelte sich um Spezialanfertigungen, zu denen größere Kassetten gehörten. Eine Seite konnte bis zu drei Stunden aufnehmen, und die Kassette mußte, wenn diese Zeit abgelaufen war, nicht umgedreht werden. Ohne Wenden nahm der Recorder auf der zweiten Kassettenseite weitere drei Stunden auf. Ferner schaltete sich das Gerät selbständig ein, sobald es vom Empfänger Geräusche, Gespräche oder Einzelstimmen übermittelt bekam, welche die Wanze sendete. Der Recorder schaltete sich aus, falls er länger als fünf Minuten keine Impulse erhielt, und er schaltete sich sofort neuerlich ein, wenn der Empfänger von der Wanze neue Angebote zur Registrierung bekam.

Miguel öffnete den Recorder und nahm die große Kassette. Er ging in sein Zimmer zurück, das mit Möbeln eingerichtet war, die ihm gehörten und die er mitgebracht hatte, wie seinen Kleiderschrank mit zwei Schubladen für Unterwäsche und Strümpfe. Die linke Lade zog Miguel heraus. Dreimal schlug er mit dem Handballen kräftig auf eine Ecke des Sperrholzbodens, der sich danach öffnete. Die Platte schwang nach oben, ein etwa zehn Zentimeter tiefes Fach von der Größe der Schublade wurde sichtbar. In dem Fach lagen zahlreiche Kassetten gleich jener, die Miguel dem Recorder entnommen hatte, sowie mehrere Wanzen. In einer kleinen weißen Plastiktüte, die Miguel aus dem Fach hob, befanden sich zwei Kassetten – offenbar bespielt, denn er steckte jetzt die aus dem Gerät zu ihnen. Danach riß er den Folienschutz von einer neuen Kassette, ging wieder ins Bad und legte sie aufnahmebereit in den Recorder ein. Wenn Olivera, wie er angekündigt hatte, in die Bibliothek zurückkehrte und sich mit seiner Tochter und dem Mann, der angeblich sein Sohn war – das hatte er Miguel gesagt, aber der hatte es keinen Moment geglaubt; ein Mensch von der anderen Seite der Erde, mit dem Olivera sich stundenlang bei herabgelassenen Eisenjalousien einschloß! –, wenn die drei sich nun weiter unterhielten, dann würde ihre Konversation auf der neuen Kassette festgehalten werden.

Miguel stellte den Recorder wieder hinter die Klomuschel, ging in sein Zimmer und verschloß das Versteck, indem er die Sperrholzplatte niederdrückte und die Schublade in den Schrank schob.

Er nahm ein blau-rot gestreiftes Hemd und eine blaue Hose aus dem Schrank, dazu blaue Socken und blaue Stoffslipper. Er duschte und zog die ausgewählten Stücke an. Mit größter Sorgfalt hängte er den weißen Anzug auf Kleiderbügel. Bevor er sein Zimmer verließ, kniete er vor der bunten Madonna nieder und sprach murmelnd, die Hände gefaltet, ein Gebet als Dank für bislang geleistete Hilfe und Fürsorge, dem er eines mit der Bitte um weiter währenden Schutz und niemals endende Gnade folgen ließ.

Dann erhob er sich, nahm die Plastiktüte mit den Kassetten und eine Handtasche aus Leder, wie sie hier alle Männer trugen und in der sich Geld, seine Papiere und Autoschlüssel befanden. Er sperrte die Tür auf und hinter sich wieder zu. Wenige Minuten später fuhr er in seinem Volkswagen durch den großen Park zum Eingangstor.

18

»Au!« sagte der große Mann, der nackt auf dem Bauch lag. »Nicht so fest, Kleiner! Du tust mir weh.«

»Ich bitte um Vergebung, mein General«, sagte Miguel Morales. »Aber ich muß fester zupacken. Ihre Nackenmuskeln sind wieder völlig verkrampft.«

Der nackte, zu Fettleibigkeit neigende Mann lag auf einer hohen Massagebank, deren Schaumgummibelag von Laken verborgen wurde. Miguel, in weißer Hose, weißen Sandalen und kurzärmeligem weißem Hemd, stand neben dem Tisch im großen Badezimmer des Generals Carlo Maria Alvarez und massierte ihn. Dies geschah fast vier Monate zuvor, am Vormittag des 25. Oktober 1983, einem Dienstag.

Miguel schüttelte Talkumpuder auf die Handflächen und fuhr fort, die Nackenmuskeln des Generals zu bearbeiten.

»Höre mir jetzt gut zu«, sagte Alvarez. »Es ist sehr wichtig. Du bist mir doch wirklich und ehrlich ergeben, Kleiner, wie?«

»Ja, mein General.«

»Du tust bedingungslos alles, was ich von dir verlange.«

»Alles bedingungslos, mein General.«

»Ich liebe dich auch. Noch nie ist mir ein Bursche mit so gutem Charakter, so großer Treue begegnet. Du vergißt nicht, daß ich dich aus dem Elend geholt habe.«

»Nie, mein General, werde ich das vergessen.«

»Gut, gut. Du kennst Señor Olivera, Kleiner? Meinen guten Freund Eduardo Olivera?«

»Gewiß, mein General.« Miguel bearbeitete jetzt den Rücken des dicken Mannes.

»Er möchte dich so gerne haben. Ob er wirklich mein guter Freund ist – verflucht, tut das weh!«

»Es muß sein, mein General.«

»Schon gut. Das weiß ich eben nicht, ob er wirklich mein guter Freund ist. Vergiß nicht: wieder ordentlich die Schenkel, Lieber, ja? Die Beine werden so schnell müde.«

»Ja, mein General.« Miguel verbrauchte viel Talkum. Es wurde ihm heiß. Dies war Schwerstarbeit. »Ich habe das nicht verstanden«, sagte er. »Sie wissen nicht, ob Señor Olivera wirklich Ihr guter Freund ist?«

»Richtig.« Alvarez grunzte. »Da! Ja, da! Mach da weiter! Das tut gut. Olivera ist ein seltsamer Mann, weißt du. Er hat mir und den Kameraden immer sehr geholfen. Nicht nur als Bankier. Auch mit Informationen.« Miguel walkte Alvarez' Gesäßbacken. Der General redete weiter: »Aber ist er treu? Treu wie du, Kleiner? Nur halb so treu? Fester! Da kannst du ruhig fester zupacken. Wird er jetzt nicht die Seite wechseln und ein Freund unserer Feinde werden?«

»Ich verstehe nicht, mein General…«

»Wir stehen vor Wahlen«, sagte Alvarez. »In fünf Tagen finden sie statt. Wir werden sie verlieren. Alfonsin wird gewinnen.«

»Heilige Maria – nein, das glaube ich niemals!« rief Miguel.

»Du wirst es sehen. Wir erwarten die Niederlage. Seit dem Falklandkrieg haßt uns das Volk. Auch früher wurden wir von den Menschen gehaßt, aber gefürchtet. Jetzt werden wir nur noch gehaßt. Die Oberschenkel noch einmal bitte!«

»Ja, mein General.« Miguel schlug mit beiden Handkanten schnell und exakt den rechten Oberschenkel entlang. Dasselbe tat er beim linken Bein – mehrere Male.

»Alfonsin wird siegen«, sagte Alvarez. »Und natürlich wird er der Junta den Prozeß machen.«

»Auch Ihnen, mein General?« Miguel war entsetzt. Er hörte auf zu massieren. Er begann zu weinen.

»Weine nicht, Lieber! Das hat keinen Sinn. Man wird uns den Prozeß machen, ganz bestimmt.«

»Sie meinen… Sie werden ins Gefängnis kommen?« Miguel stand noch immer fassungslos da. Er fuhr sich mit einem Arm über die nassen Wangen.

»Ja, sicherlich, Kleiner. Hat keinen Sinn, die Augen davor zu verschließen. Ich weiß, du bist mit allem einverstanden, was ich tue, nicht wahr?«

»Mit allem, mein General. Meine Dankbarkeit und Liebe zu Ihnen sind ohne Grenzen. Ich bin immer zu Ihren Diensten.«

Carlo Maria Alvarez wälzte sich stöhnend auf den Rücken. Er hatte fast weibliche Brüste. Miguel begann, die Brüste zu bearbeiten.

»Ich habe dich ihm schon vermacht, Liebster«, sagte der General.

»Herr General haben...«

»Wenn sie kommen und mich holen, kannst du sofort bei ihm anfangen. Nimm all deine Sachen mit – das wird lange dauern.«

General Alvarez bewohnte eine riesige Villa an der Straße Dorrego im Prominentenviertel Palermo. Elf Straßenzüge entfernt verlief die lange Cespedes, an der Olivera sein Haus hatte.

»Aber... aber ich will nicht, mein General! Ich will nicht zu Señor Olivera. Wenn man Sie wirklich verhaftet und verurteilt, bringe ich mich um.« Miguel hatte wieder Tränen in den Augen.

»Das wäre ganz lieb von dir und ganz dumm«, sagte Alvarez. »Als Toter kannst du niemandem nützen. Als Lebender, und gerade bei Olivera, meinem guten Freund, kannst du enorm nützlich sein – uns.«

»Ihnen?« Miguel massierte jetzt von der Brust abwärts in Richtung des großen, schlaffen Bauchs des Generals.

»Uns, ja, Liebster«, sagte Alvarez. »Uns allen, die wir nun stürzen. Dies bleibt keine Demokratie, glaube mir! Wir kommen wieder.«

»Sie kommen wieder?« Miguel versetzte dem schlaffen Bauch klatschende Schläge. Das welke Fleisch rutschte hin und her.

»Wir sind noch immer wiedergekommen. So viele man nun auch einsperren wird – sie können nicht *alle* einsperren. Es bleiben genügend in Freiheit, in Aktion. Dazu kommt der gewaltige Verbund von Kameraden im ganzen Land. Keiner kennt diesen Verbund, und darum bleibt er ebenfalls intakt. Für den Widerstand. Für große Anschläge. Um Unsicherheit und Furcht zu verbreiten. Um den Boden zu bereiten für unsere Rückkehr. Du siehst, du hast wirklich mein ganzes Vertrauen, Kleiner.«

»Das können Sie mir auch schenken, mein General. Ich würde – bei der Heiligen Jungfrau – auch mein Leben für Sie geben.«

»Solltest du mich trotzdem enttäuschen, überlebst du deinen Verrat keinen Tag, Liebster. Du bist natürlich nicht der einzige Vertrauensmann. Wir haben Tausende, wie du dir denken kannst. Aber du wärest einer der Wichtigsten. Jeder wird überwacht werden von unseren Leuten, jeder. Und es ist absolut notwendig, daß jemand Olivera überwacht. Ich muß abnehmen, ich weiß, ich weiß. Nun, jetzt werde ich ja Gelegenheit dazu haben. Die Oberschenkel vorne, bitte!«

Miguel arbeitete schwer atmend. Er war überwältigt von dem, was er gehört hatte.

»Olivera war unser aller guter Freund. Ich höre indessen aus sicherer Quelle, daß er bereits in Kontakt mit Männern aus der Umgebung von Alfonsin stehen soll.«

»Nein!«

»Du kennst die Menschen nicht, kleiner Unschuldiger. Olivera *hat* offenbar schon die Seite gewechselt. Er wird jetzt der gute Freund unserer Feinde werden, ihnen helfen – als Bankier und mit Informationen. Er wird sie in sein Haus einladen. Er ist wirklich klug. Sie werden seinen Rat suchen. Sie werden ihn als einen der Ihren betrachten. Und deshalb mußt du jetzt zu ihm gehen.« Alvarez fuhr Miguel, der ihm nun den Rücken zuwandte, während er ihm die Oberschenkel bearbeitete, zärtlich zwischen die Beine. »Du tust es für mich, Liebster. Durch dich werden wir im Gefängnis informiert sein über so vieles, was die neuen Herren planen, wollen, vorhaben. Und wir *müssen* informiert sein, das verstehst du doch, nicht wahr? Nur so ist der Kampf im Dunkeln möglich... ein Aufstand... ein Staatsstreich später...«

»Aber... aber was soll ich tun, mein General? Ich bin nur ein dummer Junge, den Sie in Ihrer unendlichen Güte aus dem Schmutz gezogen haben.«

»Du bist ein kluger Junge, Liebster. Du wirst die Gespräche abhören, die Olivera hinter verschlossenen Türen führt. Alles, was dir wichtig erscheint. Wirst du das tun?«

»Ich tue alles, mein General.«

»Auch töten?«

»Wenn es sein muß, auch töten, mein General. Aber wie soll ich diese Gespräche abhören?«

»Nun, es gibt da die hervorragendsten Instrumente. Du wirst bekommen, was du brauchst. Man wird dir alles erklären. Meine Freunde und ich denken an eine moderne Anlage. Du bist doch ein großer Bastler! Ich habe Olivera schon gesagt, daß du bei mir immer von Freitag abends bis Sonntag früh frei hast und daß er dir da auch freigeben muß. Er wird es gerne tun. Er ist ganz wild darauf, dich zu bekommen. Sei völlig ruhig! Er ist nicht so, wie wir es sind. Du wirst nicht in Gefahr kommen, mich zu betrügen.«

»Das würde ich niemals tun!« Miguel fuhr herum. Sein hübsches, offenes Gesicht zeigte ehrliche Empörung.

»Das weiß ich doch. Ein Scherz«, sagte der General und faßte Miguel wieder an. »Mein Liebster, mein Bester. Was ich sagen wollte: In deiner freien Zeit wirst du dann immer die Ernte der Woche an einen bestimmten Ort bringen… Man wird dir noch mitteilen, wohin… Du sollst dir Verdienste um die Revolution erwerben, Kleiner. Das willst du doch – wenn es mir nützt?«

»Alles, mein General«, sagte Miguel überwältigt. »Alles, was Sie von mir verlangen.«

19

Miguel erreichte mit seinem Volkswagen das schmiedeeiserne Tor der Einfahrt. Auch er besaß ein kleines Kunststoffkästchen, mit dessen elektronischer Hilfe sich die Torhälften langsam öffneten. Miguel ließ den Wagen auf die Straße hinausrollen. Das Tor schloß sich hinter ihm. Er bog nach links ein. Entlang der Cespedes standen zu beiden Seiten viele Wagen unter den alten Palmen. Der Junge sah, daß Nachbarn ein großes Gartenfest feierten. Er hörte verwehte Musik und erblickte Paare, die im Freien auf einem Acrylglasparkett tanzten.

Ein schwarzer Buick und ein blauer Lincoln, in denen junge Männer saßen, parkten etwas entfernt in verschiedenen Fahrtrichtungen; der Lincoln in jener, die Miguels VW nun nahm. Der Mann am Steuer hob ein kleines Mikrofon aus seiner Halterung und sagte: »Peru, hier ist Cuba.«

In dem schwarzen Buick antwortete ein Mann über Mikrofon: »Hier Peru. Was ist los, Cuba? Fahrt ihr dem VW nach?«

»Ja. Wenn da noch jemand rauskommt, folgt ihr ihm. Wir bleiben in Funkkontakt.«

»Okay, Cuba, viel Glück! Ende.«

Der blaue Lincoln glitt aus der Parklücke. Sein Fahrer, der sich bei einem Telefongespräch mit dem alten Mann namens Cristobal Roberto genannt hatte, trug noch immer das grüne Hemd vom Vormittag und die weißen Hosen. Neben ihm saß jetzt der junge Mann im roten Hemd. Als sie Mercedes und Daniel Ross vom Flughafen in die Stadt hinein verfolgten, hatte er am Steuer des roten Ferrari gesessen. Die Organisation verfügte über eine Menge Wagen. Es war noch immer hell und sehr heiß, aber die Sonne sank. Bald würde es dunkel sein.

An der Avenida Cabildo bog Miguel nach rechts ab. Er fuhr die breite Straße hinab südwärts. Der blaue Lincoln folgte. Miguel erreichte den Polo-Club, der zu seiner Linken lag, und die Kreuzung mit der Avenida J. B. Justo. Hier wechselte die Avenida Cabildo ihren Namen in Avenida Santa Fe und führte weiter südwärts vorbei am Zoologischen und Botanischen Garten und vielen Parks mit kleinen Seen. Sie verlief dann leicht nach Südosten.

»Rufe Peru«, sagte Roberto ins Mikrofon. »Rufe Peru. Hier ist Cuba.«

»Hier ist Peru. Was gibt's?«

»Der VW fährt die ganze Avenida Santa Fe hinunter. Wenn er so weitermacht, ist er bald bei den Docks und am Hafenbecken. Bleibt auf Empfang! Irgendwas ist da komisch.«

»Bleiben auf Empfang, Cuba. Ende.«

»Was will der am Hafen, Esteban?« fragte Roberto den jungen Mann mit dem roten Hemd, der den Ferrari gefahren hatte.

»Keine Ahnung«, sagte Esteban. Er war verärgert. »Der alte Cristobal hätte uns längst ablösen müssen. Mensch, seit vormittag geht das nun! Jetzt ist es halb zehn. Ich bin müde. Das ist ein Scheißjob.«

»Zum *Retiro* fährt der Kerl, Esteban! Zum *Retiro*!«

Tatsächlich bog Miguel jetzt oberhalb der Plaza General San Martin und der Plaza Britania, hinter denen wieder große Parks lagen, nach links ein und erreichte den riesigen Parkplatz vor dem massigen Gebäude des Kopfbahnhofs von Buenos Aires. Von den sechs verschiedenen Eisenbahnnetzen in Argentinien tragen fünf die Namen von Generälen mitsamt ihren Titeln, drei laufen im Retiro zusammen, die anderen haben eigene Stationen in Constitucion, Once und Lacroze. Der Parkplatz vor dem Retiro war fast besetzt. Hier drängten sich sehr viele eilige Menschen. Roberto fand in der Nähe des VW eine Lücke. Er manövrierte den großen Wagen geschickt hinein, während Esteban das Mikrofon nahm.

»Rufe Peru, hier ist Cuba.«

»Hier ist Peru.«

»Wir sind jetzt auf dem Parkplatz des Retiro. Der VW hat

gehalten. Ein junger Mann steigt aus. Er trägt eine Handtasche und eine weiße Plastiktüte. Er geht zum Retiro. Wir hängen uns an...«

Miguel bahnte sich einen Weg durch die vielen Autos. In einiger Entfernung folgten ihm Esteban und Roberto. Miguel erreichte den gewaltigen Block des Kopfbahnhofs und die Bahnsteige vor der großen Halle mit ihren vielen Geschäften, die alle noch geöffnet waren. Er ging an Zeitungsläden, fliegenden Händlern, Reiseproviantständen vorbei bis zu einer großen Wand von Schließfächern. Seine Verfolger hinter den ausgehängten Pornomagazinen eines Zeitungsstandes beobachteten ihn genau. Miguel holte einen bizarr gezackten Schlüssel aus der kleinen Ledertasche und sperrte Fach zweihundertvierzehn auf. Das tat er jeden Freitag um diese Zeit, seit er bei Olivera arbeitete. Die weiße Plastiktüte legte er in das Schließfach. Er hatte schon viele Kassetten in solchen Tüten hier deponiert. Sie wurden von einem Vertrauensmann des Generals Alvarez, dem man gerade den Prozeß machte, abgeholt. Miguel kannte diesen Mann nicht. Der Plan war noch mit Alvarez besprochen worden, und Miguel hatte von ihm, den er so verehrte und liebte, den Schlüssel und eine Erklärung erhalten.

»Dieses Fach zweihundertvierzehn muß wie alle anderen mit Münzen gespeist werden, damit es abgeschlossen werden kann. Spätestens alle zweiundsiebzig Stunden müssen neue Münzen eingeworfen werden, sonst läuft die Uhr ab, und nur noch die Aufsicht kann öffnen. Darum hast du dich aber nicht zu kümmern, Kleiner. Darum kümmern sich andere. Allerdings: Jedesmal, wenn man das Fach aufschließt, wird die Uhr unterbrochen. Du mußt also, sooft du Kassetten deponierst, vor dem Absperren Münzen in den Schlitz stecken. Die Leute, die die Kassetten abholen, müssen das natürlich ebenfalls tun, Liebster...«

Miguel drückte die Tür des Schließfachs zu, warf Münzen ein und sperrte ab. Den Schlüssel steckte er in seine kleine Ledertasche zurück. Er trug die eingehämmerten Buchstaben RETIRO und die Zahl 214. Wenige Minuten später war Miguel wieder auf dem überfüllten Parkplatz und setzte sich hinter das Steuer des Volkswagens. Er startete und lenkte den Wagen aus der Parklücke. Im nächsten Moment stieß er mit einem großen, blauen Lincoln zusammen, der plötzlich vor ihm auftauchte. Miguel hatte ihn nicht gesehen. Die beiden Wagen krachten an den vorderen Kotflügeln zusammen. Metall kreischte. Miguel würgte vor Schreck den Motor ab. Aus dem Lincoln war ein Mann in einem grünen Hemd gestiegen und kam auf ihn zu.

»Sie sind besoffen, was?« schrie er.

»Sie haben es notwendig!« schrie Miguel. »Das ist keine Rennbahn hier! Sie hatten mindestens vierzig Meilen drauf!«

»Machen Sie sich nicht lächerlich!«

»Doch, der Señor hat recht!« rief eine Frau und attackierte Roberto. »Viel zu schnell sind Sie gefahren!«

»Das stimmt. Ich bin Zeuge.«

»Ich auch!«

Plötzlich waren da viele Menschen. Die Hitze, die auch abends nicht erträglicher wurde, machte alle nervös und gereizt.

In diesem Durcheinander hatte sich Esteban dem Volkswagen genähert, dessen linke Vordertür offenstand. Auf dem rechten Sitz lag die Ledertasche. Ihr Außenfach besaß einen Reißverschluß. Esteban war ein genauer Beobachter. Er wußte, daß der junge Mann mit der dunklen Bronzehaut den Schließfachschlüssel in das Außenfach gesteckt hatte. Er griff nach der Tasche, öffnete den Reißverschluß, während hinter ihm das Geschrei immer heftiger wurde.

Da – der Schlüssel! Esteban machte, daß er fortkam. Er rannte zu den Bahnsteigen, stieß mit Menschen zusammen, wurde verflucht, rannte weiter, erreichte die Wand der Schließfächer. Gleich darauf hatte er zweihundertvierzehn geöffnet und die Plastiktüte herausgenommen. Er warf Münzen ein, schloß das Fach ab und rannte, so schnell er konnte, zum Parkplatz zurück. Erleichtert hörte er zorniges Stimmendurcheinander. Sie stritten also noch immer, und noch mehr Menschen waren versammelt. Miguels VW hatte den rechten vorderen Kotflügel des Lincoln ziemlich weit eingedrückt. Er und Roberto untersuchten zum wiederholten Mal den Schaden. Die Umstehenden gaben Kommentare ab. Esteban drängte sich vor, erreichte den VW mit der offenen Fronttür und ließ unbemerkt den Schlüssel in das Außenfach der Handtasche fallen, dessen Reißverschluß er zuzog. Die Plastiktüte hielt er unter dem Hemd versteckt.

Inzwischen hatte ein Mann vorgeschlagen, die Polizei zu rufen. Scheiße, dachte Esteban, und Roberto dachte dasselbe, da rief Miguel erschrocken: »Nein, nicht die Polizei!«

»Warum nicht? Der Lincoln war doch eindeutig schuld!«

»Trotzdem...« Miguel stotterte vor Aufregung. Nur keine Polizei, dachte er. Wenn die fragen, was ich hier gemacht habe. Er sagte mühsam: »Das ist nicht mein Wagen... Ich... ich habe ihn mir ausgeborgt... Jetzt will ich keinen Ärger mit meinem Freund... Ich gebe Ihnen meine Adresse... Sie lassen den Wagen richten und schicken mir die Rechnung, bitte, ja?« Er sah Roberto flehend an.

»Falsche Adresse, wie?« sagte der.

»Nein, nein! Ich zeige Ihnen meine Papiere.« Miguel fuhr herum, neigte sich in den Volkswagen, holte die Ledertasche und präsentierte Führerschein und andere Dokumente. »Bitte, sehen Sie... Ich wohne Cespedes eintausendsechs... bei Señor Olivera... da arbeite ich... Hier, der Meldezettel... Ich bin erst seit ein paar Wochen dort...« O verflucht, dachte er, daß mir das passieren muß. O Mutter Maria, hilf!

»Na schön«, sagte Roberto, »wenn Sie das also bezahlen wollen.« Er nahm Block und Bleistift aus einer Gesäßtasche. »Zeigen Sie mal, Herr...«

»Miguel Morales, bitte.«

»Sie sind ja verrückt!« schrie eine Frau. »Sie bezahlen, und der da ist schuld.«

Zustimmung von allen Seiten.

»Das ist meine Sache. Ich habe doch gesagt, der Wagen ist geliehen.«

Inzwischen hatte Roberto, auf die Kühlerhaube des Lincoln gestützt, Miguels Anschrift und die Nummer seiner Versicherung notiert.

»Also okay, Sie kriegen die Rechnung. Passen Sie das nächste Mal besser auf! Gute Nacht.«

»Gute Nacht... und vielen Dank für Ihr Verständnis«, stammelte Miguel.

Die Zuschauer gingen debattierend auseinander. Sie waren mit dieser Lösung nicht einverstanden.

»Der Scheißkerl in dem protzigen Lincoln«, sagte eine Frau zu dem Mann an ihrer Seite. »Der Kleine in seinem VW hat vor so was natürlich in die Hosen gemacht. Sich nur nicht mit Großkopferten anlegen! So sind wir alle. Darum bringen wir es auch nie zu was.«

»Hör schon auf, Evita!« sagte ihr Begleiter. »Jetzt kommen wir zu spät ins Kino. Aber nein, du hast dir das ja unbedingt ansehen müssen.«

20

In Cristobals Wohnung im zweiten Stock des Hauses fünfundzwanzig an der Straße mit Namen Husares im Westen der Stadt
schrillte das Telefon. Der etwa sechzigjährige, kahlköpfige
Mann, mit dem Roberto am Mittag telefoniert hatte, um be-
kanntzugeben, daß der Wagen, den er vom Flughafen an verfolgte, in den Park der Villa an der Straße Cespedes tausendsechs
eingebogen war, saß in einem zerschlissenen Lehnstuhl des tri-
sten Wohnzimmers unter einer Stehlampe vor einem alten Radio
und hörte das Ende einer Dramatisierung der »Brücke von San
Luis Rey« von Thornton Wilder.
Das Telefon schrillte und schrillte. Cristobal stand auf und eilte
in das Nebenzimmer, dessen Fenster auf das riesige Areal des
»Regimento 3 de Infanteria General Belgrano« mit seinen Exerzierplätzen und Kasernen hinausging. Das Gelände war nun von
zahlreichen Scheinwerfern, die an hohen Masten angebracht
waren, strahlend erhellt. Der alte Mann trug ein Handtuch um
die Lenden. Er hatte alle Fenster geöffnet, um ein wenig Zug-
wind abzubekommen. Nun hob er den Hörer ab.
»Ja?«
»Hier ist Roberto«, kam eine Stimme, die er kannte. »Wir haben
etwas, das Sie sofort kriegen müssen.«
»Was ist es?« Cristobal war nur telefonisch zu erreichen. Techniker der Organisation hatten die Leitung so präpariert, daß Gespräche nicht abgehört werden konnten. Funkverkehr mit Cristobal wäre zu riskant gewesen.
Roberto berichtete, was geschehen war.
Cristobal wurde lebhaft. »Bringt die Kassetten sofort her! Ich
komme runter. Wie lange braucht ihr bis zu mir?«
»Etwa dreißig Minuten. Viel Verkehr.«
»Gut. Ich stehe dann im Schatten des Tores. Ihr fahrt langsam
vorbei und reicht mir die Plastiktüte aus dem Wagen.«
»Okay, Cristobal. Ende.«
Der alte Mann legte auf, ging in das Wohnzimmer mit den
schadhaften Möbeln zurück und setzte sich wieder. Er hörte eine
Sprecherstimme aus dem Radio, welche die Übertragung der
»Brücke von San Luis Rey« beendete.
»Bald aber werden wir alle sterben, und alles Angedenken jener
fünf wird dann von der Erde geschwunden sein, und wir selbst
werden für eine kleine Weile geliebt und dann vergessen werden.

Doch die Liebe wird genug gewesen sein; alle diese Regungen von Liebe kehren zurück zu der einen, die sie entstehen ließ. Nicht einmal eines Erinnerns bedarf die Liebe. Da ist ein Land der Lebenden und ein Land der Toten, und die Brücke zwischen ihnen ist die Liebe – das einzig Bleibende, der einzige Sinn.«
Cristobal stellte den Apparat ab. Seine Lippen bewegten sich lautlos. Er wiederholte den letzten Satz und sah ins Leere. Er war ein sehr trauriger alter Mann und sehr einsam.

21

Als der blaue Lincoln fünfunddreißig Minuten später mit Abblendlicht langsam durch die Straße Husares glitt, stand Cristobal im Dunkel des Hauseingangs. Eine Hand streckte sich ihm aus einem Fenster des Wagens entgegen. Geschickt nahm der alte Mann die kleine weiße Plastiktüte. Der Lincoln fuhr weiter und bog um die nächste Ecke.
Cristobal versperrte das Haustor und ging in seine Wohnung zurück. In seinem Arbeitszimmer sah er sich die drei Kassetten an. Er besaß Recorder der verschiedensten Typen, doch die Kassetten paßten in keinen. Das hatte Cristobal auch nicht erwartet. Sobald er sie sah, war ihm klar gewesen, daß diese Kassetten für einen besonderen Zweck und ein besonderes Gerät angefertigt worden waren. Im Handel war so ein Gerät gewiß nicht zu kaufen.
Er stand auf und schloß alle Fenster. Nun setzte er sich, schaltete den Zerhacker ein und wählte 00441, die Vorwahl von London, und danach eine siebenstellige Nummer.
Das Signal ertönte, sodann eine sanfte Männerstimme: »Hallo.«
Cristobal sprach jetzt Englisch. Er nannte seinen Namen und entschuldigte sich für die späte Störung.
»Keine Ursache!« Die Stimme aus London klang freundlich. »Einen Moment!« Es knackte in der Verbindung. »So, Zerhakker eingeschaltet. Was ist los?«
»Es tut mir wirklich leid, Mister Morley. Hier ist es halb zwölf. Da ist es bei Ihnen schon halb drei. Sie haben sicher schon geschlafen.«
»Das macht nichts. Ich habe Ihnen doch erklärt, daß Sie mich Tag und Nacht sofort anrufen müssen, wenn etwas geschieht.

Sie sagen, Sie haben den Namen des Mannes, der die Kassetten in das Schließfach gelegt hat?«

»Ja. Aus seinem Führerschein und seinem Meldezettel. Miguel Morales heißt er. Geboren am fünfzehnten Mai neunzehnhundertsechzig in Buenos Aires. Meine Leute sind sehr zuverlässig. Auf dem Meldezettel standen auch die vorherige Adresse und der letzte Arbeitgeber. General Carlo Maria Alvarez, Dorrego achthundertsiebzig, Stadtteil Palermo. Das ist ganz in der Nähe von Oliveras Villa.«

Mr. Morley in London pfiff. »Alvarez – der Juntageneral?«

»Ja, Sir. Ich habe im Telefonbuch nachgesehen. Das ist seine Adresse. Besser: sie *war*. Er ist seit Wochen verhaftet. Am zwanzigsten Dezember hat man ihn abgeholt. Am einundzwanzigsten ist Morales zu Olivera übersiedelt.«

»Sieht fast so aus, als hätte er einen Auftrag gehabt, wie, Cristobal?«

»Sieht so aus, Sir, ja.«

»Eine Abhöranlage zu installieren und die Gespräche seines neuen Arbeitgebers mitzuschneiden. Von wem kann er eine so komplizierte Spezialanfertigung bekommen haben? Doch nur von Alvarez und dessen Freunden. Wurde bei Olivera eingeschleust – so sieht es aus, wie?«

»So sieht es aus, Sir.«

»Sagen Sie, Cristobal, diese Kassette… haben die auf dem Etikett links oben drei kleine ineinanderhängende Ringe – wie die olympischen Ringe, nur zwei weniger?«

Der alte Mann sah nach.

»Ja, Sir. Und unter den Ringen stehen die Buchstaben E und X.«

»Scheiße. Habe ich vermutet. Eine Privatanfertigung. Kann niemand abspielen. Nur Techniker in einem Speziallabor. Hören Sie, weiß Gott, was auf den Kassetten drauf ist – ich muß sie sofort haben. Schnellstens, haben Sie verstanden?«

»Ja, Sir«, sagte Cristobal. Seine Stimme klang müde und demütig.

»Schicken Sie sie mir mit Ihrem besten Mann, den, der Alain Delon so ähnlich sieht. Wie heißt er?«

»Garcia, Sir. Garcia Lopez.«

»Wo steckt der?«

»In der Stadt, Sir. Er ist mit den beiden von Frankfurt herübergeflogen. Hat sich vor ein paar Stunden gemeldet – zur vorgeschriebenen Zeit. Er lebt bei seiner Freundin. Ich habe die

Telefonnummer. Aber vor morgen früh geht keine Maschine mehr.«

»Es ist mir egal, wie er fliegt und wie oft er die Maschine wechseln muß, wenn es nicht sofort einen Direktflug gibt. Er fliegt am Morgen los, ist das klar?«

»Vollkommen klar, Sir«, sagte Cristobal ergeben. »Er nimmt die erste mögliche Maschine. Und wenn er noch so oft umsteigen muß. Er bringt Ihnen die Kassetten unverzüglich, sobald er in London ankommt, Sir.«

»Ich verlasse mich auf Sie, Cristobal. Wir müssen endlich wissen, was hier vorgeht.«

In London wurde der Hörer aufgelegt. Cristobal tat dasselbe. Er hätte gute Nacht sagen können, dieser Mr. Morley, dachte er, während er den Zerhacker ausschaltete. Wie ich das alles hasse. Aber man muß leben. Ich werde Garcia um fünf Uhr früh wecken. Ich kann doch nicht schlafen. Seit Jahren kann ich nicht mehr richtig schlafen. Höchstens ein oder zwei Stunden manchmal, wenn ich Glück habe. Um fünf Uhr werde ich Garcia wecken und ihm sagen, daß er zu mir kommen muß, um die Kassetten abzuholen. Und um sofort nach London zu fliegen. Laß ihm jetzt noch ein wenig Zeit für die Liebe, sagte der alte Mann zu sich selbst. Ein wenig Zeit nur.

22

DER REICHSFÜHRER SS UND
CHEF DER DEUTSCHEN POLIZEI

Berlin, 31. März 1944

SS-Oberf. Prof. Dr. Walther Wüst,
Kurator des Ahnenerbes
und Chef Amt Ahnenerbe/Pers.Stab RFSS
und
SS-Staf. Wolfram Sievers,
Reichsgeschäftsführer des Ahnenerbes

Bei der künftigen Wettererforschung, die wir ja nach dem Krieg systematisch durch die Organisation ungezählter Einzelbeobachtungen aufbauen wollen, bitte ich, auf folgende Tatsache das Augenmerk zu richten:

Die Wurzeln bzw. die Zwiebel der Herbstzeitlose sind in den
verschiedenen Jahren in unterschiedlicher Tiefe im Boden. Je
tiefer sie wachsen, desto stärker der Winter; je näher sie der
Oberfläche sind, um so milder der Winter.
Auf diese Tatsache machte mich der Führer aufmerksam.

gez. H. Himmler

Eduardo Olivera, der diesen Brief vorgelesen hatte, ließ ein
Taschenbuch sinken und nahm die horngefaßte Brille ab.
»Was soll das?« fragte Daniel Ross. Er, Olivera und Mercedes
saßen wieder in den Korbsesseln am Rande des Pools, auf dessen
Grund hinter dickem Glas starke Lampen angebracht waren, die
jetzt brannten und das Wasser des Bassins blau aufleuchten
ließen. Licht fiel auch auf die drei Menschen. Sie hatten zuerst in
die Bibliothek zurückkehren wollen, doch dann schlug Olivera
vor, noch an die Luft zu gehen. Eine Bar auf Rädern stand neben
ihnen. Sie tranken Whisky. Die Bibliothek lag verlassen. Der
Recorder hinter der Klosettmuschel in Miguels Badezimmer
hatte sich noch kein einziges Mal eingeschaltet. Es war kurz vor
halb zehn.
Zu dieser Zeit verfolgten die beiden jungen Männer in dem
blauen Lincoln den Diener in seinem Volkswagen die Avenida
Santa Fe hinunter zum Retiro, dem Hauptbahnhof.
»Das soll dir zeigen, weshalb Himmler mich warten ließ, als ich
ihn am einunddreißigsten März vierundvierzig abholte, um ihn
ins Auswärtige Amt zu bringen und was für Sorgen er vierundvierzig, Ende März, hatte. Er begrüßte mich in seinem Arbeitszimmer, entschuldigte sich und diktierte einer Sekretärin, mit
der er vor meiner Ankunft gearbeitet hatte, noch diesen Idioten-
vermerk für das ›Ahnenerbe‹, dessen Chef er war. Ribbentrop
hatte ihm am Telefon gesagt, daß er ihn und Goebbels in einer
Angelegenheit von größter Bedeutung sprechen müsse. Himmler wollte mir auf diese Weise natürlich auch vorführen, was er
von Ribbentrop hielt. Ich habe diese Herbstzeitlosen-Notiz nie
vergessen, weil ich äußerst wütend über Himmlers Verhalten
war. Später fand ich den genauen Wortlaut des Vermerks dann in
diesem Taschenbuch mit fast vierhundert Briefen an und von
Himmler. Unter Nummer dreihundertfünf steht tatsächlich der
so ungeheuer wichtige Beitrag Hitlers zur Wetterforschung, um
den zu diktieren Himmler mich stehend warten ließ.« Olivera
legte das Buch auf den Gartentisch. »Ich sollte Himmler um vier

Uhr nachmittags abholen. Nachdem er mit dem Unfug fertig war, verlangte er noch eine dicke Mappe und unterzeichnete Briefe. Gegen halb fünf verließen wir endlich die Reichsführung in der Prinz-Albrecht-Straße acht. Nummer neun war der Hauptsitz der Gestapo. Wir fuhren mit einem Wagen, den ein SS-Mann steuerte, neben dem ein zweiter saß, zum Auswärtigen Amt in der Wilhelmsstraße vierundsiebzig bis sechsundsiebzig. Auch Himmler trug die schwarze Uniform mit dem silbernen Totenkopf auf der Tellerkappe. Das Wetter war schön, und darum hatte es den mittäglichen Angriff der Amerikaner gegeben. Die Amerikaner kamen nur bei schönem Wetter und immer am Tage, die Engländer kamen bei jedem Wetter nachts, manchmal zweimal. Ich erinnere mich, daß viele Brände noch nicht unter Kontrolle gebracht waren. Eine riesige Rauchwolke stand über der Stadt. Übrigens – es ist unfaßbar in der Rückschau – waren die Amtssitze von Ribbentrop, Goebbels und Himmler trotz der ununterbrochenen Luftangriffe, bei denen nach und nach die ganze riesige Millionenstadt in Trümmer fiel und viele Tausende ihr Leben verloren, noch immer – von häufig brechenden Fensterscheiben, die sofort ersetzt wurden, abgesehen – völlig intakt, und es wurde ungestört in ihnen gearbeitet. Nur das Propagandaministerium hatte Ende Januar vierundvierzig einige leichte Bombentreffer erhalten. Die Schäden waren beseitigt worden. Unfaßbar – ja, wirklich. Als hätte Gott selber darauf geachtet, daß die Herren nicht daran gehindert wurden, das Volk in den höllischen Abgrund zu führen, in dem es dann bei Kriegsende landete...«

Olivera, der Demokrat, trank einen Schluck – sozusagen in memoriam Germaniae patriae.

Er fuhr fort: »Im Auswärtigen Amt führte ich Himmler in den Keller. Dort hatten wir mehrere Filmvorführräume. Ribbentrop und Goebbels warteten schon, beide wie ich in Zivil. Frostige Begrüßung. Goebbels und Ribbentrop waren über Himmlers Verspätung verärgert, der wiederum zeigte seine Verachtung für Ribbentrop und seine Furcht vor Goebbels, den er bewunderte und beneidete, weil er das Vertrauen Hitlers hatte, auf die für ihn typische Weise: indem er besonders forsch auftrat. Vor Hitler bekam er regelmäßig weiche Knie und keinen zusammenhängenden Satz heraus.«

»Ein vielgesichtiger Mensch, dieser Himmler«, sagte Daniel Ross.

Olivera setzte die Brille auf, blätterte in dem Taschenbuch und nickte.

»Als ›Schulmeister‹ und ›Schreibtischmörder, in dessen Gesamt-bilanz nicht allzuviel an zehn Millionen Menschenleben fehlt‹, wird er hier bezeichnet, ein ›Subalterner‹ und doch ›Ober-befehlshaber‹, ein ›Okkultist‹, ›Kräutergärtner‹ und ›Besesse-ner‹.«

Olivera ließ das Buch sinken. Er trank. »Ja«, sagte er, »und hundert andere Gesichter hatte er auch noch.«

»Ein blutsaufender Kleinstbürger«, sagte Ross. »Mein Gott, waren deine Kollegen Psychopathen, verkrachte Existenzen, Spinner und Schwerstkriminelle!« Er wandte sich an Mercedes: »Sie haben Politologie studiert. Wissen Sie, daß eines der wichtigsten Hochschulfächer nicht existiert? Ich meine Polit-psychologie. Müßte an jeder Universität gelehrt werden! Die psychologischen Hintergründe historischer Ereignisse. Was ist die psychologische Erklärung dafür, daß ein obdachloser Asozialer vom deutschen Volk zum Führer gewählt wurde, und daß dieses Volk dann die ganze Welt unglücklich machte? Ent-schuldige!« wandte er sich an Olivera, »ich habe dich unterbro-chen.«

»Aber bitte, Daniel, sprich weiter! Das ist hochinteressant. Also!«

»Ja, also«, sagte Ross, »mit Politpsychologie meine ich die psy-chologische Betrachtung der Menschheitsgeschichte. In ihr gibt es immer wieder dieselben Konflikte, immer wieder den gleichen Ausgang, immer wieder dieselben Persönlichkeiten, die gleichen nichtigen Anlässe, die ins Verderben führen und die genau unter-sucht werden müßten. Wir können – ein Beispiel – die Wieder-kehr des Faschismus nur verhindern, wenn wir uns psycholo-gisch genau mit der Ausgangssituation und den Menschen be-schäftigen.«

»Weiß Gott, das stimmt«, sagte Mercedes.

»Es gibt Historiker, und es gibt Psychologen – aber es gibt keine Geschichtspsychologen. Und das ist verblüffend, weil die Menschheit ja bekanntlich nicht imstande ist, aus der Geschich-te zu lernen, aber auch gar keine Bemühungen unternimmt, etwas zu lernen. Dabei wäre Geschichtspsychologie die einzige Chance, welche wir noch besitzen, um prospektiv, also auf die Zukunft gerichtet, Übel zu verhindern. Und diese Chance nimmt die Menschheit auf der ganzen Welt – ausnahmslos –

nicht wahr. Unfaßbar, nicht? Das Interessante an der Geschichte sind doch nicht die Ereignisse, sondern die psychologischen Zusammenhänge, die zu den Ereignissen *geführt* haben! Das wäre das einzig Lehrreiche für uns. Das einzig Rettende. Aber kein Mensch denkt daran, eine solche Wissenschaft zu etablieren.« Eine lange Pause trat ein. Mercedes sah Ross unverwandt an. Der bemerkte den Blick und sagte leicht verlegen zu Olivera: »Was geschah also in Berlin?«

»Nun ja«, sagte der, »Ribbentrop erklärte, ich – vielmehr mein Dienst natürlich – sei eben in den Besitz eines ungeheuerlichen Films gelangt, und er wolle diesen Film Goebbels und Himmler sofort zeigen…

»… Ihnen, lieber Doktor, und Ihnen, Reichsführer, denn ich möchte diesen Film dem Führer erst mit einem präzisen Vorschlag von uns vorführen«, sagte Ribbentrop. »Bitte, nehmen Sie Platz!« Goebbels hinkte zu einem Polstersitz in der ersten Reihe des kleinen Vorführraums, Ross und Ribbentrop setzten sich neben ihn, Himmler nahm am anderen Ende der Reihe Platz. Ribbentrop hob eine Hand für den Vorführer in seiner Kabine. Das Licht im Raum erlosch langsam, der Film lief an. Während der nächsten vierunddreißig Minuten sprach keiner der Männer ein einziges Wort. Keiner bewegte sich. Georg Ross betrachtete der Reihe nach ihre Gesichter. Das von Goebbels glich einer Maske. Auf Ribbentrops Lippen lag ein selbstgefälliges, dummes Lächeln. Himmler war überwältigt. Sein Mund stand offen. Einmal fiel ihm der Kneifer auf die Knie. Seine Hand zitterte, als er ihn wieder auf die Nase klemmte. Ross, der den Film schon zum drittenmal sah, fühlte auch dieses Mal große Erregung in sich aufsteigen. Das Atmen fiel ihm schwer, die Hände wurden feucht. Dann war der Film zu Ende, weiß blendete die Leinwand, wurde fahl, die Lichter im Vorführraum gingen wieder an. Noch immer sprach niemand, noch immer bewegte sich niemand. Erst nach Minuten brach der Bann. Goebbels erhob sich und sagte: »Gehen wir zu Ihnen hinauf, Ribbentrop!«

»»Gehen wir zu Ihnen hinauf, Ribbentrop!«« wiederholte Olivera vierzig Jahre später. »Das war alles, was Goebbels zunächst sagte. Himmler begann: ›Wer garantiert uns…‹, aber Goebbels unterbrach ihn schneidend: ›Nicht hier! Seien Sie ruhig, Reichsführer!« Er humpelte schon voraus zum Ausgang. Mit einem Lift fuhren wir empor zu Ribbentrops riesigem, protzigem Arbeitszimmer. Alles in diesem Amt war riesig, protzig und geschmacklos. Ausländische Politiker und Diplomaten sollten von den mächtigen Gängen, den gewaltigen Säulenhallen, den Statuen und Gobelins beeindruckt und zugleich eingeschüchtert werden. Nur bei Hitler sah es noch ungeheuerlicher aus... Einen Schluck, Mercedes?«

»Bitte.«

»Und du, Daniel?«

»Ja.«

»Wieder pur, nur mit Eis?«

»Wieder pur, nur mit Eis, ja«, sagte Ross. Er sah Olivera zu, der die neuen Drinks machte. »Ich nehme an, alle waren sehr aufgeregt«, sagte er.

»Natürlich«, sagte Olivera und ließ Eiswürfel in ein Glas gleiten. »Goebbels fragte mich...«

»Wie ist dieser Film in Ihren Besitz gelangt, lieber Herr Ross?« Goebbels wanderte auf einem riesenhaften Teppich zwischen einem Marmorschreibtisch und einer Marmorsäule, die den überlebensgroßen Kopf Hitlers, in Bronze gegossen, trug, hin und her. Schreibtisch und Bronzekopf waren gut dreißig Meter voneinander entfernt. Die drei anderen Männer saßen in mächtigen Lederfauteuils. Ross wollte sich erheben, doch Goebbels winkte ab.

Ross sagte: »Herr Minister wissen, daß ich zuständig bin für den Dienst Mittlerer Osten. Wir...«

Goebbels unterbrach ihn: »Ihre Männer in Teheran haben den Film in ihren Besitz gebracht, eine Kopie offensichtlich. Ich gratuliere zu solchen Leuten. Hervorragende Leistung. Ich meinte: Wie ist der Film hier in Berlin in Ihren Besitz gelangt?«

»Auf die übliche Weise, Herr Minister. Der Resident in Teheran hat mich – natürlich codiert – über Funk wissen lassen, daß eine Kopie dieses Films erbeutet worden ist. Üblicherweise wird dabei nicht die Arbeitsmethode mitgefunkt.«

»Das wissen wir auch«, sagte Himmler aggressiv. »Weiter, Herr Ross!«

Goebbels sah Himmler an. In seinem Blick lag Verachtung. Er humpelte an ihm vorbei über den großen Teppich.

»Heute ist Freitag«, sagte Georg Ross. »Der Funkspruch kam

Montagnacht um drei Uhr vierzig. Angekündigt wurde Agent CX einundzwanzig mit der Filmrolle. Sein genaues Eintreffen war nicht festzulegen. Sobald er in Berlin sei, hieß es in dem Funkspruch, würde er den Film in einem Koffer mit Nummernschlössern bei der Gepäckaufbewahrung des Bahnhofs Zoo deponieren. Den Gepäckschein würde er in ein Kuvert legen und mit einem fingierten Absender an meine Privatadresse in Dahlem schicken. Heute vormittag traf ein Brief ein. Ich hatte meine Haushälterin gebeten, mich in einem solchen Fall sofort anzurufen. Sie rief an, ich fuhr nach Dahlem, holte den Brief – es lag tatsächlich ein Gepäckschein darin. Ich fuhr zum Bahnhof Zoo und holte den Koffer ab. Dann fuhr ich hierher und öffnete die Schlösser. Ihre Nummern waren über Funk gekommen. Sorgfältig verpackt, lag eine Filmrolle im Koffer. Ferner ein langer Codetext. Meine Abteilung hat ihn sofort dechiffriert. Es war eine Mitteilung von CX einundzwanzig darüber, wie er in den Besitz der Kopie gekommen ist.«

»Und wie?« fragte Himmler. »Auf welche Weise? Durch wen? Nennen Sie Namen, Einzelheiten!«

»Es ist üblich«, schaltete sich Ribbentrop hochmütig ein, »daß ein Dienst seine Agenten schützt, Reichsführer.«

»Das weiß ich ebenfalls«, sagte der wütende. »Ich bin kein Idiot, Ribbentrop. Wenn wir mit dem Zeug etwas anfangen sollen, dann werden wir den Menschen sagen müssen, woher wir es haben und wie es in unseren Besitz kam.«

»Nicht unbedingt«, sagte Goebbels. »Ich meine: Wir müssen den Menschen nicht unbedingt die Wahrheit sagen. Wer tut das schon, Himmler? Seien Sie nicht kindisch!« Er wandte sich an Ross. »Es interessiert mich allerdings, wie Ihre Leute vorgegangen sind.«

Georg Ross sagte: »Schon am neunundzwanzigsten November vergangenen Jahres erhielt ich einen Funkspruch meines Residenten in Teheran. Er deutete an, daß der Agent CX einundzwanzig…«

»Wer ist das, zum Teufel?« rief Himmler.

»Das weiß ich nicht, Reichsführer. Das weiß niemand – nur der Resident in Teheran. Ein Mitglied eines Netzes kennt nie mehr als ein anderes Mitglied.«

»Wollen Sie mich gefälligst nicht belehren! Das ist mir bekannt.«

»Warum fragen Sie dann, Himmler?« Goebbels sah ihn im Vorübergehen ironisch an.

»Ich... Bitte, nicht in diesem Ton, Doktor, ja?«

Goebbels reagierte überhaupt nicht. Er sagte zu Ross: »Man hat Sie unterbrochen. Entschuldigen Sie!«

Ross verneigte sich im Sitzen.

»Ich wollte sagen: In dem Funkspruch vom neunundzwanzigsten November deutete mein Resident in Teheran an, daß der Agent CX einundzwanzig Verbindung zu einem Amerikaner hergestellt hatte, der mit der Produktion dieses Films beschäftigt war. Nun, jener Amerikaner schien sich in größten finanziellen Schwierigkeiten zu befinden. Er war bereit, CX einundzwanzig eine Kopie des Films zu verschaffen, wenn wir auf ein Konto in der Schweiz fünf Millionen Dollar einzahlten.«

»*Wieviel*?« Himmler nahm ungläubig seinen Kneifer ab.

»Fünf Millionen Dollar«, sagte Goebbels ärgerlich. »Erscheint Ihnen das etwa zuviel für ein solches Dokument?« Dann fragte er Ross, ohne Himmler weiter zu beachten: »Und?«

»Und ich besprach die Sache mit dem Chef des Dienstes und mit dem Herrn Minister. Wir waren der Meinung, daß wir es riskieren mußten. Der für die Schweiz zuständige Mann veranlaßte das Nötige.«

»Gott sei Dank!« sagte Goebbels. Er sah Himmler an. Der setzte seinen Kneifer wieder auf und machte das Gesicht eines gekränkten Kindes.

»Sie wissen natürlich nicht, wer dieser Amerikaner ist.«

»Natürlich nicht«, sagte Ross. »Aber wenn wir es wissen wollen, wenn wir den Namen – sehr gegen unsere Prinzipien – preisgeben *müssen*, kann ich die Identität des Mannes und seine Position natürlich jederzeit feststellen lassen, Doktor.«

»Gut. Fahren Sie fort, Ross!«

Ross sagte: »Nachdem die Message dechiffriert war, verständigte ich sofort den Herrn Minister, und wir sahen uns den Film an.«

»Zweimal«, sagte Ribbentrop. »Danach telefonierte ich mit Ihnen, meine Herren. Ich bin der Meinung, daß wir mit diesem Film den Krieg gewinnen können, und das schnell.«

»Der Meinung bin ich auch«, sagte Goebbels. Sein Gesicht hatte sich gerötet. »Das ist das Ungeheuerlichste, was mir je untergekommen ist. Die Folgen, die das Bekanntwerden dieses Films – wenn es nur geschickt vorbereitet wird – haben kann, sind überhaupt nicht abzusehen.« Er setzte seine behinderte, aber rasche Wanderung quer über den Riesenteppich wieder fort, die

Hände auf dem Rücken verschränkt. »Zunächst müssen wir sehr viele Kopien ziehen«, sagte er. »Der Film muß bei den diplomatischen Missionen des Deutschen Reiches in allen neutralen Ländern – in der Schweiz, in Schweden, in Spanien, Portugal, in ganz Südamerika, in der Türkei und so weiter und so weiter – allen dort akkreditierten Gesandten oder Botschaftern vorgeführt werden, deren Länder sich mit uns im Kriegszustand befinden.« Goebbels lachte. »Was für eine schöne Überraschung wird das für Churchill sein – zum Beispiel!« Er sprach immer schneller. »Ferner müssen diesen Film alle von uns eingesetzten Politiker in den Ländern sehen, die wir erobert haben und besetzt halten: in Frankreich, Polen, Norwegen, Griechenland, Jugoslawien, der Tschechoslowakei, Ungarn, der Sowjetunion – soweit sie in unserem Besitz ist. Die Politiker *und* die Millionen Menschen dort überall.« Er war vor dem Bronzekopf stehengeblieben und starrte ihn an. Dann drehte er sich um und hinkte weiter. »Ferner in Ländern, die an unserer Seite kämpfen. Rumänien. Bulgarien, das hat schnell zu gehen, meine Herren! Sie alle kennen die Lage. Bulgarien und Rumänien werden wir in ein paar Monaten räumen müssen. Aber es ist von größter Wichtigkeit, daß gerade die Menschen in Osteuropa den Film sehen, denn nach dem Geheimprotokoll sollen sie ja unter sowjetische Versklavung fallen. Stellen Sie sich vor, welche Panik dort ausbrechen wird!«

»Genau daran haben wir gedacht«, sagte Ribbentrop. »Deshalb haben wir Sie beide hergebeten. Sie, Doktor, weil Sie am besten wissen, wie man so etwas am effektvollsten aufzieht, und Sie, Reichsführer, weil Sie die Macht haben, in Deutschland und sämtlichen besetzten Ländern alles durchzusetzen, was der Doktor wünscht. Auf diese Weise kann es uns gelingen, praktisch der ganzen Welt – nach Amerika dringt es von Südamerika aus und nach Rußland aus dem von uns besetzten Teil – also wirklich der ganzen Welt exemplarisch vor Augen zu führen, wie zwei Männer – *zwei Männer*, sage ich! – sich brutal, zynisch und menschenverachtend über das zukünftige Schicksal von Abermillionen geeinigt und die Welt in Teheran unter sich aufgeteilt haben. Meinen Sie nicht, Doktor?«

»Ich meine«, sagte der kleine Mann mit dem Klumpfuß und blieb stehen, »daß die Idee, Rußland und Amerika könnten sich die Welt wirklich geteilt haben, so abwegig in der Tat nicht ist. Ein Mann wie Churchill zum Beispiel wird sich das gewiß ebensogut vorstellen können wie ich. Und er wird es sich um so besser vorstellen können, je heftiger Amerikaner und Russen protestieren und diesen Film als deutsche Propaganda hinstellen, was sie natürlich tun werden, tun *müssen*.« Er ging weiter. »Lassen Sie mich meine Gedanken zu Ende spinnen. Wir müssen diesen Film vor allem auch in alle Kinos des Großdeutschen Reichs bringen. *Unsere* Menschen sollen erfahren, was man mit ihnen und ihrem Land vorhat. Daß man es teilen will, teilen für alle Zeit. Daß der östliche Teil in die Hände der Bolschewiken fallen soll. Daß die Menschen in diesem östlichen Teil wie die Menschen in ganz Ost- und Südosteuropa geknechtet und unterjocht werden sollen von Rußland. Stellen Sie sich die Wirkung auf unsere deutschen Menschen vor! Das Vaterland – aufgeteilt! Zerrissen! Besetzt!« Er atmete jetzt heftig. »Dieser Film muß ferner in den neutralen Ländern des Fernen Ostens und vor allem in Japan gezeigt werden, das einen heroischen Krieg gegen die Amerikaner führt. Denken Sie bloß, wie diese stolze Nation auf einen solchen Film reagieren wird! Stellen Sie sich vor, wie Frauen, Söhne, Töchter und Verlobte in den von uns eroberten Gebieten reagieren werden, die den Mann, den Vater, den Verlobten verloren haben! Ungeheuerlich... ungeheuerlich...« Er hinkte jetzt fast stolpernd. »Welche fanatische Entschlossenheit, um jedes Haus, um jeden Baum zu kämpfen, wird deutsche Menschen und die Menschen in ganz Südosteuropa ergreifen bei dem Gedanken, was ihnen bevorsteht! Wie werden die Schwerverletzten, die Krüppel, die Amputierten reagieren, dieses Heer von Millionen Menschen so vieler Nationen? Wofür haben sie gekämpft? Für die Freiheit von Furcht und Not? Nein! Zum größeren Ruhme von zwei Männern, die meinen, die Welt gehöre ihnen.«

»Natürlich müssen die Filme mit einer Stimme in der jeweiligen Landessprache unterlegt werden«, sagte Ribbentrop.

Goebbels sah ihn ironisch an. »Sie meinen wirklich, Ribbentrop? Wir wissen, daß die Anglo-Amerikaner eine Invasion an der französischen Küste planen. Eine gewaltige Operation! Wir hätten dann zwei Fronten, wenn diese Invasion gelingt. Darum muß jetzt alles schnell gehen, schnell, sage ich noch einmal. Die amerikanischen und britischen und kanadischen Soldaten müssen von diesem Film wissen, bevor sie zum Angriff auf die Festung Europa antreten. Was wird dann in ihnen vorgehen, was *muß* dann in ihnen vorgehen? Mit welchen Gefühlen werden sie

ihr Leben einsetzen in dem gefährlichsten Unternehmen der Kriegsgeschichte? Mit welchen Gefühlen werden die schon jetzt zu Tode erschöpften Soldaten der Roten Armee weiterkämpfen? Wie werden alle, die heute gegen uns kämpfen, auf diese Infamie reagieren? Italien hat kapituliert. Aber unsere Truppen stehen noch dort im Kampf mit den Anglo-Amerikanern. In Oberitalien müssen wir diesen Film natürlich auch zeigen! Die Menschen! Was werden die Menschen tun? Wenn wir es geschickt anfangen, werden ganze Armeen revoltieren, ganze Völker sich erheben – dann *muß* die alliierte Allianz zusammenbrechen...«
Er schwieg außer Atem.

In die Stille hinein sagte Himmler: »Wunderbar! Herrlich! Und wenn der Film nun eine Fälschung ist?«

»Dasselbe wollte ich schon lange fragen«, sagte Daniel Ross. Er stach mit einem Finger nach Olivera. »Und wenn der Film, den du mir da gezeigt hast, nun eine Fälschung ist?«

»Darauf kann ich dir nur mit den Worten des Doktor Goebbels antworten, Daniel«, sagte Olivera lächelnd...

»Was heißt hier Fälschung, Himmler?« rief Goebbels. »Noch einmal: Die Amerikaner und die Russen werden sowieso sagen, daß es eine Fälschung ist – *müssen* es sagen. Aber jetzt unter uns: Wer sollte den Film gefälscht haben? Unter uns, habe ich gesagt! Herr Ross, haben Ihre Leute hier in Berlin den Film gefälscht?«
»Nein, Herr Minister. Ich habe schon erzählt, wie er in meinen Besitz gekommen ist.«
»Ribbentrop?«
»Nein, Doktor. Ich habe heute vormittag zum erstenmal von seiner Existenz erfahren.«
»Dann kann er also nur in Teheran gefälscht worden sein«, sagte Goebbels. »Die Möglichkeit besteht. Sie ist unwahrscheinlich, aber sie besteht. Warum sollen sich Ihre Leute in Teheran eine so gewaltige Arbeit machen, Herr Ross? Haben sie überhaupt die Mittel dazu? Ich meine, über eines sind wir uns doch klar, Himmler: Die Personenaufnahmen sind *nicht* gefälscht. Wir alle wissen, wie Stalin und Churchill und Roosevelt aussehen, nicht wahr? Diese Aufnahmen *müssen* also echt sein. Auch die Aufnahmen mit Harry Hopkins und Woroschilow. Die beiden *müssen* sich getroffen haben. Oder meinen Sie, das waren Schauspieler, Himmler? Ich bitte Sie!«

Der Reichsführer erwiderte wütend: »Schon gut, schon gut. Aber wer sagt uns, daß bei diesem Treffen der beiden nicht etwas ganz anderes besprochen worden ist? Etwas ganz und gar Harmloses! Wer sagt uns, daß Roosevelt und Stalin da nicht irgendein belangloses Dokument unterschrieben haben, irgendeine Abmachung zwischen ihren beiden Staaten? Was denn? Sie, Ribbentrop, haben den Nichtangriffspakt mit Rußland unterschrieben und sind dabei mit Molotow gefilmt worden, ganz öffentlich. Obwohl das nun ein wirklich wichtiger Vertrag war, weil wir einfach noch nicht bereit gewesen sind, Rußland anzugreifen.«

»Worauf wollen Sie hinaus, Himmler?« fragte Goebbels.

»Meinetwegen sollen alle Personenaufnahmen echt sein! Aber ist der gesprochene Kommentar echt? Soll heißen: Sagt der Sprecher die Wahrheit? Und vor allem: Ist das *Geheimprotokoll* echt? Das wäre doch das Einfachste für einen Fälscher, echte Aufnahmen mit einem gefälschten Dokument zusammenzumontieren, oder?«

»Ich will Ihnen mal was sagen, Himmler«, erklärte Goebbels. »Natürlich werden wir das ganze Protokoll von unseren besten Spezialisten prüfen lassen, ob es sich um ein echtes Dokument handelt. Das ist selbstverständlich. Vorher darf den Film niemand sehen, klar. Ich gehe davon aus, daß das Protokoll zumindest genau in der Sprache und der Art abgefaßt ist, in der solche Dokumente angefertigt werden. Selbst wenn wir annehmen, das Ganze *ist* eine Fälschung – meinen Sie, der oder die Fälscher hätten sich so viel Mühe gemacht, wenn nicht auch das Protokoll absolut echt wirken würde? Niemals! Außerdem: *Wer*, Himmler, wer soll hier gefälscht haben? Und *wenn* gefälscht wurde – ich sage Ihnen: Das macht für eine Zuschauerschaft von unzähligen Millionen nicht den geringsten Unterschied. Warum nicht? Weil sich jedermann vorstellen kann, daß ein solches Abkommen zwischen Amerikanern und Russen geschlossen wurde. Weil es *möglich* ist! Darum wird man auch eine Fälschung für echt halten. Mehr: Darum ist es ganz egal, ob der Film echt oder gefälscht ist.«

»Sehr richtig!« rief Ribbentrop.

Goebbels fuhr fort: »Nichts ist so wirksam wie das Visuelle. Es hat die größte Überzeugungskraft. An der Echtheit der Personenaufnahmen kann niemand zweifeln. Eine solche Fälschung hätte keiner zustande gebracht. Also werden die Menschen auch an die Echtheit des Protokolls glauben. Weil es so *wahrscheinlich* ist!«

»Weil es so wahrscheinlich ist, Daniel«, sagte Eduardo Olivera. Er trank einen Schluck Whisky. »Das ist die Antwort auf deine Frage. Weil es – und heute Tausende Male mehr als damals – so ungeheuer wahrscheinlich ist, daß ein solches Protokoll tatsächlich abgefaßt wurde.«

»Die Zeiten haben sich aber geändert!« rief Ross. »Durch das Fernsehen ist die Welt klein geworden. Keine Fernsehanstalt der Welt würde es wagen, diesen Film auszustrahlen, ohne genauestens zu recherchieren, ob es nicht Zeugen gibt für seine Echtheit. Oder dafür, daß er doch gefälscht wurde – ich weiß nicht, von wem. In Deutschland ist man noch zu sehr geschockt von dem Skandal, den der STERN mit den gefälschten Hitlertagebüchern hervorrief.«

»Das war aber auch eine Idiotenfälschung«, sagte Olivera aufgebracht. »So idiotisch, daß ich nie den Verdacht losgeworden bin, hinter den Kulissen ging es da in Wirklichkeit um etwas ganz anderes.«

»Das glaube ich nicht«, erwiderte Ross. »Es gab weltweite Empörung und weltweit Schaden für den STERN. Wenn dieser Film hier eine Fälschung ist, dann ist er eine unvergleichlich raffiniertere, die unvergleichlich größere Empörung hervorrufen würde. So etwas will keiner haben. Schon gar kein Fernsehsender. Nein, nein, *das* muß dir klar sein: Einfach ausstrahlen wird diesen Film niemand. Unter allen Umständen werden da zunächst größte Anstrengungen unternommen werden, um glaubhafte Zeugen zu finden – für eine Fälschung, für die Echtheit. Das wird schwer sein, denn das alles ist lange her, und die meisten der Leute, die damals mit dieser Sache beschäftigt waren, sind tot. Nicht alle. Du lebst ja noch, Vater. Es müssen auch andere leben. Wir müssen sie finden! Es können ruhig solche sein, die erzählen, daß der Film echt ist, und es beweisen, und solche, die bezeugen, daß er gefälscht wurde. Wir präsentieren dem Zuschauer dann den Film mit *beiden* Versionen. Wir lassen den Zuschauer urteilen. Warum siehst du mich so an?«

Olivera sagte mit erstickter Stimme: »Du hast zum erstenmal Vater zu mir gesagt.«

23

»So, habe ich.« Ross stand auf, ging zur Bar und machte sich einen neuen Drink. Er trank hastig und sprach gleich weiter: »Und das Entscheidendste, weshalb wir unbedingt recherchieren müssen: Alles, was ich jetzt weiß – und was Mercedes schon lange weiß –, wissen wir *nur* von *dir*. Du hast gerade erzählt, wie das damals in Berlin gewesen ist, was du gesagt hast, was Goebbels, Ribbentrop und Himmler gesagt haben. Die drei sind längst tot. Und wenn du lügst? Wenn sich alles ganz anders abgespielt hat?«

»Warum sollte ich lügen? Wie sollte es sich abgespielt haben?«

»Nun«, sagte Ross, »zum Beispiel so: Aus authentischem Material, das aus Teheran stammte, und aus gefälschtem Material – ich meine das Protokoll –, das aus Deutschland kam, ist in Berlin von ersten Fachleuten ein Film montiert worden mit aller Raffinesse. Und über den Film und die Möglichkeiten, die seine Verbreitung bot, habt ihr euch unterhalten. Ich muß sagen, diese Version erscheint mir äußerst wahrscheinlich – auch wenn die Kopie jetzt, vierzig Jahre später, durch das, was inzwischen in der Welt passiert ist, so aussieht, als sei sie keine Fälschung, sondern echt.«

»Der Film *ist* echt«, sagte Olivera mit Nachdruck.

»Sagst *du*. Laut sagst du es. Man muß dir glauben? Du willst den Film doch verkaufen – für viel Geld, nicht wahr? Oder willst du ihn umsonst hergeben?«

»Natürlich will ich ihn verkaufen. Was würdest du tun, Daniel, wenn du einen solchen Film hättest – in dieser Zeit?«

»Dasselbe.«

»Siehst du.«

»Ja, siehst du. Und deshalb mußt du darauf beharren, daß der Film echt ist – selbst wenn du weißt oder vermutest, daß er gefälscht wurde.«

»Er ist nicht gefälscht worden«, sagte Olivera jetzt sehr leise.

»Und warum hat Goebbels ihn dann niemals in Hunderten von Kopien überall dort laufen lassen, wo er ihn angeblich laufen lassen wollte?«

»Das werde ich dir gleich erzählen, Sohn. Auch wenn du deinen Vater für einen Lügner hältst. Das spielt keine Rolle. Das ist dein Recht. In einem so entscheidenden Fall ist es dein Recht. Wenn ich auch nicht gerade sehr glücklich über deine Haltung bin.«

»Es kommt jetzt nicht darauf an, ob du glücklich bist. Warum ist dieser Film niemals von den Nazis gezeigt worden?« fragte Ross aufgebracht.

»Goebbels sagte an diesem Nachmittag…«

»Die Arbeit wird umgehend aufgenommen. Als erstes müssen Spezialisten den Text des Protokolls prüfen. Wenn sie ihn gutheißen, kann mit dem Ziehen von Kopien und Sprecherkommentaren in Babelsberg begonnen werden. Die Kopie, die uns vorliegt, muß an absolut sicherer Stelle aufbewahrt werden.«
Ribbentrop sagte: »Wir haben da ein Haus in der Meinekestraße, Doktor. Einige Abteilungen sind ausgelagert. Das Haus ist vier Stockwerke hoch und hat zusätzlich drei Kellergeschosse. In jeder Kellerdecke wurden Stahlplatten eingezogen. Drei Stockwerke unter der Erde stehen Panzerschränke mit unseren wichtigsten Dokumenten. So etwas zerstört keine Bombe, auch nicht die stärkste.«
»Also dann in die Meinekestraße mit der Filmrolle!« sagte Goebbels.
Eine Stunde später erreichten der Mercedes Himmlers und ein Opel Modell P 4, der Dienstwagen, den man Ross zur Verfügung gestellt hatte, den Kurfürstendamm und bogen in die Meinekestraße ein. Sie hielten vor einem Haus, das zum Auswärtigen Amt gehörte. Die beiden SS-Leute, Begleiter Himmlers, stiegen aus. Himmler blieb im Fond des Mercedes sitzen und zog die Vorhänge an den Seitenfenstern zu, denn er wollte nicht gesehen werden. Er hatte die größten Hemmungen, derart unerwartet in der Öffentlichkeit aufzutauchen. Die SS-Leute, riesige Burschen, holten einen Koffer aus dem Fond des P 4. Einer trug ihn und folgte Ross in das Haus, der andere ging zu dem Mercedes zurück.
Ross und sein Begleiter stiegen die vielen Stufen in das dritte Kellergeschoß hinab. Ein Polizist, der neben der Portiersloge gestanden hatte, schritt voraus. Er kannte Ross, der sich deshalb nicht hatte ausweisen müssen. Jeder Treppenabsatz war durch zwei schwere Stahltüren gesichert, die der Polizist umständlich aufsperrte. Im dritten Stockwerk sah der verblüffte SS-Mann dann riesige, in die Mauern eingebaute Panzerschränke. Starke Lampen erhellten den Raum. Ross nahm dem jungen Mann den Koffer ab.
»Drehen Sie sich um!« sagte er.

Der SS-Mann und der Polizist wandten ihm den Rücken zu. Ross stellte die Kombination des Nummernschlosses an einem Panzerschrank ein. Die Tür schwang auf. Ross stellte den Koffer auf ein leeres Bord aus dickem Stahl. Dann verschloß er den Schrank und drehte am Stellrad mit den Nummern. Die drei Männer gingen wieder nach oben. Der Polizist löschte die Beleuchtung in jeder Etage, die sie verließen, und sperrte die Stahltüren hinter ihnen ab.

Der SS-Mann setzte sich wieder neben seinen Kollegen hinter das Steuer des Mercedes. Ross öffnete eine Fondtür. Ängstlich fuhr der Mann mit dem Kneifer und dem Schulmeistergesicht zurück, eine Hand wie zur Abwehr eines Schlages halb erhoben.

»Ich wollte nur Heil Hitler sagen«, erklärte Ross.

»Ja… ach ja. Heil Hitler, Herr Ross!« Himmler hob die Hand zum sogenannten deutschen Gruß, Ross desgleichen.

»Wir rufen Sie morgen vormittag an, Reichsführer«, sagte er, warf den Schlag zu und machte dem SS-Mann am Steuer ein Zeichen. Der Mercedes fuhr los. Ross ging langsam zu seinem Opel zurück. Es war halb sieben Uhr abends. Er fuhr hinaus nach Dahlem, wo er Im Dohl eine Villa bewohnte, die in einem mächtigen Garten stand. Die Villen ringsum gehörten zahlreichen Nazigrößen und hohen Beamten der verschiedenen Ministerien und Organisationen, die ihre Dienststellen im Stadtinneren hatten. Ross ging durch den Garten, in dem schon die ersten Blumen blühten. Es war ein warmer, schöner Frühlingsabend. Das Haus hatte wie viele andere hier einem Juden gehört. In der sogenannten Reichskristallnacht vom 9. zum 10. November 1938 war sein Juweliergeschäft am Kurfürstendamm, wie viele andere jüdische Geschäfte in ganz Deutschland, geplündert worden. Er und seine Frau wurden von SA-Leuten totgeschlagen – wie viele andere Juden. Das Auswärtige Amt hatte Georg Ross für seine Berlinaufenthalte hier eingewiesen. Die Villa war noch mit den schönen und wertvollen Möbeln, Teppichen und Bildern des ehemaligen Besitzers eingerichtet.

In der Diele erschien, während Ross seinen Regenmantel auszog, Frau Valerie von Tresken, die Haushälterin. Ross trug einen grauen Anzug aus feinstem englischen Flanell, ein Seidenhemd mit eingesticktem Monogramm und eine Foulardkrawatte. Er ging aufrecht und federnd, er wirkte selbstsicher und sich seiner bedeutenden Stellung bewußt. Der geduckte und dabei cholerische Leiter einer Filiale der Österreichischen Sparkasse in Wien hatte nicht das geringste mit ihm gemein.

»Heil Hitler, Frau von Tresken!« Er schenkte ihr ein Lächeln.

»Heil Hitler, Herr Ross!« Frau von Tresken war groß und hager, trug die Haare zu einem Knoten hochgesteckt, bevorzugte schwarze Kleider und benützte niemals Puder oder Schminke. Sie sagte: »Fräulein Holm ist schon da.«

»Nanu, so früh?«

»Es war heute für sie nichts mehr zu tun, sagt sie.«

»Wo ist Dora?«

»Sie badet.« Frau von Tresken mißbilligte alles, was die junge Schauspielerin, von der die Rede war, auch tun mochte. Am meisten mißbilligte sie die ständige Anwesenheit Dora Holms in diesem Hause. Frau von Tresken stammte aus Ostpreußen und sprach mit dem Akzent jener Gegend. Sie lebte wie die Köchin und ein Stubenmädchen seit fünf Jahren in der Villa, die Ross bei seinen Aufenthalten in Berlin als Heim diente. Das erste halbe Jahr war wunderbar für Frau von Tresken gewesen. Da konnte sie die Hausherrin spielen und Ross all die Bewunderung und Liebe entgegenbringen, die sie sofort für ihn empfunden hatte. Sie war so alt wie er, und sie hatte in ihrer verzweifelten Verklemmtheit, welche die Folge allzu strenger Erziehung war, immer gehofft, daß er ihre Gefühle erwidern würde. Aber dann war dieses junge Ding gekommen, diese kleine Hure, und Ross hatte überhaupt keine andere Frau mehr wahrgenommen. Frau von Tresken begriff nie, wie ein Mann mit so viel Charme und von solcher Lebensart dermaßen den Kopf verlieren konnte angesichts eines Mädchens, das zehn Jahre jünger war und so ungemein vulgär. Bitter sah sie Ross nach, als er, zwei Stufen auf einmal nehmend, die Treppe hinaufeilte.

Er lief in den ersten Stock und in ein Ankleidezimmer. Hier zog er sich um. Den Anzug hängte er über einen stummen Diener. Er wählte eine leichte Hose und ein Baumwollhemd. Als er die Kleidungsstücke aus dem Schrank nahm, sah er in der Ecke die Uniform eines Majors der Deutschen Wehrmacht. Er schloß den Schrank schnell. Dann eilte er zur Tür eines Badezimmers und klopfte.

»Ich bin es, Georg.«

»Komm herein!«

Dora Holm saß in der Wanne und lachte ihm entgegen. Er sah ihr hübsches Gesicht, ihre schönen Brüste, die nasse, feine Haut, und er war glücklich und ausgeruht und fühlte sich zehn Jahre jünger.

»Guten Tag, Schatz!« Er küßte ihren nassen Mund, danach ihre Brustwarzen.

»Weiter... mach weiter... das tut gut...« Sie drängte ihm die Brüste entgegen und hob den Körper aus dem Wasser, indem sie sich auf die Ellbogen stützte. »Da auch!« sagte sie. Er küßte und leckte das rosige Fleisch. »Oh... oh... du weißt aber genau, wo!« Sie atmete schwer. »Heute werden wir schön spielen, ja, Liebling? Mir ist so sehr nach Spielen.«

»Mir auch.« Er richtete sich auf. »Schluß jetzt! Sonst spielen wir gleich weiter.«

»Hab' nichts dagegen.«

Er setzte sich auf einen Hocker.

»Nein, nicht?«

»Später, Schatz! Später, so lange du willst.«

»Ich will aber jetzt! Wenn du nicht willst, fange ich schon ohne dich an!« Eine Hand verschwand unter der schaumbedeckten Wasseroberfläche. Sie bewegte sich eine Weile, dann lachte sie. »Was ist denn mit Ihrer Hose los, Herr Ross?«

Er lachte auch.

»Nein«, sagte sie. »Ich will jetzt doch nicht. Jetzt bin ich so schön aufgeregt. Ich werde so aufgeregt bleiben bis nach dem Essen. Und nach dem Essen spielen wir, ja?«

»Ja, mein Schatz.« O Gott, dachte er, habe ich sie lieb. »Wieso bist du schon zu Hause? Ich dachte, ihr dreht bis sechs.«

Sie lachte wieder.

Eine Frau, die immer lacht, eine schöne, junge Frau, überlegte er. Und Thea in Wien. Nein, gar nicht daran denken!

»Alles wegen der Salami«, sagte Dora.

»Verstehe kein Wort.«

»Gefallen dir meine Brüste, ja?«

»Ja, mein süßer Schatz.«

»Sie sind nicht zu groß? Manchmal habe ich Angst, daß sie zu groß sind.«

»Sie sind genau richtig.«

»Das ist gut. Das ist wichtig. Sie müssen genau richtig sein für dich, Liebling.« Sie streichelte ihre Brüste.

Er dachte: Bald fünf Jahre kennen wir einander schon. Als ich sie traf, in der Königin-Bar, war sie noch an der Schauspielschule der UFA. Jetzt hat sie bereits richtige große Rollen mit berühmten Partnern. Ihre Eltern in Hamburg wissen von unserer Beziehung und daß Dora mit mir zusammenlebt. Süße Dora.

»Was war mit der Salami?« fragte er.

Sie lachte wieder. Unter einem Tuch, das sie um den Kopf gebunden hatte, sahen schwarze Haare hervor. Sie hatte hellblaue Augen und einen großen Mund.

Vielleicht, überlegte Eduardo Olivera, bin ich deshalb so vernarrt in meine Stieftochter Mercedes...

»Wir drehen doch ›Die Wasser unter der Erde‹ nach der Novelle von Harsanyi, nicht wahr? Na, und heute war eine Szene dran, da frühstückt Heinrich George mit seinem Nachbarn und mir. In der Novelle und im Drehbuch steht, daß der Tisch überquillt von Fleisch, Brot, Käse, Butter, Trauben und so weiter... und George soll eine Salami essen. Eine Salami habe ich gesagt, Liebling!«

»Hab's gehört, Schatz. Und?«

»Und! Wann hast du zum letztenmal Salami gegessen? Echte ungarische? Na also, siehst du! Es gibt doch keine mehr seit einer Ewigkeit.«

Sie lachte wieder. Und er dachte: Wie liebe ich sie.

»Aber in der Novelle und im Drehbuch steht: *ungarische Salami*! Na, George macht vielleicht ein Theater, kann ich dir sagen. Hat schon vor zwei Wochen angefangen damit. Er kann es sich leisten.« Sie ahmte Heinrich George nach: »Hier steht, ich esse ungarische Salami, also her mit ungarischer Salami! Geht mir weg mit euren Ersatzwürsten! Ich bin ein Künstler, der auf Werktreue schwört. Wenn ich keine ungarische Salami kriege, können wir die Szene gleich streichen.« Dora streckte einen Schenkel aus dem Wasser, danach den anderen. Ross küßte schnell ihre Zehen.

»Naja, was sollten sie machen? Zuerst fragten sie bei Rollenhagen. Die hatten natürlich keine. Dann fragten sie einfach überall. Keine Salami. Also rufen sie die ungarische Gesandtschaft an.«

»Nein!«

»Ja doch, Liebling! Warte, es kommt noch viel verrückter! Die ungarische Gesandtschaft hat auch keine ungarische Salami. Man telefoniert mit Budapest. Kommt ein Kurier im Flugzeug von Budapest nach Berlin mit einer ungarischen Salami im Diplomatenkoffer!«

»Das ist nicht wahr!«

»Jedes Wort! Der Kurier bringt die Salami in die ungarische Gesandtschaft. Man hat sie bei Seiner Exzellenz dem Herrn Reichsverweser von Horthy ausgeliehen. *Ausgeliehen*, sage ich, nur ausgeliehen. Ehrenwort, daß er das größte Stück zurückbekommt. Großes deutsches UFA-Ehrenwort.«

»Hör auf, Dora!«

»Die ungarische Salami wird, begleitet von einem Gesandtschaftsattaché, nach Babelsberg gebracht. Es ist abgemacht, daß George bei den Proben nur markiert, und daß er dann bei der Aufnahme nur ein ganz kleines Stück ißt. Na, und nun geht das Theater los. Zuerst passiert noch nichts. Dann, erste Aufnahme: George säbelt ein Riesenstück Salami herunter, kaut, schmatzt und verspricht sich – absichtlich natürlich.«

Ross begann zu lachen.

»Dreihundertvier, zum zweitenmal!« Dora machte den Klappenmann nach. »George futtert wieder, was er in den Hals bekommt, verschluckt sich, kriegt einen Hustenanfall. Aus. Der Gesandtschaftsattaché wird immer unruhiger. Ucicky hat Tränen in den Augen – der Regisseur, weißt du. Er fleht George an: ›Heinrich, mir zuliebe, bitte, mach es jetzt gut, ja?‹ Einstellung dreihundertvier zum drittenmal!« Dora klatscht wieder in die Hände. »George mampft. Alles geht gut. Noch drei Sekunden. Noch zwei Sekunden. Da verschluckt sich George, kriegt keine Luft mehr.«

»O Gott, nein!«

»O Gott, ja! Der Tonmeister bricht ab. ›Was ist denn jetzt wieder los?‹ schreit er. Also: Dreihundertvier zum viertenmal! Diesmal fängt George mittendrin an zu lachen wie ein armer Irrer. Was soll ich dir sagen? Er hat tatsächlich die ganze Salami verputzt, er ist doch so ein Bär von einem Kerl, nicht, und erst beim letzten Stück ist Einstellung dreihundertvier dann endlich im Kasten. Aber der Mann von der Gesandtschaft bekommt einen Tobsuchtsanfall und Ucicky auch, und da steht George auf und sagt: ›Also, Herrschaften, das war's, Feierabend!‹ Und geht.

Deshalb war heute früher Drehschluß. Meinst du, daß Ungarn uns jetzt den Krieg erklärt, Süßer?«

24

Als sie Stunden später glücklich und erschöpft nackt nebeneinander auf dem breiten Bett lagen und gemeinsam eine Zigarette rauchten, brach die zärtliche Radiomusik, die seit langem erklungen war, ab, und eine Männerstimme meldete sich: »Hier ist der Reichssender Berlin. Achtung, eine Luftlagemeldung: Schwere feindliche Kampfverbände im Anflug auf die Deutsche Bucht und die Mark Brandenburg.« Der Sprecher wiederholte die Meldung. Dann setzte wieder sanfte Musik ein.

Dora ließ sich aus dem Bett rollen. Ross erhob sich. Sie zogen nur Schlafkleidung und Morgenmäntel an. Dora nahm eine Krokodilledertasche, in der sich ihr Schmuck und ihre Papiere befanden, Ross trug eine große Aktentasche, als sie das Haus verließen, um durch den dunklen Garten zu dem kleinen, aber sehr dickwandigen Betonbunker zu gehen, der in die Rasenerde eingelassen war. Ribbentrop hatte darauf bestanden, daß Ross so einen Bunker bauen ließ. Sie stiegen die Treppen hinunter. Frau von Tresken, die Köchin Pikuweit und das Stubenmädchen saßen schon da. Platz war genügend. Auch hier gab es ein Radio und einen Telefonapparat – die Leitungen waren vom Haus herübergelegt worden.

Der Reichssender Berlin hatte inzwischen abgeschaltet, man hörte nur das Weckerticken des sogenannten Drahtfunks. Von Zeit zu Zeit gab eine Mädchenstimme aus dem Befehlsstand des Gauleiters bekannt, wo sich die feindlichen Maschinen befanden. Den ersten Verbänden folgten weitere. Bald schon hörte man das tiefe Gebrumm vieler Motoren und das Bellen der Flak, dann erste Explosionen – weit weg. Das Licht im Bunker ging aus, ging wieder an, flackerte. Die Köchin weinte.

Dora versuchte, ihr Mut zu machen. Sie sagte: »Frau Pikuweit. Sie müssen keine Angst haben. Hier bei uns in Dahlem passiert nichts. Auch nicht im Grunewald.«

»Woher wollen Sie das wissen?« fragte Frau von Tresken spitz.

»Na, ist schon mal was passiert? Ein paar Bomben, ja. Aber richtig passiert? Nein! Und wissen Sie, warum nicht, Frau Pikuweit? Ein Beleuchter im Atelier hat es mir gesagt, und ich glaube es. Die wollen doch den Krieg gewinnen, die Amerikaner und die Engländer. Na, und wenn sie ihn gewinnen, dann werden sie doch nach Berlin kommen, nicht? Und da werden sie doch in den schönsten Villen in den schönsten Vierteln wohnen wollen, wo jetzt die großen Bonzen sitzen – in Dahlem und im Grunewald. Werden sie die schönsten Villen doch nicht zusammenbomben. Ist doch nur logisch, was?«

»Sprich nicht so!« sagte Ross, plötzlich schwer verärgert.

»Ich sage ja nur, was der Beleuchter gesagt hat. Und weil Frau Pikuweit solche Angst hat.«

»Ach, liebet Frollein«, sagte die bleiche Köchin mit den rotgeweinten Augen. »Ick weene doch nich, weil ick Schiß habe. Ick weene wejen meinen juten Oska. Seit fünf Wochen hab ick keene Nachricht mehr von ihm. Zuerst der Mann. Und nu ooch noch der Junge. Zwanzich issa erst, erst zwanzich...« Sie brach erneut in Tränen aus. Dora drückte sie an sich und redete ihr gut zu, aber die blasse Frau war nicht zu beruhigen. Nun erschütterten dauernd Explosionen die Luft. Der Boden bebte. Wieder ging das Licht aus und an. Die Mädchenstimme sprach von starker Kampftätigkeit und massiven Bombenwürfen im Zentrum und im Norden der Stadt. Und immer neue Kampfverbände flogen Berlin an.

Die Köchin verlor plötzlich die Nerven. Sie schrie: »Festa! Festa! Haut allet zu Klump! Det is die Strafe Jottes dafür, det wa hurra jebrüllt ham zu allem, wat er jetan hat, der Hitla, der Leibhaftije! Als er die Tschechen ibafiel und die Polen und Beljien und Holland und Frankreich und Norwejen und Rußland. Und die Juden! Nich eene Hand hat sich erhoben jejen ihn. Warum nich? Er is so stark und wir sin so feije. Ohne Gnade bestraft uns der liebe Jott nu dafür, ohne Gnade. Darum müssense verrecken hier und an de Fronten, mein arma Paule und mein arma Oska und so ville, ville andere...« Die Pikuweit fuhr sich mit einer Hand über die Stirn wie ein Mensch, der erwacht. »Entschuldigen Sie, gnädija Herr. Ick weeß nich, wat det war eben, ick hab den Vastand valorn vor Kumma, vazeihnse ma, bitte!«

»*Verzeihen*?« schrie Ross, dunkelrot im Gesicht und außer sich vor Zorn. »Das könnte Ihnen so passen, Frau Pikuweit! Sie haben gewagt, den Führer zu beschimpfen! Das ist phantastisch! Das ist verbrecherisch!«

»Nun laß doch, Georg«, sagte Dora leise. »Die arme Frau. Mann verloren. Der Junge wahrscheinlich auch tot. Wußte doch nicht, was sie sagte.«

»Halte du dich da raus, bitte, ja?« schrie Ross. »Wußte nicht, was sie sagte! Was heißt denn das? Hunderttausende verlieren ihre Liebsten in unserem heroischen Ringen. Und Frau Pikuweit meint, daß sie den Führer mit Dreck bewerfen kann. Na, da hat sie sich aber geirrt. Da hat sie sich mächtig geirrt, die Frau Pikuweit!«

»Jawohl, das haben Sie«, rief Valerie von Tresken.

»Um Jottes willen, Sie wernma doch nich anzeijen, Herr Ross!« Die Köchin fiel auf die Knie und umklammerte seine Knie. »Bitte, nich anzeijen!«

»Natürlich werde ich Sie anzeijen!« brüllte Ross. »Das ist meine Pflicht. Sie sind ja eine Hochverräterin!«

»Herrjeses, wennse mir anzeijen, is doch die Rübe ab! Ick flehe Sie an, seinse gnädich, Herr Ross! Ick hab es doch nich so jemeint! Ich war nur so aussa mir.«

»Lassen Sie augenblicklich meine Knie los!« schrie Ross. Er trat nach ihr. Die Köchin fiel auf den Rücken.

»Nich anzeijen!« rief sie. »Bitte, bitte, bitte, nich anzeijen!«

Das Telefon klingelte.

»Ruhe!« brüllte Ross. »Halten Sie den Mund, sofort!« Er hob ab und meldete sich: »Ja?«

»Herr Ross?«

»Wer ist da?«

»Verbindung Auswärtiges Amt.«

»Was ist passiert?«

»Unser Haus in der Meinekestraße hat einen Volltreffer gekriegt. Das Nebenhaus auch. Da ist nur noch ein einziger riesiger Trümmerhaufen.«

25

Das Dock Sur, das Süd-Dock, drang wie eine lange, schmale Feile sehr weit in das Randgebiet von Buenos Aires ein. Auf der dem Rio de la Plata zugewandten Seite standen große Raffinerieanlagen und Öltanks. Hier gab es noch viel freies Land mit Abfallhalden, Autofriedhöfen, verfaulenden Holzhütten und Abertausenden von Ratten. Es waren Riesentiere, und die Menschen, die hier wohnten, fürchteten sie sehr, denn die Ratten hatten die Angewohnheit, kleine Kinder im Schlaf anzufallen, ihnen die Kehle durchzubeißen und sie dann anzufressen. Hier wohnten die Ärmsten der Armen.

Auf der anderen Seite des Dock Sur, jenseits der Straße Debenedetti, standen in langen Reihen graue, häßliche Mehrfamilienhäuser des sozialen Wohnungsbaus. Ihre Bewohner gehörten auch zu den Armen, aber nicht mehr zu den Ärmsten der Armen. Die Debenedetti war eine soziale Grenze, welche alle respektierten, sogar die Ratten.

Ein grüner Ford holperte über die Löcher der Straße Olimpia und blieb vor einem dreistöckigen Haus stehen. Zwei Männer saßen darin.

»Nummer fünfzehn. Hier leben seine Eltern, Pio«, sagte der Mann am Steuer. »Da steht sein Volkswagen. Er wohnt im dritten Stock, ganz links. Das offene Fenster.«

»Okay«, sagte der Mann, der Pio hieß. Er stieg aus, ließ den Schlag offen, trat an den Holzzaun, der den winzigen Garten vor dem Haus säumte, bückte sich nach ein paar Kieseln und warf sie durch das offene Fenster im dritten Stock. Es dauerte nicht lange, und Miguel zeigte sich. Sein Oberkörper war nackt. Er machte einen erschrockenen Eindruck.

»Was ist los?«

»Miguel Morales?«

»Ja. Wer sind Sie?«

»Sag' ich dir gleich. Komm runter! Es ist dringend.«

»Ich will wissen, wer Sie sind.«

»Leise! Weck nicht deine Eltern! Was sagte die Ameise zur Libelle?«

Miguel atmete auf. Erleichtert antwortete er: »Tanze nur, tanze! Im Winter wirst du bitterlich Hunger leiden.« Dann verdüsterte sich sein Gesicht wieder. »Es ist was passiert, ja?«

»Ja. Nun komm schon endlich runter!«

»Sofort.«

Miguel trat gleich darauf aus der Tür. Er trug der Hitze wegen nur einen Slip und sah verschlafen aus.

»Komm in den Wagen!« sagte Pio.

Miguel folgte ihm. »Guten Abend«, sagte er zu dem Mann am Steuer.

»Abend. Ich heiße Ernesto. Das ist Pio.« Sie schüttelten einander die Hände. Miguel saß mit Pio im Fond. Ernesto löschte die Scheinwerfer. Sie sprachen sehr leise.

»Du warst heute im Retiro?«

»Wie jeden Freitag.«

»Und hast du was in das Schließfach gelegt?«

»Drei Kassetten.«

»Kacke.«

»Was heißt Kacke?«

»Wann hast du sie reingelegt?«

»Halb zehn oder etwas später.«

»Wir waren um zehn da. Wie immer. Das Fach war leer.«

Miguel preßte beide Fäuste gegen die Brust. Plötzlich zitterte er, als würde er frieren.

»Wir haben den Leitoffizier verständigt. Er hat uns sofort zu dir geschickt. Du bist immer zum Wochenende hier, wenn du frei hast, hat er gesagt. Bringst deinen Eltern Geld und Essen. Guter Junge. Guter Junge hat Pech gehabt.«

»Heilige Mutter Maria! Jetzt verstehe ich.«

»Was verstehst du?«

»Die Scheißer.«

»Wer?«

»Die verfluchten Scheißhunde! Die haben den Zusammenstoß absichtlich arrangiert.«

»Was für einen Zusammenstoß?«

»Auf dem Parkplatz vor dem Retiro...« Miguel berichtete, was sich dort ereignet hatte. Er schloß: »Während ich mit dem einen Kerl verhandelt habe, muß der andere die Kassetten aus dem Fach geholt haben. Ganz schnell.«

»Ganz schnell! Wie denn ganz schnell, Mensch? Hast das Fach doch versperrt, oder?«

»Natürlich. Münzen eingeworfen und versperrt. Sonst hätte ich den Schlüssel doch nicht rausziehen können.«

»*Hast* du ihn rausgezogen?«

»Hört mal...«

»*Hast* du? Miguel, die haben drei Kassetten! Noch gar nicht abzusehen, was sie jetzt tun werden. Wenn du wirklich abgesperrt hast, mußt du ja auch den Schlüssel haben.«

»Klar hab' ich den.«

»Wo?«

»In meiner Handtasche.«

»Hol sie!«

»Also, wißt ihr...«

»Hol sie, Arschloch! Ist dir nicht klar, daß du schon halb tot bist?«

»Halb...« Miguel starrte Pio an. Dann sprang er ins Freie. Lautlos eilte er ins Haus. Kurze Zeit danach kam er zurück und kroch wieder in den Fond. Er hatte die Ledertasche bei sich. Den bizarr gezackten Schlüssel hielt er in der Hand.

»Hier, bitte!«

»Dann haben die Kerle ein Duplikat gehabt. Müssen dich schon länger beobachtet haben. Kannten die Nummer des Fachs.«

»Damit kriegen sie noch kein Duplikat.«

»Ich weiß nicht, wie sie's gemacht haben«, sagte Ernesto. »Sie haben's gemacht. Läuft der Recorder im Moment?«

»Ja.«

»Idiot, verfluchter!«

»Nenn mich nicht Idiot, ja? Olivera hat gesagt, er wird mit diesem Mann wieder in die Bibliothek gehen. Ich habe das erste lange Gespräch aufgenommen. Natürlich brauchen die auch das zweite, habe ich gedacht.«

»Gedacht, mein Arsch. Du bist aufgeflogen, Olivera weiß das vielleicht längst. Und da klebt eine Wanze, und da läuft ein Recorder!«

»Ich kann nichts dafür.« Miguel wurde trotzig. »Ich habe immer genau das getan, was man mir gesagt hat.«

Ernesto legte ihm eine Hand auf die Schulter. »Pio meint es nicht so. Wir sind alle aufgeregt. Du kannst nichts dafür, klar. Aber du mußt jetzt tun, was wir dir sagen. Uns hat's der Leitoffizier aufgetragen. Du ziehst dich an und fährst nach Cespedes.«

»Was, *jetzt*?«

»Jetzt. Wenn Olivera oder wer anderer dich fragt – irgendeine Ausrede. Willst lieber in der Villa schlafen. Sobald es möglich ist, nimmst du die Wanze weg. Den Recorder und den Empfänger auch. Pack das ganze Zeug zusammen. Was sonst noch da ist. Muß alles verschwinden. Keine Spuren.«

Miguel fuhr hoch. »Keine Spuren! Olivera weiß doch längst, daß ich es war! Der hat doch schon mein Zimmer durchsucht und alles gefunden. Er oder seine neuen Freunde – der aus Europa zum Beispiel. Da wartet doch schon die Polizei auf mich. Ihr seid wahnsinnig. Ich kann nie mehr zurück.«

»Der Leitoffizier sagt…«

»Scheiß auf den Leitoffizier! Soll *er* doch hingehen!«

Pio hatte plötzlich eine schwere Pistole in der Hand. Er drückte die Mündung gegen Miguels nackten Bauch. »Du fährst zurück und tust, was wir dir gesagt haben. Vielleicht weiß Olivera auch noch gar nichts.«

»Weiß noch gar nichts! Wenn die vor mehr als zwei Stunden die

Kassetten geklaut haben! Weiß von gar nichts, ihr Kretins! Klar weiß er. Klar ist die Polente da. Was krieg' ich? Drei Jahre? Fünf?« Er wurde hysterisch.

Ernesto lehnte sich zurück und schlug ihm rechts und links ins Gesicht, so fest er konnte. »Halt's Maul!«

Miguel zitterte wieder.

»Du fährst. Sofort! Wir sind hinter dir. Der Leitoffizier sagt, wir sollen dich umlegen, wenn du nicht zum Haus reinfährst. Kannst du wenigstens nicht quatschen, falls Olivera es wirklich schon weiß.«

»Er *muß* es aber nicht wissen, sagt der Leitoffizier. Und du bist der einzige, der ins Haus kann.« Der kalte Stahl von Pios Pistole bohrte sich in Miguels Bauch.

Miguel keuchte.

»Denk an General Alvarez. Du hast ihm bei der Heiligen Jungfrau geschworen, daß du dein Leben hergibst, wenn es notwendig ist. Also: ja oder nein? Wenn nein, erledigen wir es gleich.«

Miguel schwieg.

»Du Saukerl!« sagte Pio plötzlich empört.

»Was ist?« fragte Ernesto.

»Hat sich angepißt. Alles schwimmt. So eine verfluchte Schweinerei!« Pio hatte sich halb erhoben. Mit einer Hand stützte er sich.

»Es tut mir leid... Ich mache alles sauber... Es war nur, weil ich solche Angst habe... so schreckliche Angst«, rief der hübsche Junge mit der Bronzehaut und den Mandelaugen verzweifelt.

»Kusch! Im Kofferraum sind Lappen«, sagte Pio und stieß Miguel aus dem Wagen. »Los! Wisch die Pisse weg, du Sau!«

26

»Das war der Angriff in der Nacht zum ersten April vierundvierzig«, sagte Eduardo Olivera. »Die Trümmer zweier Häuser in der Meinekestraße übereinandergestürzt. Die Filmrolle drei Stockwerke unter der Erde. Im Boden jeder Etage Panzerplatten eingezogen. Und Tag und Nacht kamen diese Gangster, Tag und Nacht.«

»Wir wollen lieber nicht von Gangstern reden«, sagte Ross. »Du bist doch ein Demokrat, kein Nazi mehr, hast du mir erklärt.

Wer hat denn mit dem Bombardieren angefangen? Wer hat denn Rotterdam und Warschau und Coventry auf dem Gewissen? Wer hat denn brüllend und unter dem Jubel seiner Zuhörer verkündet, daß diese Städte ausradiert worden sind?«

»Es war unmenschlich, Daniel. Unmenschlich, sage ich dir«, flüsterte Olivera und verdeckte die Augen mit einer Hand, die er wie einen Schirm vor die Stirn hielt.

»Wann wart denn ihr einmal menschlich?«

»Daniel, bitte…«

»Nein, Mercedes, nein! Dieses gottverfluchte Verbrechergesindel, und mein Vater dabei als großer Bonze! Mit Begeisterung! Im Luxus eines Hauses, das Juden gehörte, die man vermutlich totgeschlagen hatte. Hat das meinen Vater gestört? Einen Scheißdreck hat das meinen Vater gestört! Mit einer Filmhure hat er da ein feines Leben gehabt. Was denn, das war doch seine schönste Zeit! *Ihm* ist nichts passiert! Fünfzig Millionen sind verreckt! *Er* nicht!« Die letzten Sätze hatte Ross geschrien. Er stand auf. Ihm wurde plötzlich brennend heiß und übel. »Er war bei den Mördern, nicht bei den Ermordeten, mein Vater. Jetzt habe ich *viermal* Vater gesagt. Bist du gerührt, ja? Kommen dir die Tränen, ja? O Gott, so etwas ist mein Vater! So etwas ist…« Er ging schwankend zum Pool.

»Wohin gehen Sie?« rief Mercedes.

»Weg! Ich muß weg von dem Kerl!« Das bekam Ross eben noch heraus, danach schoß die alte, so wohlbekannte Angst in seiner Kehle hoch, und er blieb stehen. Mit beiden Händen hielt er sich am Stamm einer Palme fest. Das Blut hämmerte in seinen Schläfen so stark, daß es schmerzte. Das alles ist zuviel für mich, schon seit langem, sagte er zu sich, und es kommt noch mehr, das weiß ich. Und ich muß es mir anhören, denn ich muß alles wissen, die ganze schmutzige Wahrheit, wenn ich jetzt losziehen will mit dem Film. Und das will ich, das ist die Story meines Lebens, der Film und mein Vater bei den Nazis, bei dem Henker Himmler, dem Satan Goebbels, dem Lumpen Ribbentrop. Der schloß einen Nichtangriffspakt mit Rußland, das ein Jahr später prompt überfallen wurde von den Nazis, diesen Jahrtausendkriminellen, und mein Vater war einer von ihnen, einer von den Großen…

Daniel Ross ging zum Pool, kniete nieder und wusch sein Gesicht mit kaltem Wasser. Er fühlte sich elend. Also nahm er Nobilam. Er wußte nicht einmal, wie viele Tabletten. Er schüttete sie aus dem Röhrchen in die Hand, warf sie in den Mund und schluckte sie ohne Wasser. Egal, wenn der Kerl es sah, alles egal, du mußt durchhalten jetzt, sagte er zu sich, das ist das einzig Wichtige, durchhalten mußt du. Er kam zum Tisch zurück, goß sein Glas halb voll Whisky und trank, bis seine Augen tränten. Er ließ sich in seinen Stuhl fallen.

»So geht das nicht, Sohn«, sagte Olivera. »Ich brauche dich, und du brauchst mich. Also.«

»Schon gut. Es war eben einfach mehr, als ich aushalten kann. Wird nicht mehr vorkommen – Vater! Nimm es um Himmels willen als Beleidigung, wenn ich Vater sage, und nicht etwa als Kindesliebe, die da durchbricht, ja?« Er sah Olivera an. Der war bleich geworden. Die ohnedies schmalen Lippen bildeten einen Strich. »Und weiter?« sagte Ross. »Hast du die Köchin angezeigt?«

»Selbstverständlich. Das war meine Pflicht.«

»Das war deine Pflicht, Herrenmensch!«

Olivera nahm sich enorm zusammen. Er sagte: »Ich bin heute ein anderer. Das mußt du mir glauben. Damals war ich ein fanatischer Nazi, ich gebe es zu. Ich gebe alles zu. Ich verberge nichts. Ich erzähle alles. Auch Mercedes wußte das noch nicht. Es ist sehr… sehr schwer, alles so zu erzählen, wie es war. Das kannst du mir glauben.«

»Das glaube ich dir – Vater!«

»*Sag nicht Vater zu mir!*« schrie Olivera.

Ross lachte.

»Hör auf zu lachen!«

Ross hörte auf.

»Ich habe doch an Hitler geglaubt. Ich… für mich war er so etwas wie Gott… Seit langem weiß ich, daß er der Teufel war… aber damals…«

»Was geschah mit der Köchin?«

»Wurde abgeholt, natürlich. Noch in der gleichen Nacht.«

»Gratuliere! Mann verloren, Sohn verloren. Für die Frau das Fallbeil, wie?«

»Vermutlich«, sagte Olivera. »Ich hätte euch das nicht zu erzählen brauchen mit der Köchin. Ich hätte euch vieles nicht zu erzählen brauchen. Aber ich *will* euch alles erzählen. Denkst du, das fällt mir leicht?«

»Es ist dir ganz leicht gefallen, die Köchin anzuzeigen.«

Olivera sagte: »Wir können uns in diesem Ton weiter unterhalten. Wir verlieren allerdings nur Zeit damit. Und es ist ganz sinnlos.«

»Das stimmt«, sagte Ross. »Da hast du recht. Lassen wir's. Meine Mutter wußte es also: Da war eine andere Frau. Deshalb wolltest du dich scheiden lassen. Deshalb hast du Mutter gequält, beschimpft, ihr Szenen gemacht, jedesmal wenn du nach Wien auf Urlaub kamst. Warum kamst du überhaupt noch?«

»Erstens, weil ich ja offiziell Soldat war. Major in Rußland. Meine Tarnung. Der Dienst bestand darauf, daß ich ›auf Urlaub‹ kam. Zweitens kümmerte ich mich dabei auch immer um das Wiener Büro. Das unterstand mir. Wien war das Sprungbrett zum Mittleren Osten. Du siehst: Ich mußte kommen.«

»Ja, ich sehe. Dienstlich mußtest du kommen. Wir haben dich angekotzt, alle beide.«

»Du nicht. Dich hatte ich sehr gern.«

»Aber Mutter war dir ein Greuel.«

»Natürlich«, sagte Olivera. »Die Nacht der Wahrheit. Ich habe genug gelogen in meinem Leben. Ich lüge nicht mehr. Du willst die Wahrheit hören? Das kannst du haben. Im Grunde hast du mich auch angekotzt damals – weil du mir genauso am Bein hingst wie deine Mutter. Ich sage doch, ich liebte diese junge Frau, diese Schauspielerin, Dora Holm.« Plötzlich glitzerten Tränen in seinen Augen.

Ross starrte ihn entgeistert an.

»*Vater*!« Mercedes war aufgesprungen und zu Olivera geeilt. Sie umarmte und küßte ihn. »Bitte, bitte, nicht weinen!«

Olivera strich über ihr schwarzes Haar. Er sah ihr in die Augen. Doras Haar, dachte er, Doras Augen.

»Diese junge Frau war wie Sauerstoff für mich. Ich habe auch deine Mutter geliebt, Mercedes. Ebenso stark. Auf andere Weise. Und ich liebe dich. Der da, der weiß nicht, was das ist, Liebe.«

»Nein«, sagte Ross. »Nie davon gehört.«

»Wenn er wüßte, wie sehr ich ihn liebe – seit vielen Jahren. Seit ich ein anderer geworden bin. Wie oft habe ich voll Liebe und Sehnsucht von ihm gesprochen, Mercedes, wie oft!«

»Ja, das ist wahr, Daniel«, sagte Mercedes. Sie ging zu Ross und küßte scheu auch ihn. Dann setzte sie sich wieder.

»Seit wann?« fragte Ross.

Er bekam keine Antwort.

»Und meine arme Mutter? Die hast du nie geliebt, wie?«

»Nie. Oder ja, doch. Ein halbes Jahr vielleicht. Aber das war nicht Liebe«, sagte Olivera. »Das war…«

»Ich weiß schon, was das war«, unterbrach ihn Ross. Er starrte Olivera an. »Die arme Frau hast du unglücklich gemacht. Im Stich gelassen. Mich hast du damit verkorkst. Mir hast du damit…« Er stockte.

»Was habe ich dir damit?«

»Nichts«, sagte Ross. Ich muß mit dem Trinken achtgeben, dachte er. »Die Feldpostnummer, die Briefe aus Rußland, das war alles genau organisiert, wie?«

»Alles. Ich war doch überzeugt davon, daß ich das alles tun mußte, damit wir den Krieg gewinnen.«

»Dann hättest du dich scheiden lassen und diese Schauspielerin geheiratet.«

»Ja.« Jetzt goß Olivera sein Glas halb voll und trank es fast leer. Er sagte verloren: »Dann hätte ich Dora…« Er lehnte sich zurück. Seine Stimme war wieder kalt und sachlich. »Also, mit den Häusern in der Meinekestraße, das wurde eine regelrechte Katastrophe.«

»Okay. Weiter. Bringen wir's hinter uns. Wieso Katastrophe?«

»Du kannst dir vorstellen, daß wir alles taten, um ins dritte Stockwerk hinunterzukommen. Der Film! Ein Tag nach dem andern ging verloren. Wir brauchten den Film! Wir hatten so viele Leute zur Verfügung, wie wir wollten. Wir hatten die besten Maschinen. Wir hatten einfach kein Glück. Zuerst dauerte es endlos, bis der Schutt und die Trümmer weggeräumt waren und wir anfangen konnten, die erste Stahlplatte aufzuschweißen. Von diesem tiefen Keller gab es natürlich keine Durchbrüche zu anderen Kellern mehr. Als wir die erste Platte in Angriff nahmen, schmissen die Amerikaner Luftminen, einen ganzen Teppich, von der Uhlandstraße bis zur Gedächtniskirche. Alles wieder verschüttet. Die Maschinen. Die Geräte. Ein Haufen Tote. Konnten wir von vorn anfangen. Das war am vierundzwanzigsten April. Mitte Mai waren wir wieder im ersten Stockwerk. Am fünfzehnten schlugen die Amerikaner wieder alles zusammen in der Gegend, in der es ohnedies nur noch Trümmer gab. Die Fundamente des Hauses verschoben sich. Jetzt wurde es lebensgefährlich, dort zu arbeiten.«

»Also habt ihr nur Kriegsgefangene oder politische Häftlinge genommen.«

»Natürlich. Aber die sabotierten die Arbeit. Mußten wieder

unsere Leute ran. Kam der Juni. Kam die Invasion in der Normandie. Kam ein schwerer Wassereinbruch, Hauptrohr geplatzt. Das Grundstück ein See. Wochenlang pumpen, bevor wir endlich weitermachen konnten. Durchnäßte Mauern. Erdreich geriet ins Rutschen. Alles krachte neuerlich zusammen. Kam der Juli.«

»Und so weiter. Wann wart ihr endlich unten?«

»Am neunundzwanzigsten. Am zwanzigsten war das Attentat auf Hitler. Stimmung bei Null. Amerikaner und Engländer im Vormarsch durch Frankreich. Großoffensive der Roten Armee. Achtunddreißig deutsche Divisionen in wenigen Tagen aufgerieben. Die Sowjets stehen in Brest-Litwosk. Schöner Tag, dieser neunundzwanzigste Juli. Ich erinnere mich noch, wie ich da runterkletterte in das dritte Stockwerk, durch die Löcher, die sie aus den Stahlplatten geschnitten hatten. Gab nur eine Strickleiter. Auch den Panzerschrank hatten sie aufschweißen müssen. Die Kombination funktionierte nicht mehr. Da lag der Koffer. Ich holte ihn raus. An einem Seil zogen sie ihn hoch. Oben war natürlich alles abgesperrt. Ich rein zur Reichsbank mit SS-Eskorte. Dort den Koffer ganz tief unten in einem Haupttresor deponiert.«

»Warum noch einmal deponiert?«

»Goebbels und Himmler waren nicht in Berlin. Als ich in der Reichsbank war, kamen prompt die amerikanischen Bomben. Angriff auf die Stadtmitte. Die Reichsbank bekam ein paar Volltreffer ab. Aber sie hielt es aus. Drei Nächte später...«

... griffen siebenhundert Bomber der Royal Air Force Berlin in immer neuen Wellen an. Ross, die junge Dora Holm, die Haushälterin Frau von Tresken, das Stubenmädchen und eine neue Köchin namens Emma Siedeleben saßen in dem kleinen, dickwandigen Bunker im Garten hinter der Villa Im Dohl. Diesmal fiel das Licht nach einer halben Stunde vollkommen aus. Der Bunker besaß ein Notstromaggregat. Ross schaltete es ein. Nun hatten sie wieder Licht, und sie konnten auch wieder die Drahtfunkmeldungen aus dem Radio hören.

Das Brausen der Motoren immer neuer anfliegender Verbände erfüllte die Luft ebenso wie das wahnsinnige Belfern der Flak und die ungeheueren, einander pausenlos folgenden Explosionen in der Ferne. Die Sprecherin meldete, daß deutsche Nachtjäger aufgestiegen seien und bereits zwölf Bomber abgeschossen hätten. Begleitende britische Mosquito-Jäger lieferten ihnen erbitterte Luftkämpfe. Andere Einheiten deutscher Jäger griffen die Bomber bereits weit vor der Reichshauptstadt an.

Zwischen den Meldungen tickte der Wecker.

Dora Holm versuchte ihr Bestes, um die Menschen in dem kleinen Bunker abzulenken. Sie erzählte eine komische Geschichte nach der andern. Die neue Köchin Siedeleben reagierte richtig: Sie lachte. Frau von Tresken lachte nie, auch jetzt nicht. Sie saß mit hochgezogenen Brauen reglos da. Ihr Gesicht war eine Maske der Verachtung. Sie haßte die fröhliche, schöne, junge Frau von Herzen. Georg Ross lachte auch. Er dachte: Gewiß hat Dora Angst, aber sie kämpft sie nieder, sie macht Theater, damit wir unsere Angst vergessen. Ach, Dora…

»… das ist eine richtige Klamotte, die wir da mit Willy Birgel drehen. Ich habe gehört, die Originalstory stammt von einem Amerikaner, Ben Hecht heißt er. Irgendwo haben sie den amerikanischen Film erbeutet. Goebbels hat ihn gesehen und bestimmt, daß wir die Geschichte einfach klauen.«

»Dora, bitte!« sagte Ross pikiert. Das Dröhnen der Bomberverbände, das Krachen der Explosionen, die Abschüsse der Flak untermalten ohne Unterlaß das Gespräch. »So darfst du nicht reden! Ich dulde das nicht. Außerdem ist es nicht wahr. Es werden keine alliierten Filme bei uns nachgedreht.«

»Nein, nicht?« Dora warf das schwarze Haar zurück. Sie lachte. »Und was ist mit ›Serenade‹? Willi Forst sagt, er hat es nicht gewußt, was ihm da für ein Drehbuch gegeben wurde. Also, ich habe den Roman gelesen, englisch, in einer amerikanischen Armeeausgabe: ›Rebecca‹. Daphne Du Maurier heißt die Autorin. Eine Engländerin. Und ›Serenade‹ ist absolut genau ›Rebecca‹! Warum auch nicht? Wir nehmen, was wir kriegen.« Die Explosionen wurden für einen Moment sehr laut, dann wieder schwächer. »Nach dem Endsieg können wir immer noch Tantiemen zahlen – oder auch nicht.« Sie lachte wieder.

Laß sie! sagte Ross zu sich. Laß sie! Es ist wichtiger, daß sie hier für Lachen sorgt. Die Siedeleben wird schon wieder ganz grau im Gesicht vor Angst.

»Goebbels ist schlau«, plauderte Dora weiter, während die Sprecherin schwerste Kampftätigkeit über der Innenstadt und dem Norden und Osten Berlins meldete. »Er weiß, jetzt, in diesem Schlamassel, wollen die Leute nicht ununterbrochen Propaganda. Lachen wollen sie, wenigstens ein bißchen lachen. Darum also jetzt Komödien! Diese geklaute, die ich mit Birgel drehe, da lernt er mich in der S-Bahn kennen. Das Ganze spielt in den dreißiger Jahren. Großartig überlegt von Goebbels: Keine Trümmer, kein Krieg, Frieden, alles gibt es zu kaufen, keiner sagt Heil Hitler!« Ein Verband überflog Dahlem. Sehr laut wurde das Gebrumm der Motoren. Dora sprach unbekümmert weiter: »Na ja, und das haben wir also gestern gedreht. Die Kennenlern-Szene in der S-Bahn. Birgel sitzt mir gegenüber und will unbedingt ins Gespräch kommen. Da hat es mal ein ganz berühmtes Magazin von Ullstein gegeben. ›Uhu‹ hat es geheißen. Er hält so ein Magazin in der Hand und sagt: ›Ach, liebes Fräulein, darf ich Ihnen meinen ‚Uhu’ zeigen?‹« Überlaut wurde der Lärm der anfliegenden Maschinen. »Und ich antworte empört: ›Wenn Sie den ersten Knopf aufmachen, zieh’ ich die Notbremse!‹«

Die Siedeleben lacht, sogar die Tresken lächelt, dachte Ross. Auch er lachte. Am meisten lachte Dora über ihre eigene Geschichte. In das Lachen und den Motorenlärm hinein drang plötzlich ein dünnes Pfeifen, das schnell lauter wurde und sich in ein grauenvolles Schrillen verwandelte. Dazu kam ein anderes, seltsam rauschendes Getön, ein zweites Pfeifen, ein drittes. Schrillen und Rauschen wurden ohrenbetäubend, dann schlugen Bomben in unmittelbarer Nähe ein und explodierten. Der Bunkerboden schwankte heftig. Die fünf Menschen flogen gegen die Betonwände. Jetzt setzte auch das Notstromaggregat aus. Es schien, als würde der Bunker hin und her geschleudert. Die Frauen kreischten. Ross lag auf dem Boden. Er war mit dem Kopf aufgeprallt und schwer benommen.

Und so, schwer benommen, hörte er in dem Höllenlärm Doras sich überschlagende, plötzlich von panischer Furcht erfüllte Stimme: »Raus! Ich will raus hier! Hier drin krepieren wir!«

Im Finstern trat sie auf ihn. Er versuchte, ihre Beine festzuhalten. Der Bunker wurde immer noch von der ungeheuren Wucht der in der Nähe explodierenden Bomben geschüttelt. Feuerschein drang in die Tiefe.

»Bleib hier!« brüllte Ross. »Du kannst jetzt nicht hinaus! Du kannst jetzt nicht…«

Da sah er im Gegenlicht des Feuers, wie sie schon aus dem Bunker rannte.

»Dora!« Er konnte keinen anderen Gedanken mehr fassen, nur den einen, den einen: Ich muß sie zurückholen! Ich muß sie zurückholen! Die sind ja über uns! Sie rennt in den Tod.

»Herr Ross!« schrie Frau von Tresken.

Er hörte noch ihre Stimme. Er stand schon im Freien. Die Villa war getroffen worden, sah er. Sie brannte. Er drehte sich um. Viele andere Villen brannten gleichfalls.

»Dora!« brüllte er. »Dora, ver...« Das Wort sprach er nicht zu Ende. Im Garten detonierte eine weitere Bombe. Der Luftdruck erreichte Ross wie eine unsichtbare Riesenfaust, hob ihn hoch und schleuderte ihn fort, in ein Rosenbeet hinein. Er spürte noch den Schmerz des Aufschlags, dann verlor er das Bewußtsein. Als er wieder zu sich kam, lag er auf dem Gesicht. Es dauerte lange, bis er ganz bei Besinnung war. Im Feuerschein der brennenden Villa sah er, daß er nur noch die Hose und Streifen des Hemdes trug. Jacke und Schuhe hatte der Luftdruck weggerissen. Er fuhr sich über das Gesicht. Seine Hand wurde rot von Blut. Die Brust war gleichfalls aufgerissen, auch hier Blut, warm und klebrig. Er hörte keinen Motorenlärm mehr. Die Formation war weitergeflogen. Überall ertönte nun das Heulen von Sirenen. Krachend stürzten Balken ins Innere der Villa. Ross wollte aufstehen und fiel sofort wieder um. Beim dritten Versuch erst gelang es ihm, auf zitternden Beinen stehen zu bleiben. Er taumelte durch den Garten. Er schrie Doras Namen, wieder und wieder. Es kam keine Antwort. Stolpernd irrte er durch den verwüsteten Garten. Feuerwehren und Ambulanzen waren eingetroffen. Uniformierte und Ärzte rannten an ihm vorbei. Er bemerkte es nicht. O Gott, dachte er, laß sie am Leben sein! Nur bewußtlos. Bitte, lieber Gott, bitte! Dann fiel er über sie. Dora lag am Rande eines Bombenkraters, und nur noch Fetzen ihrer Kleidung bedeckten den schönen Körper, der nun eine einzige blutige Masse war. Ross richtete sich auf. Dann fuhr er vor Entsetzen zusammen. Doras Mund und Augen standen weit offen. Über das rechte Auge eilte geschäftig eine Ameise.

Olivera schwieg. Er saß zusammengesunken da und starrte in den dunklen Park.

Mercedes und Ross tauschten Blicke.

Olivera sagte: »Ich habe sie begraben. Auf dem Friedhof Schmargendorf. Ihre Eltern konnten nicht aus Hamburg kommen. Die Bahnlinie war zerbombt. Es gab keinen Priester. Nur die Totengräber. Als sie das Grab zuschaufelten, kam der tägliche amerikanische Angriff. Wir suchten unter den Marmorplatten eines großen, unerhört kitschigen Mausoleums Schutz. Viele

Bomben fielen auf den Friedhof und wühlten die alten Gräber auf. Dieses Mausoleum rettete uns das Leben. Als der Angriff vorüber war, hingen halbe Skelette mit grinsenden Totenschädeln in den Ästen der Bäume. Ich…« Er brach ab, denn ein Volkswagen näherte sich auf der Anfahrt dem Haus. »Miguel!« rief Olivera. Der Wagen hielt. Miguel Morales stieg aus und kam zum Pool. Er machte einen verlegenen Eindruck.

»Was ist los mit dir, Junge? Wieso kommst du zurück?«

Miguel schwieg und sah auf seine Schuhe.

»Ist dir nicht gut?«

»Doch, Señor.«

»Also, was dann?«

»Ich habe Streit gehabt, Señor«, sagte Miguel und sah Olivera offen in die Augen. »Mit meinem Mädchen.«

»Mit der neuen? Der mit dem goldenen Haar?«

»Mit Maria Perichole. Ja, Señor. Da war ein anderer. Sie hat geflirtet. Dauernd haben sie miteinander gelacht und geflüstert. Ich habe sie zur Rede gestellt. Schließlich ist sie mit dem anderen Jungen weggegangen.«

»Sie hat dich verlassen?« Olivera staunte.

»Ja, Señor.«

»Also, das ist dir sicher noch nie im Leben passiert, wie?«

»Nein, Señor. Ich war so wütend, daß ich… daß ich gedacht habe, es ist besser, ich fahre zurück, bevor ich noch was anstelle.«

»Sehr vernünftig von dir«, lobte ihn Olivera. »Und jetzt bleibst du da?«

»Ja, Señor. Ich werde schlafen gehen. Ich habe mich schon wieder beruhigt.«

»Wirklich?«

»Wirklich, Señor.« Miguel lächelte und verneigte sich. »Gute Nacht, Señorita, gute Nacht, Señores!« Er ging zum Wagen und fuhr ihn hinter das Haus. Von dort betrat er es offenbar auch, denn er kam nicht mehr nach vorne.

Olivera, der ihm nachgesehen hatte, wandte sich um. Er erschrak. Ross saß schief in dem Korbstuhl, er stützte die Stirn mit einer Hand. Er hatte sich mit größter Anstrengung beherrscht – Mercedes hatte es voll Besorgnis verfolgt –, aber jetzt ging es einfach nicht mehr. Die Angst. Die unwirkliche Angst, sie schnürte seinen Brustkorb ab, sie saß ihm in der Kehle, sie kroch durch sein Gehirn.

»Was ist los mit dir, Daniel?«

»Nichts«, sagte Ross mühsam. »Wirklich nichts. Die Hitze. Und ich habe mich natürlich sehr aufgeregt. Ich... mir ist schwindlig... Kopfweh...« Olivera wußte nicht, welche Mühe ihn jedes Wort kostete. Mercedes wußte es, sie hatte das schon einmal mit Ross erlebt.

»Wollen Sie sich ein paar Minuten hinlegen, Daniel?« fragte sie.

»Ja, ich glaube, das wäre das beste.«

»Wenn es zuviel für dich wird, Sohn, können wir auch schlafen gehen. Es ist allerdings erst elf Uhr.«

»Nein, nicht schlafen! Du mußt weitererzählen! Unbedingt. Nur eine Viertelstunde, eine halbe Stunde, dann geht es mir wieder gut!« Ross stand auf. Er taumelte. Mercedes stützte ihn schnell.

»In die Bibliothek«, sagte sie. »Da ist es kühl. Wollen Sie sich in der Bibliothek hinlegen? Auf das Sofa vor dem Kamin? Wir sind ja ganz in der Nähe. Sie brauchen nur zu rufen...«

»Ja, das ist eine gute Idee.« Ross nickte.

»Geht einem an die Nieren, das alles, ja«, sagte Olivera. »Mir auch.« Er goß sein Glas voll und trank. »Eine verfluchte Geschichte. Ich kann ebenfalls eine Pause brauchen. Gute Besserung, Daniel!«

»Danke.«

Olivera ahnte nicht, wie schwer Ross sich beim Gehen auf Mercedes stützte. Der Boden schwankte unter ihm. Alles drehte sich. Er stöhnte.

»Armer Daniel... Ich werde beten... Ich habe es schon die ganze Zeit getan... Ich habe gesehen, was mit Ihnen los ist... Aber Ihre Freundin Sibylle und dieser Doktor Reinstein sagten doch, Sie halten bestimmt durch.«

»Tu ich auch, Mercedes.« Sie erreichten das Haus, gleich darauf die Bibliothek. Mercedes führte Ross zum Sofa. Hier drinnen war es wirklich angenehm, während es im Park in dieser heißesten Zeit des Jahres selbst nachts nicht kühler würde. Ross streifte die Slipper von den Füßen und legte die Beine hoch. Mercedes schob ein Kissen unter seinen Kopf und öffnete sein Hemd.

»Doktor Reinstein hat mir Tropfen mitgegeben«, sagte Ross. »Sie erinnern sich, Sibylle hat es vorgeschlagen für den Fall, daß mir *sehr* mies ist. Das Fläschchen liegt in meinem Waschbeutel im Badezimmer. Würden Sie es bitte holen, Mercedes? Und ein Glas Wasser. Mit den Tropfen geht es ganz bestimmt wieder.«

»Sofort, Daniel.« Sie eilte fort.

Er fühlte die Luftblase, die es nicht gab, in seiner Brust klopfen. Du mußt auf den Beinen bleiben, sagte er zu sich. Noch zwei, drei Tage mußt du auf den Beinen bleiben. Du mußt einfach. Du mußt diese Story haben...

Mercedes kam zurück. Sie brachte das Fläschchen und ein Glas, halb voll mit Wasser.

»Wie viele Tropfen?«

»Zehn bis fünfzehn, hat Doktor Reinstein gesagt. Geben Sie mir zwanzig, bitte.«

Im Licht der beiden Lüster ließ Mercedes die Tropfen ins Wasser fallen. Er trank das Glas leer und verzog das Gesicht.

»Danke«, sagte er.

Sie kniete neben ihm. Ihr Gesicht war dem seinen ganz nahe. Er roch wieder den süßen Duft ihrer Haut und ihres Parfums. Sie streichelte seine Wangen, sie strich über sein Haar. Riesengroß waren ihre hellblauen Augen plötzlich.

»Danny«, flüsterte sie. »Bitte, lieber Danny, halte durch! Ich darf doch du und Danny zu dir sagen?«

»Natürlich.«

Sie lächelte. »Du bist so nett, Danny.«

»Du auch, Mercedes.«

Plötzlich preßte sie ihre Lippen auf die seinen und ihre Brüste an seinen entblößten Oberkörper. Er erwiderte den Kuß leidenschaftlich, und vor der Seligkeit dieses Augenblicks wichen Angst und Schwäche zurück wie durch ein Wunder. Ein Wunder, dachte er.

Jäh löste sie sich von ihm.

»Es wird dir nichts geschehen, solange ich da bin«, sagte sie.

»Solange du da bist«, wiederholte er.

Sie strich ihm noch einmal über die Stirn. »Willst du das Licht?«

»Nein, bitte nicht.«

Sie knipste die Lichter aus und ging zu einem der großen französischen Fenster, um es zu öffnen.

»Ich lasse einen Flügel weit auf«, sagte sie. »Und ich komme gleich wieder und schaue nach dir. Ich will nur nicht, daß Vater unruhig wird und einen Arzt ruft.«

»Nein«, sagte er. »Keinen Arzt! Das Letzte, was ich jetzt brauchen kann.«

»Bis gleich, Danny!«

»Danke, Mercedes.«

Er hörte, wie sich ihre Schritte über den Kies entfernten. Dann hatte sie den Rasen erreicht, der jedes Geräusch verschluckte. Ross lag reglos auf dem Rücken. Da war noch immer ihr Duft. Er atmete tief. Er schloß die Augen. Und wenn es Liebe wird? dachte er. Eine Liebe nach so vielen Jahren? Eine Liebe wie die, die ich mit Sibylle hatte? Damals habe ich mir geschworen, daß mir das nie wieder passieren soll. Niemals wieder. Ja, dachte er, aber jetzt...

Ganz leise und langsam öffnete sich die Tür.

Ross bewegte sich nicht.

Ein Schatten glitt in den Raum.

Miguel! Ross richtete sich auf.

Der Junge erstarrte. Er war zu Tode erschrocken. Aus, dachte er. Alles aus!

»Miguel«, sagte Ross verblüfft.

»Si, Señor...« Miguels Stimme kam flüsternd.

»What are you doing here?« Vielleicht versteht er etwas Englisch, dachte Ross.

»I look after you, Sir.« Miguel hatte den Schock überwunden. »You sick, Sir?«

»No, just a little tired.«

»Can I do something for you?« Miguel kam heran. Er verneigte sich tief, wie er es immer tat.

»No, thank you, Miguel. It's allright.«

»As you wish, Sir. Always at your service.« Wieder eine Verneigung. Miguel ging ein paar Schritte zurück, dann bückte er sich entschlossen, tastete die Unterseite der Marmorplatte des niedrigen Tisches ab, fand die Wanze und riß sie ab. Er huschte zur Tür.

»Good bye, Sir!«

»Bye!« sagte Ross.

Und es wird Liebe werden. Bei so viel Haß muß es auch Liebe geben, dachte er und fühlte, wie er immer benommener wurde. Komm zurück, Liebe, dachte er. Gleich darauf war er eingeschlafen.

27

Er träumte von der roten Rose, die er gesehen hatte, als er zwischen Tod und Leben schwebte. Dann fühlte er, daß ihn jemand beobachtete. Ganz schnell kam er zu sich und schlug die Augen auf. Neben ihm kniete Mercedes. Sie lächelte.

»Hallo, Danny«, sagte sie leise und streichelte seine Hand.

»Hallo«, sagte er und dachte an die rote Rose zwischen Tod und Leben. Mercedes ist das Leben, dachte er. Das schöne Leben. Das Leben kann vielleicht schön sein wie der Tod. Warum nicht? »Habe ich lange geschlafen?«

»Keine zwanzig Minuten. Ich habe dreimal nach dir gesehen. Wie fühlst du dich?«

»Fabelhaft«, sagte er, und es war die Wahrheit, erkannte er staunend. »Komm her!«

Er legte die Arme um sie und küßte sie wieder. Ihre Lippen öffneten sich sofort.

»Liebling«, sagte sie. »Liebling. Wir werden ein schönes Leben haben, wenn das erst alles vorbei ist.«

»Ja«, sagte Daniel. »Wenn alles vorbei ist.«

»Glaubst du, du kannst wieder aufstehen und zu Vater kommen?«

»Ich denke schon.« Er erhob sich. »Alles in Ordnung.«

»Diese Tropfen sind prima«, sagte Mercedes.

»Deine Gebete auch«, sagte Daniel.

28

»Zu spät«, sagte Dr. Joseph Goebbels. Er wanderte wieder hin und her, diesmal über den Teppich seines Arbeitszimmers im Reichspropagandaministerium am Wilhelmsplatz acht bis neun. Er brauchte Bewegung, wenn er aufgeregt war, der kleine Mann. »Viel zu spät«, sagte er.

»Warum?« fragte Ribbentrop.

»Der Zeitpunkt ist vorbei«, sagte Goebbels. »Die Anglo-Amerikaner vor Paris. Im Osten gehen wir zurück und zurück. Die Russen vor Warschau, in den Karpaten. Werden in den nächsten Tagen in Rumänien einfallen, ebenso in Bulgarien. Minsk, Wilna, Grodno, Lublin in den Händen der Bolschewiken. Lemberg gefallen. Die Rigaer Bucht von der Roten Armee erreicht und damit die ganze Heeresgruppe Nord abgeschnitten. Der Führer sagt, es wird notwendig sein, schnellstens Griechenland, Albanien und Montenegro zu räumen.«

»Wann hat er das gesagt?« fragte Himmler aufgebracht.

»Gestern.« Goebbels blieb stehen und sah ihn voll Verachtung an. »Mir.«

»Seit wann bespricht er militärische Operationen mit Ihnen?« Himmler regte sich auf. »*Ich* bin sein Mann! *Mich* hat er nach dem Attentat zum Oberbefehlshaber des Ersatzheeres bestimmt.«

»Und ich habe das Vergnügen, morgen im Sportpalast zum zweitenmal den ›totalen Krieg‹ zu proklamieren. Alle Pläne sind ausgearbeitet, um binnen kürzester Zeit sämtliche waffenfähige Männer zwischen sechzehn und sechzig zum ›Deutschen Volkssturm‹ einzuberufen.«

»Zum was?« fragte Himmler.

»Zum ›Deutschen Volkssturm‹«, sagte Goebbels, weiterhumpelnd, die Hände auf dem Rücken. »Klingt gut, wie? Von mir. Ich schenke es Ihnen. Unsere Städte versinken in Schutt und Asche. Und da denken die Herren, daß es noch möglich sein könnte, den Teheran-Film einzusetzen? Das denken die Herren im Ernst? Tatsächlich?« Er lachte kurz und böse.

»Er würde immer noch seine Wirkung tun«, sagte Himmler wütend.

Goebbels blieb wieder stehen.

»Einen Dreck würde er tun, Reichsführer«, sagte er sehr leise und sehr akzentuiert. »Einen Scheißdreck würde er tun. Die Lage hat sich leider ungeheuer zu unseren Ungunsten verändert in den letzten paar Monaten. Ich habe es vorausgesehen. Damals im März, als Ross mit dem Film auftauchte, habe ich gesagt, wir müßten ihn schnellstens, in größter Eile und kürzester Zeit überall einsetzen. Sie erinnern sich vielleicht gütigst an meine Worte. Pech, daß es so lange dauerte, bis wir den Film wieder hatten. Wir sind eben nicht mit Glück und Erfolg gesegnet – im Moment«, fügte er hinzu, nach bewährter Art das Steuer herumreißend. »Wir werden es wieder sein! Wir werden siegen – zuletzt. Klar. Natürlich. Warum? Weil wir siegen müssen.«

Die anderen Männer im Raum – auch Ross – nickten ernst. Ach, ihr Idioten, dachte der kleine Mann.

»Dann«, sagte er, »wenn wir gesiegt haben, werden wir den Film zeigen. Überall. In der ganzen Welt. Sozusagen als Krönung unseres Sieges. Wenn wir es jetzt täten, wir träfen auf Hohn und Gelächter. In dieser Situation, in der wir von den wie nie einigen Alliierten an allen Fronten geschlagen werden – seien Sie ruhig, Himmler! Wir sind hier unter uns, da darf ich vielleicht noch die Wahrheit sagen. Sie können dem Führer ja sofort hinterbringen, was meine Ansicht ist! –, in dieser Situation dürfen wir einfach nicht mehr behaupten, daß der Film echt ist. Und wenn es hundertmal stimmt. Die Wahrheit würde niemals geglaubt werden. Nirgends. Von niemandem. Es gibt Zeiten, in denen kann man jede Lüge riskieren und jede Wahrheit. Und beide werden geglaubt. Und dann gibt es Zeiten, in denen werden sie nicht geglaubt, die Lüge nicht und nicht die Wahrheit. Lachkrämpfe würden Stalin und Roosevelt kriegen, wenn wir jetzt mit diesem Film herausrückten. Und nicht nur sie. Alle, die ihn sehen. Mörderische Lachkrämpfe, meine lieben Parteigenossen!«

Er redete jetzt wieder schneller.

»Sie pfeifen aus dem letzten Loch, die Nazis, würden alle sagen. Sie sind erledigt, geschlagen, kaputt. Und da servieren sie uns diesen dämlichen Lügenfilm, diese kindische Fälschung! Nein, meine Herren, glauben Sie mir, wir dürfen den Film nicht zeigen! Vor allem nicht in Deutschland. Auf keinen Fall in Deutschland. Die Folgen wären unabsehbar. Später, nach dem Endsieg: überall! *Jetzt nicht*!«

Das Telefon auf seinem Schreibtisch schrillte. Er hob ab.

»Ja«, sagte er. »Ja, danke.« Er legte auf. »Befehlsstand des Gauleiters. Schwere amerikanische Kampfverbände im Anflug auf die Reichshauptstadt. In zehn Minuten wird Alarm gegeben. Sie sind herzlich eingeladen, in meinen Keller zu kommen. Er ist sicher.«

Die Männer erhoben sich.

»Diese verfluchte Mörderbrut«, sagte Himmler.

»Wer?« Goebbels sah ihn an. »Ach so«, sagte er dann, »ja, ja, natürlich.« Er räumte Papiere und Akten, die auf dem Schreibtisch lagen, in eine große Ledertasche, um sie mit in den Bunker zu nehmen.

Himmler und Ribbentrop eilten schon voraus.

Goebbels sah ihnen nach. »Die Hosen voll Mut«, sagte der kleine Mann. Er fragte Ross: »Was machen Sie noch hier?«

»Ich warte auf Sie, Herr Minister.«

»Danke.«

Ross trug einen schwarzen Anzug und eine schwarze Krawatte. Es war verboten, Trauerkleidung zu tragen, aber er scherte sich nicht darum. Er scherte sich im Augenblick um gar nichts. Ihm war alles egal. Ob er nun in den Keller ging oder hier oben blieb. Ob er weiterlebte, ob er von Bomben erschlagen wurde. Egal. Ganz egal.

»Sie haben einen furchtbaren Verlust erlitten«, sagte Goebbels, immer noch mit Akten beschäftigt. »Ich weiß. Sie haben Fräulein Holm sehr geliebt, das weiß ich auch. Mein aufrichtiges Beileid!«

Ross nickte und schwieg.

»Haben Sie schon eine neue Bleibe?«

»Ich wohne bei einem Freund.«

»Wenn ich Ihnen irgendwie helfen kann…«

»Vielen Dank! Aber ich habe alles.«

»Ihnen kann keiner helfen.« Goebbels nickte.

»Nein.« sagte Ross. »Keiner. Erlauben Sie, daß ich die Tasche trage, Herr Minister!«

Sie gingen zur Tür.

»Haben Sie heute nachmittag viel zu tun?« fragte Goebbels.

»Ja. Nein. Warum fragen Sie?«

»Ich muß Sie noch einmal sprechen. Ich konnte hier nicht alles sagen vor diesen… Herren. Später werde ich es sagen müssen. Aber noch nicht jetzt. Nur mit Ihnen möchte ich gleich sprechen. Können Sie zu mir kommen am Nachmittag?«

»Selbstverständlich, Herr Minister.«

»Sagen wir um fünf?«

»Um fünf, in Ordnung.«

Die Sirenen begannen zu heulen.

29

Ein Telefongespräch.

»Ja, hallo?«

»Sind Sie das, Cristobal?«

»Wer ist dort?«

»Franco. Ablösung von Roberto und Esteban. Emilio ist jetzt mit mir zusammen.«

»Was gibt es? Ist dieser Miguel Morales zurück zu Olivera gefahren?«

»Ja. Und hinter ihm der Ford mit den zwei Typen. Miguel ist vorn rein, beim Haupteingang. Der Ford ist in die Straße hinter Cespedes gefahren. Zabala heißt sie. Bis dorthin reicht Oliveras Park. Da hat der Ford gewartet, bei der großen Kirche.«

»Und?«

»Etwa nach fünfzehn Minuten ist Morales da über die Mauer geklettert. Die Typen haben ihm geholfen. Er hatte eine schwarze Reisetasche und einen Koffer. Sie sind mit ihm zum Retiro gefahren.«

»Wohin?«

»Zum Hauptbahnhof. Sie haben eine Karte nach Tucuman gekauft. Für den Zug um null Uhr fünfzehn.«

»Tucuman? Das ist doch ganz im Norden oben! Da fährt er zwanzig Stunden.«

»Zweiundzwanzig. Es scheint, sie wollen ihn so weit wie möglich von hier wegbringen. Aber wer will das, Cristobal? *Wer?*«

»Idiot! Er hat Olivera abgehört, richtig? Hat die Kassetten in einem Schließfach deponiert. Sicher nicht zum erstenmal. Nur daß er von Roberto und Esteban heute erwischt wurde dabei. Als seine Auftraggeber von ihren Leuten erfuhren, daß die Kassetten weg sind, mußten die ganze Abhöreinrichtung und Miguel verschwinden. Bevor Olivera etwas merkte. Die Kassetten haben jetzt wir.«

»Aber wir haben ihn doch nicht abhören lassen!«

»Madonna! Nein, das waren nicht wir. Das waren andere, die Angst haben, daß das herauskommt.«

»Was für andere, Cristobal?«

»Das werden wir wissen, wenn wir wissen, was auf den Kassetten gesprochen wird. Und wer da außer Olivera spricht. Null Uhr zwanzig. Der Zug nach Tucuman ist also schon fort.«

»Ja. Mit Morales. Wir haben aufgepaßt bis zuletzt. Was jetzt?«

»Ihr fahrt zurück nach Cespedes. Ich glaube nicht, daß da heute nacht noch jemand das Haus verläßt. Aber für alle Fälle. Um sieben Uhr werdet ihr abgelöst.«

30

»Der Angriff dauerte bis halb drei«, sagte Olivera am nächtlichen Swimmingpool. »Galt dem Zentrum. Als wir endlich bei der Entwarnung nach oben kletterten, war es Nacht, obwohl die Sonne schien. Dicker schwarzer Rauch von brennenden Gebäuden lag über der Stadt. Ich ging in mein Büro im Auswärtigen Amt. Nur katastrophale Funkmeldungen von überall her. Sehr deprimierend. Goebbels hatte recht gehabt. Der Film war nicht mehr zu zeigen.« Er lachte kurz. »Erst nach dem Endsieg! Um fünf war ich dann wieder im Propagandaministerium...«

Goebbels empfing Ross sofort. Sie nahmen in einem kleinen Salon Platz. Im Arbeitszimmer des Ministers waren wieder einmal alle Fensterscheiben zu Bruch gegangen. Das elektrische Licht brannte, denn immer noch machte der schwere Rauch den Tag zur Nacht. Von Zeit zu Zeit hörte man Zeitbomben explodieren, die Martinshörner der Feuerwehr, das Gejaule der Ambulanzsirenen. Goebbels war bleich. Er holte eine Flasche französischen Cognac und zwei Gläser aus einem Schrank. Sie setzten sich an einen kleinen runden Tisch nahe einem Fenster und tranken.
»Wie lange kennen wir uns, Ross?«
»Seit ich im Dienst bin, Herr Minister. Seit neunundreißig. Fünf Jahre. Nicht ganz.«
»Ich habe immer Ihre Arbeit bewundert. Und Ihren fanatischen Glauben an den Führer, die Bewegung, die nationalsozialistische Weltanschauung. Ich könnte nicht gläubiger sein. Sie sind gebildet. Sie haben bei aller begeisterten Hingabe an unsere Sache die Fähigkeit, Ereignisse streng logisch, wissenschaftlich möchte ich sagen, zu bewerten. Müssen Sie haben, diese Fähigkeit, in Ihrer Position. Ich muß sie ebenfalls haben, in meiner.« Er nahm einen Schluck. »Wir werden kämpfen, wie noch nie ein Volk gekämpft hat. Die Wunderwaffen müssen alles schlagartig zu unseren Gunsten wenden – wenn sie rechtzeitig fertig werden. Wird das der Fall sein? Niemand weiß es. Es wird furchtbar werden, was jetzt kommt, Ross, das wissen Sie. Sie können vollkommen offen reden. Das bleibt ein Gespräch unter vier Augen. Ich muß einmal mit jemandem so reden können. Über *Fakten*, Ross! Fakten sind Ihr Beruf. Darum ist meine Wahl auf

Sie gefallen. Und weil ich Vertrauen zu Ihnen habe. Zu Ihrer Besessenheit. Und zu Ihrer kühlen, analytischen Art des Denkens.«

»Ich verstehe nicht...«, begann Ross, aber Goebbels winkte ab.

»Warten Sie, mein Lieber. Wir werden kämpfen, ja. Und wenn es sein muß, werden wir sterben. Sie wissen wie ich, Ross: Die Idee stirbt nicht mit uns. Die Idee lebt weiter. Selbst wenn wir in diesem Ringen untergehen sollten – ich spreche so zu Ihnen, weil Sie es von Ihrem Beruf her gewöhnt sind, emotionslos und kühl alle Möglichkeiten einzukalkulieren, und ich verpflichte Sie natürlich, das ist eine Selbstverständlichkeit, vor keinem Menschen über dieses Gespräch ein Wort zu verlieren –, selbst wenn wir also untergehen sollten, wird die Idee in Millionen Gehirnen weiterleben. Habe ich recht?«

»Vollkommen, Herr Minister«, sagte Ross. »Man bedenke, wie lange es dauerte und welche Ströme von Blut fließen mußten, bis sich das Christentum, diese Lehre der Barmherzigkeit, durchgesetzt hat.«

»Ausgezeichnet«, sagte der kleine, bei den Jesuiten erzogene Goebbels. »Wir sprechen dieselbe Sprache. Sollten wir also unter der Übermacht der Feinde zusammenbrechen, sollten wir – scheinbar – untergehen, dann ist das nichts als ein vorüberziehender Schwächeanfall. Die ersten Christen zahlten auch mit ihrem Leben. In Wahrheit wird unser Untergang die Geburtsstunde des universellen Nationalsozialismus sein. In my end is my beginning.«

»Der Wahlspruch der Tudors.«

»Ach, tut es wohl, mit einem gebildeten Menschen zu sprechen!« Goebbels seufzte. »Zunächst – in den ersten Jahren – werden die Sieger dann allmächtig und jeder Widerstand gegen sie sinnlos sein. Oh, aber jene, die überleben, können warten! Warten auf ihre Stunde. Und diese Stunde, sie wird gekommen sein, wenn einer nun doppelt geknechteten Menschheit glasklar geworden ist, was zwei Verbrecherstaaten mit ihr gemacht haben. Die Welt haben sie unter sich aufgeteilt! Jeder kann in seiner Hälfte Ungeheuerlichkeiten begehen an wehrlosen Völkern, sooft und soviel er Lust hat. Die Völker unter amerikanischer Knute. Mehr noch die Völker unter bolschewistischer Knute. Man wird sie ausbeuten. Man wird sie wie Tiere behandeln. Schlimmer als Tiere. Sie alle, die vielen Völker in Ost und

West, werden Kulis sein, die ihre Freiheit verloren haben. Zwei gewaltigen Diktatoren sind sie ausgeliefert – hilflos, rechtlos.« Goebbels war jetzt sehr erregt.

»Dann erst, mein lieber Ross, dann erst, wenn sich unter den Völkern der Welt ungeheuerer Haß, ungeheuerer Zorn und ungeheuere Ohnmacht angesammelt haben, *dann erst* muß man ihnen den Film aus Teheran vorführen! Um ihnen diese beiden monströsen Gangster in ihrer ganzen Gemeinheit und Brutalität vorzuführen. Den Menschen unseres geliebten Vaterlands, das dann zerrissen sein wird und geteilt – wie das Protokoll es vorsieht –, muß man den Film zuerst zeigen! Wie wird die Wirkung auf deutsche Menschen sein, wenn sie sehen und lesen, was man längst vorhatte mit ihnen, neunzehnhundertdreiundvierzig schon? Wie wird die Wirkung auf alle anderen zerrissenen, geteilten, unterdrückten Völker sein?«

Goebbels holte tief Atem.

»*Dann*, Ross, *dann* wird jeder, auch der letzte, erkennen, daß wir Nationalsozialisten die einsamen Kämpfer gegen die Schurken in Washington und Moskau gewesen sind. Dann wird jeder, auch der letzte, erschüttert begreifen, mit welchem in der Geschichte einmaligen Heldenmut wir versucht haben, ein in der Geschichte einmaliges Verbrechen zu verhindern. Begreifen wird jeder, daß wir unbedingt tun mußten, was wir taten, alles, alles, auch das, was gleich nach unserem scheinbaren Untergang als bestialische Vergehen gegen die Menschheit hingestellt werden wird. *Dann* wird der letzte sehen, wer das bestialische Verbrechen begangen hat, das wir voraussahen und verhindern wollten bis zur Dreingabe unseres Lebens. Nicht nur das Abendland, nein, die Welt wollten wir befreien für immer von diesen der Hölle entsprungenen, skrupellosen Kreaturen. Deutschland wird ein heiliges Wort werden. Der Führer, seine Gefolgsleute, die deutschen Soldaten, das deutsche Volk überhaupt, sie werden in die Geschichte eingehen als Synonyme für Ehre, Tapferkeit und Heldenmut. Und der Nationalsozialismus wird dann vor den Augen der armen Menschen in der zweigeteilten Welt dastehen als die größte Lehre des Heils, die es je gegeben hat. Die Welt wird erfaßt werden von einem Sturmwind des Zorns, der jene Kreaturen und ihre Speichellecker wegfegt. Der Nationalsozialismus wird nicht nur rehabilitiert sein, sondern seinen Siegeszug rund um den Erdball antreten – und diese Erde wird nationalsozialistisch sein!«

Goebbels schwieg, schwer atmend.

»Die ganze Erde – nationalsozialistisch. Bei Gott, Sie haben recht«, flüsterte Ross fasziniert.

»So wird unser Sieg aussehen. Muß unser Sieg aussehen. Der Nationalsozialismus wird leben, und wenn wir alle sterben müssen. Dadurch erst wird er die neue Weltreligion werden. Durch unser Blutopfer – und durch diesen Film. Einer der Tapfersten, einer der Zuverlässigsten muß diesen Film darum hüten wie den Heiligen Gral. Im tiefsten Bunker geschützt muß der Film bleiben, damit er ihn herzeigen kann, wenn die Vorsehung uns gnädig ist und wir *trotz allem* noch siegen. Wenn absolut feststeht, ohne jeden Zweifel, daß es uns bestimmt ist, das größte Opfer zu bringen, das Menschen bringen können, wenn feststeht, daß der Krieg verloren ist, dann muß dieser eine mit dem Film Deutschland verlassen. Er muß sich in ein weit entferntes Land zurückziehen. Er muß dieser wahrhaft übermenschlichen Mission, den Nationalsozialismus über die ganze Erde zu verbreiten, sein Leben weihen.«

Goebbels war aufgestanden. Er wanderte hin und her. Draußen wurde die Finsternis immer wieder schmutzigrot erhellt von Bränden, die in der Umgebung wüteten. Auch Ross erhob sich, ohne es zu bemerken. Seine Augen betrachteten Goebbels, als sei er hypnotisiert. »Dieser Mann muß warten können – viele Jahre vielleicht. Bis die Zeit reif ist. Bis er von unseren Kämpfern, die dann in den Untergrund gegangen sind, den Auftrag erhält, mit dem Film vor die Öffentlichkeit zu treten! Eine ungeheure geschichtliche Verantwortung lastet auf ihm, nicht wahr?«

»Ja«, sagte Ross atemlos.

»Und nun frage ich Sie, mein Lieber, der Sie eben so Furchtbares durchmachen, der Sie die Frau verloren haben, der Ihre ganze Liebe galt: *Wollen Sie dieser Mann sein?*«

»Ich will dieser Mann sein«, sagte Ross.

Es war lange Zeit still am Pool.

Endlich sagte Mercedes: »Das absolut Böse – nun wird es vielleicht zum absolut Guten werden.«

»Hoffentlich«, sagte Olivera.

»Moment mal!« mischte sich Daniel ein. »Noch sind wir nicht so weit. Noch habe ich ein paar Fragen. Wie bist du herübergekommen! Wann? Und wieso, verflucht, hat sie von fünfundvierzig bis heute gedauert, deine Wandlung? Was ist in den neununddreißig Jahren dazwischen passiert? Warum hast du den Film nicht *vor* deiner Wandlung der Öffentlichkeit zugänglich gemacht – und damit die ganze Welt zu einem einzigen KZ?«

»Ich erzähle es dir, Daniel«, sagte Olivera. »Alles erzähle ich dir.«

ZWEITES BUCH

I

»Also die drei als Leichen – und alle Videofilme, die es gibt.«

»So ist es, Mister Hyde. Und schnell. So schnell wie möglich.«

»Die drei sind kein Problem, Mister Morley. Die Videofilme schon. Weil man von den Kopien Kopien ziehen kann, so viel man Lust hat.«

»Unsere Hoffnung geht dahin, Mister Hyde, daß niemand mehr so recht Lust haben wird, sobald es Tote gibt.«

»Gewiß, Mister Morley. Aber ganz beruhigt können Ihre Herren erst sein, wenn sie *alle* Kopien besitzen.«

»Natürlich. Lassen Sie mich im übrigen darauf hinweisen, daß Sie sehr wahrscheinlich gezwungen sein werden, mehr als drei Menschen zu… hrm… eliminieren.«

Dieses Gespräch fand am Nachmittag des 20. Februar 1984, einem Montag, drei Tage, nachdem Daniel Ross in Buenos Aires mit vierzigjähriger Verspätung seinen Vater wiedergesehen hatte, im Büro eines Hauses an der Chancery Lane nahe dem Zeitungsviertel Fleet Street in London statt. Nur eine Häuserzeile weiter westlich erhob sich der mächtige, vieltürmige Bau der Royal Courts of Justice. Es schneite in London, und es war sehr kalt. Etwa drei Stunden zuvor, um 14 Uhr 30, war planmäßig die Maschine der PAN AMERICAN WORLD AIRWAYS, Flug 856, aus Chicago auf dem Flughafen Heathrow gelandet. Draußen vor der Stadt verursachte der schwere Schneefall große Behinderungen. Räumfahrzeuge mühten sich in ständigem Einsatz, die Rollbahnen des Flughafens frei zu halten, und auf der Autobahn nach London war es schon zu zahlreichen Zusammenstößen gekommen. Der Schnee fiel auf Eis, das harte Winterwetter dauerte schon viele Wochen an.

Unter den Passagieren der Maschine befand sich ein großer, hagerer Mann mit einem von Sonne und Regen, Wind und Wetter gegerbten Gesicht, sehr hellen Augen und kurzgeschnittenem blondem Haar. Er trug einen pelzgefütterten Dufflecoat. Bei der Einreisekontrolle für Ausländer zeigte der Mann dem Beamten einen amerikanischen Paß. Diesem Paß, der natürlich gefälscht sein konnte, zufolge war der Reisende ein gewisser Wayne Hyde, geboren am 12. August 1948 in Chicago, Wohnort zur Zeit der Ausstellung des Passes gleichfalls Chicago, ledig.

Hyde trug zwei große Kleidersäcke – sie hatten ein Schottenmuster, waren von bester Qualität, aber, wie man sah, schon sehr langem und heftigem Gebrauch ausgesetzt – zu einem Taxi. Als der Chauffeur das Gepäck verstaut hatte, setzte Hyde sich in den Fond und nannte eine Nummer in der Chancery Lane. Danach lehnte er sich zurück, faltete die Hände und schloß die Augen. Inzwischen waren die Verhältnisse auf der Autobahn zur Stadt chaotisch geworden. Wegen der Zusammenstöße leiteten Polizisten den Verkehr immer wieder von einer Fahrbahn auf die andere. Das Taxi rutschte über Eisplatten. Der Fahrer des Wagens vor dem Taxi bremste jäh, es kam zu einem Beinahezusammenstoß.

Der Chauffeur fluchte.

»Lassen Sie das!« sagte Hyde mit geschlossenen Augen.

»Was ist los?«

»Fluchen Sie nicht! Ich mag das nicht.«

»Na, hören Sie mal! Haben Sie dieses dreckige Schwein gesehen? Wir wären ihm fast draufgebrummt.«

»Lassen Sie das!« sagte Hyde.

»Was denn?«

»Reden überhaupt. Schwer zu fahren. Ja. Na und? Ihr Beruf, nicht? Also seien Sie ruhig.«

»Ganz wie der Herr wünschen.« Der Taxichauffeur war beleidigt. Er bewegte die Lippen und verfluchte diese beschissenen Amerikaner, denn daß sein Fahrgast einer war, hatte er sogleich an dessen breitem Akzent erkannt.

Ein mieses Gesocks, die Amis, dachte der Chauffeur. Neue Raketen haben sie uns eben wieder beschert. Cruise Missiles und Pershings II, da in Greenham Common. War ich draußen, vorige Woche. Noch ein Haufen andere. Mindestens zweihundert. Hinter dem Stacheldrahtzaun amerikanische Soldaten. Haben ihr Maul aufgerissen und was von »yellow« gesagt. »Yellow« heißt soviel wie feig. Hat einer von uns die Hosen runtergelassen. Noch einer. Noch zehn. Eine Minute später haben die Amerikaner zweihundert nackte britische Ärsche gesehen. Na ja, weil's wahr ist! Wenn's losgeht, wer kriegt's aufs Haupt? Wir und die Deutschen. Die Deutschen sind mir egal. Aber die da drüben in Amerika, von denen hat ja noch kein einziger eine einzige Bombe fallen hören! Die wären nicht so forsch, wenn sie mitgemacht hätten, was London mitgemacht hat im »Blitz«. Fahr links, Trottel, links sollst du fahren! Herr Jesus! Jetzt dreht die Kutsche sich um sich selbst!

Der Taxichauffeur bewegte die Lippen, bis er sein Ziel erreicht hatte. Er fluchte die ganze Zeit – lautlos.

In der Chancery Lane stieg er aus, öffnete den Schlag, blieb stumm. Holte die beiden Kleidersäcke aus dem Kofferraum. Stumm. Dann nannte er den Fahrpreis. Hyde zahlte und ließ sich auf den Penny genau herausgeben, nahm die Säcke und trat zum Hauseingang, ohne zu grüßen. Der Chauffeur sah ihm nach, spuckte in den Schnee und setzte sich ans Steuer. Als er losfuhr, fluchte er wieder – jetzt laut.

Wayne Hyde stieg mit seinem Gepäck bis zum zweiten Stock des stillen, vornehmen Hauses. Licht brannte. Eine Messingtafel war an einer Tür befestigt:

ROGER MORLEY
SOLICITOR

Beratender Anwalt also. Keiner, der vor Gericht plädiert, dachte Hyde. Sonst wäre er ein Barrister-at-law. Bei uns drüben ein Attorney-at-law. Natürlich Solicitor! Habe ich doch in der Nase gehabt. Hier geht es um keine Sache, bei der ich Beweise fürs Gericht herbeischaffen oder verschwinden lassen soll.

Er klingelte. Es summte. Die Tür öffnete sich. Hyde trat ein. Die Kanzlei war sehr groß und altmodisch gediegen eingerichtet. Er mußte nur einen Moment warten, dann kam schon Roger Morley: klein, flink, mit rosigem Gesicht und Pausbacken, Spitzbauch und wirrem grauem Haar, rundem Mund, Mäusezähnchen, fröhlich und herzlich. Eine Dickens-Figur, dachte Hyde. Er kannte alles, was Dickens geschrieben hatte. Er kannte sehr viele Schriftsteller. Wayne Hyde las, wann immer er Zeit fand.

Morley begrüßte seinen Gast erfreut. »Wie schön, daß Sie da sind, Mister Hyde!« Er half ihm aus dem Dufflecoat. »Die Kleidertaschen lassen wir im Sekretariat. Bitte, folgen Sie mir!« Er ging in sein Büro voraus. Hyde sah hohe Mahagonipaneele, welche die halben Wände verdeckten, schöne alte Möbel, eine starke Lampe mit kunstvoll geblasenem, grünem Glasschirm auf dem Schreibtisch und Regale voller Bücher, die magisch leuchteten. Warm und sehr still war es in Roger Morleys Büro. Auf dem großen, geschnitzten Schreibtisch lagen Fotos, Magazine und ein kleiner Recorder.

»Was trinken Sie, Mister Hyde? Whisky? Cognac? Wodka?«
»Ich trinke nie Alkohol, Mister Morley.«

»Oh, wirklich? Das finde ich fabelhaft.« Der Anwalt rieb sich die rosigen Händchen. »Aber doch gewiß Tee?«

»Tee gerne.«

Morley blühte auf. »Ah, wunderbar! Welchen hätten Sie denn gerne?« Er öffnete die Tür zu einer winzigkleinen Küche. Über dem elektrischen Herd standen auf einem Bord verschiedenfarbige Blechdosen. »Wie wäre es mit einem ›Finest China Keemun‹, blumig-zart? Oder einen ›China Jasmin with Flowers‹, hell, erfüllt vom lieblichen Duft der Jasminblüten?« Er wies auf die bunten Dosen. »›Flowery Orange Tea‹? Eine chinesisch-indische Auslese mit dem Aroma reifer Orangen? Oh, oder hier: ›Assam Herrentee‹. Beste indische Provenienz, rassig-schwer. Vielleicht sollten Sie aber auch einen ›Special Earl Grey‹ versuchen – extravagante Mischung indisch-chinesischer Sorten mit dem besonderen Duft des Bergamotte-Öls? Oder, ach, einen ›Finest Highgrown Darjeeling‹! Man nennt ihn auch ›Flowery Orange Pekoe‹. Es handelt sich um ein Hochgewächs der Himalayasüdhänge mit ausgeprägtem Muskatel Flavour. Oder...«

»›Highgrown Darjeeling‹, Mister Morley, wenn ich bitten dürfte.«

Roger Morley schlug die rosigen Händchen gegeneinander. »Ausgezeichnet! ›Highgrown Darjeeling‹!« Er nahm eine der Büchsen vom Bord und öffnete sie. Während der folgenden Konversation bereitete Roger Morley, beratender Anwalt, den Tee mit jener Liebe, die den wahren Kenner erfüllt. Zuerst ließ er einen Kessel voll Wasser laufen und stellte ihn auf eine Herdplatte.

Der Mann namens Wayne Hyde, der ihm zusah, sagte: »Ich habe Ihren Brief und ein Flugticket erhalten. Es war natürlich nicht Ihr Brief. Es stand nur darin, daß Sie mich umgehend erwarteten. Der Brief kam von einer Fleischwarenfabrik in New York.«

»Sie sollen weder für diese Leute noch für mich arbeiten«, sagte der rosige Anwalt, während er papierdünne chinesische Porzellantassen, Untertassen, Löffel und ein Silbergefäß mit braunem Kandiszucker brachte. »Ich bin nur Mittelsmann.«

»Ich verstehe. Große Sache?«

»Sehr große Sache, Mister Hyde.«

»Hohe Kundschaft?«

»Die höchste, Mister Hyde.«

»Die Herrschaften wollen sich nicht selbst die Finger dreckig machen, wie?«

»Sie können es nicht, Mister Hyde. Sie können es nicht. Und niemand in ihren Diensten kann es. Sie werden das gleich verstehen. Was die Herren betrifft, so ist ihr Problem derart delikat, daß ihnen eigentlich niemand helfen kann als ein MERC. Der beste, der zu haben ist. Sie, Mister Hyde.«

»Woher wissen Sie, daß ich der beste bin?«

»Oh, man hat natürlich Erkundigungen über Sie eingezogen«, sagte Morley und brachte ein kleines silbernes Sieb auf Untersatz.

»Wer hat Erkundigungen über mich eingezogen, Mister Morley?«

»Nun, der amerikanische Geheimdienst…«

»Aha.«

»… und der sowjetische Geheimdienst.«

»Mhm.«

In der Kitchenette wärmte der Anwalt eine schöne, antike Silberkanne. Er lächelte Hyde zu. Roger Morley erinnerte an einen gesunden, glücklichen Säugling.

»Sie wissen, wie es ist, Mister Hyde. Man kann den Menschen nicht vertrauen, und wenn sie einem noch so hoch und heilig versprechen, andere umzubringen. Gewöhnliche Menschen, meine ich. Laien. Darum habe ich Sie hergebeten. Sie sind ein wahrhaft zuverlässiger Killer.«

»Das ist mein Beruf, Mister Morley«, sagte Hyde. »Das ist der Beruf eines MERC.«

»Ich bin stolz und glücklich, Ihnen begegnet zu sein, Mister Hyde.« Morley brachte eine Warmhalteplatte. »Wenn jemand diese gräßliche Geschichte wieder ins Lot bringen kann, dann sind Sie das. Habe ich gleich gesehen. Dem Himmel sei Dank! Wirklich, eine ganz schauderhafte Sache.« Er nahm eines der Magazine, die vor ihm lagen. Es waren dicke, geheftete Publikationen auf bestem Papier mit Farbfotos, zum großen Teil auch im Inneren, und sie erinnerten an Pornomagazine der teuren und exklusiven Art. Der schreiend rote Titel lautete MERCENARIES, der rote Untertitel THE JOURNAL OF PROFESSIONAL ADVENTURERS; zu deutsch: Das Journal der berufsmäßigen Abenteurer. Mercenaries ist das englische Wort für Söldner. Das Titelblatt des Heftes, das Morley in der Hand hielt, zeigte drei solche Söldner, schwer bewaffnet und mit Stahlhelmen, wie sie an Hakenleitern ein Gebäude entern, aus dessen Inneren die grausig-orangefarbenen Zungen von Flammenwerfern schießen.

Links gaben Schlagzeilen bunt gedruckt Auskunft über die Hauptthemen des Heftes: EXKLUSIV: UNSERE MÄNNER IN HONDURAS – ENDLICH: DIE SAS-STORY – DIE LEGION IN SYRIEN – KOREA WARTET AUF DEN NEUEN KRIEG – MERCS IM LIBANON – VIETNAM-CHARADE – WIR RÄUMEN IN ANGOLA AUF – FRANKREICHS MEISTER-MERCS – FERTIGMACHEN FÜR LIBYEN – NACHTATTACKE IN CUBA.

180 SEITEN! verkündete grellgelb das Titelblatt. Das Heft kostete drei Dollar, im Vereinigten Königreich ein Pfund fünfundsiebzig. Zum Bersten angefüllt waren dieses und die anderen Hefte mit den blutrünstigen Schilderungen von Söldnern im Einsatz an den verschiedensten Kriegsschauplätzen, ehren- und respektvollen Serien über besonders berühmte oder berüchtigte Söldner und mit genauen Lernanweisungen für die schnellsten, grausamsten und tollkühnsten Arten, Menschen zu töten. In anderen Artikeln benützten die Verfasser edelste Epitheta bei der hingerissenen Beschreibung neuer Waffen, darunter auch solcher, die jeder Privatmann sich leisten konnte (und sollte): phantastische Schnellfeuermaschinenpistolen, großkalibrige Neun-Millimeter-Pistolen, Handgranaten, Reizgasgeschosse und Kostbarkeiten wie die offiziell autorisierte Nachahmung des Stilettos der US Marine Raiders (geht durch Fleisch wie durch Sahne), begrenzte Anzahl weltweit zweieinhalbtausend Stück.

Das halbe Heft nahmen – zum Teil als grausige Meldungen getarnte – Inserate ein, in denen Söldner vieler Nationen nach eigenem Bekunden ihr Leben nur diesem Kampfhubschrauber, jenem Sturmpanzer oder gerade diesem Gewehr mit Nachtfernrohr verdankten. Viele Seiten sahen betont unauffällig aus. Söldner wurden hier von anonymen Interessenten gesucht, Söldner, die gerade beschäftigungslos waren, boten ihre Dienste an. Da konnte man zum Beispiel lesen:

SÖLDNER ZU MIETEN. *Für alles. Überall. Mord inbegriffen. Sie regen sich nicht auf, er begleicht die Rechnung. Arbeitet allein. In kürzester Zeit. Vertraulich. Hinterläßt keine Spuren. An:* SKIPPER, POSTFACH 546455, SURFSIDE, FLORIDA 33154.
Oder:
EX-MARINELEUTNANT. *Vietnamveteran, Fallschirmjäger, sucht Arbeit. Bietet Personen- und Objektschutz. Sicherheit. Schnellste Hilfe. Geheime Bergungsoperationen. An:* MALDONADO, POSTFACH 267, COLBY, KANSAS 67701.

Oder:

SUCHE JOB. *Südostasien-Veteran 66–70, mit internationalen Einsätzen und entsprechenden Erfahrungen. Für: Ausbildung, Geiselnahme, Kampfeinsatz und Kurierdienst. Ab sofort. An:* VGA, POSTFACH 309, SCHENECTADY, NY 12301.

Anwalt Morley hatte gefunden, was er suchte. Er sah sein Gegenüber an, lächelte sein Babylächeln und las laut vor: »NAM-VET für hochriskante Jobs. Arbeite für Regierungen, Einzelpersonen oder Organisationen. Einwandfreie Beseitigung von Gegenständen und/oder Individuen garantiert. Tue alles. Überall. Sie sagen, was Sie brauchen. Ich erledige es. Spreche fließend Deutsch, Spanisch und Französisch. Auch militärische und politische Probleme. An: COPLAND, POSTFACH 41051, CHICAGO, ILLINOIS 60641.«

In der Küche begann der Wasserkessel zu pfeifen. Morley erhob sich, eilte zum Herd und stellte den Kessel auf eine andere Platte. Dann nahm er mit einem kleinen Löffel mehrere Portionen des »Highgrown Darjeeling« aus der Büchse, warf die schwarzen Teeblätter in die aufgeheizte Silberkanne und füllte diese sowie eine größere deckellose mit dem kochenden Wasser. Dabei sagte er: »Copland – das sind Sie, Mister Hyde, NAM-VET, Vietnamveteran. Und auf Sie fiel schlußendlich unsere Wahl. Wir müssen ihn ein wenig ziehen lassen. Ich will Ihnen nicht verhehlen, daß wir noch ein paar Ihrer Kollegen unter die Lupe genommen haben. Sie hatten den bei weitem besten Record. Ausschlag gaben Ihre Sprachkenntnisse. Ich habe erfahren, an welchen Operationen Sie schon beteiligt waren. Ich gestehe, manches mußte ich zweimal lesen. Allein, was Sie in Beirut taten. Bei dem Massaker im Lager Chatilla. Daß Sie da lebend herausgekommen sind!«

»Glück«, sagte Hyde bescheiden. »Man nennt uns ja auch ›Glücksritter‹. Ja, da wir uns nun kennengelernt haben, Sir – womit kann ich dienen? Wer sind meine Auftraggeber? Ich habe das Gefühl, daß es sich um Regierungen handelt.«

»Ihr Gefühl ist völlig richtig, Mister Hyde. Es handelt sich um die Regierungen der beiden mächtigsten Staaten der Erde.«

»Von denen bekomme ich gemeinsam einen Auftrag, verstehe ich das richtig?«

»Vollkommen richtig, Mister Hyde. Gräßlich, dieser Schnee. Hören Sie, wie der Sturm heult! Sehen Sie bloß durchs Fenster!«

Es war längst finster draußen. Schauer schlugen hart gegen die Scheiben. »Da bricht der ganze Verkehr zusammen. Zum Glück habe ich meine Wohnung im Hause. Ich denke, ich werde abends noch fernsehen. Eiskunstlauf. Also, ich liebe Eiskunstlauf! Kann ich stundenlang ansehen. Ja, Amerika und die Sowjetunion, wie gesagt.« Morley schob mehrere Hochglanzfotos über den Tisch. »Zunächst einmal geht es um diesen Mann. Er heißt heute Eduardo Olivera. Früher hieß er Georg Ross.«

»Wann früher?«

»Unter den Nazis. Bis neunzehnhundertfünfundvierzig. Das hier ist seine Stieftochter Mercedes Olivera, dreiunddreißig. Mutter seit sechsundsiebzig tot. Und das ist Daniel Ross, Sohn des Georg Ross. Lebt in Frankfurt am Main, Westdeutschland. Mercedes, die Stieftochter von Ross, hat den Sohn am sechzehnten Februar, also vor vier Tagen, nach Buenos Aires geholt. Sein Vater beabsichtigt, einen Videofilm an das Fernsehen zu verkaufen. Dieser Film darf niemals ausgestrahlt werden. Niemand darf von seinem Inhalt Kenntnis erhalten. Ich denke, jetzt hat er lange genug gezogen.« Morley eilte mit trippelnden Schritten in die winzige Küche und stellte die große und die kleine Kanne auf ein Silbertablett, das er in der Mitte des Schreibtisches placierte. »Zuerst bitte den Kandiszucker, lieber Mister Hyde! Ein, zwei Stück, wie es Ihnen beliebt. Da ist eine Zange. Immer zuerst den Zucker, dann den Tee. Halten Sie das Sieb! So ist es recht! Und nun, erlauben Sie...« Morley goß die Tasse, die vor Hyde stand, fast voll. »Schütten Sie nur wenig heißes Wasser hinzu, der Muskatellergeschmack kommt in dieser Konzentration am lieblichsten zur Geltung...« Er bereitete seinen Tee, nachdem er zuerst drei Stück Kandis in die Tasse gelegt hatte. »Ich habe einen süßen Zahn.«

»Warum darf niemand vom Inhalt des Films Kenntnis erhalten, Mister Morley?« Hyde rührte in seiner Tasse.

»Es wäre eine Katastrophe, Mister Hyde.« Morley setzte sich.

»Für Amerika oder die Sowjetunion?«

»Vielleicht für beide.« Der Anwalt griff nach dem Recorder, in dem eine Kassette lag: »Hier ist ein heimlich aufgenommenes Gespräch dieser drei Personen in Oliveras Bibliothek in seinem Haus an der Cespedes tausendsechs im Stadtteil Palermo in Buenos Aires. Das Gespräch wurde sozusagen irrtümlich aufgenommen, von jemandem, der einen ganz anderen Auftrag hatte. Ich erkläre es Ihnen später. Die Abhöranlage muß zum Modernsten gehören, was es gibt. Mit Spezialkassetten. In Washington haben sie das Gespräch in komplizierter Weise auf diese normale Kassette überspielt. Wir hören uns das Gespräch am besten an, Mister Hyde. Danach werden sich viele Ihrer Fragen erübrigt haben.«

Der Anwalt drückte auf den Wiedergabeknopf. Es ertönte die Stimme Eduardo Oliveras: »... Du wirst jetzt, Daniel, einen Film sehen. Dieser Film spielt in Teheran, der Hauptstadt des heutigen Iran...«

2

Das Band war abgelaufen.

Anwalt Morley hatte noch einmal eine Kanne Tee aufgebrüht, die Tassen und das Sieb gewechselt, und während er servierte, sagte er: »Sie sind ein intelligenter Mensch, Mister Hyde. Sie haben die Sprecherstimme des Films – wirklich eine hervorragende Wahl, die Sie da mit dem ›Highgrown Darjeeling‹ getroffen haben! –, die Sprecherstimme des Films und die Kommentare der jungen Frau und Oliveras zu den einzelnen Punkten des beidseitigen Geheimprotokolls gehört. Wenn Sie das Protokoll nun auch nicht im ganzen kennen, so wissen Sie doch, worum es da geht.«

»Genau, Mister Morley.«

»Sie könnten – natürlich theoretisch – auch nur zu einem einzigen anderen Menschen ein einziges Wort darüber verlieren, Mister Hyde. Ich glaube, Sie sollten nicht mehr Wasser zum Verdünnen nehmen. Wegen des Muskatellergeschmacks. Dann wären Sie eine Stunde später ein toter Mann.«

»Ich bin kein Idiot, Mister Morley. Mein Intelligenzquotient beträgt...«

»Einhundertzweiunddreißig, ich weiß.«

»Woher? Ach so, Ihre Überprüfung.«

»Ich weiß alles über Sie, Mister Hyde. Über Ihre Gesundheit. Ihr Privatleben. Ihre bisherige Tätigkeit. Ihre Kinderkrankheiten. Sie waren doch in der Army. Von der erhielt der amerikanische Geheimdienst ganz schnell alles, was er noch nicht hatte. Der Rest kam von der Datenbank der Großen Zwei.«

»Die haben eine gemeinsame Datenbank? Das wußte ich nicht.«

»Sie haben sie erst seit fünf Jahren. Die Zeiten werden immer explosiver. Da müssen die beiden Supermächte Bescheid wissen, gemeinsam, über politische und militärische Planungen Dritter. Und über Menschen. Menschen sind gefährlicher als Atomsprengköpfe. Menschen sind das Gefährlichste, was es gibt. Um den Frieden zu erhalten, muß man über die Menschen Bescheid wissen. Nicht über alle. Über viele: Idealisten. Ideologen, Fanatiker. Friedenskämpfer. Militärs. Leute wie Sie. Hervorragend, der Tee, wie?«

»Hervorragend, ja. Wissen Sie, ich halte die Geschichte für eine Fälschung.«

»Ihr Intelligenzquotient, Mister Hyde!« Morley war entzückt. »Ihr IQ! *Natürlich* ist dieser Film eine Fälschung! Aber Sie sehen ja, man hält ihn für echt.« Er rührte in seiner Tasse. »Passen Sie auf: Neunzehnhundertneunundsiebzig, vor fünf Jahren, starb in Buenos Aires ein gewisser Paulo Klein. Deutscher Jude, die Eltern waren mit ihm vierunddreißig aus Deutschland emigriert. Sein Vater erbte ein großes Filmkopierwerk in Buenos Aires, das dann der Sohn geerbt hat. Als Paulo Klein schon ein halbes Jahr im Hospital Doctor Zubizareta lag – Magenkrebs, Metastasen überall –, da bat er die Ärzte, ihm einen Mann von der amerikanischen Gesandtschaft zu schicken. Kein hohes Tier. Einen kleinen, unauffälligen Mann. Also ging ein Sekretär hin. Maltravers hieß er. Timothy Maltravers. Und diesem Maltravers erzählte Klein, daß er fünf Jahre zuvor, im Juni zweiundsiebzig, einen alten Fünfunddreißig-Millimeter-Film von sechshundert Metern Länge heimlich auf drei Videokassetten umkopiert hätte. Für einen Freund...«

»Wie heißt der Freund?« fragte Timothy Maltravers. Er war achtundzwanzig Jahre alt, mager und trug eine Brille mit starken Gläsern.

»Das werde ich Ihnen nicht sagen«, erklärte Paulo Klein, der gerade fünfundfünfzig Jahre alt geworden war. Er lag in einem Bett im letzten Zimmer an einem langen Gang auf der Krebsstation des Hospitals Doctor Zubizareta an der Avenida Lincoln. Klein war ein hochgewachsener, kräftiger Mann gewesen. Jetzt war er abgemagert bis auf die Knochen. Er sah aus wie ein Zehnjähriger. Sein Kopf vor allem wirkte winzig. Die Haut war fahlgelb. Er hatte Maltravers gleich, als dieser kam, gezeigt, wie sehr die Kobaltbestrahlungen seine Haut zerstört hatten.

Voll Grausen erblickte der junge Amerikaner einen violett-schwarzen, tellergroßen, flachen Krater auf dem Bauch, als Klein die leichte Bettdecke hochhob. Gazestreifen lagen auf der verbrannten Haut. Es stank in dem kleinen Zimmer, dessen schmales Fenster in einen Lichthof hinausging. Es stank nach Kleins Krankheit. Das verbrannte Fleisch stank. Maltravers atmete durch den Mund.

»Ich stinke, nicht wahr?« fragte Klein. Winzig waren seine Pupillen. Er sprach mit heiserer Stimme. Stimmbänder und Kehlkopf waren bereits ebenfalls befallen.

»Aber nein...«

»Aber ja, ich weiß es. Die verfluchten Bestrahlungen. Ich verfaule bei lebendigem Leib. Na, es wird nicht mehr lange dauern. Sie haben mich schon ins Sterbezimmer gelegt.«

»Was ist das für ein Unsinn!«

»Halten Sie ruhig Ihr Taschentuch vor die Nase. Das ist kein Unsinn. Diese kleinen Zimmer am Ende eines Ganges, das sind die Sterbezimmer. Hat mir eine Nachtschwester gesagt. Eine sehr dumme Nachtschwester. Aber so weiß ich es. Na los, Ihr Taschentuch! Das Fenster steht Tag und Nacht offen, doch der Geruch geht nicht weg...«

Das war die Begrüßung gewesen.

Nun saß Maltravers auf einem Stuhl nahe dem Bett, hielt tatsächlich ein Taschentuch vor den Mund und fragte: »Wie heißt Ihr Freund?«

»Das werde ich Ihnen nicht sagen«, erklärte mit heiserer Stimme der zum Skelett abgemagerte Klein. »Ich werde Ihnen sagen, was auf dem Film drauf war... drauf ist...« Er erzählte es Maltravers. Dessen Gesicht blieb unbewegt.

»Eine Fälschung natürlich«, sagte er zuletzt.

»Nein, der Film ist echt!«

»Ausgeschlossen.«

»Ah, Sie wissen selbstverständlich nichts von seiner Existenz, klar.« Klein hustete. »Von der Existenz wissen nur ein paar Leute im Kreml und in Washington. Widersprechen Sie mir nicht! Ich habe nur noch wenig Zeit. Und das Reden strengt mich an. Mein Freund ist Deutscher – wie ich. Ich meine: Wir waren es beide einmal. Meine Eltern stammten aus München. Da wurde ich geboren. Neunzehnhundertvierunddreißig flohen wir aus Deutschland. In Lissabon bekamen wir ein amerikanisches Einreisevisum. So war unser Leben gerettet. Und deshalb erzähle ich Ihnen, daß es Kopien dieses Geheimprotokolls gibt. Damit Ihr Land von dem Verrat weiß, der da dreiundvierzig begangen wurde.«

»Herr Klein, ich schwöre Ihnen, es gibt kein solches Geheimprotokoll.«

»Lieber Junge, was sind Sie? Sekretär an der Gesandtschaft. *Sie* ausgerechnet werden – nebbich – wissen, ob es so ein Geheimprotokoll gibt. Fangen Sie nicht wieder damit an! Hören Sie mir zu! Jede Minute zählt. Ich mache es nicht mehr lange.«

»Entschuldigen Sie, Herr Klein«, sagte Maltravers und drückte das Taschentuch fester an die Nase. Ich halte es auch nicht lange hier aus, dachte er. Der arme Hund. Aber dieser Geruch...

»Schon gut.« Husten. »Sehen Sie: Jener Mann, mein Freund, war einmal ein ganz großer Nazi. Hat er mir freimütig bekannt. Der Nazigeheimdienst kam Ende des Krieges in den Besitz einer Kopie dieses Films. Ein Amerikaner muß zum Verräter geworden sein und viel Geld genommen haben. Nein! Jedenfalls *echt* ist die Kopie! Ich finde das übrigens gar nicht so entsetzlich. Alle schreien jetzt doch immer, die beiden Großen müssen sich einigen. Na bitte sehr, sie *haben* sich geeinigt, schon dreiundvierzig. Wird es wenigstens niemals einen großen Atomkrieg geben.«

»Herr Klein...«

»Nicht unterbrechen! Die Nazis bekamen den Film zu spät, um ihn noch in der Propaganda einsetzen zu können. Sie waren schon fast besiegt. Hätte ihnen kein Mensch in Deutschland, in den noch besetzten Gebieten, im neutralen Ausland geglaubt, daß der Film echt ist. Fälschung! hätten alle geschrien.«

»Er ist doch auch eine... Entschuldigen Sie, Herr Klein. Weiter, bitte!«

»Weiter...« Der Mann auf dem Bett holte röchelnd Atem. »Also, im Krieg konnten die Nazis den Film nicht mehr einsetzen. Haben sie sich gesagt, gut, gehen wir zugrunde, aber die ganze Welt wird dem Nationalsozialismus gehören beim zweiten Anlauf. Hat mir mein Freund erklärt.«

»Zweiten Anlauf?«

»Ja, Mister Maltravers. Haben die Nazis meinen Freund bei Kriegsende mit dem Film herübergeschickt. Falsche Papiere, alles vorbereitet natürlich. Sollte er warten, bis Befehl kommt. Dann den Film vorführen. Internationalen Journalisten. Idee: Die Menschen lassen es sich nicht gefallen, daß sie jetzt Sklaven der Amerikaner oder der Sowjets sind, die Menschen erheben sich – die ganze Welt wird braun.« Klein hustete heftig. Er drehte dabei den Kopf zur Seite.

»Na, und warum hat Ihr Freund das nicht getan?«

»Weil er ein anderer geworden ist.«

»Was ist er geworden?«

»Ein völlig anderer Mensch. Bald nach der Ankunft hier. Wußte vorher nichts von den Verbrechen der Nazis. War Idealist. Erfuhr jetzt die Wahrheit. War total erschüttert. Nervenzusammenbruch. Klinik. Wirklich! Habe ihn dreiundsiebzig kennengelernt, auf einer Gesellschaft. Wir sind ja zuerst nach New York geflohen, nicht wahr. Mein Vater hat ein Filmkopierwerk geerbt hier in der Stadt. No, sind wir heruntergekommen zweiundfünfzig. Sechzig habe ich die Eltern verloren. Beide in einem Jahr. Ich war sehr allein. Und dieser Mann, den ich da dreiundsiebzig kennenlernte, der gefiel mir. Ein Deutscher – wie ich. Ich hatte Heimweh nach Deutschland. Sie wissen ja, wir Juden...«

»Sie kennen einander seit sechs Jahren?«

»Ja. Sechs Jahre kennen wir uns. Er war damals längst ein anderer geworden. Sonst hätte ich mich doch nicht mit ihm befreunden können, nicht wahr? Ihnen ist übel, ich seh's. Gehen Sie noch nicht! Wer weiß, ob ich morgen noch leb'.«

»Ich bleibe, so lange Sie wollen.«

»Danke, junger Mann. Gott soll Sie beschützen! Mein Freund hat seit vielen Jahren versucht, wiedergutzumachen. Hat gespendet. An jüdische Organisationen. An Israel. An die Irrenhäuser dort. Wissen Sie, daß es in Israel im Verhältnis zur Größe des Landes mehr Irrenhäuser gibt als in irgendeinem anderen Land auf der Welt? Und dauernd müssen sie neue bauen. Alles überfüllt. Ältere Leute, alte Leute, die die Lager, den Holocaust überlebt haben. Depressionen, Psychosen, die schlimmsten seelischen Leiden – jetzt erst kommen sie heraus. No, und mein Freund hat gegeben und gegeben – ein Vermögen. Wie kann ich ihn da verraten?«

»Aber warum erzählen Sie mir das dann alles?«

»Weil es doch so schlimm steht mit der Welt. So nah sind wir vor einem Atomkrieg. Mein Freund hat den alten Film. Ich hab' Angst, er zeigt ihn. Nicht als Nazi. Als einer, der den Menschen die Augen öffnet, der den Frieden retten will! Die ganze Welt soll herfallen über Amerika und die Sowjetunion. *Und das will ich nicht.* Ich will natürlich nicht den Atomkrieg, aber ich will auch nicht, daß die Menschen sagen, die Amerikaner sind Verbrecher. Nein, so kann ich nicht sterben, wenn ich mir vorstelle, daß sie das sagen. Amerikaner haben meinen Eltern und mir das Leben gerettet. Kann ich das vergessen? Haben mit den Sowjets und mit den Engländern die Nazis besiegt. Kann ich auch nicht vergessen. Bin in der Zwickmühle. Habe mir gesagt: Wenigstens *wissen* sollen es die Amerikaner und die Sowjets, daß einer Kopien von dem Film hat. Damit sie nicht unvorbereitet sind, wenn mein Freund die Kopien zeigt. Damit sie vorbauen können. Den Nachweis konstruieren, daß der Film von den Nazis gefälscht wurde.«

»Herrgott, er wurde ja...«

»Tck, tck, tck. Nicht widersprechen! Film ist echt. Kopie auch. Hat mein Freund mir geschworen beim Leben seiner Tochter. Ich glaub' ihm, wenn er so schwört. Würden Sie nicht? Sehen Sie!«

»Herr Klein, was ist mit dem Original geschehen, dem Fünfunddreißig-Millimeter-Film?«

Klein hustete wieder. »Guter Mensch ist er. Aber kann gefährlich sein für die Amerikaner. Und die Amerikaner sind auch gute Menschen. Haben so vielen Juden und anderen geholfen mit Visa in der großen Not... großen Not...« Klein spuckte plötzlich Blut. In weitem Bogen schoß es aus seinem Mund.

Außer sich vor Entsetzen, stürzte Maltravers auf den Gang hinaus. »Einen Arzt!« schrie er. »Einen Arzt! Sofort einen Arzt!«

»Es hat noch drei Tage gedauert, bis er tot war, der arme Kerl«, sagte der beratende Anwalt Roger Morley. »Maltravers berichtete in der Gesandtschaft sofort, was Klein erzählt hatte. Sie nahmen die Sache ernst. Stunden später wußte man in Washington und Moskau Bescheid. Beim Begräbnis von Klein ein Haufen Agenten. Fotografierten alle Trauergäste. Die Identifizierung gelang bei allen. Ergebnis: Null. Keiner der Trauergäste auf dem jüdischen Friedhof kam als Kleins ›Freund‹ in Frage.«

»Folgerung: Der Mann ist nicht zum Begräbnis gekommen. Die Tochter auch nicht«, sagte Wayne Hyde.

»Richtig. Da fingen wir an, die Sache verflucht ernst zu nehmen.«

»*Wir*?«

Der Anwalt, der aussah, als wäre er einem Roman von Dickens

entsprungen, lächelte. »Ich bin in die Lage gekommen, gewisse Stellen in Washington zu vertreten. Seither leite ich die kleine Organisation.«

»Was für eine Organisation?«

»Gleich. Sehen Sie, in Buenos Aires und Israel forschte man weiter. Niemand in der Zehnmillionenstadt hatte Geld für jüdische Irrenhäuser in Israel gespendet. Für Juden schon. Für Israel schon. Für alle möglichen Einrichtungen – *nicht* für Irrenhäuser. Also hatte der Freund Klein belogen. Weiter: Wir haben alle anderen Freunde Kleins nach einem solchen Mann befragt. Niemand kannte ihn. Also war es ein sehr vorsichtiger Freund, der nie zu Klein kam. Sie müssen sich im Haus des Freundes oder an einem dritten Ort getroffen haben.«

»Und Kleins Verwandte?«

»Hatte doch keine mehr. War nie verheiratet. Lebte allein. Wurde im Grab der Eltern beigesetzt. Und zweifellos hat er in seinem Loyalitätsdilemma dem jungen Maltravers die Wahrheit gesagt. Davon konnte man ausgehen.«

Konnte man? dachte der hagere, große Hyde mit dem wettergegerbten Gesicht. Wahrheit? Was ist Wahrheit?

»Sie müssen bedenken, mein Lieber«, sagte der Anwalt, »daß Amerika und die Sowjetunion sich wirklich in einer scheußlichen Lage befanden. Und befinden. Immer wahnsinniger werden ihre Rüstungsanstrengungen. Immer größer wird die Angst der Menschen. Immer stärker die Friedensbewegung. Muß ich Ihnen ausmalen, was passiert, wenn der Film, den der arme Klein auf Video umkopiert hat, heute abend beispielsweise in der ganzen Welt von Fernsehsendern gezeigt wird? Einfach nicht auszudenken!«

»Warum? War doch eine Fälschung der Nazis für einen ganz anderen Zweck!«

»Das wissen Sie und ich und der Mann, der die Kopien hat. Die Millionen, die den Film heute abend zu sehen bekämen, wüßten es nicht. Natürlich würden Washington und Moskau sofort erklären, es handle sich um eine Fälschung. Na und? Die Menschen würden es ihnen nicht glauben. Aber selbst wenn es welche gäbe, die es glauben, wo liegt der Unterschied? Was der Film zeigt, ist möglich, und darum würde er alle Menschen sehr nachdenklich machen. Auch die Sowjets und die Amerikaner. Mit anderen Worten: Es spielt keine Rolle, daß der Film eine Fälschung ist. Nicht die geringste. Und darum darf er niemals gezeigt werden!

Darum haben Washington und Moskau ihre kleine Organisation ins Leben gerufen. Es ist eine Hoffentlich-funktioniert-sie-Organisation.«

»Was soll das heißen?«

»Nun ja, alles, was wir wußten, war: In Buenos Aires wohnt ein ehemaliger deutscher Top-Nazi, der drei Videokopien dieses Films besitzt. Und eine Tochter. Paulo Klein, der arme Kerl, hatte die Befürchtung, daß der Unbekannte in diesen Zeiten des Overkills und der Überrüstung den Film an die Öffentlichkeit bringen würde. Wann? Konnte niemand sagen. Jeder Tag war möglich. Deshalb die Organisation. Sie beschränkte sich hauptsächlich auf Buenos Aires. Dort ging eine Gruppe von Männern nach meinen Weisungen jeder Spur, jeder Spur einer Spur nach. Achtete jahrelang auf das kleinste Zeichen, mit dem sich ein Mann unter zehn Millionen Menschen verdächtig machen konnte. Sie ahnen nicht, wie vielen tausend Spuren diese Leute nachgegangen sind. Alles umsonst. Überall blinder Alarm. Gleichzeitig erkannten die beiden Großen in dieser Zeit, in der man sie immer mehr und mehr fürchtet und haßt, daß es nötig war, Stellen zu errichten, an denen sie leicht Dinge erfuhren, die von beiderseitigem Interesse waren. Ist das klar?«

»Sonnenklar.«

»Solche Stellen sind zum Beispiel private Kliniken. Es gibt in ganz Europa – auch im Ostblock – Privatsanatorien, die angeblich mit dem Geld eines amerikanischen Millionärs namens Kingston gebaut wurden und die trotz ihrer hohen Kosten Gewinn bringen – im Gegensatz zu staatlichen Krankenhäusern. Diese sogenannten Kingston-Sanatorien dienen in erster Linie dazu, Auskünfte zu bekommen über die Meinungen und Absichten hoher Politiker und Militärs, aber auch von Persönlichkeiten des Geisteslebens, über ihren Gesundheitszustand, ihre Tätigkeit, ihre Geheimnisse. Die Sanatorien wurden daneben als Unterschlupf und Quartiere für Agenten eingerichtet, und andere Agenten – Ärzte, Laboranten, Pfleger – sind verantwortlich für das Funktionieren dieser Einrichtungen. Solch ein Institut und solch ein Agent befinden sich auch nahe Heiligenkreuz, einem kleinen Ort vor Wien. Wie alle Agenten in diesen Sanatorien wußte jener Mensch von der Sache mit dem Film. Seit Jahren. Nun, jetzt endlich haben wir Glück gehabt.« Morley klopfte mit einem Finger auf das Foto von Daniel Ross. »Der Sohn!«

»Was, der Sohn?«

»Olivera schickte seine Tochter nach Europa, um den Sohn zu holen. Der ist beim Fernsehen.«

Hyde pfiff durch die Zähne.

»Das heißt, er ist nicht mehr beim Fernsehen, da ist er rausgeflogen. Er ist medikamentensüchtig. Kann sich kaum noch auf den Beinen halten. Hängt an einer alten Liebe, die ihm schon ein paarmal geholfen hat, einer gewissen Frau Dozentin Sibylle Mannholz. Die arbeitet im Sanatorium Kingston bei Heiligenkreuz. Daniel Ross rief sie an, weil er ihre Hilfe brauchte, um den Flug nach Buenos Aires zu überstehen, bevor er sich bei ihr behandeln läßt.«

»Das wissen Sie alles von dieser Frau Doktor Mannholz?«

Morley lachte. »Nein, von ihrem Oberarzt. *Der* ist unser Agent. Hörte das Gespräch mit.«

»Und diese Mannholz hatte nichts dagegen?«

»Nein.«

»Wieso nicht?«

»Das hat seine Gründe«, sagte Morley.

»Oh«, sagte Hyde.

»Der Sohn und die Stieftochter wurden schon auf dem Flug nach Argentinien beschattet. Dann kriegten wir heraus, wo der Vater wohnt und wie er heißt. Aber etwas ganz Verrücktes kam uns noch zu Hilfe. Olivera wurde abgehört. Wie wir heute wissen, im Auftrag der gestürzten Militärjunta. Unsere jungen Freunde in Buenos Aires erbeuteten drei mitgeschnittene Kassetten, die nach Washington geschickt und auf normale Kassetten überspielt wurden. Zwei von ihnen geben Gespräche mit Politikern wieder. Die dritte, auf der sich Olivera mit seinem Gast aus Europa unterhielt, diese dritte Kassette haben Sie eben gehört. Jetzt sind Sie an der Reihe, Mister Hyde. Wie ist es mit Waffen, Schutz, Papieren, Verstecken und so weiter in anderen Ländern?«

»Da brauchen Sie sich keine Sorgen zu machen«, sagte der Söldner. »Solche wie mich gibt es überall. Wir haben auch unser Netz. Ich kann doch zum Beispiel mit einer Waffe nicht fliegen. Also bekomme ich in jedem Land genau das, was ich brauche.«

»Gut, das ist also alles Ihre Sache.«

»Wäre noch die Bezahlung.«

Morley lachte. »Richtig. Fast vergessen. Wieviel?«

»Fünf Millionen Dollar auf ein Schweizer Nummernkonto.«

»Ist das nicht ein wenig...«

Hyde erhob sich. »Danke für den Tee. War nett, Sie kennenge-lernt zu haben.«

»Bleiben Sie doch sitzen, verflixt! Fünf Millionen. Gut. Sie riskieren schließlich nicht nur einmal Ihr Leben.«

»Die Hälfte wird gleich überwiesen. Die andere Hälfte, wenn ich mich aus dem Spiel zurückziehe.« Hyde hob die Stimme. »Und zwar unabhängig davon, ob es mir gelungen ist, alle Ihre Wünsche zu erfüllen. Ich versuche alles zu erledigen, wie vorge-sehen. Kann aber sein, es kommt ein Punkt, wo ich noch nicht alles erledigt habe, Sie jedoch der Ansicht sind, daß die Partie verloren ist und ich mich zurückziehen soll. In beiden Fällen wird die zweite Hälfte fällig. Wenn Sie nicht bezahlen...«

»Nicht!« sagte Morley und sah beschämt auf seine blanken Schuhe.

»Was nicht?«

»Nicht drohen, bitte! Ich verstehe Ihre Forderung. Sie gehen ein enormes Risiko ein. Das müssen wir auch tun.« Morley gab Hyde drei große Kuverts. »Hier ist alles an Unterlagen, was wir über die drei – Olivera, Sohn und Stieftochter – herausgebracht haben. Kleine Dinge, große Dinge. Sie haben den perfekten Eindruck. Lesen Sie alles, bis Sie es auswendig können, dann vernichten Sie die Papiere, bevor Sie London verlassen!«

Hyde schob ihm einen Zettel hin. »Das ist die Nummer des Kontos bei der Schweizer Bankgesellschaft in Zürich. Ich rufe übermorgen vormittag dort an. Wenn die zweieinhalb Millionen noch nicht auf dem Konto liegen, fliege ich nach Chicago zu-rück.«

»Sie werden auf dem Konto liegen«, versprach Morley. Er öffne-te die Schreibtischschublade und entnahm ihr einen Gegenstand in einem Kunststoffgehäuse, der aussah wie ein glatter elektri-scher Rasierapparat.

»Was ist das?« fragte Hyde.

»Das ist ein Taschendecoder«, sagte der rosige Anwalt. »Man kann so einen Decoder beispielsweise auch dazu verwenden, in einem Ferienhaus die Heizung anzustellen.« Er stand auf. »Kommen Sie her!« Morley trat vor einen flachen grauen Ka-sten, der auf einem Tischchen stand. »Und das hier«, sagte er, »ist ein Telefonbeantworter. Für meine Geheimnummer, die ich Ihnen hier gebe.« Er reichte Hyde eine Karte. »Auswendig lernen und Karte vernichten!« Hyde nickte.

»Schauen Sie her!« Morley verschob den Kasten, die Rückseite wurde sichtbar. »Hier hinten befinden sich drei Drehschalter, von denen Sie jeden beliebig in fünf Positionen verstellen können. Tun Sie es einmal! Aber nicht zwei gleiche Positionen nebeneinander!«

Hyde drehte die drei Schalter auf Positionen zwischen eins und fünf.

»Gut«, sagte Morley. »Jetzt öffnen Sie Ihren Decoder! Gegen die Mitte drücken, dann zerfällt er in zwei Hälften.«

Hyde drückte. Der Decoder zerfiel in zwei Hälften. Die eine hatte, nur kleiner, drei Schalter, die denen an der Rückseite des Telefonbeantworters glichen.

»Stellen Sie die Schalter auf die gleichen Positionen wie die am Beantworter!«

Hyde folgte.

»Schließen Sie den Decoder! So.«

»Und nun?«

»Und nun«, sagte Roger Morley, »wäre alles bereit. Der Decoder wird von einer Fünfzehn-Volt-Batterie gespeist. Sie können jetzt nach Tokio fliegen, nach Johannesburg, nach Rio de Janeiro – einfach überall hin in der Welt. Wenn Sie, was wohl häufig der Fall sein wird, mit mir in Verbindung treten wollen, gehen Sie zu irgendeinem Telefon, wählen die Geheimnummer und halten den Decoder mit dem schwarzen Oberteil vor das Mikrofon des Telefonhörers. Zuerst kommt mein Meldetext. Dann kommt ein Pfeifton. Daraufhin drücken Sie diesen schwarzen Knopf Ihres Decoders. Jetzt werden drei – je nach Codierung verschiedene – Töne des Decoders hörbar, die mein Beantworter wiedererkennt, denn er ist ja genauso programmiert. Damit haben Sie mein Gerät aufnahmebereit für Ihre Mitteilung, die – und jetzt staunen Sie! – auf keinen Fall mitgehört werden kann.«

»Sie meinen…«

»Jawohl, Mister Hyde! Mein Gerät hat natürlich einen Zerhacker. Ihr kleiner Decoder – und das ist das Schöne! – hat auch einen. Vor einem Jahr auf den Markt gekommen. Wunder der Technik, wie?«

»Ja«, sagte Hyde.

»Großartige Sache!« schwärmte Morley. »Ich meine, Sie müssen doch einfach von überall mit mir sprechen können. Da ist so ein winziger Zerhacker im Decoder doch Gold wert.«

»Pures Gold«, sagte Hyde.

»Sie können mir alles sagen, was Sie auf dem Herzen haben, und ich höre es mir dann an. Das geht aber auch umgekehrt: *Ich* habe eine Botschaft für *Sie*. Okay, ich spreche auf das Aufnahmeband. Sie rufen die Geheimnummer, halten Ihren Decoder ans Telefonmikrofon, hier in London läuft das Aufnahmeband zurück, nachdem der Decoder im Gerät das gleiche Signal erkannt hat, und Sie können von jeder Stelle der Welt aus abfragen, was ich auf das Band gesprochen habe. Natürlich lassen sich die Schalter, wenn wir wollen, jederzeit anders einstellen – nur immer in den gleichen Positionen.« Er klopfte auf den Kasten. »Ich sagte schon, ich wohne im Hause. Bin praktisch immer in der Nähe des Apparats, solange der Fall läuft. Ich denke, das wäre alles.«

»Wo sind Daniel Ross und Mercedes Olivera jetzt?«

Der Anwalt sah auf eine altmodische Taschenuhr, die er aus der Westentasche holte und deren Deckel aufschnappte. »Jetzt ist es neunzehn Uhr dreißig. In Buenos Aires ist es erst sechzehn Uhr dreißig. Zwischen London-Greenwich-Time und drüben sind nur drei Stunden Unterschied. Zwischen dem Kontinent und drüben sind es vier Stunden. Ross und Mercedes fliegen heute um zwanzig Uhr Buenos-Aires-Zeit mit einem Jumbo der Aerolineas Argentinas von Ezeiza ab. Das sind meine letzten Informationen. Sie kommen morgen um siebzehn Uhr fünfundzwanzig mitteleuropäischer Zeit in Frankfurt an. Ross muß dringend in das Sanatorium bei Heiligenkreuz. Hier ist ein Zettel mit dem Namen der Ärztin und des Arztes, der Anschrift und der Telefonnummer der Klinik. Dieser Arzt Herdegen kann Ihr volles Vertrauen haben. Er wird Ihnen alles erklären, was Sie wissen müssen.«

»Fliegen die beiden von Frankfurt direkt nach Wien weiter?«

»Ich denke nicht«, sagte Morley. »Sie haben zwei der drei Videokassetten bei sich. Die dritte liegt, wie Sie gehört haben« – er wies auf den kleinen Recorder – »in einem Banksafe, zum Schutz Oliveras. Die beiden haben nach Frankfurt gebucht, weil sie ohne Zweifel ihre Kassetten in Sicherheit bringen wollen, bevor sie nach Wien weiterfliegen. Das wäre Ihre erste große Chance, Mister Hyde. Dem Wetterbericht zufolge soll der Schneefall heute am späten Abend aufhören. Es gehen täglich mehrere Maschinen von London nach Frankfurt, die erste schon sehr früh. Sie hätten Zeit genug.«

»Wenn es nicht weiterschneit und der Flughafen geschlossen wird«, sagte Hyde.

»Das könnte allerdings dazwischenkommen«, sagte Morley. »Sie werden schon Glück haben, Sie ›Glücksritter‹! Übernachten Sie doch bei mir, und sehen wir uns gemeinsam den Eiskunstlauf an!«

»Ich gehe lieber in ein Hotel.«

»Wie Sie wollen. Dann würde ich das RICHMOND empfehlen. Es ist klein und angenehm und liegt ganz nah.«

»Danke. Und danke für den Tee!«

»O bitte! Ich bin froh, daß er Ihnen geschmeckt hat. Wir werden einander niemals wiedersehen, Mister Hyde. Erlauben Sie, daß ich Ihnen ein Geschenk mache.« Er überreichte ihm eine auf bestes Büttenpapier gedruckte Liste. »Sie finden da Angaben über meine Lieblings-Tees. ›China smokey‹. ›Finest Colong‹. ›Queen's Tea‹. Und so weiter. Einfach köstlich. Sie werden sehen – ach ja, Mister Hyde, noch etwas!«

»Ja, bitte?«

Roger Morley lächelte wieder sein Babylächeln.

»Wir sind sehr froh, Sie für unsere Sache gewonnen zu haben. Indessen: Sollten Sie im Verlauf Ihrer Unternehmungen mit Behörden oder mit der Polizei in Schwierigkeiten geraten, werde weder ich noch sonst jemand von der Organisation die geringste Ahnung haben, wer Sie sind. Sie würden sich vergeblich auf uns berufen. Sie dürfen nicht damit rechnen, daß ich oder irgend jemand anderer Ihnen auch nur im geringsten hilft.«

3

Hamburg ist von der Roten Armee genommen, Hannover auch – die Sowjets kamen über Dänemark, fielen in Schleswig-Holstein ein, eroberten Lübeck und Kiel. Erst hinter der Weser bilden NATO-Streitkräfte Verteidigungsstellungen für das Ruhrgebiet.

»Karte«, sagte der Junge mit den Sommersprossen und dem flachsfarbenen Haar. Er trug kurze Hosen und ein lose hängendes Hemd. Neben seinem Vater, einem rotgesichtigen, gleichfalls hemdsärmeligen Riesen, saß er in der mittleren Sektion der ersten Touristenklasse-Reihe, direkt vor einer der Filmleinwände. Die Boeing 747 E der AEROLINEAS ARGENTINAS, um 20 Uhr Ortszeit in Buenos Aires gestartet, seit vierzig Minuten unterwegs, war nur halb besetzt. Durch die linken Fenster kamen die Strahlen der sinkenden Sonne.

Auf den leeren Sitz zwischen sich hatten Vater und Sohn eine aufklappbare Platte gelegt. Sie war bedruckt mit einer Landkarte Europas. Zum Spiel gehörten viele aus Plastik geformte kleine Feuerkronen, Panzer, Raketen und Flugzeuge, alle in grellen Farben. Zwischen Vater und Sohn lag ein verdecktes Päckchen Karten. Der flachshaarige Junge hatte eine gezogen.

»Na, prima«, sagte er. »Drei, Krone.«

»Mist«, sagte der Vater.

»Ist dir doch klar, was jetzt passiert, Dad«, sagte Junior. »Tut mir leid. Aber nun wird es Zeit für die Nukes.« Mit Raketen, die auf dem Gebiet Polens und der DDR gestanden hatten, griff er die Umgebung der Städte Dortmund, Essen und Duisburg an. Seine Plastikraketen waren gelb, die des Vaters grün. Der Junge setzte rote Flammenkronen neben die verschobenen Raketen. Er bemerkte, daß Mercedes und Ross, die auf gleicher Höhe in der linken Sektion saßen, zusahen. »Ich schalte die Rampen der Pershings und der Cruise Missiles rund um die Städte aus«, erklärte er. »Sie sprechen Englisch, wie? Okay. Das ist das Wichtigste, wissen Sie? Zuerst immer die Abschußrampen. Sie verstehen?«

»Wir verstehen«, sagte Mercedes.

Daniel sagte nichts. Er war sehr bleich.

Neben ihm saß auf dem Fensterplatz ein alter Priester in einer weißen Kutte. Er machte einen verstörten Eindruck. »Allmächtiger Gott«, murmelte er.

Der Vater lachte Mercedes und Ross an. Er hatte sehr freundliche Augen. »Was sagen Sie zu dem schlauen, kleinen Bengel, Ma'am? Erst elf. Aber vielleicht ein Köpfchen. Würden sich die Commies für ihren Generalstab wünschen, meinen Junior.«

»Die Städte sind übrigens damit sowieso erledigt«, sagte Junior. Er trug eine Klammer, die seine weit vorstehenden Zähne zurückpressen sollte. »Fällt alles zusammen. Und dann die radioaktive Verseuchung. Das Ruhrgebiet kannst du vergessen, Dad. Die Truppen an der Weser auch. Da sind jetzt mindestens zehn Millionen Krauts draufgegangen. Warte mal, bis ich wieder eine rote Krone kriege!«

»Nur wer eine Karte mit roter Krone kriegt, darf Nukes einsetzen«, erklärte Dad.

»Was darf er einsetzen?« fragte Mercedes.

»Na, Nuklearwaffen«, sagte Junior. »Sie haben doch gesagt, Sie sprechen Englisch!«

Dad hatte eine Karte gezogen. Er hielt sie dem Sohn triumphierend hin. »Vier, Krone!«

»Gottverdammich«, sagte Junior.

Dad schob vier grüne Raketen auf Ostgebiet.

»Also, ich erledige erst mal Leipzig, Rostock, Warschau und Prag«, sagte er und placierte die Plastiksymbole für Atomschläge auf den entsprechenden Stellen der Karte. Er sagte ernst zu Mercedes: »Der Warschauer Pakt ist viel größer als die Bundesrepublik. Im Osten sind die Abschußrampen weiter verteilt. Daher meine Taktik: Städte ausradieren. Totale Panik. Völliges Chaos. Tue ich natürlich nur, wenn ich die NATO bin und Junior der Warschauer Pakt.«

»Deine Nukes auf diese Pinkelstädte kratzen mich nicht«, sagte Junior. »Ich habe meine Raketen weiter hinten, in der Sowjetunion. Die großen! Auf die kommt's an. Du machst einen Fehler, Dad, ich sage es dir immer wieder. Zuerst die Rampen weg, glaub mir! Ist natürlich in der Bundesrepublik leichter. Weil die so gerammelt voll ist mit Rampen – auf ganz kleinem Gebiet. Deshalb muß die Bundesrepublik aber auch als erstes erledigt werden – das weiß ein Baby. Mit den nächsten fünf oder sechs Kronen habe ich sie eingeäschert.«

»Auf Ideen kommen die heute, was?« sagte Dad mit den freundlichen Augen zu Mercedes. »Habe ich in New York gekauft. NATO – DER KRIEG IN EUROPA heißt das Ding. Zwölf Dollar. In zwei Monaten mehr als dreihunderttausend Stück verkauft. Toll, wie? Na, macht ja auch Spaß, nicht? Mal was anderes. Allerhand, wie?«

»Allerhand, ja«, sagte Mercedes.

»Natürlich schläft die Konkurrenz nicht«, sagte Dad, während Junior eine neue Karte abhob. »Gibt jetzt jede Menge solcher Spiele. Gehen weg wie warme Semmeln. Bei den meisten dreht es sich um Europa. EUROPEAN HOLOCAUST oder EUROPA TAKTISCH. Was hast du?«

»Zwei blaue Flieger«, sagte Junior.

»Dauerbombardement und danach Luftlandetruppen«, erklärte Dad.

»Aha«, sagte Mercedes.

Junior belegte die Landkarte mit neuen Plastikzeichen.

»Ich breche den Süden auf«, sagte er dazu. »Der Bayerische Wald ist vollgestopft mit Rampen. Werde ich München, Stuttgart und Nürnberg gleich nebenbei erledigen.« Er sah Mercedes an. Die Klammer behinderte ihn ein wenig beim Sprechen. »Dad hat alle diese Spiele gekauft. Immer dasselbe Prinzip, sage ich. Der Witz ist, so schnell wie möglich die Bundesrepublik einzuäschern. Wenn dem Warschauer Pakt das gelingt, hat er Europa in der Tasche — von Moskau bis London.«

»Was sagen Sie, wie der Bengel sich auskennt!« Dad strahlte. »Auf einmal hat er gute Noten in Geographie.«

»Wetten, daß ich mit sieben Kronen am Atlantik bin? Und England dazu habe?«

»Okay«, sagte Dad. »Zehn Cents. Nicht mehr.« Zu Mercedes sagte er: »Wettet um sein Leben gern. Muß achtgeben, daß Junior kein Spieler wird, haha.« Er zog eine Karte mit dem Bild eines bunten Clowns. »Mist«, sagte er.

»Joker«, sagte Junior. »Pech. Du hast gerade drei Mega-Nukes auf Rampen im Schwarzwald und hinter Bonn gekriegt.« Er setzte die entsprechenden Plastik-Symbole. »Wegen der Strahlung mußt du zurück. Neue Auffangstellung. Wird wohl deine letzte sein. Siehst du doch, daß ich nun SS-Zwanzig von der Sowjetunion aus einsetzen muß, sobald ich wieder Kronen kriege. Eskaliert prima, die Schose.«

Daniel stöhnte leise.

Mercedes sah ihn erschrocken an. »Schlimm?«

»Ja«, sagte er. »Sehr.«

»Die Tropfen!« Sie stand schnell auf und sagte zu einer vorbeieilenden Stewardeß: »Ein Glas Wasser, bitte!«

»Sofort, Madam!«

Mercedes nahm aus der Gepäckablage über den Sitzen eine rote Reisetasche mit dem Aufdruck der Fluggesellschaft, öffnete den Reißverschluß und suchte nach dem Fläschchen mit den Tropfen. Dabei holte sie zwei Videokassetten aus der Tasche, die sie in der linken Hand hielt, während sie weiterkramte.

Sechs Reihen hinter ihr saß in der mittleren Sektion ein junger Mann, der sie genau beobachtete. Er war sehr groß und sehr schlank, sein Gesicht war braungebrannt, und er trug eine randlose Brille. Der junge Mann beobachtete Mercedes und Daniel schon, seit sie mit Olivera in der Flughafenhalle von Ezeiza angekommen waren. Nichts regte sich in seinem Gesicht, als er die beiden Videokassetten sah.

Mercedes hatte das Fläschchen gefunden. Sie legte die Kassetten wieder in die Tasche, verschloß sie und stellte sie in die Gepäckablage.

Der Priester links von Daniel las in seinem Brevier. Ab und zu seufzte er tief. Die Stewardeß kam mit einem Tablett, auf dem ein Glas voll Wasser stand. Mercedes dankte. Sie ließ zwanzig Tropfen in das Wasser fallen. Ross trank das Glas leer und lehnte sich zurück. Mercedes wischte ihm mit einem Taschentuch den Schweiß von der Stirn.

»Halte durch, Danny! Bitte, bitte, halte durch!«

»Ja, Mercedes.« Er nickte und strich über ihre Hand.

»Und eine Mega-Nuke auf die große Cruise-Missile-Stellung hinter Baden-Baden«, sagte Junior. Er lachte. Ein fröhliches Kind.

Daniel ertrug dieses Spiel nicht mehr. Er nahm die Kopfhörer aus der Tasche vor seinem Sitz und streifte sie über die Ohren. Der Plastikbügel, ein schmaler Halbreif, verlief unter seinem Kinn. Er hörte Opernmusik. Am vorderen Ende der linken Sitzlehne befand sich ein Drehschalter. Daniel, der sich bemühte, tief durchzuatmen, um die imaginären Luftblasen in seiner Brust ertragen zu können, drehte den Schalter. Aus den Kopfhörern erklang eine Melodie von Cole Porter. Daniel drehte den Schalter weiter und saß dann reglos. Er hörte die vibrierende, tiefe Stimme von Marlene Dietrich: »… käm' ich in Verlegenheit…«

»Mercedes!«

Sie sah ihn entsetzt an. Er reichte ihr die Kopfhörer, die vor ihrem Sitz hingen, gleichzeitig stellte er den Schalter an ihrer Lehne in die gleiche Position wie seinen. Mercedes setzte die Kopfhörer auf. Im nächsten Augenblick wurden ihre Augen riesengroß.

»… was ich mir denn wünschen sollte…« sang die Dietrich.

Ein Klavier. Ein Saxophon. Geigen.

Daniel hob einen Hörer vom Ohr, Mercedes desgleichen.

»Unheimlich, Mercedes, wie?«

Sie schluckte und nickte. Sie konnte nicht sprechen.

»Als du das erste Mal bei mir anriefst… vom Flughafen Kloten… aus der Bar…«

»Ja«, sagte sie. »Und jetzt wieder. Unheimlich. Das alte Lied…«

»… eine schlimme oder gute Zeit…« sang die Dietrich.

»Aber es war doch *euer* Lied«, sagte Mercedes. »Wieso hören *wir* es? Und schon wieder?«

»Vielleicht will das Lied zu uns«, sagte Daniel.

»... wenn ich mir was wünschen dürfte, möcht' ich etwas glücklich sein...«

»Aber du liebst doch noch immer Sibylle...« Ihre Stimme war nur ein Flüstern.

Er legte einen Arm um sie. Plötzlich waren Angst und Beklemmung verschwunden, plötzlich ging es ihm wieder gut. Er zog sie an sich und preßte seine Lippen auf die ihren, die weich und warm waren. Sie legte beide Arme um ihn.

»... denn wenn ich gar zu glücklich wär', hätt' ich Heimweh nach dem Traurigsein«, sang Marlene Dietrich. Das Orchester wurde laut und brachte das Lied zu Ende. Der Kuß dauerte noch immer. Ein neues altes Lied begann: »Charmaine«.

Mercedes löste sich von Daniel. Beide sahen ihre Gesichter winzig klein in den Augen des anderen, denn das Licht der untergehenden Sonne fiel auf sie. Dann lehnten sie sich wieder in ihre Sitze zurück, hielten sich an der Hand, sehr fest, und sahen einander unverwandt an. Aus den Kopfhörern ertönte die wehmütige, schöne Melodie. Die Maschine flog das Bett eines Stromes entlang, der durch den Urwald floß. Im Dunkelgrün des Dschungels sah das Wasser rötlich und lehmig aus. Es war ein sehr großer Strom, und es gab viele Inseln in ihm.

4

Die Tropfen machten Daniel ruhig und benommen. Er hielt die Augen geschlossen.

Goebbels hat meinem Vater Zyankali gegeben, dachte er. Zwanzig Kapseln. Im Bunker der Reichskanzlei, wo Hitler und sein Stab seit dem 16. Januar 1945 hausten. Vergebens mühte man sich von dort aus, die zusammenbrechenden Fronten neu aufzubauen. Goebbels hatte seine ganze Familie in den Bunker mitgebracht, Hitler Eva Braun. Militärs waren hier eingezogen. Funkanlagen und Fernschreibverbindungen funktionierten teilweise noch. Am späten Abend des 7. April erschien Georg Ross, von Goebbels gerufen, in dem gewaltigen, bombensicheren letzten Befehlsstand des Dritten Reichs. Auf allen Gängen und vor allen Türen zu den einzelnen Trakten standen SS-Männer, Waffen im Anschlag. Um in den Bunker überhaupt hineinzugelangen, hatte Ross fast eine Stunde gebraucht. In einem schmalen Vorzimmer zu den Privaträumen traf er dann mit dem Reichspropagandaminister zusammen. Goebbels sah zu Tode erschöpft aus.

»Hier, Ross.« Er gab Daniels Vater einen kleinen Koffer mit Nummernschlössern. »Die Filmtrommel ist gut verpackt.« Er zeigte sie Ross. Dann schloß er den Kofferdeckel wieder. »Wählen Sie eine vierstellige Zahl, die Sie sich merken können, und sperren Sie ab.« Ross wählte Dora Holms Geburtstag, den 3. 7. 17.

Danach holte Goebbels ein Autogrammfoto Hitlers aus der Tasche und zerriß es langsam und umständlich in zwei Teile, so daß die Trennstellen besonders bizarr geformt waren.

»Die eine Hälfte ist für Sie. Wer immer in Buenos Aires mit Ihnen Kontakt aufnehmen wird, muß die zweite Hälfte besitzen«, sagte der kleine Mann mit dem Klumpfuß. Endlich gab er Ross ein Glasfläschchen voll Zyankalikapseln. »Für alle Fälle«, sagte er. »Das hält ewig. Sofern Sie im Notfall Zeit genug haben, brechen Sie besser eine Kapsel auf und lösen das Zyankali in Wasser. Sie machen es sich dann leichter. Wenn Sie die Kapsel zerbeißen müssen, verätzt das Zeug Ihre Kehle. In beiden Fällen ist jedoch in spätestens einer halben Minute alles vorbei.« Von nebenan hörte Ross Goebbels' Kinder lachen. Es war eine ruhige Nacht. Amerikaner und Engländer griffen die Stadt seit zwei Tagen nicht mehr an, um die sowjetischen Operationen nicht zu stören. Am 25. April sollte Berlin von der Roten Armee eingeschlossen sein.

Ross steckte die kleine Glasphiole mit den Giftkapseln in eine Innentasche seiner Jacke.

Neununddreißig Jahre später nahm er sie, am Pool seines Hauses in Buenos Aires sitzend, aus der Brusttasche des Hemdes.

»Da sind die Kapseln«, sagte er.

»Du hast das Zeug immer noch?«

»Ja, Daniel.«

»Aber warum?«

»Man kann nie wissen«, sagte der Mann, der sich nun schon seit neununddreißig Jahren Eduardo Olivera nannte.

Perfekt gefälschte Papiere auf diesen Namen trug er in jener Nacht vom 7. zum 8. April 1945 bereits bei sich. Er hatte sie am Nachmittag im Keller des nach Südtirol verlagerten Auswärtigen Amtes erhalten, in dem einige Männer von Ribbentrops Geheimdienst zurückgeblieben waren.

»Brauchen Sie noch etwas, Ross?« fragte Goebbels.

»Nein, ich habe alles, Herr Minister.«

»Sie müssen unbedingt noch heute nacht weg. Jede Stunde kann der sowjetische Durchbruch erfolgen.« Er gab Ross die schlaffe Hand. »Alles Gute, mein Lieber! Mir brauchen Sie das nicht zu wünschen.« Seine Lippen verzogen sich. »Hüten Sie den Film! Er wird die Welt verändern.« Noch mehr verzogen sich die Lippen. »Und wenn er es nicht tut« – Goebbels zuckte mit den Achseln – »dann sind Sie wenigstens mit dem Leben davongekommen.«

Ein kleines blondhaariges Mädchen stürzte weinend in den Raum. Das kleine Mädchen trug eine Puppe, die es anklagend emporhielt.

»Vati, Vati, Hans hat der Tine den Arm ausgekugelt!«

»Na, so was! Nicht weinen! Ich mache dir Tine gleich wieder heil!«

Goebbels schlug Ross auf die Schulter und hinkte ohne ein weiteres Wort aus dem winzigen Bunkerraum. Von fern hörte Ross eine sehr betrunkene Frau und einen sehr betrunkenen Mann singen.

»Es geht alles vorüber, es geht alles vorbei…«

Kurz vor drei Uhr früh traf am 8. April 1945 ein graugestrichener Wagen der Waffen-SS auf dem Nachtjägerflughafen südlich von Berlin ein. Nirgends brannte Licht. Die Scheinwerfer des Wagens trugen Verdunklungsscheiben aus schwarzem Bakelit, in die schmale Schlitze geschnitten waren. Von den drei Startbahnen des Flughafens waren zwei total zerbombt, die dritte hatte man notdürftig instand gesetzt. Eine Maschine vom Typ JU 52 der Deutschen Luftwaffe wartete am Ende dieser Piste. Über den von den Trümmern des Hauptgebäudes freigeräumten Weg fuhr der Wagen holpernd und langsam – das Feld war voller Bombentrichter – bis nahe an die Maschine heran.

Ross stieg aus. Er trug einen gefütterten Regenmantel und einen breitkrempigen Hut. Der SS-Mann, der gefahren war, und der Funker der JU 52 halfen ihm mit seinem Gepäck, zwei schweren

Koffern. Sie schleppten sie in die Maschine. Den dritten, kleinen Koffer, den Goebbels ihm gegeben hatte, behielt Ross in der Hand. Die Nacht war klar. Ununterbrochen ertönte bald lauter, bald leiser der Lärm von Artilleriefeuer. Das bleiche Licht des Vollmonds ließ alles wesenlos und unwirklich erscheinen: Menschen, Ruinen, das Flugzeug.

Niemand sprach ein Wort. Der SS-Mann ging zu seinem Wagen zurück, Ross stieg in die Maschine, der Funker verschwand in der Pilotenkanzel. Die Motoren sprangen an. Minuten später kurvte die JU 52 bereits über Berlin. Ross sah in die Tiefe. Er erblickte eine alptraumhafte Trümmerstätte. Plötzlich empfand er das warme Gefühl des Glücks. Er wurde ausgeflogen. Er kam mit dem Leben davon. Das Gefühl überwältigte ihn. Er lehnte sich zurück, atmete tief und spürte, wie die Phiole mit den Zyankalikapseln gegen seine Brust drückte. In diesem Bunker werden nun bald viele Gift nehmen, dachte er. Mich hat Goebbels ausersehen zu einer gewaltigen Mission. Ich werde tun, was ich kann. Aber das Wichtigste ist nicht die Mission. Das Wichtigste ist das Leben. Und ich werde meines behalten.

Es begann hell zu werden, als die JU 52 auf der einzigen noch intakten Startbahn des gleichfalls fast völlig zerstörten Flugplatzes von Bergen landete. Der wichtigste Hafen an der norwegischen Westküste und die traditionsreiche Stadt sollten die erste Station auf Ross' großer Reise sein. Beim Anflug hatte Ross gesehen, daß das Zentrum Bergens von Bränden und Bombenangriffen weitgehend verschont geblieben war.

Die Maschine kam zum Stehen. Ein stumpfgrün gestrichener Mercedes rollte auf sie zu. Auch hier saß ein SS-Mann am Steuer. Er hob lässig den rechten Arm. Dasselbe tat Ross. Gesprochen wurde nicht. Der Funker half wieder beim Gepäck. Die beiden Piloten ließen sich nicht sehen. Gleich darauf fuhr Ross durch die trostlosen Schutt- und Trümmerberge der Randbezirke über mühselig freigeschaufelte Wege zum Hafen hinunter. Hier war es eisig kalt. Ross fror. Bergen lag auf einer flachen Halbinsel und wurde von hohen Bergen eingeschlossen. Die Hafenarme waren labyrinthartig verzweigt. Ross sah es, als sie dem Wasser nun näher kamen.

Die Gegend wurde immer trister. Hier waren viele Anlagen zerbombt. Der Fahrer ging auf Schrittgeschwindigkeit herunter. Dann tauchte eine riesenhafte Betonwand vor ihnen auf. Viele

Meter hoch war sie und endlos lang. Eisnebel verwandelte alles zu einem unheimlichen Gespensterland.

Der Fahrer hielt.

»Was ist los?« fragte Ross.

»Straße im Arsch, sehen Sie doch. Wir müssen zu Fuß gehen bis zum Bunker.«

Sie stiegen aus. Fauchender Sturm warf Ross fast um. Mit dem Fahrer schleppte er sein Gepäck durch diese Mondlandschaft. Außer Atem erreichten sie den schmalen Eingang zu dem grauen Betonbunker. Hier standen zwei Männer der Feldpolizei. Ihre Gesichter waren blaugefroren.

»Ich werde erwartet«, sagte Ross. »»U Swinemünde««.

»Parole?«

»»Kehre wieder, Morgenröte««, schrie Ross. Der Sturm war hier sehr stark, er riß ihm die Worte vom Mund fort.

»Moment.« Der eine Soldat nahm den Hörer eines Telefons, das in einer Lederhülle neben ihm an der Wand hing, drehte eine Kurbel und brüllte in den Apparat: »Der siebente Mann ist jetzt da… Ja… In Ordnung.« Er klinkte den Hörer ein und schrie Ross zu: »Kommen gleich welche, die holen Ihre Koffer. Der Kaleu kommt auch. Warten Sie!«

Ross nickte. Sein Gesicht brannte, aus seinen Augen rannen Tränen. Der Fahrer neben ihm fluchte. Nach einigen Minuten erschienen zwei junge Männer in pelzgefütterten Uniformwesten. Sie nickten Ross zu und nahmen die beiden schweren Koffer, mit denen sie wieder verschwanden. Der Fahrer tippte lässig an seine Kappe und ging. Aus dem Eingang des Bunkers trat ein junger Mann in der Uniform eines Kapitänleutnants. Er war hager, mittelgroß, und sein Gesicht war von Falten und Furchen durchzogen. Er zog Ross in den Bunker hinein.

Nach dem Toben des Sturms draußen herrschte in der gigantischen Halle – so schien es Ross – Totenstille. Er sah sich um. In Schwimmdocks lagen vier U-Boote, drei waren stark beschädigt. Zwei weitere Boote befanden sich auf Trockendocks am unteren Ende des riesigen Bunkers. Dort erblickte Ross auch mächtige Werkstätten. Es wurde noch nicht gearbeitet.

»Herr Eduardo Olivera?« Der Kapitänleutnant trug einen grauen Rollkragenpullover unter der Uniformjacke.

»Ja.« Sie schüttelten einander die Hand.

»Ich heiße Jonson«, sagte der Kapitänleutnant. »Wir haben auf Sie gewartet. Kommen Sie! Wir müssen abhauen.«

Ihre Stimmen hallten. Ross folgte Jonson über schwingende Stahlplatten in den Bunker hinein. Es stank nach Öl und ausgeglühtem Metall.

»Vorsicht!« sagte Jonson. Ross nickte. Er sah nach oben. Der Bunker war hoch. Jonson bemerkte den Blick. »Sieben Meter dick die Decke«, sagte er. »Stahlbeton. Hat bis jetzt auch die größte Bombe nicht durchschlagen können.« Nun gingen sie über Betonrampen. Dann kamen wieder Stahlplatten. Da lag »U Swinemünde«. Olivera starrte das Boot an. Die zwei Männer, welche die Koffer geschleppt hatten, standen auf dem schmalen, glatten Deck neben dem Turm.

Ross erinnerte sich an die Erklärung, die Goebbels ihm vor Wochen in Berlin gegeben hatte: »›U Swinemünde‹ wird Sie hinüberfahren. Das ist ein Fernfracht-U-Boot. Es hat in den letzten Jahren wertvolle Ladungen nach Japan gebracht und wertvolle Ladungen zurück. Erze zum Beispiel. Nicht für Torpedos gebaut. Hat nur das übliche Deckgeschütz.« Olivera wußte: Die gesamte Besatzung bestand aus Freiwilligen, den Kommandanten eingeschlossen. Das hatte Goebbels ihm auch erzählt. Es war eine Mannschaft, die sich aus Besatzungsmitgliedern verschiedener anderer U-Boote zusammensetzte.

»Nur erstklassige Leute«, hatte Goebbels gesagt. »Noch einmal und noch einmal durchleuchtet. Haben alle Angehörigen verloren. Wollen nicht in die Heimat zurück. Versprechen sich drüben ein besseres Leben. Wissen, daß sie unter Umständen eingesperrt werden. Kennen alle Risiken, wenn sie unterwegs aufgebracht werden. Fahren noch sechs andere Zivilisten mit. Jeder hat seine Mission...«

Die beiden Besatzungsmitglieder, die auf Deck standen, traten vor. Sie halfen Olivera an Bord. Er war unsicher und fürchtete, in das verdreckte Wasser des Bunkers zu stürzen. Den Koffer mit der Filmtrommel hielt er eisern fest.

»Sie müssen die Leiter am Turm raufklettern und durch die Luke ins Boot rein. Gibt keinen anderen Weg«, sagte der Kommandant, Kapitänleutnant Jonson.

Olivera kletterte die Leiter hoch. Den Koffer gab er einem der Männer, die ihm folgten. Schwankend erreichte Olivera die Luke, verschwand in ihr, kletterte die Sprossen an der Innenseite hinab – und rang nach Luft. Seine schlimmsten Träume hatten ihn nicht darauf vorbereitet, daß es so aussah in einem U-Boot: So eng. So beklemmend. So unheimlich. Überall erblickte er

Apparate, Maschinen und Armaturenbretter mit einer Unmenge von Anzeigern unter Glas. Allmächtiger! dachte er.

»Gehen Sie!« sagte der Mann, der auf der Sprossenleiter des Turms über ihm stand. »Ich trage Ihren Koffer. Sie müssen zu den Kojen. Durch die Schotten.« Ross machte einen tastenden Schritt, dann noch einen, einen dritten. Das erste Schott. Er stieg durch. Schwaches Licht brannte im Boot. Männer in Jacken, Pullovern, Unterhosen preßten sich an ihm vorbei. Eng. Eng. Eng. Beklommenheit überkam Olivera, wurde größer, immer größer. Der Mann mit seinem Koffer stieß ihn an. Weiter! Das nächste Schott. Dann war Ross in einem Raum mit schmalen Bettenkojen, immer zwei übereinander, zu beiden Seiten. Auf sechs dieser jämmerlichen Pritschen, oben und unten, saßen sechs Zivilisten.

»Morgen«, sagte Ross.

Die sechs starrten ihn an. Keiner antwortete.

Der Maat mit dem Koffer sagte: »Da oben, das ist Ihre Koje.« Er wuchtete den Koffer mit der Filmrolle hinauf und schwang sich durch das offene Schott zurück nach vorne. Olivera sah, daß man seine großen Koffer bereits mit zahlreichen anderen unter die Kojen geschoben hatte. Er zog den Mantel aus, wußte nicht, wohin mit ihm und seinem Hut, warf beides auf die Koje und kletterte nach oben. Die sechs Männer sahen ihm dabei zu. Olivera legte sich auf das schmale Bett und starrte die Stahlwand direkt über sich an. Unten eilten Matrosen hin und her. Er hörte Befehle und Rufe. Offenbar wurde das Boot zum Auslaufen fertiggemacht. Kein Mensch kümmerte sich um die sieben Zivilisten. Keiner von ihnen sprach. Es waren außerordentlich schweigsame Herren.

Eine halbe Stunde später sprangen die Dieselmotoren an. Olivera fühlte, wie sich das Boot langsam in Bewegung setzte. Da war es 6 Uhr 35 am 8. April. Olivera fiel der Satz eines britischen Klassikers ein, aber nicht dessen Name: »Hell must be a place like London.« Er dachte: Die Hölle muß ein Ort wie der hier sein. Zu diesem Zeitpunkt ahnte er noch nicht, daß er in dieser Hölle die nächsten sechsundsiebzig Tage und sechsundsiebzig Nächte bis zum frühen Morgen des 23. Juni 1945 verbringen sollte.

Tagsüber fährt das Boot unter Wasser, um Treibstoff zu sparen. Es fährt deshalb auch nicht sehr schnell. Nur nachts taucht es auf. Die E-Maschinen müssen geladen werden. Nachts können sie alle für ein paar Stunden dem Mief des Bootsinnern entkommen und frische Luft schöpfen. Sechsundsiebzig Tage und sechsundsiebzig Nächte. Das ist selbst für alte U-Boot-Fahrer fast zuviel. Die sieben schweigsamen Zivilisten, die noch nie zuvor auch nur fünf Minuten in einem U-Boot zugebracht haben, kämpfen um das nackte Überleben. Sie werden seekrank. Was sie essen, erbrechen sie sofort wieder. Dann erbrechen sie, ohne etwas zu essen, schon wenn sie Essen nur riechen. Sie müssen immer gleich alles wieder saubermachen, um nicht im eigenen Gestank zu ersticken. Sie haben Todesangst. Sechsundsiebzig Tage und sechsundsiebzig Nächte Todesangst. Keiner kümmert sich um sie. Von der Besatzung werden sie als Top-Nazibonzen verachtet. Allen an Bord wachsen Bärte. Man kann sich nicht richtig waschen. Man ekelt sich vor dem eigenen Körper. Die Stimmung wird gereizter und gereizter, sogar bei den alten Hasen unter der U-Boot-Besatzung.

Der einzige, dem das alles nichts anzuhaben scheint, ist der dreißigjährige Kommandant Heinz Jonson. Der bleibt völlig unverändert. Maulfaul. Schlau. Sieht alles. Hört alles. Schlichtet sofort jeden Streit, trennt schnellstens zwei, die eine Prügelei beginnen. Setzt sich ohne Mühe durch gegen jeden Stänkerer, Meuterer, Intriganten. Hockt über seinem Kartentisch bei Tag und bei Nacht – man weiß nicht mehr, wann was ist –, liest alle Meldungen, die der Funker in seiner Box auffängt, und gibt die weiter, von denen er meint, sie könnten von Interesse sein.

Schon am 25. April reichen russische und amerikanische Soldaten bei Torgau an der Elbe einander die Hände. Da haben drei der sieben Zivilisten bereits seit zehn Tagen Dünnschiß. Der wird noch schlimmer nach dieser historischen Begegnung. Am 30. April ernennt Hitler den Befehlshaber der U-Boote, Großadmiral Dönitz, zu seinem Nachfolger und läßt seinen Hund, seine Eva Braun und sich selber umbringen. Die Meldungen kommen von alliierten Kriegsschiffen, die ringsum ihre Bahn ziehen und die »U Swinemünde« nicht entdecken dürfen, weshalb das Boot beharrlich Funkstille hält.

Ein paar Stunden nach Hitlers Ende tötet Goebbels seine Frau, seine vier Kinder und sich selber, und Olivera muß, während er das hört, an das kleine blonde Mädchen mit der Puppe Tine denken, der Brüderchen Hans den Arm ausgekugelt hatte. Ob Goebbels sich die Zeit nahm, das Zyankali für die ganze Familie in Wasser zu lösen? überlegt Olivera. Vermutlich. Welches Kind beißt schon freiwillig auf eine Glasampulle?

Die meiste Zeit des Tages liegt Eduardo Olivera in seiner Koje. Den Koffer mit der Filmtrommel hat er neben sich, die eine Hälfte einer Handschelle um den Koffergriff, die andere Hälfte um eine Stahlstrebe der Außenwandverkleidung geschlossen. Er paßt sehr auf sich auf und bleibt so sauber, wie es nur geht. Er zwingt sich zu essen. Nachts macht er an Deck Freiübungen, bis ihm der Schweiß herunterläuft. Er wird diese Höllenfahrt überleben, das hat er sich geschworen. Von den sechs anderen schweigsamen Herren lassen sich die meisten bedenklich gehen und sind apathisch oder hysterisch geworden. Mundfäule haben sie alle.

Am 7. Mai läßt Dönitz um 2 Uhr 41 den Generalobersten Jodl in Eisenhowers Hauptquartier in Reims die bedingungslose deutsche Kapitulation unterschreiben.

Am 9. Mai, denkt Daniel, während er in einem Jumbo der AEROLINEAS ARGENTINAS der Stadt São Paulo entgegenfliegt, wurde die Kapitulation im sowjetischen Hauptquartier in Berlin-Karlshorst bestätigt, wo der Generalfeldmarschall Keitel, wiederum auf Befehl von Dönitz, unterschrieb. Den Keitel und den Jodl hängten die Sieger dann später in Nürnberg auf, überlegt Daniel. Der Großadmiral Dönitz bekam zehn Jährchen, die saß er in Spandau auf einer Backe ab, wurde am 1. Oktober 1956 entlassen und schrieb noch ein schönes Buch, dieser Mann, der von den vierzigtausend deutschen U-Boot-Fahrern dreißigtausend verheizt hat. »Zehn Jahre und zwanzig Tage« hieß das schöne Buch. Gestorben ist Dönitz erst am 24. Dezember 1980. Neunundachtzig sollte er werden, das Alter muß man ehren. Hat doch hochintelligent gehandelt 1945. Nein, instinktiv! Bedingter Reflex. Wie bei Pawlows Hunden. Andere die Niederlage stellvertretend unterschreiben lassen, wenn alles im Arsch ist, so denkt Daniel, hat in diesem unserem Lande schon immer ungemein lebensverlängernd gewirkt.

Auf dem Boot feiern sie den 9. Mai 1945, an dem um 0 Uhr 01 die Bedingungen der Kapitulation in Kraft treten. Der Smutje hat einen besonders feinen Fraß gekocht, und jeder bekommt eine Banane und eine Orange, und der junge alte Kaleu, der sagt: »Verflucht – und nie wieder Krieg! Gott schütze uns alle und jeden besonders.« Feiner Kerl, der Alte. Was wohl aus dem geworden ist? Nie wieder Krieg – ach du liebes Gottchen!

Am 23. Mai wird die »Regierung Dönitz« in Flensburg verhaftet, und der älteste der schweigsamen Männer an Bord hat einen Karbunkel an einer besonders peinlichen Stelle. Über zehn Millionen deutsche Soldaten befinden sich in Gefangenschaft. Mehr als die Hälfte des Ostheeres, fast zwei Millionen Mann, erreicht in den letzten Kriegstagen noch den westlichen Machtbereich. Und von der Kriegsmarine werden vom 23. Januar bis zum 9. Mai mehr als zwei Millionen Flüchtlinge aus den Ostseebrückenköpfen nach Westen überführt.

Und weiter geht die Fahrt, immer weiter. Die anderen schweigsamen Zivilisten kriegen auch Karbunkel und Ekzeme und Augenentzündungen. Nur Olivera nicht. Ein paar von der Mannschaft schon, und sie verfluchen die Scheiß-Top-Bonzen, diese Nazihunde. Jetzt kann man ja ohne Angst die Wahrheit sagen, nicht wahr? Eine tolle Wut bricht aus bei diesen jungen, geschundenen, armen Kerlen, die dem großen Verheizen eben noch entgangen sind. Sind sie ihm entgangen? Erst fünfzig von sechsundsiebzig Tagen sind vorbei.

Am einundfünfzigsten Tag kriegt einer der schweigsamen Zivilisten einen Tobsuchtsanfall und muß an die Schienen seiner Koje gefesselt werden. Da schlägt er dann immer mit dem Kopf gegen die Stahlwand, bis er blutet wie ein Schwein und auch noch der Kopf fixiert werden muß. Schon eine Sauerei so was! Und ansteckend. Eine Woche später fangen zwei weitere Herren zu toben an und müssen gefesselt werden. Heulkrämpfe haben sie alle – bis auf Olivera. Wenn der in seiner Koje liegt, ist er immer ganz still und ruhig und freundlich. In der JU 52, die ihn nach Bergen brachte, hat er ein Buch entdeckt, das jemand dort liegengelassen hat. »Großes Schachbuch« heißt es, und da sind die zweihundertfünfzig besten Partien der berühmtesten Schachmeister der Welt Zug um Zug beschrieben. Weil das Buch schon 1930 gedruckt wurde, finden sich hier auch die großen Spiele von Juden und Russen, und Georg Ross, der jetzt Eduardo Olivera heißt, studiert dieses Buch Zeile für Zeile. Zug um Zug spielt er im Geist die genialen Partien nach, die Meisterpartien zwischen Bernstein und Janowski, Aljechin und Marshall, Tarrasch und Gunsberg, Lasker und Napier, Capablanca und Bogoljubow und so vielen, vielen anderen. Dieses Schachbuch, Lc1–g5, b7–b5, rettet ihm sozusagen das Leben, Sf3–e1, Sf8 × e6, denn solcherart behält er seine Nerven und dreht nicht durch und übersteht völlig unbeschadet sechsundsiebzig Tage und sechsundsiebzig Nächte in der Hölle, De2—h2, Le8—f7.

Am neunundfünfzigsten Tag der Reise weckt Olivera das heftige Stöhnen des Zivilisten, der unter ihm liegt. Er springt aus der Falle. Der Zivilist hat ein blaues Gesicht, verdrehte Augen und Schaum im offenen Mund, und eine Minute später ist es mit dem Stöhnen vorbei und mit dem Mann auch. Stinken tut es, diesmal ausnahmsweise nach etwas anderem als sonst – nämlich nach Bittermandeln. Der Kerl hat eine Zyankalikapsel zerbissen, wie auch Olivera sie hat. Scheinen alle solche Kapseln zu haben, die schweigsamen Herren. Nun sind es nur noch sechs. Und zwei Maate und der Zentralegast schieben den Toten in einen Jutesack, legen ein paar Kanteisen zu der Leiche und binden gut zu. Nachts, als das Boot auftaucht, schmeißen sie den Sack dann über Bord, bevor er zu stinken anfängt, der Tote, und das ganze Gepäck, das er hatte, schmeißen sie ihm nach. Scheiß drauf, was da für geheime Schriftstücke drunter sind! Weg mit Schaden. Ein Gebet wird nicht gesprochen. Der kommt schon so in den Himmel. Und Olivera macht gleich danach seine Freiübungen wie immer. Dg3 × h3, a4—a3.

In der Nacht zum sechzigsten Tag ihrer Reise verliert dann ein zweiter Zivilist vollends den Verstand. Er war schon seit einer Woche nicht mehr richtig im Kopf und hat dauernd von Röntgenstrahlen und Martin Luther geredet. In dieser Nacht springt er plötzlich auf und läuft Amok durch das Boot, und er hat ein Springmesser, Sh3—f2, Lb3 × d1, weiß der Himmel, wo das her ist, Tg1—g6, a3—a2, und mit dem Springmesser sticht er auf jeden ein, der ihm in den Weg kommt, und auch auf jeden, der ganz friedlich pennt (es ist vier Uhr morgens), und er brüllt wie ein Tier und will raus, raus, raus. Td1 × d2, Kg8—g7. Sie können ihn nicht überwältigen, und da nimmt der Kommandant seine Pistole – er ist der einzige, der eine Waffe haben darf – und schießt dem Rasenden drei Kugeln in den Bauch, und als der immer noch nicht tot ist, schießt er das ganze Magazin leer, und das genügt dann. Und wieder müssen sie einen unbekannten Toten in einen Jutesack schieben und Kanteisen dazu und den Sack zubinden und nachts über Bord schmeißen mit allen anderen Sachen. Und der Sani verarztet die Verletzten – sind zum Glück nur Fleischwunden, ungefährliche, nur mächtig desinfizieren muß er sie –, und Olivera ist wieder beschäftigt mit Kniebeugen und Bruststrecken und tief, tief durchatmen, $d_4 \times e_5$, $Se_4 \times d_2$. Und es ist erst der sechzigste Tag ihrer Reise.

Nun wird es immer heißer, grauenvoll heiß. Sie sind alle fast nackt im Boot und schwitzen wie die Schweine Tag und Nacht, denn auch die Nächte sind nun heiß, und jetzt haben fast alle Karbunkel und Mundfäule und Ekzeme. Nur Olivera immer noch nicht, $De_2 \times c_4$, $Dc_7 - c_5$. Wundervoll hat Rubinstein das gemacht, ganz prachtvoll!

Und siehe, es kommt die Nacht zum sechsundsiebzigsten Tag, und alle wissen: Jetzt ist es soweit! Und die Siechsten und Elendsten grinsen, und der Kommandant Heinz Jonson steht am Scherenfernrohr und beobachtet die Küste, die etwa dreißig Seemeilen entfernt vorüberzieht, und dann – es ist drei Uhr früh – holt er das mächtige Rohr herunter und befiehlt aufzutauchen. Und sie klettern alle an Deck, bis auf jene, die Dienst haben, und sehen ein paar verlorene Lichter in der Ferne, und sie wissen, das sind die Lichter von einem Kaff namens Bartolomé Bavio, das liegt auf der rechten Seite des Rio de la Plata, also links vor ihnen, und sie sind am Ziel, wenigstens die Zivilisten. Jonson hat sich mit seinen Leuten besprochen. Wenn die Zivilisten weg sind, wird er in das Mündungsbecken hineinfahren bis nach Buenos Aires und sich im Hafen den Amerikanern ergeben. Liegen amerikanische Schiffe dort, das weiß er. Der Kommandant wird sagen, daß sie mit dem Boot getürmt sind, weil sie die Schnauze voll gehabt haben vom Vaterland, dem teuren, schließ dich an, und daß sie als Beweis ihrer Aufrichtigkeit und ihres guten Willens ein ganzes deutsches Fernfracht-U-Boot, vom Stapel gelaufen 1941 auf der Werft von Blohm & Voss in Hamburg, sozusagen als Gastgeschenk mitgebracht haben. Und daß sie nach Nordamerika wollen. Wenn es sein muß, zuerst als Kriegsgefangene. Aber dann soll man sie um Himmels willen im Lande lassen, sie werden auch gute Bürger sein. Sie wollen nur in Amerika leben und in Frieden. In Amerika gibt es für sie noch Hoffnung. In Deutschland nicht. Darum haben sie diese Irrsinnsfahrt riskiert, die sechsundsiebzig Tage und sechsundsiebzig Nächte gedauert hat.

Ganz langsam nähert das Boot sich der Küste. Nach einiger Zeit beginnt der Signalgast sich zu melden. Er sendet mit Rotlicht ein vereinbartes Zeichen.

Und da! Das Signal wird erwidert! Vor der Küste flackert es auf, gleichfalls rot, wieder und wieder und wieder. Sie kommen, um die schweigsamen Männer zu holen. Donnerwetter, hat das vielleicht geklappt! Und den Krieg haben wir auch noch verloren. Tb7—b3, Lc3—g7.

Etwa zwei Stunden später geht ein sehr großes und sehr schnelles Motorboot längsseits. Deutsche Stimmen ertönen. Schnell! Muß schnell gehen, überall paßt die Küstenwache auf. An Seilen werden die fünf Zivilisten und ihr Gepäck zum Motorboot hinübergehievt. Wieso seid ihr nur fünf? Wo sind die anderen zwei? Die sind... Leise, leise. Flüstern. Und ihre Koffer? Im Meer. O verfluchte Scheiße! Der Kommandant steht neben dem Turm, er hat jedem der ungebetenen Gäste die Hand gegeben und fünfmal »Denn man tau« gesagt. Jetzt werden die Leinen gelöst. Das Motorboot dreht und nimmt sofort mit höchster Geschwindigkeit Fahrt Richtung Küste auf. Olivera schaut sich noch einmal um. Im Dämmerlicht steht Heinz Jonson ganz allein neben dem Turm.

Eine Viertelstunde später erreicht das Motorboot die Küste. Der Rio de la Plata ist hier flach, und der Strand besteht aus feinem, weißem Sand. Sie müssen ein Stück durchs Wasser waten, dann stehen sie auf argentinischem Boden. Die mit dem Motorboot hauen ab. Reglos stehen fünf Zivilisten in dreckigen Anzügen und dreckigen Mänteln, den Hut auf dem Kopf, in der feuchten Hitze und bewegen sich nicht. Sechseinhalb Minuten stehen sie so, dann tauchen sieben Autos auf, darunter zwei Jeeps. Wieder die Fragen, wo die zwei seien, die fehlen, die gleichen Antworten, wieder das Gefluche.

Weg, wir müssen hier schleunigst weg! Jeder der Herren wird in einem anderen Wagen verstaut mit seinem Gepäck. Zwei Wagen haben keinen Passagier. Eduardo Olivera sitzt neben einem großen Mann in weißem Hemd und weißer Hose vorn in einem der Jeeps, das Gepäck liegt hinten, den Koffer mit der Filmrolle hält Olivera auf den Knien, das »Große Schachbuch« auch.

»Wir fahren nach Bartolomé Bavio«, sagt der Mann am Steuer. »Da bleiben Sie den Tag über. Versteckt. Bei Freunden.« Er spricht jetzt Spanisch, und Spanisch antwortet Olivera: »Warum fahren wir nicht gleich nach Buenos Aires?«

Der Fahrer ist zufrieden mit Oliveras Aussprache.

»Zu gefährlich«, sagte er. »Sehr viel Militär hier überall. Nachts bringe ich Sie weiter. In Ihr Haus. Alles vorbereitet!« Und er fährt los über den perlweißen, feinen Sand. Die andern Wagen sind schon verschwunden. Olivera wird leicht in seinen Sitz zurückgedrückt. Ein ungeheueres Glücksgefühl überflutet ihn, stärker, viele Male stärker als jenes, das er in der JU 52 empfunden hat. Gerettet! In Sicherheit! Er hat überlebt! Er beginnt zu lachen. Er lacht und lacht. Der Fahrer achtet überhaupt nicht darauf. Er fährt ohne Licht, klar. Jetzt sind sie auf einer Straße. Und da, als der Jeep um eine Kurve schießt, gleitet das »Große Schachbuch« von dem kleinen Koffer auf Oliveras Knien und fällt hinaus, hinaus in die Dunkelheit, in den weißen Sand. Und Olivera hat es doch aufbewahren wollen, aufbewahren für immer, das Buch, das ihn vor Irrsinn und Tod bewahrt hat.

»Was war das?« fragt der Fahrer.

»War was?«

»Da ist doch eben was rausgeflogen.«

»Ach so, ja.«

»Nämlich was?« fragt der Fahrer.

»Nichts Wichtiges«, sagt Olivera.

5

»Meine Damen und Herren, darf ich um Ihre Aufmerksamkeit bitten!«

Eine Stewardeß war an eines der Telefonmikrofone getreten. Ihre Stimme ertönte aus den Lautsprechern in der ganzen riesigen Kabine, aber auch aus den Kopfhörern an jedem Sitz. Wenn sie auf Musik geschaltet waren, so wurde diese automatisch zurückgenommen. Daniel öffnete die Augen, er brauchte einen Moment, bis er wußte, wo er sich befand. Eben noch hatte er von der Landung seines Vaters in Argentinien taggeträumt. Mercedes hielt seine Hand, bemerkte er.

Unterdessen hatte die Stewardeß weitergesprochen: »In wenigen Minuten werden wir auf dem internationalen Flughafen von São Paulo landen. Wir haben einen kleinen Defekt in der Klimaanlage, den wir vor dem Weiterflug beseitigen lassen wollen. Das wird voraussichtlich etwa eine halbe Stunde in Anspruch nehmen. Wir müssen Sie bitten, die Maschine zu verlassen und in den Transiträumen zu warten. Sie sind herzlich zu Drinks eingeladen. Nach dem Start servieren wir das Abendessen. Darf ich Sie jetzt bitten, das Rauchen einzustellen und sich anzuschnallen. Danke!« In drei anderen Sprachen wiederholte das Mädchen ihre Ansage.

Es war Nacht geworden. Licht brannte in der Kabine.

»Wie geht es, Danny?«

»Viel besser«, sagte er. »Ich bin ziemlich benommen, aber es geht viel besser, Mercedes.«

Sie streichelte seine Hand. »Du hast geschlafen.«

»Ja.«

»Du siehst fabelhaft aus im Schlaf.«

»Mercedes!«

»Nein, wirklich. Und ich habe deinen Schlaf bewacht.«

»Das war lieb von dir. Du siehst fabelhaft aus im Wachen.«

»Wir sehen beide ganz fabelhaft aus.« Sie hatte ihm seine Kopfhörer abgenommen und küßte ihn auf die Wange. Der Priester, der aus dem Fenster sah, sagte auf englisch zu Daniel: »Das ist die größte Stadt Brasiliens. Mittelpunkt des wissenschaftlichen Lebens. Drei staatliche Universitäten und eine katholische.« Mercedes und Daniel sahen in die Tiefe. Die Maschine überflog ein gewaltiges Lichtermeer. Das Straßensystem ähnelte dem von Buenos Aires. »Eine Menge Industrie«, fuhr der Priester fort. »Die meisten brasilianischen Filme werden hier gedreht. Dies ist auch das Fernsehzentrum des Landes. Zwei Flughäfen. Viele Autobahnen. Zum Hafen Santos. Bis nach Rio. Fünfzehnhundertvierundfünfzig ist São Paulo als Jesuitenmission gegründet worden«, sagte der Priester stolz. »Heute nennt man es das Chicago Südamerikas. HErr, Du hast uns in Deiner Güte bisher so wunderbar beschützt. Beschütze uns weiter, wir bitten Dich.« Der Jumbo verlor jetzt rapide an Höhe.

»Fliegen Sie noch weiter?« fragte Mercedes.

»O ja«, sagte der Priester. »Bis Frankfurt. Und dann nach Köln. Der Herr Erzbischof dort hat mich heimgerufen.«

»Sie sind Deutscher?«

»Ja«, sagte der Priester, während der Jumbo aufsetzte und über die Landebahn schoß, deren beide Seiten von Lichtern markiert waren. Er sprach jetzt deutsch: »Aus Köln. Sie merken es am Tonfall. Ich heiße Heinrich Sander.«

»Wie lange waren Sie in Südamerika?«

»In Buenos Aires, nur in Buenos Aires«, sagte der Priester, der Sander hieß. »Fünfundzwanzig Jahre.« Er lächelte, und es war das gütigste Lächeln der Welt, dachte Ross. »Jetzt bin ich alt. Jetzt kann ich für mich sein. Ich werde endlich Zeit haben zu lesen. Und in einem großen Garten zu arbeiten. Ich bin ein sehr guter Gärtner, wissen Sie?«

Die Maschine war zum Halten gekommen, die Luftkühlung schaltete sich ab. Sofort brach allen Passagieren der Schweiß aus. Sie beeilten sich, das Flugzeug zu verlassen. Der sehr große, sehr schlanke und braungebrannte junge Mann, der sechs Reihen hinter Mercedes und Daniel in der mittleren Sektion gesessen und die beiden seit dem Abflug nicht aus den Augen gelassen hatte, erhob sich gleichfalls. Er sah, daß Mercedes die rote Flugtasche, in der sie die beiden Videokassetten verstaut hatte, aus der Gepäckablage hob. Seine Augen verengten sich. Der alte Priester vor Mercedes und Daniel ging an einem schweren, silberbeschlagenen Stock aus schwarzem Holz.

Im Freien war es so unerträglich heiß wie in Buenos Aires. Die Zubringerbusse fuhren schnell. Eine Stewardeß sagte, die Transiträume seien klimatisiert. Mercedes hatte sich bei Daniel eingehängt und stützte ihn, als sie einen langen, hellen Gang im Airport entlang gingen, den Priester an ihrer Seite. Daniel taumelte ein wenig. Sein Gesicht war eingefallen, er sah sehr bleich aus. Im Augenblick, in dem er den Transitraum betreten wollte, wurde er herumgerissen.

Mercedes schrie gellend auf. Daniel sah, daß ein großer junger Mann mit randloser Brille versuchte, ihr die rote Flugtasche zu entreißen. Sie wehrte sich verzweifelt. Der junge Mann war stärker. Nun hatte er die Tasche. Er wollte weglaufen, ging aber gleich darauf laut stöhnend in die Knie. Der alte Priester hatte ihm den Griff seines Stocks über den Schädel geschlagen.

Nun schrien viele Passagiere durcheinander. Zwei Polizisten in der Halle rannten los. Der alte Priester bückte sich mit einer Geschwindigkeit, die ihm niemand zugetraut hatte, und entriß dem jungen Mann, dem aus einer Platzwunde unter dem Haar Blut über das Gesicht rann, die rote Tasche.

»Policia!« schrie er. »Policia! Socorro! Socorro!«

Der junge Mann kam auf die Beine, schlug sich rücksichtslos den Weg frei und rannte durch einen Seiteneingang in die riesige Halle hinaus. Die beiden Polizisten kümmerten sich um Mercedes. Der Priester erklärte, was sich ereignet hatte. Mercedes war zu aufgeregt, sie konnte nicht sprechen. Daniel schwankte. Die Polizisten nahmen die Verfolgung des jungen Mannes auf. Sie kamen in dem nun von Menschen vollends verstopften Gang nur langsam voran.

»Sie müssen etwas trinken auf den Schreck«, sagte der Priester Sander auf deutsch mit kölnischem Tonfall. »Ich mache das schon. So viele Leute. Ich bestelle an der Bar. Setzen Sie sich hier hin, und rühren Sie sich nicht weg! Ich bin gleich wieder da.«

Daniel bemühte sich, Mercedes zu beruhigen. Sie zitterte am ganzen Leib. Mühsam öffnete sie die Tasche und vergewisserte sich, daß die beiden Kassetten noch da waren.

»Ich bin nämlich auch eingeschlafen, kurze Zeit, neben dir«, sagte sie zu Daniel.

»Er hätte dir die Tasche nicht weggerissen, wenn er die Kassetten schon gehabt hätte«, sagte Daniel.

»Der Lump«, sagte Mercedes. »Der schmutzige Lump.« Sie schloß die rote Tasche und legte beide Arme um sie. Gleich darauf kam der Priester mit einem Tablett und drei großen Gläsern.

»Gin-Tonic«, sagte Sander. »Ich habe gleich doppelte genommen.« Er setzte sich.

Die kleinen grünen Zitronen, dachte Daniel und sah in sein Glas, wie bei meinem Vater.

»In fünf Minuten bringt der Kellner uns noch einmal dasselbe«, sagte der Priester. »Haben Sie etwas Wertvolles in der Tasche?«

»Ja«, sagte Mercedes.

»Diese Burschen klauen alle«, sagte der alte Priester. »Am liebsten in der U-Bahn oder in so einem Gedränge.«

»Sie waren ganz prima, Hochwürden«, sagte Mercedes. »Ich danke Ihnen!«

»Nichts zu danken«, sagte der alte Mann. »War mir ein Vergnügen. Wenn ich ein paar Jahre jünger wäre, hätte der Knabe keine Chance gehabt, abzuhauen. Cheerio, auf diesen Schrecken!« Er hob sein Glas. Sie tranken ihm zu. »Ich war mal bester Boxer im Orden«, sagte Sander. »Und der Schnellste über tausend Meter. Die neuen Drinks müssen gleich kommen.«

Zu dieser Zeit saß der junge Mann mit der randlosen Brille in einem schwarzen Peugeot, der auf dem Platz vor dem Flughafen parkte. Ein anderer junger Mann, er war kleiner und hatte sehr langes schwarzes Haar, saß hinter dem Steuer und behandelte die Platzwunde. Er hielt einen Erste-Hilfe-Blechkasten auf den Knien. Nachdem er die Wunde desinfiziert hatte, wickelte er dem Größeren einen Verband über Haar und Stirn. Dann wischte er sein Gesicht mit Alkohol sauber. Dabei unterhielten sie sich.

»Also, du weißt jetzt, wo sie sitzen, Pablo. Und wo ich gesessen habe. Du mußt dir einen anderen Platz suchen. Die Maschine ist halb leer.«

»Die stellen jetzt die Tasche natürlich zwischen sich«, sagte Pablo. »Du nimmst den Wagen und fährst in die Stadt, Leon. Hauptpost. Kein Risiko. Ruf von der Hauptpost Cristobal an. Er sagte mir, London hat den richtigen Mann gefunden. Der übernimmt jetzt. Er wird in Frankfurt sein, wenn wir landen, hat Cristobal gesagt, und er wird mich ansprechen. Er weiß, wie ich aussehe. Ich halte eine Orchidee in der Hand. Erzähl Cristobal, was passiert ist. Damit dieser Mann es schon weiß. Fotos von den beiden hat er zu sehen bekommen, sagte Cristobal. So, der Verband hält. Verschwinde hier bloß, Leon!« Er schloß den Erste-Hilfe-Kasten und warf ihn auf den Rücksitz. »Ich gehe jetzt rein. Eingecheckt habe ich schon. Até logo, Leon, mach's gut!«

»Du auch, Pablo«, sagte Leon. Sie stiegen beide aus und schüttelten sich die Hände. Leon sah Pablo nach, wie dieser auf das Portal des Flughafens zuging, dann setzte er sich hinter das Steuer des Peugeot und fuhr los. Er war sofort auf einer Autobahn, die in die Stadt führte.

In der Wohnung des einsamen alten Mannes namens Cristobal im Haus fünfundzwanzig an der Straße Husares gegenüber den Kasernen und Exerzierplätzen des »Regimento 3 de Infanteria/ General Belgrano« in Buenos Aires schrillte das Telefon. Cristobal, wie in den ganzen letzten Wochen daheim nur mit einem Handtuch um die Lenden bekleidet, weil ihn die Hitze fast umbrachte, kam aus dem hinteren Zimmer herbeigeschlurft und hob ab.

»Ja?«

»Hier ist Leon.«

»Wo bist du?«

»São Paulo. Hauptpost.«

»Was ist los?«

Leon sagte, was los war.

Cristobal fluchte. »Du beschissener Sohn einer Hure, wer hat dir gesagt, daß du aktiv werden sollst? *Begleiten* solltest du die beiden bis São Paulo, sonst nichts.«

»Ich weiß. Aber ich habe die Kassetten gesehen. Das hat mich völlig verrückt gemacht, Cristobal. Kannst du das nicht verstehen? Ich habe gedacht, ich schaffe es ganz leicht. Und ich hätte es auch geschafft, wenn dieser verdammte Pfaffe nicht gewesen wäre.«

»Wenn... wenn... Wenn ihr nur für fünf Pesos Verstand hättet, alle miteinander!« Cristobal fluchte wieder. »Aber nein, so ein kleiner Kacker wie du muß natürlich Null-null-sieben spielen. Hättest du nur gemeldet, daß die Kassetten in der Tasche sind, wärest du ein großer Mann gewesen, Arschloch! Du fliegst natürlich von dem anderen Flughafen zurück.«

»Natürlich. Es tut mir leid.«

»Leid, Scheiße! Ist Pablo jetzt in der Maschine?«

»Ja.«

»Übernachte in einer kleinen Pension! Bring den Leihwagen zurück! Flieg morgen früh! Gute Nacht, Idiot!«

Cristobal legte auf, schaltete den Zerhacker ein, seufzte tief und rief Anwalt Roger Morley in London an.

Söldner Wayne Hyde lag im Bett seines Zimmers im Hotel RICHMOND und las Sonette von Shakespeare. Das tat er seit über einer Stunde. Es war halb vier Uhr früh, und Hyde konnte nicht schlafen. Vermutlich konnte kein Mensch in London schlafen. Ein Sturm von einer Stärke, die Hyde nur bei nordamerikanischen Blizzards kannte, raste seit zwei Stunden über die Stadt hinweg. Er deckte Dächer ab, brachte Mauern zum Einsturz, entwurzelte große, alte Bäume und tobte mit dem Lärm eines Bombergeschwaders. Der Sturm, der von ungeheuren Schneefällen begleitet wurde, war in der Tat ohrenbetäubend. Obwohl die Fenster geschlossen waren, wehten die Vorhänge, und eisige Luft erfüllte den Raum. Selbst das alte Hotel mit seinen dicken Mauern erzitterte, Hyde konnte es deutlich spüren. Er hatte Kopfweh und schon zwei Tabletten genommen, die nicht wirkten.

»Wie Wellen eilen zu dem Kieselstrand, / So unsre Stunden ihrem Ende zu...«Das war der Beginn des sechzigsten Sonetts. Hyde kannte und liebte es. Für diesen Mann, der in jeder freien Minute las, las wie ein Verdurstender, wie ein Maniac, war Literatur das, was für fromme Menschen ihre Religion, für Fanatiker ihre Ideologie bedeutet. Ja, ein Lesefanatiker war der vielfache Mörder gegen Bezahlung Wayne Hyde.

»... Und jede wird im Laufe überrannt / Von jeder nächsten, hastend ohne Ruh. / Einmal geboren in das Meer des Lichts, / Drängt jedes Leben nach der Reife hin, / Und ist's soweit, naht

Dunkel schon und Nichts, / Und Zeit, die schuf, wird zur Zerstörerin...«

Das Telefon auf dem Nachttisch läutete. Hyde hob ab.

»Ja?«

»Hier ist der Nachtportier. Verzeihen Sie die Störung, Sir, aber ein Gentleman hat angerufen und bittet dringend um Rückruf. Ich gebe Ihnen seine Nummer.« Er nannte sie, und Hyde bemerkte nach der dritten Zahl, daß es der Anschluß zu Roger Morleys Telefonbeantworter war. Er dankte, hängte ein, setzte sich im Bett auf, ließ die Beine baumeln, und während draußen der Sturm weiter wütete, wählte er Morleys Nummer. Auf dem Nachttisch lag der kleine weiße Decoder. Er nahm ihn in die freie Hand.

Morleys Stimme meldete sich am Gerät und nannte Namen und Adresse des Besitzers, der angeblich nicht zu Hause war. Man konnte aber eine Nachricht hinterlassen. »Bitte«, sagte Morleys Stimme vom Band, »sprechen Sie – jetzt!«

Hyde hielt das schwarze Oberteil des Decoders vor das Mikrofon des Telefonhörers und drückte auf den schwarzen Knopf des kleinen Apparates. Daraufhin sendete der Decoder drei verschieden hohe und verschieden lange Töne. Hyde hielt wieder den Hörer ans Ohr. Er bemerkte, wie ein Band zurücklief, dann ertönte Morleys Stimme: »Morgen, morgen. Tut mir leid, falls ich störe, aber ich nehme an, Sie schlafen so wenig wie ich. Neuigkeiten für Sie...« Morleys Stimme berichtete vom Band, was der alte, einsame Mann namens Cristobal in Buenos Aires ihm soeben telefonisch mitgeteilt hatte. Sie schloß: »... leider haben auch wir es mit Idioten zu tun, mein Lieber. Nun, es ist noch einmal gutgegangen. Also, die Kassetten sind an Bord, und wir wissen jetzt auch, wo. In den Unterlagen haben Sie gelesen, woran Sie in Frankfurt sofort den Mann erkennen, der jetzt mit den beiden nach Europa herüberfliegt. Er heißt Pablo. Großes Pech, dieser Schneesturm. Ich habe Heathrow angerufen. Die sagen, das wird noch zwei, drei Stunden so weitergehen. Bis Mittag fliegt keine Maschine, das ist sicher. Fast sicher ist, daß auch am Nachmittag noch keine fliegen kann. Schneeverwehungen auf allen Bahnen von über zwei Metern Höhe. Und es wird ständig schlimmer. Die Chancen, daß Sie rechtzeitig in Frankfurt sind, stehen zwanzig zu achtzig, bestenfalls. Good luck. Ende.« Das Band hielt mit einem leisen Klicken. Hyde legte den Telefonhörer in die Gabel und den Decoder auf den Nachttisch zurück, ließ sich ins Bett fallen, nahm das Buch und las weiter...

»...Die Zeit zersticht der Jugend grüne Flur, / Gräbt Linien in die Stirn, wo Schönheit lag, / Zehrt an den Kostbarkeiten der Natur, / Und nichts besteht vor ihrem Sensenschlag: / Und doch trotz' ich der grausam harten Hand, / Mein Lied, dein Preis, hält der Zerstörung stand.«

Wunderbar, dachte Hyde, einfach wunderbar. Zwanzig zu achtzig? Da hatte ich, weiß Gott, schon miesere Chancen. Viel miesere...

6

»Natürlich brachte mich der Mann mit dem Jeep nicht gleich hierher in diese Villa«, hatte Olivera einige Tage zuvor spät nachts im Park am Pool, der blau leuchtete, erzählt. »Sie hatten eine große Wohnung für mich vorbereitet – im Zentrum. Kein Prunk, keine Pracht, aber sauber und solide. Eine Haushälterin, eine ältere Frau, erwartete mich. Ich wurde offiziell als neuer Direktor einer kleinen Bank eingeführt, Banca Imperiale hieß sie.«

An diese Worte seines Vaters dachte Daniel Ross, während er sich in seinem Sitz zurücklehnte. Sie waren nun wieder in der Luft und flogen Rio de Janeiro entgegen. Das Dinner war vorüber. Daniel hatte keinen Appetit gehabt und kaum etwas gegessen. Der Tremor seiner Hände wurde immer stärker, sein Kopf schmerzte zum Zerspringen, und er fühlte wieder die Angst, die Angst... Noch war sie nicht da, aber sie lauerte, sie war auf dem Sprung. Mercedes beobachtete ihn mit großer Besorgnis. »Schlimm, ja?« fragte sie leise.

Er nickte.

»Du mußt durchhalten! Denk daran, was auf dem Spiel steht!«

»Ich denke daran.« Er zwang sich zu einem Lächeln. »Das Blöde ist, daß das Nobilam nicht mehr wirkt. Ich habe in São Paulo zwölf Tabletten geschluckt. Dazu die zwei Gin-Tonics. Keine Wirkung.« Er strich über ihre Hand. »Aber ich schaffe es.« Er wandte sich an den Priester, der eine halbe Flasche Wein vor sich stehen hatte und ganz langsam trank. »Könnte ich bitte einmal die Tasche haben?«

»Aber gewiß.« Der Priester namens Sander gab sie ihm. Sie befand sich links von ihm, zwischen seinem Körper und der Kabinenwand. Der junge Mann mit dem langen schwarzen Haar, der Pablo hieß und drei Reihen hinter ihnen in der gleichen Sektion, also links, saß, sah, wie der Priester die rote Tasche zu Daniel hinüberreichte. Dieser öffnete sie, entnahm ihr ein Fläschchen und sprach mit einer Stewardeß. Sie nickte, eilte fort in die nahe Pantry und kam mit einem Glas Wasser zurück. Pablo konnte nicht sehen, daß Daniel zwanzig Tropfen aus dem Fläschchen in das Wasser fallen ließ und es dann trank. Er konnte nur sehen, daß die Stewardeß fortging und Daniel dem Priester die rote Tasche zurückgab. Der steckte sie wieder zwischen sich und die Bordwand. Leon, du verfluchter Scheißkerl! dachte Pablo wütend, jetzt kommt kein Mensch mehr an die Tasche heran. Natürlich wäre es Wahnsinn, in Rio etwas zu unternehmen. Aber hoffentlich klappt es dann nach der Landung in Frankfurt zusammen mit diesem Mann, der auf mich wartet. Pablo hielt einen kleinen Klarsichtkarton. Eine braun-grün gefleckte Orchidee, ein sogenannter Frauenschuh, lag darin: das Erkennungszeichen.

Daniel sagte: »Ich habe die Tropfen auf alle Fälle genommen, ehe es noch schlimmer wird. Es sind genügend da. Und wenn ich sie alle nehmen muß – ich halte durch, Mercedes.« Er ergriff ihre Hand, die auf der Lehne zwischen ihnen lag und schloß die Augen. Wieder dachte er an die Erzählung seines Vaters...

Die Banca Imperiale beschäftigte vor allem deutschstämmige Angestellte. Sie betreute viele spezielle Kunden. Olivera hatte gewußt, was ihn erwartete. Sogleich nach dem Zusammenbruch des Dritten Reiches begann eine bestens vorbereitete und ausgerüstete Firma mit dem Namen ODESSA zu arbeiten. ODESSA war die Abkürzung für Organisation der ehemaligen SS-Angehörigen. Sie hatte ihre Mitglieder und Mitarbeiter praktisch überall, und in den ersten Jahren nach dem Krieg arbeitete sie auf Hochtouren, später etwas langsamer. ODESSA betrachtete es als ihre Aufgabe, mit Hilfe von offiziellen Stellen der verschiedensten Staaten, mit Hilfe von reichen Privatpersonen, Politikern und hohen katholischen Würdenträgern, die zum Teil sogar im Vatikan amtierten, an Leib und Leben gefährdete Top-Nazis und Kriegsverbrecher aus Deutschland heraus nach Übersee, insbesondere nach Südamerika und da nach Argentinien zu schaffen. So kam beispielsweise Adolf Eichmann dorthin. Geld und Gold besaß die nun im Untergrund arbeitende SS im Überfluß. Die

Männer, die aus Deutschland herausgeschleust wurden, führte ihr Weg meistens über Österreich, Südfrankreich, Spanien und Portugal. Von dort ging es mit dem Schiff weiter. Natürlich mußte wie im Falle Ross alias Olivera in der neuen Heimat alles für den Flüchtigen vorbereitet sein. Es gibt heute exakte Dokumentationen über die ODESSA. Auch die Banca Imperiale war von ihr eingerichtet worden. So klein dieses Institut war, über so ungeheure Summen verfügte es. Anweisungen kamen zum größten Teil aus der Schweiz, aber auch aus der Bundesrepublik. Eine gewichtige Rolle bei den Aktivitäten der ODESSA spielte die deutsche Nachkriegsindustrie. Unter ihren neuen Bossen gab es genügend ehemalige Wehrwirtschaftsführer und SS-Männer.

Oliveras Bank diente den ins Land Geschleusten als Anlaufstelle. Hier bekamen sie Geld und wichtige Informationen. Es gab noch elf weitere Banken mit den gleichen Aufgaben in Argentinien. Sie alle gehörten zur ODESSA.

Olivera schätzte sich glücklich, diesen entkommenen Massenmördern und gesuchten NS-Größen helfen zu können – er war schließlich auch entkommen. Die Aluminiumtrommel mit dem Fünfunddreißig-Millimeter-Film bewahrte er in einem privaten Tresor seiner Bank auf. Er führte ein außerordentlich zurückgezogenes Leben und wartete auf den Befehl, den Film der Öffentlichkeit bekannt zu machen. Er wußte, daß er Jahre würde warten müssen, viele Jahre. Vielleicht das ganze Leben. Seine ODESSA-Kunden sorgten von Zeit zu Zeit durchaus für nervenaufreibende Zwischenfälle, Langeweile kam nicht auf. Olivera lebte gerne allein. Natürlich brauchte er ab und zu eine Frau. Es gab sehr diskrete Häuser in der Stadt.

Jahre vergingen. Es kam die Blockade Berlins, es kam der kalte Krieg und am 25. Juni 1950 der erste heiße Krieg in Korea. Die Entwicklung, die Goebbels vorhergesehen hatte, begann. Gegen die Mittagstunde des 12. Juli 1950 erhielt Olivera den Anruf eines Unbekannten, der ihn in fließendem Spanisch aufforderte, am gleichen Tag, pünktlich um 15 Uhr im internationalen SKAL-CLUB in der Viamonte achthundertsiebenundsechzig zu sein. Ein Mann mit einer weißen Nelke im Knopfloch eines blauen Anzugs werde ihn ansprechen. Olivera solle seine Hälfte des zerrissenen Autogrammfotos mitbringen.

Er saß in einer Ecke im Teeraum des SKAL-CLUBS, er war etwas zu früh gekommen. Schlag 15 Uhr betrat ein untersetzter Mann von etwa fünfzig Jahren, unter dessen Augen schwere, dunkle Tränensäcke hingen, den Raum. Er trug eine weiße Nelke im Knopfloch des Revers eines hellblauen Anzugs aus Schantungseide. Der Mann steuerte direkt auf Olivera zu und gab ihm eine schlaffe, feuchte Hand. Er sagte deutsch und leise: »Heil, Kamerad!«

»Heil«, sagte Olivera. Ein Kellner eilte herbei. Sie waren zu dieser Stunde die einzigen Gäste. Der Mann mit der Nelke bestellte gleichfalls Tee. Dann saß er neun Minuten schweigend da. Solange dauerte es, bis der Kellner den Tee gebracht hatte und wieder verschwunden war.

»Also«, sagte er dann und legte eine Hälfte des postkartengroßen Fotos von Adolf Hitler, das Goebbels im Bunker der Reichskanzlei auf so bizarre Art in zwei Teile zerrissen hatte, auf den Tisch. Olivera nahm die andere Hälfte aus der Brusttasche seines Anzugs und setzte die beiden Teile des Bildes zusammen. »Gut. Alles in Ordnung mit dem Film?« Der Dicke sprach unter sonderbarem Zischen und versprühte Speichel. Sein Gesicht war schmerzverzogen und auf einer Seite geschwollen.

»Natürlich«, sagte Olivera. »Was haben Sie?«

»Wurzelvereiterung. Komme direkt vom Zahnarzt. Sie machen sich keine Vorstellung, wie weh das tut, Kamerad. Wo ist der Film?« Er besprühte den Tisch, die Teetassen, Oliveras Gesicht, alles.

»In einem Tresor meiner Bank.«

»Gut, Kamerad. Bin gestern gelandet. Habe die verfluchte Vereiterung auf dem Frachter gekriegt. Seit zwei Wochen kein Auge zugetan.« Er trank einen Schluck Tee und stöhnte laut auf.

»Scheiße, zu heiß. Zentrale ODESSA hat Befehl für Sie.«

»Ja?« Einen verrückten Augenblick lang dachte Olivera, der Fremde werde ihm sagen, daß der Zeitpunkt gekommen sei. Blut schoß ihm ins Gesicht.

»Die internationale Situation ist noch lange nicht schlimm genug. Sie müssen weiter warten. Diese Sache ist von erstrangiger Bedeutung. Sie hören wieder von uns.« Der Mann mit der Nelke steckte seine Hälfte des Hitler-Fotos ein, gab Olivera wieder die nasse, schlaffe Hand, stand auf und ging schnell aus dem Teeraum.

In den folgenden vierunddreißig Jahren hörte Olivera von niemandem mehr ein Wort über den Film.

»Hast du eigentlich jemals an Mutter und mich gedacht?« hatte Daniel den Vater nach diesem Bericht gefragt. Es war fast halb drei Uhr früh, und die Luft wurde nun angenehm frisch. Sie saßen noch immer an dem beleuchteten Pool.

»Manchmal«, sagte Olivera. »Nicht oft.«

»Hast du versucht, herauszubekommen, ob wir noch leben, wie es uns geht?«

»Nein, nie. Wie ist es euch gegangen?« fragte Olivera höflich.

»Lange Zeit sehr schlecht. Bis ich dann zu arbeiten anfangen konnte.«

»Dora«, sagte Olivera und sah in das Wasser des Pools. »Ich habe an Dora gedacht. Nur an Dora. Ich habe Tag und Nacht an sie gedacht. Ich habe sehr oft von ihr geträumt. Von ihrem Lachen. Von ihrem Ende. Ich habe sie sehr geliebt. Ich mußte immer daran denken, daß sie mit mir nach Argentinien hätte kommen können. Wir wären sehr glücklich miteinander gewesen. Noch viel glücklicher als in Berlin...« Seine Stimme verlor sich.

»Mutter ist neunzehnhundertneunundsechzig gestorben. Am zwölften Dezember«, sagte Daniel.

Olivera reagierte nicht.

»Ich habe gesagt, Mutter ist...«

»Ja, ja, ja, ich weiß. Woran?«

»Leukämie.«

»Hat es lange gedauert?«

»Fast ein Jahr. Sie mußte sehr leiden, Vater.«

»Ich bin nicht so gefühllos, wie du glaubst, Daniel. Alles, was ich euch beiden angetan habe, tut mir leid, schrecklich leid. Aber ich habe eben immer noch Dora geliebt. Obwohl sie schon so lange tot war. Immer nur Dora. Neunzehnhundertvierundfünfzig habe ich sie dann wiedergesehen.«

»Was hast du?« Daniel starrte ihn an.

»Ich habe Dora wiedergesehen«, wiederholte Olivera.

Der blaue Ball rollte Olivera direkt vor die Füße.

Über den kiesbestreuten Weg stolperte ein kleines Mädchen in weißem Kleid, mit weißen Schuhen und weißen Söckchen. Das war am Nachmittag des 5. Mai 1954, und Olivera ging durch den großen Parque de Febrero. Er kam aus dem Planetarium, wo er einen Vortrag gehört hatte.

Nun bückte er sich und hob den Ball auf. Das kleine Mädchen

kam mit ausgebreiteten Armen auf ihn zu. Es war ein noch sehr kleines Mädchen.

»Das ist aber ein feiner Ball«, sagte Olivera.

»Ich habe noch zwei andere, einen grünen und einen roten«, sagte das sehr kleine Mädchen. »Aber den blauen habe ich am liebsten. Wie heißt du?«

»Hör mal, du kannst den Herrn doch nicht so einfach fragen«, sagte eine dunkle Frauenstimme. Olivera sah auf und erhob sich. Ihm wurde siedendheiß und danach eiskalt. Vor ihm stand Dora Holm. Ihr schwarzes Haar glitzerte in der Sonne, ihre hellblauen Augen leuchteten, und sie lachte ihn mit ihrem schöngeformten Mund an. Sein Atem stockte. Dora, dachte er, meine Dora!

Es war natürlich nicht Dora Holm.

Es war eine Frau, die Dora Holm ungeheuer ähnlich sah. Sie war gewiß zehn Jahre älter und ihre Haut war nicht so weiß wie die Doras, sondern sonnengebräunt. Sie trug ein blaues Kleid mit weißen Punkten und weißem Kragen, dazu weiße Handschuhe und Schuhe. Olivera wollte sprechen und stotterte.

»Danke, daß Sie den Ball aufgehalten haben«, sagte die junge Frau.

»Aber ich bitte Sie!« Er hob seinen Leinenhut. »Ein so bezauberndes kleines Mädchen. Und eine so... bezaubernde Mama. Mein Name ist Eduardo Olivera.«

»Ich heiße Mangalez. Eliza Mangalez.«

»Und ich heiße Mercedes«, sagte das sehr kleine Mädchen. Olivera bemerkte, daß es auch schwarze Haare und hellblaue Augen hatte. Im Haar trug Mercedes eine rote Schleife.

Die Frau, die Dora Holm so ähnlich sah, lachte wieder. »Warum starren Sie mich so an, Herr Olivera?«

Sie redeten spanisch.

»Weil Sie mich an... Weil Sie so schön sind«, verbesserte er sich. »So wunderschön, daß ich...«

»Ja?« fragte sie.

»Nichts«, sagte er. »Darf ich Sie ein Stück begleiten? Da drüben ist ein Restaurant. Ißt du gerne Eis, Mercedes?«

»O ja! Eis ist das Beste, was es gibt.«

»Nun, Señora? Und wollen wir einen Drink nehmen? Es ist sehr heiß... Ich meine natürlich nur, wenn Sie möchten. Es würde mich sehr glücklich machen... Aber vielleicht müssen Sie nach Hause... Vielleicht erwartet Sie Ihr Mann...«

Das Lachen erstarb auf ihren Lippen. »Mein Mann erwartet mich nicht.«

»Verzeihen Sie...«

»Mein Mann hat sich vor eineinhalb Jahren scheiden lassen«, sagte sie ruhig. »Einer anderen Frau wegen. Er ist mit ihr fortgezogen, weit fort. Er arbeitet jetzt in Venezuela.«

»Da hörst du es«, sagte Mercedes. »Papa ist weg. Er wartet nicht zu Hause. Wir können ruhig Eis essen gehen. Ich möchte Erdbeer-Schokolade. Das ist das Allerbeste, was es gibt.«

Olivera sah Eliza Mangalez fest in die riesengroßen stahlblauen Augen. Sie erwiderte den Blick und lächelte wieder. Nicht ganz drei Monate später heirateten sie.

»Keine vier Jahre warst du damals alt«, sagte Olivera nachts am Pool im großen Park zu der schönen jungen Frau, die neben ihm saß. »Du kannst dich an das alles natürlich nicht mehr erinnern.«

»Aber ja doch«, sagte sie. »Das Eis war prima. Ich glaube, ich habe zwei Portionen bekommen. Und als wir uns eine Woche kannten, habe ich dich gefragt: ›Heiratest du meine Mami?‹ Mutter erzählte mir, daß sie sich fast zu Tode für mich schämte.«

»Ja«, sagte Olivera, »das war ein berühmter Ausspruch von dir, Mercedes. Mit euch beiden kam das Glück zu mir zurück. Privat und geschäftlich. Fünfundfünfzig übernahm eine Militärjunta die Macht im Lande. General Lonardi wurde zum Präsidenten gewählt. Ich kannte ihn schon seit drei Jahren. Man darf sagen, wir waren befreundet. Ich habe ihm und seinen Leuten im Rahmen der Möglichkeiten meiner Bank sehr geholfen.«

»Ich dachte, du hättest dir eine demokratische Gesinnung zugelegt«, sagte Daniel.

»Das hatte ich auch«, sagte Olivera ernst. »Aber – ich habe es schon gesagt – ich war und ich bin davon überzeugt, daß eine Demokratie in Argentinien nie funktionieren wird. Denke an das, was seit fünfundfünfzig geschah. Demokratische Regierungen kamen immer wieder. Wie lange blieben sie? Wie lange wird Alfonsin bleiben?«

»Ich verstehe«, sagte Daniel. »Und deine Freunde, denen du so sehr geholfen hast, zeigten sich nun erkenntlich.«

»So ist es, Daniel.« Olivera trank Whisky und zündete sich eine Zigarette an. »Sehr erkenntlich zeigten sie sich. Ich bekam die Möglichkeit, eine eigene Bank zu gründen. Damals verdiente ich in kurzer Zeit enorm viel Geld. Damals zogen wir hier ein, in diese Villa.« Er machte eine kreisende Handbewegung. »Waren wir glücklich, wir drei. Mit sechs mußte Mercedes in die Schule. Hier im Viertel gibt es die feinste von Buenos Aires, Lyzeum angeschlossen. Mercedes war eine großartige Schülerin. Ihr Abitur machte sie mit Auszeichnung. Dann ging sie auf die Universität…« Olivera brach ab. Er legte eine Hand über die Augen. »Was ist?«

»So unendlich glücklich waren wir drei«, sagte der alte Mann leise. »So viele Jahre. Zwanzig Jahre Glück. Wer hat schon so viel, Daniel? Dann, am siebenten Januar vierundsiebzig…« Er schwieg.

»… hatte Mama einen Autounfall auf dem Weg zum Flughafen«, sagte Mercedes. »Sie wollte eine Freundin abholen. Ein Betrunkener rammte ihren Wagen. Der überschlug sich und ging in Flammen auf. Mama muß sofort tot gewesen sein. Sie hat sich das Genick gebrochen.«

7

»… Moskau: Mit schärfsten Worten hat ein Sprecher des sowjetischen Außenministeriums die Pläne des amerikanischen Verteidigungsministers Weinberger verurteilt, den Weltraum aufzurüsten…« Eine englische Sprecherstimme drang aus den Kopfhörern von Mercedes und Daniel. Sie hatten den Schalter an den Armstützen auf fünf gestellt.

Nach der Zwischenlandung hatte der Jumbo um 3 Uhr 55 auf einer Startbahn zwischen den Sümpfen, die den Flughafen von Rio de Janeiro umgaben, abgehoben und in einer weiten Schleife die Stadt umflogen. Jetzt hielt er direkten Kurs auf den riesigen Christus aus weißem Stein, der mit segnend ausgebreiteten Armen auf der Spitze des Corcovado, einem Berg, der schon im Dschungel verschwand, hoch über der Stadt stand. Die Statue wurde von starken Scheinwerfern angestrahlt. Der Christus leuchtete. Viele Passagiere sahen aus den Fenstern und fotografierten.

»… Der sowjetische Sprecher nannte derlei Pläne ›verbrecherischen Wahnsinn, der einem kranken Gehirn entsprungen ist‹…« Zu jeder vollen Stunde strahlte der Überseedienst der BBC die neuesten Nachrichten aus.

Immer näher kam der strahlende Christus. Die Maschine legte sich schräg und begann, eine Schleife zu ziehen.

Der alte Priester betete laut: »Herr aller Völker, höre uns, da wir Dich bitten, daß Du der Welt wahren Frieden geben wollest...«

»... Washington: Präsident Reagan unterstützt, wie bereits gemeldet, mit allen Kräften die Pläne Weinbergers vor dem amerikanischen Kongreß«, erklang die Sprecherstimme aus dem Londoner Studio der BBC.

»... daß Du die Herzen der Menschen von Haß, Neid und Zwietracht befreien wollest«, betete der alte Priester.

»... Senator Edward Kennedy bezeichnete Reagan deshalb in einem vor zwei Stunden von Küste zu Küste ausgestrahlten Interview der amerikanischen Fernsehgesellschaft NBC als den ›gefährlichsten Präsidenten des Nuklearzeitalters‹...«

Mercedes und Daniel sahen einander an.

»Wir bitten Dich, daß Du uns und alle Völker im Dienste der Gerechtigkeit bestärken und erhalten wollest...«

Der massige Jumbo umflog den segnenden Christus nun in einem riesigen Halbkreis.

»Mann, Dad! Die Pershings der dritten Generation haben eine solche Zielsicherheit, daß sie den Jesus da über fünftausend Meilen weg mit einer Wahrscheinlichkeit von neunzig zu zehn knacken würden«, sagte der amerikanische Junge mit den kurzen Hosen und dem lose hängenden Hemd, der als Gegner seines gutmütigen, rotgesichtigen Vaters nach dem Abflug aus Buenos Aires so lange Zeit NATO – DER KRIEG IN EUROPA gespielt hatte.

»Hast du verdammt recht«, sagte Dad. Die beiden waren aufgestanden. Eine Hand des Christus war direkt auf sie gerichtet. Dad fotografierte unablässig.

Der alte Priester betete: »... daß Du den Regierenden aller Länder und Völker wahre Einsicht und rechte Entschlüsse geben und die Früchte der Erde erhalten wollest...«

»... Bonn: In der Bundeshauptstadt ist die von den Amerikanern geplante Aufrüstung des Weltraums zum universellen Kriegsschauplatz bei allen Parteien auf schwerste Bedenken gestoßen«, kam die Sprecherstimme aus den Kopfhörern.

»... daß Du den Heimatlosen Ruhe und Geborgenheit in unserer Mitte bereiten wollest, wir bitten Dich, o Herr, erhöre uns!«

»Die sozialdemokratische Fraktion im Bundestag hat von der Bundesregierung verlangt, der Forderung von Verteidigungsminister Weinberger nach Anti-Satellitenwaffen eine scharfe Absage zu erteilen.«

»... daß Du in uns die helfende Liebe zu den Darbenden und Leidenden entzünden wollest...«

»Die Begründung Weinbergers, die Sowjetunion verfüge bereits über derartige Waffensysteme und eine große Zahl von Killersatelliten, nannte der stellvertretende Vorsitzende des Arbeitskreises Außen- und Sicherheitspolitik, Jungmann, einen ›fadenscheinigen Vorwand‹.«

Die Maschine hatte den segnenden Christus nun hinter sich gelassen und nahm Kurs nach Nordosten auf das offene Meer. Die Statue konnte man noch lange sehen.

»... daß Du die abwesenden Brüder und Schwestern zu ihren wartenden Familien zurückführen wollest, wir bitten Dich, o HErr, erhöre uns!«

»Die SÜDDEUTSCHE ZEITUNG schreibt in ihrer neuesten Ausgabe unter der Vierspaltenüberschrift ›Rüstungswettlauf nun auch im Weltraum‹: ›Die Bundesregierung hat sich gegen ein Wettrüsten im Weltraum gewandt.‹ Die Sowjetunion habe zwar auf dem Gebiet der sogenannten Killersatelliten einen militärischen Vorsprung erreicht...«

Wieder sahen Mercedes und Daniel einander an.

»Daß Du unsere Toten in Dein ewiges Reich aufnehmen wollest...«

»... bei amerikanischen Gegenmaßnahmen müsse es jedoch darauf ankommen, die strategische Einheit des NATO-Bündnis-Gebietes zu bewahren. Diese Einheit gerate durch weitere Aufrüstung im Weltraum in schwere Bedrohung.«

»... und schenke uns Frieden, o HErr, wir bitten Dich inniglich, schenke uns Frieden, Amen.«

Der Christus war verschwunden. Finsternis machte die Erde unsichtbar.

Mercedes umklammerte Daniels Hand. Sie flüsterte: »Ich habe Angst.«

»Wie ich«, antwortete er.

»Ist dir wieder sehr elend?«

»Sehr.«

»Es wird alles gut werden, Danny!«

»Ja«, sagte er, »sicherlich.«

8

In der Kabine brannte die Nachtbeleuchtung.

Daniel fiel endlich in einen wirren Halbschlaf, den Kopf an die Schulter von Mercedes gelehnt. Er träumte von seinem Vater. Sie waren endlich zu Bett gegangen in jener Nacht am Pool, todmüde. Am folgenden Vormittag entdeckten sie dann das Verschwinden Miguels. Olivera war außer sich vor Sorge und auch Angst. Er rief die Polizei. Beamte kamen und stellten viele Fragen. Sie suchten nach Spuren. Sie fanden keine. Ihre Fragen konnte Olivera nicht beantworten. Er vermochte sich nicht vorzustellen, wie und warum Miguel verschwunden war. Hing es mit ihm zusammen? Wieso mit ihm? wollten die Beamten wissen. Darauf hatte Olivera keine Antwort.

Am späten Nachmittag machte er mit Daniel einen Spaziergang durch den weitläufigen Park. Er erzählte den Schluß seiner Geschichte, wie er nach dem Tod der geliebten Frau einen Sinn in seinem Leben gesucht und sich an den alten Film erinnert habe. Nun war die Weltlage in der Tat schon chaotisch geworden. Nun war es an der Zeit, zu handeln.

»Nun war es an der Zeit, zu handeln«, erzählte Olivera, der neben Daniel ging. Sie trugen beide ganz leichte Hosen, offene Hemden und Sandalen. Wieder war es unbarmherzig heiß, auch unter dem Schatten der hohen, alten Bäume, in denen die Vögel sangen. »Mein Leben war mir egal. Ich hätte jede Gefährdung riskiert – aber da gab es Mercedes, meine geliebte Mercedes. Ich mußte es anders anfangen. Nicht allein. Du schaust mich an, Daniel. Ich weiß, du denkst: Damals hat er begonnen nachzuforschen, was aus seinem Sohn in Österreich geworden ist.«

»Na, das hast du doch auch«, sagte Daniel.

»Ja, das habe ich«, sagte Olivera. Er sah den Sohn bittend an. »Bei all deinem Haß auf mich, den ich verstehen kann, Daniel, bei aller Bitterkeit: *Versuche* wenigstens zu begreifen, was ich getan habe. Du sollst mir ja nicht verzeihen. Du sollst nur zur Kenntnis nehmen, was alles in einem Menschenleben geschehen kann, warum ich so gehandelt habe, wie ich handelte. Ich habe deine Mutter und dich unglücklich gemacht. Ich habe euch im Stich gelassen. Und mehr. Und mehr. Ich gebe doch alles zu. Ich erzähle dir doch alles, was ich getan habe. Nenn mich ein Schwein! Einen Lumpen. Was habe ich zu meiner Verteidigung zu sagen? Daß ich eine Frau über alles in der Welt geliebt habe: Dora. Daß sie das Leben für mich war. Daß ich ein fanatischer Nazi gewesen bin, der nach dem Tod Doras den Auftrag von Goebbels annahm, weil er weg wollte, weg, weg, weg aus diesem Deutschland. Daß ich Dora dann in Eliza wiederzubegegnen glaubte. Wieder glücklich war – zwanzig Jahre lang. Hasse mich! Verachte mich! Aber sag, du siehst ein, daß einem Mann all das passieren kann. Sag wenigstens, daß so etwas passieren kann!«

»Gut«, sagte Daniel. »So etwas kann passieren. Bleiben wir also bei den Tatsachen. Du mußt mir alles erzählen, wenn wir nun zusammenarbeiten wollen. Ich werde alles zur Kenntnis nehmen – ohne Wertung von nun an.«

»Danke«, sagte Olivera. Als fühle er sich plötzlich schwach, sank er ins Gras und lehnte seinen Rücken an den Stamm eines Eukalyptusbaumes. Daniel setzte sich neben ihn. Sie waren jetzt weit von der Villa entfernt.

»Du hast also Nachforschungen nach Mutter und mir angestellt.«

»Ja, Daniel.«

»Nach dem Tod deiner Frau Eliza. Vierundsiebzig war das, sagst du.«

»Ja, vierundsiebzig. Über Freunde in Deutschland, über eine Agentur. Du verstehst das, nicht wahr? Der Tod Elizas. Meine Verzweiflung. Die Leere. Ich mußte etwas tun. *Tun!* Da war diese Welt, in der es schlimmer und schlimmer zuging. Da war die endgültige Katastrophe, auf die wir zusteuerten. Und da war ich mit meinem Film, diesem ungeheuerlichen Dokument. Ich redete mir ein, daß es meine Pflicht sei, mit ihm an die Öffentlichkeit zu treten, um vielleicht – vielleicht – das Ärgste zu verhindern. Ich *hatte* noch eine Aufgabe zu erfüllen. Mein Leben *war* noch nicht sinnlos. Mercedes studierte. Sie war inzwischen dreiundzwanzig. Ich zeigte ihr den Film. Du kannst dir vorstellen, wie sie reagiert hat. Nun waren wir beide besessen von meiner Idee, Mercedes noch mehr als ich.«

Daniel hatte einen Zweig aus dem Gras genommen und spielte mit ihm. Er sagte: »Und du hast von neunzehnhundertvierundsiebzig bis vierundachtzig, also *zehn* Jahre, nach uns suchen lassen, bevor du mich gefunden hst.«

Olivera schwieg.

»Na! Du hast dich doch entschlossen, mir die Wahrheit über

alles zu sagen! Bisher hast du ja einen ganz ordentlichen Seelenstriptease geliefert…«

»Bitte, Daniel!«

»Doch, doch, er war beachtlich. Zehn Jahre hat es also gedauert,
zehn Jahre, ja?«

»Nein«, sagte Olivera. »Ich wußte natürlich schon nach zwei
Monaten, wo du lebtest, daß Thea tot und du beim Fernsehen
warst.«

»Und warum hast du mich dann nicht schon vor zehn Jahren von
Mercedes holen lassen? Schweig nicht wieder! Sieh mich an!
Warum hast du noch zehn Jahre vergehen lassen, Vater?«

Olivera sagte: »Es ist ja alles nicht wahr.«

»Was ist nicht wahr?«

»Was ich zuletzt erzählt habe. Über den Film. Über meine fixe
Idee, ich hätte eine Mission zu erfüllen mit ihm. Es war alles ganz
anders.«

»*Wie* war es? Die Wahrheit! Sag die Wahrheit!«

»Die Wahrheit…« Olivera warf eine Hand hoch. »Schön, also
auch das noch! Im Grunde ist es gleichgültig. Du kannst mich
nicht noch mehr verachten und hassen. Ich habe gelogen, als ich
sagte, daß ich dank der Militärjuntas und Perons immer wohlha-
bender geworden bin. Vierundsiebzig war ich in einer verzweifelten Lage. Isabel Peron wurde im Sommer Staatspräsident. Ich
hatte den Militärs Riesenkredite gegeben. Die meisten Generäle
waren korrupt. Ja, korrupte Schweine waren meine Freunde.
Und ich machte meine Geschäfte mit ihnen – auf Kosten des
Landes, das immer mehr und mehr verelendete. Schau es dir
heute an! Die Militärs und die Peronisten haben es an den Rand
des Staatsbankrotts getrieben. Präsident Alfonsin hat ein furchtbares Erbe anzutreten.«

Mit unsicherer Stimme sagte Daniel: »Du, der intime Freund der
Generäle, nennst sie korrupte Schweine?«

»Ich nenne mich selber ein korruptes Schwein. Ich habe mit
meinen Schweinefreunden gemeinsam die fettesten Trüffeln ausgegraben, die man in diesem Lande finden konnte, und ich habe
sie gefressen zusammen mit meinen Schweinefreunden. Wird dir
das, was du meinen Seelenstriptease genannt hast, jetzt nicht
zuviel? Ich habe dir die Wahrheit versprochen. Das ist sie, mein
lieber Sohn.«

»Mich überrascht nichts mehr, was du getan hast. Also vierundsiebzig war deine Lage verzweifelt. Und?«

»Und! Und! Und da fiel mir der alte Film ein – ich hatte ihn fast schon vergessen. Da kam ich dann auf die Idee, diesen Film zu verhökern. Für sehr viel Geld. Ich hätte sehr viel Geld dafür bekommen, das meinst du doch auch, was?«

»Meine ich auch, ja. Also war auch all das Geschwätz über die moralische Mission, zu der du dich aufgerufen fühltest, gelogen?«

»Jedes Wort. Es war mir scheißegal, was mit dieser Welt geschah. Was mit mir und Mercedes geschah, *das* war wichtig, *das* allein. Hier« – mit einer ausladenden Gebärde der rechten Hand deutete Olivera auf das ganze Gelände – »hier, die Villa, den Luxus wollte ich unter allen Umständen bewahren. Ich wollte nicht alles aufgeben müssen. Nicht bankrott gehen. Nicht ins Elend abgleiten nach all den Jahren, in denen ich mich so sehr an den Reichtum gewöhnt hatte. Und ich sah nur noch eine Rettung: den Film zu verkaufen!«

»Und warum hast du es nicht getan? Warum hast du mich nicht hergerufen?«

»Alvarez«, sagte Olivera.

»Was, Alvarez?«

»Mein Freund, der General Carlo Alvarez. Von dem ich Miguel erhielt, neun Jahre später. Er war Mitglied der letzten Junta. Alvarez half mir. Ich erhielt mein Geld zurück. Er schaffte es, daß alles wieder in Ordnung kam.«

»Wie konnte er es schaffen?«

»Na, wie wohl? Mit Erpressung. Es gab zwei Selbstmorde von Mitgliedern der Junta damals. Dann wurden alle Kredite zurückbezahlt. Gefällt dir die Wahrheit, Daniel, ja, gefällt sie dir?« Olivera lachte. »Du brauchst eben die größten Schweine, wenn du die größten Trüffeln haben willst! Ich bekam meine Trüffeln zurück. Also, wozu den Film verkaufen? Viel zu gefährlich.«

»Du hattest Angst, daß man dich töten würde.«

»Natürlich. Bevor ich die Trüffeln zurückbekam, war meine Angst vor dem Ruin größer. Damals ließ ich bei dem Juden Paolo Klein schon Videokassetten des Films herstellen. Damals war ich zu allem entschlossen.«

»Aber dann kamen die Trüffeln«, sagte Daniel.

Olivera lachte. »Dann kamen die Trüffeln. Du hast es kapiert, Daniel. Und auch die Angst kam, daß mir der Film zum Verhängnis werden könnte. Also, zurück in den Tresor mit den Kopien! Mercedes habe ich übrigens damals den Film nicht gezeigt. Sie hatte keine Ahnung von seiner Existenz. Als begeisterte Anhängerin der Friedensbewegung hätte sie mir doch nur die Hölle heiß gemacht, wie? Ist doch klar.«

»Völlig klar. Aber *nun* kennt sie den Film. Seit wann? Warum hast du ihn ihr gezeigt? Warum hast du mich jetzt *doch* kommen lassen?«

»Weil ich von den Generälen noch einmal beschissen worden bin«, sagte Olivera, plötzlich ungemein gelassen. »Weil die Hunde mich noch einmal betrogen haben. Und weil mein guter Freund Alvarez mir diesmal nicht helfen konnte. Mein guter Freund Alvarez sitzt im Gefängnis. Die halbe Junta sitzt. Die aber, die mich betrogen haben, sind rechtzeitig aus dem Land gegangen. Wie du mich hier siehst, Daniel, bin ich – und zwar schon seit längerem, nur weiß es noch keiner – erledigt. Absolut erledigt. Noch werden meine Wechsel akzeptiert. Noch arbeiten die großen Banken mit mir. *Noch!* Vielleicht noch einen Monat, vielleicht zwei. Drei nicht mehr. Wenn bis dahin nicht alles in Ordnung gebracht ist, werden sie mir alles wegnehmen, was ich besitze – und ich werde ins Gefängnis gehen wie mein Freund Alvarez, wenn auch aus einem anderen Grund. Wegen betrügerischem Bankrott. Wegen Veruntreuung von Millionen. Ich bin siebenundsiebzig, Daniel. Ich will nicht ins Gefängnis gehen. Ich will nicht erledigt sein. Ich scheiße auf diese Welt, wahrhaftig, es ist mir egal, was mit ihr geschieht. Aber ich habe einen Film, der die Menschen auf dieser Welt brennend interessieren würde. Du hast ihn gesehen, er würde die Menschen doch brennend interressieren, wie?«

»Ja«, sagte Daniel. Er hatte den Zweig fallen lassen.

»Darum die Eile, verstehst du?«

»Ich verstehe.«

»Darum habe ich Mercedes den Film nun gezeigt und sie verrückt gemacht mit ihm.«

»Ich verstehe.«

»Darum mußt du mit dem Film nach Deutschland und ihn verkaufen! An deinen Sender. Du hast selber gesagt, daß ich viel Geld für den Film bekommen könnte.«

Daniel nickte.

»Na also, jetzt ist der Striptease aber zu Ende. Jetzt kennst du die ganze Wahrheit, Junge.«

»Wieviel willst du für den Film?«

»Zehn Millionen Dollar«, sagte Olivera.

»Du hast den Verstand verloren«, sagte Daniel.

»Wieso?«

»Weil das ein absolut wahnsinniger Betrag ist.«

Olivera lachte, als würde er gekitzelt. »Absolut wahnsinnig? Und wieviel haben die superschlauen Jungs vom STERN lässig für die gefälschten Hitler-Tagebücher hingeblättert, obwohl in diesen Fälschungen kein einziger interessanter Satz stand? Neuneinhalb Millionen Mark. Mark, schön, nicht Dollar. Immerhin.«

»Das kannst du nicht vergleichen! Das war doch Betrug, eine kriminelle Affäre!«

»Ach, wenn es Betrug ist, wenn es kriminell ist, bezahlen die Deutschen lieber?«

»Vater! Hör auf! Zehn Millionen Dollar! Für zwanzig Millionen Dollar kann das deutsche Fernsehen von ABC die Senderechte der ganzen Olympiade in Los Angeles erwerben.«

»Mein Film ist aber mehr wert als die Übertragung der Olympiade. Zugegeben, zehn Millionen Dollar sind viel Geld. Es *soll* viel Geld sein. Das erhöht noch den Wert des Films. Der ungeheure Wert, den er schon hat, ist fast unbezahlbar. Zehn Millionen, wie gesagt.«

»Die kriegst du nie! Höchstens eine.«

»Eine? Lächerlich! Ich brauche zehn, um aus meiner Misere auch nur halbwegs wieder rauszukommen.«

»Das interessiert aber das Fernsehen nicht.«

Olivera wurde tückisch. »Dann scheißen wir auf das deutsche Fernsehen. Dann scheiße ich auf dich. Bleibst du eben, was du bist: ein kleiner Redakteur. Und ich habe im Handumdrehen zwölf Millionen, fünfzehn, zwanzig, was ich verlange.«

»Von wem?«

»Von den Amerikanern zum Beispiel.« Oliveras Gesicht war jetzt wie aus Stein. »Dafür, daß ich ihnen den Film und alle Kopien übergebe, damit sie ihn verschwinden lassen können und niemand in der Lage ist, den Film auszustrahlen.«

Daniel schluckte.

»Du darfst deinen alten Vater nicht für einen Idioten halten«, klagte Olivera. »Meinst du, von den Amerikanern würde ich zehn Millionen bekommen, Daniel?«

»Ja, und danach sechs Kugeln in den Bauch.«

»Ah, du sollst mich nicht für einen Idioten halten, Daniel! Eine Kopie liegt auf der Bank, ich habe es dir doch gesagt. Mein

Schutz. Wenn mir etwas zustößt, bekommt Gaddafi den Film. Und das lasse ich die Amis wissen.«

»*Wer* bekommt ihn dann?«

»Oberst Gaddafi, Staatschef von Libyen. Der haßt die Amerikaner wie kein anderer Mensch auf der Welt. Der würde *hundert* Millionen bezahlen und allen Ländern der Welt Kopien des Films und die Senderechte schenken. Und verrückt werden vor Freude. Noch verrückter, als er schon ist. Oder meinst du, er würde nein sagen und das Geld lieber für eine Olympiade-Übertragung ausgeben?«

Daniel Ross starrte seinen Vater an, als hätte er ihn noch nie gesehen.

»Siehst du, es wirkt schon, Kleiner. Ich könnte auch gleich an Gaddafi herantreten und nach Libyen gehen. Wäre absolut in Sicherheit. Ich habe ja die Sensation des Jahrhunderts. Ich biete einen sendereifen Film an. Keine Produktionskosten. Nicht einen Dollar mehr muß der Sender ausgeben. Aber Lizenzen kann er verkaufen an andere Länder. An sechzig, siebzig andere Länder in der ganzen Welt. Was meinst du, wie schnell der Sender da seine zehn Millionen wieder eingenommen hat? Oder zweifelst du daran, mein lieber Sohn? Ich kriege die zehn Millionen. Und Angst? In meinem Alter? Jeder muß sterben. Es ist gefährlich – so oder so. Angst habe ich jetzt nur noch vor dem Elend, der Schande, dem Gefängnis. Und deshalb brauche ich die zehn Millionen Dollar. Und deshalb werde ich sie kriegen. Mit dir oder ohne dich. Willst du also den Film zu deinem Sender bringen und sehen, wie gierig der ihn kauft und du Karriere machst – eine Riesenkarriere? Oder willst du lieber, daß ich mich allein um alles kümmere?«

»Ich nehme den Film mit«, sagte Daniel. Danach bemerkte er, daß seine Hände zitterten. Er verschränkte die Finger ineinander. Aber Olivera hatte es schon bemerkt.

Olivera lachte wieder.

9

Um 12 Uhr 35 am 21. Februar 1984 überflog der Jumbo der Aerolineas Argentinas die westafrikanische Stadt Dakar und nahm Kurs auf Europa. Es war sehr kalt in Dakar. Das Airconditioning sorgte jetzt für Wärme. Als sie später Gibraltar überquerten und sich über spanischem Gebiet befanden, kamen sie in den ersten Schneesturm. Zahlreiche weitere sollten folgen. Der flachshaarige Junge und sein Dad spielten wieder NATO – DER KRIEG IN EUROPA, und Junior gewann wieder. Er war von sich begeistert und blickte beifallheischend in die Runde. Dabei bemerkte er, daß ihm die junge Frau in der Sektion links den Rücken wandte. Das ärgerte ihn.

»He!« rief er. »Interessiert Sie nicht, was?«

Mercedes gab keine Antwort. Sie und der Priester namens Sander beobachteten voller Sorge Daniel, der zwischen ihnen zusammengesunken in seinem Sitz lag. Nachts war er ein paarmal auf die Toilette gegangen, um sich zu übergeben. Er hatte ein ganzes Fläschchen Tropfen ausgetrunken. Sie hatten nicht mehr gewirkt. Der junge Mann mit den langen schwarzen Haaren beobachtete drei Reihen hinter ihnen gespannt, was vorging.

»Nur noch wenige Stunden«, sagte Mercedes verzweifelt, »dann sind wir in Frankfurt. Geht es noch so lange, Danny? *Danny!*«

Das zweite Mal schrie sie den Namen, denn sein Gesicht war plötzlich weiß geworden, seine Lippen wurden blau. Er ächzte. Dann, jäh und schrecklich, begannen seine Arme und seine Beine zu zucken, mehr und mehr, richtige Schüttelkrämpfe waren das, die den Körper hin und her warfen.

»*Danny!*« schrie Mercedes wieder.

Im nächsten Moment sackte Daniel seitlich nach vorne. Mit Hilfe des Priesters richtete Mercedes ihn mühsam auf. Daniel war ohnmächtig geworden. Nun schrien auch andere Passagiere, die den Vorgang beobachtet hatten. Panik entstand. Zwei Stewards und eine Stewardeß bemühten sich, die Menschen auf ihre Plätze zurückzuschicken. Daniel war wieder bei sich. Er starrte ins Leere. Seine Lippen blieben blau, das Gesicht blieb weiß.

»Danny! Danny! Was war das?«

»Weiß nicht«, sagte er mühsam.

»Einen großen Cognac!« rief der Priester der Stewardeß zu. Sie verschwand und kehrte gleich darauf mit einem halbgefüllten Schwenkglas zurück. Daniel nahm es mit bebenden Händen und trank den Cognac aus. Er nickte und stellte das Glas weg. Im nächsten Augenblick begannen seine Arme und Beine wieder zu zucken, ein neuer Schüttelkrampf, ärger als der erste, setzte ein, und Ross wurde abermals ohnmächtig.

Die Stewardeß lief zum nächsten Telefonmikrofon, riß den Hörer von der Halterung und sagte über Lautsprecher: »Meine Damen und Herren, einem unserer Passagiere ist schlecht geworden. Befindet sich ein Arzt an Bord?«

Sie wiederholte die beiden Sätze in vier Sprachen.

Nach der französischen Version erhob sich ein kleiner Mann mit glänzendem, glattem schwarzem Haar ganz hinten in der Maschine.

»Sanatorium Kingston bei Heiligenkreuz.«

»Guten Tag. Hier ist die Erste Medizinische Universitätsklinik Frankfurt. Herr Doktor Reinstein muß dringend mit Frau Primaria Mannholz sprechen.«

Da war es 15 Uhr 59 am 21. Februar 1984.

»Ein Momenterl, ich verbinde.«

Sibylle Mannholz war diesmal in ihrem Arbeitszimmer allein, als das Telefon läutete. Sie hob ab. Zwei Sekunden später hörte sie eine Männerstimme: »Frau Primaria Mannholz?«

»Ja.«

»Hier ist Reinstein aus Frankfurt.«

»Oh, guten Tag, Herr Kollege. Was gibt es?«

»Es handelt sich um Ihren Patienten Daniel Ross, den ich untersucht habe.«

Sibylle packte den Hörer mit beiden Händen.

»Ross? Was ist mit ihm?«

»Er befindet sich im Augenblick auf dem Rückflug von Buenos Aires über Spanien. Vor etwa einer halben Stunde bekam er Schüttelkrämpfe und wurde ohnmächtig.«

»O Gott!«

Die Tür ging auf. Der Arzt Herdegen kam herein, ohne anzuklopfen. Wortlos trat er an den Schreibtisch und hielt den zweiten Hörer ans Ohr. Sein bleiches Gesicht war unbewegt wie immer, und da war auch der seltsame Ausdruck seiner Augen, die eine Kombination von zwei Eigenschaften vermittelten: Eiseskälte und Traurigkeit.

»Woher wissen Sie das?« fragte Sibylle. Sie strich sich das kastanienbraune Haar aus der Stirn.

»Warten Sie! Der Reihe nach. Es ist ein französischer Arzt an Bord.«

»Gott sei Dank!«

»Er ist allerdings Gynäkologe. Aber nach den Symptomen diagnostizierte er einen epileptischen Anfall als Folge von schwerem Medikamentenmißbrauch. Ross hat ihm die Wahrheit gesagt.«

»Die Diagnose ist richtig. Was hat dieser Arzt getan?«

»Bevor er geholt wurde, hatte eine Stewardeß Ross nach einem ersten Anfall Cognac gebracht. Den hat er getrunken...«

»O nein!«

»... und daraufhin sofort einen zweiten epileptischen Anfall erlitten.«

»Natürlich!« rief Sibylle. »Cognac war das Verkehrteste, was man ihm geben konnte. Der Cognac hat den zweiten Anfall provoziert.«

»Ja, das sagt auch der Gynäkologe. Er hat Ross Alymin gespritzt. Intravenös.«

»Alymin?«

»Er weiß selber, daß das nur wenig helfen wird. Aber er hatte nichts Besseres in seiner Tasche. Wenn sich die Anfälle wiederholen, wird er wieder Alymin spritzen, hat er dem Chefpiloten gesagt. So kommt Ross wenigstens bis Frankfurt, und die Maschine muß nicht vorher landen. Es besteht keine akute Lebensgefahr. Ross ist offenbar nur völlig am Ende.«

HIERHER MIT IHM! UNTER ALLEN UMSTÄNDEN!

schrieb Herdegen auf einen Block.

»Der Arzt meint allerdings, daß er sofort nach der Landung in eine Klinik muß.«

»Woher wissen Sie das alles?«

»Der Pilot hat auf Kurzwelle mit Frankfurt Tower gesprochen und einen Bericht gegeben. Frankfurt Tower hat mich angerufen, weil Frau Olivera – das ist die Begleiterin von Herrn Ross – dem Piloten gesagt hat, daß ich ihn kürzlich untersucht habe und am besten wissen werde, was mit ihm nach der Landung geschehen soll. Sie wollte offensichtlich verhindern, daß der Flughafenarzt ihn übernimmt. Ich habe mit dem Kollegen telefoniert und erklärt, ich kenne Herrn Ross wirklich. Der Arzt ist einverstanden, wenn ich Ross nach der Landung weiterbehandle und entscheide, was mit ihm geschieht, sofern ich die Verantwortung dafür übernehme. Ich habe gesagt, ich weiß, daß Herr Ross zu Ihnen unterwegs ist, um einen Entzug zu machen. Ich habe gesagt, ich werde mich mit Ihnen in Verbindung setzen und Sie bitten, mir entsprechende medizinische Anweisungen zu geben. Ich bin kein Psychiater, Sie müssen das verstehen. Wenn ich wirklich die Verantwortung übernehme, und es passiert etwas...«

ORGOLAN!

schrieb Herdegen auf den Block und darunter:

DANN HÄLT ROSS DURCH. ER MUSS HIERHER!

»Ich verstehe Sie vollkommen, Herr Kollege. Ich bin Ihnen außerordentlich dankbar für Ihre Hilfe.«

»Sie haben mir doch auch schon geholfen. Oft.«

»Er muß gleich hierher zu mir. Unter allen Umständen. Ich kenne ihn seit einer Ewigkeit und habe ihn schon zweimal behandelt.«

Herdegen, der neben Sibylle stand, nickte beifällig und strich mit einem Finger über den Rahmen des großen Farbfotos, das auf dem Schreibtisch stand und einen etwa vierzigjährigen Mann mit braunen Augen und braunem Haar zeigte. Er hatte große Ähnlichkeit mit der Primaria Mannholz.

»Also gut, liebe Kollegin. Sie sagen, was ich machen muß, dann werde ich zum Flughafen fahren. Ich vertraue Ihnen.«

»Wann landet die Maschine?«

»Siebzehn Uhr fünfundvierzig. Also in eindreiviertel Stunden.«

»So lange kommt der Arzt in der Maschine mit Alymin zurecht. Wahrscheinlich braucht er es gar nicht mehr. Ross wird schlafen. Wissen Sie, wann die nächste Anschlußmaschine nach Wien geht?«

»Habe ich mich bereits erkundigt. Achtzehn Uhr dreißig. An Wien neunzehn Uhr fünfzig.«

»Dann kann Ross gleich weiterfliegen. Das ist gut. Sie geben ihm zehn Kubikzentimeter Orgolan intravenös. Nein, spritzen Sie ihm zwanzig! Dann ist er absolut ruhiggestellt. Und sein Kreislauf bricht nicht zusammen. Ich übernehme auch dafür die Verantwortung. Geben Sie mir bitte die Nummer und den Namen des Flughafenarztes, ich spreche mit ihm. Wir schicken eine Ambulanz zum Wiener Flughafen. Hier hat es zu schneien aufgehört. Bei Ihnen auch?«

»Ja. Die Maschine hat ständigen Kontakt mit Frankfurt. Ich rufe sofort an, wenn sich irgend etwas Unvorhergesehenes ereignet. Jetzt noch der Flughafenarzt, notieren Sie...«

Nach dem nächtlichen Blizzard blieb der Londoner Airport Heathrow am 21. Februar gesperrt bis 15 Uhr. Dann endlich hatten Schneepflüge und Räumfahrzeuge eine Startbahn gesäubert, und die erste Maschine – eine PAA nach New York – konnte um 15 Uhr 15 starten. Wayne Hyde traf um 19 Uhr 05 mit einem Airbus der BEA in Frankfurt ein.

Der große hagere Mann mit dem wettergegerbten Gesicht verließ die Maschine als letzter. Nach der Paßkontrolle schlenderte er ohne Eile zur Gepäckausgabe. Inmitten vieler wartender Passagiere entdeckte er sofort seinen Mann. Pablo mit den langen schwarzen Haaren trug einen dünnen Mantel und fror erbärmlich. Er stand abseits und hielt den Klarsichtkarton mit der Orchidee in der rechten Hand. Hyde ging an ihm vorbei und sagte leise auf englisch: »Ich hole mein Gepäck. Dann gehen Sie mir nach in die BLAUE BAR...« Eine knappe Viertelstunde später saß er mit Pablo in einer Ecke der BLAUEN BAR. Die beiden großen Kleidersäcke lagen auf dem Boden. Hyde hatte Tee bestellt, Pablo Tee mit weißem Rum. Es war längst dunkel. Durch die Fenster der Bar sah man die Befeuerungen der Startbahnen und der Flugzeuge, die in schneller Folge landeten oder mit mächtigem Dröhnen starteten und steil in den Nachthimmel hinaufzogen.

Pablo hatte Hyde alles berichtet, was er vor und nach dem Start des Jumbos in Rio de Janeiro miterlebt hatte. Hyde hörte schweigend zu.

»Nach der Landung hier brachten sie Ross sofort in eine Flughafenambulanz. Zusammen mit einem Arzt. Der wartete schon an der Gangway. Diese Olivera hat gebeten, daß man ihn verständigt, er kennt Ross. Das habe ich bei dem ganzen Durcheinander in der Maschine mitgekriegt. Sie haben den Arzt über Funk hergerufen. Reinstein heißt er. Doktor Reinstein...« Pablo verstummte, denn der Kellner servierte die Getränke.

»Ja?« sagte Hyde, als der Kellner gegangen war.

»Doktor Reinstein muß ein verflucht guter Arzt sein. Oder ein verflucht gutes Mittel gehabt haben. In der Luft habe ich gedacht, Ross nibbelt ab, so mies ging es ihm. Auch noch bei der Landung. Ich habe mich vor der Rot-Kreuz-Station hier rumgetrieben. Nach zwanzig Minuten kam Ross raus. Mit der Olivera. Da konnte er wieder ohne Hilfe laufen und hatte Farbe im Gesicht, und dieses scheußliche Gliederschütteln war weg. Er schien nur sehr benommen zu sein.«

»Klar«, sagte Hyde und trank Tee.

»Die rote Flugtasche hat die Olivera nicht eine Sekunde aus der

Hand gegeben. Die schleppte sie überall hin mit. Der alte Priester, der Leon eins über die Rübe gab, saß in der Maschine neben den beiden. Nach der Landung kümmerte er sich um Ross. War mit in der Rot-Kreuz-Station. Kamen alle zusammen raus, auch dieser Doktor Reinstein.« Pablo zitterte. »Scheißkälte. Drüben hat es über vierzig Grad.«

»Wann fliegen Sie zurück?«

»Morgen um zweiundzwanzig Uhr. Leider geht früher keine Maschine. Ich habe hier im Flughafenhotel ein Zimmer genommen.«

»Lassen Sie sich Corofax besorgen. Nehmen Sie die doppelte Menge, die auf dem Waschzettel steht.«

»Was ist das?«

»Bestes Mittel gegen Diarrhoe. Die kriegen Sie sonst auf alle Fälle bei diesen Temperaturunterschieden. Mit Koliken können Sie schlecht fliegen. Ich nehme es immer.«

»Corofax. Okay. Also weiter. Sie gingen alle zum Schalter der AUSTRIAN AIRLINES, wo Ross und die Olivera zweimal Wien buchten für den Flug um achtzehn Uhr dreißig. Der Priester hatte sich um ihr Gepäck gekümmert. Na ja, und so sind sie jetzt schon über Österreich. Soviel ich mitgekriegt habe, soll Ross sofort in ein Sanatorium.«

»Ja. Ich weiß Bescheid. Es geht zum Glück noch eine Maschine nach Wien heute. LUFTHANSA. Kommt aus Paris. Fliegt hier ab um einundzwanzig Uhr zehn. Hat die Olivera auch ganz bestimmt die rote Tasche mitgenommen?«

»Ganz bestimmt! Dieser Doktor Reinstein ist mit Ross und der Frau in einer Ambulanz zum Flugzeug gebracht worden. Ich hab' gesehen, wie sie eingestiegen sind. Die Olivera hatte die rote Tasche dabei.«

»Aber ob die Kassetten noch drin waren?«

Erschrocken sagte Pablo: »Das weiß ich natürlich nicht.« Er erregte sich. »Sie haben recht! Das war ja nicht vorgesehen, daß der Kerl einen Zusammenbruch kriegt. Sicher hatten die beiden die Absicht, die Kassetten hier in Frankfurt in Sicherheit zu bringen. Mierda! Weiß Gott, wo die Kassetten jetzt sind! Der Priester kann sie haben, der Arzt, was weiß ich. Was machen wir jetzt?«

»Bleiben Sie hier, Pablo«, sagte Hyde. »Ich muß mal telefonieren. Bin gleich wieder da.« Er verließ die Bar und ging in das Flughafen-Postamt. Seine Kleidersäcke nahm er mit. In der Zelle hatte jemand mit großen Buchstaben und in roter Farbe folgende Worte an die Wand gesprüht: FRESSEN, FICKEN, FERNSEHEN. Hyde führte zwei Gespräche, dann ging er zum LUFTHANSA-Schalter, buchte einen Platz in der 21-Uhr-10-Maschine, die aus Paris kam und nach Wien weiterflog, und gab sein Gepäck auf. Neben dem Schalter saß ein etwa zwanzig Jahre alter Junge auf der Erde. Er hatte einen kleinen Teppich ausgebreitet und war in eine bunte Decke gehüllt. Der Junge spielte Gitarre und sang mit schöner, warmer Stimme: »Der Rüstungsboom ist reich an Gnade. Der Krieg zieht sich noch etwas hin. Wer Pech hat, der zerstrahlt zu Marmelade. Es kocht sich gut mit Napalmin...«

Ein paar Menschen standen um ihn herum. Sie waren aufgeregt. Ein älterer Mann rief: »Du mit deinen Scheißliedern! Wenn's dir hier nicht paßt, geh doch in'n Osten!«

»Da komm ick jerade her«, sagte der Junge. »Die wollten mir ooch nich.«

Hyde kehrte in die BLAUE BAR zurück.

»Wir werden bald wissen, ob die Kassetten noch bei der Olivera sind«, sagte er zu Pablo, der jetzt beständig zitterte.

»Wann?«

»Wenn Ross in Wien gelandet ist.« Hyde sah den jungen Mann besorgt an. »Sie gehen jetzt schleunigst ins Bett! Trinken Sie weiter Tee mit Rum! Und vor allem vergessen Sie nicht das Corofax! Ich rufe Sie an, sobald ich etwas weiß. Wirklich, Pablo, Sie können nicht weiter hier herumsitzen.«

»Ja, dann... Mir ist sehr mies... Aber Sie rufen an, ja? Versprochen?«

»Versprochen.« Hyde gab dem jungen Mann die Hand. »Vielen Dank und alles Gute!« Als er allein war, bestellte der Söldner eine neue Portion Tee, und aus einer großen Tasche seines pelzgefütterten Dufflecoats holte er den Band mit den Shakespeare-Sonetten. Er lehnte sich zurück, blätterte ein wenig und las dann ergriffen diese Worte: »Kein Erz und Stein ist, Erde nicht und Flut, / Die die Vergänglichkeit nicht schlägt in Trümmer, / Wie trotzt die Schönheit solcher trüben Wut, / Da sie nicht stärker als ein Blütenschimmer?«

Ach, dachte Wayne Hyde, wie schön. Wie schön.

Um 20 Uhr 40 läutete in der BLAUEN BAR das Telefon. Der Mixer hob ab, sprach kurz und sah sich dann suchend im Raum um, in dem sich etwa ein Dutzend Menschen befand. Er sagte: »Meine Herrschaften, hier ist ein Gespräch für…«

Hyde war schon aufgesprungen und zur Theke geeilt.

»Wayne Hyde«, sagte er, »nicht wahr?«

»Ja, mein Herr.« Der Mixer überreichte ihm den Hörer. Die Menschen in der Bar sprachen ziemlich laut.

»Herdegen«, sagte eine Männerstimme.

»Hyde. Und?«

»Sie haben die Kassetten dabei.«

»Sie wissen das genau?«

»Der Zoll. Ich bin mit einer Ambulanz gekommen, und sie ließen uns aufs Flugfeld hinausfahren, um den Mann abzuholen. Aber der Zoll hat dann die Frau gefilzt. Auch die Tasche. Ich stand ganz in der Nähe.«

»Okay, fein. Ich fliege kurz nach einundzwanzig Uhr und bin gegen zweiundzwanzig Uhr dreißig in Wien.«

»In Ordnung.«

»Wie geht es ihm?«

»Schlecht.«

»Gut«, sagte Hyde. Er grüßte kurz und legte auf. Dann hörte er, daß sein Name aufgerufen wurde. Er sollte zur Paß- und Zollkontrolle kommen. »Wie kann ich von hier einen Hotelgast anrufen?« fragte er den Mixer.

»Wählen Sie die Neun, und Sie haben die Zentrale.«

Wenige Sekunden später war Hyde mit Pablo verbunden.

»Hier ist Hyde. Sie haben die Kassetten bei sich.«

»Gott sei Dank! Guten Flug, Mister Hyde!«

»Danke. Und alles Gute für dich, Kleiner!«

Hyde zahlte. Dann nickte er dem Mixer zu und verließ die Bar. Er dachte an die letzten Worte des Sonetts, das er gelesen hatte: »Wer hemmt den schnellen Fuß, des Alterns Wüten? / Wer schützt die Schönheit vor Vergänglichkeit? / Ach niemand, wenn dies Wunder nicht geschieht, / Daß hell aus schwarzer Schrift mein Lieben glüht.«

Hoffentlich bringt Franz eine Springfield, dachte Hyde. Das ist ein amerikanisches Gewehr. Ich fühle mich damit immer sicherer als mit einem deutschen Achtundneunzig-k.

»Seien Sie ganz ohne Sorge«, sagte Dr. Gerd Herdegen. Er wischte Daniel Ross mit einem Tuch die Schweißperlen von der Stirn. »Alles wird ganz schnell wieder ganz gut.« Er lächelte. In seinen seltsamen Augen überwog jetzt der Eindruck von Traurigkeit den von Eiseskälte. Daniel sah zu dem Mann im weißen Kittel auf, der neben ihm saß. Er lag in Hemd und Hose auf einer Trage in der Ambulanz, die sehr schnell vom Flughafen südostwärts über eine nächtliche Landstraße fuhr.

Daniel gegenüber saß Mercedes. Sie hatte ihren Pelzmantel abgelegt. Der Wagen war geheizt. Mercedes hielt die rote Flugtasche auf den Knien. Die Sirene des Wagens sang. Ein Blaulicht, das sich zuckend auf dem Dach drehte, schickte in kurzen Abständen Lichtreflexe durch den Wagen.

»Ist es noch weit?« fragte Mercedes.

»Keine zwanzig Kilometer, gnädige Frau«, antwortete der Arzt. Die Ambulanz fuhr durch dichten Wald. Es schneite jetzt wieder heftig. Der Wagen schlidderte von Zeit zu Zeit, aber der Fahrer ging nicht mit dem Tempo herunter.

»Er soll langsamer fahren«, sagte Daniel.

»Er ist sehr sicher. War früher Rennfahrer«, sagte der Arzt.

»Es ist mir egal, was er früher war. Er soll langsamer fahren.«

»Sie müssen schnellstens ins Sanatorium«, sagte Herdegen. »Es geht Ihnen nicht gut. Wollen Sie wieder einen Anfall kriegen?«

»Ja«, sagte Daniel. »Ich will wieder einen Anfall kriegen. Lieber noch zwei. Hier auf der Liege.«

»Danny!« sagte Mercedes. Und zu dem Arzt: »Entschuldigen Sie, bitte.«

Herdegen lächelte ihr zu, legte eine Hand auf die ihre, erhob sich dann, schob das Fenster zu den Fahrersitzen etwas auf und sprach mit dem Chauffeur. Er schloß das Fenster und setzte sich wieder neben Daniel. »Er fährt langsamer. Merken Sie es? Zufrieden?«

Daniel gab keine Antwort.

Die Sirene heulte immer weiter, und immer weiter zuckten die blauen Lichtreflexe.

Nach einer Weile wurde es draußen hell. Mercedes sah durch einen klaren Streifen oben in den Milchglasfenstern beleuchtete Straßen und Häuser. Sie fuhren an einem Rathaus vorüber.

»Jetzt sind wir schon in Mödling«, sagte der Arzt. »Beliebter Ausflugsort am Rand des Wienerwaldes. Auch ein Kulturzentrum. Hier haben Schubert, Hugo Wolf, Wildgans und Grillparzer gearbeitet. Jetzt fahren wir durch die Hauptstraße. Da, sehen Sie, das angestrahlte Gebäude. Es heißt Hafnerhaus und ist eine Gedenkstätte. In den Sommermonaten achtzehnhundertachtzehn und neunzehn schuf Beethoven hier die ›Missa solemnis‹.«

»Tresor«, sagte Daniel undeutlich.

»Bitte?« fragte Herdegen.

Daniel wies auf Mercedes. »Ich kann nur schwer sprechen«, sagte er.

Mercedes sagte: »Sicher gibt es einen Tresor in Ihrem Sanatorium, Herr Doktor.«

»Im Zimmer der Frau Primaria, ja. Warum?«

Die Lichter blieben zurück. Sie fuhren wieder durch Wald. Mercedes klopfte auf ihre Flugtasche. »Ich habe hier wichtige Unterlagen. Wir wollten sie in Frankfurt zur Bank bringen, aber das war unmöglich. Wir konnten den Flug nach Wien nicht aufschieben. Darum habe ich die Unterlagen immer noch bei mir.«

»Selbstverständlich steht Ihnen der Tresor zur Verfügung«, sagte Herdegen lächelnd. »Seien Sie ganz ohne Sorge!« Nach einer Weile tauchten wieder vereinzelte Lichter auf. »Hinterbrühl«, sagte der Arzt. »Hier gibt es ein aufgelassenes Gipsbergwerk mit dem größten unterirdischen See Europas. In der Saison fahren da Elektroboote hinein. Große Fremdenverkehrsattraktion.«

»Ich habe Angst um Herrn Ross«, sagte Mercedes leise.

»Müssen Sie nicht haben, gnädige Frau. Er ist in besten Händen. Bald wird er wieder ganz in Ordnung sein.« Herdegen lächelte Daniel zu und fühlte den Puls.

»Wieviel?« fragte Daniel.

»Erhöht«, sagte Herdegen. »Das ist ganz natürlich. Jetzt sind wir gleich da. Da ist schon Heiligenkreuz.« Zu Mercedes sagte er: »Da drüben – die angestrahlte Kirche, sehen Sie? – liegt das älteste Zisterzienserkloster Österreichs.« Es schneite jetzt sehr heftig und in großen Flocken. Mercedes erblickte ein riesiges Bauwerk neben der Kirche. »Gegründet elfhundertfünfunddreißig von dem Markgrafen Leopold dem Heiligen. Großartig! Wenn Sie den Entzug hinter sich haben, Herr Ross, werden Sie sich das alles zusammen mit der gnädigen Frau ansehen. Hier liegen die Gräber der alten Landesherren Österreichs. Das Kloster Heiligenkreuz ist auch eine Wallfahrtsstätte und...« Der Wagen schleuderte wieder heftig.

»Wirklich ein prima Fahrer«, sagte Daniel.

Nach kurzer Weiterfahrt sagte Herdegen: »Wir sind da.«

Der Fahrer hupte.

Die Wange an die kalte Scheibe gepreßt, sah Mercedes im Licht der Scheinwerfer ein hohes schmiedeeisernes Tor in einer hohen Mauer. Hinter der Mauer erblickte sie den Teil eines Wächterhauses, aus dem nun ein Mann in Stiefeln und Anorak trat, der das große Tor öffnete. Die Flügel schwangen seitlich zurück. Die Ambulanz fuhr durch einen tiefverschneiten, großen Park und hielt Minuten später vor einem weißen Gebäude.

Es ging alles sehr schnell. Der Fahrer und sein Kollege stiegen aus und öffneten die hinteren Türen des Wagens. Herdegen hatte Mercedes in den Pelzmantel geholfen und eine Decke über Ross gelegt. Nun war er Mercedes, welche die Flugtasche an sich drückte, beim Aussteigen behilflich. Der Fahrer und sein Kollege zogen schnell und geschickt die Trage mit Daniel aus dem Wagen. Schweigend eilten sie die Treppen zum Eingang des Sanatoriums hinauf und hoben die Trage auf ein Gestell mit Gummirädern. Nun ging es einen blendendweißen Gang entlang bis zu einem Lastenlift. Die beiden Männer fuhren mit Daniel nach oben. Ein anderer Gang. Sehr helles Licht auch hier. Die Männer schoben die Trage schnell und dabei vorsichtig. Daniel sah kurz die Gesichter einiger Schwestern und Ärzte vorübergleiten, sah Türen, Türen. Eine stand offen. Und dann erblickte Daniel die Frau mit dem kurzgeschnittenen kastanienbraunen Haar und den großen braunen Augen. Sie trug einen Ärztekittel, und Daniel fühlte, wie sein Herz plötzlich stürmisch zu schlagen begann. Sie neigte sich über ihn, und er schlang die Arme um sie.

»Sibylle«, sagte er heiser.

»Guten Abend, Danny«, sagte sie und küßte ihn auf beide Wangen.

Die Männer hoben die Trage von dem Gestell, eilten mit ihr in ein weißes Krankenzimmer und legten Daniel auf das Bett. Sie verschwanden wortlos.

Sibylle kam näher. Sie preßte ihren Mund an Daniels linkes Ohr. Er hörte sie sehr schnell flüstern: »Da ist ein Mikrofon in deinem Zimmer. Jedes Wort wird abgehört. Sag das deiner Begleiterin! Aber leise!«

12

Zwei Pfleger brachten das Gepäck.

»Kann ich sonst noch was tun, Frau Primaria?« fragte der eine. Er hatte graue Haare, graue Augen, ein gutmütiges Gesicht und den Körper eines Athleten.

»Nein, danke, Herr Aigner«, sagte Sibylle.

»Wenn Sie mich brauchen, ich bin in der Teeküche, Frau Primaria.« Er sah Sibylle ernst an.

»Ist gut, Herr Aigner«, sagte diese.

»Auf Wiedersehen, Herr Ross«, sagte der Pfleger und verschwand.

Sibylle hatte sich neben Daniel auf den Bettrand gesetzt. Sie sahen einander in die Augen, sie sprachen kein Wort miteinander. Er versuchte ein paarmal zu lächeln. Sie erwiderte den Versuch nicht ein einziges Mal. Ihre Augen waren sehr groß und ernst, und ihr Gesicht war so schön, wie er es kannte, aber voller Sorge.

Endlich sagte sie leise: »Nach so langer Zeit, Danny.«

»Ja, nach so langer Zeit«, sagte er.

»Und natürlich bist du wieder rückfällig geworden! Schlimm diesmal.«

»Wirst du mich hinkriegen, Sibylle?«

»Habe ich dich nicht noch jedesmal hingekriegt?« Sie flüsterte in sein Ohr: »Bei der ersten Gelegenheit lasse ich dir alles erklären, was hier vorgeht; bis dahin seid vorsichtig!« Und er roch den Duft ihres Haares und alles, alles war plötzlich wie gestern, wie gestern und nicht zwölf Jahre her, zwölf lange Jahre, die ausgelaufen waren im Sandmeer der Zeit.

»Geht es dir gut, Sibylle?«

»Sehr gut, Danny«, sagte sie, aber große Traurigkeit lag auf ihrem Gesicht und strafte ihre Worte Lügen.

Er streichelte ihren Arm und lächelte wieder, und wieder blieb sie ernst, so ernst.

Er wollte etwas sagen, aber sie machte eine warnende Bewegung.

»Denkst du noch manchmal an... unsere Zeit, Sibylle?«

»Oft, Danny, oft.«

»Weißt du, ich träume immer wieder von uns«, sagte er, zog sie zu sich herab und küßte sie auf den Mund. »Seit zwölf Jahren träume ich von uns beiden. Verrückt, wie?«

»Ja«, sagte sie, »total verrückt.«

Plötzlich waren ihre Augen voller Tränen. Er sah sie fassungslos an. Wieder machte sie das warnende Zeichen. Mit einem Taschentuch tupfte sie schnell ihre Augen trocken.

»Wenn ich mir was wünschen dürfte…«, sagte er. »Erinnerst du dich noch?«

»An alles, Danny. An alles. Ich erinnere mich an alles.«

»Ich auch. Ganz genau. Das Leben ist komisch, nicht?«

»Ja«, sagte sie. »Wahnsinnig komisch. Ich glaube, jetzt kommt deine Begleiterin mit Doktor Herdegen.«

»Wo waren sie so lange?«

»Anmeldung. Du hast Frau Olivera doch deinen Paß gegeben, nicht wahr?«

»Ja. Dieser Doktor Herdegen hat darum gebeten.«

»Die Bestimmungen sind sehr streng«, sagte Sibylle. »Wir haben viele ausländische Patienten hier, weißt du. Alle An- und Abmeldungen müssen gleich zu dem Gendarmerieposten in Heiligenkreuz gebracht werden.« Wieder flüsterte sie in sein Ohr: »Sie fotokopieren deinen Paß und behalten ihn dann in Aufbewahrung, solange du da bist. Die Fotokopien brauchen sie sofort. Ich werde dir alles erklären…«

Auf dem Gang wurden Stimmen und Schritte laut.

Sibylle erhob sich. Gleich darauf traten Herdegen und Mercedes ins Zimmer. Daniel machte die beiden Frauen miteinander bekannt. Mercedes war größer und so ernst wie Sibylle, als sie einander die Hand gaben. Dann lächelten beide. Daniel sah, daß sie einander in der Folgezeit genau beobachteten. Sie sprachen jetzt mit Herdegen über ihn, als wäre er nicht anwesend. Er müsse sofort untersucht werden, sagte Sibylle. Herz, Kreislauf, Lunge. Routine. Ein EKG könne man im Bett machen. Alles andere auch.

»Wenn Sie wollen, schlafen Sie hier bei Herrn Ross«, sagte Herdegen. »Das ist ein großes Zweibettzimmer.«

»Danke!« sagte Mercedes. »Sie sind sehr freundlich.«

»Wir beginnen dann sofort mit der Behandlung«, sagte Sibylle, sehr sachlich. »*Ich* werde mich darum kümmern, Doktor Herdegen. Herr Ross ist ein sehr alter Freund von mir. Ich hatte schon mit ihm zu tun. Leider. Er wurde immer wieder rückfällig. Wenn Sie vielleicht seine Waschsachen und ein Pyjama aus dem Gepäck nehmen wollten, Frau Olivera!« Und zu Daniel: »Das Badezimmer ist da drüben. Ich komme in einer halben Stunde zur Untersuchung, okay?«

»Okay, Sibylle«, sagte er leise. »Danke.«

Mercedes hatte schon einen Koffer geöffnet. Während sie noch suchte, sagte der bleiche Herdegen mit dem dichten schwarzen Haar und dem seltsamen Ausdruck in den Augen: »Frau Olivera hat noch eine Bitte. Sie möchte gerne wichtige Dokumente in Ihrem Tresor verwahren, Frau Primaria.«

Sibylles Gesicht gefror zu einer Maske, fand Daniel, der sie dauernd ansah. Zu einer Maske des Erschreckens und der Angst, dachte er verstört.

»In meinem Tresor...?« Sibylles Stimme war klanglos.

»Ja, Frau Doktor. Es sind sehr wichtige Unterlagen«, sagte Mercedes.

»Hier wird nicht gestohlen, Frau Olivera.«

»Natürlich nicht. Aber es wäre mir doch sehr lieb, wenn ich die Unterlagen in Ihrem Tresor wüßte.«

»Mir auch, Sibylle«, sagte Daniel.

»Da hören Sie es, Frau Primaria.« Nur der Ausdruck in Herdegens Augen wechselte. Nun war er eiskalt. »Gewiß werden Sie nichts dagegen haben.«

Sibylle schwieg.

»Frau Primaria...«

Sie zuckte zusammen. »Gewiß nicht«, sagte sie, und ihr verkrampftes Lächeln gefror ebenfalls zur Maske, einer anderen Maske.

»Dann gehen wir am besten gleich«, sagte Herdegen liebenswürdig. »Herr Ross kann inzwischen ins Badezimmer.«

»Wie Sie wünschen.« Sibylle nickte Daniel zu, dann verließ sie mit den beiden anderen das Zimmer. Über den hellerleuchteten Gang eilten die drei zum Lift. Die Tür des Stationsraumes stand offen. Ein junger Arzt und zwei Schwestern saßen darin und tranken Kaffee. Sie grüßten freundlich. Sonst sah Mercedes auf dem ganzen Weg bis zum Arbeitszimmer Sibylles, das im Erdgeschoß lag, nicht einen einzigen Menschen.

Der Tresor war sehr groß – die Tür höher als Sibylle – und in die Wand links neben dem mit Papieren, Büchern und Medikamentenpackungen überhäuften Schreibtisch eingelassen. Matt glänzte seine Stahlplatte. In halber Höhe trug sie ein versilbertes großes Rad, in dessen Zentrum sich ein stählerner Konus vom Ausmaß eines Wasserglases befand. Der Konus besaß viele Rillen. Eine Skala mit Strichen und Zahlen umgab ihn. Sibylle trat vor den Konus. Durch Hin- und Herdrehen des Stahlkerns begann sie, die Sperre des Panzerschranks zu lösen. Ihr schmaler Rücken verdeckte dabei Konus und Zahlenkreis.

»Ein Riesending«, sagte Mercedes erstaunt.

Sibylle antwortete nicht. An ihrer Stelle sprach Herdegen: »Hier werden alle wichtigen Papiere der Klinik und unserer Patienten aufgehoben – die Krankengeschichten zum Beispiel. Seien Sie ganz ohne Sorge! Der Tresor hat eine fünfstellige Nummernkombination, die man jederzeit nach Belieben mit einem Wählschlüssel – sehen Sie – ändern kann. Eine Million Möglichkeiten gibt es. Wir wechseln die Kombination immer wieder. Nur die Frau Primaria öffnet und schließt den Tresor. Nur sie kennt die momentan eingestellte Kombination.«

Sturm war aufgekommen und peitschte Schnee gegen das große nachtdunkle Fenster.

»Fünf Zahlen, und immer wieder andere – wie merken Sie sich das, Frau Doktor?« fragte Mercedes.

»Ich habe eine sehr gute Methode«, sagte Sibylle, die an dem Konus drehte.

»Aber Sie werden sie nicht verraten«, sagte Herdegen und lachte herzlich. Sibylle wandte sich um und sah ihn ernst an. Er lachte weiter. Die Ärztin zog an dem großen silbernen Rad. Mit einem saugenden Geräusch öffnete sich die gewiß einen Drittel Meter dicke Panzertür. Gleichzeitig flammte in der mannshohen Kammer dahinter elektrisches Licht auf. Mercedes sah einen Tisch und Regale an den Wänden im Innenraum des Tresors. Sehr viele Akten lagen da, verschnürte Pakete und Leitzordner.

»Was wollen Sie deponieren?« fragte Sibylle. Ihr Gesicht war nun grau. Mercedes stellte die rote Flugtasche auf eine Ecke des Schreibtisches, zog den Reißverschluß auf und holte zwei Videokassetten hervor. Sie trugen Beschriftungen in spanischer Sprache und die Systembezeichnung VHS.

»Hier bitte!« Herdegen reichte Mercedes einen großen gelben Umschlag.

»Danke.« Sie steckte die beiden Kassetten hinein. »Und nun?«

»Nun treten Sie in den Tresor und legen das Päckchen auf das erste Regalbrett links«, sagte Sibylle. Ihre Stimme klang plötzlich unendlich müde.

Mercedes folgte der Aufforderung. Ihr wurde unheimlich zumute, als sie in das Tresorinnere stieg. Schnell trat sie wieder ins Freie.

»So«, sagte Herdegen sonnig, »jetzt können Sie aber beruhigt sein.« Sibylle stellte die Nummernkombination ein und schloß die große Tür. Sie muß sich die Zahlen irgendwo notieren, dachte Mercedes, wenn sie immer wieder wechseln. Ihr Blick fiel auf die gerahmte Farbfotografie eines etwa vierzigjährigen Mannes mit braunem Haar und braunen Augen. Der Mann lachte.

»Oh«, sagte Mercedes überrascht. »Was für eine Ähnlichkeit, Frau Doktor! Ihr Buder?«

»Ja«, sagte Sibylle und hielt sich wie in einem Anfall von Schwäche an dem versilberten Rad des Tresors fest. »Das ist mein Bruder Eugen.«

13

Etwa eine Stunde später schloß Frau Primaria Sibylle Mannholz Daniel Ross an einen Tropf an. Sie stieß ihm geschickt und schnell die Nadel am Ende des langen dünnen Plastikschlauches, der von der Flasche voll leuchtendgelber Flüssigkeit herabhing, in eine Vene des rechten Arms und fixierte sie. Danach erhob sich Sibylle und regelte die Geschwindigkeit des Tropfenfalls. Zuvor hatte sie Ross gründlich untersucht. Sie war erschrocken gewesen über das Ausmaß seiner Erschöpfung.

»Ich komme fünf nach zwölf, was?« sagte er.

»Zehn nach zwölf. Dein Herz möchte ich haben, Danny! Jeder andere wäre längst tot.«

»Sibylle?«

»Ja?«

»Ich bin sehr glücklich, bei dir gelandet zu sein.«

»Ich auch, du Verrückter.«

Während sie sich so unterhielten, hatte Sibylle auf einen Umschlag, den sie ihm nun reichte, geschrieben: REDE WEITER MIT MIR, WÄHREND DU LIEST...

»Du nimmst mir jetzt natürlich das Nobilam weg«, sagte er.

... ICH WEISS NICHT, WAS DU IN BUENOS AIRES HERAUSGEFUNDEN HAST. UNTER KEINEN UMSTÄNDEN DARFST DU DARÜBER LAUT MIT FRAU OLIVERA REDEN...

»Natürlich nehme ich es dir weg«, sagte Sibylle. »Bis es aus dem Körper raus ist, das dauert zweiundsiebzig Stunden. Drei, vier Tage werden wir dich entgiften.«

... DU WOLLTEST ZU MIR, KLAR, las Ross. DU HÄTTEST AN

KEINEM GEFÄHRLICHEREN ORT LANDEN KÖNNEN. ERST WENN DU WIEDER BEI KRÄFTEN BIST UND SPAZIERENGEHEN KANNST, WIRD MAN DIR ALLES ERKLÄREN. ICH BIN IN EINER SEHR SCHLIMMEN LAGE...

»Und nach drei, vier Tagen?«

»Wirst du dich nicht mehr so gemütlich fühlen wie jetzt, mein Lieber.«

... FRAU OLIVERA HÄTTE NIEMALS DIE VIDEOKASSETTEN IN MEINEM TRESOR DEPONIEREN DÜRFEN, las Daniel weiter. NIEMALS! JETZT IST ES ZU SPÄT. JETZT KÖNNEN WIR NUR HOFFEN, DASS ALLES GUTGEHT...

»Und was machst du dann mit mir?«

... ICH WIEDERHOLE: KEIN PERSÖNLICHES WORT! SAG DAS FRAU OLIVERA INS OHR! ODER SCHREIB ES AUCH AUF!

»Das wirst du dann schon sehen. Angst vor Entzugserscheinungen, ja?«

»Natürlich. Du weißt doch, was für ein Feigling ich bin.«

Sibylle hatte ihm den Umschlag fortgenommen und war ins Badezimmer gegangen, wo sie das Papier in kleine Stücke riß und in der Toilette hinunterspülte. Sie kam zurück und sagte: »Der Feigling stirbt tausend Tode‹, heißt es im Sprichwort, ›der Tapfere nur einen.‹ Das ist natürlich Geschwätz. Der Tapfere stirbt zehntausend Tode, wenn er intelligent ist.«

»Ich bin intelligent«, sagte er und fühlte, wie seine Glieder schwer wurden. »Leider.«

»Ja«, sagte Sibylle. »Dafür mußt du aber auch nicht mutig sein, mein kleiner Feigling! Es würde keinen Unterschied machen. Wir werden dich schon nicht sterben lassen, Danny. Und so eine Portion Angst und Entzugserscheinungen sind eine gute Sache. Dann merkst du dir das – hoffentlich – eine Weile. Die Menschen vergessen so schnell.« Sie küßte ihn auf beide Wangen und auf den Mund und strich über sein Haar. »So, schlaf schön, mein Alter!«

»Werde ich schlafen können?«

»Wie ein Murmeltier. Du wirst nicht einmal aufwachen, wenn ich die Flasche wechsle. See you later, alligator!« Ihr tragischer Gesichtsausdruck stand in schrecklichem Gegensatz zu der bemüht fröhlichen Stimme. Sie ging zur Tür und winkte Daniel noch einmal zu.

Auf dem Gang saß Mercedes in einem Sessel. Sie stand auf.

»So, fertig«, sagte Sibylle. Jetzt lächelte sie sogar. »Sie können zu ihm gehen, Frau Olivera. Alles in Ordnung.«

»Ich danke Ihnen, Frau Doktor. Ich danke Ihnen sehr.«

»Danke für gar nichts«, sagte Sibylle. Sie ging den weißen Gang hinunter. Die Hände hatte sie in die Taschen ihres Ärztekittels gesteckt. Mercedes sah ihr nach und bemerkte, daß Sibylles Rücken ein wenig zuckte. Sie ahnte nicht, daß die schlanke Frau mit dem braunen Haar, die da von ihr fortging, alle Kraft zusammennahm, um sich auf den Beinen zu halten und nicht zusammenzubrechen.

Mercedes kam ins Zimmer und drehte sich um, weil sie die Tür schließen wollte. Im gleichen Augenblick erlosch die starke Neonbeleuchtung auf dem weißen Gang, der nun in blaues Nachtlicht getaucht war. Sie blickte auf ihre Armbanduhr. Genau 22 Uhr. Sie drückte die Tür ins Schloß und sah, daß Daniel einen Block auf den angezogenen Knien liegen hatte und hastig mit der linken Hand schrieb. Sein rechter Arm hing am Tropf, doch als Linkshänder konnte er mit beiden Händen schreiben. Mercedes wollte etwas sagen, aber er legte schnell einen Finger auf seine Lippen und hielt ihr den Block hin. Die erste Seite hatte er vollgeschrieben. Mercedes begriff die Situation schnell.

»Hallo, Danny, wie geht's?«

»Müde«, sagte er. »›Ich denke einen langen Schlaf zu tun, denn dieser letzten Tage Qual war groß.‹ Schiller. ›Wallensteins Tod‹. Fünfter Akt, fünfte Szene.«

Hatte zuvor er gelesen, was Sibylle schrieb, während er sich mit ihr unterhielt, so las jetzt Mercedes während der Unterhaltung, was er geschrieben hatte.

»Aber du fühlst dich besser, ja?«

»Viel besser. Jetzt bin ich hier. Jetzt ist alles gut.«

»Das ist eine großartige Frau, deine Sibylle.«

»Ja«, sagte er, »nicht wahr?«

Mercedes hatte seine Zeilen gelesen. Sie wußte nun alles, was Sibylle Daniel anvertraut hatte. Sie sah ihn fassungslos an. Er hob die Schultern und legte wieder einen Finger auf den Mund. Danach strich er über ihre Hand und sah sie an. Mut! sagte sein Lächeln. Mut!

»Du hast Sibylle sehr geliebt, ja?« fragte sie.

»Sehr, ja, Mercedes.«

»Das muß ein seltsames Wiedersehen gewesen sein.«

»O ja, das war es.«

»Liebst du sie immer noch?«

»Ja. Aber wie eine Schwester. Wie eine sehr eng Vertraute.«
»Sagst du auch die Wahrheit?«
»Ich sage die Wahrheit, Mercedes.«
»Du mußt die Wahrheit sagen, hörst du? Es wäre gemein, zu lügen. Ich könnte es gut verstehen, wenn du sie immer noch liebst. Das wäre dann mein Pech. Aber ich muß die Wahrheit wissen, denn ich liebe dich so.«
»Und ich dich, Mercedes. Anders. Ganz anders, aber genauso stark, wie ich einmal Sibylle liebte.«
»Oh, das ist gut. Ich liebe dich, wie ich noch niemals geliebt habe, Danny.«
Stille folgte.

»So. Und nun langer Kuß«, sagte ein etwa dreißigjähriger, schwammiger Mann mit rotem Gesicht und blaßblondem Haar. »Tief rein in den Mund mit der Zunge.«
»Halt's Maul, Toni!« sagte Herdegen, der vor dem Lautsprecher stand.
Die Stille dauerte lange an.
»Na«, sagte der Schwammige, der Toni hieß. »Werden doch nicht erstickt sein?«
Aus dem Lautsprecher ertönten sich entfernende Schritte. Dann begann Wasser zu rauschen.
»Nimmt ein Bad, die Dame«, sagte Toni. »Ach, was für eine schöne, wunderbare Liebesszene!«
Der Lautsprecher befand sich in einem fensterlosen Raum, der vollgestopft war mit elektronischen Geräten. Eine ganze Wand lang standen in Regalen moderne kleine Recorder. An der schmalen Front der schwarzen Bretter waren unter jedem Recorder auf einem kleinen, angeklebten Etikett ein Name und eine Zahl angebracht. Drei Dutzend Lautsprecher gleich jenem, aus dem das von einem versteckten Mikrofon aufgenommene Gespräch zwischen Mercedes und Daniel hierher gedrungen war, hingen über dem Regal. Tatsächlich gehörte jeweils ein schwarzer Lautsprecher zu einem Recorder, und jeder trug die entsprechende Zahl in weißer Farbe aufgemalt. Vor dieser Wand standen hinter einem langen Tisch zahlreiche Bürostühle mit verstellbaren Rückenlehnen. An der anderen Wand waren große und kleine Maschinen und Apparaturen installiert, darunter eine komplette Funkanlage. Ein Exhaustor sorgte ständig für Frischluft.

»Was anderes werden Sie nie zu hören kriegen, Herr Doktor«, sagte der Schwammige. Er saß im Hemd da und schwitzte. Unter den Achselhöhlen zeigte das Hemd dunkle Flecke. Der Raum war überheizt, die Luft trotz des Exhaustors schlecht. »Die Mannholz hat die beiden gewarnt.«

»Die Mannholz? Nie im Leben, Toni! Das wagt sie nicht. Sie weiß, was passiert, wenn wir es herausbekommen.«

»Wie wollen Sie es herausbekommen, Herr Doktor? Genügt, wenn sie den Mann gewarnt hat, diesen Ross. Waren doch einmal große Lovers, die beiden.«

»Trotzdem. Viel zuviel Angst. Hat auch sofort den Tresor aufgemacht.«

»Warum?«

»Warum was?«

»Warum hat die Mannholz den Tresor aufgemacht?« fragte der schwammige Mann auf dem Stühlchen.

»Die Olivera wollte die Videokassetten in absoluter Sicherheit wissen.«

Der Mann, der Toni hieß, erlitt einen Lachkrampf.

»Sie hat schon in der Ambulanz dauernd davon gesprochen. Na, ich habe ihr von dem großen Tresor erzählt. Jetzt sind die Kassetten in Sicherheit, Toni.«

Immer noch erklang das Rauschen von Wasser aus dem Lautsprecher.

»Wenn die Mannholz sie nicht gewarnt hat, dann müssen sie aber überdämlich sein«, sagte Toni, plötzlich düster. »Und wenn sie überdämlich sind, warum reden sie dann nicht von der Sache?«

»Die sind nicht überdämlich. Die sind hochintelligent, beide. Du weißt, Ross hat die Mannholz mal geliebt. Sie ihn. Er vertraut ihr vollkommen. Also vertraut ihr auch die Olivera. Es ist etwas Wunderbares um Vertrauen, Toni.«

»Und wenn sie so viel Vertrauen haben, warum reden sie dann nicht von den Kassetten?«

»Weil sie eben intelligent sind.« Herdegen setzte sich auf einen der kleinen Bürostühle. »Sie haben Phantasie. Sie wollen einfach kein Risiko eingehen. In ihrer Lage. Haben schon mal was von Wanzen gehört.«

»Das ist nun *völlig* idiotisch. Und dann gibt die Olivera die Kassetten in den Tresor – damit sie in Sicherheit sind?«

»Ich sage dir doch, sie vertrauen der Mannholz vollständig.

Hör auf damit! Wir müssen jetzt warten, bis dieser Wayne Hyde kommt.«

»Wer kommt?«

»Der Mann, den London angekündigt hat.« Herdegen sah auf die Uhr. »Seine Maschine landet in dreißig Minuten.«

Während dieser Unterhaltung war Daniel Ross aufgestanden. Er bewegte sich langsam und vorsichtig, damit die Nadel des Tropfes in der Vene blieb. Er hatte die verchromte Stange auf dem Dreifuß mit Rädern, an welcher sich die Flasche voll goldgelber Flüssigkeit befand, mit der Linken ergriffen und schob das Gerät behutsam vor sich her ins Badezimmer, wo Wasser in die Wanne strömte.

Nur mit einem Höschen bekleidet stand Mercedes beim Waschbecken und putzte ihre Zähne. Sie fuhr herum, als sie Ross im Spiegel auftauchen sah.

»Danny! Bist du verrückt geworden?«

»Psst! Leise!« Er trat in das Badezimmer, schob den Tropf vor sich her und setzte sich auf einen Hocker.

»Du darfst doch nicht aufstehen! Wenn etwas passiert!« flüsterte sie. Das Rauschen des Wassers übertönte ihre Stimmen.

»Passiert schon nichts. Ich muß dir noch etwas sagen, Mercedes.«

»Was?« Ihr wurde bewußt, daß sie fast nackt war. Schnell zog sie einen Frotteemantel über.

»Es ist nicht wahr«, flüsterte Daniel bedrückt.

»Was ist nicht wahr?«

»Was ich eben gesagt habe. Über Sibylle. Daß ich sie wie eine Schwester liebe, wie eine sehr eng Vertraute.«

»Oh.« Eine Pause folgte. Das Wasser rauschte. Mercedes setzte sich auf den Wannenrand.

»Ich meine: Es *war* wahr. Vor zwei Stunden noch war es wahr, verstehst du, das kann ich schwören bei meinem Leben, Mercedes. Aber dann, als ich sie wiedersah, als ich ihre Stimme wieder hörte…«

»Da war es so wie früher«, flüsterte Mercedes.

»Ja, Mercedes. So wie früher. Ich… ich kann dich nicht belügen. Dazu liebe ich dich zu sehr. Ich… ich bin vollkommen durcheinander… Das habe ich niemals erwartet… wirklich nicht… Aber als ich sie wiedersah, da war alles so wie vor zwölf Jahren… So, als wäre überhaupt keine Zeit vergangen… nicht ein Tag…«

»Und Sibylle?« flüsterte Mercedes.

»Ich weiß es nicht... Sie hat kaum etwas gesagt...«

»So etwas merkst du doch sofort, Danny!«

»Ich weiß wirklich nicht, was sie empfindet... Sie ist sehr verändert... So ernst und verschlossen. Sie muß einen großen Kummer haben...«

»Hast du sie nicht gefragt, welchen?«

»Ich sage doch, wir haben kaum gesprochen miteinander. Ich... ich bin so kaputt... Vielleicht ist alles nur deshalb so... Vielleicht liebe ich sie in ein paar Tagen... morgen schon... wirklich wie eine Schwester... Aber im Moment...«

»Liebst du uns beide?«

»Ja«, flüsterte er.

»Beide gleich?«

»Ja... nein... ja, doch... verzeih mir, Mercedes.«

»Was ist da zu verzeihen. Ich habe so etwas geahnt, die ganze Zeit, ich habe es erwartet...«

Sie sahen einander stumm an.

Das Wasser rauschte noch immer...

... und darum war dieses Gespräch für Herdegen und den Schwammigen, der Toni genannt wurde, unhörbar. Die beiden unterhielten sich weiter.

»Was war los in deiner Schicht?« fragte Herdegen. »Schwester Gertie sagt, der Mann von der ›Union of Concerned Scientists‹ hatte Besuch.«

»Der Mann von den ›Besorgten Wissenschaftlern‹, ja. Der hatte Besuch, Herr Doktor. Einen Ami. Hochinteressant.« Toni wies mit der Hand auf einen der vielen kleinen Recorder. »Nummer zwoundzwanzig. Alles drauf. Reagan hat doch Befehl gegeben, den Himmel aufzurüsten, nicht? Das ›Schlachtfeld der Zukunft‹ nennt er das Weltall. Innerhalb der nächsten zehn Jahre soll es ständig besetzte Raumstationen geben. Gebaut werden sie mit Space Shuttles, diesen wiederverwendbaren Raumfähren wie dem ›Challenger‹. Die können große Lasten tragen, haben sie schon bewiesen. Wenn diese Raumstationen erst installiert sind, haben sie auch Laserkanonen, mit denen anfliegende Feindraketen in der Luft zerstört werden. Aber das ist nur *eine* Sache in der Planung. Bei den Russen sieht es angeblich ebenso aus. Jedenfalls wird der Kinobegriff ›Krieg der Sterne‹ von Reagan und Weinberger bereits einer lückenlosen Verteidigung gegen ballistische Raketen gleichgesetzt. Die beiden glauben, daß sie in zehn Jahren absolut gegen sowjetische Raketen geschützt sind. Die ›Besorgten Wissenschaftler‹ scheinen *sehr* besorgt zu sein. Sie müssen sich das anhören, Herr Doktor, was der Ami noch alles erzählt hat! Sie kriegen das Gefühl, alle russischen und amerikanischen Großkopferten gehören zu uns ins Irrenhaus! Aber sie kommen nicht zu uns. Was wird in zehn Jahren sein?«

»Hängt davon ab, ob das alles überhaupt möglich ist, und wenn, wer es zuerst schafft. Dann: Gute Nacht! Was noch?«

»Piontak hatte auch Besuch. Pole, Landsmann. Tut auf Computerschulung. So darf er rein und raus. Sie haben neue Aktionen der ›Solidarität‹ besprochen. Da soll vielleicht was losgehen. Alles auf Band. Müssen die Sowjets schnellstens erfahren.«

»Werden sie, Toni, werden sie. Was noch?«

»Nummer vierzehn. Der Mann vom MAD. Besuch eines Kollegen. Der Militärische Abschirmdienst ist doch jetzt so unter Beschuß, weil er mit Strichjungen als Zeugen behauptet hat, daß dieser NATO-General schwul ist. Sollen Köpfe rollen beim MAD. Die werden jetzt eine Sauerei versuchen. Wenn man sie nicht in Ruhe läßt, wollen sie sagen, daß sie im Auftrag des amerikanischen NATO-Chefs gehandelt haben, weil der den Deutschen unbedingt los sein wollte.«

»Feine Gesellschaft!«

»Alles auf Band, Herr Doktor.«

»Was noch?«

»Natürlich Damiani. Stundenlanger Streit mit Isabella von Kastilien, Ferdinand von Aragon und diesem Borgia-Papst. Wie immer der Vertrag von Tordesillas. Siebenter Juni vierzehnhundertvierundneunzig. Ich kann das alles schon auswendig. Natürlich *nicht* aufgenommen. Armer Hund, dieser Damiani. So ein berühmter Völkerrechtler! Total meschugge, was?«

»Schwer schizophren.«

»Und? Wird nicht besser, wie?«

»Nein. Aussichtslos. Wir werden ihn den Italienern zurückschicken. Warten nur noch auf die Anweisung von oben.«

»Ach, Herr Doktor, das Wichtigste: der Mullah!«

»Was ist mit dem?«

»Das müssen sofort die Amis kriegen. War einer von der Gesandtschaft bei ihm heute nachmittag. Khomeini will eine Großoffensive starten mit einer halben Million Mann, um den Irak endgültig zu erledigen. Und dann den Golf sperren. Und den Westen erpressen.«

Herdegen war plötzlich aufgeregt. »Wo ist das Band?«
»Dreiundfünfzig.«

Herdegen nahm den Recorder mit der Nummer 53 aus dem Fach. »Ich höre es mir gleich an. Das war ja ein ereignisreicher Nachmittag, Toni.«

»Kann man sagen. Ich bin total erledigt. Und jetzt noch bis Mitternacht! Mir tun alle Knochen weh. Wer löst mich ab?«
»Buja.«

»Immer kriegt Buja die Friedhofschicht! Der hat's gut. Zwischen Mitternacht und Frühstück schlafen sie alle. Buja kann ruhig auch schlafen. Kopfweh hab ich. Das ist ein Mief hier drin. Trotz der Frischluftanlage. Stinkt wie im Scheißhaus, wirklich, Herr Doktor.«

»Das bist du!«

»Ich? Na also, hören Sie, Herr Doktor!«

»Du schwitzt. Du stinkst dich selber an. Bißchen mehr waschen. Öfter ein frisches Hemd. Wirklich, Toni, ich habe dich gerne, aber du bist einfach ein grauenvolles Schwein.«

14

In diesem Gebäude wird in der ersten Classe täglich 1 Gulden, in der zweyten täglich 30 Kreutzer gezahlet. Umsonst werden eyngenommen: die Gestifteten, deren Stipendium im Haus zufällt; weyters Wahnwitzige aus der Classe derjenigen, welche bey dem allgemeynen Krankenhaus mit 10 Kreutzern oder sonder Entgelt aufgenommen werden.

Für Geistliche, welche das Unglück haben, wahnwitzig zu werden, sind bey den Barmherzigen Brüdern Zimmer bestimmt, daher sie der Aufnahme in dieß Haus nicht bedürfen. Für die ruhigen Wahnsinnigen wird das sogenannte Lazarethgebäude zugerichtet werden.

Auf brüchigem, vergilbtem Papier gedruckt, hing diese Nachricht unter Glas an einer Wand von Sibylles Sprechzimmer im ersten Stock der Psychiatrisch-Neurologischen Universitätsklinik in Wien. Darunter stand ein einfaches Bett. Hier schlief die Dozentin Dr. Mannholz, wenn sie Nachtdienst hatte. An diesem Spätherbstabend im November 1970 konnte man durch die geöffneten Fenster viele andere Kliniken auf dem riesigen Areal des Allgemeinen Krankenhauses sehen, dessen Haupteingang sich in der Lazarettgasse fünfzehn befand. Das Gebäude der Psychiatrie stand auf einem sanften Hügel über den anderen Kliniken. Sibylle war sechsunddreißig Jahre alt, mittelgroß und schlank. Sie hatte kastanienbraunes Haar und besonders große Augen derselben Farbe. Ihr Mund war breit, die Lippen waren sanft geschwungen und zum Lachen geschaffen. Daniel war dreiunddreißig Jahre alt, und sein Haar war noch blond. Er sah erholt und gesund aus. Daniel und Sibylle standen einander bei ihrem Schreibtisch gegenüber.

»Da wäre noch eine Komplikation, über die ich zu berichten habe«, sagte er.

»Noch eine Komplikation?«

»Ja«, sagte er.

»Welche?«

»Ich liebe Sie, Sibylle. Seit ich Sie kenne. Ich bete Sie an.«

Ihre Augen waren plötzlich riesengroß. Er schlang die Arme um sie und preßte seinen Körper an den ihren. Sie wehrte sich vergeblich. Die Lippen trafen aufeinander. Er küßte sie hart, und hart blieb ihr Mund. Dann öffneten sich ihre Lippen und wurden weich und wunderbar. Der Kuß dauerte lange. Zuletzt legte sie den Kopf an seine Schulter, ihre Wange an die seine.

Sie flüsterte: »Ich verstehe dich, Daniel...« Ihre Arme umklammerten ihn. Sie küßten sich wieder. Danach sahen sie einander in die Augen.

»Für alle Zeit«, sagte er.

»Für alle Zeit«, erwiderte sie. Dann lächelte sie plötzlich.

»Was ist?«

»Nichts, Liebster.«

»Doch! Warum hast du gelächelt?«

»Bitte nicht.«

»Bitte ja! Woran hast du gedacht?«

»Ich habe gedacht: Mutterbindung! Natürlich bin ich älter«, sagte Sibylle und lächelte wieder...

So hatte es begonnen, damals.

Und so begann der Traum, den Daniel seither gewiß viele Dutzende Male geträumt hatte. Immer so. Genau so. So begann er auch in der Nacht zum 22. Februar 1984, der ersten, die Daniel im Sanatorium Kingston bei Heiligenkreuz verbrachte, auf dem Rücken liegend, den rechten Arm mit einem Tropf verbunden.

Er lächelte im Schlaf. Mercedes saß an seinem Bett und sah ihn an. Sie trug einen Frotteemantel, und ihr Gesicht war ernst. Nur eine kleine Lampe auf dem Schreibtisch brannte im Hintergrund. Es war sehr still. Der Sturm hatte sich gelegt. Doch weiter fiel Schnee, sehr viel Schnee. Daniel träumt von ihr, dachte Mercedes. Sie war ganz sicher, daß er von Sibylle träumte.

Der Mann mit dem Tirolerhut stand vor der großen Glasscheibe, welche die Ankunftebene des Flughafens Wien-Schwechat in zwei Teile zerschnitt. Jetzt warteten nur noch wenige Menschen, die gekommen waren, um Freunde oder Verwandte abzuholen, die mit der letzten Maschine dieses Tages, dem LUFTHANSA-Flug 345 aus Paris mit Zwischenlandung in Frankfurt, um 22 Uhr 30 ihr Ziel erreicht hatten. Es war 22 Uhr 50, und der Mann mit dem großen Gamsbart und dem breiten grünen Band auf dem schwarzen Hut sah durch die Scheibe Wayne Hyde von der Gepäckausgabe her auf sich zukommen. Der Söldner trug seine beiden großen, alten Kleidersäcke. Jetzt erkannte er den winkenden Mann hinter der Scheibe und lachte erfreut. Er steuerte auf eine der zahlreichen Einwegtüren in der gläsernen Trennwand zu. Der Mann in einem Lodenmantel und mit dem Tirolerhut ging auf seiner Seite zu dieser Tür. Andere Passagiere tauchten jetzt hinter Hyde auf, andere Menschen, die gewartet hatten, winkten. In der riesigen Halle verbreiteten Neonröhren ihr scheußliches Licht wie aus dem Reich der Toten. Alle Menschen hatten wächserne Gesichter. Die geschminkten Lippen der Frauen sahen schwarz aus.
Wayne Hyde passierte die Einwegtür, warf sich einen Kleidersack über die Schulter und schüttelte dem Mann, der ihn erwartet hatte, herzlich die Hand. Auf Hydes kurzgeschnittenem, blondem Haar lagen Schneekristalle, sein von Wind und Wetter gegerbtes Gesicht war gerötet.
»Hallo, Franz, mein Alter!« sagte er.
»Servas, Burschi!« sagte Franz Loderer. Auch sein Gesicht war schmal geschnitten, und auch seine Augen waren sehr hell. Er schlug Hyde auf die Schulter. »Dös is a Freid«, sagte er. »Alsdern, wirklich. Waaßt, wie lang mir uns nimma gsehn ham?«
»Genau. Seit neunzehnhundertachtundsiebzig. Angola. Da waren wir zum letztenmal zusammen.«
»Hamma die MPLA außerghaut, was? Heerst, das war a

Gschicht! Wie mir mit dem Sikorski-Hubschrauba abgstürzt san?« Sie lachten beide laut.

»Noch viel heiterer als der Kongo«, sagte Hyde.

»Gar ka Vergleich«, sagte Franz. »Der Kongo, dös war a Trauaspül dagegen. Gib mir deine Säck.«

»Nein, laß nur! Ich komme sehr gut zurecht.«

»Mei Wagen steht ganz in der Näh.« Sie gingen nun Seite an Seite. Franz Loderer strahlte noch immer. »Na, wirklich, Burschi. Wia du angrufen hast, hab i echt wana müassen, stell dir dös vor!«

»Guter, alter Franz«, sagte Hyde. Sie erreichten einen der Ausgänge. Es schneite heftig.

»Da ume!« sagte Franz. »Ersta Parkplatz.« Er mußte schon wieder lachen. »I hab ma den Orden von der MPLA angschaut, nach deim Anruf. Des Riesentrumm. Kannst die erinnern? Hast deinen aa no?«

»Klar.«

»Alsdern, bei mir is a ganze Lad von ana Kommod voll mit dem Blechzeug. Könnt a Gschäft aufmacha. Du aa. Dös war vielleicht a Pletschn, der Stern von der MPLA. Der größte Orden von alle.«

»Haben die Kaffer von den Russen gekriegt. Russische Orden sind immer die größten«, sagte Wayne Hyde, der an der Seite seines alten Freundes durch das Schneetreiben ging. Nach dem angolanischen Bürgerkrieg, welcher 1976 begonnen hatte, war nach Jahren endlich die von der Sowjetunion und Kuba sowie deren Söldnern unterstützte marxistische MPLA-Partei an die Macht gekommen. Wayne Hyde und sein Freund Franz Loderer hatten zwei Jahre lang für sie gekämpft.

»Proletarier aller Länder, vereinigt euch!« sagte Hyde. »Boy, o boy, die Weltanschauung, für die wir noch keine Menschen umgelegt haben, gibt's nicht.«

»Da steh i«, sagte sein Freund mit dem Tirolerhut und öffnete den Kofferraum eines schwarzen Mercedes. Hyde verstaute die beiden Kleidersäcke. Dann setzten sie sich in den Wagen. Die Windschutzscheibe war zugeschneit. Franz knipste das Innenlicht an. Er hob eine schwere Segeltuchtasche auf Hydes Knie.

»So, Burschi«, sagte er. »Alles da.«

In der Tasche lagen Schaft, Lauf und aufsetzbares Zielfernrohr eines Gewehrs, Munition und eine mächtige Pistole.

»Wast hast ham wolln«, sagte Franz. »Springfield null-drei,

Kaliba siebenzwarasechzig, Magazin für zehn Schuß. Zielfernrohr. I hab zehn Magazin mitbracht, weil da san imma nur sechs Patronen drinna. Okeh, Merc?«

»Okay, buddy.«

»Halt's mi fest, i scheiß mi an! Der oide Wayne in der Weanerstadt! Wohin fahrma?« Franz Loderer startete den Motor und schaltete die Scheibenwischer ein. Die Scheinwerfer leuchteten auf.

»Heiligenkreuz.«

»Wos?« Franz war verblüfft. »Wüllst du a paar geistliche Herrn umnieten?«

»Nein, wieso?«

»Dös is a Kloster, Burschi.«

»In der Nähe gibt's ein Sanatorium.«

»Ah so.« Franz fuhr los. »Für wen arbeitst diesmoi? Für de Amis oda für de Russen?«

»Für beide«, sagte Wayne Hyde.

Daniel Ross träumt...

Nackt liegt er neben der nackten Sibylle. Zum erstenmal haben sie sich geliebt. Es ist spät nachts. Er streichelt ihre kleinen, festen Brüste. Sie rauchen gemeinsam eine Zigarette. Das Bett ist groß und quadratisch. Tags ist es eine quadratische Couch. Vor dem Fenster des winzigen Zimmers flimmern in der Tiefe Millionen Lichter: die Lichter von Wien. Auf einem Tischchen stehen ein kleiner Fernsehapparat und ein kleiner Plattenspieler, der zu einer sehr kleinen Stereoanlage gehört. Er hat einen Dorn, auf den man zehn Platten stapeln kann.

Die beiden liegen da und hören leise, sentimentale Musik aus einer vergangenen Zeit. Willi Forst hat gerade ›Bel ami‹ gesungen. Sibylle sammelt alte Schellack-Platten. Die nächste fällt auf den sich drehenden Teller. Ein Klavier ertönt, ein klagendes Saxophon, Geigen. Die Musik hat den seltsam blechernen, scheinbar zu hohen Klang, den sie auf all diesen alten Platten hat. Das Arrangement ist ganz anders als in späteren Zeiten, etwas zu langsam, etwas scheppernd. Das Saxophon, die Geigen schweigen nun. Nur das Klavier begleitet eine helle, ganz junge, ach so wehmütige Frauenstimme, die singt: »Man hat uns nicht gefragt, als wir noch kein Gesicht, ob wir leben wollten oder lieber nicht. Jetzt gehe ich allein durch eine große Stadt – und ich weiß nicht, ob sie mich lieb hat. Ich schaue in die Stuben durch Tür und

Fensterglas, und ich warte, und ich warte auf etwas... Wenn ich mir was wünschen dürfte, käm' ich in Verlegenheit, was ich mir denn wünschen sollte, eine schlimme oder gute Zeit...«

Daniel horcht auf.

»Wer ist das? Wer singt da?«

»Ich weiß es nicht, Liebster.« Sibylles Finger streichen durch sein Haar, immer wieder. Sie läßt ihn an der Zigarette ziehen, dann streift sie die Aschenkrone an einem kleinen Teller ab, der neben ihr auf dem Bett steht.

»... Wenn ich mir was wünschen dürfte, möcht' ich *etwas* glücklich sein«, singt die Kindfrau auf der alten Platte, »denn wenn ich gar zu glücklich wär', hätt' ich Heimweh nach dem Traurigsein.« Das Saxophon setzt wieder ein, die Geigen kehren zurück. Dann ist das Lied zu Ende.

Schnell richtet Daniel sich auf und hält den Plattenspieler an.

»Was willst du?«

»Sehen, wer da gesungen hat.«

Sie kniet nun. Nackt schmiegt sich ihr Körper an seinen. Er nimmt die Platte vom Teller.

»Seltsam«, sagt er.

»Was ist seltsam, Danny?« Ihre kleinen Brüste pressen sich gegen seinen Rücken.

»Der Aufkleber. Schau her! Völlig verkratzt. Auch der auf der anderen Seite... Man kann kein Wort mehr entziffern. Nicht ein einziges. Bei allen deinen andern alten Platten sind die Aufkleber lesbar. Nur bei dieser nicht. Ich habe diese Platte auch noch nie gesehen, noch nie gehört. Wirklich seltsam. Ich habe gedacht, ich kenne alle.«

»Ich habe auch gedacht, ich kenne alles an dir«, sagt sie und läßt sich auf das Bett zurückfallen, die Arme weit ausgebreitet.

Und er gleitet über sie, und wieder beginnt das Wunder, das wunderbare Wunder für sie beide in diesem Raum, der fast schon Sibylles ganze Wohnung ausmacht, diesem Raum, der so klein ist, daß nur zwei Menschen, die sich sehr lieben, in ihm gemeinsam leben können. Es gibt noch ein Badezimmer, eine Küche und einen Vorplatz, alles winzig.

Jahre später, 1973, wird das Gelände des Wiener Allgemeinen Krankenhauses für viele Jahre zu einer immer größeren, zuletzt riesigen Baugrube werden. Nacheinander reißt man alle alten Kliniken ab – zuerst das einstmals kaisergelb gestrichene, uralte und häßliche Gebäude der Psychiatrie. Jede Klinik wird durch eine neue, hypermoderne ersetzt. Diese Umgestaltung, die mit einer gigantischen Bestechungsaffäre, dem sogenannten AKH-Skandal, untrennbar verbunden bleibt, ist auch zur Stunde, da Daniel von Sibylles kleiner Wohnung träumt, noch nicht abgeschlossen.

Schon vor 1970 hat man nahe der Lazarettgasse zwei siebzehnstöckige mächtige Wohntürme für die Ärzte, Ärztinnen, Pfleger und Krankenschwestern des großen Klinikums errichtet. Auch Sibylle zog dort ein: im fünfzehnten Stock, ins Appartement fünfzehn-null-acht.

Sie sind alle gleich winzig, diese Appartements, zwanzig Quadratmeter groß. Zwanzig Quadratmeter! In jedem ungeraden Stockwerk sind die Fußböden, die Vorhänge und die Bettbezüge blau, in jedem geraden gelb – wie die Mauern der endlosen Korridore, die von den Lifts ausgehen und in denen man leicht Platzangst bekommen kann. Eigentlich muß jeder normale Mensch verrückt werden in diesen genormten Zellen, wo die große quadratische Couch zum Grundinventar gehört. Unzählige Exemplare stehen in siebzehn Stockwerken jeweils genau an derselben Stelle.

In seinem Traum hört Daniel Sibylle sagen: »Als ich noch allein war, habe ich eine Zeitlang sehr schlecht geschlafen. Und in dieser Zeit mußte ich – es war teuflisch – jede Nacht stundenlang darüber nachdenken, wo die vierzehn Leute unter mir ihren Kopf und ihre Füße haben.«

Ja, verrückt kann man werden in diesen unmenschlichen Wohnwaben! Jedes Jahr springen mindestens zwei Bewohner aus dem Fenster in die Tiefe. Aber auch eine Oase des Glücks, der Seligkeit und des Friedens kann eine solche Wabe werden – wenn zwei sich lieben. Sich so sehr lieben wie Sibylle und Daniel, Daniel Ross, der erfolgreiche, suchtgefährdete Leiter des zum Sender Frankfurt gehörenden Südosteuropa-Studios. Natürlich hat die Zentrale auch Korrespondenten in den südosteuropäischen Hauptstädten, doch koordiniert wird ihre Arbeit von Wien aus. Eine geräumige Wohnung hat Daniel in der Grinzinger Allee, aber sooft er kann, schläft er bei Sibylle. Von ihren Eltern, die in Salzburg leben – der Vater ist ebenfalls Arzt –, hat sie einen antiken Sekretär bekommen. Mehr alte Möbel gingen nicht in den einen und einzigen Raum mit seinen weit weniger als zwanzig Quadratmetern. In Hängeregalen über dem Sekretär ist jede Menge Fachliteratur untergebracht. Auf dem Boden stapeln sich Taschenbücher zu Gebirgen; für normale Ausgaben fehlt der Platz. In Sperrholzregalen stehen sehr viele Langspielplatten – und Sibylles Sammlung von Achtundsiebzigern. Tagsüber ist eine blaue Decke über die Schlafcouch gebreitet, eine Menge bunter Kissen liegt darauf. An der Wand hängt eine Reproduktion des Bildes »Jidl mitm Fiedl« von Sibylles und Daniels Lieblingsmaler Marc Chagall: Ein kleiner, buckliger Jude tanzt und musiziert da auf dem Schindeldach eines windschiefen Hauses, umgeben von Mond, Wolken, Sternen, Esel und Kuh, der Kirche und anderen schiefen Häusern armer Juden aus Chagalls »Schtetl« Liosno bei Witebsk.

Hier, in dieser Kammer, in der nur einer hinter dem anderen den Raum zwischen Couch und Sekretär passieren kann, findet Daniel Ross, ständig herumgejagt, ständig ruhelos, Ruhe. Hier ist er glücklich, so sehr glücklich mit Sibylle. Sie sehen fern. Sie hören Musik: Tschaikowskij und Mozart ebenso wie Gershwin und Louis Armstrong. Hier lesen sie einander aus den Taschenbuchausgaben ihrer bevorzugten Autoren vor: Hemingway, Steinbeck, Gary, Silone, Fallada, Graham Greene…

Das alles, alles sah und hörte Daniel in seinem Traum, diesem Traum, den er in den letzten zwölf Jahren so oft geträumt hatte. Und ein Lächeln lag auf seinem Gesicht, und Mercedes saß an seinem Bett und betrachtete ihn reglos – ernst und traurig.

Sibylle kam herein und wechselte die fast leere Tropfflasche gegen eine volle aus, behutsam, vorsichtig. Daniel erwachte nicht, er spürte es nicht. Die Frauen sahen einander lange stumm an. Sie solle doch schlafen, flüsterte Sibylle Mercedes zu, aber diese schüttelte den Kopf. Sibylle nickte und ging wieder. Immer noch fiel draußen der Schnee, nur Daniels tiefer, regelmäßiger Atem war zu hören in der großen Stille, und weiter träumte er von Sibylle und sich und ihrer Liebe.…

Sie haben denselben Geschmack und dieselben Ansichten, Vorlieben und Interessen, und ihre Körper – ihre »Chemie«, sagt Sibylle – sind füreinander geschaffen, und wenn sie sich müdegeliebt haben, dann schlafen sie, einander umarmend und aneinandergeschmiegt, ein einziges Wesen, so scheint es, ein einziger Mensch, vor allem Bösen beschützt von den sechsunddreißig Gerechten, die der große Martin Buber erwähnt in seiner Erzählung der chassidischen Legende: Auf unserer Welt gibt es, seit sie besteht, Gerechte und Ungerechte, manchmal mehr Gerechte, manchmal weniger. Immer aber und zu allen Zeiten gibt es mindestens sechsunddreißig von ihnen. Die muß es geben, denn sonst könnte diese Welt keinen Tag lang weiterexistieren, sonst würde sie untergehen in der eigenen Schuld...

Und all das erlebte Daniel in seinem Traum, den er seit zwölf Jahren träumte, immer und immer wieder. Die Bilder und Worte wechselten, wie das in Träumen so ist.

Da ist die Dame, der das kleine Bellario-Kino gehört, das regelmäßig die alten, ganz alten Filme spielt, und sie fragen die Dame, ob sie weiß, wer »Wenn ich mir was wünschen dürfte« in welchem Film gesungen hat, denn dieses Lied ist seit jener Nacht, da es zum erstenmal geschah, *ihr* Lied geworden, und die alte Dame erinnert sich daran, daß es in dem Film »Der Mann, der seinen Mörder sucht« gesungen worden ist, und daß da Heinz Rühmann mitspielte und Robert Siodmak Regie geführt und Friedrich Hollaender die Musik und den Text geschrieben hat, aber sie kann keine Kopie dieses Films von 1931, einem der ersten Tonfilme, mehr auftreiben, und so erfahren Sibylle und Daniel nie, wer *ihr* Lied singt auf der Schellackplatte mit dem zerkratzten Etikett.

Sie achten darauf, daß ihr Urlaub zusammenfällt, und sie fahren mit Daniels Opel Admiral, der dem Sender gehört, in die Normandie zu den Vogelständen und dem tobenden Meer; sie fahren in die Camargue zu den wilden weißen Pferden; an die Riviera nach Vallauris, Antibes, Saint-Paul-de-Vence; sie sehen die Originale der Bilder jener Maler, die dort gelebt haben – Bilder von Bonnard, Picasso, Calder, Kandinsky, Miro, Ubac und natürlich Chagall.

Sie fahren nach Jugoslawien. Sie fahren nach Rom und werfen Münzen in den Brunnen Fontana di Trevi, denn wer das tut, heißt es, wird wiederkommen. Oh, und wie sie miteinander lachen können! Wie herrlich ist das Lachen mit einem Menschen, der genau so fühlte wie man selbst.

1971, im Oktober, ein Jahr nachdem ihre Liebe begonnen hat, machen sich bei Daniel Nebenerscheinungen des Oxazepams bemerkbar, auf das Sibylle ihn von Valium umgestellt hat.

Und das alles sah er, hörte er, erlebte er in seinem Traum – gleich jenem Schiffsjungen, der singt: »Ich seh' Jerusalem und Madagaskar und Nord- und Südamerikiiieee!« Ja, das alles erlebte er noch einmal. Wie plötzlich seine Stimme heiser wurde und er zuletzt nur noch flüstern konnte, wie er an einem immer größeren, immer unwiderstehlicheren Schlafbedürfnis litt, und wie er eines Abends, als er mit Sibylle in einem Hotel verabredet war, die dunkel spiegelnde Glastür einer Telefonzelle mit der dunkel spiegelnden Glastür des Hoteleingangs verwechselte und voll Wucht gegen das Zellenglas prallte, weil seine Augen versagten...

... Da nimmt Sibylle ihn liebevoll an der Hand und führt ihn zum Wagen, setzt sich hinter das Steuer und fährt sofort, noch an diesem Abend, in die Klinik, auf Station B 22 der Psychiatrie, wo er schon einmal gelegen hat, als sie ihm das Valium entzog. Er gibt sofort zu, daß er das Oxazepam in Überdosen genommen hat.

»Es ist ein so großartiges Mittel«, krächzt er. »Es hat mich zuerst immer munter gemacht, wenn ich müde war, und ich wollte doch nie müde sein bei dir. Ich habe es genommen, mehr und mehr, damit ich noch länger wach und glücklich sein kann. Glaubst du mir nicht?«

»Natürlich glaube ich dir, Danny.«

»Und du bist mir nicht böse?«

»Wie könnte ich das?«

»Aber du verachtest mich...«

»Was ist das für ein Unsinn!«

»Weil ich so schwach bin... so labil... weil ich jeder Versuchung nachgebe... weil ich überhaupt kein Halt bin für dich, wenn ich mich selber nicht halten kann...«

»Du bist mein ganzer Halt, süßer Idiot«, sagt Sibylle und küßt ihn auf den Mund. Da liegt er schon im Bett und hängt am Tropf, und die Entgiftung hat begonnen.

Wie über zwölf Jahre später Mercedes, so sitzt in dieser Nacht im Oktober 1971 Sibylle neben Daniels Bett, bis er eingeschlafen ist – ein magerer Mann mit einem schmalen, grauen Jungengesicht und wirrem, blondem Haar, das schon anfängt, weiß zu werden. Sobald Sibylle ihn tief und regelmäßig atmen hört, verläßt sie den Raum. Aber sie bleibt in ihrem Dienstzimmer und kommt immer wieder zurück, um die Flaschen zu wechseln. Es war immer die Mutter, denkt sie. Es wird wohl immer die Mutter bleiben. Ich habe gedacht, ich würde die Stärkere sein. Ich habe mich geirrt. Lieber, guter, armer, armer Danny...

Das Telefon läutete in Herdegens Zimmer.

Er lag auf einem Feldbett und rauchte. Nun hob er den Hörer ab und meldete sich.

»Der Pförtner, Herr Doktor. Ist gerade ein Wagen gekommen. Ein Herr will Sie sprechen. Er ist mit Ihnen verabredet, sagt er.«

»Geben Sie ihn mir.«

»Einen Moment, Herr Doktor.«

Eine andere Männerstimme ertönte: »Doktor Herdegen?«

»Ja.«

»Wayne Hyde.«

»Das klappt ja wunderbar. Wie sind Sie herausgekommen? Taxi?«

»Ein Freund hat mich hergefahren.«

»Warten Sie drei Minuten. Ich komme und hole Sie ab beim Tor.« Herdegen legte den Hörer auf, zog über den weißen Kittel einen dicken Mantel und eilte hinaus auf den Gang im ersten Stock. Mit dem Lift fuhr er in die Garage hinunter. Hier standen zahlreiche Autos. Herdegen setzte sich hinter das Steuer eines Landrovers. Der Wagen holperte über einen tiefverschneiten Weg des Parks. Im Licht der Scheinwerfer sah Herdegen, daß viele Äste unter der Last des Schnees abgebrochen waren. Er kam zum Tor. Hier wartete ein großer, hagerer Mann, der einen pelzgefütterten Dufflecoat trug. Der Mann hatte blondes, kurzgeschnittenes Haar, sehr helle Augen und das Gesicht eines Menschen, der sich viel im Freien aufhält. Er trug zwei große Kleidersäcke über der Schulter. Vor ihm stand eine Segeltuchtasche, neben ihm der kleine, dicke Pförtner, der gerade Dienst hatte.

Herdegen stoppte und stieg aus. Er begrüßte Hyde. Sie schüttelten einander die Hände. Dann verstauten sie das Gepäck in dem Rover. Hyde kletterte auf den Sitz neben Herdegen. Der wendete und fuhr zu dem großen modernen Klinikgebäude zurück.

»Wo sind die beiden?«

»In ihrem Zimmer. Er schläft längst. War sehr erschöpft. Sie nicht. Sie ist zäh.«

»Ich weiß. War Landesjugendmeisterin im Achthundert-Meter-Kraulen und Tausend-Meter-Brustschwimmen. Große Reiterin. Preise für Tennis und Golf. Ich habe ihr Dossier gelesen.«

»Mich hat Mister Morley informiert über die beiden.«

»Ziemliches Wrack, dieser Ross.«

»Ja, im Moment. Der ist aber bald wieder auf den Beinen.

Keinesfalls zu unterschätzen. Sie ist die Gefährlichere von beiden. Fanatikerin. Seit vielen Jahren in der internationalen Friedensbewegung.«

Hyde sagte: »Was wollen Sie, Doktor? Diese Friedensbewegungen hat es vor jedem Weltkrieg gegeben.«

Herdegen lachte herzlich.

Daniel träumt...

Diesmal dauern Entziehungskur und Umstellung auf ein neues Mittel vier Wochen. Das neue Mittel heißt Nobilam.

Sibylle sagt: »Im Grund falsch und unverantwortlich, was ich tue. Ich dürfte dir *gar kein* Mittel geben.«

»Liebste, bitte, ich kann nicht...«

»Ich weiß. Ich kenne dich, Danny. Du bist so abhängig geworden von den verfluchten Tranquilizern, daß man dir irgend etwas geben *muß*. Schlimm. Sehr schlimm. Wir werden es mit einem ganz langsamen Abbau und immer schwächeren Mitteln versuchen bei dir. Nobilam ist freilich ein relativ wirksames Mittel. Gerade deshalb ist die Gefahr groß, daß du es wieder mißbrauchst. Ewig kann das nicht so weitergehen. Ewig hält das kein Körper aus. Versprich mir, daß du wirklich nur die Menge nehmen wirst, die ich dir erlaubt habe!«

»Ich schwöre es. Bei unserer Liebe«, sagt er.

Ach, dachte er in seinem Traum, bei unserer Liebe habe ich geschworen...

Ein paar Abende später erzählt er Sibylle in ihrem winzigen Appartement: »Werner Farmer ist in Wien. Ein alter Freund. Kunsthistoriker. Der netteste Kerl von der Welt, nein, also wirklich! Du mußt ihn kennenlernen! Darf ich ihn morgen abend mitbringen?«

Sie wäre lieber mit ihm allein – wie immer –, aber natürlich sagt sie: »Klar, Danny.«

»Und... Liebling... würdest du für uns kochen? Du kochst doch so phantastisch! Ich habe vor Werner bereits angegeben damit.«

Sie lacht. »Dann weiß ich schon, was es sein soll: Tafelspitz mit Spinat, Bratkartoffeln, Essigkren- und Schnittlauchsauce.«

Da lacht auch er und ist ganz selig und liebt sie so sehr, so sehr, und er umarmt und küßt sie.

»Tafelspitz. Natürlich! In Deutschland können sie doch keinen so guten machen. Ach, Sibylle, du bist fabelhaft, wirklich, ganz, ganz fabelhaft...«

Es klopfte.

Ehe Sibylle »herein« sagen konnte, wurde die Tür ihres Arbeitszimmers geöffnet, und der große, leichenblasse Herdegen trat ein. Ihm folgte ein ebenso großer, hagerer Mann, der Flanellhosen, ein Tweed-Jackett und einen Rollkragenpullover trug.

Sibylle, die mit dem Rücken zur Tür im Dunkeln gesessen und in das nächtliche Schneetreiben hinausgestarrt hatte, fuhr auf ihrem Stuhl herum. Herdegen hatte gleich beim Eintreten die Deckenbeleuchtung eingeschaltet.

»Was soll das, Herr Herdegen?« Sibylle war erschrocken und erregt. »Sie klopfen und kommen sofort herein? Ich hätte schlafen können!«

»Sie haben mit Kollege Habeck den Nachtdienst getauscht, weil Sie sich selbst um Herrn Ross kümmern wollen.«

»Na und? Es war dunkel im Zimmer. Wenn ich mich ein wenig hingelegt hätte...«

»Sie haben sich nicht hingelegt. Ich bedaure die Störung, Frau Primaria. Die Angelegenheit ist sehr dringend. Darf ich bekannt machen: Peter Corley. Mister Corley, das ist Frau Primaria Mannholz.«

»Hallo«, sagte Wayne Hyde und lächelte. Er hatte sehr große, gelbliche Zähne. »Fast Mitternacht. Tut mir wirklich leid, Frau Primaria. Wir stören nur ganz kurz.«

»Was wünschen Sie?«

»Daß Sie den Tresor öffnen.«

Sibylle war aufgestanden. Ihre Unterlippe zitterte, ihr Gesicht wurde plötzlich weiß.

»Den Tresor – wozu?«

»Sie wissen, wozu«, sagte Herdegen.

»Ich habe keine Ahnung.«

»Frau Primaria, bitte!«

Wayne Hyde lächelte noch immer. »Sie haben heute abend einen neuen Patienten aufgenommen, Herrn Daniel Ross. Seine Begleiterin, Mercedes Olivera, hat zwei Videokassetten in dem Tresor deponiert. Ich brauche sie dringend. Also bitte, Frau Primaria!«

»Nein«, sagte Sibylle. Ihre Hände zitterten. Sie ballte sie zu Fäusten.

»Frau Primaria, ich habe Ihr Dossier gelesen. Natürlich werden Sie den Tresor öffnen«, sagte Wayne Hyde. Sein Lächeln war jetzt geradezu zärtlich.

»Das werde ich nicht tun.«

»Aber was ist denn los, Frau Primaria? In Ihrem Dossier steht, daß es eine Freude wäre, mit Ihnen zusammenzuarbeiten. Besonders lobend wird Ihre Kooperation erwähnt. Und ausgerechnet diesen kleinen Gefallen wollen Sie mir nicht erweisen?«

»Herr Ross ist ein sehr alter Freund. Er und Frau Olivera haben mir vertrauensvoll die Kassetten übergeben.«

»Gewiß, gewiß. Und Sie werden sie jetzt mir übergeben, Frau Primaria.«

»Nein, das werde ich nicht tun, Mister Corley.«

»Ach ja, das werden Sie schon tun, Frau Primaria. Muß ich Sie wirklich an Ihren Bruder erinnern? Es ist mir peinlich.«

»Hören Sie auf!« Plötzlich schrie Sibylle. »Soll das denn immer so weitergehen? Soll ich immer weiter jede Gemeinheit mitmachen müssen?«

»Nicht solche Worte, Frau Primaria! Gemeinheit – tck, tck, tck. Aber weitergehen? Nun, natürlich soll das so weitergehen. Sie sind ja seit Jahren vollkommen einverstanden mit unserem Abkommen. Ich verstehe gar nicht, was Sie haben, wirklich nicht. Könnte es sein, daß Sie das Wiedersehen mit Ihrem alten Freund so aus der Fassung gebracht hat? Das täte mir leid. Aber nun machen Sie bitte kein weiteres Theater! Die Zeit drängt!« Wayne hatte das große gerahmte Farbfoto vom Schreibtisch genommen und betrachtete es. »Sieht gut aus, der Junge, wirklich...«

»Stellen Sie sofort das Bild zurück!« schrie Sibylle.

»Aber bitte sehr, Frau Primaria!« Hyde tat, wozu er lautstark aufgefordert wurde. Plötzlich lächelte er nicht mehr. »So«, sagte er. »Schluß jetzt! Aufmachen, aber ein bißchen plötzlich!« Sibylle bewegte sich nicht.

»Frau Primaria, zum letztenmal, öffnen Sie!«

Sibylle schüttelte den Kopf. Sie wollte etwas sagen. Ihre Stimme versagte.

»Na schön.« Herdegen trat vor und nahm den Telefonhörer vom Apparat. Er wählte. Dann sprach er sofort: »Guten Abend. Hier ist Herdegen. Geben Sie mir Herrn Abad! Es ist dringend... Ja, danke. Ich warte...« Er sah Sibylle an. Die erwiderte seinen Blick, am ganzen Körper bebend.

»Herr Abad?... Ja, Herdegen. Ich muß Ihnen leider sagen, daß die Frau Primaria sich weigert...«

Mit einem gräßlichen Ausdruck von Selbstaufgabe im Gesicht

war Sibylle vor die Tresortür getreten und begann, den Konus im Zahlenkreis zu drehen.

»Moment«, sagte Herdegen in den Hörer. »Einen Moment, Herr Abad, bitte...«

Sibylle hatte die Kombination eingestellt. Sie zog an dem großen, versilberten Rad. Die Panzertür öffnete sich, im Inneren des Tresors flammte Licht auf.

»Ich muß mich entschuldigen, Herr Abad. Es ist schon wieder alles in Ordnung. Die Frau Primaria verhält sich so vernünftig wie immer... Es tut mir leid, wenn ich gestört habe, aber... Das ist sehr freundlich von Ihnen, Herr Abad... Ja... Ja... Ja, ich werde es ausrichten. Gute Nacht!« Er legte auf und sagte zu Sibylle, die mit dem Rücken gegen das Fenster gesunken war: »Herzlichste Empfehlungen von Herrn Abad. Er dankt Ihnen.« Damit trat Herdegen in den Tresorraum und nahm den gelben Umschlag mit den beiden Videokassetten vom Regal. Er kam zurück und sagte: »Wirklich, Frau Primaria, Sie wissen doch, daß solche Szenen zu nichts führen! Sie regen sich nur völlig sinnlos auf. Das hätten wir gleich haben können. Kommen Sie, Mister Corley! Wir gehen zu mir hinauf.«

»Ich bitte noch einmal, die Störung zu entschuldigen«, sagte Wayne Hyde. Dann folgte er schnell dem bleichen Arzt. Die Tür fiel hinter ihnen ins Schloß. Reglos lehnte Sibylle an der Fensterscheibe.

Nun lächelte Daniel plötzlich nicht mehr, bemerkte Mercedes, die an seinem Bett saß. Er träumte nicht mehr von Sibylle. Alles hatte sich plötzlich gedreht und gewandelt, und er sah ganz andere Bilder, erlebte ganz anderes Leben, wie das so ist in Träumen.

Leben mit Mutter. Damals, gleich nach dem Krieg. Trümmer, Ruinen, Kälte, Not. Das scheußliche Zimmer in der Wohnung der bösen, fremden Leute, bei denen man sie »eingewiesen« hat. Als Serviererin arbeitet Thea Ross in dem nahen amerikanischen Club im Clam-Gallas-Palais an der Währinger Straße, beim Chemischen Institut. Und da sind die Doughnuts.

Die Doughnuts!

An das Kleinste und Entfernteste erinnern wir uns im Traum. Wie oft hat Daniel schon von diesen Doughnuts geträumt! In Schmalz gebackene Teigkringel sind das. Immer erst gegen elf Uhr nachts kommt Mutter heim. Immer ist Daniel noch wach.

Und wartet auf Mutter voller Glückseligkeit, als wäre es Weihnachten, jede Nacht Weihnachten. Und so ist es auch. Denn Mutter bringt stets drei Doughnuts und eine Thermosflasche voll heißer Schokolade mit aus dem Club. Und dann beginnt jede Nacht Weihnachten für Daniel, den kleinen Jungen mit dem schmalen Gesicht, den großen Augen und dem mageren Körper. Doughnuts für ihn! Heiße Schokolade für ihn! Manchmal ein Stück Weißbrot mit Erdnußbutter darauf.

Herrje, ist er da selig in seinem harten Bett! Und Mutter erst, wenn sie über sein Haar streicht, todmüde, froh, die Schuhe von den geschwollenen Füßen streifen zu können. Dann muß sie immer lächeln. Und dieses Lächeln haben die Madonnen in den Kirchen, in die Daniel so oft geführt wird, weil Mutter so oft darum betet, daß sie eine andere Arbeit bekommt, eine, die leichter ist, und eine kleine eigene Wohnung. Bitte, lieber Gott, Vater ist tot, wir sind allein, wir haben nur einer den anderen! Daniel, ach, wie lieb ich dich habe. Ich dich auch, Mutter. Ich dich auch. So muß es im Himmel sein. Mutter und Doughnuts. Vielleicht noch Erdnußbutter. Und heiße Schokolade.

Die Zeit verrinnt schnell, kurz ist unser Leben. Schon geht Daniel ins Gymnasium. Und ist der Beste und lernt am eifrigsten, um Mutter Freude zu machen, Mutter, die stets traurig ist und traurig gewesen ist, seit er sich erinnern kann – auch als Vater noch lebte und aus dem Krieg auf Urlaub kam. Jetzt ist kein Krieg mehr. Langsam verschwinden die Trümmer. Dann *haben* sie die eigene Wohnung, in der Schopenhauerstraße, Parterre, Altbau. Egal, eine eigene Wohnung haben sie! Und Mutter hat andere Arbeit: in einem neuen Verlag. Lektorin für französische, englische und italienische Bücher ist sie da. Denn Mutter kann Sprachen, sie ist gebildet, und nun werden doch all die vielen, vielen Bücher gedruckt, die unter den Nazis verboten waren. Da geht Daniel nach der Schule einkaufen, und er macht auch die Wohnung sauber und spült das Geschirr ab, und erst dann erledigt er seine Hausaufgaben – wie der Anton in »Pünktchen und Anton« von Erich Kästner, der seine Mutter auch über alles geliebt hat.

Und wie Erich Kästner beginnt Daniel sehr früh zu schreiben. Die erste Kurzgeschichte wird zu seinem fünfzehnten Geburtstag gedruckt. Im NEUEN ÖSTERREICH. Sic transit... Wie lange gibt es diese Zeitung schon nicht mehr! Hundertfünfzig Schilling Honorar bekommt Daniel. Ist Mutter da selig. Nicht über das Geld. Nein, über Daniel. So stolz ist sie auf den geliebten Sohn.

Und der schreibt immer weiter. Die Stories werden nun schon in Deutschland nachgedruckt. Viele sind es, viele. O wunderbare Zeit! Die neuen Bücher! Die neuen Filme! Die neuen Stücke! Daniel geht mit Mutter ins Kino, ins Theater. Andere Jungen in seinem Alter gehen mit ihrer Freundin. Freundin? Daniel will keine. Nur Mutter will er, die immer so gut zu ihm gewesen ist. Dann ist da natürlich doch eine Freundin. Erika heißt sie. Was tut Daniel, der zum erstenmal in ein Mädchen verliebt ist? Noch bevor er sie zum erstenmal geküßt hat, stellt er sie Mutter vor. Sie gefällt Mutter. Zum Glück. Wenn sie Mutter nicht gefallen hätte, wäre gleich wieder Schluß gewesen mit Erika.

Aber Mutter ist ja so klug, denkt er, und empfindet plötzlich Haß in seinem Traum. Sie weiß, daß die Zeit kommen wird, wo er seine Liebe teilen muß. Natürlich haßt sie Erika. Nicht als Erika. Als Konkurrenz. Ach, denkt er sofort darauf beschämt in seinem Traum, aber nach allem, was sie mitgemacht hat: Vater, der Krieg, die schwere Arbeit als Serviererin, wir beide allein. Sie ist doch ein armes Opfer. Opfer der Liebe, wir beide…

Es dauert nicht lang mit Erika. Mutter hat so viel zu tun. Abends muß sie daheim noch Gutachten tippen. Ihre Augen werden immer schlechter. Da setzt sich Daniel dann hin, nachdem er das Rendezvous mit Erika abgesagt hat, und tippt nach Mutters Diktat, und sie streicht ihm wieder über das Haar. Mein guter Junge.

Natürlich läßt Erika sich das nicht gefallen. Sie sagt Daniel, daß sie einen anderen Freund gefunden hat und daß Schluß sei mit ihm. Ist Daniel da verzweifelt. Und Mutter auch. Um ihn zu trösten, fährt sie – man kann schon wieder reisen – mit ihm nach Elba. Jeden Nachmittag sitzen sie am Hafen von Portoferraio in ihrer Lieblingsbar – alle kleinen Cafés heißen in Italien Bar –, und sie sind glücklich, so glücklich, Mutter und Daniel. Und die Schiffe gehen und kommen…

Und andere Mädchen kommen. Mutter findet sie alle bezaubernd. Aber die Mädchen gehen auch alle wieder. Keine bleibt. Sehr oft ist Daniel froh darüber. Denn er vergleicht sie alle mit Mutter. Und da ist die eine zu eitel und die andere zu verspielt, und die dritte weiß nicht, wie das berühmte Buch heißt, das Marcel Proust geschrieben hat.

Daniels Geschichten haben ihn bekannt gemacht. Der Chefredakteur der amerikanischen Militärsendergruppe Rot-Weiß-Rot holt ihn. So kommt er zum Rundfunk. Hat seine eigene Sendung, bald schon. Schreibt, spricht, produziert selber. Wird als Korrespondent nach Hamburg geschickt. Mutter allein in Wien? Nein, jetzt verdient er genug. Sie muß mitkommen nach Hamburg. Bei ihm sein. Er wird Korrespondent in London. Natürlich zieht Mutter wieder mit. Ihre Augen sind nun schon sehr schlecht. Eine Operation beim besten Arzt hilft. Daniel gibt Mutter immer viel Geld. Sie braucht es gar nicht. Wird es aufheben für ihn, sagt sie, für ihren geliebten Daniel, wenn es dem einmal schlechtgeht.

In London trifft er Alice... bezaubernd, älter als er, dreizehn Jahre älter. Was tut das? Sie heiraten. Mutter wird bei ihnen wohnen, das hat Daniel Alice gleich klargemacht. Er mietet eine schöne Wohnung in Mayfair. Da ist er schon Korrespondent beim Fernsehen. Beim Sender Frankfurt. Was für eine Karriere! »Daniel Ross berichtet aus London...«

Nach einem halben Jahr stellt Alice ihn vor die Entscheidung: Entweder Mutter geht, oder sie geht. Große Szenen. Mutter bietet sofort an, wieder nach Wien zu ziehen. Das kommt nicht in Frage! Also geht Alice. Ein halbes Jahr später ist Daniel geschieden. Und so glücklich mit Mutter, so glücklich.

Er wird nach Rom versetzt. Nun ist er doch ein wenig vorsichtiger. Das alles, diese Herumreiserei, wird zu anstrengend für Mutter. Er kauft eine Wohnung in Wien, in Hietzing. Da soll Mutter leben und ihn oft in Rom besuchen. Mit dem Flugzeug ist das ein Katzensprung. Natürlich, sagt Mutter, du brauchst deine Freiheit. Ach, ist sie klug, ach, ist sie verständnisvoll.

In Rom trifft er Anna. Liebt. Wird geliebt. Mutter kommt zu Besuch und ist so nett zu Anna, so freundlich. Doch vor Weihnachten wird sie krank, und sie bittet Anna und Daniel, zu ihr nach Wien zu fliegen. Anna hat einen kleinen Sohn. Der muß natürlich in Rom Weihnachten feiern. Diesmal wird alles anders. Daniel steht auf Annas Seite. Zum erstenmal ist er am Heiligen Abend nicht bei Mutter. Er ruft sie an. Sie ist so verständnisvoll am Telefon. Aber gewiß doch, er kann unmöglich kommen. Sie macht ihm keine Vorwürfe. Aber *er* macht *sich* Vorwürfe. Und er macht *Anna* Vorwürfe.

Dieses Weihnachtsfest bringt das Ende seiner zweiten Liebe zu einer erwachsenen Frau. Mit dem kleinen Robertino, ihrem Sohn, verläßt Anna Daniel am ersten Feiertag. Er will sich besaufen, sinnlos besaufen. Aber er verträgt keinen Alkohol. Er erbricht alles. Totenübel ist ihm. Übernervös ist er, fahrig, zittrig.

Da – ein Mord!

Er muß mit seinem Team arbeiten. Er kann nicht... Er kann nicht... Ein Kameramann gibt ihm ein paar kleine Tabletten.

»Nimm das! Es ist prima.«

»Was ist das?«

»Valium.«

Valium!

O herrliches, gebenedeites Valium!

Vorbei das Zittern, vorbei der Schwindel. Daniel ist wieder ganz sicher. Er kann wieder arbeiten. Und *wie* er arbeitet in den nächsten Jahren! So gut wie noch nie. Immer unter Valium natürlich.

Er bekommt die Leitung des Wiener Südosteuropa-Studios übertragen. Nun ist er wieder bei Mutter, in derselben Stadt, in derselben Wohnung. Ein großer Kreis hat sich geschlossen. Jetzt braucht er keine Schuldgefühle mehr zu haben. Kein Valium mehr zu nehmen. Aber er *muß* es nehmen. Er *braucht* es. Er kann nicht leben ohne Valium.

»Mein Junge«, sagt Mutter, »mein guter, großer Junge!« Was für eine schöne Wohnung sie jetzt haben in der Grinzinger Allee! Da wird Mutter krank. Muß ins Hospital. Und er muß immer wieder fort – nach Prag, Budapest, Bukarest, Belgrad. Mehr Valium. Die Mutter wird immer kränker. Das große Erdbeben bei Neapel. Er muß hin. Verdreckt kommt er von den Dreharbeiten ins Hotel zurück. Ein Telegramm. Mutter ist tot. Und er war nicht bei ihr, als sie starb. Nicht bei ihr...

Valium natürlich.

Sehr viel Valium...

Römische Göttin des Herdfeuers mit fünf Buchstaben.

Nicht rauszukriegen. Buja, der Mann von der Friedhofschicht im elektronischen Geräteraum hinter dem Dienstzimmer des Dr. Herdegen, mühte sich schon drei Minuten. Klein, untersetzt, mit spärlichem Haarkranz, saß er da und hatte ein Rätselheft vor sich liegen. Aus mehreren Lautsprechern drang das Rauschen offener Verbindungen. Versuchen wir es mal waagrecht, vielleicht kriegen wir da wenigstens einen Buchstaben. Also waagrecht: antiker Dreiruderer. Zum Kotzen!

Die Tür wurde geöffnet, Herdegen und ein Mann, den die Friedhofschicht nicht kannte, traten eilig ein.

»Abend, Buja!«

»Abend, Herr Doktor!«

»Nichts los, was?«

»Nein, nichts.«

»Geh mal raus, Buja!«

»Bitte?«

»Du sollst rausgehen. Wir müssen uns was anschauen. Setz dich in mein Zimmer!«

»Bitte sehr.« Der Mann, der Buja genannt wurde, stand auf, streckte sich, gähnte, streifte die Hosenträger hoch, griff nach der Jacke. Herdegen war mit dem Fremden bereits mitten im Raum. Er wandte sich einem Fernsehapparat und einem Videorecorder zu. Buja sah, daß er zwei Kassetten in der Hand hielt.

»Wieso bist du überhaupt schon da?«

»Bin wegen dem Schnee früher von Wien weggefahren.«

»Also raus! Und du läßt niemanden rein, klar?«

»Klar.« Buja ärgerte sich über diesen kaltschnäuzigen Ton. Wir sind hier nicht beim Bundesheer! Er nahm das Rätselheft mit. Scheißgöttin des Herdfeuers! Im Zimmer des Doktors steht ein vierundzwanzigbändiger Brockhaus. Da wollen wir mal…

Die Tür fiel zu hinter Buja.

Herdegen hatte den Apparat eingeschaltet, schob die erste Kassette in den spielbereiten Videorecorder und stellte mit der Fernsteuerung den Apparat auf einen anderen Kanal um. Wayne Hyde hatte sich gesetzt. Der Bildschirm flimmerte jetzt. Herdegen bediente den Startknopf des Recorders und setzte sich neben Hyde.

Ein paar Sekunden flackerte es auf der Scheibe noch, dann erschienen die Ziffern 3, 2, 1 und danach ein großes X. Plötzlich war da farbiger Film. Beide Männer lasen: WALT DISNEY PRESENTS: THE BEST OF MICKEY MOUSE.

Übermütige Jazzmusik setzte ein. In der nächsten halben Stunde sahen Herdegen und Hyde sechs Mickymausfilme, sehr gute.

Herdegen stand auf, stoppte den Recorder, wechselte die erste gegen die zweite Kassette und ließ diese laufen.

3, 2, 1, ein großes X und folgende Schrift: WALT DISNEY PRESENTS: THE BEST OF DONALD DUCK. Wieder fröhlicher Jazz. Wieder sechs Zeichentrickfilme, diesmal über den weltberühmten Enterich, zuletzt einer, in dem Donald Duck Geburtstag feiert, denn diese Figur wurde gerade fünfzig Jahre alt.

Herdegen schaltete die Apparate ab und steckte die Kassetten in ihre Schutzhüllen.

»Ich rufe London an«, sagte er.

»Gleich«, sagte Hyde. »Zuerst müssen die Kassetten zurück in den Tresor. Vielleicht will die Olivera sie plötzlich sehen. Frau Primaria hält doch den Mund, wie? Die tut doch, was Sie sagen?«

»Das haben Sie ja gesehen«, sagte Herdegen. »Weil nämlich…«

»Ich weiß, warum«, sagte Wayne Hyde und ging schon voraus. Im Nebenzimmer saß der fast haarlose, dicke Buja von der Friedhofschicht.

Er blickte auf, als die beiden Männer erschienen.

»Danke«, sagte Herdegen. »Kannst zurückgehen. Wir sind gleich wieder da.« Er verließ hinter Wayne Hyde das Sprechzimmer. Buja zuckte mit den Achseln und stand auf. Was gab es? Dunkelrot im Gesicht war der Doktor. Sonst sah er doch immer aus wie ausgekotzt. »Vesta« hieß die römische Göttin des Herdfeuers mit fünf Buchstaben.

Und Daniel träumt, was er immer wieder träumt…

Werner Farmer, sein alter Freund, der sich gerade in Wien aufhält, ist zu Besuch in das Zwergenappartement gekommen. Daniel wünscht, daß Sibylle ihn kennenlernt. Und stolz will er Werner Farmer zeigen, was für eine wunderbare Frau Sibylle ist. Da stehen sie in der winzigen Diele und können sich kaum bewegen. Sibylle muß in die Küche treten, und Werner bekommt das Papier nicht von dem Blumenstrauß, den er mitgebracht hat, und er und Sibylle sind recht still, Daniel aber lärmt glücklich und verliebt.

»Ist sie nicht großartig? Habe ich übertrieben?«

»Danny, bitte«, sagt Sibylle.

»Ganz großartig ist die Dame«, sagt Werner und lächelt ein scheues, verlegenes Lächeln. Er verneigt sich. Größer als Daniel ist Werner Farmer, kräftiger, er hat ein breites Gesicht, eine hohe Stirn und schwarzes Haar. Er trägt eine Hornbrille, die Augen sind grün, und seine Haut großporig. Hatte eine schlimme Akne als Junge, Daniel erinnert sich noch gut daran.

In dem Zwergenwohnzimmer hat Sibylle den Tisch festlich gedeckt, und in der Küche macht sie Drinks, trockene Martinis für

Werner Farmer und sich, Daniel, der Alkohol nicht verträgt, bekommt Schweppes-Tonic. Er redet am meisten, er möchte so gerne, daß Sibylle und Werner einander sofort sympathisch sind. Es ist eine Unterhaltung mit Pausen, denn Sibylle muß immer wieder in die Küche und nach dem Essen sehen, das auf dem Herd steht.

»Werner macht die tollsten Kunstbücher der Welt, Sibylle! Du kannst dir nicht vorstellen, wie phantastisch die sind! Herrliche Farbbände!«

»Natürlich maßlos übertrieben«, sagt Werner. Er ist wieder verlegen. Sibylle auch. Sie sehen einander kaum an.

Daniel bemerkt das nicht. Er schwärmt: »Aber ja doch, Sibylle!« Werner erklärt: »Das ist ein Riesenprojekt, an dem viele Menschen arbeiten. Und zwei Verlage: ein englischer und ein deutscher. Wäre zu teuer für einen Verlag allein. Hunderte von farbigen Abbildungen in jedem Band. Mit Zeichnungen und Karten. Ich bin nur für die kunstgeschichtlichen Texte verantwortlich – mit einigen englischen Kollegen. Das wird wirklich eine große Reihe. Einige Titel sind schon erschienen, zuletzt ›Die Renaissance‹.«

»Oh, ›Die Renaissance‹!« Den Band kennt Sibylle. Vater hat ihn in Salzburg. »Sie sind es, der etwas so Wunderbares gemacht hat!«

»Ich sagte dir doch, Sibylle, er ist ein Genie, ein wirkliches Genie!«

»Bitte, Danny.« Farmer rückt an seiner Brille. »Ich freue mich natürlich, daß Ihnen der Band gefällt, Sibylle.«

»Woran arbeiten Sie jetzt, Herr Farmer?«

»An dem Band über die Zeit des Barocks.«

»Und Werner wird ein ganzes Jahr in Wien zu tun haben«, ruft Daniel. »Im Kunsthistorischen Museum, in der Albertina, in der Staatsbibliothek.«

»Immer ein paar Wochen«, erklärt Farmer. »Dann muß ich wieder zurück nach München. Da sitzt der deutsche Verlag.« Er wird noch verlegener. »Danny hat mir schon so viel von Ihnen erzählt. Wie Sie ihm geholfen haben. Sie sind eine großartige Ärztin.«

»Ach, du lieber Gott!« Auch Sibylle wird verlegener. »Erklären wir einander noch schnell für nobelpreiswürdig, und dann gibt's was zu essen.«

»Zu essen!« Daniel schlägt seinem Freund auf die Schulter. »Der

Tafelspitz, der jetzt kommt, *der* ist nobelpreiswürdig! So etwas hast du noch nie gegessen. So etwas kriegst du nur bei der Frau Dozentin. Beruflich – na schön, sie versteht etwas von Medizin, zugegeben. Aber als Köchin – Mensch, da hat sie mir schon ein paarmal das Leben gerettet. Ich habe bereits mehrere Tafelspitz-Entziehungskuren hinter mir. Werde immer neue brauchen. Bin hoffnungslos süchtig nach dem Zeug.«

Sibylle küßt ihn auf die Wange. »Verrückter!«

»Natürlich bin ich ein Verrückter! Muß man doch werden bei so einem Tafel... ich meine: bei so einer Frau. Was, Werner?«

»Ja, ich denke, das läßt sich wohl nicht vermeiden«, sagt Werner. Und dann essen sie, und Daniel stöhnt vor Wohlbehagen. »Ist das nicht das Paradies hier – mit ihr?«

Farmer rückt wieder an seiner Brille. »Ja«, sagt er, »es ist das Paradies, Danny.«

»Er darf wiederkommen, Sibylle, ja? Immer, wenn er in Wien arbeitet, sehen wir uns!«

»Gerne«, sagt Sybille. Sie sieht Farmer nicht an dabei.

»Und wir bringen ihn noch zur Bahn.«

»Zur Bahn – wieso?«

»Er muß heute nacht nach München zurück. Ich habe ihn vom Hotel abgeholt. Sein Koffer liegt im Wagen. Wir haben noch Zeit. Der Orient-Expreß geht erst um null Uhr fünfzehn.«

»Ich fahre gerne Schlafwagen«, sagt Farmer. »Man spart Zeit. Und ich schlafe gut.«

»Das wirst du erst sehen, ob du heute gut schläfst, so, wie du dir den Wanst vollgeschlagen hast!« ruft Daniel, und Sibylle protestiert. »Na, ich doch auch, Liebste! Werner wird ganz vorsichtig auf dem Rücken liegen müssen, damit ihm der Bauch nicht wegrollt.« Und Daniel lacht laut. Er ist glücklich, daß sein Freund nun weiß, was für einen kostbaren Menschenschatz er besitzt.

Um 23 Uhr 30 brechen sie auf. Sie fahren zum Westbahnhof. Dort besteht Daniel darauf, Werners Koffer zu tragen.

»Nein, nein, er ist sehr schwer. Es sind viele Bücher drin.«

»Bücher, lächerlich!« Daniel wuchtet den großen Koffer aus dem Wagen. Im nächsten Moment nennt er sich im stillen einen verfluchten Idioten. Der Koffer reißt ihn fast um. Einen schwereren hat Daniel noch nie getragen. Und dazu vollgefressen, wie ich bin, denkt er, während er schon die große Treppe hinaufschwankt, die zu den Geleisen führt. O Gott, o Gott, o Gott, haben wir da vielleicht einen Koffer! Und der Orient-Expreß ist endlos lang, und Werners Schlafwagen befindet sich natürlich an der Spitze des Zuges.

Sie gehen nebeneinander. Der Weg scheint kein Ende nehmen zu wollen. Ich bin ein Held, denkt Daniel. Ein idiotischer Heldenheld bin ich. Fast am Ende seiner Kräfte, erreicht er den Schlafwagen und wuchtet den verfluchten Koffer auch noch die Eisentreppe zum Gang hinauf. Er keucht. Das Hemd klebt ihm am Leib. Seitenstechen hat er. Aber er grinst.

»Tschüs, mein Alter! Wann kommst du wieder?«

»Nächsten Donnerstag – für einen ganzen Monat.«

»Hast du das gehört, Sibylle? Einen ganzen Monat! Da sehen wir uns aber oft, was?«

»Na klar«, sagt Sibylle.

Werner Farmer verabschiedet und bedankt sich.

»Schön, Sie kennengelernt zu haben, Herr Farmer«, sagt Sibylle. Sie schaut ihn wieder einmal nicht an dabei.

Er klettert in den Waggon. Gleich darauf erscheint er am Fenster seines Abteils. Er kann das Fenster nicht öffnen. Er winkt. Sie winken auch. Daniel lacht. Sibylle nicht. Minutenlang stehen sie so da, dann fährt der Zug ab. Daniel winkt, bis der Orient-Expreß in einem Gewirr von Geleisen und roten und weißen Lichtern verschwunden ist.

»Der war vielleicht begeistert von dir!« sagt Daniel.

Sie gehen den Bahnsteig entlang.

»Meinst du?«

»Meine ich? Der hat dich doch mit den Augen verschlungen! Hast du das nicht bemerkt?«

»Nein, das habe ich nicht bemerkt. Hat er das wirklich getan?«

»Aber ja doch! Der ist völlig von den Socken! Und du? Wie gefällt er dir?«

»Oh«, sagt sie. »Gut«, sagt sie.

Daniel lacht.

»*Ein* Jahr hat er in Wien zu tun! Eine feine Zeit werden wir haben, was?«

»Ja«, sagt sie, »sicherlich.«

Er packt ihre Hand und rennt plötzlich mit ihr los.

»Was hast du denn, Danny? *Danny*!«

»Komm, fahren wir zurück zu unserem Turm!« sagt er. »Ich bin so furchtbar verliebt. Laß uns spielen, Sibylle, ja? Laß uns spielen...«

Die Tür des Zimmers öffnete sich leise.

Mercedes, die an Daniels Bett saß, schreckte auf. Sibylle trat ein. Sie legte einen Finger auf die Lippen. Sie kam zum Bett. Aus einer Tasche ihres Ärztekittels nahm sie ein Blatt Papier und reichte es Mercedes.

Sibylle brachte auch eine neue Flasche und wechselte sie geschickt gegen die fast leere, die im Tropf hing, aus. Daniel spürte nichts, er schlief ganz tief und lächelte glücklich.

Mercedes war aufgestanden. Im Badezimmer brannte eine Lampe. Durch die halboffene Tür fiel ihr Lichtschein, in dem Mercedes folgende Worte erkennen konnte:

Schnell lesen und vernichten! Ich bin erpressbar. Sie sind hier in einem Spionagezentrum. Herdegen und ein fremder Mann zwangen mich, den Tresor zu öffnen. Sie haben ihre Kassetten herausgenommen und nach vierzig Minuten kommentarlos zurückgebracht. Was nun geschieht, ist ihre Entscheidung.

Während Mercedes las, sagte Sibylle leise: »Warum gehen Sie nicht ins Bett, Frau Olivera? Sie müssen doch todmüde sein!«

Und leise kam Sibylles Stimme aus einem der vielen Lautsprecher in dem fensterlosen Raum hinter Herdegens Dienstzimmer. Der kleine, untersetzte Techniker mit dem spärlichen Haarkranz, namens Buja, der jetzt die Friedhofschicht hatte, drehte an einem Regler, um die Stimmen lauter zu bekommen. Ab und zu knackte es in der Verbindung.

Die Stimme von Mercedes ertönte: »Ich bin überhaupt nicht müde. Ich will bei ihm wachen.«

Sibylles Stimme: »Sie brauchen sich keine Sorgen um Daniel zu machen. Alles geht in Ordnung. Ich komme immer wieder. Und auch die Nachtschwester schaut herein.«

Hinter Buja, der auf einem der Sessel mit den verstellbaren Rücklehnen vor der langen Abhörwand saß, standen Herdegen und Wayne Hyde.

»Die Mannholz hat alles auf einen Zettel geschrieben, also da schwöre ich«, sagte Herdegen.

»Hoffentlich«, antwortete Hyde. »Das ist genau, was wir jetzt wollen. Genau das, was sich Mister Morley eben am Telefon gewünscht hat. Ross und die Olivera sollen wissen, daß wir hinter ihnen her sind. Nur so werden sie schneller handeln. Vorsichtig, aber handeln. Man muß sie provozieren…«

Auf den Bogen Papier schrieb Mercedes mit Kugelschreiber in krakeliger Schrift: IM TRESOR LIEGEN TRICKFILMKASSETTEN. DIE ECHTEN SIND IN SICHERHEIT. DANKE FÜR IHRE HILFE!

Dazu sagte sie leise: »Ich kann einfach nicht schlafen, Frau Doktor. Ich bin zu überdreht. Und ich habe trotz allem solche Angst um Daniel.«

»Völlig unnötig«, sagte Sibylle leise, knipste ein Feuerzeug an, setzte den Bogen in Brand und ging mit ihm ins Badezimmer, wo sie die verkohlten Reste in die Muschel fallen ließ. Sie bedeutete Mercedes durch Gesten, später die Spülung zu betätigen. Währenddessen fuhr sie fort: »Er hat eine unglaublich gute Konstitution. Nächste Woche läuft er schon wieder herum, das verspreche ich Ihnen.«

»Danke!« flüsterte Mercedes.

Die beiden Frauen standen nun einander gegenüber. Sie sahen sich lange ernst an. Dann flüsterte Sibylle: »Bis später!« und verließ abrupt den Raum. Sie ging den in blaues Licht getauchten Gang hinunter.

Plötzlich war ihr, als habe sie keine Kraft mehr, überhaupt keine. Sie taumelte und erreichte gerade noch eine Bank. Auf diese sank sie, die Augen geschlossen. Hier verharrte sie lange reglos. Einmal stöhnte Sibylle. Sehr leise.

In seinem Dienstzimmer saß Herdegen nun am Schreibtisch. Er telefonierte mit London. Der Anwalt Roger Morley hatte zurückgerufen. Herdegen schaltete den Zerhacker ein. Auf der Schreibtischplatte hockte Wayne Hyde, die zweite Hörmuschel am Ohr.

»Ich habe Ihre Informationen weitergeleitet, Doktor. Folgendes soll ich Ihnen und Mister Hyde mitteilen: Kein Grund, entmutigt zu sein. Wir haben es eben nicht mit Idioten zu tun. Indessen ist die Sache höchst eilig. Sie muß schleunigst in Bewegung kommen. In heftige Bewegung. Was ist? Wollten Sie etwas sagen, Doktor?«

»Sie *wird* in Bewegung kommen, Mister Morley. Die Mannholz war eben im Krankenzimmer. Die Olivera wacht am Bett von Ross. Mister Hyde und ich sind ganz sicher, daß die Mannholz Ross' Freundin schriftlich darüber informiert hat, daß wir sie gezwungen haben, den Tresor zu öffnen und uns die Kassetten zu geben. Und daß wir sie kommentarlos zurückgebracht haben.«

»Ich hoffte, so etwas würde geschehen – Sie erinnern sich. Nun weiter: Der Zusammenbruch von Ross in der Maschine war nicht gespielt und nicht vorherzusehen. In Frankfurt hatten die beiden keine Zeit mehr, die echten Kassetten in Sicherheit zu bringen. Sie wissen, daß in São Paulo ein alter Priester dem dämlichen Leon mit dem Stock eins über den Kopf gab. Anschließend achtete Hochwürden auf die rote Tasche. Nun, unsere Leute in Frankfurt haben das gecheckt. Nach der Bordliste heißt der Priester Heinrich Sander. Um achtzehn Uhr dreißig sind unsere Freunde nach Wien weitergeflogen. Sander flog kurze Zeit später weiter – mit LUFTHANSA 328 nach Köln. Dort wurde er von zwei jüngeren Priestern erwartet. Ein Funktaxi hat die drei in das große Zisterzienserkloster an der Daverkusenstraße im Stadtteil Köln-Merkenich gebracht. Es steht eine Kirche daneben, sagte der Chauffeur. Die Andreaskirche.«

»Das haben Sie alles in einer einzigen Stunde herausbekommen?« staunte Herdegen.

»Wir beschäftigen nur Top-Leute, das wissen Sie, Doktor. Wie Sie beide. Wenn so etwas überhaupt funktioniert, dann funktioniert es schnell.«

»Aber wann könnte dieser Sander die Kassetten vertauscht haben? Und woher hatte er Disney-Kassetten?« fragte Herdegen. Hyde nickte zustimmend.

Morleys Stimme aus London: »Er flog schon von Buenos Aires an mit. Vielleicht nahm dort alles seinen Anfang. Sie sagen, die Disney-Kassetten haben Etiketten in spanischer Sprache. Vielleicht wurden sie lange vor dem Abflug gekauft und waren bereits in der roten Tasche. Und die echten waren im Gepäck von Sander. Es *könnte* so sein. Es *muß* nicht so sein. Vieles spricht dafür. Vor allem, daß Sander Priester ist. Denken Sie an die überwältigend große Rolle der Kirche in der Friedensbewegung! Denken Sie daran, daß die Olivera seit vielen Jahren in der internationalen Friedensbewegung tätig ist! Vielleicht war das alles genau abgesprochen. Ich sagte schon: Wir haben es hier nicht mit Idioten zu tun. Geben Sie mir einmal Mister Hyde!«

Hyde nahm den anderen Hörer und meldete sich. Die beiden Männer begrüßten sich. Dann sagte Morley: »Sie haben alles gehört, ja?«

»Ja, Mister Morley.«

»Ross ist für die nächste Zeit aktionsunfähig. Instruktion für Sie – und den Doktor: Die beiden müssen *getrennt* werden, verstehen Sie? Die Olivera weiß, wo die echten Kassetten liegen. Es muß ja nicht der Priester gewesen sein, wir dürfen uns da nicht festbeißen. Aber es sieht danach aus. Wenn wir uns irren – irgendwo *sind* die Kassetten. Sie haben es jetzt bloß mit einer Frau zu tun. Sie werden mit einer Frau fertig werden, Mister Hyde, denke ich doch.«

»Denke ich auch.«

»Gewalt nur, wenn es wirklich nicht anders geht und wirklich sinnvoll ist.«

»Ich bin seit siebzehn Jahren in diesem Geschäft, Mister Morley. Ich weiß, was ich tue. Übrigens vielen Dank für die Geldüberweisung.«

»Oh, Sie haben sich schon in Zürich erkundigt?«

»Noch von London aus. Keine Überweisung, und ich wäre überhaupt nicht nach Frankfurt geflogen. Aber wie bringt man die Olivera dazu, Ross hier allein zu lassen?«

»Das werde ich Ihnen sagen.«

Roger Morley sagte es ihm.

15

Die Visite begann um neun.

Um halb zehn kam Sibylle, gefolgt von Herdegen, zwei weiteren Ärzten, zwei Ärztinnen und der Oberschwester zu Daniel. Er war gewaschen und rasiert und blickte Sibylle lächelnd entgegen. Mercedes saß neben ihm. Es schneite noch immer.

Sibylle sah kurz die Fieber-, Puls- und Blutdruckkurven an, welche mit verschiedenfarbigen Stiften auf einem großen Blatt am Fußende von Daniels Bett eingetragen waren.

»Alles normal. Mächtiger Appetit zum Frühstück, höre ich, und gut geschlafen.«

»Wie ein Toter, Sibylle.«

»Ich weiß. Ich war ein paarmal bei dir, du Verbrecher.« Sibylle sah blaß aus und erschöpft. Dunkle Ringe lagen unter ihren Augen. Sie erörterte kurz mit Herdegen die weitere Behandlung. Er war von außerordentlicher Höflichkeit, geradezu unterwürfig. Sibylle nannte der Oberschwester, einer dicken Frau mit Brille, welche alles notierte, die Medikation. »Und natürlich bleibt er am Tropf. Haben Sie alles, Magdalena?«

»Jawohl, Frau Primaria.«

»Streck mal die Arme aus!« sagte Sibylle. »Finger auseinander! Nicht spreizen, locker lassen! Jetzt mach die Augen zu!« Daniels Finger bebten heftig, dann zitterten sogar die Hände. »Hübsch, hübsch«, sagte Sibylle.

»Wird noch hübscher werden, Frau Olivera. Erschrecken Sie nicht! Das ist ganz natürlich«, sagte Herdegen zu Mercedes, die ein blaues Kostüm trug. »Aber nicht mehr lange.« Er wandte sich an Sibylle. »Da war noch etwas, Frau Primaria…«

(Im großen Abhörzimmer stand neben einem Techniker, der den untersetzten Buja, die Friedhofschicht, um acht Uhr früh abgelöst hatte, Wayne Hyde und nickte zufrieden. Die Konversation kam aus dem Lautsprecher.)

»Ach ja, richtig. Danke, Herr Kollege.« Sibylle sah Mercedes an. »Wir sprachen gerade darüber…«

»Worüber, Frau Doktor?«

Sibylle lächelte schwach. »Nichts Schlimmes. Sie müssen sich wirklich keine Sorgen um unseren Patienten machen, Frau Olivera. Der kommt schon wieder auf die Beine. Und eben daran haben wir gedacht. Wenn er in fünf, sechs Tagen aufsteht, muß er bald an die frische Luft. Spazierengehen. Viel spazierengehen. Wie ich gestern sah, hat er nur leichte Sommerkleidung im Koffer. Natürlich – in Argentinien ist es jetzt heiß. Aber bei uns… Er braucht feste Schuhe, warme Anzüge, einen Wintermantel und so weiter.«

»Das ist alles in Frankfurt«, sagte Daniel.

»Gewiß«, sagte Sibylle. Und zu Mercedes: »In den nächsten Tagen können Sie nicht viel für ihn tun. Da müssen wir uns noch kräftig um ihn kümmern. Sie sollten unter allen Umständen hier sein, wenn er entgiftet und auf ein neues Präparat umgestellt ist. Dann wird er Sie brauchen. Wir wollten Sie bitten, die Zwischenzeit auszunützen und nach Frankfurt zu fliegen. Holen Sie seine Wintersachen. Jetzt hätten Sie Zeit dazu.«

»Ja, das ist richtig.« Mercedes nickte. »Findest du nicht auch, Daniel?«

Der sah Sibylle an. Sie erwiderte seinen Blick ausdruckslos, denn sie fühlte, wie Herdegen sie beobachtete.

»Finde ich auch«, sagte er. »Such zusammen, was du für richtig hältst. Du hast dir ja wärmere Kleidung mitgebracht.«

Mercedes fiel etwas ein. Sie sagte zu Sibylle: »Ich habe gehört, daß Daniel sich zwischen Entgiftung und Einstellung auf das neue Mittel nicht besonders wohl fühlen wird.«

»Er kann es aushalten. Er kennt diesen Zustand schon. So gut wie jetzt wird es ihm natürlich nicht gehen.«

»Dann möchte ich aber möglichst bald wieder bei ihm sein«, sagte Mercedes. »Ich glaube, ich fliege noch heute.«

»Ausgezeichnete Idee«, sagte Sibylle lächelnd. Herdegen beobachtete sie unausgesetzt.

»So bin ich vielleicht morgen schon zurück.«

(»Na also«, sagte Wayne Hyde im Abhörraum zu dem Techniker der Tagesschicht, der Schorsch genannt wurde.)

»Es gehen mehrere Maschinen am Tag nach Frankfurt«, sagte Sibylle. »Die Sekretärin wird Ihnen einen Flugplan zeigen und bei der Reservierung behilflich sein. Ihren Paß brauchen Sie ja auch.«

»Ein Pfleger bringt Sie im Wagen nach Schwechat und holt Sie selbstverständlich wieder ab, Frau Olivera«, sagte Herdegen.

»Ich führe Sie zur Sekretärin«, sagte die dicke Oberschwester freundlich, »sobald die Visite vorüber ist.«

»Danke, liebe Oberschwester.«

»Seh dich später!« sagte Sibylle zu Daniel. »Ich muß ein paar Stunden schlafen. Tschüs! Auf Wiedersehen, Frau Olivera!«

Sie verließ das Zimmer, gefolgt von ihrer Begleitung. Die Tür fiel zu. Mercedes und Daniel waren wieder allein. Sie blickte ihn lange stumm an. Dann flüsterte sie in sein Ohr: »Ist es noch so stark wie gestern?«

»Nein«, flüsterte er. »Bei weitem nicht mehr so stark, Mercedes.«

»Lügner«, sagte sie. »Geliebter Lügner.«

»Du mußt das verstehen, so plötzlich... nach all der Zeit...«

»Ich verstehe es ja«, sagte sie, kaum hörbar.

»Danke«, sagte er. »Es wird vorübergehen, Mercedes. Sie ist auch sehr verwirrt – natürlich.«

»Natürlich«, sagte Mercedes.

Eine halbe Stunde später verließ Sibylle die Klinik und stapfte auf einem von Schnee freigeschaufelten Weg durch den Park zu einer nahen Villa. Sie trug jetzt Stiefel und einen Pelzmantel über ihrem Ärztekittel. Sie sperrte die Eingangstür auf. Durch Räume mit schönen antiken Möbeln, Madonnen, Bildern und Ikonen ging sie zu einem Arbeitszimmer, dessen Wände bis zur Decke von vollgestopften Bücherregalen verdeckt waren. Am Schreibtisch bei einem Fenster saß ein großer, kräftiger Mann. Er trug Flanellhosen und ein rot-schwarz kariertes Holzhackerhemd, die Ärmel aufgekrempelt. Sein Gesicht war breit, die Stirn hoch, das Haar schwarz, die Haut grobporig. Der Mann hatte grüne Augen und trug eine schwere Hornbrille. Auf dem Schreibtisch lagen Bücher, Farbfotografien von Gemälden und Umbruchbogen eines großformatigen Buches. Der Mann tippte auf einer Maschine, als Sibylle den Raum betrat.

»Guten Morgen, Werner«, sagte sie, trat zu ihm und küßte ihn auf die Wange.

»Guten Morgen, mein Liebling. Wie geht es ihm?«

»Alles okay«, sagte sie, um Ruhe und Gelassenheit bemüht. »Ich lege mich jetzt hin. Ich bin sehr müde. Wie geht es bei dir?«

»Soso«, sagte Werner Farmer. Sie trat hinter ihn, legte beide Hände auf seine Schulter und las die letzten Zeilen, die er getippt hatte.

»... und diesen hellen oberen Stock ›streckte‹ Tiepolo noch, indem er gegen einen Wolkenhintergrund von blauem Himmel und weißen bauschigen Wolken ›Vier Kontinente huldigen Karl Philip von Greifenklau‹ malte – eine Phantasie, so sinnlos und so köstlich wie irgendeine, die er für die Häuser des dekadenten venezianischen Adels geschaffen hatte.«

16

Die Maschine der AUSTRIAN AIRLINES mit Mercedes an Bord erreichte Frankfurt am Main um 19 Uhr 30. In Frankfurt war es sehr kalt, darum schneite es nicht.

Mercedes ging in der Ankunfthalle zur automatischen Gepäckausgabe. Es dauerte eine halbe Stunde, bis sie im Besitz ihrer Sachen war: Sie brachte die Sommerkleidung Daniels zurück und einen weiteren kleineren Koffer mit Wäsche, einem zweiten Kostüm und ihren Toilettengegenständen. Im Taxi fuhr sie durch den tiefverschneiten Stadtwald. Aus dem Autoradio drangen Stimmen.

»Stört Sie das?« fragte der Chauffeur. »Von Erich Kästner. ›Die Acharner‹. Hat er gleich nach dem Krieg geschrieben. Für ein Münchner Kabarett.«

»Lassen Sie Ihr Radio ruhig an«, sagte Mercedes.

»Ach, Radio«, sagte der Chauffeur. »So was würde kaum noch im Radio gesendet werden, meine Dame. Das ist eine Kassette. Auf Kassette kann man's noch kriegen. Ist gleich aus.« Der Chauffeur, ein älterer Mann, nickte zu den Worten, die nun ertönten...

»... Schneidet das Korn, und hütet die Herde, indes der Planet um die Sonne rollt! Keltert den Wein, und striegelt die Pferde! Schön sein, schön sein könnte die Erde, wenn ihr nur wolltet, wenn ihr nur wollt!...«

Der Wagen schlidderte. Unter dem Schnee war die Straße gefroren. Wie im Märchen, so verzaubert sahen die alten Bäume aus, die im Scheinwerferlicht auftauchten und in der Dunkelheit wieder verschwanden.

»... Reicht euch die Hände, seid *eine* Gemeinde! Frieden, Frieden hieße der Sieg. Glaubt nicht, ihr hättet Millionen Feinde! Euer einziger Feind heißt – Krieg!...«

An dieser Stelle seufzte der Taxichauffeur.

»... Frieden, Frieden, helft, daß er werde! Tut, was euch freut, und nicht das, was ihr sollt. Schneidet das Korn und hütet die Herde! Keltert den Wein, und striegelt die Pferde! Schön sein, schön sein könnte die Erde, wenn ihr nur wolltet, wenn ihr nur wollt!«

Musik setzte ein.

Der Chauffeur fragte alarmiert: »Haben Sie etwas, meine Dame? Ist Ihnen nicht gut?«

»Ich muß weinen«, sagte Mercedes. Sie putzte sich die Nase.

»Mir ist auch zum Heulen«, sagte der Taxichauffeur. »Aber was sollen wir machen? Der arme Erich Kästner. Sein Leben lang hat er gegen den Krieg geschrieben. Was hat er erreicht? Nichts hat er erreicht. Weil wir nichts tun können, wir Kleinen.«

»Es gibt viereinhalb Milliarden von uns Kleinen«, sagte Mercedes.

»Und viereinhalb Milliarden können nichts tun«, sagte der Chauffeur. Sie waren jetzt auf der Kennedyallee. Die Stadt kam näher. Mercedes sah sie nicht, sie sah nur, wie ihre Lichter den Himmel erhellten, über den dunkle Wolken zogen.

»Sie können etwas tun!« sagte Mercedes laut.

»Ach, meine liebe Dame«, sagte der Taxichauffeur. »Einmal, da habe ich das auch geglaubt – nach dem Krieg. Reden wir nicht davon!«

Als er dann in der Sandhöfer Allee vor dem Haus hielt, in dem Daniel wohnte, trug er ihr das Gepäck noch bis an die Wohnungstür. Mercedes gab ihm die Hand.

Er sah sie mit flackernden Augen an. »War eine schöne Zeit damals, als ich noch dran glaubte. Und so viele andere auch. Kommt nicht wieder.« Er ging schnell die wenigen Stufen zum Ausgang hinunter.

Mercedes schloß die Tür hinter sich, legte die Kette vor und trat in Daniels großes Arbeitszimmer, wo sie das Licht anschaltete.

»Guten Abend«, sagte Wayne Hyde.

Er hatte seinen Dufflecoat ausgezogen und saß in einem tiefen Fauteuil, die Beine übereinandergeschlagen. Er trug einen braunen Anzug, ein weißes Hemd und eine braune Krawatte. In der Hand hielt er eine Pistole. Mercedes erstarrte mitten in der Bewegung. Sie schluckte krampfhaft, bekam aber kein Wort heraus. Hyde stand auf. »Hände vor!« Er untersuchte die Taschen ihres Pelzmantels, dann warf er ihn über den Stuhl beim Schreibtisch. Dort stand die Silbertafel mit dem eingravierten Ausspruch Bertrand Russells. DIE WELT, IN DER WIR LEBEN... Keine zwei Wochen war es her, da hatte Mercedes diese Inschrift zum erstenmal gelesen. Ihr schien, als wäre es vor zwanzig Jahren gewesen.

»Umdrehen! Hände gegen die Wand! Beine breit!« Seine Stimme war brutal. Sie folgte. Er tastete ihren Körper nach Waffen ab: Brüste, Hüften, Schenkel.

»Okay. Setzen Sie sich da beim Schreibtisch, Hände auf die Knie!«

Er trat zurück. Sie sackte auf den Sessel. Jetzt konnte sie mühsam sprechen: »Wer... sind Sie?«

»Der Name ist Corley. Peter Corley. Untersuchungen jeder Art. Nicht! Sie sollen ruhig sitzen, verflucht!« Er ließ den Sicherungshebel der Waffe zurückklicken. Es war eine 9-Millimeter-SIG/Sauer-Polizeipistole. Wayne Hyde hatte sie von seinem alten Freund Heinz Erkner bekommen, mit dem zusammen er 1971 in Sri Lanka für die indischen Regierungstruppen gegen Oppositionsgruppen der Tamilen und 1974 auf Zypern für griechische Zyprioten gegen türkische Zyprioten und türkische Einheiten gekämpft hatte. Wayne Hyde war schon mit der Mittagsmaschine in Frankfurt eingetroffen. Von Wien aus hatte er Heinz angerufen und ihm gesagt, was er brauchte: eine 9-Millimeter-SIG/Sauer und ein Gewehr der Marke Sterling Mk 9 mit Zielfernrohr. Heinz war so pünktlich und zuverlässig gewesen wie Wayne Hydes österreichischer Söldnerfreund Franz Loderer, dessen Waffen Hyde in der Obhut Herdegens zurückgelassen hatte. Er mußte sich seine Depots erst aufbauen. Zum Glück besaß er viele Freunde. Heinz Erkner war ihm besonders dankbar. Hyde hatte ihm auf Zypern das Leben gerettet, als sie in einen Hinterhalt geraten waren. Zwei MG-Kugeln hatten Erkner in der Schulter getroffen. Unter Lebensgefahr und ständigem Beschuß durch die Türken war Hyde mit dem Freund auf dem Rücken bis zum Kieselsteinufer eines Flusses getaumelt. Dort konnte dann der griechische Hubschrauber landen, den Wayne Hyde über Funk angefordert hatte. Sie hatten sich darüber unterhalten, als sie einander nun wiedertrafen. Heinz ging es glänzend. Er besaß zwei Peep-Shows und drei Porno-Kinos, war fabelhaft angezogen, und die Waffen lagen im Kofferraum seines Mercedes 450. Nachdem Hyde einen Hertz-Wagen, Marke BMW, gemietet hatte, waren die Waffenfutterale im Kofferraum des grauen BMW gelandet. Der parkte jetzt vor den Universitätskliniken, ganz in der Nähe. Hyde hatte nur die 9-Millimeter-SIG/Sauer mitgenommen.

»Wie sind Sie hier hereingekommen?« fragte Mercedes.

»Genau wie Sie hier reinkamen.«

»Was soll das heißen?«

»Küchenfenster eingeschlagen hinten im Garten und den Riegel geöffnet.«

»Woher wissen Sie, daß ich das getan habe?«

»Sie sind dabei beobachtet worden. Jemand ist damals mit Ihnen von Buenos Aires nach Zürich und Frankfurt geflogen. Und dann mit Ihnen und Ross zurück.«

»Wer hat Ihnen gesagt, daß ich heute hierherkommen werde?«

»*Ich* stelle die Fragen. Sie antworten. Wo sind die Filmkassetten?«

»Welche Filmkassetten?«

»Los, los, los, wo sind sie?«

Sie schwieg.

Er hob die Hand.

Die Türklingel schrillte.

Im nächsten Moment spürte sie die Mündung der Pistole an der Schläfe.

»Keinen Laut!« flüsterte er.

Die Klingel begann wieder zu schrillen. Sie hörte nicht mehr auf.

»Mercedes!« rief eine Männerstimme.

Der Druck des Laufs gegen ihre Schläfe wurde fester.

»Mercedes!« schrie der Mann vor der Tür. »Sie sind zu Hause. Ich habe Licht gesehen. Wenn Sie jetzt nicht antworten, weiß ich, daß jemand bei Ihnen ist und Sie bedroht.«

»Ruhig! Ganz ruhig!« flüsterte Hyde. Der Pistolenlauf schmerzte, so fest drückte er ihn gegen ihren Schädel.

»Ich habe ein Autotelefon. Ich rufe eine Funkstreife…«

Mit vier Schritten war Hyde bei der Wohnungstür, löste die Kette, riß die Tür auf und sprang zur Seite.

»Kommen Sie rein!« sagte er. »Schnell!«

Ein schlanker, großer Mann von etwa fünfzig Jahren mit schwarzem Haar und grauen Augen in dem klugen Gesicht trat ein. Er trug keinen Mantel. Sein blauer Anzug war maßgeschneidert, ebenso das hellblaue Hemd. Auf die dunkle Krawatte waren viele sehr kleine, silberne Elefanten gestickt. Er hatte den Hemdkragen geöffnet und die Krawatte gelockert. Als er in der Diele stand, drückte Hyde die Tür hinter ihm ins Schloß.

»Hände an die Wand, Beine breit!«

Hyde tastete auch den großen Mann sorgfältig nach Waffen ab. Er fand keine.

Dann winkte er mit der Pistole. »Da rein! Zu der Lady!«

Sie traten beide in das Arbeitszimmer.

»Guten Abend, Mercedes«, sagte der Mann im blauen Anzug. »Tut mir leid. Es hat alles so lange gedauert. Rief denn meine Sekretärin nicht am Flughafen an? Da muß etwas schiefgelaufen sein. Sie sollten doch die Nachricht erhalten, daß ich noch zu tun hätte und, um Zeit zu sparen, gleich in die Wohnung kommen würde. Sie sollten hier auf mich warten.«

»Etwas schiefgelaufen, wie Sie sagen. Da war keine Nachricht für mich.«

»Na, dann war das ganz schön knapp«, sagte der große Mann und sah Hyde an. »Er will den Film, ja?«

»Ja«, sagte Mercedes.

»Was wissen Sie davon?« fragte Hyde.

»Eine Menge.«

»Wer sind Sie?«

»Ich heiße Conrad Colledo«, sagte der große Mann.

»Und?«

»Und was?«

»Was ist Ihr Job?«

»Ich komme aus Königstein im Taunus.«

»Machen Sie's kürzer!«

»In Königstein im Taunus stehen die Studios des Fernsehsenders Frankfurt. Ich bin dort Hauptabteilungsleiter für Politik und Zeitgeschehen.«

»Und wer hat die Kassetten?« fragte Wayne Hyde.

»Ich«, sagte Conrad Colledo.

17

Um diese Zeit schläft Daniel schon wieder...

15. Mai 1972. An jenem wahnwitzig heißen Tag kehrt er aus Rom zurück. Mußte dort sechs Wochen lang das Studio leiten. Der ständige Korrespondent lag mit einem Herzinfarkt im Krankenhaus. Daniel hat noch aus Rom Sibylle angerufen – wie jeden Tag.

»Komm zu mir«, sagt Sibylle nun in seinem Traum. »Werner kommt auch. Er muß aber heute nacht noch nach München für ein paar Tage.«

»Na prima, da sind wir zwei allein!«

Daniel freut sich. Nach der Landung fährt er schnell in seine Wohnung an der Grinzinger Allee, läßt das Gepäck dort, badet, zieht sich um. Dann ist er bei Sibylle im Turm. Er umarmt und küßt sie immer wieder. Gott, ist er froh, wieder bei ihr zu sein! Werner Farmer sitzt schon da. Sieht blaß aus. Überarbeitet, denkt Daniel. Sie essen, und Daniel erzählt begeistert.

»Rom ist fabelhaft, Kinder! Italien ist fabelhaft. So etwas von Korruption! Einfach fabelhaft! Zig Regierungen haben sie gehabt seit dem Krieg. Irrsinnige Arbeitslosigkeit. Die Millionäre sitzen im Norden und werden entführt oder eingesperrt wegen Milliardenschiebungen. In keinem Land wird so geschoben. Einfach großartig! Die Armen – so was von arm habe ich noch nicht gesehen. Auf dem Land die Bauern. Im Süden die Menschen in den Städten. Müßten alle eigentlich längst verhungert sein bei dieser Inflation, bei dieser Mafia. Aber sie leben und singen und trinken Wein, weiß der Himmel, woher sie ihn kriegen. Diese Leute haben uns eingeladen – nicht mal in Rußland haben arme Menschen uns so bewirtet. Fabelhaft, einfach fabelhaft! Lauter gute katholische Kommunisten. Lauter Don

Camillos und Peppones. Sechsundfünfzig Millionen Don Camillos und Peppones. Mit Berlinguer, der gerade Generalsekretär der KPI geworden ist, habe ich mich viele Nächte lang unterhalten. Großer Mann! Gebildet, höflich, schüchtern bisweilen. Und meine zwei Schweizer Freunde! Nägeli und Bürgler! Von der Schweizer Garde! Habt ihr gewußt, daß die Schweizer Garde des Papstes wirklich aus Schweizern besteht? Ich nicht. Söldner sind das, richtige Söldner! Gibt es seit dem Ende des achtzehnten Jahrhunderts! Als das mit den Ritterheeren nicht mehr so flutschte. Da nahmen die Mächtigen sich Schweizer Söldnertruppen. Das waren die mutigsten. Schweizer Söldner – immer die besten. Na ja, und da hat irgendein Papst – wird mir gleich einfallen, welcher – gesagt, das muß er auch haben. Seither gibt es die Guardia Svizzera Pontificia. Haben ein feines Leben. Viel Freizeit. Können saufen, Mädchen haben, alles. Natürlich auch Kommunisten sein. Bezahlt sie verdammt schlecht, der Heilige Vater. Aber die Pension! Als sie einmal besoffen waren, haben Nägeli und Bürgler mir erklärt, daß es Gott nicht gibt. Alles nur Theater. Habe ich Gott verteidigen müssen – *ich*, stellt euch das vor! Aber ich konnte mich mit Gott nicht durchsetzen. Fabelhafte Schweizer. Fabelhafte Stadt, Rom, also wirklich…«

Daniel hört endlich auf und sieht mit vollem Mund – er hat die ganze Zeit beim Reden gegessen – von einem zum anderen.

»Was ist denn mit euch los? Ihr seid ja so still. Und essen tut ihr auch kaum. Ist was passiert? Na los, los, sagt es Papi! Wird schon nicht so schlimm sein.«

»Doch«, sagt Werner Farmer und rückt an seiner Brille. »Doch, es ist so schlimm. Es ist so schlimm, wie es nur sein kann.«

»Verstehe kein Wort«, sagt Daniel. »Wenn *ihr* schon keinen Hunger habt, Sibylle, geliebtes Herz, würdest du mir noch eine Scheibe – danke, der Allmächtige wird es dir lohnen. Also, was ist so schlimm, wie es nur sein kann?«

»Es ist aus, Danny«, sagt Sibylle und würgt an jedem Wort.

»Was heißt aus?« Jetzt läßt er Messer und Gabel sinken.

»Zwischen dir und mir. Es muß aus sein. Denn wir wollen dich nicht betrügen.«

»Was ist das?« fragt Daniel. »Ein Sketch? Ein englischer? Oder selbst gemacht? Eigens für mich? Zum Lachen? Ein Sketch zum Lachen?«

Sibylle schluchzt plötzlich.

Werner Farmer sagt: »Nicht zum Lachen. Verstehst du denn

nicht, du dummer Hund? Wir lieben uns, Sibylle und ich. Wir wollen heiraten.«

Daniel lacht, daß ihm ein Stück Fleisch aus dem Mund auf den Teller fällt.

»Heiraten! O Gott, o Gott, o Gott!« Er ist leicht betrunken – Whisky unterwegs, er verträgt doch nichts. »Das *muß* ein englischer Sketch sein! Nur die Engländer können so etwas. Im Flugzeug habe ich mir die Cartoons aus dem neuesten PUNCH angesehen: Zwei Pandabären. Ihr wißt doch, die kleinen schwarz-weißen, die bei uns dauernd sterben. Sagt der eine zum andern: ›Ich glaube nicht, daß dieses die richtige Welt ist, um Pandas großzuziehen!‹« Daniel lacht wieder. Dann sieht er die beiden an. Lange. Dann legt er Messer und Gabel fort. »Also kein Sketch«, sagt er. »Na ja. Aber ich verstehe das nicht. Bei meinen Anrufen, Liebste, jeden Abend, da war doch immer alles in Ordnung, gestern noch!«

»Nichts war in Ordnung, Danny«, schluchzt Sibylle. »Gib mir ein Taschentuch!«

»Natürlich, hier bitte!« Daniel reicht ihr eines. Sie schneuzt donnernd hinein. »Also schön«, sagt Daniel, »ihr liebt euch und werdet heiraten. Ausgezeichnete Idee, wirklich. Einer von den Schweizern von der Schweizer Garde hatte auch eine so große Liebe. Zu einem anderen Schweizer von der Schweizer Garde. Als er ganz besoffen war, hat er...«

»Danny, *bitte*! Sei endlich ernst!« sagt Werner.

»Moment mal, ja?« sagt Daniel. »Was soll denn das heißen, sei endlich ernst? Meinst du vielleicht, daß ich besonders fröhlich bin? Daß mich das, was ihr mir da eröffnet habt, grenzenlos amüsiert? Wenn ich nicht den Clown spiele, dann fange ich an zu heulen wie die arme Sibylle, du Arschloch! Herrje, habt ihr euch da eine fabelhafte Überraschung ausgedacht, Kinder! Hut ab! Aber was bedeutet, ihr wollt mich nicht betrügen? Was habt ihr denn die ganze Zeit getan? Willst du sagen, ihr wart noch nicht im Bett, Sibylle?«

»Ja-ha, das will ich sagen... Du weißt ja nicht, wie wir uns hier herumgequält haben! Aus dem Weg gegangen sind wir einander. Wenn der eine angerufen hat, hat der andere nicht abgehoben. Aber das hat alles nur noch schlimmer gemacht. Wir lieben uns, Danny, wir lieben uns...« Sie sieht ihn mit tränenüberströmtem Gesicht an. »Ich weiß nicht, wie das passieren konnte. Werner auch nicht. Zuerst haben wir uns gar nicht gemocht. Und dann plötzlich... Es ist mir ein Rätsel, Danny, ein vollkommenes Rätsel, aber es ist so: Ich liebe Werner, und er liebt mich – und ich liebe ihn mehr als dich, Danny, verzeih!«

»Verzeih, Blödsinn«, sagt Daniel. »Und was heißt Rätsel? Du willst Psychiaterin sein? Daß ich nicht lache, Rätsel! Liegt doch auf der Hand, daß es so kommen mußte. Da ist Werner. Ein mutiger Mann, den nichts umhaut. Der weiß, was er will. Der an was glaubt. Der was Schönes schafft... Und da ist Danny. Glaubt an gar nichts. Ist nicht mutig. Ist feige und schafft nichts Schönes und kann nichts – das heißt, etwas kann er schon: Tabletten fressen!«

»Das ist nicht wahr, Danny!«

»Natürlich ist es wahr«, sagt er. »Man kann ihm geben, was man will, er treibt Mißbrauch damit, abusus, wie der Lateiner sagen würde, er sagt's aber nicht...«

»*Danny!*« ruft sie. »Hör auf, du machst alles noch schlimmer damit!«

»*Kann* ich das?« fragt er verwundert. »*Noch* schlimmer?« Er schiebt den Teller fort. »Es war großartig, wie immer, Liebste. Aber vielleicht doch keine Scheibe mehr. Also, meinen herzlichsten Glückwunsch natürlich! Und daß ihr immer glücklich bleibt. Immer! Nicht nur für so eine kurze Zeit wie wir beide.«

»Ich halte das nicht mehr aus«, sagt Werner. »Ich muß an die Luft.«

»Ich auch«, sagt Sibylle.

»Laßt ihr mich mitkommen?« fragt Daniel. Jetzt ist auch er sehr ernst. »Bitte, laßt uns noch ein bißchen herumlaufen in der Stadt! Und dann fahren wir Werner zur Bahn, und ich bringe dich in den Turm zurück. Nicht herauf, hab keine Angst! Nur bis zum Eingang. Passiert soviel...«

Und so gehen sie durch das dunkle Wien und sprechen kaum ein Wort. Einmal hängt Sibylle sich bei beiden Männern ein, aber sie läßt es gleich wieder sein. Sehr warm ist es in dieser Nacht. Endlich kehren sie in die Lazarettgasse zurück. Daniel hat seinen Opel Admiral Sibylle überlassen, als er nach Rom mußte. Er steht auf dem Parkplatz.

»Ist dein Koffer schon drin?« fragt Daniel. Werner nickt. Daniel fährt. Sibylle sitzt neben ihm.

Beim Westbahnhof will Werner dann nicht erlauben, daß Daniel seinen Koffer trägt. Daniel tritt einen Schritt zurück und schlägt Werner die Faust ins Gesicht, so fest er kann. Dann packt er den

Koffer und geht damit los. Schon nach einer Minute, auf der großen Treppe, ist er in Schweiß gebadet. Er keucht wie eine Maschine. Das Herz klopft in seinen Ohren, seinen Augen, auf der Zunge. Er geht immer weiter. Und wenn ich verrecke, denkt er. Er schleppt Werners schweren Koffer den weiten Weg an den Waggons des Orient-Expreß entlang bis ganz nach vorn, so, wie er es immer getan hat. Er wuchtet den Koffer in den Flur des Waggons. Dann setzt er sich auf einen Gepäckkarren und wartet. Die beiden kommen lange Zeit nicht.

Als sie schließlich erscheinen, sagt Werner: »Wir können dir das nicht antun, Danny. Ich gebe meine Arbeit ab. Ich komme nicht mehr nach Wien.«

»Ihr habt ja eine Meise«, sagt Daniel und gleitet von dem Karren. »*Ich* bin es, der jetzt verschwindet. Heute nacht noch rufe ich Colledo in Frankfurt an, das ist mein Chef. Er soll mich zurück in den Sender holen. Tschüs, Werner, mach's gut!« Er schüttelt dem Freund die Hand. Dessen Kinn ist mittlerweile angeschwollen. »Tut mir leid, daß ich dich geschlagen habe«, sagt Daniel. Und zu Sibylle: »Ich warte im Wagen auf dich…«

Bis zwanzig Minuten nach Mitternacht sitzt er dann hinter dem Steuer. Ein alter Mann sammelt Zigarettenstummel vom Gehsteig auf. Daniel zählt die Stummel. Als er bei siebenunddreißig angelangt ist, setzt sich Sibylle neben ihn. Er startet den Wagen. Er fährt zum Allgemeinen Krankenhaus zurück. Vor dem Turm hält er und hilft Sibylle beim Aussteigen. An ihrer Seite geht er zu dem großen gläsernen Eingang und wartet, bis sie den Schlüssel in ihrer Manteltasche gefunden hat. Sie weint jetzt wieder.

»Nicht«, sagt Daniel, »bitte, nicht weinen, Liebste! Es war sehr tapfer, wie ihr euch betragen habt. Jetzt betrügt ihr mich nicht mehr, wenn ihr ins Bett geht.« Er nimmt ihren Kopf in beide Hände und küßt sie auf die Stirn. Danach schlägt er mit einem Finger ein Kreuz darüber.

»Was soll das?«

»Gott möge dich beschützen.«

»Du glaubst doch nicht an Ihn, mein armer Danny!«

»Ich nicht, aber du. Nun sperr schon auf!«

»Danke«, sagt Sibylle. »Danke, Danny! Ich werde dich nie vergessen.«

»Ich dich auch nicht, Liebling«, sagt er. »Und jetzt geh! Schnell! Bitte, geh schnell…«

Sie sieht ihn noch einmal an, dann läuft sie ins Haus hinein. Die schwere Glastür schließt sich langsam. Daniel blickt Sibylle nach, bis sie um die Ecke stolpert, hinter der sich die Lifts befinden. Dann geht er zu seinem Wagen zurück.

»Als sein Vater ihm den Film gezeigt hatte, rief Daniel mich sofort an und erzählte mir davon. Daraufhin flog ich mit der ersten erreichbaren Maschine nach Buenos Aires«, sagte Conrad Colledo. »Sie sind ja über alles informiert, Mister Corley. Sie wissen natürlich auch, daß Daniel und ich seit einundzwanzig Jahren Freunde sind und sehr lange miteinander gearbeitet haben.«

»Wo sind Sie abgestiegen?« fragte Wayne Hyde.

»Im NOGARO«. Colledo warf Hyde ein flaches Streichholzheftchen zu. »Da steht die Telefonnummer drauf. Sie können sich erkundigen.«

»Nur auf einen Anruf von Ross hin sind Sie nach Argentinien geflogen?« Hyde spielte mit dem Heftchen.

»Ich habe Ihnen ja gesagt, wir arbeiten seit vielen Jahren zusammen. Er besitzt mein unbedingtes Vertrauen. Als er mir erzählte, was er da hatte, flog ich natürlich sofort. Wären Sie nicht geflogen? Stecken Sie endlich die Pistole weg, das ist ja blödsinnig!« Hyde schob die Waffe in einen Schulterhalfter, nachdem er sie wieder gesichert hatte.

»Und weiter?« fragte er.

»Wenig weiter. Als Daniel und Mercedes – Frau Olivera – dann nach Ezeiza fuhren – der Vater war dabei –, um nach Europa zurückzufliegen, war auch ich am Airport. Ich flog gleichfalls zurück.«

»In derselben Maschine?«

»In derselben Maschine.«

»Wie haben Sie das mit der Filmübergabe gemacht?«

»Daniel nannte mir am Telefon die Kassettenmarke. Ich kaufte zwei Kassetten Disney-Filme der gleichen Marke. Ich hatte eine rote Flugtasche der AEROLINEAS ARGENTINAS, Daniel auch. Beim Einchecken standen wir nebeneinander. Wir haben einfach die Flugtaschen vertauscht.«

»Diese Scheißkerle!«

»Wer?«

»Ross und Frau Olivera wurden beobachtet.«

»Davon waren wir überzeugt. Es konnte wirklich kein Mensch bemerken, daß wir die Taschen wechselten. Wir hatten sie schon vertauscht auf das Bord des Ticketschalters gestellt. Um es kurz zu machen, Mister Corley: Ich brachte die richtigen Kassetten also nach Frankfurt. Fuhr sofort damit hinauf nach Königstein. Was danach geschah, werde ich Ihnen natürlich nicht erzählen.«

Es entstand eine Pause.

Hyde stand auf und ging zum Schreibtisch.

»Was wollen Sie?« fragte Colledo.

»Telefonieren, wenn Sie gestatten.« Hyde nahm den kleinen Decoder aus einer Tasche, hob den Hörer ab und wählte die Londoner Nummer von Morleys Anrufbeantworter. Nachdem die Stimme des Anwalts sich gemeldet hatte, hielt Hyde den Decoder an die Muschel und wartete, bis die drei Pfeiftöne den Beantworter präparierten. Morleys Stimme vom Band klang nervös: »Zweiundzwanzigster Februar vierundachtzig, achtzehn Uhr fünfzig mitteleuropäischer Zeit. Mister Hyde! Mister Hyde, wo immer Sie sind, was immer Sie tun oder zu tun beabsichtigen: Unternehmen Sie nichts! Ziehen Sie sich augenblicklich von allem zurück. Nehmen Sie sich ein Zimmer in einem Hotel und verlassen Sie es nicht, bevor Sie von mir neue Weisungen erhalten haben. Ich erfahre soeben, daß sich die zwei Filmkassetten im Besitz des Senders Frankfurt befinden. Ein Mann namens Conrad Colledo hat sie von Buenos Aires nach Deutschland gebracht. Damit ist die Lage vollkommen verändert. Meine Auftraggeber beraten über das weitere Vorgehen. Rufen Sie mich um dreiundzwanzig Uhr mitteleuropäischer Zeit wieder an. Ich hoffe, Ihnen dann schon mehr sagen zu können. Das ist alles. Ende.«

Wayne Hyde legte den Hörer zurück auf den Apparat, nahm den Dufflecoat von einem Fauteuil und verließ ohne ein einziges Wort, und ohne Mercedes oder Colledo auch nur noch einmal anzusehen, die Wohnung. Colledo ging zu einem Fenster, durch das er auf die Straße hinausblicken konnte. Er sah Hyde in einen grauen BMW einsteigen. Der BMW fuhr los. Colledo kehrte in das Arbeitszimmer zurück.

»Erzählen Sie mir, was inzwischen geschehen ist, Conrad«, sagte Mercedes. »Ich muß es wissen. Danny auch.«

Colledo setzte sich.

»Na ja, ich fuhr also mit den Kassetten zum Sender. Herr von Karrelis erwartete mich. Das ist der Intendant. Dann war noch Hans Kleinhals da, der Chefredakteur, dazu unser Justitiar und zwei Leute aus der Rechtsabteilung. Wir gingen in eine Vorführung und sahen uns den Film an. Zuerst waren alle ungeheuer skeptisch.«

»Wieso?«

»Wir hielten den Film natürlich für eine Fälschung.«

»Er ist keine Fälschung! Er ist echt!« Mercedes fuhr auf.

»Bitte«, sagte Colledo. »Bitte, Mercedes. Sie sind davon überzeugt, daß er echt ist. Weil Sie Ihrem Stiefvater glauben. Natürlich auch, weil Sie so sehr wünschen, er möge echt sein. Die Männer im Sender sind abgebrüht. Sie haben schon die unglaublichsten Dinge erlebt, vor allem die von der Rechtsabteilung. Es gehört zu ihrem Beruf, mißtrauisch zu sein. Wenn dieser Film echt ist – er wäre die größte Sensation in der Geschichte des Fernsehens.«

»Das ist er auch! Das ist er auch!«

»Mercedes...« Colledo machte eine hilflose Bewegung. »Sie wollen wissen, was geschah. Ich erzähle es Ihnen. Am negativsten äußerte sich zunächst Hans Kleinhals, der Chefredakteur. Er meinte, der Film gehöre überhaupt in die Abteilung Unterhaltung. Die Anwälte warnten. Dann erzählte ich alles über Herkunft und Geschichte des Films, was mir Danny in Buenos Aires am Telefon erzählt hat. Da wurden sie nachdenklicher. Karrelis hatte endlich einen Vorschlag, den alle akzeptierten.«

»Nämlich welchen?«

»Den Film in eine gewaltige Dokumentation einzubetten und ihn in mehreren Teilen auszustrahlen. Alles zu versuchen, um herauszufinden, ob er eine Fälschung ist oder nicht. Unsere besten Leute loszuschicken. Alle ihre Recherchen, alles, was sie an Beweisen oder Zeugen für oder gegen die Echtheit des Films finden, zu einem Bestandteil der Dokumentation zu machen. Und dieses ganze Dokumentationswerk dann mitsamt dem Film zu senden – egal, ob die Recherchen ergeben, daß er echt oder daß er gefälscht ist. Der Brocken, den wir da haben, ist einfach zu gewaltig, als daß man ihn so liegen lassen kann. Und auf diese Weise wird es nach allen gesetzlichen Bestimmungen möglich, den Film auszustrahlen – und eben wirklich Fernsehgeschichte zu machen. Danny ist selbstverständlich wieder bei uns. Die Diskussion dauerte bis zum Morgen. Es folgten Gespräche mit dem Kanzler in Bonn, mit dem Außenminister.«

»Warum das?«

»Weil wir fair sein wollen. Nach dem Grundgesetz und nach dem Rundfunkgesetz darf die Regierung keinerlei Einfluß auf die redaktionelle Arbeit der Sender, insbesondere auf den Nachrichtenapparat, nehmen. Das darf nur der Rundfunkrat der ARD.«

»Was ist das?«

»Die Abkürzung der ›Arbeitsgemeinschaft der Rundfunkanstalten Deutschlands‹. Wir gehören zur Sendergruppe der ARD. Deshalb bat Karrelis den Vorsitzenden des Rundfunkrates noch nachts nach Königstein. Er zeigte ihm den Film. Danach wurde Kleinhals, der Chefredakteur, hinzugezogen. Die drei konferierten kurz. Dann gab der Vorsitzende des Rundfunkrats grünes Licht.«

»Und der Kanzler?« fragte Mercedes. »Und der Außenminister?«

»Karrelis ist heute vormittag nach Bonn geflogen. Er wurde von einer Maschine der Bundeswehr abgeholt. Karrelis hatte am Telefon angekündigt, daß es sich um eine Angelegenheit von weltweiter Bedeutung handelt. In Bonn berichtete er dann dem Kanzler und dem Außenminister.«

»Und?«

»Beide waren tief besorgt. Sie baten Karrelis, den Film noch zurückzuhalten. Sie wollten Verbindung mit dem amerikanischen Verbündeten und der Kremlführung aufnehmen. Wenn dieser Film echt ist, dann kann seine Ausstrahlung unübersehbare politische Folgen haben. Weltpolitische.«

»Er *ist* echt!«

»Ja, Mercedes, ja. Vielleicht. Vielleicht nicht«, sagte Colledo. »Wir werden das feststellen. Dazu brauchen wir Zeit. Also konnte der Intendant in Bonn versprechen, den Film noch zurückzuhalten. Mehr versprach er nicht. Natürlich hätten Kanzler und Außenminister den Film am liebsten beschlagnahmen lassen. Das wäre dann die letzte Amtshandlung von Außenminister und Kanzler gewesen, und das wußten sie.« Colledo sah Mercedes an. »All dies und was noch kam, dauerte so lange, daß ich es nicht mehr zum Flughafen schaffte.«

Mercedes nickte.

»Sie werden das auf irgendeine Weise Danny mitteilen können?«

»Ja. Was kam noch?« fragte Mercedes.

»Karrelis kehrte heute nachmittag zurück. Wir mußten gleich mit der Dokumentation beginnen, also allerhand aufbauen und den Intendanten schminken. Schließlich rief er die amerikani-

sche und die sowjetische Botschaft in Bonn an. Beim amerikanischen Botschafter dauerte es nur knapp zwanzig Minuten, bis
der Herr sich an den Apparat bemühte. Der Intendant hatte in
der Zwischenzeit mit drei anderen Herren gesprochen, bis er
endlich mit dem Botschafter sprechen konnte...«

»Exzellenz, mein Name ist Emanuel von Karrelis. Ich bin Intendant des...«
»Okay, okay«, sagte die Stimme des Botschafters in breitem
Amerikanisch. »Das hat man mir schon mitgeteilt. Sie scheinen
außerordentlich erregt zu sein, Herr von Karrelis. Wenn ich
recht verstanden habe, geht es um einen Film, der in Ihren Besitz
gelangt ist.«
»Ich *bin* außerordentlich erregt, Exzellenz. Das wären Sie auch,
wenn Sie den Film gesehen hätten. Präzise gesagt: den Videofilm.«
»Ich habe keine Ahnung, wovon Sie sprechen«, sagte der Botschafter.
»Natürlich nicht. Die drei Herren, mit denen ich vor Ihnen
sprach, haben auch keine Ahnung. Ich meine das ganz im Ernst.
Sie alle *können* gar keine Ahnung haben. Bescheid wissen nur Ihr
Präsident und der Staatschef der Sowjetunion sowie deren engste
Mitarbeiter. Ihre Herren riefen bei mir im Sender zurück, um
sicher zu sein, daß sie nicht das Opfer einer Mystifikation waren.
Erst danach erzählte ich ihnen, was für ein Film das ist. Man
versprach, Sie zu unterrichten. Hat man das nicht getan, Exzel-
lenz?«
»Doch.«
»Nun also.«
»Hören Sie, das Ganze ist reiner Wahnsinn. So einen Film gibt es
nicht.«
»Ich habe ihn – und eine Kopie – hier im Sender, Exzellenz.«
»Wahnsinn.«
»Ja, das sagten Sie schon. Ich schlage vor, Sie setzen sich umge-
hend mit Ihrem Präsidenten in Verbindung. Der deutsche Bun-
deskanzler hat es wahrscheinlich schon getan. Ihr Präsident wird
Ihnen erklären können, um was für einen Film es sich handelt
und was auf dem Spiel steht. Moment, Exzellenz! Ich habe Ihnen
noch etwas zu sagen, das Sie bitte dem Präsidenten wiederholen
wollen. Wir sind entschlossen, diesen Film zu senden...«
»Ich glaube, wir beenden das Gespräch.«

»Das glaube ich nicht. Diesen Film zu senden, sage ich, sobald wir alle nur menschenmöglichen Recherchen hinsichtlich seiner Echtheit angestellt haben. Es geht hier nicht um die lächerlichen gefälschten Hitler-Tagebücher. Es geht hier – so oder so – um das riskanteste politische Objekt seit Kriegsende. Wir sind uns durchaus der ungeheueren Verantwortung bewußt, die nun auf uns lastet. Wir besitzen hervorragende Rechercheure. Sie werden Beweise und noch lebende Zeugen dafür finden, daß dieser Film echt oder eine Fälschung ist.«

»Natürlich ist er eine Fälschung.«

»Oh, Sie kennen ihn also doch?«

»Nach dem, was meine Leute mir berichtet haben. Allein die *Idee* eines solchen Films ist absurd.«

»Da muß ich Ihnen zustimmen, Exzellenz. Bitte, hören Sie jetzt gut zu: Sollte sich herausstellen, daß die Nazis – oder andere Interessenten – den Film gefälscht haben, werden wir ihn gleichfalls senden. Mit allen Zeugenaussagen und Beweisen, welche die Fälschung belegen. Wir werden auch bekanntgeben, woher wir den Film haben. Wir werden dem Zuschauer alle Begleitumstände zeigen, er wird wirklich alles sehen. Zum Beispiel mich, eben jetzt.«

»Was heißt das?«

»Das heißt, Exzellenz, daß zwei Kameras mich hier aufnehmen, während ich mit Ihnen spreche. Auch unser Gespräch wurde von Anfang an mitgeschnitten. Wir werden jeden unserer Schritte dokumentieren können, wenn wir den Film ausstrahlen. Auf keinen Fall werden wir irgend etwas manipulieren. Dazu ist die Sache weiß Gott zu ernst. Wenn sich herausstellt, daß der Film eine Fälschung ist, kann das nur eine enorme Stützung der politischen und moralischen Macht Ihres Landes bedeuten.«

»Unverschämtheit!«

»Ich bin überzeugt, auch bei Ihnen läuft ein Tonbandgerät, das unser Gespräch aufzeichnet. So können Sie Washington das Band vorspielen. Ich komme jetzt nämlich zu einem besonders wichtigen Punkt: Ich könnte mir vorstellen, Exzellenz, daß Sie – ich meine natürlich für derartige Aktionen speziell ausgebildete Personen – nun versuchen werden, die Kassetten in Ihren Besitz zu bringen. Wenn es nicht anders geht, durch Mord und Terror. Aus dem Sender bekommen Sie die Kassetten freilich nicht einmal mit dem tollkühnsten Kommandounternehmen heraus. Es wäre jedoch möglich, daß jemand auf den Gedanken verfällt,

einen oder mehrere der auf unserer Seite mit diesem Film Beschäftigten – Redakteure oder Rechercheure etwa – oder deren Angehörige als Geiseln zu nehmen und eine Erpressung zu versuchen.«
»So, jetzt habe ich genug, ich lege auf.«
Karrelis sprach ohne Pause weiter: »Sie werden nicht auflegen, Exzellenz. Zu den besonders exponierten Personen in diesem Zusammenhang zählen Herr Eduardo Olivera in Buenos Aires, sein Sohn Daniel Ross, seine Stieftochter Mercedes Olivera, der Chefredakteur Hans Kleinhals, der Hauptabteilungsleiter Conrad Colledo und ich. Ich habe die Namen schon einem Ihrer Herren genannt, er hat sie aufgeschrieben... Bitte, lassen Sie mich zu Ende sprechen, Exzellenz. Wie gesagt: Wir beabsichtigen, dieses Filmdokument erst nach genauester Prüfung und unter Bekanntgabe aller Prüfungsergebnisse zu senden. Sollte einem der soeben Genannten oder einem einzigen anderen Menschen, der mit diesem Film zu tun hat oder zu tun haben wird, in der Zwischenzeit etwas zustoßen – Entführung, Geiselnahme, Mord, Morddrohung –, dann werden wir, und ich bitte, nun auf meine Worte besonders zu achten, Exzellenz, den Film *sofort* ausstrahlen, ohne weitere Recherchen! Dafür aber mit ausführlichen Berichten darüber, was Sie getan haben, um eine Ausstrahlung zu verhindern. Sie verstehen, ja? Sie haben es auch auf Band. Der Film ist unser aller Lebensversicherung. Exzellenz, nehmen Sie bitte den Ausdruck meiner vorzüglichen Hochachtung entgegen!« Karrelis legte auf. Dann rief er die Sowjetbotschaft in Bonn an.

Nachdem er seinen Namen und seine Position genannt hatte, erfuhr er, daß der sowjetische Botschafter in Moskau war. Wie lange? Völlig unbestimmt. Der Intendant bat, mit seinem Stellvertreter verbunden zu werden.
»Bedaure, ist mitgeflogen zur Berichterstattung.«
»Geben Sie mir den Ersten Sekretär.«
»Worum handelt es sich?«
»Das werde ich dem Ersten Sekretär sagen.«
»Der Herr Erste Sekretär ist in einer Konferenz. Darf nicht gestört werden.«
So ging das weiter. Karrelis gelang es schließlich, den Presseattaché an den Apparat zu bekommen. Er begann – wieder in englischer Sprache – dasselbe zu berichten wie beim Gespräch mit dem amerikanischen Botschafter.

»Gibt keinen solchen Film«, erklärte der Presseattaché anschließend.

»Ich habe ihn selbst gesehen.«

»Dann handelt es sich um eine amerikanische Fälschung.«

Der Intendant ließ sich nicht beirren. Er empfahl dem Attaché, sich schnellstens mit Moskau in Verbindung zu setzen.

»Amerikanische Infamie. Wir werden sofort eine internationale Pressekonferenz einberufen.«

»Ich bezweifle, daß Sie das tun werden, Herr Attaché.« Karrelis wiederholte alles, was er dem amerikanischen Botschafter gesagt hatte. Eindringlich warnte er vor gewalttätigen Maßnahmen gegen jeden einzelnen der zahlreichen Menschen, die mit dem Film zu tun hatten, beziehungsweise deren Angehörige.

»Wir würden dann *sofort* senden, ohne Recherchen abzuwarten. Aber wir würden im Detail schildern, auf welche Weise Sie versucht haben, eine Ausstrahlung zu verhindern. Herr Attaché, ich bitte Sie, den Ausdruck meiner vorzüglichsten Hochachtung entgegenzunehmen!«

»Das geschah also heute am Spätnachmittag«, sagte Conrad Colledo. Er stand auf und ging zu einem kleinen Barschrank. »Gut, daß Danny ein paar Flaschen im Haus hat, auch wenn er selbst kaum trinkt«, sagte er. »Ich brauche jetzt einen Whisky.«

»Ich auch«, sagte Mercedes.

»Auch Whisky?«

»Ja. Pur. Mit Eis. Warten Sie, ich hole es.« Sie ging in die Küche und brachte bald darauf ein silbernes Eiskübelchen. Mit einer Silberzange ließ sie Eiswürfel in beide Gläser fallen.

»Cheers!« sagte Colledo.

Sie tranken.

»Gott stehe uns bei«, sagte Mercedes. »Wir haben uns mit den beiden größten Mächten der Welt angelegt.«

»Sie sind doch bereit, jedes Risiko auf sich zu nehmen, wenn es dem Frieden hilft, hat mir Danny erzählt.«

»Ja«, sagte Mercedes. »Aber Angst habe ich trotzdem.«

»Die andern auch – wenn das ein Trost ist«, sagte Colledo und trank wieder.

»Ja«, sagte Mercedes. »Jetzt haben alle Angst.«

Wayne Hyde hatte sich ein Zimmer in einem Hotel der Innenstadt genommen. Er packte seine Kleidersäcke aus und setzte sich auf das Bett. Dann wählte er eine lange Nummer, die mit den Zahlen oo 13 12 begann, der Vorwahl für Chicago.

Die dünne, zittrige Stimme einer alten Frau meldete sich, als die Verbindung zustande kam.

»Ja?«

»Hallo, Ma, hier ist Wayne.«

»Oh, Wayne!« Seine Mutter lachte selig. »Ich habe schon so gewartet! Du hast gesagt, du wirst heute anrufen.«

»Tue ich ja, Sweetheart! Ging nicht früher, leider. Wahnsinnig viel zu tun.«

»Wo bist du? Immer noch in Rom?«

»Immer noch, ja. Die Verhandlungen ziehen sich hin.«

»Mein guter Junge, ach bin ich froh, deine Stimme zu hören!«

»Du hörst sie zweimal die Woche, Ma.«

»Ja, gewiß. Aber du bist doch alles, was ich habe. Ich liebe dich so, Wayne.«

»Und ich dich. Du bist auch alles, was ich habe, Ma.« Er fuhr sich mit der Hand durch das sehr kurze blonde Haar.

»Danke für die Blumen!«

»Haben sie anständige geliefert?«

»Wunderschöne! Noch nie habe ich so herrliche Orchideen bekommen. Lauter Rispen! Du bist verrückt, Junge.«

»Total verrückt. Das habe ich schriftlich. Sie sind bestimmt okay, die Orchideen, Ma? Bei Überseeaufträgen weiß man ja nie.«

»Du nimmst doch immer dasselbe Geschäft hier, Schatz. Mister Kleene ist ein ehrlicher Mann. Er freut sich immer mit mir, wenn Blumen kommen. ›Sie haben einen wunderbaren Sohn, Mrs. Hyde‹, sagt er. ›Wie der Sie lieben muß!‹«

»Mister Kleene hat recht. Wie geht es dem Bein?«

»Doktor Hailey sagt, es wird noch lange dauern, bis ich aufstehen kann. Es war ein sehr komplizierter Bruch. Und in meinem Alter wachsen die Knochen einfach nicht mehr zusammen. Ich werde wohl nie mehr laufen können.«

»Das sagt der *Arzt*?«

»Das sage ich.«

»Sag das *nie* wieder! Was für ein Unsinn! Hailey ist der beste Mann, den wir in Chicago kriegen konnten. Natürlich wirst du wieder laufen können! Ich bete für dich, Ma, jede Nacht. Ehrlich. Jede Nacht bitte ich Gott, daß es schnell heilt, dein Bein.«

»Mein ein und alles. Ich bete auch für dich. Daß du Erfolg hast und gesund bleibst.«

»Wir zwei«, sagte Hyde. »Was machst du gerade? Fernsehen? Es wird ja jetzt Abend bei euch, wie?«

»Ein Tanzturnier sehe ich. Du weißt doch, ich bin verrückt nach Tanzturnieren. Wie die Menschen schreiten und gleiten, wie sie sich drehen, wie schön ist das! Ich war doch auch einmal eine sehr gute Tänzerin, nicht? Und jetzt muß mir das mit dem Bein passieren. Ach, Liebster…«

»Alles wird wieder gut. Ist die Krankenschwester okay?«

»Großartig. Aber teuer. Du gibst so viel Geld für mich aus, Wayne!«

»Für wen sonst?«

»Wenn die Bank dich nur nicht immer in der Welt herumschikken würde, Wayne.«

»Geht nicht anders, Ma. Das ist ein Top-Vertrauensposten, den ich da habe. Große Verantwortung.«

»Ja, gewiß. Ich bin auch sehr stolz auf dich. Aber es dauert manchmal so lange, bis du wieder bei mir bist. Wie lange wird es diesmal dauern?«

»Kann ich nicht sagen, Ma. Noch eine ganze Weile, fürchte ich. Aber wenn ich heimkomme, machen wir Ferien. Raus aus dem dreckigen Chicago. Wir fliegen nach Hawaii.«

»Du hast den Verstand verloren!«

»Wir fliegen nach Hawaii und wohnen im teuersten Hotel in der schönsten Suite und haben Sand und Sonne und blaues Meer – und einander.«

»Aber ich kann doch nicht laufen – mit meinem Bein.«

»Kaufen wir einen elektrischen Rollstuhl. Die Krankenschwester kommt mit. Keine Widerrede! Alles schon beschlossen. So, und jetzt muß ich Schluß machen, Ma. Ich umarme dich ganz innig. Paß auf dich auf, hörst du?«

»Und du auf dich, Darling. Daß dir nichts passiert. Die Zeiten sind so furchtbar geworden. Überall Gangster und Totschläger. Bitte, sei vorsichtig. Auch mit Frauen. Es gibt so viele schlechte Frauen.«

»Für mich gibt es nur dich, und das weißt du. Großen, dicken Kuß, Ma! In drei oder vier Tagen rufe ich wieder an. Wieder gegen Abend. Leb wohl, Ma!«

Hyde legte auf, hob wieder ab und wählte eine Zahl. Es meldete sich der Etagenservice. Hyde nannte seine Zimmernummer.

»Bringen Sie mir ein Steak mit Pommes frites und grünen Bohnen«, sagte er. »Das Steak medium. Und eine Flasche Mineralwasser. Danke.«

Eine Viertelstunde später erschien ein Kellner mit einem Servierwagen und der Mahlzeit, die Hyde bestellt hatte. Er aß mit Genuß und trank ein Glas Wasser dazu. Zuletzt nahm er die Flasche und das Glas vom Wagen und stellte beides auf ein Tischchen. Den Wagen rollte er in den Gang hinaus. An die Klinke hängte er das Schild NICHT STÖREN. Es war genau 23 Uhr, als Hyde Roger Morleys Nummer in London wählte und die Blockierung des automatischen Beantworters mit Hilfe seines kleinen Decoders aufhob.

Die Stimme des Anwalts ertönte: »Zweiundzwanzig Uhr fünfundvierzig am zweiundzwanzigsten Februar vierundachtzig. Tut mir leid, Mister Hyde. Man berät noch. Unternehmen Sie nichts. Bleiben Sie, wo Sie sind! Rufen Sie mich um zwei Uhr früh mitteleuropäischer Zeit wieder an. Bis dahin weiß ich mehr. Alles Gute! Ende.« Das Band hielt mit einem leisen Schnappen. Hyde goß sich Wasser ein und nahm das Buch zur Hand, das auf dem Telefontischchen lag. Der Sessel war bequem. Das Licht einer Stehlampe fiel auf die Seiten. Er trank langsam. Er las langsam und aufmerksam:

»So reich bin ich, ein Wunderschlüssel kann / Mich führen zu dem lieblichsten Besitze. / Doch nur an seltnem Tag brech' ich den Bann, / Damit nicht stumpf wird des Genusses Spitze...«

Conrad Colledo half Mercedes beim Packen. Sie nahmen zwei Koffer, denn Daniels Winterkleidung war schwer und brauchte mehr Platz.

»Sie kommen mit mir und übernachten heute bei uns, Mercedes! Ich habe schon alles mit meiner Frau besprochen«, sagte Colledo. »Sonst hätte ich keine ruhige Minute.«

»Aber ich habe doch jetzt meine ›Lebensversicherung‹!«

»Trotzdem«, sagte er. »Wir wissen nicht, was sie im ersten Schreck tun... Nein, bitte, widersprechen Sie nicht! Sie kommen mit!« Er trug das Gepäck zu seinem Wagen. Beim Fahren setzte er eine Brille auf. Es war ein gutes Stück Weg. Colledo wohnte in der Siesmayerstraße am großen Grüneburgpark neben dem Palmengarten. Das erzählte er Mercedes, als er startete. Und übergangslos: »Lisa – meine Frau – ist letzten Sommer im Garten unglücklich gestürzt. Direkt in die Messer eines Rasenmähers. Sehnen an beiden Handgelenken zerschnitten. Sechs Operationen. Man sieht kaum etwas. Aber vieles kann sie nicht mehr mit den Händen tun.«

Lisa Colledo war eine kleine, zarte Frau mit blondem Haar und blauen Augen. Sie begrüßte Mercedes herzlich. Ihre Hände waren eiskalt. Im Speisezimmer der modern eingerichteten Villa sah Mercedes einen gedeckten Tisch.

»Du hast gesagt, daß es wahrscheinlich spät wird, Conny. Theres hat Gulasch gekocht. Zwanzig Minuten, und wir können essen.«

Im ersten Stock gab es ein Gästeappartement mit Bad und Telefon. Mercedes duschte, dann zog sie das andere Kostüm an und ging wieder hinunter. Die Köchin Theres war eine Frau von gewiß sechzig Jahren, mit einem freundlichen Gesicht und einem prächtigen falschen Gebiß. Sie servierte und füllte Lisas Teller. Colledo schnitt ihr das Fleisch klein.

»Conny hat Ihnen schon erzählt, ja?« Lisa sah zuerst Mercedes an und dann auf ihre Hände. Mercedes nickte. »Es ist zu dumm. So viele Dinge sind noch möglich. Und andere, ganz einfache, nicht mehr. Ich könnte zum Beispiel durchaus Auto fahren. Ich kann es nicht, weil ich die Tür nicht aufkriege, wenn ich aussteigen will. Meine Schrift hat sich überhaupt nicht verändert. Professor Eichholz meint, es wird wieder ganz gut werden. Schmeckt Ihnen das Gulasch? Theres ist Wienerin. Es wird natürlich nie mehr gut. Ich kann nicht einmal Butter auf ein Brötchen schmieren«, sagte sie nun leise.

Colledo hatte Mercedes während der Fahrt erklärt, daß er seine Frau nicht über das informiert habe, was vorging. Es gebe nur besonders viel zu tun im Augenblick, und Mercedes sei eine Freundin Daniels aus Brasilien, eben in Frankfurt gelandet, um ihn zu besuchen. Er mache doch diese Entziehungskur in der Nähe von Wien.

»Morgen fliegt Mercedes weiter, Danny wird sich sehr freuen.«

»Danny!« Lisa lächelte, als nun die Rede auf ihn kam, und plötzlich hatte ihr Gesicht die Lieblichkeit eines jungen Mädchens. »Ein so alter Freund von uns! Ein so feiner Kerl! Mein Mann und er arbeiten seit einer Ewigkeit gut zusammen...«

Mercedes sah Colledo an. Der schloß kurz die Augen. Seine Frau wußte also auch nicht, daß Daniel entlassen und wieder angestellt worden war. Colledo schien alles von ihr fernzuhalten.

Die Wiener Köchin kam und ging.

»Prima, das Gulasch, Theres.«

»Dank schön, gnä' Herr. Gibt noch Sorbet. Ham gnä' Herr doch so gern! Die Dame auch?«

»Besonders«, sagte Mercedes.

»No, das is aber fein!«

Nach dem Essen saßen sie noch eine halbe Stunde vor dem Kamin im Wohnzimmer. Mächtige Scheite brannten. An den Wänden der Räume hatte Mercedes zahlreiche Bilder gesehen – immer mit dem gleichen Motiv, einem kleinen Mädchen. Es spielte. Es schlief. Es lief. Über dem Kamin hing ein Portrait, auf dem das kleine Mädchen lachte. Lisa bemerkte Mercedes' Blick.

»Wir hatten ein Kind«, sagte sie. »Es ist gestorben. Mit dreizehn Jahren. Im letzten Sommer.«

Colledo sagte: »Alle Bilder von Kathi hat meine Frau gemalt. Sie ist unerhört begabt.«

»Ja, wirklich«, sagte Mercedes.

»Ach nein«, wehrte Lisa ab. »Und jetzt könnte ich gar nicht mehr malen. Ich will auch nicht. Ich habe alle anderen Bilder vernichtet, als... Kathi starb. Nur die von ihr habe ich aufgehoben.« Sie begann plötzlich zu weinen. Colledo legte einen Arm um ihre Schultern und redete tröstend auf sie ein.

»Es ist eine solche Gemeinheit!« sagte Lisa zu Mercedes. »Wie kann Er so etwas zulassen? Ein so gutes Kind. ›Mein Engerl‹, hat Theres sie immer genannt. Nein, es gibt Ihn nicht...« Sie verbarg ihr Gesicht an Colledos Hals. Der sah Mercedes an, flehend war sein Blick.

Die Handgelenke zerschnitten. Von den Messern eines Rasenmähers. Nie und nimmer, dachte Mercedes. Nimmer und nie. Das war ein anderes Messer...

Sie gingen bald schlafen.

»Wenn Sie jetzt Ihren Vater anrufen wollen«, sagte Colledo, schon bei der Treppe. »Drüben ist es erst halb acht.«

»Ja, danke«, sagte Mercedes.

Auch in ihrem Zimmer hing ein Portrait des kleinen Mädchens. Mercedes setzte sich auf das Bett, neben dem der Telefonapparat stand. Sie wählte die lange Nummer. Ihr Stiefvater meldete sich gleich.

»Olivera!«

»Vater, hier ist Mercedes.«

»Ich warte seit gestern.« Seine Stimme klang unruhig. »Etwas passiert?«

»Alles in Ordnung.«

Goldblondes Haar hatte das kleine Mädchen und blaue Augen. Auch auf diesem Bild lachte es.

»Wo ist Daniel?«

»Noch im Sender«, log Mercedes.

»Von wo sprichst du? Kann auch niemand mithören?«

»Wir wohnen bei Freunden von ihm, niemand kann mithören.« Das kleine Mädchen auf dem Bild hielt den Kopf hochgehoben.

»Na und? Was ist? Mein Gott, nun rede doch schon!«

»Sie sind überwältigt. Sie werden den Film senden. Vorher müssen sie die Sache natürlich ganz genau prüfen – das hat dir schon Danny gesagt.«

»Jajaja. Und bezahlen sie den Preis?«

»Grundsätzlich sind sie dazu bereit.«

»Was heißt grundsätzlich?« Seine Stimme wurde laut. Über Tausende von Kilometern, über Urwälder und Steppen, über ein Weltmeer hinweg fühlte sie, wie er immer zorniger wurde, immer mehr die Fassung verlor.

»Vater... Ich bitte dich... Wir sind erst *einen* Tag hier. Das ist eine ungeheure Summe, die du verlangst... Das ist eine ungeheure Sache, auf die sie sich einlassen... Denk an den weltweiten Skandal! Sie müssen Nachforschungen anstellen, sie müssen sich absichern...«

»Du weißt, was die Leute da in der Hand haben. Natürlich werden die andern nun alles versuchen, den Film als Fälschung hinzustellen... Sie werden Zeugen bestechen, damit diese falsche Aussagen machen und lügen...«

»Eben! Und um alle Zeugen für und wider die Echtheit zu finden, brauchen sie im Sender Zeit.«

»Wieviel Zeit?«

»Das weiß ich nicht... Mein Gott, Vater! Sie haben das Material eben erst bekommen! Sie fangen gerade mit Recherchen an.«

»Und bevor die nicht abgeschlossen sind, zahlen sie nicht.«

»Nein«, sagte Mercedes hart. So hatte sie ihren Vater noch nie erlebt. Wollte er nicht wie sie mit dem Film die Menschen wachrütteln? Einen entsetzlichen neuen Krieg verhindern? Ging es ihm plötzlich nur um Geld? Mercedes war verblüfft und erschüttert. »Nein«, sagte sie nochmals, »vorher zahlen sie nicht.« Was war mit ihrem Vater geschehen?

Ein dunkelrotes Kleid trug das kleine Mädchen auf dem Bild.
Am Telefon kam keine Antwort.
»*Vater!*«
»Ja.«
»Warum sagst du nichts?«
»Weil... So habe ich das nicht mit Daniel verabredet. Also, sie
zahlen erst, wenn sie ihre Untersuchungen beendet haben. Das
kann einen Monat dauern, wie? Hörst du mich? Ich habe gesagt:
Das kann einen Monat dauern, wie?«
»Ich weiß es nicht, Vater. Ja, vielleicht einen Monat... Vielleicht
auch länger...«
»*Länger?*« Jetzt klang seine Stimme hysterisch. »Hör mal zu,
Mercedes: Ein Monat ist das absolute Maximum, das ich ihnen
gebe. Wenn sie in einem Monat noch nicht bezahlt haben – den
ganzen Betrag –, dann können sie die Sache vergessen. Dann tue
ich, was ich Daniel erklärt habe. Er soll es dir sagen. Er soll es
seinen Leuten sagen.«
»Du tust gar nichts, Vater! *Bitte!* Du bringst dich in Lebensgefahr – und eine Menge Menschen dazu. Ich flehe dich an!«
»Lebensgefahr! Ich *kann* nicht länger als einen Monat warten.
Ich *will* nicht länger als einen Monat warten. Damit müssen sich
die Herren abfinden. Ich rufe in drei Tagen an – wo erreiche ich
euch?«
»Das weiß ich nicht, Vater. Wir werden jetzt dauernd unterwegs
sein. Wir melden uns bei dir.«
»Meinetwegen. Aber wenn ich nicht die feste Zusage bekomme,
daß der gesamte Betrag spätestens in einem Monat überwiesen
wird, gehe ich eigene Wege.«
»Vater, ich bitte dich...«
»*Gehe ich eigene Wege!*« brüllte er. Danach wurde seine Stimme
wieder normal: »Gute Nacht, mein Kind!« Schon war die Verbindung unterbrochen.
Mercedes legte den Hörer auf und saß reglos da. Sie starrte das
Portrait des kleinen Mädchens an, das auf dem Bild so herzlich
lachte und im Leben so elend gestorben war.
Eigene Wege geht er, dachte Mercedes. Wohin führen die ihn?
Kalt und klebrig hielt sie plötzlich wieder die Angst gepackt. Sie
vergrub das Gesicht in den Händen.

Der Anwalt Roger Morley in London legte ebenfalls den Telefonhörer auf. Er hatte fast zwei Stunden mit verschiedenen

Kontaktleuten gesprochen und machte einen erschöpften Eindruck. Jetzt lehnte sich der kleine Mann mit dem rosigen Gesicht, den Pausbacken, dem runden Mund, den Mäusezähnchen und dem wirren grauen Haar in dem bequemen Sessel seines Kanzleibüros zurück und faltete die Händchen über dem Spitzbauch. Es war 1 Uhr 10 morgens. In der Chancery Lane hupte ein Auto, lange und enervierend. Dann war es wieder still. Morley tupfte sich mit einem Seidentuch die Stirn trocken. Ich bin ein alter Mann, dachte er betrübt. Dann erhellte sich sein Gesicht. *Tee!* Was er jetzt brauchte, das waren ein paar Tassen guten Tees.

Schwungvoll erhob er sich und eilte mit trippelnden Schritten in die Kitchenette. Dort füllte er einen Kessel voll Wasser und stellte eine Herdplatte an. Nachdenklich betrachtete er die lange Reihe von bunten Blechdosen, die auf einem Bord über dem Herd standen. Was nehmen wir am besten? »Flowery Orange Tea«? »China Jasmin with Flowers«? O nein, wir nehmen einmal einen »Finest China Keemun«, blumig-zart! Roger Morley bereitete das Getränk, das ihm Erleichterung von des Tages Plagen bringen sollte, mit der Versunkenheit eines großen Dirigenten. Er trug zusammen, was er brauchte. Auf einem Silbertablett brachte er alles zu seinem Schreibtisch. Zuerst legte er drei Stück Kandiszucker in die Tasse aus dünnem Chinaporzellan. Dann goß er sie halb voll Tee. Dann verdünnte er ihn mit heißem Wasser. Er wartete und sog den Duft des »Finest China Keemun« ein.

Endlich trank er. Das glückliche Lächeln eines Babys erhellte sein Gesicht.

Ach ja, so schmeckte das eben!

Nachdem er zwei Tassen getrunken hatte, fühlte er sich wieder frisch. Er bereitete eine dritte Tasse auf Vorrat, zog das Tischchen mit dem automatischen Anrufbeantworter heran, schaltete diesen ein, nahm ein kleines Mikrofon und begann zu sprechen.

»Guten Abend, Mister Hyde. Oder guten Morgen, sollte ich besser sagen. Es ist ein Uhr fünfundzwanzig am dreiundzwanzigsten Februar neunzehnhundertvierundachtzig. Ich bin nun in der Lage, Ihnen neue Instruktionen zu geben.«

Ein Schluck Tee.

»Die Situation hat sich geändert, wie ich Ihnen schon mitteilte. Wichtigster Punkt: Die verantwortlichen Leute im Sender Frankfurt, die den Film nun haben, werden ihn – nach präzisen

Recherchen – ausstrahlen, gleich, ob die Untersuchung ergibt, daß er eine Fälschung ist oder nicht. Es wird jedoch ohne Zweifel skrupellose Zeugen geben, die auf seine Echtheit pochen. Meine Bekannten wünschten zuerst – Sie erinnern sich –, daß der Film in ihren Besitz kommt und unter keinen Umständen ausgestrahlt wird. Diese Ideallösung ist nicht mehr zu erreichen. Es gilt nun, den Film wenigstens als die infame Fälschung erscheinen zu lassen, die er ist. Dabei wäre zu beachten, daß der Intendant des Senders meinen Bekannten gegenüber die Tatsache, daß er nun im Besitz der beiden Filmkopien ist, als ›Lebensversicherung‹ für alle an dem Projekt Beteiligten, natürlich insbesondere für Ross und die Olivera, bezeichnet hat.«

Etwas zu stark der Tee diesmal. Morley goß heißes Wasser nach. Er kostete. Jetzt war die Konzentration perfekt.

»Unter keinen Umständen, lieber Mister Hyde, in keiner Situation, wie auch immer sie beschaffen sein mag, dürfen Sie jetzt also Gewalt gegen die beiden Herrschaften anwenden. Hahaha. Ich liebe solche Volten. Sie auch? In der Tat hat sich an der Grundsituation nichts geändert: Wir haben es mit einem alten Nazischwein zu tun, das einen gefälschten Film an die Öffentlichkeit bringen und damit möglichst viel Geld verdienen will. Jene Zeugen, die nun behaupten werden, der Film sei echt, sind entweder auch Nazis und lügen deshalb bewußt und skrupellos, oder sie erhalten Geld, das ist klar. Dem einfachen Mann vor dem Fernsehschirm kann man das indessen nicht klarmachen. Ihn wird jede Aussage eines jeden Zeugen beeindrucken. Darum ist es – und jetzt hören Sie gut zu, Mister Hyde – von erstrangiger Bedeutung, diese verleumderischen Zeugen zu liquidieren – und zwar noch bevor sie Gelegenheit haben, ihre Aussagen vor einer Kamera zu machen. Wir müssen an diese Lumpen deshalb früher oder wenigstens zur gleichen Zeit herankommen wie die Rechercheure des Senders. Das bedeutet für Sie, Ross und die Olivera ständig unter Observation zu halten. Natürlich werden die beiden nun auch Zeugen suchen. Sie, Mister Hyde, müssen eine Möglichkeit finden, synchron mit ihnen zu erfahren, ob ein solcher Zeuge die Wahrheit sagen will, also daß der Film gefälscht worden ist, oder ob er die Absicht hat, die Echtheit des Films zu belegen. Im ersten Fall ist es notwendig, stets dafür zu sorgen, daß der Zeuge seine Aussage vor der Kamera machen kann. Im zweiten Fall ist es Ihre Aufgabe, den Zeugen zu liquidieren, *bevor* eine Kamera an ihn herankommt.«

Ein Schluck Tee.

»Nun, lieber Mister Hyde, Sie können sich nicht um alle Menschen des Senders kümmern, die jetzt auf die Suche nach Zeugen und Beweisen geschickt werden. Aus diesem Grunde sind bereits zahlreiche weitere Profis angeworben worden. *Sie* bleiben natürlich der wichtigste Mann. Sie werden – nach den letzten Instruktionen – ausschließlich auf die Olivera und Ross angesetzt. Die beiden sind am gefährlichsten. Am allergefährlichsten ist die Olivera. Warum? Weil sie eine Fanatikerin ist, die alle Menschen der Welt – mit Ausnahme von etwa ›zweihundert verbrecherischen alten Männern‹ – und sich selber für Opfer hält. Wissen Sie, wer die Schlimmsten sind, Mister Hyde? Die Opfer, wenn sie zu Anklägern werden. Ich kann Ihnen in Bälde erklären, wie die Jagd losgehen soll. Ein Scenario wird gerade ausgearbeitet. Es hat zur Voraussetzung...«

»... daß Sie nach Wien zurückkehren und in unmittelbarer Nähe der beiden zu Observierenden bleiben«, klang Roger Morleys Stimme an Hydes Ohr. Der hatte, wie erbeten, den Anwalt um zwei Uhr früh aus seinem Hotelzimmer in Frankfurt angerufen. Er saß, den Hörer in der Hand, unter der Lampe. Die Mineralwasserflasche hatte er ausgetrunken. »Weihen Sie Doktor Herdegen in alles ein. Er hat die Möglichkeit, Sie im Sanatorium unterzubringen. Natürlich darf die Olivera Sie jetzt weder bei Heiligenkreuz noch sonst irgendwo sehen, das ist klar.«

Ich muß Heinz die Waffen zurückgeben, bevor ich wieder nach Wien fliege, dachte Hyde. Und ich muß mich um die Buchungslisten kümmern, damit ich nicht in dieselbe Maschine gerate wie die Olivera.

»Ihre Arbeit und die Ihrer Kollegen, die allein oder zu zweit operieren, wird von *hier* aus koordiniert. Es wäre schädlich und gefährlich, wenn Sie einander kennen würden. Ich wiederhole: *Zeugen für die Echtheit des Films sind sofort zu liquidieren.* Umgekehrt brauchen wir dringendst Zeugen, die möglichst eindrucksvoll darlegen, daß der Film eine Fälschung darstellt und wie diese Fälschung entstanden ist. Der Film wird zwar auch dann gesendet werden, wenn alle Zeugen ›Fälschung!‹ rufen, wie man von seiten des Senders erfährt – in dem wir übrigens, und das ist sehr wichtig, lieber Mister Hyde, in dem wir übrigens, sage ich, Gott sei Dank einen zuverlässigen Vertrauensmann gefunden haben, der uns über alles informiert. Aber der Film wird – unberufen! – eine vollkommen andere Wirkung haben als beispielsweise die von der internationalen Friedensbewegung erhoffte. Er wird gerade diese Friedensbewegung als eine Gesellschaft von Leuten bloßstellen, die sich von schwärmerischen Phantasten zu gefährlichen Psychopathen entwickelt haben, welche vor keinem Betrug zurückschrecken und im Grunde die größte Gefahr für den Frieden bedeuten. Dies aufzuzeigen, lieber Mister Hyde, ist das Ziel, welches nun unbedingt erreicht werden muß. Eine große Aufgabe liegt vor Ihnen.«

Plötzlich hörte Hyde den Anwalt lachen und danach folgende Worte: »Entschuldigen Sie die ungebührliche Heiterkeit! Ich dachte gerade: Natürlich ist dieser Film eine Fälschung! Aber wenn er keine wäre, dann müßten wir alle den Amerikanern und den Sowjets auf Knien danken für dieses Geheimprotokoll, denn schließlich und endlich: Es hat seit neununddreißig Jahren keinen Weltkrieg mehr gegeben, nicht wahr?«

DRITTES BUCH

I

»Jetzt habe ich Ihnen also erklärt, zu welchem Zweck das Sanatorium Kingston eingerichtet worden ist und wie es funktioniert – und alle anderen Kingston-Sanatorien in Europa. Die Sowjets und die Amis wollen in dieser Zeit einfach solche Zentren haben, in denen sie gemeinsam wichtige Informationen kriegen«, sagte Josef Aigner, der grauhaarige, grauäugige Pfleger mit dem gutmütigen Gesicht und dem Körper eines Athleten. Er ging links von Daniel, Mercedes rechts von ihm. Das war am Vormittag des 5. März 1984.

Die drei Menschen überquerten langsam den verschneiten Hof des Stiftes Heiligenkreuz. Seit vier Tagen machte Daniel in Begleitung von Mercedes und wechselnden Pflegern solche Ausflüge in die immer noch winterliche Umgebung des Sanatoriums. Er hatte den Entzug und die Umstellung auf Amadam gut überstanden, zeigte enormen Appetit, schlief gut und kam unglaublich rasch wieder zu Kräften. An diesem vierten Ausflug nun nahm der Pfleger Josef Aigner teil. In den vergangenen fünfzehn Minuten hatte er Mercedes und Daniel das Geheimnis der seltsamen Klinik verraten.

»Warum erzählen Sie uns das, Herr Aigner?« fragte Daniel überwältigt.

»Josef, bittschön, Herr Ross, nicht Herr Aigner! Ich bin der Josef.«

»Also schön, Josef. Warum?«

»Weil die Frau Primaria mich darum gebeten hat«, antwortete der Koloß mit dem weichen Gemüt. »Sie hätte Ihnen das alles natürlich viel lieber selber erzählt, aber das geht nicht. Nie würde der Doktor Herdegen zulassen, daß sie mit Ihnen allein spricht, außerhalb vom Sanatorium. Oder daß sie gar spazierengeht mit Ihnen. Nein, nein, das ist ausgeschlossen. Die arme Frau Primaria ist eine richtige Gefangene. Ich bin der einzige hier, zu dem sie Vertrauen haben kann, denn ich und ihr Bruder sind in dieselbe Schule gegangen, und nachher war ich noch viele Jahre lang sein Freund. Aber das wissen die hier nicht, Gott sei Dank!«

»Sibylles Bruder!« sagte Daniel. »Ich habe ihn nie gesehen die ganze Zeit über in Wien. Aber gesprochen hat sie oft von ihm, so oft. Sie hing ganz außerordentlich an ihrem Bruder, kann ich mich erinnern.«

»Tut sie noch immer«, sagte Josef traurig. »Das ist ja das Unglück. So haben sie es leicht gehabt mit ihr.« Zwei Priester kamen über den gewaltigen Hof und gingen in der Nähe vorüber. Sofort wechselte Josef Thema und Tonfall. »Und hier, bittschön, wenn die Herrschaften die Dreifaltigkeitssäule betrachten wollen.« Er blieb vor einem aus Stein gemeißelten hohen Denkmal stehen, dessen Gestalten und Symbole dicke Schneehauben trugen. An der Spitze ragte ein großes goldenes Kreuz gegen die dunklen, tiefhängenden Wolken. »Ist siebzehnhundertneununddreißig erbaut worden. Grüß Gott, Hochwürden!« Die Priester zogen ihre schwarzen Hüte. »Eine ganz wunderschöne Säule«, sagte Josef. »So, und jetzt gehen wir hinüber zum Josephsbrunnen, der stammt aus dem gleichen Jahr. Kommen jeden Sommer viele Tausende Menschen her. Das Stift ist nämlich ein Wallfahrtsort, wissen Sie? Elfhundertachtundachtzig haben die geistlichen Herren von dem Babenberger Herzog Leopold dem Fünften eine Reliquie vom heiligen Kreuz erhalten. Ja, du lieber Gott, das ist alles viele Jahrhunderte alt. Was meinen Sie, wie im Sommer hier die Busse von den Reiseunternehmen parken! In Dreierreihen! Auch um diese Jahreszeit kommen Besucher.« Und übergangslos, da die beiden Priester sich entfernt hatten: »Die Frau Primaria kann sich wirklich verlassen auf mich, das weiß sie. Darum hat sie gesagt, ich soll Ihnen alles erzählen, wenn ich dran komm zum Begleiten beim Spazierengehen – alles über das Sanatorium und alles über sie. Die arme, gute Frau Primaria! Wir gehen am besten zuerst in die Stiftskirche. Der Doktor Herdegen hat um die Erlaubnis gebeten bei der Verwaltung hier, daß wir überall hindürfen zum Besichtigen. Das tut er oft, wenn er Patienten überhaupt aus dem Sanatorium hinausläßt...« Sie hatten den Hof überquert und traten gegenüber den zweigeschossigen Arkaden in die große, alte Kirche ein. »Die Frau Primaria meint, Sie müssen alles wissen, damit Sie noch vorsichtiger sind.« Ihre Schritte hallten auf den ausgetretenen Steinplatten. Vor einem seitlichen Altar stand, ins Gebet vertieft, eine alte Frau mit schwarzem Kopftuch. Sofort reagierte Josef: »Sehen Sie die Glasmalereien an den Fenstern, meine Herrschaften! Stammen aus dem Jahr dreizehnhundert... Daß ich also berichte: Neunzehnhundertsechsundsiebzig, vor acht Jahren, da hat die Frau Primaria noch am Allgemeinen Krankenhaus gearbeitet... an der Psychiatrie, nicht?«

»Ja«, sagte Daniel. »Ich habe sie, als ich das erste Mal hier anrief, gefragt, wieso sie dort weggegangen ist. Sie wollte doch nie weggehen. Ich habe keine Antwort bekommen.«

»Jetzt werden Sie sie bekommen. Wie es die Frau Primaria gewünscht hat, daß ich Ihnen alles erzähl. Immer langsam weitergehen, die Herrschaften, so tun, wie wenn wir uns alles anschauen, sind noch ein paar Leute in der Kirche, sehe ich. Ja, also das war am achtzehnten Juni sechsundsiebzig. Da hat die Frau Primaria einen Anruf bekommen...«

»Frau Dozentin Mannholz?« fragte die Männerstimme mit einem leichten slawischen Akzent.

»Ja.« Sibylle hatte auf einer elektrischen Schreibmaschine eine Krankengeschichte getippt, als das Telefon läutete. Heller Sonnenschein fiel in ihr Dienstzimmer. Es war hypermodern eingerichtet wie das ganze große Gebäude der neuen Psychiatrie. Man hatte sie nahe der Stelle errichtet, an welcher die alte Klinik abgerissen worden war. Alle anderen alten Bauten gab es noch. Die Psychiatrie war der erste Neubau.

»Mein Name ist Abad«, sagte die Männerstimme. »Ich bitte sehr um Entschuldigung für die Störung.«

»Sie stören nicht, Herr Abad. Worum handelt es sich?«

»Ich – das heißt, meine Auftraggeber, hätten Ihnen ein berufliches Angebot zu machen.«

»Ich bin seit Jahren hier an der Klinik, und ich will hier bleiben, Herr Abad.«

»Oh, aber Sie kennen das Angebot nicht, Frau Dozentin! Es ist absolut einmalig. Ich möchte Ihnen das nicht am Telefon erklären. Wann können wir uns treffen?«

Sibylle zögerte.

»Ich fürchte, das hat keinen Sinn, Herr Abad.«

»Ganz bestimmt hat es Sinn«, sagte er eifrig. »Würden Sie mir die Freude bereiten, mit mir zu Abend zu essen? Ich kenne Wien nicht sehr gut. Man sagt, das Restaurant im Donauturm wäre eine Attraktion. Und das Essen ausgezeichnet. Paßt es Ihnen gleich heute abend?«

Sibylle überlegte. Ihr Mann war für drei Tage nach Paris geflogen. Er hatte im Louvre zu tun.

»Einen Moment!« Mercedes unterbrach Josefs Bericht. Ihr Gesicht war plötzlich blaß. »Die Frau Doktor ist verheiratet?«

»No ja, freilich. Haben Sie das nicht gewußt, Frau Olivera?«

»Nein, das habe ich nicht gewußt.« Mercedes sah Daniel an. »Hast du es gewußt?«

Er nickte.

»Warum hast du es mir nie gesagt?«

»Wir haben noch nie ausführlich über Sibylle gesprochen, Mercedes«, sagte er lahm. »Sie hat neunzehnhundertdreiundsiebzig geheiratet. Einen alten Freund von mir. Ich habe die beiden miteinander bekannt gemacht.«

»Und wieso heißt sie dann noch immer Mannholz?«

»Das war ihr Name als junge Ärztin. Unter diesem Namen war sie bekannt. Sie wollte keinen Doppelnamen und behielt ihren bei. Ihr Mann, Doktor Werner Farmer, ist Kunsthistoriker.«

»Wo lebt er?«

»Na, hier natürlich, gnä' Frau. Mit der Frau Primaria zusammen. In der Villa im Park. Sie haben doch die Villa gesehen, nicht?«

»Ja, die habe ich gesehen«, sagte Mercedes. Sie sah Daniel wieder lange an. Dann lächelte sie schwach und hängte sich bei ihm ein, während sie weitergingen und der Pfleger weitererzählte...

Sibylle überlegte. Ihr Mann war für drei Tage nach Paris geflogen. Er hatte im Louvre zu tun.

»Heute abend ginge es«, sagte sie zögernd.

»Darf ich Sie abholen – sagen wir um sieben?«

Sibylle wohnte längst nicht mehr im Turm. Sie hatte mit Werner ein Haus in Sievering gemietet.

»Vielen Dank! Machen Sie sich keine Mühe! Ich habe einen Wagen.«

»Sehr schön. Dann darf ich einen Tisch bestellen im oberen Restaurant für – nun, sagen wir halb acht?«

»Halb acht, gut. Wie erkenne ich Sie, Herr Abad?«

»Keine Sorge, Frau Dozentin. Ich kenne *Sie*.«

»Wieso? Woher?«

»Oh, von vielen Fotografien. Wir sind einander auch ein paarmal begegnet.«

»Wo?«

»In der Klinik. Bei Ihren Vorlesungen im Großen Hörsaal.«

»Ich kann mich wirklich nicht erinnern...«

»Sie haben mich nicht gesehen, Frau Dozentin. Ich habe Sie sehr wohl gesehen. Ich erkläre Ihnen alles am Abend im Donauturm.«

Der Wiener Donauturm wurde als Wahrzeichen für die Internationale Gartenschau errichtet und 1964 in Betrieb genommen. Er ist mit 252 Metern das höchste Bauwerk der Stadt. Zwei Expreßlifte bringen die Besucher in 45 Sekunden 165 Meter hoch zum Zentralgeschoß. Der Turm hat zwei Aussichtsterrassen und zwei klimatisierte, drehbare Restaurants in 160 und 170 Meter Höhe. Die beiden Restaurants können mit einer Geschwindigkeit von 26,39 oder 52 Minuten pro Umdrehung rotieren.

Am Abend des 18. Juni 1976 saß die Dozentin Sibylle Mannholz hier einem auffallend kleinen, sorgenvoll aussehenden Mann gegenüber. Abad hatte eine zu große Nase und zu große Ohren für seinen zarten Kopf. Hinter einer sehr starken Brille konnte man nur schwer die Augen erkennen. Seine Stirn war zerfurcht, sein Haar schütter und straff nach hinten gekämmt. Abad trug eine große Perle im Krawattenknoten. Seine Hände glichen denen eines Pianisten. Er vermittelte einen zarten, zerbrechlichen Eindruck.

Während des Essens hatte er höfliche Bemerkungen über Sibylles Aussehen sowie ihre beruflichen Fähigkeiten gemacht und versichert, daß er ihren Mann und die Kunstbücher, an denen dieser mitarbeitete, sehr bewundere. Nun, bei Kaffee und Cognac, lehnte er sich vor, verschränkte die kleinen Finger und senkte die Stimme. Draußen glitt fast unmerklich das Lichtermeer der Innenstadt vorüber.

»Nun also, Frau Dozentin«, sagte der zwergenhafte Abad. »Kommen wir zur Sache! Haben Sie schon einmal von den Kingston-Sanatorien gehört?«

»Nein.«

»Nun ja, sie existieren noch nicht sehr lange, und man macht keine Reklame für sie. Ein amerikanischer Millionär namens Kingston hat sie gebaut, wie andere amerikanische Millionäre Hotelketten gebaut haben, in ganz Europa. Es sind psychiatrisch-neurologische Kliniken mit allem nur denkbaren Komfort und den modernsten und kostspieligsten Apparaten für komplizierte Untersuchungen. Nur erste Kapazitäten arbeiten in diesen Kliniken, das Personal ist gleichfalls hervorragend. Es gibt ein solches Sanatorium hier ganz in der Nähe – unweit dem Stift Heiligenkreuz. Sie kennen doch Heiligenkreuz? Dachte ich mir. Nun, im Auftrag der Verwaltung der Kingston-Sanatorien habe ich die Ehre, Ihnen die Leitung der Klinik bei Heiligenkreuz zu offerieren.«

Sibylle starrte den Zwerg an. Das Lichtermeer draußen war zurückgeblieben, da sich das Restaurant weitergedreht hatte. Mondschein fiel auf die Berge des Wienerwaldes.

»Warum offeriert man die Stelle mir, Herr Abad?«

»Man nimmt nur erstklassige Spezialisten, ich sagte es schon. Man hat Ihre Arbeit lange und genau beobachtet und ist zu der Ansicht gekommen, daß es in Wien niemanden gibt, der den Posten besser ausfüllen könnte als Sie.«

»Das ist sehr freundlich, Herr Abad, aber…« Sie brach ab.

»Aber?«

»Aber auch sehr ungewöhnlich.«

»Sie meinen: Weil Sie eine Frau sind? Ich bitte Sie, Frau Dozentin! Sie arbeiten doch im Allgemeinen Krankenhaus auch so selbständig wie Ihre männlichen Kollegen!«

»Das habe ich nicht gemeint.«

»Was dann?«

Nun neigte sich auch Sibylle vor.

»Herr Abad, Sie sind Ausländer, nicht wahr? Ich meine: Sie sprechen phantastisch Deutsch, aber da ist ein kleiner Akzent. Ein slawischer Akzent…«

»Meine Eltern waren Russen, Frau Dozentin.«

»Sehen Sie!«

»Sehe ich was, liebe Frau Dozentin?«

»Sie sind Russe, sagen Sie, und machen mir dieses Angebot im Namen einer amerikanischen Gesellschaft?«

»So ist es«, sagte Abad und lächelte traurig. »Und es besteht da durchaus kein Widerspruch. Diese Kingston-Sanatorien werden nämlich sowohl…«

»Alle Wappensteine und Altarbilder, die Sie hier sehen, stammen von den großen Künstlern Rottmayr und Altomonte«, sagte der Pfleger Josef laut und schnell. Er unterbrach seinen Bericht, weil ihnen ein Mann und eine Frau durch das Kirchenschiff entgegenkamen. Der Mann hatte einen Reiseführer in den Händen, der offenbar eine Beschreibung der Kirche und des ganzen Stifts enthielt, denn er las seiner Begleiterin aus ihm vor. Sie blieben stehen und betrachteten ein Altarbild. Mercedes, Daniel und der Pfleger Josef gingen weiter. Als sie sich weit genug entfernt hatten, sagte Josef: »Na ja, und dann hat dieser Abad der Frau Primaria ganz offen erklärt, um was für Einrichtungen es sich bei diesen Kingston-Sanatorien handelt…«

»Ärzte und Personal sind natürlich absolut ahnungslos. Ich kann Ihnen das ganz offen erklären, liebe Frau Dozentin«, sagte der kleine Mann und trank einen Schluck Cognac, »denn ich weiß, wie sehr Sie Ihren Bruder Eugen lieben.«

»Was hat mein Bruder Eugen damit zu tun?«

»Oh, sehr viel, liebe Frau Dozentin. *Er* wird der entscheidende Grund dafür sein, daß Sie unser Angebot annehmen.«

»Ich werde Ihr Angebot niemals annehmen, Herr Abad«, sagte Sibylle. »Hören Sie? Niemals! Mich entsetzt das, was Sie mir eben über Sinn und Arbeitsweise dieser Sanatorien erzählt haben. Nie im Leben möchte ich mit einer solchen Einrichtung etwas zu tun haben. Wenn ich geahnt hätte...«

»Ihr geliebter Bruder Eugen arbeitet seit neun Jahren für den Bundesnachrichtendienst«, unterbrach Abad Sibylle, und seine Stimme war jetzt traurig. »Der BND hat seine Zentrale in Pullach bei München. Vor nicht ganz drei Jahren wurde Ihr Bruder in die Sowjetunion eingeschleust – äußerst geschickt eingeschleust – und war in Moskau als Korrespondent einer großen westdeutschen Zeitung – Sie wissen, welcher – tätig. Das stimmt, nicht wahr?«

Sibylle nickte stumm.

Jetzt sah man durch ihr Fenster den breiten Strom, der silbern leuchtete im Widerschein des Mondlichts.

»Sie haben in regelmäßigem Kontakt gestanden. Sie haben immer, all die Jahre, Angst um Ihren Bruder gehabt. Nun, jetzt hat er auch Angst.«

»Was soll das heißen?«

»Das soll heißen, daß es dem sowjetischen Staatssicherheitsdienst nach so langer Zeit – Kompliment, Ihr Bruder ist ein kluger Kopf –, nach so langer Zeit, sage ich, gelungen ist, genügend Belastungsmaterial gegen Eugen Mannholz zusammenzutragen, um ihn als westdeutschen Agenten entlarven und vor Gericht stellen zu können. Die Verhandlung fand vor vier Wochen statt. Ihr Bruder wurde schuldig befunden und zum Tode verurteilt.«

»Der Kreuzgang, den wir nun besichtigen werden«, sagte Josef Aigner, seinen Bericht neuerlich unterbrechend, weil eine Gruppe von deutschen Touristen mit einer Fremdenführerin an ihnen vorüberzog, »entstand zwischen zwölfhundertzwanzig und zwölfhundertvierzig. Ich habe zu erwähnen vergessen, daß das

Stift im siebzehnten Jahrhundert durch Angelo Canavale barok-ke Anbauten erhielt, wie den schönen Stiftshof, den wir gesehen haben, und seine Arkaden...« Die Touristen waren weiterge-gangen. »Die arme Frau Primaria! Sie war vollkommen durch-einander. Sie liebt ihren Bruder wirklich sehr und hat wirklich stets in Angst gelebt. Eugen war schon während unserer Schul-zeit ein ganz wilder Bub. Bei Kletterpartien auf der Rax hat er sich an Felshänge gewagt, vor denen uns andern schon vom Anschauen schlecht geworden ist. Dasselbe war es beim Turnen, beim Schwimmen und beim Motorradfahren. Wir haben immer gesagt, der Eugen hat keine Nerven. Was ihn faszinierte, war das Abenteuer, die Gefahr, schon in der Schule...« Josef seufzte. »So ist er also dann später zum BND gegangen und nach Ruß-land. Dort haben sie ihn zuletzt enttarnt und zum Tod verurteilt. Und damit die Frau Primaria den Worten dieses Herrn Abad auch Glauben schenkte, breitete er eine Reihe von Fotografien vor ihr auf dem Tisch des Restaurants aus...«

Sibylle nahm ein Foto nach dem anderen in die Hand. Ihr Gesicht war zu einer wächsernen Maske erstarrt. Die Bilder zeigten den vierundvierzigjährigen Eugen Mannholz in Sträf-lingskleidung auf einem Gefängnishof und, zivil angezogen, mit offenem Hemd, ohne Krawatte, stehend, vor den Richtern eines Militärgerichts. Das Restaurantfenster war nun den vielen Hochhäusern der Donaustadt am linken Ufer des Stroms mit ihren erleuchteten Fenstern zugewandt.

»Es tut mir aufrichtig leid«, sagte Abad und spielte mit dem perlengeschmückten Knoten seiner Krawatte. »Ich weiß, wie sehr Sie an Ihrem Bruder hängen – aber er hat seinen Beruf als Spion freiwillig gewählt. Er hat der Sowjetunion jahrelang gro-ßen Schaden zugefügt, so daß das Militärgericht nichts anderes tun konnte, als auf Todesstrafe durch Erhängen zu erkennen. Es gibt allerdings einen Ausweg...«

Sibylle fuhr auf.

»Was haben Sie gesagt?«

Statt einer Antwort reichte ihr Abad ein Kuvert über den Tisch. Sibylle nahm einen zusammengelegten Bogen aus dem Um-schlag. Als sie den Brief entfaltete, mußte sie ihn auf das Tisch-tuch legen, ihre Hände zitterten zu sehr. Die Schrift ihres Bru-ders! Ohne jeden Zweifel. Sibylle erkannte sie mit absoluter Sicherheit. Sie las:

Liebste Sibylle,

*wenn Du diese Worte liest, wirst Du bereits wissen, was gesche-
hen ist. Ich habe immer gewußt, was ich tue und was mir wider-
fahren wird, falls ich Pech habe. Ich habe mich für zu clever
gehalten. Ich hatte nie Angst, sterben zu müssen. Nun, da ich
verurteilt worden bin, kann ich kaum atmen, nichts mehr essen,
nicht mehr schlafen. Ich will nicht sterben!*

Sibylle stöhnte. Der Blick durchs Fenster fiel auf wüstes Über-
schwemmungsgebiet.

*Vor einer Stunde waren zwei hohe Offiziere in meiner Zelle. Ich
habe Papier und Bleistift und die Erlaubnis bekommen, Dir zu
schreiben. Unter einer einzigen Bedingung sieht sich das Oberste
Militärtribunal in der Lage, die Todesstrafe in eine Strafe von
fünfundzwanzig Jahren Haft umzuwandeln: Du nimmst das
Angebot an, welches der Überbringer dieses Briefes Dir macht.
Ich weiß, was ich Dir damit antue, aber trotzdem bitte ich Dich:
Akzeptiere das Angebot, damit sie mich leben lassen!*
*Wenn Du annimmst und man mit Deiner Arbeit zufrieden ist,
werde ich auch die Erlaubnis erhalten, Dir alle acht Wochen
einen Brief zu schreiben. Außerdem hat man mir Hafterleichte-
rungen in Aussicht gestellt. Ja, es besteht für den Fall, daß Du
hervorragend arbeitest, sogar die Möglichkeit einer Verkürzung
der Haftzeit. Bitte tu, was der Mann, der Dir diesen Brief überbringt, von Dir verlangt! Der Termin für meine Hinrichtung ist
schon festgelegt und wird nicht verschoben werden. Hilf mir!*

Es umarmt Dich Dein Bruder Eugen.

Neben dem Namen sah Sibylle, halb blind vor Tränen, einen
Rundstempel mit kyrillischen Buchstaben.
»Die Schrift im Stempel sagt: Militärzensurstelle einundzwanzig«, erläuterte der so kleine, sorgenvolle Herr Abad. »Trock-
nen Sie Ihre Augen! Nehmen Sie sich zusammen! Wir dürfen
hier kein Aufsehen erregen. *Los!*« sagte er mit plötzlicher Schärfe. Sibylle nahm ein Taschentuch und tat, was er verlangt hatte.
»Waren die Herrschaften zufrieden? Ist alles in Ordnung?« Ein
höflicher Oberkellner stand plötzlich lächelnd vor ihrem Tisch.
»Es war ganz ausgezeichnet«, sagte Abad. »Vielen Dank!«
»*Wir* haben zu danken, mein Herr«, sagte der Oberkellner. Er
verneigte sich und ging lächelnd weiter. In einem anderen Sektor

des Rundrestaurants hatten ein paar Frauen und Männer zu singen begonnen.

»Es wird ein Wein sein, und wir wern nimmer sein...«

»Nun?« fragte Abad.

Sibylle wollte antworten. Sie brachte keinen Ton aus der Kehle.

»Frau Dozentin!« sagte Abad.

Sie antwortete nicht. Sie konnte nicht antworten, so sehr sie sich auch bemühte.

»Heute haben wir den achtzehnten«, sagte Abad. »In sieben Tagen...«

»Hören Sie auf!« sagte Sibylle plötzlich sehr laut.

»Leise!« mahnte Herr Abad. »Ganz leise!«

»... 's wird schöne Madeln geb'n, und wir wern nimmer leb'n«, sang die vergnügte Gesellschaft. Durch das große Fenster konnte man jetzt im bleichen Mondlicht die alten Bäume, Tümpel, Sandbänke und Schrebergartenkolonien der Lobau erblicken. Verloren blinkten dort wenige Lichter.

»Also eine Erpressung«, sagte Sibylle. Sie und Abad sprachen von nun an fast flüsternd.

»Bitte«, sagte Abad, »sagen Sie das nicht noch einmal! Sagen Sie das *niemals* wieder! Dies ist keine Erpressung. Dies ist die großherzige Bereitschaft sowjetischer Behörden, in einem Akt vollkommen unangebrachter Menschlichkeit Ihren Bruder zu begnadigen – falls Sie ebenfalls Bereitschaft zeigen.«

»Woher weiß ich, daß Eugen nicht trotzdem hingerichtet wird, auch wenn ich zusage? Wer garantiert mir das?«

»Das«, sagte Abad, »garantiere ich Ihnen namens und auftrags des Obersten Militärtribunals der Sowjetunion. Wenn Sie den Posten annehmen, wird man Ihrem Bruder gestatten, sofort einen ersten Brief zu schreiben. Andere werden folgen. Das ist doch eine weitere Garantie! Mehr Garantien kann kein Mensch verlangen.«

»Wann soll ich bei Heiligenkreuz anfangen?« frage Sibylle. Sie hatte zuvor ihr Glas mit einem großen Schluck geleert. »Meine Kündigungsfrist im Allgemeinen Krankenhaus beträgt ein halbes Jahr.«

»Man wird Sie gleich gehen lassen, wenn Sie sich zu verändern wünschen«, sagte Abad. »Das handhabt man überall großzügig. Sie sollen so schnell wie möglich anfangen.«

»Und mich für fünfundzwanzig Jahre verpflichten? Für fünfundzwanzig Jahre?«

»Vorsorglich ja«, sagte der zierliche Abad. »Es hängt alles von Ihnen beiden ab. Wie Ihr Bruder schreibt: Wenn man besonders zufrieden mit Ihnen beiden ist, kann die Haftzeit verkürzt werden. Sehr verkürzt unter Umständen. Es versteht sich von selbst, daß Sie über unser Gespräch und über die wahren Gründe, aus denen Sie vom Allgemeinen Krankenhaus zum Sanatorium Kingston bei Heiligenkreuz wechseln, niemals mit einem Menschen sprechen werden – auch und vor allem nicht mit Ihrem Mann. Er ist Wissenschaftler. Sie führen eine vorbildliche, ruhige und großen Gesellschaften abholde« – Abad sagte tatsächlich ›abholde‹ – »Ehe. Ihr Mann kann überall arbeiten. Heiligenkreuz liegt nur dreißig Kilometer von Wien entfernt. Man wird Ihnen eine hübsche Villa im Park neben dem Sanatorium zur Verfügung stellen. Wir verbürgen uns dafür, daß Ihr Privatleben respektiert wird. Soll heißen, in Ihrem Heim werden sich keine Abhöranlagen befinden. Sie können natürlich Ihre Freunde einladen. Manchmal werden wir Sie bitten, einen Patienten einzuladen oder auch zwei. Dann allerdings wird Herr Doktor Herdegen, dessen Funktion ich Ihnen schon erklärt habe, anwesend sein, denn solche Patienten-Einladungen sind als Teil Ihres Dienstes aufzufassen. Sie erweisen sich immer wieder als nötig, weil man…«

»… und in diesem sogenannten Brunnenhaus hier – Frühgotik – sehen Sie die ältesten Darstellungen von Babenbergern in Österreich.« Der Krankenpfleger Josef Aigner unterbrach seine leise Erzählung jäh, weil ein Priester ihnen entgegenkam. »Grüß Gott, Hochwürden!«
Der Geistliche nickte freundlich.
Josef setzte die Führung fort, während er weiter über das Gespräch berichtete, das Sibylle mit dem Mann namens Abad am Abend des 18. Juni 1976 im oberen Restaurant des Donauturms geführt hatte. »›Weil man private Auskünfte von Patienten in einer privaten Atmosphäre leichter bekommt‹, sagte Abad damals zur Frau Primaria.«
»Moment!« unterbrach Daniel Josef Aigners Erzählung. »Dieser Abad hat der Frau Primaria verboten, je auch nur mit einem Menschen über die wahren Hintergründe ihres Wechsels von Wien ins Sanatorium Kingston zu reden, ihren Mann eingeschlossen. Woher wissen Sie dann von der Sache?«
»Ich bin der einzige, dem sich die Frau Primaria anvertraut hat.

Auf mich kann sie sich hundertprozentig verlassen. Ich bin doch mit dem Eugen in die Schule...«

»Ja, das erzählten Sie schon«, sagte Daniel. »Sie hat zu Ihnen mehr Vertrauen als zu ihrem Mann?«

»Das natürlich nicht, Herr Ross.«

»Warum hat sie dann trotzdem nie mit ihrem Mann über diese Sache gesprochen?«

»Aber das ist doch wirklich leicht einzusehen, Herr Ross. Aus Liebe! Weil sie ihn nicht belasten will mit der Geschichte. Können Sie das nicht begreifen?«

»O doch«, sagte Mercedes, »das kann ich sehr gut begreifen. Andererseits hat sie nun Ihnen den Auftrag gegeben, *uns* zu informieren. Mich kennt sie überhaupt nicht. Und Herrn Ross hat sie zwölf Jahre lang nicht mehr gesehen.«

»Die Frau Primaria«, sagte Josef ernst, »ist sehr verzweifelt darüber, daß Sie, Herr Ross, und Sie, gnädige Frau, wie es der unglückliche Zufall gewollt hat, hier gelandet sind – noch dazu ganz offensichtlich in eine Geschichte verwickelt, an der allerhöchstes Interesse besteht. Die Frau Primaria hat zu mir gesagt, Sie *müssen* die Wahrheit kennen. Schnell. Zu Ihrem Schutz. Sie selbst kann Ihnen das alles nicht sagen. Man wird sie niemals mit Ihnen allein lassen. Im Sanatorium zu reden, ist unmöglich. Dort werden Sie abgehört. In der Villa ist immer Doktor Herdegen dabei. Sie hat schon daran gedacht, auf Kassette zu sprechen, aber das wäre auch viel zu riskant gewesen. Sie muß doch bei allem, was sie tut, an Eugen denken! Sie darf doch ihren Bruder nicht in Gefahr bringen. Muß immer vertrauenswürdiger werden, damit die Strafe herabgesetzt wird, wenn sie und Eugen sich weiter so großartig verhalten.« Josef sagte: »Sie muß unheimliches Vertrauen zu Ihnen haben, wenn sie mir sagt, ich soll Ihnen alles erzählen. Sie muß ganz sicher sein, daß Sie sie niemals verraten werden.«

»Das kann sie auch sein«, sagte Mercedes. »Wirklich eine großartige Frau, Danny.«

»Ja«, sagte er, »wirklich.« Mercedes drückte seinen Arm an den ihren. Sie standen noch immer vor den steinernen Gestalten der Babenberger. »Und Eugen geht es gut?«

»Es geht ihm gut«, sagte Josef. »Seit fünf Jahren darf er schon alle vier Wochen schreiben. Doktor Herdegen erhält die Briefe und gibt sie der Frau Primaria geöffnet. Und inzwischen darf Eugen längst lesen in der Freizeit, und er hat besseres Essen und alle möglichen Vergünstigungen, schreibt er. Die Frau Primaria erzählt es mir immer, wenn ein neuer Brief kommt. Sie verstehen die Frau Primaria, gelt? Das hat sie mir nämlich noch besonders aufgetragen.«

»Was?« fragte Daniel.

»Sie zu fragen, ob Sie verstehen können, daß sie die Leitung hier übernommen hat und alles mitmacht und tut, was man von ihr verlangt. Ob Sie das wirklich verstehen können, und ob Sie es auch recht finden.«

»Ich hätte genauso gehandelt«, erklärte Mercedes. »Du auch, Danny!«

»Natürlich«, sagte der. »Großer Gott, es ging um das Leben ihres Bruders. Selbstverständlich hat sie nichts anderes tun können. Sagen Sie ihr das, bitte!«

»Werde ich. Sofort. Oft fragt sie auch mich – nach all der Zeit. Es ist so schwer für sie. Nur mit mir kann sie reden. Das braucht jeder Mensch: einen anderen, wenigstens einen einzigen, mit dem er über alles reden kann … So, also gehen wir weiter!« sagte Josef. »Wollen Sie jetzt in den Kapitelsaal oder gleich hinüber in die Gemäldegalerie?«

»Ein andermal«, bat Daniel. »Lassen Sie uns Schluß machen für heute! Ich bin müde.«

Er schlief sehr tief, ohne Träume.

Er hörte, wie jemand seinen Namen rief, und erwachte. Zunächst fühlte er sich sehr benommen, und er wußte nicht, wo er war. Durch Schlieren und Schleier sah er drei Menschen an seinem Bett.

»Danny!« Das war Sibylles Stimme. Schlieren und Schleier verschwanden, und da stand sie vor ihm, in ihrem Arztkittel, lächelnd.

»Hallo«, sagte er und lächelte gleichfalls. Er bemerkte, daß Licht brannte. »Wie spät ist es?«

»Acht Uhr vorbei. Du hast den ganzen Nachmittag geschlafen. Wie fühlst du dich?«

»Gut«, sagte er und setzte sich im Bett auf. »Was haben wir denn da? Abendvisite?«

»Die ist längst vorüber. Das ist eine ganz besondere Visite. Jemand will dir schon seit langem guten Tag sagen. Ich habe ihn mitgebracht.«

Jetzt endlich war er ganz klar. Er sah neben Sibylle Mercedes, und neben Mercedes stand Werner Farmer.

»Werner, mein Alter!« Daniel sprang aus dem Bett. Im Pyjama umarmte er seinen Freund. Sie schlugen einander auf die Schultern. Dann sahen sie sich an.

Er ist alt geworden, dachte Daniel. Er sieht überarbeitet aus. Er ist alt geworden, dachte Werner. Das Haar ganz weiß. Zwölf Jahre sind eine lange Zeit. Nur zwölf Jahre, dachte Daniel. Und er hat sich so verändert. Ob er krank ist? Nein, er war immer ein Mann, der über seine Kräfte geschuftet hat. Wie ich. Wahrscheinlich denkt er dasselbe von mir. Wie kurz ist dieses Leben. Wie schnell ist es vorbei.

»Laß dich anschauen«, sagte Daniel. »Großartig siehst du aus!«

»Und du erst«, sagte Werner. »Sibylle hat dich wieder fein hingekriegt.«

»Hoch soll sie leben, die gute Sibylle«, sagte Daniel.

»Die besonders gute Sibylle«, sagte Werner.

»Hört schon auf mit dem Quatsch!« Sibylle war rot geworden. Mercedes umarmte sie. »Danke«, sagte sie bewegt, »danke!«

»Jeder hat seinen Job«, murmelte Sibylle. »Man tut, was man kann.«

Mercedes sagte: »Ich möchte… Entschuldigen Sie… Darf ich Sie Sibylle nennen?«

»Natürlich, Mercedes!« Sie lachte. »Die Familie trifft sich wieder. Noch einer dazugekommen. Jetzt sind wir vier.«

»Mußt du aber für einen Esser mehr Tafelspitz kochen«, sagte Werner. Sie lachten alle.

Wir lachen alle, dachte Daniel, aber der einzige, dessen Lachen echt klingt, ist Werner. Der ahnungslose Werner. Ach, wie wunderbar, ahnungslos zu sein und nichts zu wissen. Nicht das, was Mercedes und ich wissen, nicht das, was Sibylle weiß und uns durch Josef hat mitteilen lassen. Einfach gar nichts wissen.

»Und mehr Spinat und mehr Bratkartoffeln und mehr Essigkren- und Schnittlauchsauce«, sagte Daniel und strich Sibylle über das Haar.

»Was ist Tafelspitz?« fragte Mercedes.

Und das war Grund für neue Heiterkeit.

»Kann man nicht erklären«, sagte Daniel. »Muß man erleben. Köchin hätte sie werden sollen, die liebe Sibylle, nicht Ärztin.« Und wie würde man sie dann erpressen? dachte er.

»Ich mache ihn schon für uns alle«, sagte Sibylle. »Ich mache ihn schon. Und bald! Denn Daniel ist wieder in Ordnung und kann in zwei, drei Tagen losziehen. Wissen Sie, Mercedes, diese beiden Kerle haben sich auf die unverschämteste Weise bei mir eingeschlichen, als Daniel noch in Wien arbeitete, und mich arme, schwache Frau gezwungen, immer wieder zu kochen.«

»Gott, haben wir gefressen!« sagte Werner andächtig. »Was, Danny?«

»Abstoßend«, sagte Daniel.

»Degoutant«, sagte Werner.

»Rüpelhaft und widerwärtig«, sagte Daniel. »Arme, arme Sibylle! Und jetzt soll das wieder losgehen, hurra!«

»Na, hurra!« sagte Herdegen, der neben Wayne Hyde hinter dem Techniker, welcher Schorsch genannt wurde, in dem fensterlosen Raum stand. Sie hörten die ganze Konversation am Lautsprecher mit. »Hurra, noch einmal«, sagte Herdegen. »Wird sogar noch mehr kochen müssen, die Frau Primaria. Was Morley vorschlug, wird nun fällig. Bei mir hat Damiani eisern den Mund gehalten. Jetzt könnte er reden.«

»Zeit wäre es«, sagte Hyde.

Der Anwalt Roger Morley hatte neun Tage zuvor, am 25. Februar, gegen Abend angerufen.

»Hallo, Doktor. Ist Hyde bei Ihnen? Hört er mit?«

»Ja, Mister Morley.«

Die beiden hatten sich in Herdegens Dienstraum aufgehalten. Wayne Hyde hielt die zweite Hörmuschel ans Ohr...

»Ich sagte Hyde vorgestern, als er noch in Frankfurt war, Sie würden in kürzester Zeit erfahren, wie die Jagd losgehen soll. Nun also: Sie haben im Sanatorium diesen Damiani, ehemals Völkerrechtsexperte im italienischen Außenministerium. Der Mann hat sich leider als totaler Flop erwiesen, nicht wahr, Doktor?«

»Absoluter Flop. Schwere Schizophrenie. Immer nur sein Streit mit Papst Alexander dem Sechsten, Isabella von Kastilien und Ferdinand von Aragon über den Vertrag von Tordesillas, in dem Spanien und Portugal ihre überseeischen Interessengebiete abgrenzten. Ein Kurier hat Ihnen ja ein paar Kassetten von Damianis Kämpfen mit den Stimmen, die ihn derart quälen, gebracht. Seit er hier ist, geht es um den gottverdammten Vertrag vom siebenten Juni vierzehnhundertvierundneunzig. Ich glaube, es ist vorgesehen, den Patienten in eine römische Klinik zu überweisen. Wir brauchen das Zimmer. Damiani ist für uns wertlos.«

»Das glauben Sie!« Morleys Stimme schwoll an.

»Ich verstehe nicht…« begann Herdegen, doch Morley unterbrach ihn.

»Sie werden gleich verstehen. Meine Bekannten haben festgestellt: Von Anfang neunzehnhundertzweiundvierzig bis Mai vierundvierzig war Damiani in Berlin.«

»Damiani in Berlin?« wiederholte Herdegen verblüfft. »Davon steht kein Wort in seinem Lebenslauf. Das hat er mit keiner Silbe erwähnt. Ich habe mich weiß Gott wochenlang mit ihm unterhalten, aber niemals hat der Lump auch nur beiläufig davon gesprochen, daß er im Krieg in Berlin gewesen ist. Irren sich da Ihre Bekannten auch bestimmt nicht?«

»Bestimmt nicht. Sie haben es direkt von der italienischen Regierung.«

»Aber warum redet Damiani nie darüber? Was ist das? Eine Sperre? Eine Verdrängung?«

»Ihr Problem. Ich nenne Ihnen nur die Fakten. In Berlin arbeitete Damiani in der italienischen Botschaft. Kannte natürlich seine deutschen Kollegen. War äußerst beliebt. Als die Nazis den elenden Film fälschten, brauchten sie dazu natürlich einen Völkerrechtler, damit das Geheimprotokoll absolut echt wirkte – auch für Fachleute. Muß also ein deutscher Kollege von Damiani mit der Sache beschäftigt gewesen sein. Beginnen Sie zu verstehen?«

»Sie meinen, wenn man Damiani jetzt daraufhin befragt – natürlich nicht direkt, sondern subtil und völlig indirekt –, könnte es sein, daß man die Sperre durchbricht, und er erzählt, was er in Berlin erlebt hat?«

»Sie müssen alles versuchen, Doktor, hören Sie? Alles!«

»Ihre Bekannten vermuten, daß Damiani der Mann nicht unbekannt war, welcher damals Experte der Nazis gewesen ist, weil es sich bei dem Vertrag von Tordesillas und bei dem Geheimprotokoll um dieselbe Sache gehandelt hat?«

»Kluger Junge«, sagte Morley. »Ja, das vermuten meine Bekannten. Heißt besser: Das hoffen sie. Alles spricht dafür. Solche Spezialisten bilden immer einen engen Klüngel. Halten sich für gescheiter als alle anderen. Müssen einander immer beweisen, was für tolle Kerle sie sind. Ist in jedem Beruf so. Über Damiani könnten wir herausbekommen, wer da in Berlin auf das Geheimprotokoll angesetzt wurde. Wer es eventuell verfaßt oder nur geprüft hat, falls schon eines dagewesen ist.«

»Und wenn er es uns nicht erzählt, trotz allem? Er hat bisher auch nichts davon gesagt. Wenn er die Angelegenheit unbedingt weiter verdrängen will?«

»Sie haben Ross, nicht wahr? Dann muß *er* mit Damiani zusammengebracht werden – er und diese Olivera. Sie erzählen Damiani vorher, daß Ross' Vater auch Völkerrechtler war, zum Beispiel. Und Ross keine Ahnung hat, was der Vater in Berlin tat und was aus ihm geworden ist. Das macht Ross noch heute verrückt und so weiter. Sind *Sie* Psychiater – oder ich? Wenn Damiani den Sachverständigen für das Protokoll gekannt hat, dann hat er auch Ross senior gekannt, wenigstens vom Hörensagen. Gänzlich neue Situation für Damiani, nicht wahr? Sehr leicht möglich, daß er dem jungen Ross erzählt, was er Ihnen nicht erzählen will. Die Unterhaltung darf dann natürlich nicht in der Klinik stattfinden.«

»Natürlich nicht. Privat und ganz zwanglos, wie wir das immer arrangieren in solchen Fällen«, sagte Herdegen.

»Sehr richtig. Sobald Ross wieder auf den Beinen ist«, hatte Roger Morley am Abend des 25. Februar gesagt. Das war neun Tage her.

In Daniels Zimmer verabschiedeten sich Sibylle und Werner.

»Seht fern heute abend!« sagte Werner. »Sibylle und ich tun es auch. Du wirst ja jetzt, Gott behüte, ausgeschlafen haben, Danny. Zweiundzwanzig Uhr. Erstes Programm. Müßt ihr unbedingt sehen, diesen Film.«

»Wie heißt er?«

»»Die besten Jahre unseres Lebens«. Regie William Wyler. Die drei Soldaten, die aus dem Krieg nach Hause kommen, erinnerst du dich, Danny? Neunzehnhundertsechsundvierzig hat Wyler den Film gedreht. Sieben Oscars! Sibylle, du und ich, wir haben ihn ein Vierteljahrhundert später im Bellaria-Kino gesehen, diesem kleinen Kino, das immer die alten Filme zeigt.«

»Bellaria-Kino«, sagte Daniel verloren. »Bellaria-Kino – ja, natürlich erinnere ich mich! Wunderbarer Film. Aus einer wunderbaren Zeit. Hunger, Kälte, Trümmer, Ruinen in ganz Europa – und alle haben geglaubt, jetzt kommt eine neue, bessere Zeit, eine neue, bessere Welt. Ich war noch ein kleiner Junge damals. Aber mir hat es meine Mutter immer gesagt, und ich habe mich so gefreut auf diese neue, gute Welt. Alle Menschen waren arm, und alle hatten so große Hoffnung.«

»Als wir ihn dann sahen, den Film, da war es längst wieder vorbei mit der Hoffnung«, sagte Werner.

»Längst, ja«, sagte Daniel. Sein Blick traf sich mit dem von Mercedes.

»Darum wollen wir uns den Film heute auch unbedingt ansehen«, sagte Werner. »Und wir werden wieder sehr traurig sein — wie damals im Bellaria-Kino. Vor Zorn und vor Wut.«

»Und in Erinnerung an alle Menschen, die so große Hoffnung hatten«, sagte Sibylle.

»Sie waren weit weg, in Argentinien.« Werner hatte sich an Mercedes gewandt. »Sie können sich nicht vorstellen, wie das damals war, hier bei uns.«

»Nein«, sagte sie. »Das kann ich mir unmöglich vorstellen.«

Sibylle und Werner verließen das Zimmer. Daniel nahm einen Morgenmantel, schlüpfte in Pantoffeln und ging ins Badezimmer, um sich die Zähne zu putzen. Als er seinen Mund ausspülte, kam ihm Mercedes nach.

»Hast du Hunger? Du brauchst nur zu klingeln, hat die Nachtschwester gesagt. Dein Essen ist warmgestellt.«

»Nein, ich habe keinen Hunger«, sagte Daniel. Sie standen sehr nah beisammen, und sie sahen einander an, unentwegt.

»Aber du?« fragte Daniel.

»Ich habe auch keinen Hunger, Danny«, sagte Mercedes. Ihre Augen ließen ihn nicht los. Nun sprach keiner von beiden mehr. Sibylle kam plötzlich zurück. Sie hatten sie nicht klopfen gehört. Sofort drehte Daniel den Wasserhahn ganz auf. Der brausende Strahl verursachte viel Lärm. Sibylle nickte.

»Ich habe Werner schon hinüber in die Villa geschickt«, sagte sie halblaut, während sie Mercedes ein großes Kuvert gab. »Hier, das ist für euch!« Sie lief schnell fort. Die Zimmertür fiel hinter ihr zu.

Die beiden sahen, was in Sibylles Handschrift auf dem Kuvert stand:

ALLES GLÜCK DER WELT EUCH BEIDEN!
SIBYLLE

Mercedes riß das Kuvert auf. Eine alte achtundsiebziger Platte glitt aus einer alten, vergilbten Schutzhülle. Die Platte war zerkratzt, die Etiketten fehlten.

»Das ist…« Mercedes sprach nicht weiter. Sie sah Daniel fassungslos an.

»... die Platte, von der ich dir erzählt habe«, sagte Daniel. Sie sprachen leise, dicht beieinander stehend. »Das Lied, das Sibylle und ich hatten: ›Wenn ich mir was wünschen dürfte‹.«

»Aber wieso...«

Das Wasser rauschte.

»Ich habe ihr erzählt, daß wir beide es schon zweimal gehört haben. Nun hat sie uns die Platte geschenkt. Nun ist es unser Lied...«

»Bist du sicher, Danny?« fragte Mercedes.

»Ja, Mercedes«, sagte er. »Jetzt bin ich ganz sicher.«

»Du mußt ganz sicher sein«, sagte sie. »Du darfst dir nichts vormachen. Und mir auch nicht. Wenn du nicht sicher bist, mußt du es mir jetzt sagen. Es täte weh. Aber ich muß es jetzt wissen. Nicht später.«

»Glaubst du mir nicht?«

»Ich weiß nicht, Danny... Ich weiß es nicht... Sibylle benimmt sich so großartig... Ich könnte dir unmöglich böse sein, wenn du es nicht fertigbrächtest, jemals für einen Menschen mehr zu empfinden als für sie.«

»Mercedes...«

»Ja?«

»Ich war verwirrt, als ich Sibylle wiedersah, das weißt du. Und die Erinnerung war sehr stark. Aber das ist vorüber. Du bist es, die sich in diesen Tagen großartig benommen hat. Du bist so tapfer.«

»Gar nicht«, sagte sie. »Aber ich möchte es gerne sein.«

Er nahm die Schellackplatte aus ihrer Hand und legte sie auf einen Hocker. Dann küßte er sie, und sie preßten die Körper aneinander und umarmten sich wild, als wäre der eine des anderen letzter Halt auf Erden, der letzte.

2

Zu etwa diesem Zeitpunkt bewegte sich ein großer, hagerer Mann in Stiefeln, Cordsamthose und Anorak geräuschlos wie eine Katze durch die alten, hohen Bäume und das dichte Unterholz beim Rittersturz im verschneiten Koblenzer Stadtwald, nahe der Laubachstraße und dem Rheinufer. Hier gab es einen Parkplatz. Auch er war tief verschneit.

Der Mann im Anorak hatte ein knochiges Gesicht mit schmalen Lippen und sehr kalten Augen. Er schlich seit einer halben Stunde durch den Wald rund um den Rittersturz. Er mußte ganz sicher sein, daß er hier nicht von der Polizei erwartet wurde. Er hatte solche Situationen, bei denen es um seine Sicherheit und sein Leben ging, oft als Söldner in mancherlei Kriegen erlebt. Endlich war er zufrieden. Hier erwartete ihn keine Polizei. Kramer hatte Wort gehalten und war allein gekommen. Da stand sein schwarzer VW Golf, die Scheinwerfer auf Abblendlicht geschaltet, wie sie es am Telefon verabredet hatten. Ich kann es riskieren, dachte der Mann mit den kalten Augen. Er machte ein paar große Schritte bis zum Wagen und riß den rechten Schlag auf. Er ließ sich auf den Beifahrersitz fallen und schloß die Tür hinter sich. Der etwa dreißigjährige Mann am Steuer, der Herbert Kramer hieß, fuhr erschrocken auf. Er war sehr bleich. In der milchigen Finsternis leuchtete sein rundes Gesicht wie ein Miniaturmond. Die dicken Gläser seiner Brille funkelten.

»Tag«, sagte der Mann auf dem Beifahrersitz.

Kramer schwieg. Er zitterte, aber nicht vor Kälte.

»Haben Sie es dabei?« fragte der Hagere.

»Natürlich.« Kramer räusperte sich krampfhaft.

»Wo ist es?«

»Auf dem Rücksitz.«

Der Hagere neigte sich nach hinten und hob einen Gegenstand hoch, der aussah wie ein großes Kontobuch. Er nahm eine starke Taschenlampe, legte das Buch auf die Knie und begann zu blättern. Die Seiten waren mit gleichmäßigen Schriftzügen bedeckt. Der Hagere hatte gefunden, was er suchte. Bedächtig las er die Stelle mehrere Male.

»Gut«, sagte er dann. »Gut, Herr Kramer.«

»Wo ist Lotti?« fragte der Mann, der Kramer hieß. Seine Hände schlugen gegen das Steuerrad. »Um der Liebe Christi willen, wo ist Lotti? Sie haben gesagt, wenn ich Ihnen den Band bringe, kriege ich sie sofort wieder.«

Der Hagere kurbelte das Fenster an seiner Seite herab, schaltete die starke Taschenlampe ein und beschrieb mit ihr drei kreisförmige Bewegungen. Kurze Zeit später kam, ohne Licht, ein großer Mercedes den Weg auf den Parkplatz zu gerollt. Er blieb in gleicher Höhe mit dem Golf, aber etwa acht Meter entfernt stehen. Der Mann am Steuer des Mercedes schaltete die Innenbeleuchtung des Wagens an, drehte sich um und sagte etwas.

Gleich darauf tauchte am hinteren linken Fenster des Mercedes ein kleines Mädchen auf. Das kleine Mädchen trug eine Rotkäppchenmütze und ein Pelzmäntelchen. Es hatte riesengroße dunkle Augen und starrte zu dem Golf herüber.

»Gott sei Dank!« sagte Kramer. »Ich habe so furchtbare Angst gehabt, daß sie tot ist.«

»Sie wäre tot, wenn Sie die Polizei verständigt hätten«, sagte der Hagere. »Oder wenn Sie das da nicht mitgebracht hätten.« Er klopfte auf das große Buch. »Hupen Sie kurz!«

Kramer tat es.

Die Hupe des Mercedes ertönte gleichfalls für einen Moment. Dann trat der Mann am Steuer, ein untersetzter Bulle, ins Freie und öffnete den linken hinteren Wagenschlag. Er hob das kleine Mädchen heraus und sagte: »Lauf!«

Das kleine Mädchen lief, durch den hohen Schnee stolpernd, zu dem Golf. Auf dem Rücken trug es eine Schultasche. Es fiel, kam wieder auf die Beine und lief weiter. Der Mann mit den kalten Augen stieg aus.

»Danke«, sagte Kramer erstickt. »Danke, daß Sie Wort gehalten haben.«

»Ich halte immer Wort«, sagte der andere. Das große Buch hatte er nun unter dem linken Arm. Das kleine Mädchen sprang an dem Hageren vorbei in den Golf und umarmte Kramer.

»Vati!« rief es. »Vati!«

»Ja, Lotti, mein Liebling.« Er preßte das Kind an sich.

»Es war schrecklich, Vati... ganz schrecklich... Ich habe mich so gefürchtet...« Das kleine Mädchen begann zu schluchzen.

Der Vater strich ihr ungeschickt über das schwarze Haar. Die rote Kappe war heruntergefallen.

»Nicht weinen, Lotti!« sagte er. »Nicht weinen! Bitte, weine nicht! Es ist ja alles gut.« Er sagte immer wieder dieselben Worte. Endlich sah er zu dem Hageren auf. »Ist jetzt Schluß?« fragte er.

»Ja«, sagte der Hagere, »jetzt ist Schluß.« Er hatte plötzlich eine große Pistole in der rechten Hand. Blitzschnell setzte er die Mündung an Kramers rechte Schläfe und drückte ab. Die Kugel durchschlug den Schädel, riß bei der Austrittsstelle das halbe Gesicht weg und zerbrach dann noch die Fensterscheibe der linken Tür. Kramers Brille war fortgeflogen. Blut schoß aus seinem Kopf.

»Vati!« schrie Lotti entsetzt. Sie packte den rechten Arm des Vaters. Der Tote fiel über das Kind, das sofort voller Blut war.

Lotti kreischte. Sie versuchte, sich zu befreien. Blut floß in Strömen über sie.

Der Hagere rannte zu dem Mercedes und sprang neben den untersetzten Fahrer, welcher schon den Motor gestartet hatte. Der Wagen beschrieb eine verrückte Kreisbahn auf dem einsamen, verschneiten Parkplatz und glitt dann den Weg zur Laubachstraße hinauf. Nach kurzer Zeit bereits hörte man den Motor nicht mehr. Lotti hatte sich von der Last des toten Vaters befreit und taumelte aus dem Golf in den Schnee. Sie fiel wieder hin, stand auf und begann, außer sich vor Grauen, gellend zu schreien. Sie schrie unverständlich, sie schrie und schrie und schrie, und sie war voller Blut, und der Golf war voller Blut, und es kam immer neues Blut aus dem, was einmal der Kopf ihres Vaters gewesen war.

Am nächsten Vormittag um 10 Uhr, es war der 6. März 1984, fuhren zwei Wagen auf dem Peter-Altmeier-Ufer neben der Mosel in Richtung Deutsches Eck, wo die dreckigen Fluten der Mosel mit den noch dreckigeren des Rheins zusammenfließen. Die Wagen passierten die neue Moselbrücke und bogen vor der Eisenbahnbrücke, die beim Unterhafen den Strom überquert, auf den großen neuen Messeplatz ein. Hier blieben sie stehen.

Aus dem ersten Wagen stiegen Conrad Colledo, Hauptabteilungsleiter für Politik und Zeitgeschehen beim Fernsehsender Frankfurt, und ein etwa fünfundzwanzigjähriger blonder Mann. Den zweiten Wagen, einen großen Kombi, verließen vier Männer, die den Laderaum öffneten und Stative, Kabel, Scheinwerfer, Mikrofone, Kameras sowie einige Metallkoffer herausnahmen. Sie alle gingen an der Clemens-Brentano-Realschule und dem Stadtbad vorüber zum großen Gebäude der Dokumentationszentrale der Bundesrepublik Deutschland, das hinter der Balduinbrücke steht. In der Eingangshalle erhoben sich zwei Männer in Wintermänteln und traten Colledo und seinem Begleiter, die vorangegangen waren, in den Weg.

»Was ist los?« fragte Colledo. »Was wollen Sie?«

»Kriminalpolizei, Mordkommission«, sagte der ältere der beiden, eine Zigarette im Mundwinkel. Er zeigte seine Dienstmarke. »Ich bin Kommissar Bevensen, das ist mein Kollege, Kommissar Mack. Sie kommen sehr pünktlich, meine Herren.« Inzwischen waren auch die vier Techniker mit ihren Geräten in der kalten Halle erschienen.

»Woher wußten Sie, daß wir kommen?« fragte Colledo. Er trug

wieder eine Elefantenkrawatte und einen maßgeschneiderten blauen Anzug, dazu diesmal ein blau-weiß gestreiftes Hemd.

»Es ist ein Verbrechen geschehen«, sagte der schlanke Kommissar Bevensen. Sein Haar war kurzgeschnitten und schimmerte silbern. »Ein Mensch wurde ermordet. Bitte, kommen Sie mit! Wir können hier nicht sprechen. Die Institutsleitung hat uns einen Raum zur Verfügung gestellt.«

Kurze Zeit später saßen alle in diesem Raum. Sie hatten die Mäntel ausgezogen. Es war zu warm. Colledo öffnete ein Fenster. Straßenlärm drang herein.

»Sie«, sagte Bevensen zu dem blonden, jungen Mann, der mit Colledo gekommen war, »sind Heinz Kling, nicht wahr?«

»Ja«, sagte der. »Woher...«

»Wir führen diese Untersuchung schon seit gestern abend«, sagte Bevensen und zündete am Stummel seiner Zigarette eine neue an. »Wir wissen über Sie Bescheid, Herr Kling. Von den Angestellten des Archivs. Sie haben seit drei Tagen hier gearbeitet. Herbert Kramer, ein Bibliothekar, war Ihnen behilflich. Sie sind angestellt als Reporter beim Sender Frankfurt. Gestern vormittag scheinen Sie gefunden zu haben, was Sie suchten, denn Sie waren nach Aussage der Angestellten im großen Lesesaal sehr aufgeregt und telefonierten lange in der Zelle neben der Eingangshalle.«

»Herr Kling sprach mit mir. Übrigens: Mein Name ist Colledo. Sie haben recht, Herr Kommissar. Er hatte etwas sehr Wichtiges – für uns Wichtiges – gefunden. Dank der liebenswürdigen und geduldigen Hilfe von Herrn Kramer. Es ist doch um Himmels willen nicht etwa er, der ermordet wurde!«

»Doch«, sagte Bevensen, der so hastig rauchte, wie Colledo das noch nie gesehen hatte, »leider.«

Ein Stativ fiel mit viel Lärm vom Tisch. Einer der Techniker hob es auf und entschuldigte sich. Danach sprach lange Zeit niemand. Straßenlärm brandete immer wieder auf.

»Entsetzlich«, sagte Conrad Colledo schließlich. »Wie ist das passiert? Und wo?«

»Erlauben Sie!« Kommissar Mack, jünger und fülliger als Bevensen, hob kurz eine Hand. »Der Reihe nach, bitte! Wie wir erfahren haben, kam Herr Kling hierher in der Hoffnung, irgendwelche Dokumente zu entdecken, die den Geheimdienst des Naziaußenministers Ribbentrop betreffen. Er hatte Glück. Kramer fand heraus, daß dieses Zentrum die sogenannten Arbeits-

journale des Dienstes besitzt, einen Band pro Jahr von neunzehnhundertfünfunddreißig – da wurde der Dienst geschaffen –
bis fünfundvierzig, nicht wahr, Herr Kling?«

»Ja, so ist es, Herr Kommissar.«

»Sie suchten drei Tage lang. Grund für Ihre Aufregung war dann
eine Eintragung in das Arbeitsjournal des Jahrs neunzehnhundertvierundvierzig, sagt man uns.«

Der blonde Kling zögerte.

Statt seiner antwortete Colledo: »Das ist richtig, Herr Kommissar.« Bevensen drückte schon wieder einen Zigarettenstummel
aus, nachdem er zuvor eine neue Zigarette an ihm entzündet
hatte. Seine Fingernägel waren gelb von Nikotin.

»Wie lautete die Eintragung, Herr Kling?«

Der junge Mann sah Colledo hilfesuchend an. Dieser sagte: »Das
ist eine absolut geheime Produktion, an der wir da arbeiten,
meine Herren.«

»Es geht um Mord, Herr Colledo«, sagte Mack. Er sah Colledo
aggressiv an. Wieder entstand eine Pause.

»Das überschreitet meine Kompetenzen«, sagte Colledo
schließlich. »Ich muß mit dem Intendanten telefonieren.«

»Tun Sie das, Herr Colledo. Tun Sie das. Wie gesagt, neben der
Halle gibt es eine Telefonzelle. Haben Sie genügend Kleingeld?
Das ist ein Ferngespräch. Hier, bitte!« Mack überreichte Colle-
do ein Kuvert mit Fünf-Mark-Stücken.

»Danke! Es wird eine Weile dauern.«

»Wir haben Zeit«, sagte Bevensen.

Sie saßen da und sahen einander nicht an, und niemand sprach,
und von der Straße her kam das Brausen des Verkehrs, und allen
war heiß, obwohl das Fenster nun offen war. Dann stand der
junge Kameramann auf. Er sagte: »Ich muß pissen.« Als er
wiederkam, sagte er: »Im Archiv haben sie mir gesagt, dieser
Kramer war verheiratet und hatte ein Kind. Ein kleines Mädchen.«

»Das stimmt«, sagte Mack mit unbewegtem Gesicht.

Der Kameramann wurde wütend. »Schauen Sie mich nicht so an!
Wir haben ihn nicht umgebracht!«

»Wenn Herr Kling hier nicht aufgetaucht wäre, wäre Kramer
noch am Leben«, sagte Mack.

»Hören Sie mal, Herr Kommissar, wir können uns nicht aussuchen, wo man uns hinschickt. Wir...«

»Laß, Karl«, sagte der blonde Kling. »Herr Mack hat ganz recht.« Er schlug kraftlos auf die Tischplatte. »Scheiße, verfluchte!« sagte er. Dann sprach wieder niemand mehr.

Es dauerte fast eine halbe Stunde, bis Colledo zurückkehrte. Er sah irritiert und unzufrieden aus.

»Entschuldigen Sie die lange Zeit, die ich brauchte, meine Herren. Ich habe mit dem Intendanten gesprochen. Der mußte erst mit der Rechtsabteilung sprechen. Dann mit dem Kanzler. Dieser mit dem Innenminister. Dieser mit dem Bundeskriminalamt.« Colledo sah die vier Techniker an. »Tut mir leid, Jungs, aber ihr müßt raus. Wartet im Wagen! Ich habe die Erlaubnis und den Auftrag, die Herren von der Mordkommission vollkommen einzuweihen. Das Bundeskriminalamt und die Polizei sämtlicher Bundesländer arbeiten ab sofort mit dem Sender zusammen. Das BKA besteht jedoch darauf, daß nur jene Personen informiert werden, welche die ganze Wahrheit wissen *müssen*. Das geschieht zu eurer eigenen Sicherheit.«

»Klar«, sagte der Kameramann. »Also raus mit uns, Kollegen!« Die vier verließen den Raum.

Bevensen zündete sich eine neue Zigarette am Rest der letzten an.

»Nun?« fragte er.

Colledo begann zu sprechen.

Als er eine Viertelstunde später verstummte, stand Mack auf und schloß das Fenster.

»Der Krach macht mich noch wahnsinnig«, behauptete er. »Und ich drehe diese verfluchten Heizkörper ab. Das ist ja eine wüste Geschichte. Großer Gott im Himmel! Da kommt jetzt etwas auf uns zu. Der Mord an Kramer war ein erster, kleiner Anfang. Jetzt erzähle den Herren, was *wir* bisher herausgekriegt haben, Tom.«

Bevensen nickte. »Also, folgendes ist passiert: Nachdem Sie, Herr Kling, gestern so aufgeregt ans Telefon gestürzt sind, hat jemand gegen ein Uhr dreißig Frau Kramer in der Moltkestraße angerufen. Sie haben so gegen zehn telefoniert, nicht wahr?«

»Ja. Ich habe Herrn Colledo von meinem Fund berichtet. Um im Dokumentationszentrum zu filmen, war natürlich die Zustimmung des Direktors nötig. Der brauchte die des Innenministers. Schließlich hatten wir alles. Wir verabredeten, daß ich hier noch einmal im Hotel übernachten sollte. Heute vormittag wollte Herr Colledo mit einem Aufnahmeteam kommen. Das wissen Sie ja schon.« Die Beamten nickten. »Jemand hat Frau Kramer angerufen? Dreieinhalb Stunden nachdem ich telefonierte?«

»Ja.«

»Wer?«

»Das wissen wir nicht.«

»Was wollte er?«

»Er sagte Frau Kramer, daß ihre kleine Tochter Lotti entführt worden sei. Auf dem Heimweg von der Schule. Jemand muß Sie, Herr Kling, die ganze Zeit über, die Sie im Dokumentationszentrum arbeiteten, beobachtet haben. Genau beobachtet. Ist Ihnen niemand aufgefallen?«

»Nein.«

»Sie sind Reporter. Sie sind es gewöhnt, daß man Sie verfolgt oder beobachtet?«

»Ja.«

»Aber Sie haben in den drei Tagen nichts bemerkt.«

»Nein. Ich habe aufgepaßt. Aber bemerkt habe ich nicht das geringste.«

»Wieso brauchten Sie eigentlich drei Tage?«

»Weil ich alle elf Bände des Arbeitsjournals von fünfunddreißig bis fünfundvierzig durchackern mußte.«

»Haben Sie mehrere Eintragungen gefunden, die für Sie von Interesse waren?«

»Nein, nur eine einzige.«

»Im Jahrgang vierundvierzig.«

»Ja, Herr Kommissar.«

»Profis«, sagte Bevensen.

»Das fürchte ich«, sagte Colledo. »Und weiter?«

»Der Anrufer sagte Frau Kramer, sie solle sofort ihren Mann hier im Dokumentationszentrum anrufen und ihm sagen, daß er das Arbeitsjournal des Ribbentrop-Dienstes für das Jahr vierundvierzig entwenden und mitnehmen müsse. Falls er das nicht tue und nicht bereit sei, diesen Band später – er werde noch erfahren, wo und wann – einem Mann auszuhändigen, dann habe er keine Chance, seine kleine Tochter lebend wiederzusehen. Auch nicht, wenn er oder seine Frau die Polizei einschalteten. Die beiden waren in solcher Panik, daß sie uns prompt nicht verständigten.«

»Und daß Kramer das Journal für vierundvierzig mitnahm«, sagte Colledo.

»Ja«, sagte Bevensen. »In seiner Aktentasche. Kein Mensch merkte etwas. Kontrolliert wird hier nicht.«

»Man kann ihm keinen Vorwurf machen«, sagte Mack. »Sie waren beide außer sich vor Angst um das Kind, sagte uns Frau Kramer.«

»Wo ist sie?«

»Im Sankt-Josef-Krankenhaus. Schwerer Schock. Das kleine Mädchen auch. Auch Schock. Wir haben nur fünf Minuten mit der Mutter und fünf Minuten mit Lotti sprechen können.« Bevensen nahm eine neue Zigarette. Er machte einen überarbeiteten und nervösen Eindruck. Seine Finger zitterten leicht. »Der Mann am Telefon hatte gesagt, die Eltern müßten zu Hause bleiben und weitere Anweisungen abwarten. Na, sie warteten bis Viertel vor sechs. Dann rief ein anderer Mann an und sagte, Kramer solle seinen VW Golf nehmen und mit dem Journal in das Restaurant HAFNER in der Görtzstraße kommen. Kramer verlangte ein Lebenszeichen von seiner Tochter, und da hörte er dann Lotti weinen und sagen, daß sie Angst habe und daß er tun solle, was die Onkel sagten, dann dürfe sie wieder nach Hause.«

»Moment mal«, sagte der junge Kling. »Ich komme vor vier Tagen abends in Koblenz an. Am nächsten Morgen gehe ich in das Dokumentationszentrum. Drei Tage später habe ich gefunden, was ich suche und telefonierte mit Herrn Colledo. Und schon dreieinhalb Stunden später ruft ein Mann bei Frau Kramer an und sagt, ihre Tochter ist entführt worden. Das ist doch praktisch unmöglich.«

»Das ist praktisch natürlich sehr wohl möglich«, sagte Bevensen. »Nämlich wie?«

»Haben Sie Ihren Besuch im Dokumentationszentrum nicht vorher angemeldet?«

»Doch.«

»Wann?«

Kling sagte unsicher: »Vor vier Tagen. Da rief ich vom Sender aus an.«

»Mit wem haben Sie gesprochen?«

Kling wurde rot vor Verlegenheit. »Mit Herrn Kramer. Man hat mich mit ihm verbunden.«

»Dann hatten die Kerle drei Tage Zeit, alles über die Familie Kramer herauszufinden: wo das Kind zur Schule ging, welchen Weg es nahm, alles. Kramer hat die Kollegen informiert, daß jemand vom Fernsehen kommen würde. Das sprach sich herum.

Wir können also sicher sein, daß Sie bereits erwartet wurden. Die Brüder wissen – müssen wissen –, daß alle Archive und zeitgeschichtlichen Institute jetzt von Ihren Rechercheuren in dieser Sache aufgesucht werden. So ist es doch, Herr Colledo?«

»Ja«, sagte der. »So ist es. Wir haben überall Rechercheure hingeschickt. Nicht nur in Deutschland. Auch nach Amerika, England und Frankreich. Nach Rußland ging es nicht. Aber es ist doch unmöglich, daß sie alle beschattet werden! So viele Leute können die doch nicht haben!«

»Warum nicht?« fragte Bevensen. »Warum sollen die nicht genauso viele Leute eingesetzt haben wie Sie? Vielleicht noch mehr?«

»Das stimmt«, sagte Colledo.

»Es gibt natürlich noch eine andere Möglichkeit«, sagte Mack.

»Nämlich welche?«

»Nämlich die, daß Sie einen Verräter im Sender haben, der die Kerle über alles, was vorgeht, auf dem laufenden hält.«

»Erlauben Sie!« Colledo war aufgesprungen. »Ich habe nur die besten und zuverlässigsten Leute eingeweiht. Dazu gehören der Intendant, der Chefredakteur und die Männer der Rechtsabteilung. Wollen Sie unterstellen, daß...«

»Regen Sie sich ab, Herr Colledo!« Mack winkte mit der Hand ab. »Ich will gar nichts unterstellen. Ich habe nur gesagt, das wäre auch eine Möglichkeit. Eine Telefonistin würde genügen...«

»Ausgeschlossen«, sagte Colledo. »Für die im Sender lege ich meine Hand ins Feuer.«

»Wie Sie meinen«, sagte Mack. »Sie haben Ihre Erfahrungen, wir haben unsere.«

»Vermutlich haben die Entführer Kramer eine Tonbandaufnahme mit Lottis Stimme vorgespielt«, fuhr Bevensen fort, »denn sie antwortete nicht auf seine Fragen. Das wissen wir von Frau Kramer. Er fuhr also los zu diesem Restaurant in der Görtzstraße. Dort saß er bis etwa neunzehn Uhr. Um diese Zeit läutete das Telefon, und er wurde verlangt. Das hat uns ein Kellner erzählt, der sich daran genau erinnert. Ohne Zweifel bekam Kramer nun den Auftrag, zu einem anderen Ort zu fahren. Wir wissen nicht, wo er noch überall hingeschickt wurde. Die wollten ganz sicher sein, daß er nicht doch die Polizei verständigt hatte und von ihr beschattet wurde. Vermutlich jagten sie ihn durch die ganze Stadt.«

»Und wo... passierte es schließlich?« fragte Kling.

»Im Stadtwald«, sagte Mack. Er sprach immer gereizt und wütend. Vielleicht hat er Magengeschwüre oder Krach mit seiner Alten, dachte Colledo.

»Übergab man ihm dort das Kind?«

»Ja. Lotti hat uns bei der Aufklärung sehr geholfen – soweit sie es in ihrem Zustand konnte. Das arme Wurm«, sagte Bevensen. »Es waren zwei Männer. Sie hatten sie zuerst in einen Keller gesperrt. Hände gebunden. Knebel im Mund. Dann, abends, sind sie mit ihr losgefahren. Einen weiten Weg. Zum Stadtwald. Dann ist einer der beiden Männer ausgestiegen, sagt sie. Der andere hat etwa eine halbe Stunde auf der Straße gewartet. Endlich ist er zum Parkplatz gefahren. Da stand der VW Golf. Lotti hat ihn gesehen. Ihren Vater am Steuer. Den anderen Mann neben ihm. Der Mann in ihrem Wagen hat die Innenbeleuchtung eingeschaltet, damit der Vater Lotti auch sehen konnte. Dann hat der Mann gesagt: ›Lauf!‹ Lotti ist zum Golf gelaufen. Der zweite Mann ist ausgestiegen. Er hatte ein großes Buch in der Hand, sagt Lotti. Sie ist in den Wagen gesprungen und hat den Vater umarmt. Gleich darauf gab es einen Knall. Der Vater ist zuerst über das Steuer und dann über Lotti gefallen. Der Mann, der bei ihm war, hat ihm in die rechte Schläfe geschossen. Die Kugel durchschlug den Schädel und die Scheibe der linken Tür. Unsere Leute haben sie in einem Baumstamm gefunden. Kaliber neun Millimeter. Lotti hat zuerst nur geschrien, dann ist sie zur Laubachstraße gelaufen. Der erste Wagen, der vorbeikam, gehörte einem gewissen Ingenieur Kreuzer. Peter Kreuzer. Er hielt natürlich und hörte das Gestammel der armen Kleinen, fuhr zum Tatort, sah die ganze grausige Schweinerei und raste mit Lotti in das Altenheim Drei-Kaiser-Weg, und von dort rief er die Polizei an. Jetzt wissen Sie alles von uns. Und wir wissen alles von Ihnen«, sagte Bevensen. »Nur zwei Dinge nicht.«

»Nämlich welche?« fragte Colledo.

»Nämlich erstens, was Sie jetzt mit Herrn Kling zu tun gedenken. Sollen wir ihn in Schutzhaft nehmen?«

»Warum?« fragte Kling.

»Na, Sie sind doch als nächster fällig«, sagte Bevensen. »Ein richtiges Wunder, daß es Sie noch nicht erwischt hat. Kaum zu fassen. Sie wissen doch, wie die Eintragung im Arbeitsjournal lautete. Sie kann man noch immer für die Dokumentation filmen und aussagen lassen.«

»Das werden wir auch tun«, sagte Colledo. »Und Sie vergessen, daß unser Intendant gedroht hat, den Film sofort auszustrahlen, ohne jede Dokumentation, ohne Recherchen, falls einem einzigen Menschen, der mit der Sache beschäftigt ist, oder einem seiner Angehörigen etwas zustößt. Wir haben alle unsere ›Lebensversicherung‹.«

»Natürlich«, sagte Bevensen. »Dumm von mir.«

»Nur Kramer hatte keine«, sagte Mack bitter.

»Und zweitens?« fragte Colledo.

»Zweitens«, sagte Bevensen, »wissen wir noch nicht, wie die Eintragung im Arbeitsjournal für das Jahr vierundvierzig lautete. Wie lautete sie, Herr Kling?«

Der Reporter sah Colledo an. Dieser nickte.

Kling sagte: »Herr Colledo hat Ihnen erzählt, daß dieser Eduardo Olivera in Buenos Aires, der früher einmal Georg Ross hieß und der Vater von Daniel Ross ist, behauptet, ein Agent, den er nur unter der Bezeichnung CX einundzwanzig kannte, sei mit dem Film, um den sich alles dreht, Ende März vierundvierzig in der ehemaligen Reichshauptstadt angekommen, ja?«

»Ja«, sagte Bevensen.

»Gut«, sagte Kling. »Die Eintragung im Arbeitsjournal für den einunddreißigsten März neunzehnhundertvierundvierzig lautete: ›Aus Teheran trifft CX einundzwanzig mit wichtigstem Material in Berlin ein. Chef Mittlerer Osten informiert Reichsmin. von Ribbentrop. Dieser ruft sofort Reichsmin. Goebbels und Reichsführer Himmler ins AA. Material zu Geheimer Reichssache Stufe I erklärt. Deshalb keine weitere Erwähnung in Arbeitsjournal.‹«

3

»Am schlimmsten ist der Papst«, sagte der italienische Völkerrechtler Professor Umberto Damiani klagend zu Mercedes. »Die Streitereien mit Ferdinand von Aragon und Isabella von Kastilien sind auch schon schlimm genug. Aber die Beleidigungen Alexanders des Sechsten werden unerträglich. Ein Borgia. Und was für einer! Du liebe Güte! Seiner Verbindung mit Vanozza Cattanei entstammen die berüchtigten Kinder Cesare, Francisco, Giovanni und Lucrezia... Ich brauche nicht weiterzuspre-

chen. Eine dem Vater würdige Brut, weiß Gott! Kriege, Raub-
züge, Giftmorde, Blutschande, na, Sie wissen es ja. Nein, dieser
Alexander bringt mich noch um. Und das meine ich wörtlich,
verehrte Signora. Ich lebe in ständiger Todesangst.«

Professor Damiani war zweiundsiebzig Jahre alt, groß und
schlank. Er besaß das dramatische Temperament des Südlän-
ders, seine Hände waren dauernd in Bewegung, wenn er sprach.
Er hatte schwarze Augen und schwarzes, dichtes Kraushaar, an
den Schläfen ganz ergraut. Olivenfarben war die samtene Gesichtshaut. Er trug einen dunklen Anzug, ein weißes Hemd und
eine silberne Krawatte. Mit übergeschlagenen Beinen – weiße
Socken zu schwarzen Slippers – thronte er auf einem Sessel im
großen Wohnzimmer der Villa, welche Sibylle mit ihrem Mann
bewohnte. Es war halb zehn Uhr abends. Draußen tobte ein
Sturm. Um einen Tisch saßen außer dem Italiener Mercedes,
Daniel, Herdegen, Sibylle und Werner Farmer. Das Abendessen
war vorüber. Eine Haushälterin hatte serviert, zubereitet worden war die Mahlzeit – Tafelspitz mit Beilagen – jedoch von
Sibylle. Daniel und Werner hatten mit Begeisterung und voll
gefühlsseliger Erinnerungen gegessen, die anderen nur mit Begeisterung, auch Herdegen. Sibylle war mit Komplimenten
überschüttet worden, Damiani hatte ihr die Hand geküßt. Nun,
nach dem Essen, hatte Daniel den Professor in ein Gespräch
verwickelt. Er war nicht überrascht darüber, wie der Geistes-
kranke von seinem Lebensproblem sprach, nämlich geordnet,
vernünftig und völlig normal. Sibylle hatte Daniel das vorher
gesagt: »Solange es um sein Arbeitsgebiet geht, wirst du überhaupt nicht merken, daß Damiani schizophren ist. Nur sobald er
dieses Gebiet verläßt...«

In der Tat hatte, was Damiani in eigentümlicher Wortwahl und
Sprechweise während des Essens von sich gegeben hatte, wirr
und abstrus geklungen. Nun aber war er beim Thema. Nun hatte
sich sein Betragen völlig verändert.

»... Todesangst, jawohl, gnädige Frau.«

»Aber ich verstehe nicht... Was werfen diese Leute Ihnen denn
vor?« fragte Mercedes.

»Ach!« Damiani warf die Arme in die Luft. »Ich habe vor
vierzehn Jahren ein wissenschaftliches Buch veröffentlicht...«

»Das in Fachkreisen der ganzen Welt eine Sensation war«, sagte
Herdegen.

»Ach, ja also, man war so gütig, meiner Arbeit einige Aufmerksamkeit zu schenken.« Jetzt zierte sich Damiani. Es schien, als schauspielere er unentwegt. »Die Arbeit fand Interesse und Widerspruch bei meinen internationalen Kollegen, weil sie sich sehr ausführlich mit einer Streitfrage befaßt, deren Wurzeln schon im Alten Testament zu finden sind, vornehmlich in den Psalmen, in denen, wie Sie wissen – ich rede jetzt außerordentlich populärwissenschaftlich –, davon die Rede ist, daß diese Welt von Jahwe, also Gott, geschaffen und daher Sein Eigentum ist, nicht wahr, und daß Ihm daher ein jeder untertan zu sein hat.« Damiani hob die Stimme und zitierte: »›Alle Könige sollen ihre Knie beugen vor Ihm.‹ Nun, und daraus haben dann einige Päpste, Seine Stellvertreter auf Erden, nicht wahr, die Schlußfolgerung gezogen, sie besäßen das gleiche Recht, diese Erde als ihr Eigentum zu betrachten und nach Gutdünken mit ihr zu verfahren. Sehen Sie, meine Herrschaften, das war durch viele Jahrhunderte eines der heikelsten Probleme, die es für die damalige Völkerrechtskunde gab, nicht wahr? Und mein Buch ›Inter caetera divinae‹ setzt sich mit diesem Problem auseinander.«

»Was heißt ›Inter caetera divinae‹?« fragte Mercedes. Sie versuchte zu übersetzen: »Unter anderem…‹«

»Sie haben recht, Signora, völlig recht. Indessen sind diese drei Worte unverständlich, da sie den Anfang eines Satzes bilden, und zwar des ersten Satzes der Bulle von Papst Alexander dem Sechsten, gerichtet an die ›katholischen Könige‹ Ferdinand von Aragon und Isabella von Kastilien sowie an Johann den Zweiten von Portugal. Die spanischen Herrscher hatten sich an den Papst gewandt, um von ihm in ihrer Interessensphäre gegenüber dem Rivalen auf der Iberischen Halbinsel, Portugal also, bestätigt und beschützt zu werden…« Damianis Worte überstürzten sich nun fast. »Nun, und in jener Bulle Alexanders des Sechsten vom vierten Mai vierzehnhundertdreiundneunzig heißt es nach einer pompösen allgemeinen Einleitung dann eben: ›Unter den anderen der göttlichen Majestät‹ – da haben Sie das ›inter caetera divinae‹, liebste Signorina, das ›majestatis‹ ist schon weggelassen –, unter den anderen der göttlichen Majestät wohlgefälligen und Unserem Herzen erwünschten Werken ist das wichtigste, daß der katholische Glaube und die christliche Religion in Unserer Zeit verherrlicht und überall verbreitet werden und so weiter und so weiter, als Begründung und Rechtfertigung für das, was Alexander der Sechste mit dieser Bulle de facto getan hat.«

»Und was hat er getan?« fragte Daniel.

»Ah!« sagte Damiani. »Er hat eine Demarkationslinie festgesetzt, um die Entdeckungen der Portugiesen und der Spanier zu trennen. Diese Linie verlief hundert Meilen westlich der Azoren von Pol zu Pol. Alles Land ostwärts davon sollte den Portugiesen gehören, alles westlich davon den Spaniern. Am siebenten Juni des Folgejahres verständigten sich Spanier und Portugiesen im Vertrag von Tordesillas dann direkt miteinander. Der Vertrag ließ die Demarkationslinie durch einen Punkt dreihundertsiebzig Meilen westlich der Kapverden gehen, das heißt, die Grenze wurde zugunsten Portugals nach Westen verschoben, und zwar von achtunddreißig Grad West, wie in der Bulle, auf sechsundvierzig Grad dreißig Minuten West.«

»Mit anderen Worten: Dieser Papst hat es Portugal und Spanien, den damaligen Supermächten, gestattet, die Welt unter sich aufzuteilen«, sagte Daniel.

»Genau das, Signore«, sagte Damiani. »Die beiden haben sich die Welt geteilt!«

Dieses Gespräch fand am Abend des 8. März 1984, einem Donnerstag, statt.

Zwei Tage zuvor, am 6. März, hatte Daniel auf seinem täglichen Spaziergang – diesmal mit einem unbekannten Pfleger – von einem Gasthaus in Heiligenkreuz aus mit Conrad Colledo telefoniert und alles über den Mord an Herbert Kramer, dem Bibliothekar im Dokumentationszentrum der Bundesrepublik in Koblenz, erfahren.

Colledo war zornig gewesen. »Da sind meiner Ansicht nach jetzt ein Haufen Killer von dem Typ unterwegs, den Mercedes und ich in deiner Wohnung kennengelernt haben. Peter Corley nannte er sich. Heißt natürlich nie im Leben so. Ich habe das Gefühl, daß er sich ganz in eurer Nähe aufhält. Scheint auf euch beide angesetzt worden zu sein. Seid bloß vorsichtig! Die Polizei meint, das ist erst der Anfang, der kleine Anfang von etwas Größerem.« Colledo fluchte. »Eintragung in das Arbeitsjournal von Ribbentrops Dienst! Wenn das kein Beweis gewesen wäre! Jetzt ist der Beweis weg und Kramer tot. Elende Scheiße!«

»Wenn die Nazis den Film gefälscht und dabei wirklich an alles gedacht haben, dann könnten sie, um die Sache wasserdicht zu machen, natürlich auch die Eintragung ins Journal gefälscht haben. In Wirklichkeit muß dann an dem Tag gar kein Agent aus Teheran eingetroffen sein.«

»Die Schweine, die den armen Kerl in Koblenz erschießen und das Journal verschwinden ließen, wollen aber doch gerade den Nachweis erbringen, daß der Film eine Fälschung *ist*! Mach mich nicht verrückt, Danny!« rief Colledo.

»Nur eine Idee. Bestimmt war die Eintragung echt. Hör mal, die können einfach nicht *alle* Beweise für die Echtheit des Films auf diese Art verschwinden lassen!«

»Warum nicht?« Colledo regte sich auf. »Siehst ja, wie das funktioniert! Wenn sie genügend Killer haben, Skrupel haben sie bestimmt nicht. Doch offensichtlich alles Geld der Welt.«

»Aber sie können nicht *alle* Zeugen umbringen, die sagen, daß der Film echt ist.«

»Und warum nicht?«

Daniel sagte: »Wenn sie wirklich nur solche Zeugen am Leben lassen, die sagen oder gefälschte Beweise dafür liefern, daß der Film eine Fälschung ist, wir aber dann in unserer Dokumentation von den verschwundenen Beweisen für die Echtheit und vom Tod einer Reihe von Menschen berichten, wird das einen sehr, sehr üblen Eindruck machen.«

»Nämlich welchen?«

»Frage! Nämlich den, daß hier von mächtigen Herren Mörder gedungen wurden, die alle unbequemen Zeugen beseitigten, damit nur solche übrigblieben, die den Film für eine Propagandalüge der Nazis erklären.«

»Da bin ich nicht deiner Ansicht«, sagte Colledo. In der eiskalten Telefonzelle des Gasthauses roch es nach Essen und Urin. Die Zelle lag auf einem finsteren Gang halbwegs zwischen der Küche und den Toiletten. Daniel, der oft von hier aus mit Colledo telefonierte, bekam den Gestank nicht mehr aus der Nase. Selbst im Freien glaubte er ihn wahrzunehmen. »Wir können dann zwar so etwas behaupten in unserer Dokumentation, wir können es aber nie beweisen. Diese Leute sind schlau, Danny, sehr schlau. Sie werden nicht alle gefährlichen Zeugen erschießen. Mal wird es wie Selbstmord aussehen, mal wie ein Unglücksfall. Wie die Dinge liegen, haben sie sich offenbar für diese Methode entschieden, um den Film zu entwerten. Und – seien wir uns klar darüber, Danny, machen wir uns nichts vor – *entwertet* wird der Film natürlich enorm, wenn wir nur Zeugen präsentieren können und Beweise, welche die Behauptung unterstützen, es handle sich um eine Fälschung. Nein, nein, die haben sich alles überlegt. Es ist ihre einzig mögliche Antwort auf unsere Herausforderung. Und ganz bestimmt, davon sind auch Polizei und BKA überzeugt, haben sie ein phantastisch funktionierendes Netz aufgezogen. Mit viel, viel mehr Geld und Menschen, als es uns je möglich wäre. Ich kann mir vorstellen, daß gewisse Leute im Sanatorium von dem Mord an Kramer *vor* uns Bescheid wußten.«

Das stimmte. Der Anwalt Morley hatte Herdegen nachts, zwei Stunden nach der Tat, angerufen und ihn und Wayne Hyde informiert. »Erster Erfolg. Ein wichtiges Originaldokument für die Echtheit des Films ist in unserem Besitz. Ich meine natürlich: ein von den Nazis gefälschtes Originaldokument. Die dachten an alles. Sogar an die Eintragung in das Arbeitsjournal des Ribbentrop-Dienstes. Na, dieses Journal kann der Sender vergessen!«

»Prima Leute haben da gearbeitet«, hatte Herdegen gesagt.

»Wir beschäftigen *nur* prima Leute, Doktor«, war die Antwort aus London gekommen. »Mister Hyde zum Beispiel hat unser ganz besonderes Vertrauen. Wir setzen die größten Hoffnungen in ihn.«

»Wird das nicht ein bißchen komisch ausschauen, wenn nun ganz plötzlich und unerwartet ein paar – vielleicht zahlreiche – Leute sterben, Mister Morley?«

»Plötzlich und unerwartet... So heißt es doch immer in diesen Todesanzeigen, Doktor, wie? Plötzlich und unerwartet, tja, hm. Rasch tritt der Tod... und so weiter. Natürlich wird man darüber reden. Sollen die Leute reden! Wichtig ist, daß kein Beweis und kein Zeuge für die angebliche Echtheit des Films vor eine Kamera kommen. Das klingt hart, aber wir sind kein Mädchenpensionat. Menschen, das wissen wir, glauben, was sie hören und sehen. Die Masse jedenfalls. Auf die kommt es nun aber an. Alle Recherchen des Senders müssen darauf hinauslaufen, daß er da eine von vielen Leuten wiedererkannte Fälschung ausstrahlt. Das ist unser Ziel. Und der Weg dahin ist vorgezeichnet...«

In der stinkenden Zelle auf dem dunklen Gang des Gasthauses in Heiligenkreuz sagte Daniel am Telefon: »Ich bin wieder okay, Conny. Und es ist gut möglich, daß ich sehr schnell einen Zeugen präsentieren kann.«

»Was ist passiert?« fragte Colledo.

»Heute früh servierte uns ein junges Mädchen das Frühstück. Du weißt ja, hier werden alle Mahlzeiten auf dem Zimmer eingenommen, damit kein Patient den anderen kennenlernt.

Nun, wir sahen dieses Mädchen schon öfter. Es heißt Elsie. Elsie war traurig und sagte...«

»... Einen recht guten Appetit wünsch ich, gnä' Frau, gnä' Herr.«
Sie trug einen blau-weiß gestreiften Kittel und ein Häubchen.
»Was haben Sie denn?« fragte Mercedes.
Elsie, besonders hübsch, war seit zwei Jahren die Freundin Herdegens – bei weitem nicht seine einzige, aber das wußte Elsie nicht. Elsie war Herdegen sehr ergeben. Worum er sie bat, das tat Elsie. Und Herdegen hatte sie wieder um etwas gebeten.
»Haben, wieso, gnä' Frau?«
»Sie machen einen so bedrückten Eindruck. Nicht wahr, Danny, das tut sie!«
»Ja«, sagte Daniel. »Was ist los, Elsie? Unglückliche Liebe?«
Elsie lachte ein trauriges Lachen.
»Ach, hörns auf, gnä' Herr! Nein, ich bin traurig, weil jemand hier weggeht.«
»Ein Arzt?«
»Ein Patient. Der netteste alte Herr, den wir je gehabt haben.«
»Tja, aber wenn man ihn wieder gesund gemacht hat...«
»Man hat ihn nicht wieder gesund gemacht. Das ist nicht möglich gewesen. Der arme Herr Damiani!« Elsie erschrak. Sie tat jedenfalls so, als erschrecke sie. »Maria! Darf ich doch gar nicht! Reden über unsere Patienten. Noch dazu über einen so berühmten. Völkerkundler oder so was ist er.«
Mercedes und Daniel wechselten einen Blick. Sie dachten beide dasselbe.
»Wir verraten Sie bestimmt nicht, Elsie«, sagte Mercedes. »Was ist denn schon dabei? Es kennt doch hier keiner den anderen. Wer ist Damiani? Keine Ahnung. Du, Danny?«
»Nicht die geringste.«
»Sehen Sie, Elsie. Sie können ruhig reden. Dieser Damiani ist also von allen am nettesten zu Ihnen gewesen, und darum sind Sie jetzt darüber traurig, daß er geht, ist das so?« Elsie nickte.
»Wohin geht er denn?«
»Weiß ich nicht, gnä' Frau. Zurück nach Italien, glaub ich. Er ist Italiener. Vielleicht kommt er in ein anderes Sanatorium. Keine Ahnung. Die Frau Primaria hat gesagt, hier hat man alles Menschenmögliche für ihn getan.«

Hoffentlich ist Gerd zufrieden mit mir, dachte Elsie. Er sagt immer, wie er mich liebt. Vielleicht werde ich noch eine Frau Doktor.

»Good girl«, sagte Wayne Hyde, der mit Herdegen diese Konversation über Lautsprecher verfolgte.

»Ja, wirklich«, sagte Herdegen neben ihm. »Hat etwas im Kopf und nicht nur zwischen den Beinen. Kapiert, was man sagt. Bin sehr zufrieden mit ihr.«

»So schlimm geht es ihm«, erzählte Elsie weiter. »Ist ihm noch viel schlimmer gegangen, wie er zu uns gebracht worden ist. Aber gut geht es ihm noch lange nicht. Trotzdem: Immer hat er einen Spaß mit mir gemacht, wenn ich zu ihm gekommen bin mit dem Frühstück oder dem Essen. Immer war er freundlich. Immer wieder hat er kleine Geschenke gehabt. Nur ›Belissima‹ hat er mich genannt. Ich red schon von ihm, als wenn er nicht mehr da wär. Na ja, in ein paar Tagen ist es ja auch soweit.«

»Haben Sie sich gern mit ihm unterhalten, Elsie?«

»No freilich. Und er kann doch so gut Deutsch, gnä' Frau. Immer deutsch hat er sein Gspaß gemacht, der Herr Professor. Wo er so lang in Deutschland gelebt hat.«

Wieder sahen Mercedes und Daniel einander an.

»Hat er Ihnen das gesagt, Elsie?«

»Was, gnä' Herr?«

»Daß er in Deutschland gelebt hat.«

»Ja, hat er. Ist schon lang her. Aber reden tut er einfach phantastisch. Ein bissel Berlinerisch.«

»Berlinerisch?«

»No ja, er hat ja in Berlin gearbeitet.«

»Wann?«

»Ah, vor einer Ewigkeit«, sagte die hübsche Elsie. »Im Krieg. Bis Mitte vierundvierzig...«

»...Bis Mitte vierundvierzig hat er angeblich in Berlin gearbeitet«, sagte Daniel am Telefon zu Colledo. Jemand schlurfte an der Zelle vorüber. Ein Mann in Schlafrock und Pantoffeln. Die Klosettür fiel hinter ihm zu.

»Eine Falle natürlich«, sagte Colledo.

Daniel zuckte die Achseln.

»Sehr wahrscheinlich, ja. Muß nicht sein. Es gibt Zufälle.«

»*Solche* Zufälle nicht«, sagte Colledo.

»Vielleicht doch«, sagte Daniel. »Mercedes meint nein – wie du.

Ich bin nicht sicher. Und *wenn* es eine Falle ist! Ich will diesen Professor Damiani kennenlernen.«

»Sei um Himmels willen vorsichtig, Danny! Denk an Kramer in Koblenz. Du hast es mit einer skrupellosen Mörderbande zu tun.«

»Wir müssen weiterkommen. Wer weiß, wohin ein Gespräch mit Damiani führt.«

»Du hast doch gesagt, Gespräche unter den Patienten sind unerwünscht.«

»Im Sanatorium! Ich habe Sibylle gebeten, uns zusammen mit Damiani zum Abendessen einzuladen. Ich habe dir doch erzählt, sie wollte für uns kochen...«

»Ja, ja, ja. Und? War Sibylle begeistert von deiner Bitte?«

»Natürlich nicht. Aber Herdegen hatte ihr schon den Auftrag gegeben, Damiani und uns einzuladen, und sie muß doch tun, was er von ihr verlangt. Man erpreßt sie wegen ihres Bruders, das erzähle ich dir ein andermal.«

»Wenn das so ist... Aber was ich nicht verstehe, ist, warum man dich und Mercedes unbedingt mit Damiani zusammenbringen will.«

»Na, um herauszukriegen, ob er etwas von dem Geheimprotokoll weiß. Er war zu der Zeit in Berlin. Es ist durchaus denkbar, daß er als Völkerrechtler davon gehört hat. Vielleicht sogar von einem deutschen Kollegen, der mit der Sache beschäftigt war. Einem Zeugen also.«

»Das habe ich schon kapiert. Aber wozu brauchen sie *dich* dazu? Damiani ist doch schon lange genug dort. Herdegen hätte doch selber versuchen können, das herauszukriegen.«

»No can do«, sagte Daniel. »Das ist wie eine Sperre bei Damiani. Sibylle hat mir alles auf ein Blatt Papier geschrieben. Du weißt doch, hier sind Mikrofone in jedem Zimmer. Was Herdegen und wer weiß noch nicht hören dürfen, müssen wir immer aufkritzeln, während wir über etwas anderes reden.«

»Ja, das hast du mir schon erklärt. Sibylle schrieb also auf, daß Damiani über Berlin befragt wurde, aber nichts erzählt hat.«

»Ja. Während der Abschlußuntersuchung. In ihrem Ordinationsraum. Da gibt es natürlich auch ein Mikrofon. Es war sehr umständlich und riskant. Herdegen hat diesem Damiani erzählt, wie ich heiße und daß mein Vater im Krieg auch in Berlin und angeblich gleichfalls Völkerrechtler gewesen ist. Und da er fünfundvierzig in Berlin umgekommen sei, versuchte ich seit einer

Ewigkeit herauszubekommen, ob das stimmt und was er in Berlin getan hat. Herdegen fragte Damiani, ob er mich kennenlernen möchte, ich würde mich brennend für sein Fachgebiet interessieren. Damiani ist eitel. Das schmeichelt ihm natürlich. Wenn er mich jetzt trifft, den *wirklichen* Ross-Sohn, kommt Herdegen an einen Zeugen heran – falls es überhaupt einen Zeugen gibt und Damiani ihn kennt: Und dieser Zeuge würde *mir* sicher die Wahrheit erzählen.«

»Das ist also die Falle.«

»Es ist keine Falle, wenn man weiß, wie sie funktioniert.«

»Stimmt. Nehmen wir also an, Damiani nennt dir so einen Zeugen. Die Killer können den Mann nicht *gleich* umlegen, denn sie wissen ja nicht, was er dir erzählt. Vielleicht erzählt er dir, er weiß, daß der Film und das ganze Geheimprotokoll eine Fälschung sind. Dann wird man ihm kein Haar krümmen. Dann ist er wertvoll wie Gold für die Kerle. In Todesgefahr schwebt er erst, wenn er sagt, das Dokument ist *echt*. Dann legen sie ihn sofort um wie Kramer in Koblenz. Die sind jetzt hinter jedem Rechercheur her, hinter dir und Mercedes natürlich besonders. Danach müssen wir unser Vorgehen einrichten. Wenn du einen Zeugen für die Echtheit des Films gefunden hast – und das gilt natürlich für alle, die nun unterwegs sind und suchen –, dann muß der Mann *augenblicklich* geschützt werden. BKA und Polizei arbeiten mit uns. Und außerdem – der Zeuge muß so schnell wie möglich vor die Kamera!«

»Wie willst du das fertigbringen?«

»Wir müssen Einsatz-Teams bilden, die sofort an Ort und Stelle sind, nicht erst einen Tag später wie in Koblenz. Das würde leicht gehen, wenn wir die anderen Sender der ARD einweihen und um Mitarbeit bitten. Dann wissen aber zu viele Leute von der Sache. Wir beschränken uns auf Techniker vom Sender Frankfurt. Zum Glück gibt es Flugzeuge. Sollte also bei dieser Damiani-Sache ein lebender Zeuge auftauchen, dann rufst du mich an, bevor du zu ihm fliegst, damit ich ein Team losschicken kann. Die Polizei alarmiere ich aber erst, wenn du weißt, was mit dem Zeugen los ist. Nicht vorher. Die sind fähig und nehmen ihn in Schutzhaft, und er kriegt Angst und sagt nichts. Das Wichtigste ist, daß wir sofort aufnehmen können – in jedem Fall, bei jedem Zeugen.«

»Und wie soll das mit der Polizei im Ausland funktionieren? In Amerika? In Frankreich? In England? Dort hast du doch auch Rechercheure hingeschickt.«

»Das weiß ich noch nicht. Ich telefoniere sofort mit dem BKA. Die müssen ihre Kollegen um Hilfe ersuchen.«

»Dann werden aber auch immer mehr Leute eingeweiht.«

»Nicht in die Details. Überlaß das mir! Tu unbedingt, was ich dir gesagt habe, Danny. Viel Glück...«

»Mit seiner Bulle ›Inter caetera divinae‹, in der er also die Welt einfach zwischen den spanischen ›katholischen Königen‹ Isabella und Ferdinand einerseits und Johann dem Zweiten von Portugal aufteilte, verursachte Papst Alexander der Sechste eine ungeheuere Gewissenskrise bei denjenigen Theologen und Juristen, die überzeugt waren, daß der Gedanke der Universalmonarchie, dessen Ausgreifen ins buchstäblich Uferlose sie hier vor sich sahen, allen Prinzipien der Lex naturalis, des Naturrechts, widersprach«, sagte Professor Umberto Damiani. Er hatte nun hektische rote Flecken auf der Haut über den Backenknochen.

»Was ist das, ›Naturrecht‹?« fragte Mercedes.

»Ein sehr altes Rechtsprinzip, Signora. Seine Wurzeln reichen in das sechste und fünfte Jahrhundert vor Christus zurück. Die großen griechischen Philosophen haben es geschaffen. Das Naturrecht ist das in der vernunftbegabten Natur des Menschen begründete, von Zeit und Ort ebenso wie von jeder menschlichen Rechtsprechung unabhängige Recht. Hauptinhalte dieses Naturrechts sind zum Beispiel der Anspruch auf die Unverletzbarkeit von Leib und Leben, von Eigentum und Ehre, auf persönliche Freiheit sowie auf die Einhaltung geschlossener Verträge. Nach diesem Naturrecht, das selbstverständlich einen gewaltigen Einfluß auf das Völkerrecht und auf die Theologie hatte, war es – ich drücke mich so einfach wie möglich aus – natürlich unerhört, wenn ein Papst sich anmaßte, allein zwei christliche Herrscherhäuser zu Herren der Welt zu machen, die alle Nichtchristen behandeln durften wie Tiere, schlimmer als Tiere...« Damianis Sprache war leise und seltsam verschmiert geworden, er sah irritiert auf eine Ikone, die im Halbdunkel neben dem Kamin hing. Plötzlich schwieg er, schien zu lauschen, wollte etwas sagen, schluckte schwer, sein Gesicht lief rot an und er hob eine Hand. »Entschuldigen Sie, Herr, aber was hat denn zum Beispiel dieser Kolumbus vor?« Er schwieg wieder, als habe ihn jemand unterbrochen, dann sagte er mit einer Grimasse: »Verzeihung, also: Heiliger Vater, bitte schön! Ich frage Sie, Heiliger Vater, was hat dieser Kolumbus vor?« Wieder das angespannte und zornige Lauschen auf eine für alle anderen unhörbare Stimme, dann wurde Damiani laut: »Missionare mitnehmen! Menschen auf fernen Kontinenten zum christlichen Glauben bekehren! Und *dann*? Kolumbus will doch nur Gold, Silber und alle anderen Schätze dieser Völker haben, Heiliger Vater, ich bitte Sie!« Plötzlich stand Schweiß auf Damianis Stirn. Er wischte ihn fort. Der Kopf fuhr zu einem der Fenster. Er lauschte erneut, dann sagte er wütend: »Ach, hört, Majestät, Ihr macht Euch ja lächerlich!«

Mercedes sah ihn erschrocken an.

»Mit wem sprechen Sie, Herr Professor?«

»Mit Isabella von Kastilien und Papst Alexander. Sie wollen mir einreden, daß Kolumbus und die Spanier sozusagen als Heilsarmee den neuen Seeweg nach Indien suchen und nur missionarische Interessen haben. Lügner!« schrie er plötzlich wild. Wieder normal fuhr er fort: »So geht das immer. Lügen einfach drauf los. Verdrehen jede geschichtliche Tatsache. Und der Papst ist auch noch beleidigt, wenn ich ihn Herr und nicht Heiliger Vater nenne! Ich werde noch verrückt! Tag und Nacht geht das so. Immer sind die drei da.«

»Die drei?«

»Na, und Isabellas Gatte, Ferdinand von Aragon.«

»*Jetzt* sind sie auch da?« fragte Mercedes verblüfft.

»Natürlich, Signora, natürlich. Ich habe doch eben mit ihnen geredet.«

»Wo sind sie?«

»Der Papst, pardon, der Heilige Vater sitzt neben dem Kamin, Isabella am Fenster und Ferdinand vor der Bücherwand hinter Ihnen, Signora.«

»Sie sehen sie wirklich?« fragte Daniel.

»Nicht deutlich. Ihre Silhouetten. Es ist ja auch halbdunkel dort, nicht wahr? Aber ihre Stimmen höre ich *ganz* deutlich.« Damiani war jetzt sehr erregt. Er blickte wieder zum Kamin, wo er Papst Alexander VI. sah, und sagte mit einem bösen Grinsen: »Schön. Kolumbus geht es um einen neuen Seeweg, verehrter Heiliger Vater... Aber warum will er dann Vizekönig der zu entdeckenden Länder werden? Lassen Sie, Frau Primaria, ich habe doch keine Angst vor diesem Borgia, dessen Tochter mit dem eigenen Bruder – verzeihen Sie, meine Damen! Na, warum Vizekönig, Heiliger Vater? Jetzt sind Sie still, wie?« Damiani atmete schwer, lehnte sich zurück und zerrte an seiner Krawatte.

Wieder stand ihm Schweiß auf der Stirn. Er keuchte. Daniel sah, daß Sibylle, Werner und Herdegen gleichmütig blieben. Die kennen das, dachte er. Ein armer Schizophrener.

»Wirklich, Sie ahnen nicht, was ich mitmache mit den dreien«, sagte der arme Schizophrene. »Natürlich habe ich trotzdem Angst um mein Leben. Ein Borgia, ich bitte Sie! Wie viele Morde hat diese Gesellschaft...« Er zuckte zusammen, dann schrie er in Richtung Kamin: »Schreien Sie mich nicht an, Heiliger Vater! Wer schreit, hat von vornherein unrecht, das sage ich Ihnen jeden Tag!« Und zu Mercedes gewandt, mühsam um Fassung ringend: »Schreit dauernd, der Mann. Isabella auch, schwere Hysterikerin.« Er schien nun unter den Angriffen beider zu leiden, denn er preßte die Hände gegen die Ohren und rief: »Ich höre Sie nicht! Ich höre Sie nicht! Nicht ein Wort höre ich!« Er ließ die Hände sinken. Offenbar war er sehr erschöpft, denn er redete erst nach einer Weile leise weiter. »Ich gebe ja zu, daß es sich hier um eine äußerst diffizile Angelegenheit handelt. Aber auch um eine grundlegende der Menschheitsgeschichte.« Dann sprach er wieder mit weitausholenden Bewegungen der Arme und italienischem Pathos. »Ich bitte doch, sich diese Frechheit einmal richtig vorzustellen, Signora, Signore! Unter Berufung auf die ihm von Gott verliehene Macht teilt ein Mann die Welt von Pol zu Pol unter zwei ihm wohlgefälligen Königshäusern auf! Warum wohlgefällig? Weil sie stramm katholisch sind und versprochen haben, so viele andere Menschen katholisch zu machen, wie sie nur können. Und zwar durch Unterwerfung, Krieg, Folter, Kerker oder Todesdrohung. Seit den Kreuzzügen ist der katholische Universalismus nicht mehr derart militant aufgetreten wie in dieser päpstlichen Bulle. Der Widerspruch gegen das Verhalten jenes feinen Papstes ist bis in unsere Zeit auch immer wieder sehr deutlich geäußert worden.«

»In erster und bekanntester Weise durch Sie, Herr Professor«, sagte Herdegen lauernd.

»Ja, ich glaube, das darf ich ohne Überheblichkeit sagen«, meinte Damiani. »Ach, aber Sie sehen ja alle, wie sehr ich darunter zu leiden habe, daß ich gewagt habe, Alexander und seine Partner wegen dieser Weltenteilung anzugreifen. Sterben, sterben werde ich noch daran!«

»Wann haben die Herrschaften denn zum erstenmal protestiert?« fragte Daniel höflich. »In dieser brutalen Form, meine ich. Schon während Sie Ihr Werk schrieben? Oder erst nach der Publikation?«

»Ach nein.« Damiani winkte ab. »›Inter caetera divinae‹ erschien neunzehnhundertsiebzig. Bis neunzehnhundertfünfundsiebzig war das Werk in sechsundzwanzig Sprachen übersetzt und hatte mich – ja, das muß man wohl sagen – weltbekannt gemacht. Aber erst zwei Jahre später, im September siebenundsiebzig, meldeten sich die drei zum erstenmal und beschwerten sich – damals noch in einigermaßen verbindlicher Form. Es ist mit den Jahren immer schlimmer und schlimmer geworden und nun kaum noch zu ertragen.«

»Ja«, sagte Sibylle, »im Herbst siebenundsiebzig begannen seine Widersacher damit, den Herrn Professor zu attackieren.«

»Weil ich ›Inter caetera‹ als das, was die Bulle war, dargestellt habe, nämlich als eine Schenkungsurkunde, und weil ich diese ›Weltverschenkung‹ Alexanders als das gebrandmarkt habe, was sie war: eine menschliche Anmaßung von unvorstellbarem Ausmaß.« Damianis Kopf fuhr in Richtung Kamin herum. Der Mund stand offen. Er lauschte wieder der Stimme des für die anderen unsichtbaren, unhörbaren Borgia-Papstes. Immer heftiger schüttelte Damiani den Kopf. Endlich begann er gehetzt und laut zu sprechen: »Das ist nicht wahr! Das ist einfach *nicht wahr*, Heiliger Vater! Kommen Sie mir nicht damit! ›Lehensrechtliche Formeln‹! Es stimmt nicht, daß ich diese ›lehensrechtlichen Formeln‹ nicht richtig verstanden habe! Ihre Bulle war eine ›Schenkungsbulle‹, keine ›Lehensbulle‹, ich bleibe dabei! Töten Sie mich! Vergiften Sie mich! Sie haben ja Ihre Erfahrungen!« Er wandte sich zum Fenster. »Nein«, sagte er, »nein und nein und nein, Majestät. Ich weiß sehr wohl, was ›donamus, concedimuset assignamus‹ heißt, wie man die Worte übersetzt, welchen Sinn sie haben. Sie wollen mit diesem rabulistischen Trick nur den Nachweis erbringen, daß hier keine Schenkung, sondern eine Lehensübertragung zum Ausdruck gebracht wurde.«

»Oh, Gott, Danny!« Mercedes sah Daniel entsetzt an. Er ergriff ihre Hand und streichelte sie, während er den Kopf schüttelte und leise sagte: »Du siehst doch, er ist krank.«

Damianis Aufregung steigerte sich nun wieder erschreckend. Sein Blick wechselte zwischen Kamin, Bücherwand und Fenster. Er schien von seinen drei Widersachern gleichzeitig angegriffen zu werden. Seine Stimme war völlig verändert…

»Also gut… Gut, ich bin bereit, mich belehren zu lassen, Maje-

stät... Natürlich kann ich Euch folgen... Ihr sagt, die Demarkationslinie von Tordesillas sei nicht bloß eine Schiffahrtsgren-
ze, sondern auch die Abgrenzung der beiderseitigen Lehensbe-
reiche.... Ja, ja... ja... Ich habe verstanden, ich bin kein
Idiot...« Der Kopf fuhr in Richtung Kamin herum. Damianis
Stimme klang plötzlich triumphierend: »Und damit, mein verehrter Heiliger Vater, haben Sie sich in der eigenen Fußangel
gefangen... Wieso?... Nun, verzeihen Sie, eines kann doch
wohl nicht geleugnet werden: Ihre ganze mühsame lehensrechtliche Deutung der Bulle ändert nichts an dem theokratischen
Sachverhalt, daß Sie sich an den entdeckten oder noch zu entdek-
kenden Gebieten das Dominium, also das Obereigentum anma-
ßen. Ha! Ich wußte ja, ich würde Sie auch diesmal kriegen! Sie
können es drehen und wenden, wie Sie wollen, ich kriege Sie
jedesmal!« Damiani fiel keuchend in seinem Sessel zurück. Er
zerrte die Krawatte ganz fort und öffnete den Hemdkragen. Erst
nach einer Weile hatte er sich so weit beruhigt, daß er mit
normaler Stimme sprechen konnte. »Jetzt haben Sie einmal so
einen kleinen Disput miterlebt, Signora, Signore Ross. Meine
lieben Freunde hier kennen das schon. Sie unterstützen mich mit
allen Mitteln, die in ihrer Macht stehen. Aber so, wie es aussieht,
ist die Macht jener drei größer. Nein, das ist unpräzise. Nicht
ihre Macht ist größer, sondern ihre Ausdauer bei der stets wiederholten Rechtfertigung einer Ungeheuerlichkeit...«
»Eines ungeheuerlichen Betruges«, sagte Mercedes.
Damiani sah sie mit schwimmenden Augen an. So präzise und
logisch er sich in seinem Kampf gegen die Stimmen, die ihn
quälten, ausgedrückt hatte, so wirr und abstrakt wurden seine
Worte nun, da er in die bodenlosen Tiefen der Krankheit glitt.
»Betrug«, wiederholte er. »Natürlich Betrug! Betrogen werden
Sie, betrogen werde ich, betrogen werden wir alle – von Kind-
heit, vom Ursprung an. Betrug an der Menschheit! Wir hören
ganz anderes, als wirklich geschieht. Was uns gesagt wird, ist
Betrug. Was uns gezeigt wird, ist Betrug. Die Verträge, die
geschlossen werden von den Hohen und Mächtigen, was sind
sie? Betrug! Immer Betrug!« Er wies mit einem Finger auf Daniel. »Sehen Sie, Signore Ross, man hat mir gesagt, daß Ihr Vater
im Krieg in Berlin war. Sie wissen nicht, was er dort gemacht hat.
Sie meinen, ich könnte es vielleicht wissen, weil Ihr Vater auch
mit Völkerrecht zu tun hatte, wie Sie sagen. Nun, lieber Herr
Ross, ich...« Damiani verstummte. Herdegen hatte sich vor

Spannung weit vorgeneigt. Der Professor sah ihn abweisend an und wandte sich an Sibylle. Übergangslos sagte er ganz klar und vernünftig: »Ich bin Herrn Ross gerne behilflich. Aber das ist eine rein private Angelegenheit, Frau Primaria, und deshalb kann ich unmöglich in diesem Kreis darüber reden. Wäre es wohl möglich, daß ich mich kurz mit Herrn Ross zurückziehe?« Herdegen sank enttäuscht in seinen Sessel. In den traurigen Augen stand jetzt ein Ausdruck von Zorn.

»Aber selbstverständlich, Herr Professor.« Sibylle stand auf. »Kommen Sie ins Arbeitszimmer meines Mannes! Da können Sie sich ungestört unterhalten.« Sie ging schon voraus. Daniel und Damiani folgten. In dem großen Arbeitszimmer mit den vielen Büchern und dem überfüllten Schreibtisch schaltete sie Licht an. Vor einem Fenster standen ein runder Tisch und vier Stühle. »Hier, bitte, wenn Sie sich setzen wollen!«

»Vielen Dank, Sibylle«, sagte Daniel.

Sie strich über seinen Arm und lächelte. Dann fiel die Tür hinter ihr zu. Die beiden Männer waren allein.

»Sie können mir etwas über meinen Vater sagen?« fragte Daniel.

»Ja. Aber ich möchte es nur Ihnen sagen. Die anderen geht es nichts an. Es ist nicht schön, was ich Ihnen zu erzählen habe, Signore Ross. Als ich Ihren Namen hörte, fiel mir die ganze Geschichte wieder ein.«

»Was für eine Geschichte?«

Wieder einmal warf Damiani die Arme in die Höhe.

»Ihr Vater – es tut mir leid für Sie, Signore Ross, aber Sie wollen ja die Wahrheit wissen...«

»Natürlich. Unter allen Umständen.«

»Ihr Vater war auch ein Betrüger. Er arbeitete für Betrüger. Betrug, Betrug, da haben Sie es wieder, sehen Sie?«

»Ich verstehe nicht. Wo arbeitete mein Vater? Für wen?«

»Er mag Völkerrechtler gewesen sein, aber in Berlin arbeitete er für den Geheimdienst des Außenministeriums. Für Herrn von Ribbentrop, diesen Erzbetrüger. Ich habe Ihnen gesagt, daß es mit leid tut, Signore Ross...«

»Es braucht Ihnen nicht leid zu tun«, sagte Daniel betont freundlich. »Ich habe vermutet, daß mein Vater in irgendeine dunkle Sache verwickelt war. Ich bin glücklich, wenn ich jetzt durch Sie Gewißheit erhalte. Also für Ribbentrops Geheimdienst hat er gearbeitet. Und woher wissen Sie das, Herr Professor?«

Damiani lachte bitter. »Betrug. Immer Betrug. Die ganze Welt besteht aus Betrug, lieber Signore Ross. Sehen Sie, Völkerrechtler gibt es nicht besonders viele. Ich habe in Berlin für meine Botschaft als Experte gearbeitet. Natürlich hatten deutsche Regierungsstellen ihre eigenen Experten. Auch Ribbentrops Außenministerium, auch sein Geheimdienst. Und wir Völkerrechtler kannten einander alle. Viele waren miteinander befreundet. Ich zum Beispiel mit Professor Emil Kant, einer Kapazität. Eines Abends im Frühjahr vierundvierzig – Ende März muß das gewesen sein, ich habe darüber nachgedacht – erzählte mir Emil in meiner Wohnung von einem weiteren Fall dieses ewigen Betrugs. Wir trafen uns jede Woche. Wir waren wirklich Freunde. Emil konnte Vertrauen zu mir haben, das wußte er. Darum berichtete er mir auch von der Sache. Sie war streng geheim. Hätte ihn sofort den Kopf gekostet, wenn die Nazis erfahren hätten, daß er mit mir darüber sprach. Emil…« Damiani sah ins Leere und lächelte verloren. Er schwieg, in Gedanken und Erinnerungen versunken.

»Herr Professor!«

»O ja. Natürlich. Entschuldigen Sie! Sehen Sie, Emil arbeitete für Ihren Vater als Experte für Völkerrecht. Er arbeitete auch für andere Stellen, aber meistens für Ihren Vater. Ross. Georg Ross. So hieß Ihr Vater doch, nicht wahr?«

»Ja, so hieß er. Sie haben ein hervorragendes Gedächtnis.«

»Hervorragend. Ich merke mir alles. Über Jahrzehnte. Mein Gehirn hat Millionen Ereignisse und Fakten engrammiert, das kann ich wohl sagen. Dazu kommt, daß diese Sache, die Ihr Vater meinem Freund zur Prüfung gegeben hatte, uns beide sehr aufregte. Emil viel mehr als mich natürlich, ich wußte schon damals einigermaßen, wie es zugeht in dieser Welt. Aber ich gestehe, auch ich war aufgeregt, o ja…« Wieder glitt Damianis Blick ins Leere. Wieder schwieg er. Erst nach einer Weile fuhr er fort: »Betrug natürlich. Darum handelte es sich. Ein Vertrag zwischen Amerika und der Sowjetunion, in dem die beiden sich die Welt teilten – genauso wie vierzehnhundertvierundneunzig die Spanier und die Portugiesen – nur diesmal ohne den Segen eines Papstes!« Er lachte hüstelnd und rieb die Hände gegeneinander.

»Ein Vertrag zwischen Amerika und der Sowjetunion?« wiederholte Daniel mit einer Stimme, die möglichst ungläubig klingen sollte. »Wann wäre der geschlossen worden? Und wo? Und was hatte mein Vater damit zu tun?«

»Das ist alles sehr unklar, lieber Signore Ross. Ihr Vater ließ meinen Freund Emil kommen und überreichte ihm eine Abschrift dieses Vertrages... Angeblich war es die Abschrift eines gefilmten Geheimprotokolls, das Ribbentrops Dienst in Teheran an sich gebracht hatte...«

»In Teheran?«

Wüst tobte jetzt der Nachtsturm um die Villa. Dachziegel klapperten, Holz ächzte, es zog durch die Doppelfenster.

»In Teheran, ja. Da war doch Ende dreiundvierzig diese Konferenz der Großen Drei: Churchill, Stalin und Roosevelt. Und damals wurde angeblich jener Geheimvertrag geschlossen, den Emil auf seine Echtheit prüfen sollte. Oder man kann auch sagen: dessen Fälschung er auf ihre Perfektion hin prüfen sollte. Solche Abkommen werden in einer ganz bestimmten Sprache verfaßt, mit ganz bestimmten Formeln und Regeln, nicht wahr? Ein Fachmann merkt sofort jedes falsche Wort. Und man wollte doch sichergehen, daß der Betrug vollkommen war...«

»Wer wollte sichergehen, Herr Professor, wer?«

»Nun, die Betrüger natürlich, lieber Freund. Entweder war dieses Protokoll echt – dann betrogen die Amerikaner und die Sowjets die Menschheit. Oder es war von den Nazis gefälscht, mußte aber echt wirken, weil man es für Propagandazwecke einsetzen wollte – dann betrogen die Nazis die Menschheit oder hatten zumindest vor, es zu tun. Auf jeden Fall brauchten sie einen erstklassigen Experten, der ihnen sagte, ob das Protokoll in Stil und Formulierung einwandfrei war. Betrug, wie Sie sehen. Betrug der Alliierten, Betrug der Nazis – das ist doch einerlei, nicht wahr? Emil geriet ganz außer sich, der Gute... so naiv war er... Im Gegensatz zu Ihrem Herrn Vater... Es tut mir leid, ich habe Ihnen gesagt, es tut mir leid, so über ihn reden zu müssen. Aber Betrug war eben der Beruf Ihres Herrn Vaters, nicht wahr? Und wir werden doch von allen betrogen... und wurden es immer. Wie oft ist diese Welt schon geteilt worden? Wie oft hat man die Menschen schon betrogen? Denken Sie bloß an den Nichtangriffspakt zwischen Deutschland und Rußland, den Ribbentrop und Molotow im August neununddreißig unterzeichneten... Und denken Sie daran, daß Deutschland Rußland dann im Juni einundvierzig, weniger als zwei Jahre später, überfiel... Betrug... Betrug... Die Nazis betrogen... Betrogen auch die Amerikaner und die Sowjets die Menschen? Und wollten die Nazis diesen Betrug nun der Menschheit präsentieren? Vermutlich! Vermutlich waren auch Kohl und Reagan in diese Sache verwickelt...« Damianis Blick irrte durch den Raum.

»Herr Professor! Ich bitte Sie! Reagan war damals Schauspieler in Hollywood und Kohl ein vierzehnjähriger Junge!«

»Ach so...« Nichts konnte Damiani in seiner nun wieder realitätsfremden Argumentation erschüttern. »Nun ja, aber das ist doch ganz ohne Bedeutung! Der Geschichtsablauf ist immer derselbe: *Wir werden betrogen*! Ich stehe mit allen wichtigen Persönlichkeiten in ständiger Verbindung. Laufend erhalte ich neue Informationen. Betrug. Betrug. Vom Anfang der Welt bis an ihr Ende...«

Daniel sprach jetzt sehr laut, um Damiani aus seiner Versunkenheit zu reißen. »Und zu welchem Ergebnis ist Ihr Freund gekommen, Herr Professor?«

»Ergebnis?« Damiani sah Daniel verständnislos an.

»Nach der Prüfung des Geheimprotokolls, das mein Vater ihm gab.«

»Wieso? Ach so! Das weiß ich nicht, lieber Freund.«

»Warum nicht?«

»Ich mußte im Mai nach Rom zurück. Im Mai wurde Emils Villa am Savignyplatz ausgebombt, hörte ich dann noch. Seine Frau und seine Kinder kamen ums Leben, er selber ins Krankenhaus, schwer verletzt... Sie wissen nicht, wie es damals zuging in Berlin mit diesen Luftangriffen... Grauenhaft... Ich habe jedenfalls niemals mehr mit Emil über das Ergebnis seiner Prüfung gesprochen... Wie gesagt, erst als ich Ihren Namen hörte und daß Ihr Vater in Berlin gearbeitet hat während des Krieges, fiel mir die ganze Sache wieder ein...«

Daniel sagte: »Und wenn es einen solchen Vertrag zwischen der Sowjetunion und Amerika wirklich gab – und noch gibt?«

»Ach!« Damiani winkte müde ab. »Dann gibt es ihn eben, lieber Freund. Vom wissenschaftlichen Standpunkt aus ist das sogar durchaus denkbar. Denn es läge in der Natur der Welt, nicht wahr? Betrug, Betrug... So ist diese Welt eben! Was meinen Sie, was passieren würde, wenn sich herausstellte, daß es einen solchen Vertrag tatsächlich gibt? *Nichts*, lieber Freund, nicht das geringste! Glauben Sie mir: Es würde keinen Menschen interessieren. Weil wir doch andauernd betrogen werden...« Damiani sank in sich zusammen. Er lächelte irre. Es folgte eine lange Pause, die erfüllt war vom Toben des Sturms draußen. Endlich fragte Daniel vorsichtig: »Und… lebt Ihr Freund noch, Herr Professor?«

Damiani sah langsam auf.

»Welcher Freund?« Er war weit, weit weg gewesen mit seinen Gedanken, in einer anderen Welt, in seiner Welt.

»Der, von dem Sie mir gerade erzählt haben. Der von meinem Vater dieses Dokument zur Prüfung erhielt. Dieser Professor Emil Kant.«

»Oh, Emil meinen Sie!« Damiani hatte plötzlich den Gesichtsausdruck eines Kindes. »Neunzehnhundertsiebzig lebte er noch. Da erschien mein Buch, und er gratulierte mir. Wir hatten seit dem Krieg jeden Kontakt verloren, wissen Sie. Aber als mein Buch in Italien und unter Fachkollegen gewaltiges, ja, das muß man sagen, gewaltiges Aufsehen erregte, da machte sich Emil die Mühe, meine Adresse in Rom ausfindig zu machen. Ich wohnte damals in der Via Cortina d'Ampezzo. Wir begannen einen regen Briefwechsel, und Ende einundsiebzig besuchte er mich sogar. Er war damals – lassen Sie mich überlegen – vierundsechzig. Ja, Jahrgang neunzehnhundertsieben. Als neunzehnhundertdreiundsiebzig die deutsche Übersetzung von ›Inter caetera divinae‹ erschien, lud mich die Völkerrechtliche Fakultät der Freien Universität Berlin ein und verlieh mir eine Auszeichnung. Die Laudatio hielt mein alter Freund Emil. Es war sehr ergreifend. Oktober dreiundsiebzig, ja. Da sah ich ihn zum letztenmal. Danach war ich dauernd auf Vortragsreisen mit diesem Buch und hatte wahnsinnig viel zu tun. Unser Kontakt brach wieder ab. Ob Emil also heute noch lebt, das weiß ich nicht. Ich habe nie wieder von ihm gehört. Allerdings habe ich auch nie vernommen, daß er gestorben ist. Siebenundsiebzig wäre er heute. Damals, als ich in Berlin geehrt wurde, lebte er mit einer Haushälterin in einer Villa am Schwanenwerderweg beim Wannsee, da in dieser kleinen Bucht. Kennen Sie Berlin?«

»Ja.«

»Schwanenwerderweg. Das ist noch Westsektor. Idyllisch da draußen. Dreihundertfünfundzwanzig, glaube ich. Irgendwas mit dreihundertzwanzig. Warum? Wollen Sie Emil sprechen?«

»Ja, Herr Professor. Sie sind im Mai vierundvierzig aus der Stadt fortgezogen. Unsere Verbindung mit meinem Vater brach im März fünfundvierzig ab. Vielleicht weiß Ihr Freund, was aus ihm geworden ist und ob er wirklich fünfundvierzig starb und wie und wo.«

»Sie haben recht«, sagte Damiani. »Emil müßte es wissen. Und auch, was aus der Teheran-Sache geworden ist. Seltsam, wir haben nicht einmal darüber geredet, als ich dreiundsiebzig in Berlin war. Würde mich interessieren. Grüßen Sie ihn herzlich! Er soll mir wieder schreiben. Erzählen Sie ihm ruhig, wie wir uns kennengelernt haben und daß es mir nicht so ganz gut geht, leider. Daß ich diese gräßlichen Scherereien mit Alexander und Isabella und Ferdinand habe. Erzählen Sie ihm alles. Er wird Ihnen auch alles über Ihren Vater erzählen. Wenn er noch lebt...«

4

Die Stehgeigerin Franzi müssen Sie gehört haben!
Mit diesen Worten begann der Innentext eines in den Farben Dunkelrosa, Grau und Weiß gehaltenen Prospekts, der auf dem Umschlag eine junge, Geige spielende Frau zeigte. Ihr Kleid im Stil der Jahrhundertwende war tief ausgeschnitten. Rot waren Haare und angedeutetes Gesicht, rot war die Geige, rot das Dekolleté. Der Maler Reznicek hat solche Frauen vor dem Ersten Weltkrieg dargestellt, dachte Daniel Ross. Ich habe viele in alten Bänden des SIMPLICISSIMUS gesehen. Welcher Charme...

»...ja, Fräulein, richtig!« Er telefonierte am Schreibtisch im Salon des Appartements vierhundertneunzehn/zwanzig im Hotel RITZ, nahe dem Schwarzenbergplatz, und sah zu den Lichtern des flutenden Abendverkehrs auf der breiten Wiener Ringstraße hinab. Das Appartement war mit Stilmöbeln eingerichtet. Eine Vase voll Blumen der Direktion und eine zweite, kleinere voller Mimosen standen auf dem Schreibtisch. Nebenan im Schlafzimmer hörte Daniel Mercedes hin und her gehen. Sie waren vor einer Stunde angekommen. Daniel sprach mit einer Telefonistin des Hotels. »Professor Doktor Emil Kant, Berlin-West, Schwanenwerderweg, die Hausnummer um dreihundertzwanzig herum...«

Wiener Jause mit den »Süßen Wiener Mädeln« im Café RITZ *täglich von 17 bis 19 Uhr,* stand über der Zeichnung. Daniel wohnte immer im RITZ, wenn er in Wien zu tun hatte, er liebte dieses Hotel und kannte es seit vielen Jahren ebenso wie das berühmte angeschlossene Kaffeehaus, für welches der Prospekt warb.

»Sie rufen zurück, danke sehr!« Er legte den Hörer auf, faltete den Prospekt wieder auseinander und las noch einmal abwesend: *Die Stehgeigerin Franzi müssen Sie gehört haben! Und die temperamentvolle Tschinellen-Fifi...*

Es war Freitag, der 9. März 1984, gegen 20 Uhr. Vor zwei Stunden hatte Daniel mit Mercedes das Sanatorium Kingston bei Heiligenkreuz verlassen und vielen Menschen für ihre Mühe und Hilfe gedankt: Ärztinnen, Ärzten, Schwestern, Pflegern, der dicken Oberschwester Magdalena, dem bleichgesichtigen Doktor Herdegen. Zuletzt standen Mercedes, er, Sibylle und Werner vor dem Eingang der Klinik neben einem Taxi im Schnee.

»Dir danke ich natürlich am allermeisten, Sibylle. Du hast mich wieder hingekriegt. Du bist wunderbar. Es gibt keinen besseren Arzt für mich...«

»Du wirst keinen Arzt brauchen, wenn du einmal hältst, was du versprichst, und nicht mehr als zwei Tabletten Amadam täglich nimmst. Ich warne dich, mein Lieber! Ewig kann das nicht so weitergehen mit deiner Tablettenschluckerei. Diesmal warst du schon arg kaputt, ich sage dir die Wahrheit.«

...Zusammen mit den anderen Stars der legendären Wiener Damenkapelle bezaubern die beiden Sie mit einem Melodienreigen von Strauß bis Lanner, Ziehrer, Stolz und Lehar...

»Ich werde aufpassen, Sibylle«, sagte Mercedes. Sie redeten immer weiter, um den endgültigen Abschied hinauszuzögern. Alle vier waren in einer wehmütigen, sentimentalen Stimmung.

»Das ist lieb von Ihnen, Mercedes, aber das können Sie nicht. Das kann nur dieser Haderlump allein, und das weiß er. Hat er immer gewußt...«

Daniel umarmte Sibylle und küßte sie auf beide Wangen. Sie schlug ein Kreuz über seiner Stirn.

»Was soll das?« fragte er. »Ich...«

»Du glaubst nicht an Ihn, ich weiß«, sagte Sibylle. »Aber ich glaube an Ihn. Er soll dich beschützen. Vor zwölf Jahren standen wir auch so voreinander – allein. Spät nachts vor dem Wohnturm beim Allgemeinen Krankenhaus. Da hast du ein Kreuz über meiner Stirn geschlagen und gesagt, Er soll *mich* beschützen, und ich habe gesagt: ›Was soll das? Du glaubst doch nicht an Ihn!‹ Und du hast geantwortet: ›Ich nicht, aber du.‹ Erinnerst du dich?«

»Ja, Sibylle«, sagte er. »Genau erinnere ich mich.«

»Laß nicht wieder zwölf Jahre vergehen!« sagte Werner. »Mercedes, wir machen Sie verantwortlich dafür, daß der Kerl sich von jetzt an immer wieder meldet – mit Ihnen! Ruft an, bitte! Wo ihr auch seid! Wir machen uns doch Sorgen um euch!«

»Ja, Werner«, sagte Mercedes.

»Bleibt gesund! Bleibt glücklich! Bleibt zusammen! Und verliert nie den Mut in dieser beschissenen Zeit!« sagte Daniel und sah dabei Sibylle an.

Die schloß kurz die Augen. »Du auch nicht, Danny. Und paß auf dich auf, *bitte*!«

...Dazu Kaffee, Tee oder heiße Schokolade wie anno dazumal. Wählen Sie ein Stück Mehlspeise, Brioche, Kuchen oder Torte – ganz wie es Ihnen gefällt. (Und alles zu einem Inklusivpreis von S 65,–)...

Schließlich stiegen sie dann sehr schnell ein. Das Taxi fuhr los. Daniel blickte zurück. Werner und Sibylle standen unter der Lampe des Eingangs und winkten.

Daniel hatte über Colledo ein Appartement im RITZ bestellen lassen: Vierhundertneunzehn/zwanzig. Er bekam stets vierhundertneunzehn/zwanzig, so lange er zurückdenken konnte. Es war »sein« Appartement geworden in der langen Zeit. Alle Portiers und Rezeptionisten begrüßten ihn jedesmal erfreut. Sie waren auch diesmal besonders zuvorkommend und hilfsbereit. Er schüttelte viele Hände und umarmte die einzige Dame der Rezeption, seine gute alte Freundin Edith. Sie kannten einander seit mehr als zwanzig Jahren. Edith, liebenswürdig wie stets, trug eines ihrer schwarzen, hochgeschlossenen Kleider und ihre schöne Türkiskette und war großartig frisiert und dezent geschminkt wie immer, und sie fuhr mit Mercedes und ihm in den vierten Stock empor, öffnete vierhundertneunzehn/zwanzig, drehte alle Lichter an und wünschte einen angenehmen Aufenthalt. Als sie gegangen war, hatte Daniel den Umschlag mit einem Willkommensgruß entdeckt, der an der kleinen Vase auf dem Schreibtisch lehnte. Die Mimosen waren eine Aufmerksamkeit Ediths. Sie freute sich so sehr, Daniel wiederzusehen, schrieb sie.

Das Telefon vor ihm schrillte.

Schnell hob er ab.

»Ja?«

»Hier ist die Zentrale, Herr Ross. Sie wollten die Nummer von diesem Professor Emil Kant...«

»Haben Sie sie bekommen?«

»Ja, Herr Ross.« Das Mädchen nannte sie. Er notierte die Zahlen auf einen Block, der vor ihm lag. »Und die genaue Adresse ist Schwanenwerderweg dreihundertsiebenundzwanzig.«

»Danke vielmals, liebes Fräulein.« Daniel legte auf. Es war warm im Appartement. Er hatte sich gleich nach dem Eintreffen umgezogen. Nun trug er Pyjama und Morgenmantel.

»Ich hab ihn!« rief Daniel.

»Fein!« kam Mercedes' Stimme aus dem Schlafzimmer. »Ruf gleich an! So schnell haben sie unser Telefon bestimmt noch nicht angezapft.«

Er wählte die Berliner Vorwahl und dann Kants Nummer. Es dauerte lange, bis jemand abhob. Eine weibliche Stimme meldete sich: »Hier bei Professor Kant!«

»Guten Abend! Ich spreche aus Wien. Mein Name ist Daniel Ross. Wäre es möglich, den Herrn Professor zu sprechen?«

»Ross, sagen Sie? Aus Wien?«

»Ja.«

»Einen Moment, bitte.« Ich komme weiter, dachte Daniel. Er fuhr sich aufgeregt durch das weiße Haar.

Eine Männerstimme: »Hier Kant.«

»Verzeihen Sie bitte die Störung am Abend, Herr Professor, es ist sehr wichtig für mich. Ich hoffe, von Ihnen Aufschluß über das Schicksal meines Vaters zu bekommen.«

»*Wie* war Ihr Name?«

»Ross. Daniel Ross. Mein Vater hieß Georg Ross und arbeitete im Krieg für den Dienst Ribbentrop. Sie kannten ihn...«

»Wer sagt das?«

»Professor Damiani.«

»Umberto? Aber wieso...«

Daniel berichtete kurz von seinem Gespräch mit Damiani. »Erinnern Sie sich noch an diese Sache, Herr Professor?«

Stille.

»Herr Professor!«

»Ja.«

»Ich fragte...«

»Ich kenne Sie nicht, Herr Ross. Sie sagen, Sie sprechen aus Wien. Ich glaube nicht, daß wir das am Telefon...«

»Natürlich nicht! Darf ich zu Ihnen nach Berlin kommen?«

Wieder Stille.

Dann sagte Kant: »Wenn es für Sie so wichtig ist, Herr Ross... bitte, kommen Sie!«

»Wann?«

»Wann Sie wollen. Ich habe Zeit.«

»Ginge es schon morgen? Ich bin in Eile. Morgen abend?«

»Meinetwegen. Sagen wir um sieben?«

»Sieben ist wunderbar. Ich danke Ihnen sehr, Herr Professor!«
Daniel verabschiedete sich und legte auf. Danach wählte er die
Nummer der Portiers. Er kannte den, der sich melde, an der
Stimme.

»Herr Albert, hier ist Ross.«

»Habe die Ehre, Herr Ross. Was kann ich für Sie tun?«

»Ich brauche Tickets. Wir fliegen morgen nach Berlin.«

»Da gehen mehrere Maschinen. Müssen Herr Ross in München
oder in Frankfurt umsteigen. Direktflüge gibt es nicht.«

»Weiß ich. Ich habe um sechs Uhr eine Verabredung.«

»Momenterl, hier ist der Flugplan. Um sechs Uhr, sagen Sie? Da
würde ich vorschlagen, Sie nehmen die AUA um elf Uhr dreißig
nach München. Besonders günstig wegen dem Anschluß. Sind
Sie mit PAN AMERICAN schon um halb vier in Berlin-Tegel.«

»Ausgezeichnet. Aber jetzt ist es schon Abend. Das Stadtbüro
der AUA…«

»Hat geschlossen. Ich reserviere draußen am Flughafen. Herr
Ross bezahlen die Tickets dann morgen.«

»Und wenn der Flug ausgebucht ist?«

»Nicht jetzt im Winter. Die Maschinen sind halb leer. Können
Herr Ross ganz beruhigt sein. Einmal für Sie und einmal für die
gnädige Frau. Ich kümmere mich sofort darum.«

»Danke, Herr Albert!« Daniel erhob sich ein wenig taumelig.
Wenn ich jetzt Glück habe, dachte er… Wenn ich jetzt Glück
habe…

Er ging durch den Salon und öffnete die Tür zum Schlafzimmer.
Hier brannte nur eine Nachttischlampe. Mercedes lag nackt auf
dem Bett. Er sah ihren braungebrannten Körper, die großen,
schönen Brüste, die langen Beine, den flachen Bauch und das
dunkle Dreieck der Scham.

»Komm, Danny!« sagte Mercedes. »Komm zu mir! So lange
habe ich mich danach gesehnt.«

Später.

»Es war wunderbar. Es war so wunderbar und so stark wie noch
nie.«

»Für mich auch, Mercedes.«

»Bei den meisten Menschen ist das erste Mal gar nicht wunderbar. Weil sie sich noch nicht richtig kennen. Darum ist es gut, daß wir so lange warten mußten, Danny. In dieser Zeit haben wir einander genau kennengelernt. Deshalb war es so großartig. Du bist sehr geliebt, weißt du das?«

»Und du erst, Mercedes. Und du erst.«

»Manchmal funktioniert es bei einem Mann zuerst überhaupt nicht, so sehr beide sich auch bemühen, hat mir eine Freundin gesagt. Die Frau kann dann besonders glücklich sein.«

»Aha.«

»Ja, weil das nämlich zeigt, daß der Mann sie ehrlich und wirklich liebt. *Zu* ehrlich und wirklich. Er will es zu sehr und zu heftig. Darum funktioniert es nicht. Das ist immer ein gutes Zeichen, habe ich gehört.«

»Da wärest du also auch bei mir besonders glücklich gewesen, wenn es nicht funktioniert hätte, Mercedes?«

»Ganz ungeheuer.«

»Tut mir leid, daß ich das nicht früher gewußt habe. Es hätte nur nichts genützt, fürchte ich.«

»Ja, das fürchte ich auch.«

»Aber, du glaubst mir, daß ich dich liebe, obwohl es funktioniert hat?«

»Ja«, sagte sie ernst. »Vielleicht reden das, was mir meine Freundin erzählt hat, manche Männer den Frauen auch nur ein. Als Ausrede. Und du hast dabei gar nicht an Sibylle denken müssen?«

»Nein, Mercedes.«

»Ich weiß es. Ich weiß es, Danny. Ich hätte es gemerkt, bestimmt. Es wäre nicht so wunderbar gewesen. Jetzt glaube ich, daß du mich wirklich liebst. Bis heute hatte ich Angst.«

»Angst wegen Sibylle?«

»Ja. Sie ist so großartig. Ich habe in den letzten Tagen immer gedacht, du *mußt* sie einfach noch lieben, was du auch sagst. Jetzt weiß ich, daß ich ruhig sein kann.«

»Ganz ruhig, Mercedes.« Er sah etwas auf dem Nachttisch. »Was soll... Das ist doch die alte Platte!«

»Die uns Sibylle geschenkt hat, ja. Euer Lied einmal. Unser Lied jetzt. Es soll uns beschützen. Uns und unsere Liebe. Ich habe die Platte aus Aberglauben da hingelegt. Ich dachte, wenn dieses Lied so nahe ist und es wunderbar wird, dann liebst du mich ehrlich und wirklich.«

»Na, siehst du!«

»Aber ich wünsche uns nicht nur *etwas* Glück. Ich wünsche uns alles Glück, das wir kriegen können. Ich kann nie gar zu glücklich werden. Und Heimweh nach dem Traurigsein hätte ich auch nie...«

»Weißt du, die Worte sind aber so schön.«

»Ja, das stimmt natürlich...« Sie neigte sich über ihn und umarmte ihn wild. »O Danny, Liebster, komm wieder zu mir...«

Um 23 Uhr löste der Nachtportier Felix Pokorny die Vorgänger von der Nachmittagsschicht ab. Zu dieser Zeit saßen noch viele Gäste in der Bar und in der großen hinteren Halle. Felix Pokorny war seit Jahren in Pension. Er hatte sehr lange im RITZ gearbeitet. Nun wurde er von seinen früheren Kollegen im RITZ und in den anderen Ringstraßen-Hotels immer gerufen, wenn einer der festangestellten Nachtportiers krank geworden war. Dann sprang Pokorny für ihn ein. Seit drei Nächten vertrat er im RITZ die beiden Kollegen, die stets gemeinsam die letzte Schicht hatten, nun aber mit schwerer Grippe zu Bett lagen.

Pokorny war ein kräftiger, großer Mann, der allein lebte. Seine Frau hatte er vor langer Zeit verloren, die Kinder waren groß und schon verheiratet. Pokorny sprang gerne für erkrankte Kollegen ein. Nicht wegen des Geldes. Er hatte zu lange in großen Hotels gearbeitet. Ihre seltsame Faszination hielt ihn für immer gefangen.

Gegen ein Uhr morgens leerten sich Halle und Bar. Die Gäste gingen auf ihre Zimmer. Viele nahmen Ausgaben der Morgenzeitungen mit, die Träger gebracht hatten. Um zwei Uhr war es totenstill geworden. Ein Hausdiener döste bei den Gepäcklifts in einem Sessel, Pokorny, der die großen gläsernen Flügel der Eingangstür versperrt hatte, saß in der kleinen Telefonzentrale hinter dem langen Tresen des Empfangs und las in einem Buch mit ausgewählten Briefen von Ernest Hemingway gerade den Satz: »Die Welt ist so voll von vielen Dingen, daß ich sicher bin, wir sollten alle glücklich wie die Könige sein. Wie glücklich sind Könige?« Da schrillte die Eingangsglocke.

Pokorny erhob sich, ging durch die Halle und sah vor der Glastür einen Mann stehen, der einen pelzgefütterten Dufflecoat trug. Hinter ihm parkte ein Wagen auf der Seitenfahrbahn der Ringstraße. Der Mann war groß und hager, sein blondes

Haar kurz geschnitten. Nun lächelte er, während Pokorny die eine Hälfte des gläsernen Eingangs öffnete und ihn eintreten ließ.

»Guten Abend, mein Herr.«

»Abend«, sagte Wayne Hyde. »Endlich! Großer Gott, was für eine Nacht! Ich habe schon gedacht, ich komme nie mehr nach Wien.«

»Was ist denn passiert?« fragte Pokorny.

»Rechter Hinterreifen geplatzt. Auf der Autobahn. Bei hundertzwanzig.«

»Jessas«, sagte Pokorny. »Da haben der Herr vielleicht ein Massel gehabt.«

»Kann man sagen. Und keinen Reservereifen. Und bis der Wagen abgeschleppt war!«

»Wo ist es denn passiert?«

»Vor Sankt Pölten.«

»Jessas«, sagte Pokorny. »Müssen todmüd sein, der Herr.«

»Bin ich, ja. Sie haben doch hoffentlich ein Zimmer für mich?«

»So viele Sie wollen. Wenn Sie mir folgen, bittschön...« Pokorny ging voraus. Wayne Hyde zog ein Taschentuch aus dem Dufflecoat und eine kleine Flasche, öffnete sie geschickt und tränkte das Tuch kräftig mit Äther. Er trat rasch dicht hinter Pokorny und preßte ihm das Tuch mit abgewinkeltem Arm auf Nase und Mund. Der alte Portier wehrte sich kurz, dann sackte er zusammen. Hyde ließ ihn auf den Teppich der Halle gleiten. Von den Gepäcklifts her kam der verschlafene Hausdiener, den die Nachtglocke geweckt hatte. Er rieb sich die Augen.

»Was soll...« Weiter kam er nicht. Hyde preßte auch ihm schon das Tuch aufs Gesicht. Der Hausdiener machte ein paar heftige Armbewegungen, danach sank er wie Pokorny auf den Teppich und blieb bewußtlos liegen.

Hyde bewegte sich schnell und geschmeidig. Er huschte hinter den langen Tresen des Empfangs und ließ den Blick über die große schwarze Tafel mit den vielen verschiedenfarbigen Kärtchen schweifen, auf denen Namen standen. Es war der Zimmerbelegungsplan. Hyde fand, was er suchte.

419/20 – Daniel Ross.

Nun trat er in das Büro hinter der Schlüsselwand, schaltete das Neonlicht an und sah sich um. Da stand ein Computer. Auf dem Schreibtisch daneben erblickte Hyde einen Ablagekasten mit den Rechnungen der Gäste und den dazugehörenden Belegen. An dem Rechnungsblatt für das Appartement vierhundertneunzehn/zwanzig hingen nur zwei Belege: einer vom Etagenservice und ein vom Computer ausgedruckter Streifen mit Angaben über ein Telefongespräch, angewählte Nummer, Sprechdauer vier Minuten und die Gebühr. Hyde schrieb die Berliner Nummer schnell auf ein Stück Papier, das er einsteckte. Die Rechnung mit dem Computerstreifen legte er ordentlich in den Kasten zurück. Er drehte das Neonlicht aus, verließ das Büro und trat an die Schlüsselwand. Im Fach vierhundertneunzehn fehlte der Schlüssel, aber eine Karte steckte darin. Hyde nahm sie heraus und las, was darauf stand.

Er nickte zufrieden und schob die Karte wieder zurück. Danach verließ er das Hotel, wobei er umsichtig über den reglosen Pokorny stieg. Gleich darauf saß er neben dem Fahrer des Wagens, der noch immer vor dem Eingang parkte.

»Wohin?« fragte der bleiche Dr. Herdegen.

»Rechte Wienzeile zehn«, sagte Hyde.

Zu dieser Zeit – es war 2 Uhr 15 früh am Samstag, dem 10. März – telefonierte Conrad Colledo, Hauptabteilungsleiter für Politik und Zeitgeschehen beim Sender Frankfurt, im Arbeitszimmer der Villa in der Siesmayerstraße am großen Grüneburgpark zu Frankfurt gerade mit einem seiner Rechercheure in Los Angeles. Dort war es erst 17 Uhr 15, die Zeitdifferenz betrug neun Stunden. Colledo machte einen erschöpften Eindruck.

»Um also zusammenzufassen, Chef«, drang die Stimme eines jungen Mannes an Colledos Ohr: »In den letzten zwei Tagen waren wir dauernd zwischen Washington und Los Angeles unterwegs. Sieben Mann. Es gibt hier den C.C.A. und die A.C.A., den ›Club der Kameraleute Amerikas‹ und die ›Vereinigung amerikanischer Kameraleute‹. Nach langem Hin und Her haben sie uns ihre Mitgliederlisten aus dem Krieg gezeigt. Fast jeder Kameramann ist da drin, die guten sowieso. Na, und die Brüder in Teheran waren doch bestimmt erstklassig.«

»Bestimmt, Pit. Weiter!«

»Jetzt haben wir die komplette Übersicht. Am elften Dezember einundvierzig erklärten Italien und Deutschland Amerika den Krieg. Wir haben deshalb überprüft, wie viele und welche Mitglieder der beiden Vereinigungen zwischen einundvierzig und sechsundvierzig Militärdienst leisteten. Es waren zweitausendsechshundertsiebenundfünfzig. Ja, uns ist auch ganz schlecht geworden. Beim Verteidigungsministerium in Washington haben sie uns außerordentlich höflich behandelt, aber Einblick in die Stammrollen bekamen wir nicht. Wir versuchten wirklich jeden Trick, immer wieder. Einen alten Archivar haben wir schließlich so weit gekriegt, daß er wenigstens versuchen wollte, uns zu sagen, auf welchen Theatres of War, auf welchen Kriegsschauplätzen, oder zu welchen besonderen Aufgaben die Männer eingesetzt worden sind.«

»Und?«

»Der alte Herr hat einen Autounfall gehabt. Heute vormittag. Bevor er uns etwas sagen konnte. Wurde überfahren auf einem Zebrastreifen. Ein Wagen raste durch und erwischte ihn. War sofort tot.«

»Und der Wagen?«

»Fahrerflucht. Bis jetzt keine Spur, sagt die Polizei. Die Nummernschilder waren so verdreckt, daß Zeugen nichts erkennen konnten. Klarer Fall, wie?«

»Völlig klar«, sagte Colledo. »Scheiße.«

»Wir haben über alles eine Dokumentation gedreht. Dann haben wir herausbekommen, wie viele von den über zweitausendsechshundert Mitgliedern der beiden Vereinigungen, die damals eingetragen waren, heute noch leben. Eintausendneunhundertachtundneunzig. Arbeiten natürlich nicht mehr alle. Und die, die arbeiten, sind nicht alle in Hollywood, sondern auch an der Ostküste oder bei Fernsehstationen. Praktisch im ganzen Land. Die nicht mehr arbeiten, auch.«

»Versucht, sie alle zu finden!«

»Chef, ich habe gesagt, es gibt noch eintausendneunhundertachtundneunzig!«

»Hab's gehört. Ihr sollt sie alle suchen.«

»Das dauert ewig!«

»Dann dauert's eben ewig!«

Hinter Colledo hing ein Bild seiner kleinen Tochter Kathi, die im vergangenen Jahr gestorben war.

»Fast zweitausend Kameramänner! Wir sind sieben! Kommen auf jeden von uns rund dreihundert! Das ist unmöglich, das müssen Sie doch zugeben, großer Gott!«

»Ich schicke euch noch zehn Jungs rüber.«

»Aber das ist doch verrückt, Chef!«

»Weißt du, hinter was wir her sind, Pit?«

»Natürlich, Chef.«

»Dann mosere nicht herum!«

»Wie Sie befehlen, Chef. Werden wir eben alle noch meschugge.«

»Werdet ihr eben alle noch meschugge. Oder ihr findet die richtigen Männer.«

»Nie, Chef, nie! Wenn wir – Gott behüte – nahe genug an die rangekommen sind, haben die auch Autounfälle. Haben sie vielleicht schon gehabt. Oder eine Waffe ist ihnen beim Reinigen losgegangen. Oder...«

»Pit?«

»Ja, Chef?«

»Halt's Maul. Tu, was ich sage! Und bleib' in Verbindung! Gute Nacht!«

Colledo legte auf und stützte den Kopf in die Hände. Also auch nichts, dachte er. Nichts und nichts. Überallhin habe ich meine besten Leute geschickt. Ins Institut für Zeitgeschichte nach München, ins Landesarchiv nach Berlin. In Koblenz, ja, da hätten wir beinahe Glück gehabt. Beinahe. Sie haben den armen Hund aus dem Dokumentationszentrum erschossen und das Arbeitsjournal verschwinden lassen. Sonst? Sonst nichts. Überhaupt nichts. Nichts im British War Museum in London. Nichts im Archive de la Seconde Guerre mondiale in Paris und in allen anderen Archiven. Nichts in den Archiven von Washington. Nichts, nichts, nichts. Danny hat angerufen. Aus Wien. Wenigstens er hat jemanden ausfindig gemacht: den Gutachter des Geheimprotokolls. Fliegt heute nach Berlin. Ich habe schon ein Team raufgejagt. Das BKA ist verständigt. Vielleich...

»Conny!«

Er sah auf.

Lisa, seine kleine, zarte Frau, war in den Raum gekommen – barfuß und im Nachthemd. Ihr blondes Haar war zerzaust.

»Willst du die ganze Nacht arbeiten? Es ist halb drei.«

Sie war zu ihm getreten und legte die Arme um seine Schultern. Er küßte ihre zerschnittenen Handgelenke.

»Ich komme schon«, sagte er.

»Ist es diese Geschichte, von der du mir nichts erzählen willst?«

»Ich kann nicht, Lisa, ich kann nicht.«

Die kleine Frau begann plötzlich zu weinen. Er versuchte, sie zu trösten und zu beruhigen, aber es dauerte lange, bis es ihm halbwegs gelungen war. Sie gingen zu Bett. Lisa war bald eingeschlafen. Conrad Colledo lag mit offenen Augen neben ihr und lauschte den regelmäßigen Atemzügen seiner Frau. Er fand keine Minute Schlaf in dieser Nacht.

5

Mercedes und Daniel mieteten am Flughafen Tegel einen Leihwagen und kamen gegen 16 Uhr 30 in das Hotel KEMPINSKI am Kurfürstendamm. Der Haupteingang befand sich in der Fasanenstraße. Daniel, der mit dem Volvo von der Hardenbergstraße her kam, parkte ihn und betrat mit Mercedes die große Hotelhalle. Hausdiener kümmerten sich um ihr Gepäck. Der Chefportier Willi Ruof, ein besonders freundlicher und hilfsbereiter Riese, der aus Bayern stammte, begrüßte Daniel herzlich. Die beiden kannten einander seit vielen Jahren, denn wo immer möglich, stieg Daniel stets in denselben Hotels ab. Auch im KEMPINSKI hatte Daniel sein ständiges Appartement: sechshundertsechs/sieben.

Er machte Mercedes mit Ruof bekannt, und sie plauderten ein paar Minuten. Tags zuvor war eine polnische Verkehrsmaschine der staatlichen Gesellschaft LOT von drei Männern nach Westberlin entführt worden und auf dem Flughafen Tempelhof gelandet. Die Maschine hatte sich auf einem Inlandflug befunden. Als die Passagiere begriffen, wo sie sich befanden, entschlossen sich elf von ihnen, gleich den drei Entführern im Westen zu bleiben und um politisches Asyl nachzusuchen. Wie bei allen derartigen Zwischenfällen, und wenn es die schlimmsten waren, gab es natürlich sofort einen witzigen Kommentar der Berliner.

»Wissen Sie, was LOT heißt, Herr Ross?« fragte Chefportier Ruof. »Landet ooch Tempelhof... Und eine Nachricht für Sie!« Ruof übergab Daniel ein Kuvert und wünschte einen angenehmen Aufenthalt.

Im Lift riß Ross den Umschlag auf und las die Nachricht.

»Was ist?« fragte Mercedes.

Daniel sah auf den jungen Mann, der sie nach oben brachte, und reichte Mercedes den Bogen.

»Team abrufbereit im Hotel STEIGENBERGER«, las sie und danach einen ihr unbekannten Namen und eine Telefonnummer.

Das Appartement in Berlin gefiel Mercedes besonders gut. Es

war noch genügend Zeit. Daniel bestellte Tee. Während sie ihn tranken, suchte er auf einem Stadtplan den besten Weg hinaus zum Wannsee. Er kannte sich gut in der Stadt aus, doch es war noch früh im Jahr und schon zeitig dunkel.

Mercedes wurde immer unruhiger. Sie hatte eingesehen, daß sie Daniel nicht begleiten konnte. Jede Erklärung hätte Professor Kant nur unsicher gemacht und beunruhigt. Er erwartete *eine* Person: den Sohn des Mannes, mit dem er im Krieg zusammengearbeitet hatte. Daniel hatte vorgegeben, erfahren zu wollen, was Kant über das Schicksal seines Vaters wußte. Da war es unmöglich, dem Professor eine argentinische Stieftochter zu präsentieren. Man hätte ihm dann gleich von Anfang an die Wahrheit sagen müssen. Und eben das wollten beide nicht.

»Keine Angst«, sagte Daniel beim Abschied. »Es passiert nichts. Da draußen ist alles voller Polizei, das hat Conny veranlaßt. Die greifen ein beim geringsten Verdacht, daß etwas nicht stimmt. Und das Team kommt auch gleich, wenn ich mit dem Professor über das Grundsätzliche gesprochen habe.«

»Ich habe trotzdem Angst, Danny, schreckliche Angst…« Sie klammerte sich an ihn. Er küßte sie und machte sich behutsam frei. »Du bist doch meine tapfere Mercedes.«

»Ich bin überhaupt nicht tapfer!«

»Doch, du bist tapfer, und du liebst mich und weißt, daß ich allein fahren muß, und weil du mich liebst, machst du mir jetzt nicht das Herz schwer, sondern hörst sofort auf damit und sagst, daß du gar keine Angst hast.«

Sie schluchzte und schluckte ein paarmal, fuhr sich über die Augen und sagte: »Ich habe gar keine Angst.«

»Das ist mein Mädchen!« Er umarmte sie noch einmal, dann ging er schnell aus dem Appartement und zum Lift.

Im Salon war Mercedes auf einen Stuhl gesunken. Tränen stiegen in ihre Augen und sie flüsterte: »O Gott, wenn ich doch bloß keine so furchtbare Angst hätte!«

Ein Wagenmeister begleitete Daniel zu dem Mietvolvo. Es war kälter geworden.

»Vorsichtig fahren, Herr Ross! Es gibt Glatteis. Ich danke sehr.« Er steckte das Fünfmarkstück ein und warf die Tür hinter Daniel zu.

Der Kurfürstendamm war verstopft vom Abendverkehr. Am Rathenauplatz bog Daniel in die Halenseestraße ein. In nördlicher Richtung fuhr er diese Straße, auf der es schon viel ruhiger war, bis zum Messegelände. Vor sich sah er den Funkturm mit seinen roten Positionslichtern, dann war er auf der Avus.

Halb sieben vorbei.

Daniel gab Gas und fuhr nun erheblich schneller über die eisfreie Autobahn südwestlich. Nur wenige Autos kamen ihm entgegen. Auf der Höhe der S-Bahn-Station Nikolassee benützte er die Ausfahrt, überquerte den Kronprinzessinnenweg und bog in den nach Nordwesten führenden langen Wannseebadweg ein. Aus vielen Villen in den Gärten fiel Licht, andere schienen nicht bewohnt zu sein. Daniel kam dem Wasser immer näher. Plötzlich war er im Dunst, gleich danach im Nebel. Den Nebel trieb Westwind vor sich her. Daniel konnte schlecht sehen und fuhr nun sehr langsam. Er wußte, vor ihm lag die Inselstraße, die über einen kurzen Damm zur kleinen Insel Schwanenwerder hinüberführte. Knapp bevor die Straße anfing, bemerkte er drei geparkte Wagen. Er hatte mit Conrad Colledo telefonisch ein Zeichen vereinbart, wie er erkennen konnte, daß die Polizei ihre Stellung bezogen hatte. Im Schrittempo fahrend, blendete Daniel dreimal kurz hintereinander die Scheinwerfer auf. Die Fernlichter der drei Wagen wurden dreimal hintereinander kurz hell. Von der Inselstraße zum Schwanenwerderweg waren es nur ein paar Meter, und gleich in der Nähe lag das Haus dreihundertsiebenundzwanzig. Noch in der Inselstraße parkte ein vierter Wagen, der gleichfalls auf das Lichtzeichen Daniels reagierte. In weniger als einer Minute wären die im Haus, dachte Daniel.

Er bog noch einmal rechts ab und hielt gleich darauf. Hier draußen gab es keine Straßenbeleuchtung. Der Nebel war dichter geworden, man sah nur wenige Meter weit. Ganz nahe mußte der Wannsee sein, Daniel roch das Wasser. Die Villa des Professors war zweigeschossig und hatte ein mächtiges, steiles Ziegeldach mit großen Luken. Wilder Wein bedeckte die Mauern und rankte sich an breiten Holzlatten hoch. Das nächste Haus war gewiß hundert Meter entfernt.

Daniel klingelte am Gartentor, an dem die Hausnummer angebracht war. Aus der Sprechanlage erklang eine verzerrte Frauenstimme: »Wer ist da?«

Er neigte sich vor und sprach in die Mikrofonlöcher: »Daniel Ross. Ich bin mit dem Herrn Professor verabredet.«

»Einen Moment!«

Das Tor sprang auf, über dem Hauseingang ging eine Lampe an. Daniel schritt durch den nebelgrauen Garten. Die Haustür öffnete sich. Daniel sah eine ältere, korpulente Frau. »Guten Abend«, sagte er.

»Abend«, sagte die Frau. »Haben Sie Ihren Paß?«

»Ja.«

»Geben Sie ihn mir!«

Daniel gab ihn ihr.

»Moment.«

Die Tür fiel zu, Daniel hörte Schritte, die sich entfernten. Er wartete. Die Schritte kehrten zurück. Die Tür ging wieder auf. Die ältere Frau reichte ihm seinen Paß und sagte: »Treten Sie ein, Herr Ross. Sie müssen entschuldigen! Aber man kann nicht vorsichtig genug sein.« Sie standen in einem kleinen Vorraum. »Ihren Mantel, bitte!«

Die Frau hängte ihn über einen Bügel. Dann öffnete sie eine andere Tür.

»Hier herein, bitte!«

Daniel trat vor und blieb erstaunt stehen. Er befand sich in einem sehr großen Raum, der wie eine mächtige Wohnhalle eingerichtet war. Teppiche bedeckten den Boden, fünf Stehlampen mit gelben Glockenschirmen brannten und verbreiteten warmes, helles Licht. Der Raum war außerordentlich geschickt in einen Wohn-, einen Eß- und einen Arbeitsteil untergliedert – einfach durch das Arrangement der Möbelstücke. Eine breite, freitragende Holztreppe führte in das Obergeschoß. Bücherregale bedeckten die Wände des Arbeitsteils. Lexika und Schriftstücke lagen unter einer starken Lampe auf einem Eichentisch, hinter dem sich jetzt ein großer, schlanker Mann in burgunderfarbener Hausjacke und Flanellhose erhob. Er trug ein weißes Seidenhalstuch. Mit jugendlichen Schritten kam er Daniel entgegen.

»Ich begrüße Sie, Herr Ross!«

»Guten Abend, Herr Professor!«

Sie schüttelten einander die Hände. Professor Emil Kant hatte ein rundes, rosiges Gesicht, helle Augen und einen kleinen Mund. Sein Haupt war kahl, doch an den Seiten und hinten wuchsen noch lange braune Strähnen, die Kant in den Nacken gekämmt und mit einer Klammer zusammengehalten trug. Die Strähnen reichten bis auf die Schultern. Er sah aus wie ein alter Hippie.

»Wollen Sie Tee, Kaffee – oder lieber etwas Alkoholisches?«

»Ein kleiner Whisky könnte nicht schaden.«

»Kriegen Sie. Kriegen Sie.« Kant sagte zu der älteren Frau, die gewartet hatte: »Es ist gut, Erna. Danke schön!«

Erna verschwand hinter einer Tür im Hintergrund – vermutlich in der Küche.

»Meine Haushälterin. Habe ich schon vierzehn Jahre. Großartige Person. Wie die für mich sorgt!« Kant ging mit Daniel in die Arbeitsecke der Halle und wies auf einen Ledersessel. »Nehmen Sie Platz!« Er neigte sich über einen Tisch voller Flaschen und Gläser und bereitete einen Drink. »Eis und Wasser?«

»Nur Eis, bitte!«

»Sehr gut. Werde ich mir auch einen genehmigen.«

Kant brachte zwei Whiskys. Sie tranken einander zu. Dann setzte sich der Professor.

»Hätte natürlich ein falscher Paß sein können, wie?« fragte er. Daniel wollte etwas sagen, aber Kant winkte ab.

»Hätte kein falscher Paß sein können. Sie nannten Ihren Freund Colledo am Telefon die Paßnummer. Der gab sie der Polizei, und die gab sie mir.« Kant lachte kurz und meckernd.

»Ich bin Ihnen wirklich sehr dankbar dafür, daß Sie mich so schnell empfangen«, sagte Daniel und drehte das Glas in den Händen.

»Warum sollte ich nicht, wenn mein alter Freund Umberto Sie an mich verwiesen hat?« Kant wiegte den Kopf. »Schlimm, schlimm. Er ist sehr krank, wie?«

»Ich fürchte, Herr Professor.«

»Schizophrenie?«

»Ja.«

»Und keine Besserung zu erwarten?«

»Soweit ich verstanden habe, nein. Er… er leidet sehr unter Stimmen, die ihn dauernd attackieren. Ich habe es selbst miterlebt…« Daniel berichtete kurz von dem Streitgespräch Damianis mit Papst Alexander dem Sechsten, Ferdinand von Aragon und Isabella von Kastilien, dessen Zeuge er geworden war.

»Der arme Kerl…« Kant schüttelte betrübt den Kopf. Die Hippie-Haarsträhnen im Nacken flogen hin und her. »Dieses Buch, das er schrieb ›Inter caetera divinae‹, hat seinerzeit ungeheures Aufsehen unter Theologen und Völkerrechtlern erregt, wie Sie sich vorstellen können. Manche Theologen sind fast toll geworden vor Wut. Natürlich bekam Umberto auch mächtigen Zuspruch. Aber es war ein Weltskandal! Großer Gott, ist er damals mit Unrat überschüttet worden – bildlich gesprochen. Waren das Auseinandersetzungen! Waren das Kämpfe! Heute ist das Buch *das* Standardwerk zum Thema. Aber was hat der arme

Umberto noch davon? Es war einfach zuviel für ihn an Aufregungen und Angriffen übelster Art. Man muß natürlich auch die Kirche verstehen. Umberto griff sie gnadenlos an. Und was wollen Sie« – Kant hob eine Hand – »Sie werden einen Schneemann niemals von der segensreichen Kraft der Frühlingssonne überzeugen können.« Er trank. »Ja, nun zu Ihnen, Herr Ross! Ich gestehe, diese Begegnung berührt mich tief. Immerhin ist es schon vierzig Jahre her, daß ich mit Ihrem Vater zuammengearbeitet habe. Ja, jetzt im März sind genau vierzig Jahre vergangen, seit er mir dieses Geheimprotokoll zur Prüfung gegeben hat, das der arme Umberto erwähnte. Ich hätte ihm natürlich nie davon erzählen dürfen. Das war eine ›Geheime Reichssache‹. Aber Sie wissen ja: Niemand ist so verschwätzt wie wir Wissenschaftler. Und wir waren auch innig miteinander befreundet. Trinken Sie aus! Ich hole die Flasche und das Eis her.«

»Ich muß Auto fahren, Herr Professor.«

»Ach was, so ein paar Schluck werden Sie nicht gleich umschmeißen.« Der alte Mann ging schon zum Tisch und brachte, was er brauchte. Er stellte eine Whiskyflasche und einen Thermosbehälter mit Eiswürfeln auf den niederen Tisch vor Daniel und machte neue Drinks.

»Sie haben den ganzen Krieg in Berlin erlebt, Herr Professor?«

»Bis zum bitteren Ende. Und das Ende war vielleicht bitter, mein Lieber! Hier, Ihr Glas. Zum Wohl!« Sie tranken wieder.

»Bitter«, wiederholte Kant. Danach lachte er neuerlich sein seltsam meckerndes Lachen. »Die Welt soll zittern bei der Germanen Untergang, wie? Na ja! Teuflisch war es, teuflisch. Aber man hat überlebt. Man hat überlebt…«

»Und mein Vater?« Daniel stellte sein Glas ab. »Verzeihen Sie, wenn ich sofort danach frage. Sie sind meine letzte Hoffnung. Nach Ihnen kommt nichts mehr.«

»Ihr Vater ist bei den Kämpfen gefallen«, sagte Kant.

»Das habe ich fast erwartet«, sagte Daniel mit unbewegtem Gesicht. »Ich wollte nur Gewißheit haben. Jetzt habe ich sie. Sie sind sich natürlich ganz sicher, Herr Professor, sonst würden Sie nicht eine solche Auskunft geben, nicht wahr?«

»Ganz sicher, Herr Ross. Goebbels selber hat es mir gesagt.«

»Goebbels?«

»Ja. Er ließ mich rufen. In den Bunker unter der Reichskanzlei. Am zehnten April fünfundvierzig war das. Ich habe in meinem Tagebuch nachgesehen. Eine Odyssee, kann ich Ihnen sagen!

Die Stadt unter dauerndem Beschuß. Die Russen hatten schon die letzte Abwehrlinie an der Lausitzer Neiße durchbrochen. Zwei Wochen später kämpften sie sich bereits in Berlin von Haus zu Haus. Tiefflieger...«

»Warum ließ Goebbels Sie rufen?«

»Um mir zu sagen, daß Ross tot war. Er wußte, ich hatte im Jahr zuvor das Dokument zur Prüfung erhalten – als ein vertrauenswürdiger Mitarbeiter Ihres Vaters. Der wurde in seinem Dahlemer Haus schon im März vierundvierzig ausgebombt. Seither wohnte er bei einem Bekannten am Bayerischen Platz, ich kannte das Haus. Goebbels verlangte nun, daß ich hinging und in der Wohnung alle Akten vernichtete, die Ihr Vater mit nach Hause genommen hatte. Das Auswärtige Amt war damals längst ausgelagert. Goebbels nahm zu Recht an, daß ich alle wichtigen Akten und Papiere erkennen würde. Was sollte ich tun? Ich arbeitete mich zum Bayerischen Platz durch – brauchte einen ganzen Tag dazu – und verbrannte stoßweise Papiere. Hatte Pech dabei.«

»Wieso?«

»Der Brand geriet außer Kontrolle, die Wohnung fing Feuer. Anschließend das Haus. Es wohnte niemand mehr drin, und es war halb zerstört. Der Bekannte Ihres Vaters war beim Volkssturm, hatte Goebbels gesagt. Hat sich nie mehr gemeldet. Auch tot. Oder in Gefangenschaft gestorben.«

»Wie starb mein Vater?« fragte Ross. »Und wo?«

»Goebbels sagte, es sei in der Gneisenaustraße passiert. Im Bezirk Kreuzberg. Er hatte auch Ihren Vater in den Führerbunker kommen lassen, und auf dem weiten Weg zu seiner Behelfswohnung am Bayerischen Platz erwischte es ihn – verzeihen Sie! – wurde er getötet. Ich habe doch gesagt, die Russen setzten andauernd Tiefflieger ein. Die flogen direkt in die Straßenzüge und warfen Fünfzig-Kilo-Bomben ab und schossen mit MGs auf alles, was sich bewegte. Ihr Vater konnte sich nicht schnell genug in Sicherheit bringen – diese kleinen Flugzeuge waren immer ganz plötzlich da.«

»Woher wußte Goebbels, daß mein Vater getötet worden war?«

»Eine Wehrmachtsstreife kam in der Gneisenaustraße vorbei, als die Überlebenden die Opfer gerade in einem Bombentrichter verscharren wollten. Die Männer der Streife holten den Leichen die Personalpapiere aus der Tasche. Als sie bemerkten, was für eine Position Ihr Vater innegehabt hatte, lieferten sie die Papiere sofort auf der Kommandantur ab, und von dort schickte man sie Goebbels. Er hat sie mir gezeigt.«

»Er zeigte Ihnen die Papiere meines Vaters?«

»Sage ich doch! Er ist bestimmt in der Gneisenaustraße umgekommen. Und da ist auch sein Grab. Irgendwo unter der neuen Straßendecke. Man konnte die Toten nicht herumliegen lassen, nicht wahr. Das war an jenen Tagen die übliche Art, Gefallene zu bestatten. Ganz schlimm wurde es, als die Russen direkt in der Stadt kämpften.«

So also war das, überlegte Daniel. Mein Vater gab Goebbels die Zyankalikapseln, als er im Bunker war und den Film ausgehändigt bekam in der Nacht vom 7. zum 8. April. Falsche neue Papiere hatte er schon am Nachmittag im Auswärtigen Amt erhalten. Dann wurde er von Berlin nach Bergen ausgeflogen, wie er in Buenos Aires erzählt hat. Wir haben ja auch eine offizielle Todesnachricht erhalten, Mutter und ich: Gefallen bei Abwehrkämpfen am 2. März im Großraum Küstrin. Soweit funktionierte bis zuletzt alles im Dritten Reich. Goebbels wünschte, daß Georg Ross keine Spuren hinterließ. Er mußte tot sein – zu seiner eigenen Sicherheit.

»Es tut mir leid«, sagte Kant.

»Ich war darauf gefaßt«, sagte Daniel. »Er hätte sich doch sonst irgendwann gemeldet. Jetzt weiß ich genau Bescheid. Und das Geheimprotokoll, Herr Professor? Wie verhielt es sich mit dem?«

»Na ja, ich sollte das Dokument auf seine Echtheit prüfen. Übrigens gab mir Ihr Vater die Abschrift am Nachmittag bevor er dann in Dahlem ausgebombt wurde. Er ließ von dem Text sofort eine Abschrift anfertigen, nachdem er den Film in Händen hatte. Nach meinem Tagebuch war das am einunddreißigsten März vierundvierzig.«

»Und war das Geheimprotokoll echt, oder war es eine Fälschung?«

»Echt. Es war echt!« Kant sprach plötzlich erregt.

»Sie sind sich sicher?«

»Absolut sicher!« rief Kant.

»Das konnten und können Sie mit völliger Gewißheit sagen?«

»Mit völliger. Als ich dann den Film sah, gab es auch nicht mehr den geringsten Schatten eines Zweifels.«

»Sie haben den *Film* gesehen?«

»Ja, ich und drei Spezialisten des Geyer-Kopierwerks.«

»Wann war das?«

»Am dritten August vierundvierzig. Ihr Vater zeigte ihn uns.«
»Warum erst so spät?«
»Ihr Vater sagte, der Keller, in dem man den Film verwahrt hatte, sei von Bomben verschüttet worden, und es habe so lange gedauert, ihn auszubuddeln.«
»Dann waren Geheimprotokoll und Film nach Ihrer und der Ansicht der anderen Spezialisten echt, keine Fälschung?«
»Unter allen Umständen echt. Mit amerikanischem Kodak-Material aufgenommen. Da gibt es überhaupt keinen Zweifel.«

Na fein, dachte Wayne Hyde.
Er lag im dunklen ersten Stock nahe dem Treppenende auf dem Bauch, den Körper an den Boden gepreßt, vor sich ein Gewehr des sowjetischen Typs wintowka obr 1891/1930. Wintowka ist das russische Wort für Gewehr. Es hatte große Ähnlichkeit mit der von Hyde bevorzugten amerikanischen Springfield 03. Das Kaliber war bei beiden Gewehren dasselbe: 7,62. Das sowjetische Gewehr war etwas leichter, länger und hatte im Gegensatz zum amerikanischen Rechtsdrall. In einem Schulterhalfter trug Hyde eine großkalibrige sowjetische Armeepistole. Dem Gewehr war ein Zielfernrohr aufgesetzt. Im Fadenkreuz hatte Hyde den Professor für Völkerrecht Dr. Emil Kant, einmal die Brust, einmal den Kopf. Der Gewehrlauf bewegte sich hin und her...
Gleich nach der Ankunft bei seinem Wiener Söldnerfreund Franz Loderer in dessen Wohnung im Rückgebäude des Hauses Rechte Wienzeile zehn, wohin ihn Herdegen vom RITZ aus noch gefahren hatte und wo er den Rest der Nacht verbringen wollte, hatte Hyde mit Hilfe des kleinen Decoders den Anwalt Roger Morley in London angerufen und auf das Band des Telefonbeantworters gesprochen: »Hier ist Wayne Hyde. Ich bin bei einem Freund in Wien. Es ist zwei Uhr fünfundvierzig, Samstag, zehnter März. Folgendes habe ich herausbekommen: Der Völkerrechtler, der neunzehnhundertvierundvierzig das Geheimprotokoll prüfte, heißt Professor Emil Kant und lebt in Berlin. Seine Telefonnummer ist drei-vier-zwo-zwo-fünf-null-sieben. Da kriegen Sie leicht die Adresse raus. Ross und die Olivera haben für heute einen Flug nach Berlin über München, ab Wien um elf Uhr dreißig gebucht. Das konnte ich im RITZ feststellen. Die Buchung liegt in ihrem Schlüsselfach. Sie werden gegen halb vier in Berlin landen. Ross hat Kant angerufen. Mit an Sicherheit

grenzender Wahrscheinlichkeit wird er ihn sehr bald nach seiner Ankunft besuchen. Bitte schnellstens um Instruktionen. Rufe um drei Uhr dreißig wieder an.«

Das hatte er getan.

Die Stimme Morleys erklang: »Guten Morgen, lieber Mister Hyde. Meine Bekannten haben die Lage geprüft. Also: Sie nehmen die erste Maschine nach Berlin, auch via München. Das ist eine Swiss Air um neun Uhr fünfzig. Sie haben Anschluß mit Pan American und sind um zwölf Uhr fünfundvierzig in Berlin-Tegel. Dort fahren Sie schnellstens zum Ausländerübergang an der Friedrichstraße, dem Checkpoint Charlie. Verlangen Sie den diensthabenden Vopo-Offizier. Bei ihm wird ein Mann auf Sie warten. Wir haben auch in Ostberlin unsere Leute. Sie, lieber Mister Hyde, tun das, was der Mann sagt.

»Freut mich, Sie kennenzulernen, Mister Hyde«, sagte der Mann im Barackenzimmer des diensthabenden Vopo-Offiziers am Checkpoint Charlie, nachdem der Offizier den Raum verlassen hatte. »Pünktlich, pünktlich. Wenn Sie mir bitte folgen wollen – Ihr Gepäck lassen Sie am besten hier, Sie kommen ja auf dem Rückweg noch einmal vorbei.«

Der Mann war groß und sah aus wie ein Freistilringer. Seine Nase war plattgedrückt. Er hatte sehr kleine Augen. Schweineritzen, dachte Hyde. Die Finger taten ihm noch weh nach dem Händedruck des Athleten. »Ich heiße Lohotski«, sagte der Mann, schon im Freien, als er auf einen Wolga mit Volkspolizeinummer zuging. Er öffnete eine Tür und ließ Hyde in den Fond steigen. Am Steuer saß ein hagerer junger Mann. Wie Lohotski trug auch er Zivil.

»Hallo«, sagte Hyde.

»Freundschaft«, sagte der junge Mann.

Lohotski setzte sich neben ihn. »Also dann los, Max!« sagte er. »Tritt dem Ding den Stempel in den Bauch, und mach die Sirene an!«

Der Wolga raste los. Die Polizeisirene begann zu heulen. Hyde, den so leicht nichts erschreckte, fühlte, wie sich sein Magen zusammenkrampfte. Lohotski saß halb zu ihm umgewandt.

»Keine Angst«, sagte er grinsend. »Max ist der beste Fahrer, den wir haben.« Der Wolga schoß durch die Stadtmitte Ostberlins, überholte im Abstand von zwei oder drei Zentimetern andere Wagen und wich im letzten Moment entgegenkommenden Autos aus, die meist anhielten oder an den Straßenrand fuhren. Die Sirene heulte. Ein Blaulicht zuckte.

»Wohin geht es?« fragte Hyde, der im Fond hin und her geworfen wurde.

»Erst mal Richtung Norden.« Ringer Lohotski gefiel sich in seiner Rolle als Reiseführer. Er lächelte. »Zweigeteilte Stadt, nicht wahr? Zweigeteilt durch die Mauer. Die Mauer ist nur fünfzehn Kilometer lang. Nun müssen wir uns aber doch überall vor Westberlin schützen, nicht wahr? Also läuft um ganz Westberlin ein Todesstreifen herum. Die Grenze entlang, immer die Grenze entlang. Der Todesstreifen ist zehn Meter breit und hundertsiebzig Kilometer lang. Tja, großes Stück, Westberlin. Stacheldrahtverhaue in einer Länge von hundertdreißig Kilometern. Verwendeter Stacheldraht zwölftausend Kilometer. Dann natürlich die Bunker. Zweihundertachtunddreißig gibt es rund um Westberlin. Und Kontrollpunkte an den Autobahnen und Transitstraßen, klar.«

»Klar«, sagte Wayne. »Wir müssen also erst mal so weit nach Norden, bis die Mauer aufhört. Bis zur Stadtgrenze.«

»Richtig, Mister Hyde, richtig. Danach um ganz Westberlin außen herum. Auf DDR-Gebiet. Der Wannsee liegt tief im Südwesten.«

»Und was machen wir dann?«

»Werden Sie sehen, Mister Hyde. Werden Sie sehen.«

An der Stadtgrenze im Norden wurden sie kontrolliert. Lohotski streckte dem Vopo, der den Wolga anhielt, eine Marke entgegen. Der Vopo salutierte. Der Wolga glitt durch die Slalomstrecke des Kontrollpunktes und schoß dann weiter. Nun ging die Fahrt westwärts. Die Häuser wurden immer spärlicher. Sie fuhren auf eisglatten Straßen durch kleine Wälder und unbebautes Gebiet.

»Staatsforst Falkenhagen«, sagte Lohotski einmal. Etwas später, als eine große Wasserfläche zu ihrer Rechten sichtbar wurde: »Der Falkenhagener See.« Schließlich: »Wir fahren jetzt dicht an der Grenze zum Westsektor entlang. Sehen Sie den Todesstreifen mit dem Stacheldraht? Da liegt unser Kontrollpunkt Staaken. Ein Stück weiter drüben der Kontrollpunkt Heerstraße. Diese Heerstraße ist wahnsinnig lang. Geht im Westsektor bis zum Theodor-Heuss-Platz und hier in Richtung Hamburg.« Dann fuhren sie über riesige unbesiedelte Flächen. »Groß-Glienicker-Heide«, sagte Lohotski. »Jetzt sind wir schon wieder ganz nahe an der Grenze. Das ist die Potsdamer Chaussee da drüben. Sehen Sie die Stacheldrahtrollen und die Flugzeuge dahinter? Das ist der Flugplatz Gatow. Gehört den Engländern. Da schließt der Stacheldraht das Ende einer Startbahn ab. Jetzt müssen wir nach Westen, um den Groß-Glienicker-See herum. Da läuft die Grenze mitten durchs Wasser.«

»Gibt viele Seen in Berlin«, sagte Hyde.

»Jede Menge«, sagte Lohotski. Der Fahrer Max sprach kein einziges Wort. Er hatte schon seit einiger Zeit Blaulicht und Sirene abgeschaltet. Wieder sah Hyde eine sehr große Wasserfläche.

»Und das?«

»Die Havel«, sagte Lohotski. Sie fuhren auf einer breiten Straße. SPANDAUER STRASSE las Hyde auf einem Schild. Plötzlich hielt der Wagen vor einem niederen Steinbau, neben dem, auf einem Mast, die Fahne der DDR im Westwind wehte.

»So, da wären wir«, sagte Lohotski, stieg aus und öffnete für Hyde den Schlag. »Kommen Sie mit!«

Sie betraten gemeinsam das kleine Gebäude. In einem Raum zur ebenen Erde arbeiteten hier ein halbes Dutzend Männer in Uniform an Schreibtischen. Lohotski ging zu einem jungen Mann und machte ihn mit Hyde bekannt. Der junge Mann hieß Wilms. Hinter ihm hing an der Wand eine große Karte von Berlin und Umgebung. Hyde sah auf seine Armbanduhr. Es war 14 Uhr 34.

»Erklären Sie Mister Hyde mal die Lage, Wilms«, sagte Lohotski.

Dieser trat an die Wandkarte. »Ja, also«, sagte er, »wir sind hier, Sir.« Er deutete mit dem Finger auf die linke untere Seite des Plans. »Spandauer Straße, sehen Sie? Von der Spandauer Straße ein paar Meter, und Sie sind bei der Havel. Da geht die Grenze mitten durchs Wasser. Die dicke rote Linie, sehen Sie? Haben wir natürlich Bojen und Schilder und Wasserschutz-Volkspolizei, klar.«

»Klar«, sagte Hyde.

»Auf der anderen Seite, drüben im Westen, liegt die große Pfaueninsel. Ist ein Schloß drauf. Und ein großes Naturschutzgebiet mit einem Haufen Pfauen. Darum heißt sie so.«

»Aha«, sagte Hyde.

»Jetzt ein Stück die Havel rauf auf Westgebiet«, fuhr Wilms fort, »da bei diesem Knick hängt wie ein Sack der Große Wannsee drin. Sehen Sie, das Strandbad Wannsee. Und hier noch ein

Stück weiter rauf wieder eine Insel. Viel kleiner als die Pfaueninsel, Schwanenwerder heißt sie. Macht eine Straße eine Schleife auf ihr und führt dann über einen kurzen Damm zum Festland.« Wilms zog die Schleife mit dem Finger nach. »Da geht sie rüber. Wie heißt sie? Inselstraße heißt sie natürlich. Und wohin führt sie auf dem Festland sofort? Sofort führt sie zum Schwanenwerderweg. Hier. Und das da« – er klopfte mit dem Knöchel auf eine Stelle nahe dem Wasser – »das ist dreihundertsiebenundzwanzig. Hier wohnt Professor Emil Kant.«

»Wenn es dunkel wird und noch ordentlich Nebel aufkommt, können wir Sie ganz leicht von hier die Havel hinauf und über die Grenze bis Schwanenwerder bringen«, sagte Lohotski. »Und zwar hierher, zur Südseite. Da gibt's jede Menge Trauerweiden. Kann ein Boot sich prima verstecken. Wir müssen die Südseite nehmen. An der Nordseite ist nämlich eine Polizeistation, direkt bei der Inselstraße. Sie müssen auf der Südseite bis zum Damm ein paar hundert Meter durch den Park laufen und dann rüber in den Schwanenwerderweg. Kleinigkeit für einen Mann wie Sie, Sir. Was wir sind, wir warten hier auf der Südseite auf Sie. Wenn Sie alles erledigt haben, kommen Sie zurück. Dann hauen wir wieder ab. Alles klar?«

»Nein«, sagte Hyde.

»Was ist nicht klar?«

»Wie Sie mich rüberbringen.«

»Na, mit einem Patrouillenboot natürlich«, sagte Wilms erstaunt.

»Und der Motorlärm? Das ist doch ein mächtiges Stück Weg! Der Motorlärm bringt uns die ganze westliche Wasserpolizei auf den Hals.«

»Gibt keinen Motorlärm«, sagte Wilms.

»Was?«

»Gibt überhaupt keinen Lärm. Nicht den geringsten. Wir haben ein Elektroboot hier. Wird mit Akkus betrieben. Nichts hören Sie. Absolut nichts.«

»Ihr seid vielleicht up to date!«

»Müssen wir sein, Sir, müssen wir sein. Die anderen sind es auch.« Wilms trat einen Schritt zurück.

»Was uns angeht, so garantieren wir sicheren Hintransport. Alles andere können wir natürlich nicht beeinflussen. Ist schon eine verdammt beschissene Geschichte«, sagte Lohotski.

»Wieso?« fragte Hyde.

»Wir haben einen gemeinsamen Freund in London, nicht? Er hat heute nacht mit mir telefoniert. Sie annonciert und so weiter. Zum Schluß hat er gesagt, ich soll Ihnen unbedingt sagen, daß das Haus des Professors von Polizei bewacht sein wird. Ganz bestimmt.«

»Woher weiß er das?« fragte Hyde.

»Hat seine Leute überall, scheint es.«

Ja, dachte Hyde. Ich erinnere mich. Morley sagte doch, zum Glück habe er einen Vertrauensmann im Sender. Aber warum...

»Aber warum hat er es mir nicht gesagt?« fragte er. »Ich habe auch mit ihm telefoniert heute nacht.«

»Da hat er es vielleicht noch nicht gewußt.«

»Ja«, sagte Hyde. »Das kann sein.«

»Er hat auch gesagt, es wartet ein Aufnahmeteam in Westberlin. Auf ein Zeichen von diesem Ross hin ist es sofort bereit, zum Professor zu kommen. Die sind sehr vorsichtig geworden. Ist ja auch ein Riesending.«

»Ja«, sagte Hyde. »Nicht wahr?« Er sah Lohotski scharf an.

»Schon gut«, sagte der. »Ich weiß Bescheid über Sie. Ich bin beim selben Verein. Hat Ihnen das unser Freund in London nicht gesagt?«

»Doch, hat er.«

»Waffen haben wir hier. Können sich aussuchen, was Sie wollen. Höre, Sie bevorzugen die Springfield. Haben wir nicht. Aber eine wintowka obr 1891/1930 haben wir zum Beispiel. Ist fast dasselbe. Und sowjetische Armeepistolen. Neun Millimeter; praktisch eine Parabellum. Jetzt ist es noch viel zu früh. Wir müssen warten, bis es dämmrig wird und hoffentlich viel nebliger. Das nennt man Glück, daß jetzt auch noch Nebel hochkommt, wie?«

»Ja«, sagte Wayne Hyde. »Das nennt man Glück.«

Es war fast dunkel, und der Nebel kam in dicken Schwaden, als sie mit dem Elektroboot unterhalb der Station, wo noch andere Schiffe lagen, ablegten. Zwei Vopos übernahmen das Steuer, Lohotski und Wilms begleiteten Wayne Hyde.

»Ich war in Gambia und Uganda, neunzehnhunderteinundachtzig«, sagte Lohotski plötzlich. Und auf einen erstaunten Blick Waynes fügte er hinzu: »Hab' früher im Westen gelebt.«

»Viel zu tun hier im Osten?«

»Jede Menge«, sagte Lohotski.

Das Boot war supermodern. Hyde staunte. Die Akkus machten wirklich kaum ein Geräusch. Still glitt das Patrouillenboot durch den Nebel. Hyde, Lohotski und Wilms saßen hinter den Aufbauten an Deck. Wayne trug jetzt eine Art enganliegenden schwarzen Taucheranzug und ganz weiche, leichte schwarze Sportschuhe. Das Schulterhalfter der Pistole und das Futteral des Gewehrs waren wasserdicht. Eine Brille mit schwarzen, schmalen Gläsern an einem Gummizug um den Kopf hatte er hoch ins kurzgeschnittene, blonde Haar geschoben.

Da kam die große Pfaueninsel. Hyde sah ihren Schatten zur Rechten. Als die Wasserfläche wieder breiter wurde, tauchte im Nebel ein winziges Inselchen auf. Wayne wies mit dem Kinn nach ihm.

»Kälberwerder«, flüsterte Lohotski. Das Boot ging auf größere Geschwindigkeit. Hoffentlich haben die ein gutes Radar, dachte Hyde.

Sie fuhren Nordnordostkurs. Hydes Uhr besaß einen Leuchtkompaß. Nach einer Weile änderte sich der Kurs auf fast reine Ostfahrt. Einer der Vopos kam aus dem kleinen Steuerraum mit seinem Rundumfenster und flüsterte mit Lohotski. Dieser nickte. Daraufhin sagte der Vopo, die Lippen am rechten Ohr Hydes: »Radar zeigt vier Fahrzeuge Wannseebadweg und Inselstraße. Polizei, kein Zweifel. Sie fallen auf, wenn Sie von Schwanenwerder her kommen. Wir fahren deshalb direkt ans Ufer, nördlich der Wannseeterrassen, nahe beim Damm. Müssen Sie durch ein paar Gärten und über eine Wiese hinten an den Autos vorbei. Auch so zurück. Wenn sie uns entdecken, bevor Sie zurück sind, müssen wir ohne Sie abhauen.«

Hyde nickte.

Das Boot fuhr nun ganz langsam. Es schien eine Ewigkeit zu dauern, bis Hyde bei einem schmalen Schilfstreifen Ufer erkannte. Das Boot stoppte und schwankte leicht in der schwachen Dünung. Lohotski machte Hyde ein Zeichen: Näher können wir nicht ran. Los jetzt!

Hyde schwang sich über die Reling, glitt langsam in knietiefes Wasser, nahm das Gewehrfutteral und einen Beutel, den Lohotski ihm reichte, und watete vorsichtig und geduckt an Land. Nach ein paar Schritten ließ er sich zu Boden gleiten und begann, durch den Sand vorwärts zu robben. Das Futteral und die Tasche hielt er dabei hoch, mit den Ellbogen schob er sich weiter. Langsam, langsam, leise, leise.

Es blieb still. Eine Wiese. Ein Baum. Immer wieder kontrollierte Hyde die Richtung mit dem Leuchtkompaß. Nach Osten mußte er! Ein Zaun. Schon war Hyde darüber weg. Ein Garten. Ein Haus. Er robbte vorbei. Nur kein Hund, dachte er. Nur kein gottverfluchter Hund jetzt. Leer soll das Haus sein. Die anderen auch. Er sah schemenhaft drei weitere Häuser. Er sah kein Licht. Garten nach Garten brachte er hinter sich. Einige Male deponierte er kleine Metallgegenstände, die aussahen wie schwarze Eierhandgranaten, im braunen Gras.

Er robbte jetzt ein Stück nordwärts und dann wieder nach Osten. Auf dem Radarschirm des Bootes hatte er gesehen, wo die Autos standen. Eines blockierte in der Inselstraße den Damm nach Schwanenwerder. Wayne wollte südlich hinter den anderen Wagen über den Wannseebadweg. Es gelang ihm. Er sah die Autos links vor sich. Das letzte in der Reihe – sie waren alle mit den Kühlern nach Nordwesten, zur Insel hin, geparkt – stand keine zehn Meter von ihm entfernt, als er über den Wannseebadweg robbte. Auch hier placierte er eine Granate. Nun kam noch ein Garten. Dann war er beim Schwanenwerderweg.

Hier gab es keine Autos. Ein Haus. Wayne kroch nahe an das Eingangstor zum Garten heran. Dreihundertsiebenundzwanzig. Gut. Er rutschte ein Stück weiter, fand eine Stelle im Zaun, wo er sich durchzwängen konnte, und robbte um das Haus herum. Er erkannte im Nebel die zwei Geschosse und das steile Ziegeldach mit den großen Lukenfenstern. Er erreichte die Rückseite. Nun erhob er sich vorsichtig, streifte den Riemen des Gewehrfutterals über eine Schulter und zerrte an den Holzlatten, an denen wilder Wein bis zum Dach hochwuchs. Er zerrte, so fest er konnte, dann nickte er zufrieden.

Geschickt und schnell wie eine Katze kletterte er die Latten und Weinreben empor, höher, noch höher, da war schon das Dach. Hyde sah eine Luke. Sie ließ sich öffnen. Er schlüpfte durch.

Nun war er in einem großen, hohen Bodenraum. Hier lagerten Bücher und Akten. Hyde huschte gebückt weiter. Schwaches Licht deutete das Viereck einer offenen Falltür an. Er erreichte sie. Von hier führte eine Leiter in den ersten Stock hinunter. Nur zu ebener Erde, in einer riesigen Halle, brannte Licht. Ein alter Mann sprach da mit einer korpulenten Frau. Die mächtige Treppe zum Erdgeschoß war freitragend. Man konnte vom ersten Stock gut nach unten sehen, ja fast die ganze Halle überblicken. Okeydokey, dachte Hyde. Was soll sein? Wenn sie mich entdekken, lege ich beide um. Ich bleibe hier oben liegen, bis Ross kommt. Langsam und bedächtig nahm er das Gewehr aus dem Futteral, setzte das Zielfernrohr auf, legte sich wieder auf den Bauch, wartete. Die Frau unten verschwand. Der Mann mit der burgunderfarbenen Hausjacke und dem fast kahlen Schädel, der die braunen, langen Seitensträhnen im Nacken zusammengefaßt trug wie ein alter Indianer, verschwand aus Hydes Blickfeld und schien sich an einen Schreibtisch zu setzen. Hyde atmete gleichmäßig. Er war sehr zufrieden und ganz ruhig.

Erst sechsunddreißig Minuten später läutete es, und Daniel Ross trat nach einer Weile in die Halle. Er schüttelte dem alten Mann die Hand. Hyde wußte, wie Ross aussah. Herdegen hatte ihm den Mann gezeigt, als Ross die Klinik zu einem Spaziergang verließ. Kein Zweifel, das war er. Hyde kroch noch weiter vor bis zum Geländer am Treppenabsatz. Er hörte deutlich die Konversation der beiden Männer. Sie hatten sich vorgestellt. Kein Zweifel auch: Das war Professor Emil Kant. Er saß jetzt schräg unterhalb von Hyde in der Arbeitsecke. Das Gespräch zog sich hin. Hyde hörte geduldig zu. Es dauerte eine Weile, bis die zwei zum Wesentlichen kamen, bis der alte Mann laut sagte: »Unter allen Umständen echt. Mit amerikanischem Kodak-Material aufgenommen. Da gibt es überhaupt keinen Zweifel.«
Wayne Hyde hatte gerade die linke Brustseite Kants im Fadenkreuz, die Stelle über dem Herzen...

»Unter allen Umständen echt. Mit amerikanischem Kodak-Material aufgenommen. Da gibt es überhaupt keinen Zweifel«, sagte Kant.
»Sagten das auch die Spezialisten des Kopierwerks?« fragte Daniel.
»Ja, die waren genauso überzeugt.« Kants Stimme wurde noch lauter, seine Wangen röteten sich. »Echt! Echt! Ich weiß nicht, wie die Leute Ihres Vaters an den Film kamen, aber echt war er, das schwöre ich. Wenn man ihn den Menschen gezeigt hätte! Du großer Gott! Einen Aufstand hätte es gegeben in der ganzen Welt! *Wer* waren die wirklichen Verbrecher? Wir? Daß ich nicht lache! Die Amis und die Sowjets! Was der Führer immer gesagt hat. Juden und Bolschewiken. Hundertmal hat er es gesagt. Tausendmal. Bolschewiken und Juden. Die Weltverderber. Und hier hatten wir den Beweis, mein Gott, hier hatten wir den Beweis!« Kant trank hastig. Whisky rann über sein Kinn. Er goß

die Gläser wieder voll, ließ Eiswürfel hineinfallen. (Im Faden-kreuz war jetzt sein Kopf. Noch nicht, dachte Hyde. Laß ihn noch den Rest sagen. Ich muß alles hören.)

»Und warum hat man den Film nicht gezeigt?« fragte Daniel.

»Habe ich Ihren Vater auch gefragt damals im August. Hat er geantwortet, das kommt noch. Ein paar Tage später hat er mir gesagt, die oberste Führung habe beschlossen, es komme nichts mehr. Die Kriegslage war schon zu schlecht. Jedermann hätte den Film für eine Fälschung gehalten. Auch die Deutschen. Man wagte nicht, den Film zu zeigen. Man *wagte* es nicht mehr. Ich sage heute noch: Das war der größte Fehler, der jemals gemacht wurde. Den *Krieg* hätten wir gewonnen – auch zu diesem Zeit-punkt noch! Sehen Sie mich nicht so an, junger Mann! Ich weiß nicht, was aus dem Film geworden ist. Aber wenn wir ihn heute hätten... wenn wir ihn heute hätten! Die Welt verändern könn-ten wir mit ihm!«

»Das meinen Sie wirklich?«

»Sie haben den Film nicht gesehen. Und ob ich das wirklich meine! Wenn wir diesen Film heute hätten, junger Mann...«

Daniel sagte: »Wir *haben* ihn, Herr Professor.«

»*Was*?« Kants rotes Gesicht wurde weiß.

»Wir haben den Film.«

(Jetzt war wieder Kants Brust im Fadenkreuz. Gleich, dachte Hyde. Gleich.)

»Woher haben Sie ihn?«

»Das ist eine lange Geschichte. Ich erzähle sie Ihnen später. Ich habe den Film gesehen, Herr Professor. Sie haben recht mit dem, was Sie sagten.«

»Wer... wer sind Sie?«

»Das wissen Sie doch! Ich arbeite beim Sender Frankfurt. Der hat den Film. Wir suchen Zeugen, die damals mit ihm zu tun hatten. Sie sind so ein Zeuge.«

»Weiß Gott! Allmächtiger, Sie haben den Film... Sie haben den Film...«

»Wären Sie bereit, das, was Sie mir eben erzählt haben, zu wiederholen?«

»Daß ich von der Echtheit des Films überzeugt bin – und aus welchen Gründen?«

»Ja.«

»Natürlich wäre ich dazu bereit.«

»Vor einer Fernsehkamera?«

»Auch vor einer Fernsehkamera. Nicht zu fassen! Der Film ist da! Der Film ist da!«

»Ich habe ein Aufnahmeteam in Berlin, Herr Professor. Es kann in einer halben Stunde hier sein. Zu Ihrem Schutz ist schon Polizei hier.«

»Ich weiß, ja.«

»Wenn Sie gestatten, rufe ich jetzt mein Team – und auch die Polizei.«

»Meinetwegen. Das Telefon steht auf dem Schreibtisch. Daß ich *das* noch erleben darf... Mein Gott, daß ich *das* noch erleben darf!«

Daniel erhob sich.

(Na, aber jetzt, dachte Wayne Hyde. Du alte Nazisau. Im Fadenkreuz hatte er nun wieder die linke Brustseite des alten Mannes. Behutsam drückte er den Abzug durch.)

Ein Schuß krachte.

Kant wurde in seinem Fauteuil hochgerissen, dann sackte er zurück.

»Herr Professor!« schrie Daniel entsetzt.

Er rannte um den Tisch herum zu Kant. Der lag mit dem Kopf nach hinten in seinem Stuhl. Eine Hand hatte er zum Hals gehoben, als sei ihm zu warm und er wolle den Kragen des Hemdes lockern und das weiße Seidenhalstuch herabziehen. Aber Professor Dr. Emil Kant war es nicht zu warm. Er wollte auch nicht den Kragen des Hemdes lockern und das weiße Seidenhalstuch herabziehen. Professor Dr. Emil Kant wollte überhaupt nichts mehr. Professor Dr. Emil Kant war tot.

6

Wayne Hyde befand sich nur noch wenige Meter über dem Boden an der weinbewachsenen Rückseite der Villa, als Daniel die Eingangstür öffnete und um Hilfe brüllte. Die Scheinwerfer der vier Polizeiautos am Wannseebadweg und in der Inselstraße flammten auf, aus jedem stürzten vier Mann ins Freie. Einige rannten zum Schwanenwerderweg und verschwanden in Kants Haus. Zwei sicherten den Eingang. Der Rest versuchte, das Gebäude zu umstellen. In einigen benachbarten Villen öffneten sich Fenster und Türen. Männer schrien, Frauen kreischten,

Kinder greinten, Hunde bellten wie toll. Hyde erreichte den Gartenboden. Er lief gebückt und zickzack über Blumenbeete und Wiesen, sprang über den Zaun zum Nebengrundstück, rannte um das Haus dort herum...

»Da ist wer!« schrie eine Frau.

...übersprang den nächsten Zaun und lief an einem unbewohnten Haus vorbei zum Schwanenwerderweg. Die Umgebung war jetzt von den Scheinwerfern der Polizeiautos und den Lichtern der Villen milchig erhellt.

»Da!«

Zwei Polizeibeamte, einer in Zivil, der andere in Uniform, kamen auf dem Schwanenwerderweg Hyde entgegen. Sehr schön, dachte er. Kommt nur! Näher! Noch näher, ihr Hunde! Die Männer gingen gebückt, dicht an einem Zaun entlang. Beide trugen Maschinenpistolen im Anschlag. Hyde hatte eine Tasche seines Gummianzugs geöffnet und ihr ein kleines schwarzes Kästchen, das große Ähnlichkeit mit dem Fernsteuergerät eines TV-Empfängers besaß, entnommen. Silbern blinkten mehrere Drucktasten. Hyde drückte die vierte Taste von rechts nieder. Auf dem Schwanenwerderweg, direkt vor den beiden Polizeibeamten, explodierte mit der grauenvollen Helligkeit eines Atomblitzes eine Blendgranate, die Hyde deponiert hatte, als er zur Villa des Professors gerobbt war. Beide Beamte ließen die Waffen fallen und schlugen die Hände vor die Augen. Die sehen mal zehn Minuten lang gar nichts, dachte Hyde zufrieden. Wer weiß, wann und wie sie wieder sehen. Manche Leute werden blind von so was. Mit Blendgranaten hatte Hyde beste Erfahrungen. Auf dieses Zündsystem kann man sich auch verlassen, dachte er, während er über den Schwanenwerderweg hechtete und schon den nächsten Zaun nahm. Er hörte wieder Männerstimmen, die durcheinander brüllten. Hyde schob die Brille mit den schwarzen, schmalen Gläsern am Gummizug, die er aufgesetzt hatte, bevor er die Blendgranate zündete, wieder hoch.

Nun rannte er von Garten zu Garten, setzte über einen Zaun nach dem andern, erreichte ein kleines Wäldchen, dann kam noch ein Zaun, dann war er am Wannseebadweg.

Er hörte plötzlich zwei Maschinenpistolen feuern. Mehrere Geschosse schlugen in den Staketenzaun unmittelbar neben ihm ein. Er ließ sich zu Boden fallen und drückte eine andere Taste der Fernzündung. Die zweite Blendgranate explodierte nahe dem Wannseebadweg. Die beiden Beamten, die geschossen hatten, wurden von dem fürchterlichen Licht gleichfalls völlig geblendet. Wieder hatte Hyde, bevor er die Zündung betätigte, die Schutzbrille über die Augen gestreift. Nun hastete er weiter. Er sah durch den Nebel hellen Ufersand und auf dem Wasser das Patrouillenboot der Volkspolizei. Keuchend holte er noch einmal die Fernzündung heraus. Sicher ist sicher, dachte er und drückte die Knöpfe eins und zwei von rechts. Zwei Blendgranaten explodierten in den Gärten, die er durchquert hatte. Hyde rannte über den Uferstreifen und watete im eiskalten Wasser durch das Schilf. Dann war er beim Boot. Er sah zwei Männer, den Ringer Lohotski und den jungen Mann namens Wilms. Sie zogen ihn hoch. Er stand auf Deck.

»Los!« sagte Lohotski halblaut.

Die beiden Volkspolizisten am Steuer reagierten sofort. Schon glitt das Boot im dichten Nebel auf die Havel hinaus. Noch immer schrien auf dem Festland viele Stimmen durcheinander. Lohotski reichte Hyde eine Flasche, entkorkt.

»Was ist das?«

»Wodka.«

»Danke«, sagte Hyde, »ich trinke keinen Alkohol.«

»Haben Sie ihn erwischt?«

»Hundertprozentig.«

»Gratuliere!« sagte Lohotski. »Phantastisch, wie Sie das gemacht haben. Auch Ihr Rückzug! Was, Wilms?«

»Wirklich phantastisch, Sir.«

»Ja, muß ich selber sagen«, murmelte Hyde. Das Boot fuhr geräuschlos südwestwärts. »»Das weiß ich sicher: Geister alter Zeit, / Sie haben Schlechterem ihr Lob geweiht.«« Er sah die verblüfften Gesichter der beiden Männer. »Shakespeare«, sagte er.

Zweieinhalb Stunden später hatte die Mordkommission ihre Ermittlung am Tatort beendet, und Professor Kants Leichnam war in einer flachen Blechwanne fortgeschafft worden. Die Haushälterin Erna hatte man mit einem Nervenzusammenbruch ins Krankenhaus bringen müssen. In der riesigen Halle befand sich ein halbes Dutzend Menschen. Auf Stativen standen Scheinwerfer und zwei Arriflex-Kameras. Die Scheinwerfer leuchteten die ganze Halle aus. Kabelknäuel lagen auf dem Boden. Der Assistent des Toningenieurs hängte Daniel ein sehr kleines schwarzes Mikrofon an einer schwarzen dünnen Schnur um den Hals. Das Team, welches Conrad Colledo nach Berlin geschickt und das im Hotel STEIGENBERGER gewartet hatte, war eingetroffen und aufnahmebereit. Daniel hatte die Männer herbeigerufen, nachdem er mit Mercedes telefoniert und ihr alles erzählt hatte. Sie wußte nun, daß er erst sehr spät ins Hotel zurückkommen würde...

»Wir können«, sagte der Assistent des Tonmanns, ein junger Hüne mit einem mächtigen Bart.

»Okay, Herr Ross«, sagte der Kameramann. »Fertig?«

»Fertig«, sagte Daniel. Auf dem Fauteuil, vor dem er stand, war eine große Menge Blut aus Kants Wunde in den Stoff gesickert. »Ton?«

Ein Techniker sah von seinen Instrumenten auf und sagte: »Ton läuft.«

»Kamera auch. Klappe!«

Der Assistent sprang vor Daniel, schlug in Ermangelung einer Klappe fest die Hände zusammen und rief laut: »Halle Professor Kant, Take eins.« Dann machte er, daß er aus dem Bild kam.

Daniel sprach in die Kamera: »Hier ist Daniel Ross. Es ist zweiundzwanzig Uhr vierundvierzig am Samstag, dem zehnten März neunzehnhundertvierundachtzig. Ich befinde mich in Berlin-West, Schwanenwerderweg dreihundertsiebenundzwanzig. Dies ist die Villa von Professor Doktor Emil Kant, einem international bekannten Völkerrechtsexperten. Vor etwa drei Stunden, um neunzehn Uhr einundvierzig, wurde Professor Kant in meiner Gegenwart auf dem Fauteuil hinter mir erschossen. Die Polizei hat uns verboten, den Toten zu filmen. Sie hat uns nicht verboten, meine Schilderung des Tathergangs und der vorangegangenen Ereignisse in Wort und Bild festzuhalten...« Von draußen drang der Lärm erregter Stimmen herein. »Was Sie hören, sind Berliner Fernseh-, Zeitungs- und Rundfunkreporter, die vergebens versuchen, ins Haus zu kommen...«

Vor der Villa parkten viele Wagen. Es war jetzt sehr hell, denn zahlreiche Autoscheinwerfer beleuchteten die Nebelschwaden. Mehr als zwei Dutzend junge Männer und einige Frauen schrien durcheinander und redeten auf einen gleichfalls noch recht jungen Kriminalbeamten ein, der im Garten vor dem Tor stand. Die Reporter hatten Kameras, Fotoapparate, Tonbandgeräte und Leuchten mitgebracht. In ihren Redaktionen lief rund um die

Uhr der Polizeifunk. So hatten sie die Meldung von dem Mord am Schwanenwerderweg gehört und waren losgerast. Aus den Radios vieler Wagen, deren Türen offenstanden, ertönten auch jetzt krachende Störgeräusche und die Stimmen der Männer in der Polizeizentrale und in den Einsatzwagen.

Zwischen dem jungen Beamten und der erregten Gesellschaft sorgte eine Kette von Polizisten dafür, daß niemand das Grundstück betrat. Polizisten und Kriminalbeamte des Erkennungsdienstes und alle verfügbaren Männer des Polizeipostens auf der Insel Schwanenwerder arbeiteten noch immer in der weiteren Umgebung. Mit starken Handscheinwerfern durchkämmten die Beamten das Gelände bis zur Havel. Sie fotografierten Spuren, das Streifenprofil, das Wayne Hydes Sportschuhe im Schnee zurückgelassen hatte, und sie füllten ein paar besonders markante Eindrücke mit flüssigem Gips.

»Was heißt, wir stören die laufende Untersuchung?« schrie ein Mädchen mit Pudelmütze und Pelzjacke, in Bluejeans und Stiefeln. »Wieso denn? Weil wir wissen wollen, warum der Professor erschossen worden ist?«

»Jawohl«, sagte der Kriminalbeamte. Er fror in seinem dünnen Mantel und war wütend darüber, daß man ihn mit den Reportern allein gelassen hatte.

»Was heißt jawohl? Politische Sache?«

»Wer war der Mörder?«

»Wo ist er?«

»Abgehauen in den Osten, was?«

Wieder schrien die Reporter durcheinander. Sie froren alle, sie waren übermüdet, erkältet und gereizt.

»Los, Johnny, los, nun sag schon was!«

»Mach das Maul auf!«

»Wie oft haben wir euch geholfen?«

»*Ist* das eine politische Sache?«

»Kommt eine offizielle Stellungnahme«, sagte der Beamte, den sie Johnny nannten.

»Offizielle Stellungnahme? Scheiße! Das ist doch nur zusammengelogener Quatsch!«

»Wie in Koblenz! Der Mann vom Dokumentationszentrum! Da weiß bis heute keiner, was da wirklich passiert ist!«

»Es hat doch eine offizielle Stellungnahme gegeben!«

»Ja, und was für eine! Zu dünn zum Arschabwischen! Täter und Tatmotiv unbekannt!«

»Warum dürfen wir nicht ins Haus?«

»Niemand darf ins Haus.«

»Und die TV-Jungs vor einer halben Stunde? Was ist mit denen?«

»Die dürfen filmen! Warum die und wir nicht?«

»Ich bin nicht autorisiert...«

»Autorisiert! Mensch, Johnny! Sag uns wenigstens, wer die waren, die reindurften – mit Kameras und Scheinwerfern und allem. Was für welche sind das jetzt, da drin? Amis?«

Der Mann, den sie Johnny nannten, dachte wütend: Mich allein lassen und sagen, du sagst kein Wort, das können sie. Jedesmal machen sie das mit mir. Ein Scheißjob. Ich geh zurück zur Sitte. War das ein ruhiges Leben mit den Huren! Verbissen sagte er: »Kein Kommentar. Wartet auf die offizielle Stellungnahme. Und jetzt haut endlich ab!«

»Mensch, Johnny, das ist aber eine Gemeinheit von dir! Ein ganz mieses Arschloch bist du!«

Einen Ton haben die am Leib, dachte Johnny erbittert. Bei den Huren hat es so ein Wort nie gegeben. Nie.

»Finest Highgrown Darjeeling« schmeckt doch am besten, dachte der Anwalt Roger Morley in seinem altmodisch eingerichteten Büro an der Londoner Chancery Lane. Der kleine Mann mit dem wirren, grauen Haar, dem Spitzbauch, dem rosigen Gesicht und den Mäusezähnchen trank einen Schluck Tee, während er der Stimme lauschte, die aus dem Telefonhörer kam. Er stellte die Tasse vorsichtig auf den Schreibtisch. Die Männerstimme erging sich in Lobpreisungen Wayne Hydes. Der hatte Morley sofort angerufen, nachdem er bei der Vopo-Station neben der Spandauer Straße am Havelufer gelandet war. Mit Hilfe des kleinen Decoders konnte man tatsächlich überall Verbindung zu dem Telefonbeantworter in London aufnehmen. Hydes Mitteilung, daß seine Mission gelungen sei, war von dem Anwalt gleich weitergegeben worden – an einen seiner Bekannten. In London war es eine Stunde früher als in Berlin – 21 Uhr 55.

»Unseren herzlichsten Dank an Mister Hyde«, sagte nun Morleys Bekannter. »Wir stehen immer tiefer in seiner Schuld. Dieser Mann setzt wahrhaftig sein Leben ein für den Frieden in unserer Welt.«

Ich habe weiß Gott nichts gegen Zyniker, dachte Morley, an

seiner Tasse nippend, ich bin selber einer, aber es will mir scheinen, als würde der Mann übertreiben. Das kann ich ihm natürlich nicht sagen. Ich muß es anders formulieren. Roger Morley formulierte es anders: »Es ist doch nicht wirklich Ihre und Ihrer Freunde Ansicht, Sir, daß eine Ausstrahlung des Films – auch wenn es gelingt, alle widrigen Zeugen zu liquidieren und nur solche zu Wort kommen zu lassen, die ihn als Fälschung bezeichnen –, daß eine Ausstrahlung des Films zu einem empörten Aufstand von Abermillionen führen wird, zu einer Rebellion gegen die Lenker der beiden Supermächte. Ein *Film*, Sir! Sie kennen die Menschen wie ich. Weltrevolution wegen eines Films? Ich bitte Sie!«

»Natürlich befürchten wir nicht den Aufstand der Massen. Das wäre eine lächerliche Angst.«

»Und wie sieht die reale aus, Sir?«

»Die reale, lieber Mister Morley, sieht so aus, daß die Politiker der mit den USA, aber auch den Sowjets verbündeten Staaten schwerst irritiert sein könnten durch diesen Film. Auch wenn alle Zeugen ihn als Fälschung bezeichnen. Unsere Verbündeten – und die Verbündeten der Sowjets – würden, populär ausgedrückt, sagen: Na schön, der Film kann eine Fälschung sein oder nicht. Aber das interessiert uns eigentlich gar nicht. Was uns – Film hin, Film her, echt oder gefälscht – sehr, sehr nachdenklich macht, ist der Gedanke: Die Ereignisse der letzten vierzig Jahre sprechen ungeheuer *dafür*, daß es ein Abkommen über die Teilung der Welt zwischen den USA und der Sowjetunion gibt. *Das* ist die Gefahr, verstehen Sie? Daß man unsere Verbündeten – und ich spreche jetzt für uns und die Sowjets – durch diesen Film auf die Idee bringt, so ein Abkommen könne mit sehr, sehr großer Wahrscheinlichkeit in der Tat bestehen. Und diese Vermutung, wenn sie sich bis zur Überzeugung steigert, wäre tödlich für jedes Bündnis in Ost oder West. Denn wer krepiert schon gern für fremde Interessen, nicht wahr, lieber Mister Morley? Wer sagt da nicht: Schlachtvieh für die beiden Großen? Nein, danke! Würde Ihre Regierung das nicht sagen?«

»Ich denke, sie würde es gewiß sagen.«

»Sehen Sie. Und alle anderen Regierungen auch. Es wäre das Ende aller Pakte, aller Allianzen. Engste Bündnisse würden sich auflösen. Jede Regierung dächte nur noch daran, wie sie ihr Land aus einer atomaren Katastrophe heraushalten kann. Die Teilung der Welt in zwei Lager – und die haben wir ja de facto – wäre aufgehoben, die saubere ideologische Teilung. Sterben für die Ideale des Westens? Sterben für die Ideale des Ostens? Wenn Osten und Westen sich klammheimlich über alle Köpfe hinweg verständigt haben? Bißchen viel verlangt, würden unsere Bündnisfreunde sagen, nicht wahr? Bißchen sehr viel verlangt. *Das* ist es, was wir und die Sowjets befürchten. Das große Durcheinander, verstehen Sie? Die Aufhebung des Feindbildes – zu Ihnen kann ich ganz offen sein. Ja, das ist die beste Formulierung: Aufhebung des Feindbildes. Und, nicht zu stoppen, Gedanken darüber, wer denn nun wirklich der Feind oder die Feinde eines Lebens in Frieden sind. Natürlich wären solche Gedanken Ausbund einer kranken Phantasie...«

»Natürlich«, sagte Morley und trank Tee.

»...aber sie wären nun einmal da, nicht wahr? Auch in den USA. Auch in der Sowjetunion. Und wir wissen doch, was Gedanken – noch so krankhafte, gerade die krankhaften! – in der Vergangenheit angerichtet haben. Nicht Revolten, heldenmütige Erhebungen empörter Menschen fürchten wir, wenn der Film ausgestrahlt wird. Hingegen Verwirrung. Widerborstigkeit. Unlust. Zerfall bestehender Ordnungen. Eine dreimal gottverfluchte Schweinerei hat dieser Olivera uns da eingebrockt mit seiner Nazifälschung. Die böse Saat – nach vierzig Jahren soll sie nun noch aufgehen! Okay, wir können wohl die Ausstrahlung des Films nicht verhindern. Wir können indessen – mit Gottes gütiger Hilfe – alle jene liquidieren, die für die Echtheit des Films plädieren...«

»Ja«, sagte Morley rasch, »und eben das bereitet mir Sorgen. Lauter Zeugen, welche die Fälschung belegen. Kein einziger, der die Echtheit belegt. Dafür eine Reihe mysteriöser Morde. Meinen Sie, Sir, daß das einen sehr vorteilhaften Eindruck machen wird? Besonders, wenn ich daran denke, daß der deutsche Sender ja auch seine Dokumentation zu dem Film bringen will.«

Die Männerstimme antwortete in breitem Amerikanisch: »Genau dies ist es, was uns als die Lösung erscheint, Mister Morley.«

»Die Lösung?«

»Sehen Sie: Ein Film, in dem alle Zeugen nur ›Fälschung!‹ rufen, ein solcher Film macht doch einen recht eigenartigen Eindruck. Sie sagen es selbst. Warum sendet man wohl einen solchen Film? Nun, natürlich werden die USA und die Sowjetunion Stellungnahmen abgeben, nachdem der Film ausgestrahlt wurde. Die Stellungnahmen werden ungefähr so lauten: Dieser Film mit all den Zeugen für seine Unechtheit soll die Menschen verwirren, sie unsicher werden lassen an ihren Überzeugungen, soll die beiden großen Mächte in argen Mißkredit bringen, soll das Chaos schaffen. Natürlich ist der Film eine Fälschung der Nazis. Um indessen behaupten zu können, es habe auch gewichtige Zeugen für seine Echtheit gegeben, hat man – menschenverachtend und skrupellos – eine Reihe von Menschen getötet, die gar nichts zur Sache zu sagen gehabt hätten, von denen man nach ihrem Tode jedoch behaupten kann, sie hätten, wären sie nicht von mysteriösen Killern ermordet worden, sehr wohl die Echtheit des Films bestätigt. Man hat sie getötet. Dabei hatten sie, wie gesagt, gar nichts mit der Sache zu tun. So würde es in den Stellungnahmen heißen.«

»Und wer ist ›man‹?«

»Lieber Mister Morley, ich bitte Sie! Wer ist ›man‹? Alle Staatsführer, die mehr und mehr Angst vor ihren großen Paktpartnern empfinden, Angst davor, einen Atomkrieg im eigenen Land zu erleben. Vergessen Sie die lächerlichen Friedensbewegungen! Denken Sie an die Regierungen dieser vielen Länder! Sehen Sie nur, wie sich die beiden deutschen Staaten aufeinander zu bewegen! Wie sie erklären, der ›Schaden der Nachrüstung‹ müsse möglichst begrenzt werden. Erich Honecker sagte in Eisenhüttenstadt in Gegenwart des österreichischen Bundespräsidenten über die neuen Raketen, welche die Sowjetunion in der DDR aufstellt: ›Wir wollen das Teufelszeug hier nicht haben.‹ Nun, genauso hat es Willy Brandt für Westdeutschland an die Adresse der USA formuliert. Dem Kanzler Kohl schrieb Honecker, es sei besser, weiterzuverhandeln als hochzurüsten, er schrieb das auch noch ›im Namen des deutschen Volkes‹! Der frühere Abgrenzler plädiert ständig für ›Dialog‹, für ›mehr Sicherheit mit weniger Waffen‹. Für ihre Verhältnisse drastischer denn je demonstriert die DDR, die Ungarn auf ihrer Seite hat, Rumänien sowieso, vielleicht auch weitere Ostblockländer, ihr Unabhängigkeitsbestreben. Zum erstenmal seit Bestehen des Ostblocks sieht sich Moskau damit einer konzertierten Aktion gegenüber – und im Juni fünfundachtzig läuft der Warschauer Pakt aus, ohne automatische Verlängerung. Verstehen Sie, was ich meine?«

»Ich verstehe, Sir. Und im Westen…«

»Im Westen geht der Protest natürlich noch viel heftiger und ganz offen vor sich. Es ist klar, daß sich die Deutschen am meisten betroffen fühlen. Denn sie wissen, wo eine atomare

Auseinandersetzung mit größter Wahrscheinlichkeit ihren Ausgang nehmen wird. Es gab einmal glückliche Zeiten, da sagten die Deutschen ungefähr: ›Die Großen sind schon verrückt, aber so verrückt, daß sie auf den Knopf drücken, sind sie nicht.‹ Selige Zeiten, sie kommen nie wieder. Nirgendwo! Sehen Sie sich Holland an, England, Italien! Dieselben Proteste, dieselben Anklagen gegen die beiden Supermächte. Frankreich! Mitterrand versetzt uns einen weiteren Schock. Er holt die Westeuropäische Union aus ihrem Schattendasein zurück, um das Gewicht Europas gegen Amerika anzuheben. Weniger und weniger Verlaß auf ihre Verbündeten müssen die USA und die Sowjetunion empfinden. Stärker und stärker wird die Ablehnung, ja Feindseligkeit dieser Verbündeten gegen die Politik ihrer Schutzmächte, größer und größer ihr Protest und ihre Verweigerung – besonders, ich wiederhole mich, in den beiden Deutschlands. Und da taucht nun der alte Nazifilm auf. Den sollten die Mißtrauischen und Verängstigten *nicht* für ihre Ziele gebrauchen? werden wir fragen. Da sollten sie auch nur die geringsten Skrupel haben, für ein so großes Ziel, die Befreiung von der Fesselung an ihre gewaltigen Bündnisführer, ein paar Menschenleben zu opfern? So etwa wird unser Kommentar sein. Wie finden Sie das, lieber Mister Morley?«

»Ganz ausgezeichnet. Diese Form der Argumentation, die Sie da gewählt haben, finde ich ganz ausgezeichnet, Sir.«

»Es ist die einzige Möglichkeit. Auf einen derartig infamen Betrug kann man nur *so* antworten.«

»Sie haben recht, Sir. So sehr recht. Ich bin absolut beruhigt. Das alles, wenn ich mir erlauben darf, es zu sagen, zeugt von der großen... hrm... Weisheit Ihrer Freunde.«

Bereits kurz nach 21 Uhr war Wayne Hyde wieder am Checkpoint Charlie. Er kam in dem Wolga mit Vopo-Nummer, den der hagere junge Mann namens Max fuhr. Auf dem Rückweg raste er nicht mehr so furchterregend wie am Nachmittag. Lohotski stieg aus und öffnete den Schlag für Hyde.

»Jetzt müssen Sie Ihr Gepäck mitnehmen«, sagte der Exsöldner, der aussah wie ein Freistilringer. Es war eisig kalt geworden. Lohotskis eingeschlagene Nase funkelte dunkelrot, aus seinen kleinen Augen, die Hyde an Schweinritzen gemahnten, rannen Tränen über die Wangen.

»Vielen Dank und auf Wiedersehen«, sagte Hyde zu Max.

»Freundschaft, Freundschaft«, sagte Max. Hyde folgte Lohotski in den Barackenraum des diensthabenden Vopo-Offiziers. Es war noch jener vom Mittag. Er grüßte voller Hochachtung und reichte Lohotski ein geschlossenes Kuvert. Ein Kanonenofen bullerte.

»Fernschreiben. Vor einer Stunde angekommen.«

»Danke.« Lohotski riß den Umschlag auf. Ein Blatt steckte darin. Lohotski reichte es Hyde. »Das ist für Sie.«

Hyde nahm das Papier und sah kurz darauf, ohne die geringste Regung zu zeigen, steckte es in die Tasche, verabschiedete sich von Lohotski und nahm dann seine beiden Kleidersäcke. Er warf sie über die Schulter und ging durch die Sperren der Ostseite. Lohotski hatte mit den Beamten vor den Kontrollbaracken telefoniert. Niemand hielt Hyde auf. Zwei frierende Volkspolizisten in dicken Mänteln stampften mit ihren Stiefeln auf dem eisglatten Boden. Sie salutierten.

»Freundschaft«, sagte Hyde.

Er ging an den Stahlhindernissen und Barrieren vorbei, welche die Autos zwangen, hier unmittelbar an der Mauer im Schritttempo eine Slalomstrecke zu fahren, aus dem einen Deutschland hinüber in das andere Deutschland. Grelle Neonpeitschen erleuchteten die Gegend taghell. Auf der anderen Seite standen Westberliner Polizisten und alliierte Soldaten. Sie froren ebenso wie ihre Kollegen im Osten. Hyde zeigte einem amerikanischen Mastersergeant seinen amerikanischen Paß. Der Mastersergeant, ein Schwarzer, blätterte ihn sorgfältig durch.

»Was haben Sie drüben gemacht, Mister Hyde?«

»Einen Freund besucht«, sagte Hyde.

»Samt Gepäck?«

»Ich bin gleich nach der Landung in Tegel mit dem Taxi hierhergefahren. War in Eile. Mein Freund liegt im Sterben«, sagte Hyde.

»O ja?« Der Schwarze musterte ihn. »Einen Moment, Mister Hyde. Sie können mitkommen, wenn Ihnen zu kalt ist.« Der Mastersergeant ging voraus in eine weißgestrichene Baracke der amerikanischen Militärpolizei, auf deren Dach eine Tafel befestigt war. Sie zeigte im Kleinformat die Flaggen der drei Westmächte und die Worte ALLIED CHECK-POINT. Der Mastersergeant deutete auf eine Bank. Hyde setzte sich. Der Schwarze verschwand hinter einer grüngestrichenen Tür. Irgendwo lief ein Radio. Hyde hörte Musik. Frank Sinatra sang: »At last my love

has come along«. Hyde summte mit. Als das Lied zu Ende war, vernahm er eine Sprecherstimme: »This is AFN Berlin. We are bringing you ›Music in the Miller Mood‹. Next: ›Little brown jug‹.« Wieder setzte swingende, sentimentale Jazzmusik ein.
Die grüne Tür ging auf, der Schwarze erschien wieder.
»Hier ist Ihr Paß, Sir«, sagte er überhöflich. »Mir war, als hätte jemand für Sie angerufen. Ich habe mich nicht getäuscht.«
»Wer hat angerufen?« fragte Hyde gleichgültig.
»Das weiß ich nicht, Sir. Er hinterließ eine Nachricht: Sie sollten unbedingt sofort, nachdem Sie hier durch sind, in das CHECK-POINT RESTAURANT kommen. Gleich im nächsten Haus. Anständiges Essen, Sir. Der Gentleman wartet auf Sie.«
»Danke«, sagte Hyde.
»Good night, Sir«, sagte der Schwarze, »and good luck.« Er hob eine Hand an den weißen Plastikhelm.
In der zugigen Kälte ging Wayne Hyde nun auf Westberliner Gebiet. Die linke Straßenseite säumten ein paar Geschäfte, darunter eine Foto-Zentrale. Sie hatten längst geschlossen. Gegenüber befand sich die Gaststätte CHECKPOINT RESTAURANT. Hyde trat ein. Das bürgerliche Lokal war fast leer. Ein paar Taxifahrer spielten Karten, ein Mann mit Hornbrille, der die BILD-Zeitung las, saß allein am Tisch. Ein Teller mit Resten von Rührei und Schinken stand vor ihm. Hinter der blitzenden Theke und einer Glasvitrine voll Bouletten und Heringen wartete der dicke Wirt.
»Guten Abend«, sagte Hyde und nahm in einer Ecke Platz.
Der Wirt kam herangeschlurft. Er trug eine goldene Uhrkette über der Weste, die den mächtigen Bauch umspannte. Die Jacke hatte er ausgezogen, die Hemdsärmel hochgekrempelt.
»Abend, der Herr. Wat darf et sein?«
»Ein Cola und ein Mineralwasser«, sagte Hyde.
»Is jut, der Herr.« Der Wirt schlurfte fort.
Hyde nahm das Fernschreiben, das Lohotski ihm gegeben hatte, aus einer Tasche seines Dufflecoats und aus einer anderen das Buch mit den Shakespeare-Sonetten. Das Fernschreiben bestand aus lauter Zahlen. Hyde betrachtete sie sehr aufmerksam. Er las:
41 9 23 11 10 14 10...
Der Wirt war wieder herangekommen.
»So, der Herr. Een Cola und een Wasser. Sehr zum Wohle!«
»Danke«, sagte Hyde. Er trank einen großen Schluck Mineralwasser, dann erst Coca-Cola.

Nun nahm er Papier und Bleistift aus der Jackentasche und notierte: 34 2 16 4 3 7 3... Dabei zog er von jeder Zahl, die auf dem Fernschreiben stand, sieben ab. Nach etwa fünf Minuten hatte er seine Arbeit beendet. Er schlug das Buch auf und suchte das vierunddreißigste Sonett, die zweite Zeile und den sechzehnten Buchstaben von links. Der Buchstabe war ein T. Als nächster Buchstabe folgte ein E. Nach einer Viertelstunde hatte Hyde den gesamten Text dechiffriert und aufgeschrieben:

> TEDDY SHIMON VON DER ISR. BOTSCHAFT BONN WAR VORMITTAGS BEI KARRELIS IM SENDER FRANKF. STOP FLOG NACH BERLIN STOP HOTEL KEMPINSKI STOP INFORMATIONEN GIBT MANN MIT HORNBRILLE UND BILDZEITUNG GRUSS MORLEY

Die Art der Chiffriermethode hatte Hyde mit Morley festgelegt. Der Söldner nahm das Papier, zündete es an und sah zu, wie es verbrannte. Die Reste zerstocherte er in einem Porzellanaschenbecher. Dann stand er auf. Der Wirt putzte gerade mit einem Lappen die Metallteile der Theke.
»Ich muß mal«, sagte Hyde.
»Tür da drüben und dann die erste rechts, der Herr.«
Hyde ging auf das Männerklosett und stellte sich vor eines der Becken. Etwa nach zwei Minuten erschien der Mann mit der Hornbrille. Er trat neben Hyde, nachdem er festgestellt hatte, daß alle Toiletten frei waren.
»Alice im Wunderland«, sagte der Mann. »Die weiße Königin. Was tat sie?«
»Sie schrie«, sagte Hyde, »und danach erst tat sie sich weh.«
Der Mann sagte jetzt: »Teddy Shimon hat im KEMPINSKI Zimmer dreihundertdreiundzwanzig. Ross und die Olivera haben Appartement sechshundertsechs/sieben. Wir haben für Sie sechshundertacht/neun reservieren lassen. Unter Ihrem Namen. Ist am Ende des Ganges. Glück gehabt. War frei. Ross ist noch am Wannsee. Mit dem Fernsehteam. Verlieren Sie keine Zeit!«
»Danke«, sagte Hyde.
»Nichts zu danken«, sagte der mit Brille. »Gehen Sie jetzt. Ich bleibe noch ein Weilchen.«
»Gute Nacht«, sagte Hyde. Er kehrte in die Kneipe zurück und ging zu dem Tisch, an dem die Taxichauffeure Karten spielten. »Wer ist der erste?« fragte er.

»Ich.« Ein Mann mit flachsblondem Haar sah auf. Er trug eine Lederjacke zu Rollkragenpullover und Cordsamthose.

»Zahlen!« rief Hyde. Der Wirt kam und nannte die Summe. Hyde gab ihm einen Zehnmarkschein und wartete, bis er das Wechselgeld in die Hand gezählt bekommen hatte. Der Chauffeur, der eine Schieberkappe aufsetzte, nahm die beiden Kleidersäcke. Sie verließen die Kneipe und gingen zum ersten in einer Reihe von Taxis.

»Scheißkälte, wa?« sagte der Chauffeur. »Jetzt noch im März! Wohin?«

»KEMPINSKI«, sagte Wayne Hyde.

7

»Also, mit anderen Worten: Die feinen Herren weigern sich nach wie vor zu zahlen.« Zornig und laut klang die Stimme Eduardo Oliveras aus der Membran des Telefonhörers an Mercedes' Ohr. Sie preßte die freie Hand gegen die Stirn.

»Vater! Bitte, Vater! Sei vernünftig! Hier in Berlin ist soeben ein Mann erschossen worden.«

»Was geht mich der Mann an? Ich will mein Geld.«

»Der Mann wäre ein erstklassiger Zeuge für die Echtheit des Films gewesen. Das ist schon der zweite Mord. Ich habe dir erzählt, was in Koblenz geschehen ist. Wir kämpfen gegen eine Organisation von skrupellosen Verbrechern.«

»Eure Sorge, nicht meine. Ich habe andere Sorgen, große. Die Zeit verrinnt. Am zwanzigsten Februar seid ihr hier abgeflogen! Heute haben wir den zehnten März. Und ich bekomme kein Geld. Ich bekomme kein Geld.«

»Sie sind bereit, dir hunderttausend Dollar als Zeichen ihres guten Willens zu bieten, das habe ich dir schon vor drei Tagen gesagt...« Mercedes rief ihren Stiefvater regelmäßig an. Seine Haltung wurde immer bösartiger, ihre Stimmung immer verzweifelter.

»Hunderttausend Dollar! Ich will endlich die zehn Millionen haben! Die haben sie doch geschluckt, nicht wahr? Na also, dann will ich sie auch haben! Dann *muß* ich sie auch haben! Ich brauche Geld.«

»Du brauchst derart dringend zehn Millionen Dollar?«

Den Hörer am Ohr, sah Mercedes von den alten schönen Stichen an den Wänden des Salons zum Kamin, vom Kamin zu der Bar, die aus einem alten Betschemel gemacht worden war, von dieser zurück zu den Stichen, die Szenen aus dem alten Berlin zeigten. Ein großer Lüster brannte. Es war fast Mitternacht. Mercedes trug einen Morgenmantel. Sie hatte im Grillrestaurant zu Abend gegessen, nachdem Daniel sie angerufen und gesagt hatte, was geschehen war und daß es sehr spät werden würde. Sie hatte zu lesen versucht, vergeblich. Sie hatte ferngesehen, ohne wahrzunehmen, was sie sah. Ihre Gedanken hatten sich im Kreis gedreht. Professor Kant erschossen. In Dannys Gegenwart. Der zweite Tote. Danny in Gefahr. Sie in Gefahr. Der Mörder, die Mörder in Berlin, in der Stadt, im Hotel vielleicht. Mercedes war in Panik geraten. Sie hatte einen großen Cognac getrunken, nervös mehrere Zigaretten geraucht. Dann war ihr eingefallen, daß es wieder an der Zeit sei, ihren Stiefvater anzurufen. Er benahm sich so, wie sie es befürchtet hatte.

»Jetzt höre einmal zu, Mercedes!« Sie erschrak über die Kälte seiner Stimme. »Bei mir ist Schluß. Ich warte nicht länger. Schon vor sechs Tagen sind Interessenten an mich herangetreten. Libysche. Bereit, sofort zu zahlen. Ich habe sie anständigerweise hingehalten, weil ich dem Sender ursprünglich eine Frist von vier Wochen eingeräumt habe, aber...«

Es klopfte. Mercedes hatte die Salontür zugesperrt.

»Einen Moment, Vater, es kommt jemand. Ich muß die Tür öffnen.« Sie ließ den Hörer auf die Couch fallen, lief zur Tür, rief: »Wer ist da?«

»Danny.« Es war seine Stimme. Sie sperrte auf und warf sich, nachdem er eingetreten war, an seine Brust. Sie schluchzte.

»Danny... Danny... Danny...«

»Aber Mercedes... Um Himmels willen... Was ist geschehen?«

»Ich hatte solche Angst um dich«, stammelte sie, während sie sein Gesicht mit Küssen bedeckte. »So schreckliche Angst. Und ich telefoniere gerade mit Vater... Er will den Film an Libyer verkaufen...«

»Was?«

Daniel riß ihre Arme von seinen Schultern und lief zur Couch, auf welcher der Telefonhörer lag. Er nahm ihn und sprach.

»Hier ist Daniel.«

»Ja, das höre ich.«

»Ich komme eben ins Hotel zurück. Mercedes hat mir gesagt, was du tun willst. Du bist wahnsinnig!«

»Ich bin vollkommen normal. Ich habe dir ausführlich meine Situation erklärt, als du hier warst, du erinnerst dich?«

»Ja, gewiß, aber du hast uns doch eine Frist von vier Wochen…«

»Ich habe keine Zeit mehr, Daniel. Keine Zeit mehr, hast du verstanden? Es geht um meine Existenz.«

»Aber…«

»Nichts aber! Ich warte nicht länger. Ich habe ein Telegramm von deinem Sender bekommen. Ein Fernsehteam ist unterwegs hierher. Also erstens: Bevor ich nicht die zehn Millionen habe…«

»Vater, bitte!«

»Halt den Mund! Bevor ich nicht die zehn Millionen habe, trete ich nicht eine Sekunde vor die Kamera…«

»Das ist…«

»Du sollst den Mund halten, verflucht! Zweitens: Ich verlange, daß mir die zehn Millionen innerhalb von drei Tagen, also bis spätestens dreizehnten, übergeben werden. Übergeben, sage ich. Keine dummen Tricks mit Anweisungen, die gesperrt werden können, und derartiges. Ich will den Scheck in die Hand! Es ist mir egal, wer ihn bringt. Du, jemand vom Sender. Einer muß kommen. Warte, ich bin noch nicht fertig. Bis spätestens morgen nachmittag achtzehn Uhr euerer Zeit will ich vom Intendanten des Senders – wie heißt er?«

»Herr von Karrelis.«

»… will ich von diesem Karrelis die schriftliche Zusage, daß der Scheck über den ganzen Betrag mir bis spätestens dreizehnten gebracht wird. Karrelis muß morgen ein Telex schicken, in dem er sich ehrenwörtlich verpflichtet, meine Forderung zu erfüllen.«

»Das geht niemals!«

»Warten wir es ab! Du telefonierst heute noch mit Frankfurt. Die Leute haben Zeit, sich alles zu überlegen. Wenn sie nicht wollen, wenn ihnen der Film die zehn Millionen nicht wert ist – okay. Dann soll der Intendant mich morgen anrufen. Dann verkaufe ich übermorgen an die Libyer. Wiederhole alles!«

»Wozu? Ich habe es verstanden.«

»Ich will sicher sein, daß du es verstanden hast!«

»Aber das ist doch…«

»Du sollst es wiederholen, verflucht!«

»Ich rufe in Frankfurt an. Du weigerst dich, vor eine Kamera zu treten, bevor du die zehn Millionen hast. Du verhandelst mit Gaddafi-Leuten, die sofort zahlen würden. Also Ultimatum. Du verlangst, daß dir jemand bis spätestens dreizehnten einen Scheck über die gesamte Summe bringt. Das soll der Intendant morgen ehrenwörtlich versprechen – vor achtzehn Uhr unserer Zeit – und ein entsprechendes Telex schicken. Wenn nicht geschieht, was du verlangst, verkaufst du übermorgen an die Libyer.«

»Richtig. Gute Nacht, Daniel.«

Es klickte in der Leitung. Daniel starrte den Hörer an.

»Er hat aufgelegt«, sagte er fassungslos. »Mein gottverdammter Vater. Das hat uns eben noch gefehlt.« Er schlüpfte aus seinem warmen Mantel und schleuderte ihn in eine Ecke. Danach fluchte er lange und obszön.

»Danny, bitte!« Mercedes hatte den Mantel aufgehoben. Sie hängte ihn in den Vorraum. Als sie zurückkam, war Daniel auf einem Sessel zusammengesunken, den Kopf in den Händen. Sie kniete vor ihm nieder, strich über sein Haar.

»Liebster, beruhige dich, bitte… Es war sehr schlimm, ja?«

»Einer von diesen Hunden hat Kant erschossen. Und ich bin schuld daran. *Ich bin schuld daran*, Mercedes!«

»Was ist das für ein Unsinn!«

»Das ist kein Unsinn. Ich bin schuld, ich, ich, ich! Weil ich mich wie ein kleiner Junge benommen habe, der Indianer spielt. Ein schwachsinniger, kleiner Junge.«

»Aber wieso?«

»Ich habe es den Mördern leichtgemacht. Kindisch leicht. Ich habe vom Hotel in Wien aus ein Mädchen in der Zentrale gebeten, Kants Telefonnummer und Adresse zu eruieren. Vom Hotel aus, ich Trottel! Und vom Hotel aus, wie ein Trottel, habe ich mit Kant gesprochen. Ich habe vom Hotel aus den Flug nach Berlin reservieren lassen. Ich habe noch und noch Spuren gelegt. Ein Blinder hätte mir folgen können. *Ich bin schuld an Kants Tod*. Ich habe ein Menschenleben auf dem Gewissen.«

»Hör sofort auf damit, Danny! Das Telefon in Wien kann noch nicht angezapft gewesen sein. Und war das BKA nicht verständigt? War das Haus nicht von der Polizei bewacht? Habt ihr nicht alles getan, damit Kant nichts geschieht?«

»Nein, das haben wir nicht. Der Mörder ist ins Haus gelangt und hat Kant getötet. Trotz Polizeischutz. Trotz Bewachung.« Daniel packte sie an den Schultern… »Und so wird es weitergehen,

Mercedes, das habe ich jetzt begriffen. Sie töten jeden, der bereit und fähig ist, auszusagen, der Film sei echt. Sie müssen überall sein. Sie müssen alles wissen. Alles. Wir richten nichts aus gegen sie. Wir geben am besten auf, bevor noch mehr Menschen sterben.«

»*Nein!*« Mercedes schrie das Wort. Dann faßte sie sich. »Wir dürfen nicht aufgeben! Das ist es ja gerade, was sie wollen. Wir müssen weitermachen! Wir müssen die Menschen informieren. Das müssen wir tun!«

Er betrachtete sie ernst. So groß ist ihr Fanatismus, dachte er. Gewiß noch größer. Sie hat gesagt, daß es nichts gibt, was sie nicht tun würde, wenn es hilft, den Frieden zu sichern. Großer Gott, in was für eine Geschichte schliddern wir da hinein!

Er stand abrupt auf. »Verzeih, Mercedes!«

Sie lächelte verzerrt. »Schon gut, Danny. Wir haben alle nur Nerven.«

Er griff in die Tasche, zog mechanisch ein Medikamentenröhrchen heraus, das er öffnete, und ließ Pillen in die hohle Hand gleiten. Dieses Röhrchen hatte Sibylle ihm mit einigen weiteren noch im Sanatorium gegeben. Sie enthielten das neue Mittel, auf das er eingestellt war: Amadam. Er neigte den Kopf zurück, öffnete den Mund und war im Begriff, fünf Pillen zu schlucken. Noch in der Bewegung, als seine Hand nach oben fuhr, erstarrte er.

»Nein«, sagte er. Er ließ die Pillen in das Röhrchen zurückfallen. »Nein«, sagte er noch einmal. »Ich habe es Sibylle versprochen. Ich kann nicht schon wieder wortbrüchig werden.« Er hielt Mercedes das Medikament hin. »Nimm du es!« sagte er. »Die anderen Röhrchen auch. Sie sind im Badezimmer. In meinem Toilettenbeutel. Ich sehe, du hast die Koffer ausgepackt. Du behältst jetzt das Amadam und gibst mir zwei Pillen am Tag, eine morgens, eine abends, egal, was geschieht. Nun nimm schon, bitte!«

»Danny«, sagte sie, »Danny…«

»Und jetzt etwas zu trinken, bitte«, sagte er. »Das war ein wenig zu viel da draußen.«

»Cognac? Whisky?«

»Egal… Cognac, bitte.«

Sie füllte ein Schwenkglas. Er trank es mit einem Schluck leer. Sein Gesicht war kreidebleich gewesen, als er kam. Jetzt kehrte Farbe in die Wangen zurück. Er atmete tief.

»Setz dich zu mir, Mercedes«, sagte er. »Ich werde dir alles erzählen...«

Und er erzählte ihr alles, den Arm um ihre Schultern, und er wurde immer ruhiger dabei. »Wenigstens gibt es diesmal eine genaue Dokumentation«, schloß er. »Wir haben alles Wichtige gedreht, den Mord sozusagen rekonstruiert. Aber das ist auch noch nicht genug. Das nächste Mal – ich werde es Conny sagen, wenn ich ihn wegen Vater anrufe – müssen Polizei und das Team gleich zu mir kommen, damit wir den Zeugen filmen können, sobald wir bei ihm sind. So etwas wie heute darf nie wieder passieren. Es war... zu furchtbar. Eben redete ich noch mit Kant – da war er schon tot. Wie soll das überhaupt weitergehen? Conny sagt, seine Leute haben noch nicht eine einzige Spur gefunden. Nicht in Deutschland, nicht in London, nicht in Paris, nicht in Amerika.«

»Ach!« Mercedes fuhr auf.

»Was ist?«

»Da hat ein Mann angerufen... vor zwei Stunden vielleicht.«

»Was für ein Mann?«

»Ein gewisser Teddy Shimon von der israelischen Botschaft in Bonn. Er ist hier im Hotel. Zimmer dreihundertdreiundzwanzig. Du sollst dich sofort melden, wenn du kommst.«

»Ich kenne keinen Teddy Shimon.«

»Es ist wichtig, hat er gesagt. Sehr wichtig.«

»Glaubst du, es hat mit dem Film zu tun?«

»Ja, das hat mir Conny gesagt.«

»Conny Colledo?« Daniel sah sie verblüfft an.

»Ich bin völlig durcheinander. Ja, Conny hat auch angerufen... Vor diesem Shimon... Er hat Shimon angekündigt... Der war bei Conny und dem Intendanten... Sie haben ihn hierher geschickt. Wir sollen unbedingt mit diesem Shimon sprechen.«

Daniel stand auf und nahm den Telefonhörer. Eine Frauenstimme meldete sich.

»Bitte, Herr Ross?«

»Fräulein, ich möchte Herrn Teddy Shimon sprechen. Zimmer dreihundertdreiundzwanzig.«

»Sie können selbst anrufen. Wählen Sie vor der Zimmernummer die Acht.«

Im Salon des Appartements sechshundertacht/neun saß Wayne Hyde auf einer Couch, die an der Wand zum Salon des Nebenappartements stand. Er saß da seit zwei Stunden. Hyde hatte unendliche Geduld. Das war einer der Gründe dafür, daß er noch lebte. Seine Füße lagen auf dem Tisch vor ihm, er lehnte gegen eine Couchecke. In seinen Ohren steckten die beiden Enden eines Metallbügels, der zu einem stethoskopartigen Gerät gehörte. Ein roter Gummischlauch war an der Stelle befestigt, an welcher die beiden Hälften des Metallbügels zusammentrafen. Der Gummischlauch, einen guten halben Meter lang, verbreiterte sich am anderen Ende zu einer flachen Rundkappe. Über ihrer Flachseite war mit einer Klammer ein kleiner, sehr leistungsfähiger elektronischer Verstärker montiert. Diese Rundkappe drückte Hyde an die Wand zum Salon des Nebenappartements. Deutlich konnte er das Gespräch zwischen Mercedes und Daniel verfolgen. Genauso deutlich waren die Worte der jungen Frau an seine Ohren gedrungen, als sie mit ihrem Vater, diesem Teddy Shimon und Conrad Colledo telefonierte. Das Gerät war erstklassig. In den letzten Stunden hatte Hyde alles gehört, was nebenan geschah. Jedes Geräusch, die Schritte Mercedes', wenn sie umherging, das Öffnen und Schließen von Türen. Er hatte registriert, wie sie ein Glas vollgoß, wie sie hustete, nachdem sie getrunken hatte, wirklich alles. Und er hatte geduldig gelauscht, so geduldig.

Jetzt hörte er Daniel eine vierstellige Nummer wählen, danach seine Stimme: »Herr Shimon? Guten Abend. Hier spricht Daniel Ross. Verzeihen Sie die späte Störung. Sie haben um Rückruf gebeten, egal, wann... Ja, vor ein paar Minuten erst...« Hyde saß reglos da, als wäre er gestorben. »Das stimmt, ich kenne Sie nicht... Was wollen Sie von mir?... Der Film?... Was für ein Film?... Herr Shimon, ich habe wirklich keine Ahnung, wovon Sie sprechen... Ja, ja, ja, Herr Colledo hat meine Begleiterin angerufen und gesagt, daß ich unbedingt mit Ihnen reden soll, wenn Sie sich melden... Gut, jetzt gleich... Vielleicht in der Bar... Da haben Sie recht... Zu viele Menschen... Warum kommen Sie nicht zu mir herauf?... Was heißt, Frau Olivera darf natürlich dabei sein? Woher kennen Sie... Ach so... Auch ihren Vornamen... Mercedes, richtig... sechshundertsechs/sieben, ja... Wir erwarten Sie, Herr Shimon.«

Wayne Hyde saß weiter absolut reglos da. Sein Gesicht war ohne irgendeinen Ausdruck.

Im Salon ihres Appartements standen Mercedes und Daniel einander gegenüber.

»Conny hat gesagt, es ist sehr wichtig. Das hat er gesagt? Daß es sehr wichtig ist?«

»Ja.« Mercedes nickte. »Und daß wir völlig beruhigt sein können. Er wollte am Telefon so wenig wie möglich erklären.«

Es klopfte. Daniel ging zur Tür und öffnete.

Draußen stand ein Hüne von einem Mann, braungebrannt, mit blondem Haar, stahlblauen Augen und länglichem, gut geschnittenem Gesicht. Unter seinem grauen Anzug zeichnete sich der durchtrainierte, schlanke Körper ab.

»Treten Sie ein, Herr Shimon!« sagte Daniel.

Der Mann hielt einen Ausweis hoch. Dieser zeigte ein Farbpaßbild, das Hoheitszeichen des Staates Israel und eine Erklärung in Hebräisch, Englisch, Französisch und Deutsch, derzufolge Shimon Mitglied der israelischen Botschaft in Bonn war.

Der blonde Riese, Urtyp des sogenannten Ariers, verneigte sich vor Mercedes. Die drei setzten sich. Einen Drink lehnte Shimon ab.

»Nun?« fragte Daniel. »Seit wann interessiert sich die israelische Botschaft für uns?«

»Oh, schon eine ganze Weile«, sagte Shimon. Er hatte blendendweiße Zähne, die er zeigte, als er lächelte. »Weitaus mehr interessiert sich der MOSSAD für Sie.«

»Der MOSSAD?« fragte Mercedes.

»Ja, der israelische Geheimdienst«, sagte Daniel, und zu Shimon: »Wieso Ihr Geheimdienst?«

»Die meisten Geheimdienste der Welt interessieren sich für Sie, Herr Ross. Ihr Vater ist unvorsichtig in Buenos Aires. Er wird es mehr und mehr. Er... beträgt sich höchst unklug. Um eine lange Geschichte kurz zu machen: Die Amerikaner und die Sowjets wissen natürlich von dem Film, das ist Ihnen klar, wie?«

Daniel nickte.

»Aber auch die Engländer, die Franzosen, Italiener, Ungarn, Schweizer, Spanier. Man kann sagen, die Welt der Geheimdienste ist alarmiert und weiß von dem Film und allen Bemühungen, die Sie und viele andere unternehmen, Zeugen zu finden, die seine Echtheit beweisen können – oder daß er eine Fälschung ist.«

»Und Sie? Was wissen Sie, Herr Shimon?« fragte Mercedes.

»Daß der Film eine Fälschung ist, gnädige Frau. Eine geniale Fälschung, zugegeben. Aber eine Fälschung.«

»Um uns das zu sagen, sind Sie nach Berlin gekommen?« Daniel lächelte.

»Natürlich nicht.«

»Sondern weshalb?«

»Weil wir den Fälscher kennen«, sagte Shimon. »Er erwartet Sie. Er ist bereit, seine Geschichte zu erzählen. Vor der Kamera. Die ganze Wahrheit. Warum sehen Sie mich so an, Herr Ross?«

»Aus Dankbarkeit, Herr Shimon. Wir sind Ihnen außerordentlich dankbar. Zu denken, daß sich der israelische Geheimdienst die Mühe macht, diesen Fälscher ausfindig zu machen, und daß Sie sich die Mühe machen, nach Berlin zu fliegen, um eine Verbindung herzustellen...«

»Das irritiert Sie.«

»Aber nein.«

»Aber ja. Es wird für die Vereinigten Staaten ganz außerordentlich vorteilhaft sein, wenn ein Zeuge klarstellt, daß der Film eine Fälschung ist. Wir sind nur ein kleines, ständig bedrohtes Volk, auf die andauernde Hilfe Amerikas angewiesen. Ohne Amerika sind wir verloren. Eine Hand wäscht die andere. Das haben Sie doch eben gedacht, Herr Ross!«

»Also gut, ich habe es gedacht«, sagte Daniel. »Ein naheliegender Gedanke, nicht wahr?«

»Herr Ross, wir helfen Amerika in dieser Angelegenheit selbstverständlich gern, das gebe ich offen zu. Hier lag das Hauptinteresse bei den Untersuchungen des MOSSAD. Aber zu keinem Zeitpunkt hatte irgend jemand von uns die Absicht, Amerika mit einem Betrug zu helfen.«

»Wenn Sie jemanden gefunden hätten, der als Zeuge dafür auftreten könnte, daß der Film echt ist, wären Sie dann auch hier?« Shimon zögerte. »Nein«, sagte er dann. »Das sehen Sie ganz richtig. Aber der MOSSAD hat nun einmal den Fälscher gefunden.«

»Wie?«

»Was wie, Herr Ross?«

»Wie hat er ihn gefunden?«

»Herr Ross, bitte!« Das Lächeln des israelischen Diplomaten wurde breiter. »Wirklich!«

»Ja«, sagte Mercedes, »wirklich, Danny.«

»Entschuldigen Sie, Herr Shimon!«

»Ach, aber bitte! Der MOSSAD hat den Fälscher gesucht – formulieren wir es so – wie alle anderen Geheimdienste, und das sind eine Menge. Nun, wir hatten Glück, wir waren schneller als die anderen. Wir sind sehr oft schneller als die anderen. Gott sei Dank! Ich kann Ihnen den Namen des Fälschers nennen.«

»Dann tun Sie es doch. Wie heißt er?«

»Harry Gold.«

»Harry Gold?«

»Harry Gold.«

»Und wo lebt dieser Harry Gold?«

»In Frankfurt am Main, Herr Ross.«

»Wo in Frankfurt am Main, Herr Shimon?«

»Ich bringe Sie hin, Herr Ross, liebe gnädige Frau.«

»Das können Sie meinetwegen tun. Aber ich will wissen, wo Harry Gold wohnt. Ich bin aus Frankfurt. Ich kenne mich da ziemlich gut aus.«

»Odrellstraße zweihundertsiebzehn.«

»Das ist in der Kuhwaldsiedlung«, sagte Daniel. »Westlich vom Messegelände, zwischen Theodor-Heuss-Allee und dem großen Rangierbahnhof.«

»Richtig.«

»Hat Herr Gold Telefon?«

»Sie brauchen ihn nicht anzurufen. Ich habe alles für Sie arrangiert.«

»Sehr freundlich.«

»Herr Gold ist bereit, seine Aussage schon morgen zu machen. Sie können zu ihm kommen, wann Sie wollen. Er erwartet Sie.«

»Sehr schön. Ich muß allerdings noch mit Herrn Colledo telefonieren. Ich weiß nicht, was für ein Aufnahmeteam ich bekomme. Morgen ist Sonntag.«

»Überstürzen Sie nichts! Lassen Sie auch Herrn Colledo Zeit. Dreizehnmal täglich können Sie Berlin auf dem Luftweg Richtung Frankfurt verlassen. Hier ist ein Flugplan.«

Ross blätterte darin.

»Ich würde sagen, wir fliegen um dreizehn Uhr fünfunddreißig«, sagte er. »Dann sind wir um vierzehn Uhr fünfunddreißig in Frankfurt. Rechnen wir noch etwa eine Stunde dazu, bis wir bei Herrn Gold eintreffen. Also fünfzehn Uhr dreißig. Wird ihm das recht sein?«

»Dem ist alles recht. Er wartet den ganzen Tag. Es genügt,

wenn wir ihn nach der Landung in Frankfurt anrufen. Kann ich
bei den Aufnahmen dabei sein?«
»Bitte.«
»Danke.«
»Wir haben zu danken, Herr Shimon. Sehr.«
»Ist mir doch ein Vergnügen.«
»Frühstücken wir zusammen?« fragte Mercedes. »Hier oben?«
»Gerne, Frau Olivera.«
»Wir rufen Sie an. So um neun?« fragte Daniel.
»Neun ist fein«, sagte Teddy Shimon.
»Warten Sie, ich gehe mit Ihnen.«
»Wohin?«
»Ich muß noch meinen Freund Colledo anrufen.« Daniel nahm
seinen Mantel und küßte Mercedes. »Ich bin bald wieder da!«
»Paß gut auf dich auf, Danny!« sagte sie. »Bitte, paß auf dich
auf!«

Nebenan hörte Wayne Hyde, wie Shimon sich von Mercedes
verabschiedete und wie die beiden Männer das Appartement
verließen. Mercedes drehte den Fernsehapparat an. Ein Spätfilm
lief. Hyde hörte Musik und Dialoge. Er nahm die verchromten
Bügel des stethoskopartigen Apparats vom Kopf, wartete zehn
Minuten und erhob sich dann. Er zog den Dufflecoat an, verließ
ebenfalls sein Appartement und fuhr mit einem Lift in die Halle.
Hier saßen noch viele Menschen. Aus der Bar erklang Klavier-
musik. Hyde trat ins Freie. Es war eisig kalt, der Himmel klar.
Hyde sah Sterne.
Er ging den Kurfürstendamm hinunter zur Gedächtniskirche.
Der zerstörte Turm ragte in die milchige Finsternis empor. Je
näher Hyde dem Ende des Kurfürstendamms kam, um so mehr
Huren begegneten ihm. Fast alle sprachen ihn an. Er lehnte
jedesmal dankend ab. Die Huren waren sehr höflich, wenn auch
sehr entmutigt. Sie trugen Pelzmäntel. Trotzdem froren sie.
Hyde wollte zum Bahnhof Zoo. Als er vor der Kirche links in die
Joachimstaler Straße einbog, trat ihm ein ordentlich gekleideter
Mann in den Weg. Der Mann lüpfte einen steifen, schwarzen
Hut und sagte: »Ach, verzeihen Sie, mein Herr.«
»Was ist?«
»Fleischmann der Name. Julius Fleischmann. Gymnasiallehrer
für Latein und Griechisch. Stellungslos. Hier, mein Ausweis.«
Er hielt Hyde das aufgeschlagene, kleine Heft hin.

»Was wollen Sie?«

»Eine milde Gabe, wenn Sie so gütig wären. Ich habe Frau und vier Kinder.«

Hyde öffnete den Dufflecoat und suchte in seinen Jackentaschen.«

»Schlechte Zeit haben Sie sich ausgesucht, Herr Professor.«

»Sagen Sie das nicht! Jetzt ist es noch still. Aber in ein, zwei Stunden... Es gibt viele Striptease-Lokale hier herum. Auch andere. Wenn dann die Betrunkenen kommen... Betrunkene haben ein weiches Herz.«

»Sie sind auch betrunken, nicht wahr?«

»Ein wenig, mein Herr. Bei *der* Kälte. Man muß sich warm halten.«

»Ich habe nur zehn Mark.«

»Ich kann wechseln. Wieviel darf ich behalten?«

»Geben Sie mir... Ach was«, sagte Hyde, »nehmen Sie den Schein!«

»Ich danke tausendmal! Gott wird Sie segnen, mein Herr.«

»Ja, das soll er tun«, sagte Hyde. »Stehen Sie jede Nacht hier?«

»Auch tags. Wir arbeiten in drei Schichten.«

»Wir?«

»Ein Baupolier und ein Möbelvertreter. Man muß sich organisieren als Bettler, verstehen Sie? Es gibt so viele. Dies ist eine sehr arme Stadt – in jeder Hinsicht. Ich habe einmal hier in der Joachimstaler Straße gewohnt. Bis zum ersten März neunzehnhundertdreiundvierzig. Ich war kaum fünf Jahre alt. Am ersten März dreiundvierzig hatten wir einen schweren Luftangriff. Amis. Kamen immer am Tag. Blauer Himmel. Herrlicher Sonnenschein. In unserem Keller war meine ganze Familie tot: Mutter, Vater, Schwester. Mich haben sie ausgebuddelt. Kommt mir vor, als wäre es gestern gewesen. Komisch, nicht? O mihi praeteritos si Jupiter referat annos. Zu deutsch...«

»Oh, daß die verlorenen Jahre zurück mir Jupiter brächte«, sagte Hyde.

»Sie können Latein?«

»Fließend. Ich lese sehr viel, wissen Sie.«

»Griechisch auch?«

»Griechisch nicht. Gute Nacht, Herr Professor. Und viel Glück!«

»Danke!« sagte Fleischmann.

Hyde erreichte den Bahnhof Zoo und ging in das Postamt zu

ebener Erde. Es war auch nachts geöffnet, allerdings nur für Telefongespräche. Eine übermüdete alte Frau saß hinter dem Schalter. Sie gab Hyde eine Plastikmarke mit der Nummer vierzehn.

»Zelle fürzehn. Nachher müssense zu mia zurück. Sie könn selba wähln.«

»Ich weiß.« In Zelle fünfzehn saß ein junges Mädchen auf der Erde und schien zu schlafen. Das junge Mädchen trug schmutzige Bluejeans und einen schmierigen Pullover. Wahrscheinlich eine Fixerin, dachte Hyde. Schläft ihren Schuß aus. Er trat in Zelle vierzehn und wählte die Nummer Morleys in London. Mit dem Decoder löste er die Sperre des Beantworters.

Die Stimme des Anwalts ertönte: »Guten Abend, Mister Hyde. Ich nehme an, Sie konnten das Gespräch Teddy Shimons mit Ross und Olivera verfolgen. Wählen Sie noch einmal, und berichten Sie bitte!« Als der Beantworter beim zweiten Anruf aufnahmebereit war, berichtete Hyde, was er mit Hilfe des stethoskopartigen Geräts erfahren hatte. Er nannte Name, Straße, Hausnummer, Flugzeiten und den Zeitpunkt des Treffs. »Ich werde alles vorbereitet haben, wenn die Herrschaften eintreffen, seien Sie ohne Sorge, Mister Morley! Nun etwas anderes: Die Olivera und Ross haben mit Buenos Aires telefoniert heute abend. Der Vater tobt. Weil er seine zehn Millionen nicht kriegt vom Sender. Scheint pleite zu sein. Oder knapp davor. Jedenfalls behauptete er, er würde schon mit Gaddafi-Leuten verhandeln, und er stellte ein Ultimatum, das Ross sofort an Karrelis weitergeben soll.« Hyde berichtete im Detail. »Eile scheint dringend geboten. Wenn Sie nach mir suchen, Sie erreichen mich morgen über einen Frankfurter Freund.« Hyde nannte die Telefonnummer seines Söldnerkumpels Heinz Erkner. »Ich spreche jetzt natürlich nicht aus dem KEMPINSKI, sondern aus einer Telefonzelle. Gute Nacht, Mister Morley!« Hyde hängte ein. Dann nahm er den Hörer zum drittenmal ab und wählte die soeben genannte Nummer in Frankfurt. Das Signal ertönte lange, bevor sich eine atemlose Männerstimme meldete.

»Ja, verflucht!«

»Heinz, hier ist Wayne.«

»Wayne!« Die Stimme klang plötzlich erfreut. Heinz Erkner, Hydes Söldnerfreund in Frankfurt, atmete noch schwer. »Wo bist du, Baby?«

»Westberlin. Was ist mit dir los? Gerade gefickt?«

»Ja.«

»Tut mir leid.«

»Macht nichts. Schätzchen bringt ihn wieder hoch. Was gibt's?«

»Ich komme morgen nach Frankfurt. Neun Uhr dreißig. PAN AMERICAN. Brauche wieder die SIG/Sauer und das Sterling Mk neun.«

»In Ordnung, Baby. Ich warte beim PAN-AM-Schalter in der Ankunftshalle. Habe alles dabei.«

»Prima.«

»Noch was, Baby?«

»Ja, Heinz. Du mußt was für mich erledigen.«

Wayne Hyde erklärte Erkner, was er für ihn erledigen mußte. Dann verabschiedeten sie sich herzlich.

»Und jetzt spritz schön!« schloß Hyde.

»Wie die Feuerwehr, Baby«, sagte Heinz Erkner.

Aus der Nebenkabine hörte Hyde plötzlich das Mädchen stöhnen. Fixerin, was ich vermutete, dachte er. Dann hörte er, wie sie sich würgend übergab.

Als er aus der Zelle trat, wand sich das Mädchen nebenan in schweren Krämpfen. Hyde ging zum Nachtschalter zurück.

»Ich möchte zahlen«, sagte er. »Zelle vierzehn.« Er schob die Plastikmarke durch die Öffnung der Glasscheibe.

Die müde ältere Frau sah auf eine Zähluhr vor sich und rechnete auf einem Zettel. »Hundertsechzehn dreißich«, sagte sie. »Sie ham et aba dicke.«

Hyde legte zwei Hundertmarkscheine auf die Theke. Während die Frau das Wechselgeld zurückgab, sagte er: »In Zelle fünfzehn liegt ein Mädchen. Übergibt sich. Stöhnt. Hat Krämpfe. Sie müssen einen Notarzt rufen.«

»Fixerin?«

»Sieht sehr danach aus.«

»Ick werde noch varrickt«, behauptete die ältere Frau. »Jede Nacht detselbe. Den janzen Winta jeht det so. Wenns wärmer wird, liejense in de Klosette rum.« Sie wählte eine Nummer und sagte in den Telefonhörer: »Notarztzentrale? Hier Bahnhof Zoo. Postamt. Abend. Morjen. Wiese wolln. Hier is eene in ner Zelle. Hat sich nen schlechten Schuß vapaßt... Nee, lebt noch – gloobe ick wenichstens... Aba ihr müßt euch ranhalten... ja, is jut.« Sie hängte ein und sagte gähnend zu Hyde, der das Wechselgeld einstrich: »Nee, wissense, nee. So wat hätte der Führa nie zujelassen.«

Daniel hatte Teddy Shimon im Lift zum dritten Stock begleitet und sich dort von dem Israeli verabschiedet. Er fuhr weiter bis zur Halle, trat in die Kälte hinaus und ging den Kurfürstendamm ein kurzes Stück hinunter, Richtung Gedächtniskirche. Dann überquerte er die Fahrbahn und betrat die Meinekestraße. Hier kannte er ein berühmtes Altberliner Lokal. Viele der blankgescheuerten Holztische waren besetzt. Manche Gäste aßen um diese Zeit erst. Alle tranken. Zigarrenrauch vernebelte den Raum. Aus einem Radio erklang beschwingter Jazz. Daniel ging zur Theke, bestellte beim Wirt ein Bier und einen klaren Schnaps und sagte dann, er müsse telefonieren.

»Aba jewiß doch, mein Herr. Apparat in de Zelle da hinten. Nur wählen. Bei mir looft ne Uhr.«

Daniel trank den Schnaps aus, das Bierglas nahm er mit. In der Zelle war es erstickend heiß. Daniel hielt die Tür mit dem Fuß einen Spalt offen. Der Lärm im Lokal war so groß, daß niemand verstehen konnte, was er am Telefon zu sagen hatte. Er trank noch einen Schluck, stellte das Glas auf ein Bord und wählte Conrad Colledos Frankfurter Nummer. Sein Freund meldete sich gleich.

»Conny, hier ist Danny. Ich spreche aus einer Kneipe.«

»Hallo, Danny.« Die Stimme klang müde und leise.

»Was ist? Sitzt du noch am Schreibtisch?«

»Ja. Jede Menge Arbeit. In Kalifornien haben die Jungs einen Kameramann gefunden, der damals in Teheran dabei war. William Mackenzie.«

»Und?«

»Nichts und. Herzinfarkt. Vor drei Monaten gestorben. Vor drei Monaten, Danny, *nur* vor drei Monaten!«

»Pech!«

»Scheißpech. *Nur* Scheißpech! Du auch. Mit deinem Professor. Mercedes hat mir alles erzählt, als ich euch diesen Shimon ankündigte. War der wenigstens was wert?«

»Weiß ich noch nicht. Sieht so aus. Erzähl' ich dir gleich. Was ist noch los bei dir?«

»Ach, Mensch, zum Heulen. Erinnerst du dich an Chan Ragai?«

»Chan Ragai?«

»Ja.«

»Nein.«

»Den hatte dein Vater eingesetzt. Als Resident des Ribbentrop-

Geheimdienstes in Teheran. Hat er dir doch erzählt! Ihm unterstand der fabelhafte Agent CX einundzwanzig.«

»Ach ja, natürlich! Chan Ragai! Hat gelogen, mein Alter, wie?« Daniel trank Bier.

»Nein, nein, da hat er die Wahrheit gesagt. Ich habe drei Jungs in den Iran eingeschleust. Von Bagdad aus. Weil sie vom Khomeini-Regime keine Einreiseerlaubnis bekamen.« Die müde Stimme wurde laut und zornig. »Dieses Land ist ein einziges Irrenhaus!«

»Natürlich keine Spur von Chan Ragai.«

»Im Gegenteil, Danny. Im Gegenteil. Meine Jungs hatten eine heiße Spur. Chan Ragai lebt. Nicht mehr in Teheran. Dort lebt noch seine Schwester. Wir waren schon ganz dicht an ihm ran, da wurden meine drei Jungs verhaftet. Anklage: Spionage für die USA. Zum Kotzen, Danny, zum Kotzen!«

»Mensch! Spionage? Hoffentlich geht da keine Rübe ab.«

»Man wird sie rauslassen. Ich habe sofort mit Genscher telefoniert. Seine guten Beziehungen zum Iran. Hat schon mit den Obermachern dort gesprochen, den Botschafter hingejagt. Man wird die drei freilassen, aber sofort ausweisen. Na ja, und so weiter und so weiter. Und der Herr Intendant ist sehr ungehalten, weil alles schiefgeht. Hoffentlich haben wir jetzt mit diesem Harry Gold Glück. Wann bist du bei ihm?«

»Heute nachmittag um halb vier. Wir landen um vierzehn Uhr fünfunddreißig. Deshalb rufe ich dich an. Diesmal gehen wir kein Risiko ein. Diesmal muß das Team mit mir zusammen ins Haus und vom ersten Moment an mitdrehen. Und Polizei muß auch da sein, bevor ich komme, und sie müssen das Haus durchsucht haben. Wenn du dabei gewesen wärst, als sie den alten Kant umlegten, mitten im Satz, ich war nur einen Meter von ihm entfernt… All das Blut…«

»Mit dem BKA habe ich schon gesprochen. Ihr habt Kriminalbeamte und Polizei. Vor dem Haus. Im Haus. Bei den Aufnahmen. Kommt ein Team von Königstein herunter. Meine besten Leute. Wir drehen wieder mit zwei Kameras. Laß Gold ruhig quatschen, wenn er sich Zeit läßt! Dräng ihn nicht! Rohfilm ist das billigste. Meinetwegen verdreht zwei Kilometer! Wir schneiden das Material dann schon so zusammen, wie wir es brauchen. Und hör mal, du nimmst natürlich Mercedes nicht mit!«

»Natürlich nicht. Die bleibt in meiner Wohnung.«

»Allein? Kommt nicht in Frage. Ich bin am Flughafen, wenn ihr landet, und nehme sie mit zu mir nach Hause, bis alles vorüber ist.«

Die beschwingte Tanzmusik brach ab. Die folgende Sprecherstimme war im Lärm unverständlich. Danach ertönte feierlich und getragen die Hymne der DDR: »Auferstanden aus Ruinen«. Eine sehr hübsche, dunkelhaarige Frau an einem Tisch rief laut: »Freundschaft, Freundschaft!«

Der Wirt raste zum Radioapparat und schaltete ihn aus. Er rief: »'tschuldijen die Herrschaften! Ick hatte den falschn Senda drin.«

»Was war das?« fragte Colledo.

»Nichts. Kleines Malheur. Jetzt paß auf, Conny! Kommt noch was Hübsches.«

»Noch was? Wie schön. Erzähl Pappi nur alles!«

Daniel berichtete von dem Gespräch mit seinem Vater und von dessen neuem Ultimatum.

Colledo fluchte wild.

»Mensch, du hast vielleicht einen Urheber, gratuliere!«

»Danke. Und wie gesagt, er will, daß der Intendant sofort alles erfährt.«

»Das kann er haben.« Colledo lachte grimmig. »Tschüs, Alter! Bis morgen am Flughafen. Und jetzt wecke ich in meiner Gemeinheit Herrn von Karrelis ...«

Daniel trank sein Bier aus und ging zur Theke, um zu zahlen.

»Det machense mit Absicht«, sagte der Wirt.

»Wer?«

»Die drüm. Imma schicken Jatz, amerikanischen, besonders scheenen. Damit man sich irrt. So wat finden die komisch. Danke sehr, der Herr, beehrnse ma wieda! Anjenehme Ruhe wünsch ick.«

Daniel trat wieder auf die Meinekestraße hinaus. Ein Mann prallte mit ihm zusammen. Der Mann schwankte. Er war mächtig betrunken.

»Na, bloß keene Rücksicht uffn ollen Mann, wa?«

»Schon gut.«

»Jarnischt is jut! Ick werd noch varrickt. Jetzt such ick schon seit eena Stunde. Wo is det hier, Schaperstraße?«

»Können Sie nicht bitte sagen?«

»Lieba valoof ick ma weita«, sagte der Betrunkene. Er schwankte davon.

Daniel ging zum Hotel zurück. Er erreichte den Eingang gleichzeitig mit einem großen, hageren Mann, der höflich zur Seite trat.

»Nach Ihnen!«

»Danke«, sagte Daniel.

Sie gingen nebeneinander durch die Halle in Richtung der Lifte.

»Fahren Sie auch hinauf?« fragte Daniel.

»Nein«, sagte Wayne Hyde. »Ich gehe noch einen Sprung in die Bar.«

Mercedes hatte die Appartementtür abgeschlossen.

Daniel klopfte laut.

Sie öffnete, schon im Nachthemd.

Er umarmte und küßte sie. »So, alles erledigt. Ich komme gleich. Erkälte dich nicht!«

Mercedes lief zurück ins Schlafzimmer, während er seinen Mantel auszog. Schnell wählte sie auf dem Apparat, der neben ihrem Bett stand, die Neun. Eine Mädchenstimme meldete sich.

»Hier ist Frau Olivera, Appartement sechshundertsechs/sieben«, sagte Mercedes leise. »Fräulein Michaela?«

»Ja, gnädige Frau.«

»Bitte, fangen Sie jetzt an.« Mercedes legte auf.

Gleich danach kam Daniel ins Schlafzimmer. Er zog seine Jacke aus.

»Großer Gott, war das ein Tag!« sagte er. Aus dem eingebauten Radio im Nachttisch neben Mercedes erklang leise Musik, die »Rhapsody in Blue« von George Gershwin. »Wenn du jetzt nicht bei mir wärst, ich würde wahnsinnig werden, Liebste. Der arme Conny ist im besten Begriff…« Er brach ab, denn die Musik blendete aus, eine andere wurde eingeblendet, zusammen mit der tiefen, vibrierenden Stimme Marlene Dietrichs.

»… Wenn ich mir was wünschen dürfte, käm’ ich in Verlegenheit…«

»Mercedes!«

»Überraschung«, sagte sie strahlend. »Ich war am Nachmittag mit unserer alten Platte unten bei der Telefonzentrale und habe gefragt, ob sie die nicht spielen können. Sie konnten nicht. Die Hausmusik kommt von Band. Aber sie hatten das Lied auf einer Kassette, gesungen von Marlene. Denk doch, Danny, unser Lied! Da ist es wieder…«

»… was ich mir denn wünschen sollte, eine schlimme oder gute Zeit…« sang die Dietrich.

Daniel trat an das Bett. Mercedes saß da mit geöffneten Armen. Er glitt neben sie. Die Lippen trafen sich. Mercedes preßte ihren Körper an den seinen.

»... Wenn ich mir was wünschen dürfte, möchte ich etwas glücklich sein...«

»Meine Mercedes!«

»Ja, Danny, ja. Ach, hab' ich dich lieb.«

Er küßte sie wieder.

»... denn wenn ich gar zu glücklich wär', hätt' ich Heimweh nach dem Traurigsein«, sang Marlene Dietrich.

8

»Jawohl«, sagte Harry Gold. »Ich liebe Deutschland. Deutschland ist mein Vaterland. Ich könnte in keinem anderen Land leben. Ich habe es versucht. Amerika. Israel. Frankreich. Unmöglich! Bin umgekommen vor Heimweh. Deutschland. Nur Deutschland. Hier bin ich geboren. Hier will ich sterben. Ich weiß, was Sie jetzt denken. Drei Jahre KZ haben ihm nicht genügt, dem Idioten. Nein, haben sie auch nicht. Dämlicher deutschnationaler Jude, denken Sie jetzt. Aber ja, sehe ich Ihnen doch an! Na und? Bin ich eben ein dämlicher deutschnationaler Jude. Und jetzt, kann ich mir denken, fällt Ihnen der alte Witz ein. Dreiunddreißig. Juden marschieren Unter den Linden. Tragen Tafeln. Auf den Tafeln steht: RAUS MIT UNS! Sehr komisch.«

Harry Gold war ein kleiner, untersetzter Mann mit einem großen Kopf und dichtem grauem Haar, das an jenes Albert Einsteins erinnerte. Es stand genauso wild und wirr vom Kopf ab. Gold saß in einem Lehnstuhl vor einem Gaskamin. Über dem Kamin hing ein großes Bild Kaiser Wilhelms II.

Scheinwerfer strahlten Harry Gold an. Zwei Kameras waren auf ihn gerichtet. Eine nahm auf. Die zweite arbeitete, sobald bei der ersten die Rohfilmkassette gewechselt werden mußte. Auf diese Weise konnte das Interview ohne Unterbrechungen gefilmt werden. Ein sehr kleines Mikrofon hing an einer schwarzen Schnur vor Golds Brust. Er trug einen dunklen Anzug und eine silberfarbene Krawatte. In einer Ecke des Wohnzimmers kniete der Tonmann mit Kopfhörern vor seinen Apparaten und beobachtete aufmerksam den Ausschlag vieler Zeiger auf vielen Skalen. Es war heiß im Raum, obwohl alle Fenster offenstanden und draußen immer noch grimmige Kälte herrschte. Die Scheinwerfer heizten mächtig auf.

»Gab einen Haufen deutschnationale Juden«, sagte der fünfundsiebzigjährige Harry Gold mit den schwermütigen, dunklen Augen und den schweren, dicken Tränensäcken darunter. »Man hat mir gesagt, ich kann reden, wie ich will. Egal, wie lange. Und das muß ich sagen. Weil es wichtig ist. Die jungen Leute wissen ja gar nichts mehr davon. Auch eine Menge Juden haben Deutschland groß gemacht. Heinrich Heine und der Maler Max Liebermann. Paul Ehrlich, der Chemiker und Arzt. Max Reinhardt. Elisabeth Bergner. Und Kortner, Bassermann, Ernst Deutsch. Und die fünf Brüder Ullstein. Kurt Tucholsky. Walther Rathenau, der Reichsaußenminister. Albert Ballin, Duzfreund des Kaisers, Begründer der HAPAG. Baute seiner Vaterstadt Hamburg den größten Seehafen Deutschlands und der Welt vor neunzehnhundertvierzehn. Brachte sich achtzehn um, als der Krieg verloren war. Carl Zuckmayer. Jacques Offenbach. Ferdinand Lassalle. Maximilian Harden. Bruno Walter. Otto Klemperer. Bismarcks Minister Heinrich von Friedberger und Rudolf Friedenthal. Der halbblinde Gerson von Bleichröder, Privatbankier Wilhelm des Zweiten, der schon Privatbankier Wilhelm des Ersten war. Therese Giese. Fritz Haber mit seiner Ammoniaksynthese, der die Munitionsversorgung Deutschlands im Ersten Weltkrieg sicherte. Unter den fünfunddreißig größten Chemikern des Kaiserreichs waren sechzehn Juden. Richard Willstätter, Adolf von Baeyer, beide Nobelpreis! Die Physiker Max Born und Albert Einstein. Otto Hahn, der im Dritten Reich gerade noch Geduldete, und seine Mitarbeiterin Lise Meitner. Die Deutschen hätten die Atombombe früher herstellen können als die Amis. Niels Bohr... Ja, ja, ich hör' schon auf. Und alle die großen Ärzte... Ich hör' wirklich auf. Es ist nur, weil Sie gesagt haben, ich kann erzählen, wie ich will... Und da wollte ich das erklären, daß nicht nur ein kleiner, meschuggener Jude Deutschland liebt, sondern daß es eben auch so viele große und geniale deutsche Juden gegeben hat...«

Kamera eins lief...

Das kleinbürgerlich eingerichtete Wohnzimmer war voller Menschen. Daniel stand hinter der Kamera, an eine Vitrine voller Porzellanfiguren gelehnt. Neben ihm stand der israelische Diplomat Teddy Shimon vor einem mächtigen altdeutschen Buffet

aus schwerem schwarzem Holz. Im unteren Teil des Buffets war vermutlich das »feine« Geschirr gestapelt, auf der Platte standen schwere, geschliffene Weingläser mit hohen Stielen in allen Farben, sogenannte Römer, und hinter den Glasfenstern des Aufsatzes konnte man in mehreren Etagen aufgestellte Kristallschalen sehen, gleichfalls bunt, von Drahtgestellen gehalten. Das Buffet war reich geschnitzt: zahlreiche Türmchen, Weintrauben, Miniaturfrauen mit nackten Brüsten, Burgen, Söller und im Wind wehende winzige Fahnen, alles aus schwarzem Holz. Der Ecktisch war ebenso verziert, und auf ihm standen viele Fotografien hinter Glas, Harry Golds Verwandte. Ferner gab es um einen Eichentisch eine mächtige Sitzgarnitur, weich gepolstert und mit dunkelgrünem Samt überzogen. Das Sofa hatte eine hohe Rückenlehne. Dort, wo man sie möglicherweise mit dem Kopf berührte, lagen wie auf den Lehnen Spitzendeckchen. Die Tapete zeigte das immer wiederkehrende Muster kleiner Blumensträußchen. Auf einem zusätzlichen Tisch ragte unter einem Öldruck des Letzten Abendmahls von Leonardo da Vinci ein siebenarmiger Menora-Leuchter empor. Und zwischen all diesen und noch anderen alten, schweren Möbeln standen Menschen: Beleuchter, Kameraleute, der Assistent des Tonmanns und drei Kriminalbeamte in Zivil, schwer bewaffnet.
Staub flirrte in den Lichtbahnen der Scheinwerfer, es roch nach Mottenpulver, heißem Metall und Schweiß. Kriminalbeamte mit Maschinenpistolen und Polizisten in Uniform, gleichfalls bewaffnet, standen draußen auf dem Gang, vor dem Eingang des Hauses und um das Haus herum in einem kleinen Garten. Sie standen auch auf den Gehsteigen der von Autos geräumten Straße. Die Polizeiwagen und die Fahrzeuge der Fernsehleute parkten ein Stück entfernt in der Odrellstraße, die bei Harry Golds Einfamilienhaus abgesperrt war. Hinter den weiß-roten Scherengittern drängten sich die Menschen: Frauen, Männer, kleine Kinder. Die Kuhwaldsiedlung erlebte ihre Sensation. Schon Stunden zuvor waren die ersten Polizisten gekommen, hatten die Sperren errichtet, hatten Golds Haus vom Keller bis unter das Dach durchsucht, ebenso den Garten. Es war, an der Jahreszeit gemessen, viel zu kalt. Die Neugierigen froren. Sie traten von einem Fuß auf den andern und hatten rote Gesichter. Aber sie wichen nicht von der Stelle. Wann gab es hier schon so etwas!
Vom nahen Rangierbahnhof ertönten viele Geräusche: das Rol-

len der Waggons, das Zusammenstoßen der Puffer, kurze Pfiffe der Rangierlokomotiven. Die Menschen, die hier wohnten, hörten das alles schon lange nicht mehr.

Über Harry Golds Kopf leuchtete das Bildnis Kaiser Wilhelms im Scheinwerferlicht. Sein zu kurzer rechter Arm steckte in der Jacke einer prächtigen Marineuniform, deren Brust sehr viele und große Orden dekorierten. Der Schnurrbart war an den Enden hochgezwirbelt, und Wilhelm II. sah stählernen Blicks in unendliche Fernen. Der kleine, zierliche Jude unter dem Ölbild sagte: »Seit neunzehnhundertneunundvierzig wohne ich in diesem Haus. Allein. Ich habe nur noch eine Schwester in Amerika. Die ist da verheiratet. Alle meine anderen Verwandten sind« – er schluckte – »gestorben. Schon lange. Auch Elsa, meine gute Frau – Gott hab sie selig!«

»Sie sind alle in verschiedenen KZs umgekommen«, sagte Daniel, hinter der ersten Kamera. Er trug gleichfalls ein kleines Mikrofon. »Wir haben uns erkundigt.«

»Sie sind... umgekommen in KZs...« Harry Gold nickte. Hastig sagte er: »Aber das waren die Nazis, diese Verbrecher! Die Nazis waren nicht Deutschland. Nicht *mein* Deutschland.«

»Herr Gold, ich bitte Sie...«, begann Daniel, aber Gold unterbrach ihn.

»Ja, ja, ja, ich weiß, was Sie denken. Total meschugge, dieser Gold, denken Sie. Bin ich eben total meschugge, soll mir auch recht sein. Meine Familie stammt aus Frankfurt. Hier haben wir alle gelebt. Und die Menschen sind zu uns freundlich gewesen und hilfsbereit – bis zuletzt, bis man meine Leute abgeholt hat. Elsa – Gott hab sie selig – war blond. Die Leute haben immer gesagt: ›Nein, *Sie* sollen eine Jüdin sein, Frau Gold? Sie sehen doch überhaupt nicht jüdisch aus!‹ Mein Vater – Gott hab ihn selig – hat das Eiserne Kreuz gekriegt im Ersten Weltkrieg. Als sie ihn abholten, die SA-Leute, zusammen mit Mutter und Tante Lenchen, da haben viele Menschen auf der Straße gestanden, und ein paar haben geweint, hat man mir erzählt. Ich war damals mit Elsa in...« Er stockte. »Das erzähle ich gleich. Auch hier, in der Siedlung – alle haben mich gerne. Wissen Sie, wie sie mich nennen? ›Unsern alten Juden‹ nennen sie mich!« Harry Gold nickte lächelnd. »Ich bin ihr alter Jud...«

Daniel räusperte sich.

»Entschuldigen Sie!« Der kleine Mann richtete sich auf und sagte: »Zur Sache endlich. Mein Name ist Harry Gold. Ich wurde am elften Januar neunzehnhundertneun in Frankfurt am Main geboren. Da hab' ich die Schule besucht und das Abitur gemacht. Neunzehnhundertachtundzwanzig ging ich nach Berlin. Ab einunddreißig war ich fest bei der UFA angestellt, der größten deutschen Filmfirma. Ich wollte Cutter werden. Fing ganz unten an und arbeitete mich hoch. Vierunddreißig war ich schon Chefcutter, und mehr als zwei Dutzend Männer und Frauen arbeiteten unter meiner Anleitung. Die Regisseure rissen sich um mich. Ich glaube, ich kann sagen, ich war ein wirklich guter Schnittmeister. Das hatte zur Folge, daß ich zum Wewejott erklärt wurde und weiterarbeiten konnte.«

»Was war ein Wewejott?« fragte Daniel hinter der ersten Kamera.

»Ein sogenannter wirtschaftlich wertvoller Jude«, erklärte Harry Gold, und er konnte den Stolz in seiner Stimme nicht ganz unterdrücken. »Wewejotts waren Chemiker, Ingenieure, Ärzte, was Sie wollen.«

»Auch Filmcutter?«

»So gute wie ich, ja. Überhaupt Filmtechniker. Nur eine Handvoll natürlich. Die besten. Hat Goebbels durchgesetzt. War an den Theatern dasselbe. Nicht ewig natürlich. Aber bei mir bis zweiundvierzig. Immerhin! Die Wewejotts waren geschützt, auch ihre Frauen und Kinder, wenn sie welche hatten. Mußten keinen gelben Stern tragen. Bekamen Lebensmittelkarten wie ›Arier‹. Behielten ihre Wohnungen. Wir haben damals eine wunderbare Wohnung gehabt, meine gute Elsa – Gott hab sie selig – und ich. Lassenstraße im Grunewald. Ganz in der Nähe vom Hagenplatz. Und jeden Morgen bin ich raus nach Babelsberg gefahren, da war das große Filmgelände der UFA... Na ja, alles lief gut bis Anfang zweiundvierzig. Am zwanzigsten Januar wurde mein Wewejott-Status aufgehoben, am dreißigsten war ich schon im KZ. Alle Verwandten mit Ausnahme meiner Schwester in Amerika und Elsa waren schon vorher in KZs gekommen. Ich konnte doch nur meine gute Frau – Gott hab sie selig – schützen. Die haben sie mit mir zusammen verhaftet. Elsa ist nach Auschwitz gekommen, und dort hat man sie ver... Dort ist sie gestorben.«

»In welches Konzentrationslager kamen Sie, Herr Gold?« fragte Daniel.

»Nach Oranienburg«, sagte Gold. »Das heißt, eigentlich war es Sachsenhausen. Sachsenhausen ist eine Gemeinde im Kreis Ora-

nienburg, Bezirk Potsdam. Ich wurde in den Block einunddreißig gesteckt, und damit war ich sozusagen gerettet.«

»Wieso?« fragte Daniel.

»Block einunddreißig war ein ganz besonderer Block.«

»Was war so besonders an ihm?«

»Dort arbeiteten Fachleute. Die erstklassigsten, die es gab in
Deutschland.«

»Was für Fachleute?«

»Fachleute für Fälschungen«, sagte Harry Gold, und wieder
klang Stolz in seiner Stimme mit.

Mit viel Lärm krachte eine Maschinenpistole zu Boden. »Aus!«
rief der Tonmann.

»Tut mir leid«, sagte ein Kriminalbeamter. »Runtergerutscht.«
Er hob die Waffe wieder auf.

»Also dann«, sagte der Tonmann, der vor seinen Geräten kniete.
»Kamera fertig?«

»Läuft!« sagte der zweite Operateur.

»Und Ton ab!« sagte der Tonmann.

Sein Assistent trat vor eine der beiden Kameras, schlug eine mit
Kreide beschriftete Klappe und rief laut: »Interview Herr Gold.
Rolle drei, Take zwo.«

Er trat schnell zurück.

»Bitte weiter, Herr Gold«, sagte Daniel.

»Ich muß anders anfangen«, sagte der. »Damit Sie ein richtiges
Bild kriegen. Sehen Sie: Im KZ Sachsenhausen entstanden die
beiden größten Fälschungen des Dritten Reiches. Und zwar im
Block einunddreißig und im Block neunzehn. Ich habe hier« –
Gold hob ein Buch hoch, das er auf den Knien gehalten hatte –
»die Erinnerungen eines Mannes, der sich als Autor Walter
Hagen nennt! Müßte schon lange tot sein. Dieser Hagen arbeitete lange im SD, dem Staatssicherheitsdienst in dem von Himmler
gegründeten Reichssicherheitshauptamt RSHA. Seinem Buch
gab Höttl den Titel ›Unternehmen Bernhard‹ und den Untertitel
›Ein historischer Tatsachenbericht über die größte Geldfäl-
schungsaktion aller Zeiten‹. Das Buch ist im Verlag Welsermühl
erschienen. Mein Exemplar habe ich neunzehnhundertsechsundfünfzig in München gekauft. Als Chef des SD hatte Himmler
den SS-Obergruppenführer Reinhard Heydrich eingesetzt. Von
einem seiner Mitarbeiter namens Naujocks stammte der Plan, in
riesigen Mengen falsche britische Pfundnoten herzustellen, sie
über England aus Bombengeschwadern abregnen zu lassen und

sie ins übrige Ausland zu bringen, um damit die britische Währung und Wirtschaft zu ruinieren. Diese Geldscheine wurden als Fünf-, Zehn-, Zwanzig-, Fünfzig-, Hundert-, Fünfhundert- und Tausend-Pfund-Noten von hervorragenden Fachleuten tatsächlich so perfekt nachgemacht, daß aus London, als die Schweizer Nationalbank eine Reihe solcher Noten zur Prüfung an die Bank von England schickte, prompt die Nachricht kam, die Noten seien unter allen Umständen echt.«

»Und waren alle in Block neunzehn des KZs Sachsenhausen gefälscht worden«, sagte Daniel.

»Nicht von Anfang an«, widersprach Gold. »Hagen beschreibt die ungeheuer mühevolle Arbeit der Spezialisten. Zuerst wurde jahrelang in einem abgesonderte Teil der Papierfabrik Spechthausen bei Eberswalde in der Nähe von Berlin gearbeitet. Anfang zweiundvierzig dann erschien Heydrich die Produktion in der Papierfabrik in Spechthausen zu wenig gesichert, und er verlegte sie in den Block neunzehn des KZs Sachsenhausen. Naujocks holte damals aus anderen KZs, aus Haftanstalten und der Berliner Unterwelt die besten Banknotenfälscher, Chemiker, Papier- und Druckspezialisten zusammen, die er kriegen konnte. Auch jüdische Bankfachleute, die schon in KZs waren, wurden nach Sachsenhausen überstellt. Dann zerstritt sich Heydrich mit Naujocks und erreichte, daß dieser an die Front mußte. Sein Nachfolger hieß Krüger. In Sachsenhausen kam der Betrieb groß ins Laufen. Neunzehnhundertdreiundvierzig wurden monatlich bis zu vierhunderttausend Noten hergestellt. Man sah aber dann davon ab, die kostbaren Fälschungen abzuregnen und brachte sie über neutrale Länder in Umlauf.«

Teddy Shimon flüsterte Daniel zu: »Er soll zu seiner Sache kommen!«

Daniel sagte: »Und was schreibt dieser Hagen über Ihren Block, Herr Gold? Block einunddreißig?«

»Kein einziges Wort. Er wußte nicht, was bei uns vorging, obwohl er doch beim SD war und beide Blocks sich im selben Lager befanden. Das mag Ihnen eine Vorstellung davon geben, wie geheim wir arbeiteten. Ich würde sagen: noch viel geheimer als die Pfundfälscher. Sie müssen sich das so vorstellen: Block neunzehn und Block einunddreißig waren absolut autonom. Eigene, schwer bewachte Lager im Lager. Nie kam einer von uns oder von den Männern im Block neunzehn mit einem fremden Häftling in Berührung. Wir hatten eigene Schlafräume, Kantinen, Bäder, Verpflegung. Über die Pfundfälscher konnte Hagen seinen Tatsachenbericht schreiben, und nach Kriegsende gab es auch eine amerikanisch-englische Untersuchungskommission und sehr viel Aufregung. Über das, was wir in Block einunddreißig taten, hat niemals jemand ein Wort geschrieben. Es hat auch niemals ein Mensch einem anderen Menschen etwas darüber erzählt. Ich bin der erste, der den Mund aufmacht nach mehr als vierzig Jahren.«

»Und warum tun Sie das, Herr Gold?« fragte Daniel.

»Weil ich der einzige bin, der überlebt hat. Und weil die Wahrheit jetzt ans Licht muß«, sagte Gold still.

»Welche Aufgabe hatten Sie in Block einunddreißig?«

»Auch Fälschen. Alles, was mit Film zusammenhing. Die normalen Häftlinge im Lager, die wußten natürlich, daß wir was Besonderes waren, da wir Zivil tragen durften, besseres Essen bekamen und so weiter. Gerüchteweise hieß es wohl, in neunzehn und einunddreißig sitzen Fälscher. Ja, aber *was* da gefälscht wurde, davon hatten die anderen Häftlinge keine Ahnung. Das wußte überhaupt nur eine Handvoll Leute im RSHA. Als ich ankam, traf ich auf Schnittmeister, Tonmeister, Beleuchter, Leute aus Kopierwerken, Vorführer. Einen Mann kannte ich von der UFA her, meinen Freund Peter Lammers, Tonmeister, Kommunist.«

»Und was fälschten Sie dort exakt?«

»Das wüste Ding kam erst um die Jahreswende dreiundvierzig/vierundvierzig. Bis dahin fälschten wir Propagandafilme, Greuelfilme, Filme über militärische Pläne und militärische Operationen, die in die Hände der Alliierten gelangen sollten...«

»Moment, Herr Gold!« sagte Daniel. »Zweifellos brauchten Sie zumindest für die Greuel- und Propagandafilme Sprecher und Kommentatoren.«

»Hatten wir natürlich auch. Und die mußten ihre Sprachen beherrschen. Ohne jeden Akzent. Für Französisch und Russisch gab es jüdische Ausländer, die nicht mehr rechtzeitig aus Deutschland rausgekommen waren. Ein amerikanischer Sprecher tat es freiwillig. Vielleicht haben Sie schon mal von Lord Haw-Haw gehört? Das war ein in Amerika geborener Ire namens William Joyce. ›Germany calling! Germany calling!‹ Mit diesen Worten begann der Großdeutsche Rundfunk während des Krieges seine englischen Sendungen. Na, der Sprecher war dieser William Joyce, den die Engländer Lord Haw-Haw nannten. Nach dem Krieg haben sie ihm den Prozeß gemacht und ihn gehenkt. Allerdings hat der Prozeß nicht die Frage beantwortet: War William Joyce ein wahnwitziger Idealist oder ein gewissenloser Verbrecher?«

»Aber Joyce arbeitete doch nicht für Block einunddreißig?«

»I wo! Der wußte gar nichts von Block einunddreißig. Nein, nein, unser Spezialist hieß Richard Clark. Gelernter Funk- und Wochenschaumann. Und auch von ihm wird man nie wissen, ob er ein fanatischer Verrückter war oder ein dreckiger Lump. Ein phantastischer Specher war er auf jeden Fall. Die Nazis behandelten ihn so gut wie Lord Haw-Haw.«

Harry Gold sprach nun mit geschlossenen Augen. Er konzentrierte sich auf das Kommende.

»Na ja, im Juni zweiundvierzig war Heydrich in Prag ermordet worden, nicht? Sein Nachfolger wurde Ernst Kaltenbrunner.« Golds Stimme blieb unverändert, aber in seinem Gesicht begannen kleine Muskeln zu zucken, während er sich erinnerte. Mächtiger und mächtiger wurde die Erinnerung an das, was er erlebt hatte. »Jetzt kommen wir zu Ihrem Film. Ich weiß alles noch ganz genau. Es war am sechsundzwanzigsten Dezember dreiundvierzig, dem zweiten Weihnachtsfeiertag. Da fuhren zwei Lastwagen der SS beim Block einunddreißig vor – und ein schwarzer Mercedes. Aus dem stieg ein Mann in Zivil. Er war sehr groß und hatte breit angewachsene Ohrläppchen. Wir wurden in den Speiseraum gerufen...« Tiefer und tiefer glitten Golds Gedanken in die Vergangenheit...

Die Häftlinge saßen an den Tischen der Kantine. Draußen fiel wäßriger Schnee in großen Flocken. Es war totenstill geworden. »Mein Name«, sagte der große Mann, »tut nichts zur Sache. Ich bin SS-Sturmbannführer und bringe Ihnen Material im Zusammenhang mit einer Gekados der höchsten Stufe.« Gekados hieß Geheime Kommandosache, das wußten alle im Raum. »Vom achtundzwanzigsten November bis zum ersten Dezember dieses Jahres fand in Teheran eine Konferenz statt: Stalin, Roosevelt und Churchill. Dabei könnten doch Stalin und Roosevelt sehr wohl ein Geheimabkommen geschlossen haben, in dem sich diese Hyänen vorsorglich die Welt aufteilen. Ausgearbeitet hätten ein solches Abkommen der politische Berater Roosevelts, Harry Hopkins, und der politische Berater Stalins, General Woroschilow. Wir sind in den Besitz einer Menge Filmmaterials gekommen – Wochenschauaufnahmen von amerikanischen Operateuren. Kodak-Film. Auch Aufnahmen von Hopkins und Woroschilow natürlich. Und von Roosevelt und Stalin. Man sieht sie sogar irgend etwas unterschreiben.«

»Aber wie…« begann der Kommunist Peter Lammers und unterbrach sich selbst. »Ich bin ein Trottel. Entschuldigen Sie, Sturmbannführer! Der SD natürlich. Beste Agenten, die wir haben.«

Der SS-Mann sah ihn mit zusammengekniffenen Augen verärgert an.

»Wird sich Canaris freuen«, sagte Lammers schnell.

»Sie reden zuviel«, sagte der SS-Mann. »Name?«

»Peter Lammers, Sturmbannführer.«

»Halten Sie Ihre gottverdammte Fresse, Lammers!«

»Jawohl, Sturmbannführer.«

»Das Geheimprotokoll – ihr werdet es nicht glauben – haben wir auch«, sagte der große SS-Mann mit den angewachsenen Ohrläppchen. »Nicht auf Film selbstverständlich. Ist ein langes Protokoll. Soll von euch Brüdern mit dem Film zusammenmontiert werden. Ich bringe genaue Anweisungen mit, an welcher Stelle was zu kommen hat. Das Protokoll muß abgefilmt werden. Seite um Seite. Kodak-Rohfilm habt ihr genug hier. Der Vertrag wurde von einem Spezialisten in Mauthausen auf einer amerikanischen Schreibmaschine getippt, und zwar so, wie die Amerikaner schreiben. Auch alle Seiten haben das amerikanische Format. Um die absolute Richtigkeit braucht ihr euch keine Sorgen zu machen. Haben Völkerrechtler geprüft. In der Prinz-Albrecht-Straße. Es ist fehlerfrei. Der Urheber hat vor dem Krieg in Amerika an einer Universität gearbeitet. Erstklassig, das Geheimprotokoll, prima, primissima. Verflucht schlau, dieser Jude.«

»Der ist natürlich inzwischen hopsgegangen«, sagte Harry Gold.

»Lungenentzündung. Sie haben richtig vermutet, Herr…«

»Gold, Sturmbannführer. Harry Gold.«

»Auch ein schlauer Jude, wie?«

»Jawohl, Sturmbannführer. Werden wohl alle, die Ihnen jetzt diesen Film zusammenbasteln, an Lungenentzündung oder was anderem hopsgehen, rechne ich mir gerade aus.«

»Das konnten Sie sich schon ausrechnen, als Sie den ersten Greuelfilm fälschten, Gold. Doch kein so schlauer Jude, was?«

»Nein, ich fürcht', nicht.«

Der SS-Mann wurde jovial: »Scheißen Sie sich nicht in die Hosen! Wie lange arbeiten Sie schon hier?«

»Fast zwei Jahre, Herr Sturmbannführer.«

»Drei Jahre«, sagte Lammers.

»Und ist es Ihnen denn nicht großartig gegangen in dieser Zeit?«

»Großartig«, sagte Gold.

»Würdet schon längst die Gänseblümchen nach oben puschen, wenn ihr nicht solche Profis wäret. Jetzt lebt ihr bereits zwei, drei Jahre länger, als euch zukommt. Wenn der Film erstklassig wird und wir wirklich was damit anfangen können, bleibt ihr am Leben, und es geht euch weiter großartig. Darauf habt ihr mein Ehrenwort.«

»Aber der, der das Protokoll entworfen hat...«, begann Lammers.

»Den brauchten die Herren nicht mehr, Trottel«, sagte Gold zu ihm.

»Doch ein schlauer Jude«, sagte der SS-Mann. »So ist es, Lammers. Euch werden wir weiter brauchen. Wenn ihr tot seid, könnt ihr nicht fälschen. Jeder Tag, den solche wie ihr leben, ist ein geschenkter Tag. Müßt ihr euch immer vor Augen halten!«

»Hörst du, Peter?« sagte Gold. »Hörst du, was der Herr Sturmbannführer sagt? Sage ich dir nicht auch täglich, daß wir uns das immer vor Augen halten müssen – in tiefer Dankbarkeit. Und dafür so gut arbeiten, wie wir nur irgend können.«

»Ja, wie lange noch?« sagte Lammers trübe.

»Wenn es Ihnen so nicht recht ist und Sie gleich sterben wollen, müssen Sie es nur sagen«, meinte der große Mann mit den angewachsenen Ohrläppchen.

»Hat seinen schlechten Tag heute, Herr Sturmbannführer«, sagte Gold hastig. Und zu Lammers: »Reiß dich zusammen, blöde Sau! Sterben müssen wir alle einmal. Oder denkst du, du wirst ewig leben?«

»Sie gefallen mir, Gold«, sagte der SS-Mann. »Das ist der rechte Geist. Aus Ihnen hätte bei uns was werden können. Ein Jammer, daß Sie Jude sind.«

»Ich hab's mir nicht aussuchen können, Herr Sturmbannführer. Und der Lammers auch nicht. Er ist ein Produkt von Umwelt und Erziehung. Im Elend großgeworden. Vater ohne Arbeit. Mutter tot. Wohnung: Nasses Kellerloch. Der Vater säuft.

Ist nicht mehr ganz dicht. Darum geht er zur KP. Da kriegt er ein bißchen Unterstützung. Rote Hilfe, nicht? Hätte er bei Ihnen auch gekriegt, andere Hilfe natürlich, klar, weiß ich doch. Aber ich sage ja: Suffkopp eben. Erzieht den Jungen als strammen Kommunisten. Was sollte der Kleine denn tun? Widersprechen? Hat er immer gleich ein paar in die Fresse gekriegt. Sage doch: Erziehung und Umgebung. So schön war das in dem seinen Kellerloch auch nicht.«

»Wenigstens Ratten hatten wir keine. War ihnen zu feucht bei uns«, sagte Lammers.

»Köstlich!« Der Sturmbannführer bekam einen Lachanfall. »Den Ratten war es zu feucht bei euch!« Er wurde ernst. »Also: Ihr habt bisher erstklassig gearbeitet. Dem Reich große Dienste erwiesen. Wir sind keine Gangster. Ihr wißt, es gibt Ehrenjuden. Auch Ehrenkommunisten. Schon mal was von Gnadenerlässen des Führers gehört? Natürlich dürft ihr nie das Maul aufmachen. Aber das tut ihr bestimmt nicht – weil euch sonst die eigenen Leute totschlagen. Kommt alles drauf an, wie jetzt der Film wird. Das kapiert ihr doch, daß dieser Film mit dem Geheimprotokoll eine unheimliche Wirkung haben wird, wenn ihr auf Draht seid. Kann sein, eine kriegsentscheidende.«

»Herr Sturmbannführer«, sagte Gold. »Sie kriegen einen Film, von dem wird die Welt reden!«

Diese Szene hatte plötzlich wieder vor Harry Gold gestanden, als er tiefer und tiefer in die Vergangenheit versank und vor der laufenden Kamera und im gleißenden Scheinwerferlicht einen kurzen Bericht über das erste Zusammentreffen mit dem Sturmbannführer gab.

Jetzt sagte er: »Viele sagen, ich bin ein schlechter Jud. Ich hätte mich niemals verbünden dürfen mit den Naziverbrechern. Meine ganze Verwandtschaft – nur nicht die Schwester – ist umgebracht worden. Okay, hätt' ich also ein Held sein sollen und mich weigern, für die Mörder zu arbeiten. Hätten sie mich auch umgebracht. Ich bin kein Held. Ich bin ein Feigling. Darum leb' ich noch…«

Ein Flugzeug dröhnte über das Haus. Der Tonmann brach ab. Als der Lärm verklungen war, als eine Kamera und die Magnetaufzeichnung wieder liefen, sagte Daniel: »Und so haben Sie also diesen Film gefälscht, Herr Gold?«

»Ja«, sagte der. »War ein mächtiges Stück Arbeit. Auf was wir alles achten mußten! Die amerikanischen Cutter hatten damals eine andere Schnittmethode als wir in Deutschland. Ich kannte sie zum Glück. Was glauben Sie, was sich Peter Lammers mit dem Ton rumgequält hat.«

»Wieso?«

»Na, eine Sprecherstimme liest doch diesen Begleittext zu den Aufnahmen vor dem Geheimprotokoll, nicht? Die Amis hatten damals auch andere Tonapparaturen. Peter bastelte sich eine zusammen. Wir hatten ja amerikanische Wochenschauen und Peter damit einen Vergleich, wie der amerikanische Ton klang, wie die Sprecher drüben redeten. War ganz wichtig für Richard Clark, unseren Sprecher. Tagelang, wochenlang hat er geschuftet. Stand vor der Leinwand, auf der der montierte Film lief, und sprach und sprach, und immer wieder war es ihm nicht perfekt genug. Zuletzt gingen wir alle schon auf dem Zahnfleisch. Dann war Clark endlich zufrieden. Lammers auch. Ich muß sagen, mit Recht. So was von Perfektion hatte ich noch nie erlebt. Damals hatten wir Lichtton, nicht Magnetton wie heute. Jede Menge Macken! Trotzdem: Grandios, was Clark und Lammers da fertiggebracht haben. Es war eine Sauarbeit, vorher und nachher.«

»Was heißt vorher und nachher?«

»Na, zum Beispiel das Kopieren des Ganzen. Mußte doch alles zusammenpassen. Und dann auch wieder nicht. Das Geheimprotokoll sollte ja eingefügt wirken! Also andere Schwarzweißwerte. Haben die Jungs sich rumgeschlagen! Und die Fehler!«

»Was für Fehler?«

»Wir hätten ja auch eine tadellose Kopie liefern können, nicht?«

»Natürlich.«

»Das wäre aber Scheiße gewesen. Der Film kam ja angeblich aus Teheran, nicht? Primitive Arbeitsverhältnisse. Mußten wir also künstlich Kratzer und Tonsprünge und all das andere Zeug reinmachen, die winzigen Fehler, die so ein Film einfach haben mußte, wenn er nicht wie in Hollywood gedreht aussehen sollte. War vielleicht ein Theater! Jeder Kratzer wollte überlegt sein. Wie groß. Wo. Denn natürlich durfte es auch nicht zu viele Fehler geben. Na ja, Anfang März vierundvierzig waren wir dann mit der Arbeit fertig.«

»Und was geschah?«

»Der Sturmbannführer ohne Namen kam nach Sachsenhausen, dazu Kaltenbrunner, der Chef vom SD, und ein anderes hohes SD-Tier, Walter Schellenberg.«

»Woher wissen Sie, daß es die beiden waren? Stellten sie sich vor?«

»Keine Rede! Aber wir hatten ja viele Politische. Die und Lammers erkannten sie. Die SS-Bonzen sahen sich den Film an...«

»Nur die drei?«

»Und Lammers und ich. Die SS-Bonzen waren begeistert. Sie bedankten sich bei allen. Kaltenbrunner schüttelte jedem einzelnen die Hand. Dann fuhren sie mit dem Film weg.«

»Wissen Sie, was mit ihm geschah?«

»Weiß ich nicht.«

»Sie haben nie mehr etwas von ihm gehört?«

»Nie mehr, nein. Da muß was passiert sein.«

»Passiert?«

»Mit dem Film. Sie haben ihn ja nicht herstellen lassen, um ihn in den Schrank zu legen. Die wollten damit doch die Völker aufwiegeln. Das haben sie nie getan. Kein Mensch hat jemals auch nur von diesem Film gehört – bis heute. Sehr komisch...«

Daniel überlegte. Endlich sagte er: »Herr Gold, man hat Ihnen heute früh im Sender einen Film, der in unseren Besitz gelangt ist, vorgeführt. Ist dieser Film identisch mit dem, den Sie gefälscht haben?«

»Selbstverständlich.«

»Da sind Sie ganz sicher?«

»Hundertprozentig. Was soll...«

»Warten Sie! Sie sagten, Sie und Ihre Kollegen hätten diesen Film im Auftrag des Himmlerschen SD gefälscht.«

»Ja, natürlich. Für das RSHA.«

»Und Sie sind ganz sicher, daß Sie da nicht getäuscht wurden?«

»Warum soll man uns getäuscht haben? Der SD hat ja im Block neunzehn auch die falschen Pfundnoten herstellen lassen. Ich weiß doch noch, für wen ich gearbeitet habe!«

»Was wissen Sie von Admiral Canaris?«

»Das war der Chef der militärischen Abwehr.«

»Also auch eines Geheimdienstes.«

»Klar. Davon gab's noch jede Menge. Die Geheime Feldpolizei zum Beispiel. Oder den Geheimdienst Ribbentrop.«

»Mit dem hatten Sie nie zu tun?«

»Nie! Auch mit keinem anderen. Nur mit dem SD vom RSHA. Mit Kaltenbrunner, Schellenberg und diesem Sturmbannführer, der nicht sagte, wie er hieß. Ich verstehe nicht, was die Frage soll.«

»Vergessen Sie es! Ich wollte nur noch einmal aus Ihrem Mund hören, daß Sie für den Sicherheitsdienst des Reichssicherheitshauptamts und für niemanden sonst gearbeitet haben«, sagte Daniel. Er sah Teddy Shimon an, der die Augenbrauen hob und flüsterte: »Ich glaube ihm.«

»Was geschah nach Mitte März vierundvierzig?«

Achselzuckend antwortete Gold: »Die Routine ging weiter. Wir fälschten Greuelfilme und alles, was wir vorher gefälscht hatten. Dann, im November vierundvierzig, wurden wir und die Banknotenfälscher vom Block neunzehn ausgelagert. Die Situation war schon sehr ernst, und sie wollten uns aus der Nähe von Berlin weghaben.«

»Wohin wurden Sie ausgelagert?«

»Die Pfundfälscher kamen in ein Lager bei Redl-Zipf in Österreich. Das ist ein kleiner Ort zwischen Linz und Salzburg. Wenn er überhaupt jemandem bekannt sein sollte, dann durch seine Bierbrauerei. Uns Filmleute brachten sie in einem alten Schloß ungefähr dreißig Kilometer südwestlich von Redl-Zipf unter. Der Sturmbannführer war jetzt immer dabei, auch ein Haufen SS-Leute zur Bewachung. Kein Mensch hat uns je zu sehen bekommen. Der Krieg war längst verloren, das wußten alle, aber wir machten immer noch weiter. Auch die Pfundnotenfälscher in Redl-Zipf.« Gold hob wieder das Buch. »Darüber schreibt Hagen sehr eingehend und genau. War wenigstens sinnvoll, was *die* taten – im Gegensatz zu uns. Denn die Nazis dachten über das Kriegsende hinaus und hatten mit dem Falschgeld riesige Pläne. Unsere Sternstunde, wenn man es so nennen will, war der Teheran-Film gewesen, und mit dem muß etwas schiefgelaufen sein.«

»Was für Pläne?«

»Ich verstehe nicht.«

»Was für riesige Pläne hatten die Nazis über das Kriegsende hinaus?«

Gold klopfte auf das Buch. »Sie wollten mit dem Geld Nachfolgeorganisationen im Ausland aufbauen und finanzieren und den internationalen Geldmarkt durcheinanderbringen. Dazu brauchten sie Geld für die Flucht von Naziverbrechern und Mittel für Agenten und Sympathisanten. Sie müssen wirklich ›Unternehmen Bernhard‹ lesen! Als dann die Amerikaner kamen, Anfang Mai fünfundvierzig, kriegten wir Angst. Die Pfundfälscher auch. Die freilich zu Unrecht. Denen geschah nicht das geringste. Die Amis befreiten sie und fragten sie nach der Banknotenfälschung aus. Das wurde damals dann eine Riesenaffäre. Große Artikel in ›Readers Digest‹! Ein tschechischer Häftling gab an, von zweiundvierzig bis Kriegsende seien einhundertfünfzig Millionen Pfund hergestellt und zum größten Teil ins Ausland geschafft worden. Ein sehr großer Betrag wurde nach Südamerika, vor allem nach Argentinien gebracht. Sie wissen, was die ODESSA war?«

»Ja, das weiß ich.«

»Na, die wurde auch verschiedentlich mit diesem Geld finanziert. Interessanterweise ist das ›Unternehmen Bernhard‹ nicht vor dem Tribunal in Nürnberg erwähnt worden, und Schellenberg wurde deshalb nicht angeklagt. Die Engländer haben die Amerikaner ersucht, nichts zu unternehmen, schreibt Hagen. Die Pfundnoten wurden im Krieg gefälscht, und im Krieg, fanden die Engländer, sei das eine ›erlaubte Kriegslist‹ gewesen. Sie hatten schließlich auch gefälschte Lebensmittelkarten über Deutschland abgeregnet. Da ging es uns Filmleuten viel schlechter.«

»Was passierte Ihnen?«

»Am ersten Mai fünfundvierzig vernichteten SS-Leute alle Apparaturen und Arbeitsunterlagen. Es sollte nicht eine einzige Spur übrigbleiben. Wir wurden in einen Keller getrieben und an die Wand gestellt, auch mein Freund Peter Lammers und unser amerikanischer Sprecher Richard Clark. Die SS-Leute benützten ein Maschinengewehr. Sie legten alle um. Keine Zeugen.«

»Aber Sie leben noch!«

»Gott, der Gütige, hat mich gerettet. Ich bekam nur einen Streifschuß am rechten Arm und stürzte sofort, bevor mich weitere Kugeln trafen. Zwei Tote fielen auf mich. Die SS-Leute bereiteten nun die Sprengung des Schlosses vor. In dieser Zeit gelang es mir, aus dem Keller zu kriechen und zu entkommen. Ich versteckte mich im Wald und sah zu, wie das Schloß in die Luft flog und wie die SS-Leute und der Sturmbannführer abhauten – Richtung Westen. Zweifellos haben sie sich den Amis ergeben. Als sie weg waren, schleppte ich mich zum nächsten Bauernhof. Die Leute dort halfen mir, so gut sie konnten – aber dann waren ja auch gleich die Amis da und verarzteten mich richtig.«

»Was haben Sie den Amerikanern erzählt?«

»So wenig wie möglich. Daß ich in Sachsenhausen in dem Filmfälscherblock gearbeitet hatte. Propaganda, militärische Falschinformationen. Sie wußten natürlich davon, daß solche Filmfälschungen hergestellt worden waren, aber sie wußten nicht, wo. Na ja, ich sagte es ihnen. Auch, daß wir nach Österreich ausgelagert worden waren und daß die SS alle Fälscher außer mir erschossen und das Schloß in die Luft gesprengt hatten. Verglichen mit den Aussagen der Pfundnotenfälscher blieb das, was ich da sagte, ganz uninteressant für die Amis. Die Pfundnoten, das war die Sensation.«

»Nun, die Sensation wäre doch der gefälschte Teheran-Film gewesen, Herr Gold, wenn sie den mit einem einzigen Wort erwähnt hätten. Aber das haben Sie nicht getan.«

»Nein.«

»Warum nicht?«

Harry Gold schrie plötzlich: »Aus Angst! Weil ich doch solche Angst hatte!«

»Vor den Amerikanern?«

»Quatsch, nicht vor den Amerikanern! Vor den Nazis! Es gab damals noch so viele. Versteckt. Im Untergrund. Die hätten mich doch sofort umgelegt, wenn durch mich etwas über diesen Film bekannt geworden wäre. Hat es noch nicht genug Naziopfer in meiner Familie gegeben? Sollte ich mich selber in Lebensgefahr bringen? Hätten Sie an meiner Stelle gequatscht?«

Schweigen.

»Sehen Sie«, sagte Harry Gold.

»Aber heute reden Sie«, sagte Daniel. »Heute erzählen Sie uns alles. Heute haben Sie keine Angst mehr?«

»Nein, heute habe ich keine Angst mehr. Ich bin kein Trottel. Ich weiß, daß es noch immer Nazis in Deutschland gibt. Diese verfluchten Neo-Nazis. Aber jetzt geht es um so viel, daß ich reden muß. Ich denke, ich bin der einzige, der das kann. Kaltenbrunner haben sie in Nürnberg gehenkt, Schellenberg kam davon, aber bei dem interessierten sich die Sieger ausschließlich für die Pfundfälschung, kein Mensch ahnte, daß er auch mit dem Film zu tun hatte. Und jetzt ist er schon lange tot.«

»Und Sie haben niemals daran gedacht, daß dieser Film wie die Pfundnoten für die Zeit *nach* dem Krieg hätte bestimmt sein können?«

»Daran hat keiner von uns gedacht.«

»Goebbels schon.«

»Gut. Goebbels schon. Habe mich ja auch sofort zur Verfügung gestellt, als ich davon erfuhr. Keine Aufregung um diesen verfluchten Film! Dieser Film ist eine Fälschung. Ich habe mitgeholfen, ihn zu fälschen. Jeder, der etwas anderes sagt, lügt. Fälschung! Fälschung! Niemals haben sich Russen und Amerikaner die Welt geteilt! Ich schwöre bei Gott, ich...«

Da schrillte das Telefon. Der Assistent des Tonmannes hob ab und nannte die Anschlußnummer.

»Tut mir leid, er ist gerade beschäftigt. Rufen Sie bitte in einer Stunde noch einmal an.«

»Wer war das?« fragte Gold.

»Er nannte sich Anton. Wollte Sie sprechen. Nichts Wichtiges, sagte er. Ruft wieder an, später.«

»Na also, dann funktioniert es ja wirklich wieder«, sagte Gold.

»Ihr Telefon?« fragte Daniel und rief: »Weiter aufnehmen! Nicht stoppen!« Dann wandte er sich wieder an Gold: »Ihr Telefon war nicht in Ordnung?«

»Nein. Ich habe es gar nicht bemerkt, bis dieser Mann von Amt kam und es mir sagte. Er hat es repariert.«

»Es war ein Mann vom Störungsdienst bei Ihnen?« fragte Daniel sehr langsam.

»Sage ich doch, Herr Ross!«

»Wann?«

»Heute vormittag. So gegen elf. Sie hatten mich gerade von der Filmvorführung im Sender zurückgebracht. Da klingelte ein Mann. Sagte, Teilnehmer hätten sich beschwert, daß sie mich nicht erreichen können. Er würde das gleich in Ordnung bringen.«

»Und Sie haben den Mann ins Haus gelassen?«

»Natürlich. Sehr ordentlicher Mensch. Zeigte mir einen Ausweis. Wer will schon ein kaputtes Telefon? Hatte eine Werkzeugtasche mit. Wir haben dann, bevor er ging, zusammen noch ein Glas Bier getrunken. Trinkgeld wollte er keines nehmen.«

»Wie hieß der Mann?«

»Den Namen habe ich vergessen.«

»Unterbrechen, bitte!« sagte ein Kriminalbeamter. »Das wollen wir uns mal anschauen, dieses Telefon.«

Die Scheinwerfer erloschen, Kamera und Tongeräte wurden abgeschaltet. Der Kriminalbeamte und ein Kollege gingen zu dem Telefonapparat, der auf einem Tischchen stand. Einer schraubte die Plastikhaube der Sprechmuschel ab und nahm einen elektronischen Clip heraus.

»Sehr schön«, sagte er.

»Was bedeutet das?« fragte Gold erschrocken.

»Das bedeutet, daß der Kerl heute vormittag Ihr Telefon ange-zapft hat. Und zwar nach der neuen Methode. Das hier ist ein hochempfindliches Mikro. Registriert alles, was im Raum ge-sprochen wird, laut oder leise. Derjenige, für den das Mikro aufnimmt, wählt nun Ihre Nummer. Es läutet zwar hier nicht, aber die Verbindung ist hergestellt, ohne daß Sie es wissen.«

»Sie meinen: Jemand hat alles mitgehört?«

»Wahrscheinlich jedes Wort, Herr Gold.«

»Großer Gott, aber wer?«

»Ja, wer?« fragte Teddy Shimon leise.

Daniel wandte sich an die Fernsehleute. »Diese Szene möchte ich auch aufgenommen haben, bitte. Stellen Sie die Kameras um! Leuchten Sie neu ein! Und dann unterhalten Sie beide sich so, wie Sie es eben getan haben, ja?«

»Das war's.« Wayne Hyde legte den Telefonhörer auf. Er schal-tete ein großes Tonbandgerät aus, das an den Telefonapparat angeschlossen war. Die Spulen, die sich langsam gedreht hatten, standen still. Hyde ließ das Band zurücklaufen. »Hast du prima hingekriegt«, sagte Hyde zu seinem Söldnerfreund Heinz Erk-ner, dem er bei einem Einsatz auf Zypern das Leben gerettet hatte.

»War ein Klacks, Baby«, sagte Erkner. Er neigte zu Überge-wicht und hatte gewaltig große, rote Hände. Das schwarze Haar glänzte. Erkner verwendete Brillantine. Während der letzten Stunde, die Hyde am Telefon zugebracht hatte, war er am Schreibtisch seines Arbeitszimmers die letzten Wochenabrech-nungen der drei Porno-Kinos und zwei Peep-Shows durchge-gangen. Erkners rotes Gesicht zeigte einen äußerst friedlichen Ausdruck. Er besaß eine Villa am Rödelheimer Parkweg neben dem Brentanopark im Nordwesten Frankfurts, weit entfernt von der Kuhwaldsiedlung und Harry Golds Heim.

»Japanische Chips sind immer noch die besten«, sagte Hyde. »Hör mal, Heinz, ich müßte schnell mal mit London telefo-nieren.«

»Dann tu's doch, Baby.«

»Wird aber lange dauern und einen Haufen kosten.«

»Na, und? Scheiß drauf! Meine Pferdchen bringen mir jede Menge Penunze. Ich habe dir die drei schönsten angeboten.

Aber du willst ja nicht. Okay, okay, deine Sache. Dann telefoniere wenigstens!«

»Danke, Heinz.«

»Danke, piß drauf! Soll ich rausgehen, Baby?«

»Bleib da!« Wayne Hyde hatte den kleinen weißen Decoder aus der Tasche genommen. Er wählte die Nummer des Londoner Anwalts, entblockte den automatischen Beantworter und sprach: »Guten Abend, Mister Morley! Hier ist Wayne Hyde, Frankfurt. Das Fernsehinterview mit Harry Gold hat stattgefunden. Ich habe den Wortlaut mitgeschnitten und spiele Ihnen das Ganze jetzt vor.« Hyde schaltete das Tonbandgerät wieder ein und wartete einen Moment. Den Hörer hielt er nahe an den Lautsprecher. Klar und deutlich ertönte die Stimme Harry Golds: »Jawohl. Ich liebe Deutschland. Deutschland ist mein Vaterland. Ich könnte in keinem anderen Land leben…«

Die Hitze in Buenos Aires hatte nachgelassen. Die Tagestemperaturen erreichten nur noch dreißig Grad. Der einsame, alte Cristobal, der in der Straße namens Husares gegenüber den Exerzierplätzen und Kasernen des »Regimento 3 de Infanteria General Belgrano« wohnte und die letzten Wochen der heißesten Jahreszeit praktisch nackt, nur mit einem Lendentuch bekleidet gewesen war, trug jetzt einen dünnen Pyjama. Cristobal schlief auf dem primitiven Eisenbett eines Zimmers, dessen Fenster in einen ruhigen Hof hinausging. Er lag auf dem Rücken, hatte die Hände über der Brust gefaltet und lächelte. Cristobal träumte. Er erlebte sich als Zwölfjährigen in seinem Traum.

Sein Vater war bei der kommunalen Müllabfuhr, die Mutter ging zu fremden Leuten saubermachen, und sie waren sehr arm. Doch sie liebten einander, und so blieben sie glücklich. Cristobal hatte die schönste Stimme unter den Jungen der Schule, die er besuchte. Er durfte am Sonntag in der Kirche singen, einer elenden Kirche in einer elenden Gegend und sonntags immer überfüllt. Alle Gläubigen waren arm wie Cristobals Eltern oder noch ärmer, und darum waren sie fromm, denn der Priester sprach stets so wunderbar von Gottes allgütiger Gerechtigkeit und daß ein jeglicher selig werden würde, der an ihn und seinen eingeborenen Sohn Jesus glaubte. Das taten alle Gemeindemitglieder, die Erwachsenen wie die kleinen Kinder, mit größter Inbrunst. Sie wollten alle selig werden.

Selig zu werden begann Cristobal an seinem zwölften Geburtstag. Da erhielt er eine Karte für das kleine Kino an der Ecke geschenkt, in dem amerikanische Filme gespielt wurden. Es war eine Karte für einen Platz in der ersten Reihe, hier kostete es am wenigsten, und der kleine Junge mit den kurzen Hosen, dem Baumwollhemd und den schmutzigen nackten Füßen mußte seinen Kopf sehr weit zurücklehnen, um zu der Leinwand aufblicken zu können, aber das machte ihm nichts aus. Der Film erzählte vom Leben und der Arbeit eines Mannes und einer Frau, sie waren verheiratet und Physiker, und sie entdeckten nach unendlichen Mühen das wunderbare, Kranken Segen bringende Element Radium. Den ganzen Film hindurch mühten sie sich, und erst zum Schluß – es war eine Silvesternacht, in der sie in das kalte Laboratorium zurückkehrten, um zu sehen, ob alle Versuchsanordnungen liefen – schlug die Stunde ihrer Glückseligkeit. Das Laboratorium war ein altes, heruntergekommenes gläsernes Gewächshaus, und als die Curies eintraten, erblickten sie in der großen Finsternis auf einem Tisch in einer Glasschale die sehr kleine Menge einer sehr hell strahlenden Substanz: Es war ihnen gelungen, nach jahrzehntelanger Arbeit das Radium im Reinzustand zu isolieren.

Nachdem Cristobal diesen Film gesehen hatte, wußte er, was er einmal werden wollte: Physiker wie der Señor und die Señora Curie. Und auch er wollte ein Element finden, das den Kranken half. Daran dachte er von nun an unentwegt, und jeden Sonntag in der Kirche voller armer Leute, in der so viel vom Seligwerden die Rede war, dachte Cristobal besonders fest an seine vorbestimmte Zukunft. Dann sang er so schön, daß die meisten Menschen, sogar der Priester und die kleinen Kinder, den traurigen Alltag vergaßen. Nun also, krank und einsam auf seinem Eisenbett, sah Cristobal sich im Traum vorn beim Altar, und er hörte sich sein Lieblingslied singen, begleitet von einer alten, defekten Orgel: »Oh, wie selig sind die Seelen, die mit Jesu sich vermählen, die sein Lebenshauch durchweht, daß ihr Herz mit heißem Triebe stündlich nur auf Seine Liebe und auf Seine Nähe geht!«

Das Telefon im vorderen Zimmer schrillte laut.

Der alte Mann fuhr hoch. Sein Nacken und seine Brust waren schweißnaß, das kam von der Schwäche, er wußte es. Weil er so schwach geworden war, mußte er sich auch tagsüber hinlegen und ein oder zwei Stunden schlafen – wie eben. Die Telefonglokke war so laut, daß sie ihn immer weckte.

Cristobal erhob sich und lächelte in Erinnerung an seinen Traum, während er nach vorne schlurfte. Er lächelte noch, als er den Hörer abnahm, denn er dachte daran, daß er einmal ein Helfer der Menschheit hatte werden wollen.

»Ja?« Er ließ sich in einen Korbsessel fallen. Von den Exerzierplätzen gegenüber ertönten Befehle und Stiefelgetrampel. Dort wurden in der Nachmittagshitze Rekruten gedrillt. Die armen Schweine, dachte Cristobal.

»Hier ist Franco«, sagte eine sehr junge Männerstimme. »Emilio ist bei mir. Halb vier. Wir melden, daß wir jetzt zu Olivera in die Cespedes tausendsechs fahren und Roberto und Esteban ablösen.«

»Ich habe auf deinen Anruf gewartet, Franco«, sagte der alte Mann. »Was für einen Wagen fahrt ihr heute?«

»Einen Peugeot, schwarz.«

»Gut. Vergeßt nie, euch von unserer Garage täglich andere Marken geben zu lassen, damit ihr da bei Olivera nicht auffallt. Nach ein paar Tagen könnt ihr wieder dieselben Wagen nehmen, wenn ihr anders parkt. Ich habe es auch Roberto gesagt. Es ist von größter Wichtigkeit, daß Oliveras Haus jetzt rund um die Uhr bewacht wird und ihr alle Menschen beobachtet, die kommen und gehen.«

»Ganz klar, Cristobal. Wir fahren also jetzt zu Olivera.«

»Nein, das tut ihr noch nicht«, sagte Cristobal. »Ich habe einen Auftrag für dich und Emilio. Kommt von oben. Äußerst wichtig. Ruf Roberto über Funk und sage ihm, er muß heute länger arbeiten. Du fährst sofort zum Dock Sur, der großen Ölraffinerie und den Tanks. Kennst du da eine Straße, die Debenedetti heißt?«

»Jesus, die Rattengrenze! Was sollen wir dort, am Arsch der Welt?«

»Am Arsch der Welt in der Straße Olimpia fünfzehn leben die Eltern von Miguel Morales.«

»Eltern von wem?«

»Miguel Morales. Dem hübschen jungen Diener Oliveras. Erinnere dich: Ihr beide, du und Emilio, habt ihn verfolgt in jener Nacht, als er bei Olivera abhaute.«

»Klar, jetzt weiß ich wieder. Sie sind mit ihm zum Retiro gefahren und haben ihn in den Nachtzug nach Tucuman gesetzt. Ich habe gesehen, wie sie ihm eine Karte für Tucuman kauften. Verflucht weit oben im Norden. Der ist zwanzig Stunden gefahren. Aber was soll das jetzt, Cristobal?«

Der alte Mann seufzte. »Wir müssen schnellstens herausfinden, ob er noch in Tucuman ist. Oder wo sonst. Genau wo. Damit man ihn treffen kann.«

»Cristobal! Weißt du, wie groß Tucuman ist? Und er kann überall sein. Weißt du, wie groß Argentinien ist?«

»Das weiß ich, kleiner Hosenscheißer. Deshalb müßt ihr ja ins Rattenviertel zum Dock Sur in die Straße Olimpia fünfzehn. Du hast eine Karte im Wagen. Such dir den Weg! Und rede mit den Eltern. Miguel ist ein guter Sohn. Das haben wir inzwischen herausbekommen. Fast sein ganzes Geld hat er immer zu den Eltern gebracht. Die Mutter ist sehr krank.«

»Ja, ja, ja, Cristobal. Willst du mir endlich sagen, was ich bei den verfluchten Eltern soll?«

»Du bist ein alter Freund von Miguel, sagst du ihnen. Warst ein Jahr fort. Mußt ihn unbedingt sprechen. Hast einen prima Job für euch beide in Aussicht. Aber er ist nicht mehr da, wo er vor einem Jahr arbeitete. Er hat dir gesagt, seine Eltern wüßten immer, wo er ist. Also sollen sie es dir sagen.«

»Und wenn sie nicht wollen?«

»Du hast doch einen prima Job für ihn! Warum sollen sie nicht wollen?«

»Vielleicht hat er es ihnen verboten. Vielleicht wissen sie, was er getan hat.«

»Franco! Das sind ganz primitive Leute. Die wissen überhaupt nichts. Miguel hat ihnen ganz bestimmt nicht verraten, daß er ein Spion der Junta ist. Würdest du deinen Eltern so was erzählen?«

»Du hast recht.«

»Miguel ist ein Mamma-Baby geblieben, immer. Schreibt bestimmt jede Woche. Schau, daß du Kuverts zu sehen bekommst. Muß die Adresse draufstehen.«

»Okay, okay, also die genaue Adresse von Miguel Morales.«

»Richtig. Wenn du sie hast, rufst du sofort wieder an, Franco!« Der alte Mann lehnte sich in dem zerschlissenen Sessel zurück. Er lächelte plötzlich wieder. Mit hoher, dünner Stimme sang er leise mit wiegendem Kopf: »... daß ihr Herz mit heißem Triebe stündlich nur auf Seine Liebe und auf Seine Nähe geht!«

9

»Und wenn Harry Gold lügt?« fragte Emanuel von Karrelis, Intendant des Fernsehsenders Frankfurt. Er war neunundfünfzig Jahre alt, groß, schlank und hatte ein übersensibles Gesicht mit warmen, braunen Augen und schön geschwungenen Lippen. Er saß in einem Lederfauteuil, hielt die Beine übereinandergeschlagen und die Spitzen der langen, schmalen Finger gegeneinandergepreßt. Sein brauner Anzug stammte von einem Schneider aus der Londoner Savile Row, bei dem er alle seine Anzüge anfertigen ließ. Er trug ein Seidenhemd mit eingesticktem Monogramm, und seine braunen Schuhe kamen von Ferragamo, dem berühmten Schuhmacher in Florenz. Dort, in einem riesigen Lager, standen Gipsformen seiner Füße. Auf Regalen lagerten hier schier unzählig viele Gipsformen: jene des Reederkönigs Niarchos, der Schaupielerin Sophia Loren, die von Präsident Reagan und Außenminister Gromyko, der Königin von England und ihres Gemahls, Frank Sinatras und Carolines von Monaco ebenso wie die von Bankdirektoren, Rüstungsfabrikanten, weltberühmten Pianisten und weltberühmten Malern.

Herr von Karrelis war kein Snob. Er liebte es nur, sich gut zu kleiden – ähnlich Conrad Colledo, der ihm gegenübersaß. Dieser trug wie fast immer einen blauen Anzug, ein blaues Hemd und eine schwarze Krawatte mit gestickten winzigen, silbernen Elefanten. Die beiden saßen mit vier anderen Menschen im Dienstzimmer des Intendanten im obersten Stock des Verwaltungsgebäudes bei Königstein. Hatte Colledo ein Zimmer mit vier Fenstern als Statussymbol, so residierte der Intendant in einem Zimmer mit sechs Fenstern, das riesenhaft wie ein englischer Clubraum erschien. Und so war er mit seinen dunklen Hölzern, Mahagonipaneelen an den Wänden und exquisiten Möbeln auch eingerichtet. Der Raum wies eine gut sortierte Bar mit Hockern vor dem Tresen auf, und es hingen Bilder von Georges Braque an den Wänden. Teppiche bedeckten den Boden. Drei Stehlampen mit großen Seidenschirmen verbreiteten mildes Licht.

»Warum sollte er lügen?« fragte Mercedes. Sie saß neben Colledo. Außerdem waren noch Daniel, Hans Kleinhals, der Chefredakteur des Senders, und der Justitiar Dr. Volker Brandt in Karrelis Büro. Kleinhals sah aus wie ein ehrgeiziger Buchhalter, der Justitiar wie ein Beatle. Er war auch entsprechend leger und ein bißchen verrückt gekleidet. Trotz seiner Jugend galt er unter Kollegen bereits als einer der besten Justitiare der Bundesrepublik.

»Nun«, sagte das junge Genie jetzt freundlich zu Mercedes, »er könnte zum Beispiel lügen, weil ihn die israelische Botschaft darum gebeten hat. Mit dem Hinweis darauf, daß der jüdische Staat ohne die permanente ungeheure Hilfe der Vereinigten Staaten auf wirtschaftlichem, finanziellem und militärischem Gebiet zugrunde gehen müßte. Das könnten die Amerikaner den Israelis zu verstehen gegeben haben, als sie um den kleinen Gefallen ersuchten, nicht wahr? Und das könnte Herr Shimon von der Botschaft Herrn Gold zu verstehen gegeben haben, diesem deutschnationalen Juden, dessen tränentreibende Zuneigung zu dem Land, in dem seine nächsten Verwandten ermordet wurden, ich nicht nachvollziehen kann.«

»Wenn Sie das wirklich glauben, dann müßten Sie aber auch in Erwägung ziehen, daß Professor Kant gelogen hat und daß die Eintragung in das Arbeitsjournal des Ribbentrop-Dienstes, für die ein anderer Mann, Herbert Kramer in Koblenz, sterben mußte, eine Fälschung der Nazis war, um den Film noch echter erscheinen zu lassen«, sagte Mercedes.

»Das ziehe ich durchaus in Erwägung«, sagte der junge Dr. Volker Brandt. »Und ich denke, wir sollten das alle tun. Was ist, wenn Zeugen lügen und man andere tötet, bloß um einen ganz bestimmten Eindruck zu erwecken? Gewissen haben die Killer keines. Aber vielleicht haben sie einen sehr komplizierten Plan. Und von dem wissen wir nichts.«

»Eben das meine ich«, sagte der Intendant und wippte mit einem Ferragamo-Schuh. »Vielleicht lügt selbst Ihr Vater, Herr Ross – Sie entschuldigen!«

»Nichts zu entschuldigen!« Daniel schüttelte den Kopf. »Daran denke ich schon eine ganze Weile. Aber ich kann nicht glauben, daß Harry Gold lügt.«

»Sie glauben wirklich, daß er den Film gefälscht hat?« fragte der so junge Justitiar namens Brandt.

»Ich kann es mir sehr gut vorstellen!«

»Für den SD? Für das Reichssicherheitshauptamt?«

»Ja.«

»Aber Ihr Vater behauptet doch, daß der Film echt ist und in Teheran von einem Agenten CX einundzwanzig des Geheimdienstes Ribbentrop beschafft und nach Berlin geflogen wurde. Dort hat ihn Ihr Vater aus der Gepäckaufgabe eines Bahnhofs geholt und in das Auswärtige Amt gebracht, wo er ihn dann Ribbentrop, Goebbels und Himmler vorführte. Also lügt hier Ihr Vater?«

»Nein, hier nicht, glaube ich.«

»Erlauben Sie, Herr Ross!« Der Chefredakteur Kleinhals lachte kurz. »Wollen Sie damit sagen, daß der SD, der ja Himmler unterstand, Ribbentrops Geheimdienst einen Film zuspielte, der im Auftrag des SD gefälscht wurde – und daß Himmler nichts davon wußte?«

»Ja und nein.«

»Was heißt das?« fragte Karrelis.

»Ja, ich glaube, daß der SD den gefälschten Film Ribbentrop zuspielte. Nein, ich glaube nicht, daß Himmler nichts davon wußte. Er muß sehr wohl davon gewußt haben.«

»Aber das ist doch lächerlich! Nach der Erzählung Ihres Vaters hatte er keine Ahnung, war grenzenlos mißtrauisch und tippte auf die Fälschung.«

»Ja, genau das tat er.«

»Hör mal, Danny, das ist aber doch verrückt«, sagte Conrad Colledo.

»Ach, ganz und gar nicht.« Daniel nahm ein Buch, das vor ihm auf dem Tisch lag, in die Hände. »Ich gestehe, ich war nach den Aufnahmen in der Odrellstraße vollkommen ratlos. Deshalb bin ich noch rasch nach Hause gefahren, während bei Gold abgebaut wurde. Die Sache hat mich einfach verrückt gemacht! So wie sie jetzt Sie verrückt macht, Herr Kleinhals. Ich mußte mir Gewißheit verschaffen. Hat Gold gelogen? Hat er die Wahrheit gesagt? *Konnte* er die Wahrheit sagen? Ich habe eine große Bibliothek zeitgeschichtlicher Werke, unter den Büchern über die verschiedenen deutschen Geheimdienste war dieses da von Heinz Höhne. Es heißt ›Canaris, Patriot im Zwielicht‹. Hervorragendes Werk, ausgezeichneter Autor. Ist Geheimdienst-Experte des SPIEGEL. Nun, ich habe mir die entsprechenden Stellen über Himmler, Heydrich, Kaltenbrunner und Schellenberg in aller Eile mit ein paar Papierstreifen gekennzeichnet.« Er sah die anderen der Reihe nach an. »Wir haben uns schon darüber unterhalten, daß es verschiedene Geheimdienste in Nazi-Deutschland gab: die Gestapo, den SD, die Geheime Feldpolizei, den Dienst Ribbentrop – und die mächtige Abwehr des Admirals

Canaris im Oberkommando der Wehrmacht. Zwischen all diesen Organisationen herrschte erbitterte Rivalität.«

»Richtig«, sagte Colledo. »Die größte herrschte von Anfang an zwischen den SS-Diensten und Canaris.«

»Stimmt!« Daniel blätterte. »Höhne schreibt auf Seite dreihundertneunundvierzig: ›Am siebenundzwanzigsten September‹ – gemeint ist neunzehnhundertneununddreißig – ›hatte Himmler Gestapo, Kriminalpolizei und SD unter Heydrich zu einem Reichssicherheitshauptamt‹ – in Klammern: RSHA – ›vereinigt, das zu einer staatlich-polizeilichen Überbehörde werden sollte, am achtzehnten Oktober mauserte sich Canaris' Amtsgruppe zum OKW-Amt Ausland/Abwehr...‹ und so weiter.« Daniel sah auf. »Obwohl die beiden größten deutschen Dienste in vieler Hinsicht notgedrungen aufeinander angewiesen waren, konnte es wegen Mentalität und Person zwischen Canaris und Himmler sowie Heydrich ebenso wenig jemals eine Verbindung geben wie zwischen Feuer und Wasser. Die beiden SS-Größen haßten Canaris von Anfang an über die Maßen. Zudem träumte Himmler stets vom Ausbau des RSHA zu einem Staatsschutzkorps im Sinne der nationalsozialistischen Staatsideologie. Ribbentrop lief mittlerweile – dumm und sorglos – zu immer größerer Fahrt auf. Kaltenbrunner und seinen Leuten entging das nicht. Ihr Haß auf den Außenminister stieg ins Grenzenlose. Im Februar einundvierzig erlitt die Abwehr eine neue Panne, die letzte war noch nicht vergessen. ›Wieder‹, schreibt Höhne, ›ergoß sich eine Woge Hitlerschen Zorns über die Abwehr und ihren Chef, jeder der Mitarbeiter bekam zu hören, er habe den Herrn Canaris und seine ganze Abwehr satt... Hitler bestellte Himmler zu sich ins Hauptquartier. Als der den Diktator wieder verließ, war er um einen Riesenschritt der totalen Macht im Dritten Reich näher: Hitler hatte ihn beauftragt, einen vereinigten Geheimdienst aus SD und Abwehr zu schaffen, den Supernachrichtendienst, den die Sigrunenjünger immer erträumt hatten. Canaris wurde seines Postens enthoben, Oberst Georg Hansen bis zur Neuregelung mit der Führung des Amtes Ausland/Abwehr betraut.‹ Ende des Zitats.«

Daniel schwieg eine Weile, dann sagte er: »Sie alle wissen, daß Hitler lange zögerte, Canaris festnehmen zu lassen. Dann kam das Attentat vom zwanzigsten Juli vierundvierzig. Am dreiundzwanzigsten Juli verhaftete Schellenberg Canaris als Mitverschwörer. Erst am neunten April fünfundvierzig wurde der

Admiral im Konzentrationslager Flossenbürg hingerichtet. Vierzehn Monate waren vergangen, seit Hitler Himmler zu sich gerufen und ihn beauftragt hatte, einen vereinigten Geheimdienst aus SD und Abwehr zu schaffen. Diese Zeit hatten Himmler und Genossen gut genützt und keine Stunde untätig verstreichen lassen. Am Tag nach Himmlers Besuch bei Hitler, schreibt Höhne, ›rief der SS-Chef seine engsten Mitarbeiter zu sich‹ – und so weiter und so weiter – und ›eröffnete ihnen, es sei kurz zu skizzieren, wie Abwehr und SD vereinigt werden können... Kaltenbrunner wiederum wollte auch gleich noch den Nachrichtendienst des Auswärtigen Amtes mit einbeziehen, denn er hatte längst die Manöver Ribbentrops durchschaut... Die SS-Führer entwarfen einen Hitler-Befehl, dann reiste am dreizehnten Februar Kaltenbrunner mit dem Papier ins Führerhauptquartier... Nach der Unterzeichnung des Befehlsentwurfs fragte ihn der Diktator nicht ohne Spott, ob er denn nun alles zusammen habe. Darauf Kaltenbrunner: Jetzt fehle nur noch der Nachrichtendienst des AA. Hitlers Antwort fiel so vage aus, daß sich Kaltenbrunner vornahm, auch den diplomatischen Nachrichtendienst ins RSHA-Joch zu zwingen...‹« Daniel schloß das Buch und sagte, an alle gewandt: »*So* erkläre ich mir die Möglichkeit, daß ein vom SD gefälschter Film, den Harry Gold und seine Mithäftlinge herstellen mußten, in den Besitz von Ribbentrops Dienst kam und dort als Frucht eigener Bemühungen angesehen wurde. Kaltenbrunner und Himmler betrachteten Ribbentrop und seinen Dienst mit Abscheu, das wissen wir. Harry Gold hat gesagt, mit dem Film müsse nach der Fertigstellung etwas passiert sein. Natürlich! Er sollte ja schnellstens dem Ribbentrop-Dienst zugespielt werden, damit dieser sich damit rühmen konnte.«

»Wie kann sich das abgespielt haben?« fragte der Intendant.

»Da gibt es viele Möglichkeiten«, sagte Daniel. »Ich vermag mir sehr wohl vorzustellen, daß Männer des Ribbentrop-Dienstes in Teheran, wo mein Vater einen Stützpunkt aufgebaut hatte, sich vom SD bestechen ließen und nach Berlin meldeten, sie hätten einen amerikanischen Spezialisten gefunden, der bereit sei, eine Kopie des Films mitsamt dem Geheimprotokoll für sehr viel Geld zu verkaufen. Erinnern Sie sich bitte: Mein Vater erzählte, sein dortiger Resident Chan Ragai sandte schon während der Konferenz einen chiffrierten Funkspruch, daß der Agent CX einundzwanzig Verbindung zu einem Amerikaner hergestellt habe, der bereit war, eine Filmkopie zu beschaffen, wenn Ribbentrops Dienst ihm auf ein Konto in der Schweiz fünf Millionen Dollar überwies. Was, wenn der Funkspruch von bestochenen Ribbentrop-Leuten stammte? Die fünf Millionen Dollar sind, so sagt mein Vater, tatsächlich überwiesen worden. Was, wenn Ribbentrop sie unwissentlich auf ein Schweizer Konto des SD überwiesen hat? Ende März holte mein Vater, wie er sagt, die Filmrolle aus der Gepäckaufbewahrung des Bahnhofs Zoo, wohin sie der mysteriöse Agent CX einundzwanzig gebracht hatte. Was, wenn auch der vom SD bestochen war und der SD in Berlin den gefälschten Film bei der Gepäckaufbewahrung deponiert hat? Alle im Auswärtigen Amt waren außer sich über diesen phantastischen Fang *ihrer* Organisation – daran glaubten sie fest, daran zweifelte niemand. Der Film wurde sofort Goebbels und Himmler vorgeführt. Goebbels war überwältigt...«

»Ja, aber Himmler maulte und vermutete eine Fälschung. Er war äußerst mißtrauisch und feindselig eingestellt«, sagte Colledo.

»Mensch, Conny, das mußte er doch sein, wenn der Film wirklich von ihm, vom SD kam! Begreifst du denn nicht? Himmler *mußte* sich derart ablehnend und argwöhnisch verhalten, damit nicht der geringste Verdacht aufkam, man wolle Ribbentrop das Genick brechen.«

»Verstehe ich nicht.«

»Conny! Überlege! Goebbels gab den Auftrag, Film und Protokoll von Spezialisten sofort auf ihre Echtheit hin überprüfen zu lassen. Wären die geringsten Zweifel aufgetaucht, so hätte Himmler Hitler empört gemeldet, daß das Auswärtige Amt auf Fälschungen hereinfalle und der Ribbentrop-Dienst mithin untragbar sei.«

»Und wenn alle Untersuchungen ergeben, daß der Film echt war?«

»Dann hätten Himmler und Kaltenbrunner Hitler mit Freude bewiesen, daß der so echte Film im KZ Sachsenhausen gefälscht worden war. Zeugen wie Gold gab es ja. Man konnte die Fälscher selber anhören – und auch auf diese Weise die Unfähigkeit des Ribbentrop-Dienstes anprangern. Und wenn alles gutging, dann war Himmler mit seinem SD der große Mann. Ich meine: So *könnte* es gewesen sein. Und wenn es so war, dann war es genial, finde ich.«

»Und wenn es nicht so war, Herr Ross?« fragte Karrelis. »Wenn der Film *doch* keine Fälschung, sondern eine Originalkopie ist?«

»Dann weiß ich auch nicht weiter«, sagte Daniel. »Sie haben laut überlegt, ob Harry Gold wohl gelogen hat, Herr Intendant. Ich sagte, er könnte sehr wohl die Wahrheit gesagt haben und habe diese Möglichkeit aufgezeigt. Der Plan, den Film propandistisch auszuwerten, kam dann nicht mehr zum Tragen, weil die Kopie lange Zeit verschüttet im Keller eines von Bomben getroffenen Hauses lag. Als man sie dann ausgegraben hatte, fand Goebbels die Kriegslage schon zu miserabel, um den Film noch vorzuführen. Vielleicht ist es Phantasie, was ich zur Richtigkeit der Behauptungen Harry Golds konstruiert habe. Nach wie vor kann der Film echt oder gefälscht sein. Wir haben erst einen Zeugen gehört, der behauptet, ihn gefälscht zu haben. Was wir nun brauchen, das ist ein Mann, der nicht nur wie Kant behauptet, das Protokoll sei echt, sondern der beweist, daß der Film echt ist, am besten der Resident meines Vaters in Teheran, dieser Chan Ragai. Was ist mit dem, Conny?«

»Wir sind ihm auf der Spur, Danny. Aber es ist alles sehr, sehr schwer.«

»Dann werden wir die Wahrheit erst wissen, wenn wir Chan Ragai gefunden haben und er gesprochen hat.«

»Und falls er wirklich vom SD bestochen wurde und lügt?« fragte der junge Justitiar Brandt.

»Lassen Sie uns diesen Herrn erst finden!« sagte der Intendant. »Ihr Gedankenspiel war sehr interessant, Herr Ross, und auch ich glaube nun keineswegs mehr unbedingt, daß Harry Gold gelogen hat. Ich habe – sozusagen in diesem Zusammenhang – die ganze Zeit über noch etwas anderes überlegt.« Er wandte sich an Daniel. »Vorhin sagte ich: Vielleicht lügt auch Ihr Vater, Herr Ross. Sie stimmten mir zu. Und nun muß ich dauernd denken: Vielleicht lügt auch einer von uns oder einer derjenigen, die von der Affäre wissen – und das sind doch eine ganze Menge, nicht wahr? –, wenn er sagt, daß er in dieser Sache loyal zum Sender steht.«

Karrelis stand auf und begann in dem Riesenraum hin und her zu gehen. »Nur ein Beispiel: Herr Shimon ist gestern vormittag zu mir gekommen und hat von dem Zeugen Harry Gold erzählt. Auf meinen Wunsch flog er nach Berlin, um Sie, gnädige Frau, und Sie, Herr Ross, zu informieren. Ich habe Herrn Colledo verständigt, und der das BKA. Außerdem hat er ein Aufnahmeteam zusammengestellt. Nun erweist sich, daß Golds Telefon schon heute vormittag angezapft wurde und jemand alles, was während der Aufnahmen gesprochen wurde, mitangehört hat.« Karrelis war bei der Bar angekommen und drehte sich um. »Möchte noch jemand etwas zu trinken?«

»Einen Whisky, bitte«, sagte Colledo.

»Cognac für mich«, sagte der Justitiar Brandt.

»Für mich auch«, sagte der Chefredakteur Kleinhals.

»Und einen Whisky für mich«, ergänzte Karrelis, während Mercedes und Daniel dankend ablehnten. Die Bar befand sich bei einem der großen Fenster. Der Intendant blickte auf die Millionen flimmernden Lichter der Stadt Frankfurt, die in der Ferne lag. Er begann, die Drinks zu bereiten. Dabei sprach er weiter: »Frage also: Wie ist es möglich, daß die andere Seite derart schnell – und überhaupt! – von Harry Golds Existenz und unserer Absicht, ihn in seiner Wohnung zu interviewen, erfahren konnte? Meiner Ansicht nach gibt es dafür nur eine Erklärung. Nämlich die, daß wir einen Verräter im Hause haben.« Er ging zwischen seinen Gästen und der Bar hin und her und verteilte die Gläser. »Sehr zum Wohl!« sagte er. »Der Verräter muß sich natürlich nicht in unserem kleinen Kreis befinden. Aber irgendwo muß es einen Verräter geben. Einwände?«

»Keine«, sagte Daniel.

Danach war es sehr lange sehr still.

Im Arbeitszimmer von Heinz Erkners Villa am Rödelheimer Parkweg neben dem Brentanopark läutete das Telefon.

Erkner meldete sich.

Eine Männerstimme sagte: »Guten Tag. Mein Name ist Gerd Herdegen. Ich bin in einem Sanatorium bei Heiligenkreuz und suche dringend Mister Hyde. Ist er vielleicht bei Ihnen oder haben Sie eine Ahnung, wo ich ihn finden kann?«

Erkner deckte die Sprechmuschel mit einer Hand ab und flüsterte Wayne Hyde, der gerade Kaffee trank, zu: »Gerd Herdegen – muß dich dringend sprechen, Baby.« Hyde nickte. »Ja, er ist hier. Einen Moment.«

Erkner übergab Hyde den Hörer.

»Ja, Doc?« sagte Hyde.

»Gott sei Dank! Ein Segen, daß Sie mir alle in Frage kommenden Nummern hinterlassen haben!«

»Was gibt es?«

»Ich hatte eben einen Anruf von Morley. Rufen Sie sofort eine für Sie bestimmte Nachricht vom Band ab! Sofort!«

»Werde ich tun, Doc.«

Hyde verabschiedete sich. Danach stellte er mit Hilfe des kleinen Decoders den Kontakt zum automatischen Telefonbeantworter Morleys her.

Dessen Stimme klang zum ersten Mal, seit Hyde Morley kannte, gehetzt: »Mister Hyde, dies ist ein absoluter Notfall. Sie müssen noch heute nach Buenos Aires fliegen, um zweiundzwanzig Uhr mit LUFTHANSA neunhundertsiebzehn. Einen Platz hat man schon für Sie gebucht. Ticket liegt beim Flughafenschalter. Sie sind morgen mittag um elf Uhr fünfundvierzig Ortszeit in Buenos Aires. Um zwölf Uhr zwanzig geht eine Inlandmaschine nach Tucuman in Nordargentinien. Auch hierfür ist schon ein Platz für Sie gebucht. Gewiß erinnern Sie sich an den ehemaligen jungen Diener Oliveras, der seinen Herrn im Auftrag eines verhafteten Juntagenerals bespitzelte. Durch den Diener kamen wir an die Informationen über den Film, nicht wahr?« Morley räusperte sich. »Verzeihen Sie, ich bin etwas... erregt... Es... es... geschieht auf einmal so viel. Ich habe mich vorhin versprochen, als ich sagte, es sei für Sie von Buenos Aires aus für morgen ein Flug nach Tucuman gebucht. Das ist Unsinn. Tucuman hat keinen Flugplatz. Salta hat einen. Der Flug ist nach Salta gebucht. Das liegt dreihundert Kilometer nördlich von Tucuman. Mieten Sie in Salta einen Wagen und fahren Sie schnellstens über die Autobahn hinunter. Sie entsinnen sich: Miguel Morales heißt der Diener. Miguel Morales. Er arbeitet jetzt als Kellner in einem Restaurant. Dieses Restaurant – schreiben Sie mit, Mister Hyde! – heißt OASIS und liegt im Hause vierundzwanzig Rodrigues Peña... Haben Sie? OASIS, vierundzwanzig Rodrigues Peña. Es ist kein großes Lokal. Und jetzt passen Sie auf...«

Es war sehr lange sehr still im Büro des Intendanten.

Endlich sagte Karrelis: »Selbstverständlich erwarte ich nicht, daß der Verräter sich nun meldet, auch falls seine Beweggründe ehrenhaft sein sollten oder er zum Verrat erpreßt worden ist. Wir hier sind der innerste Kreis. Ich wünsche, daß sich im innersten Kreis alle darüber klar sind, daß ein Verräter unter den Eingeweihten lebt, der unsere Arbeit beständig zunichte zu machen versucht. Ich sehe, Sie sind sich darüber alle klar: Sollen wir unter diesen Umständen die Recherchen fortführen und damit das Leben weiterer Menschen gefährden? Wer dafür ist, möge bitte eine Hand heben.« Er sah, wie alle eine Hand hochhoben, dann hob er die eigene. »Wir können nicht mehr zurück. Die Gegenseite würde selbstverständlich nach Zeugen weitersuchen, auch wenn wir es nicht mehr täten.«

Mercedes sagte leidenschaftlich: »Mein Stiefvater, Herr Ross und ich werden für die Dokumentation das, was wir erlebt haben und wissen, noch vor der Kamera bekanntgeben. Dabei möchte ich unbedingt erklären, daß ein Verräter unsere Arbeit sabotiert hat – und wenn wir Glück haben, entdecken wir ihn noch und können auch darüber berichten.«

»Ich finde das ausgezeichnet«, sagte Colledo.

»Ich auch«, sagte Karrelis. »Es gab bis jetzt noch keine Gelegenheit dazu, aber die Statements von Frau Olivera und Herrn Ross sollten schnellstens aufgenommen werden, Herr Colledo!« Der nickte. »Nächster Punkt!« Karrelis drehte sein Whiskyglas hin und her. Die Eisstückchen darin klirrten. »Herr Colledo hat mich heute spät nachts angerufen und mir von dem Ultimatum Ihres Vaters berichtet, Herr Ross. Er hat libysche Interessenten für den Film.«

»Wenn er die Wahrheit sagt«, sagte Daniel.

»Ich fürchte, das tut er« sagte Karrelis. »Gaddafi ist doch wild entschlossen, alles nur Erdenkliche gegen den Erzfeind Amerika zu unternehmen. Sicher würde er die Sender der Welt mit geschenkten Kopien überschwemmen.« Karrelis rückte den Knoten seiner Foulardkrawatte zurecht. »Herr Olivera hat auch gesagt, daß er nicht eine Sekunde lang vor eine unserer Kameras treten wird, bevor er nicht die zehn Millionen hat.«

»Fein, fein«, sagte der so eigenwillig gekleidete junge Justitiar Brandt. »Also ein Verräter und ein Erpresser.«

»Ja, hübsch, nicht wahr?« Karrelis lehnte sich zurück. »Ich habe heute vormittag mit dem Kanzler und dem Außenminister telefoniert und ihnen die Lage geschildert. Die USA sind unsere wichtigsten Verbündeten. Kanzler wie Außenminister waren absolut entsetzt bei dem Gedanken, Gaddafi könne den Film bekommen. Denn während *wir* ihn ja mit den Pro- und Kontrastimmen einer Dokumentation senden wollen, würde Gaddafi das Protokoll als reinen Hetzfilm verbreiten. Wir sollen also Oliveras Kopie unbedingt und schnellstens kaufen, sagten Kanzler und Außenminister. Sie waren übrigens sehr erleichtert, zu hören, daß wir einen Zeugen gefunden haben, welcher den

Film als Fälschung bezeichnet und selbst an ihr mitgearbeitet hat. Zu den zwei und möglicherweise noch folgenden Morden wird der Regierungssprecher in der morgigen Bundespressekonferenz Stellung nehmen.«

»Da bin ich gespannt, wie der lügt«, sagte Daniel böse.

»Kanzler und Außenminister«, fuhr Karrelis ungerührt fort, »sicherten mir zu, daß die zehn Millionen, die wir sofort überbringen sollen, aus einem Sonderfonds der Regierung ersetzt werden, falls Ereignisse eintreten, die eine Ausstrahlung des Films unmöglich machen.«

»Was für Ereignisse sollten das sein?« fragte Mercedes.

»Nun«, sagte Karrelis, »die Leute der Gegenseite könnten sich über die ›Lebensversicherung‹, die wir für uns geschaffen haben, hinwegsetzen und einen oder mehrere von uns entführen und mit Hinrichtung drohen, wenn wir nicht alle Kopien und alles Material ausliefern.«

»Das werden sie nicht wagen! Sie tun doch offensichtlich alles, um zu erreichen, daß wir nur Zeugen für die Fälschung vorstellen können und keinen für die Echtheit!« rief Mercedes.

»Richtig«, sagte Karrelis. »Und mit dem Verräter in unserem Kreis sind sie diesem Ziel schon recht nahe gekommen.«

Kleinhals stand auf, ging zu einem Fenster und fluchte laut.

»Nachdem ich mit unserem Aufsichtsrat gesprochen hatte«, sagte Karrelis, »und dessen Zustimmung bekam, rief ich Ihren Vater an, Herr Ross, und signalisierte ihm unser Einverständnis. Er bekam auch das gewünschte Telex. Die zehn Millionen stehen zu seiner Verfügung. Natürlich Zug um Zug.«

»Was heißt Zug um Zug?« fragte Mercedes.

»Wir haben den Betrag bereits telegraphisch auf ein Konto unseres Senders in Buenos Aires überwiesen. Herr Colledo fliegt morgen hinüber. Sucht Olivera auf. Sieht sich den Film an, den dieser aus seinem Banksafe holen wird. Nimmt die Kopie an sich…«

»Was heißt das? Mein Vater ist bereit, die Kopie aus dem Banksafe auszuliefern?« unterbrach ihn Daniel.

»Ja, Herr Ross.«

»Aber die wollte er doch unbedingt im Safe lassen, mit der Auflage, daß sie der internationalen Presse zur Verfügung gestellt wird, wenn ihm etwas zustößt!«

»Ich habe ihn überredet.« Karrelis zuckte die Schultern. »Ich erzählte ihm von der ›Lebensversicherung‹, die wir alle haben, auch er. Ich machte ihm klar, daß die Gegenseite alles tun würde, um an die Bankkopie heranzukommen, und daß sie – wir kennen ihre Skrupellosigkeit – damit gewiß Erfolg hätte. Ihr Vater hat eingesehen: Die Kopie im Banksafe bedeutet keinen Schutz für ihn. Jedenfalls ist er auf meine Forderung, Herrn Colledo diese Kopie zu übergeben, damit er uns nicht noch einmal erpressen kann, eingegangen. Seine libyschen Freunde sind ihm offenbar doch ein wenig unheimlich. Außerdem habe ich den Eindruck, daß ihm das Wasser bis zum Hals steht. Er scheint in einer großen finanziellen Misere zu stecken.«

»Und wie soll diese Zug-um-Zug-Geschichte weitergehen?« fragte Dr. Volker Brandt.

»Wenn Herr Colledo die Kopie hat, überreicht er einen Scheck über die zehn Millionen Dollar. Er bleibt so lange in Oliveras Villa, bis dieser Gelegenheit hatte, den Scheck zur Bank zu bringen und sich von der Deckung zu überzeugen. Natürlich wird Herr Colledo dabei nicht allein sein. Das BKA hat sich bereits mit der entsprechenden Behörde in Buenos Aires in Verbindung gesetzt und Amtshilfe zugesichert erhalten. Bewaffnete Beamte werden Herrn Colledo ständig begleiten – bis hierher zurück nach Königstein.«

»Sie überschütten mich mit frohen Neuigkeiten, Herr Intendant«, sagte Conrad Colledo. »Lieb, daß Sie mir schon heute erzählen, was ich morgen tun werde, und nicht erst eine Stunde vor Abflug der Maschine.« Er war aufgestanden. Seine Stimme bebte vor unterdrückter Wut. Daniel sah ihn fasziniert an. Noch nie hatte er Colledo in solcher Aufregung erlebt. Der hielt die Hände so fest zu Fäusten geballt, daß die Knöchel im Licht der Stehlampen kalkweiß leuchteten.

»Noch einen Drink, Herr Colledo?« Karrelis betrachtete ihn ausdruckslos.

»Danke, nein!«

»Um sich zu beruhigen, meine ich.«

»Ich bin Ihnen sehr verbunden dafür, Herr Intendant, daß Sie über meinen Kopf hinweg und ohne mich zu informieren schon alles entschieden haben. Vielen Dank! Auch im Namen des Verräters. Leichter konnten Sie ihm seine Arbeit nicht machen.«

»Schwerer leider auch nicht, Herr Colledo«, sagte Karrelis. »Er hätte so wie bisher auch auf jeden Fall rechtzeitig alles erfahren, um die Gegenseite zu informieren – oder? Ich verstehe Ihre Erregung nicht. Wovor haben Sie Angst? Wir bezahlen Olivera.

Er gibt uns seine Filmkopie. So ist Gaddafi ausgeschaltet. Damit entfällt die größte Gefahr, die den Amerikanern droht. Wir können sicher sein, daß sie aufatmen und uns unendlich dankbar sein werden. Wir haben ja schon zwei Kopien des Films. Nun haben wir noch eine. So ist auch diese aus dem Verkehr gezogen und kann von Olivera nicht mehr an Feinde Amerikas oder der Sowjetunion oder beider Staaten verkauft werden. Die Lage entspannt sich enorm. Man wird Ihnen ebenso wenig tun wie dem alten Harry Gold, der erklärte, er habe den Film gefälscht. Ich begreife Sie nicht, Herr Colledo! Sie hatten ja seinerzeit auch nicht die geringsten Bedenken, hinüberzufliegen und die beiden Kassetten von Herrn Ross in den Sender zu bringen. Was befürchten Sie? Ich meine: Was befürchten Sie jetzt plötzlich, Herr Colledo?«

Auch Mercedes hatte Colledo angestarrt. Ratlos blickte sie jetzt zu Daniel. Der zuckte die Achseln.

»Ich muß mich bei Ihnen entschuldigen, Herr Intendant«, sagte Colledo, wieder ruhig. »Bei Ihnen allen, meine Herrschaften. Nerven. Ich bin überarbeitet. Ich komme keine Nacht vor drei ins Bett. Außerdem war ich – ganz offen – zuerst wirklich schockiert darüber, daß Sie, Herr von Karrelis, nicht unter vier Augen mit mir über meine Mission gesprochen haben. Es wäre doch... das Übliche gewesen, nicht wahr?«

»Unter normalen Umständen gewiß«, sagte Karrelis. »Die Umstände sind aber nicht normal. Da ein Verräter auf unserer Seite ist, wollte ich sehen, welchen Eindruck die Mitteilung von dem, was geschehen ist, und dem, was geschehen soll, auf alle hier im Raum machen würde.«

»Und was konnten Sie feststellen?« fragte Colledo.

»Nicht das geringste. Außer Ihre Reaktion, Herr Colledo. Aber das war ja nur natürlich und zu erwarten. Vergeben Sie mir, daß ich Sie für ein Experiment mißbraucht habe!«

»Dürfte ich mir noch einen Drink machen?« fragte Colledo.

»Warten Sie, ich...«

»Bleiben Sie sitzen! Ich kann das allein.« Colledo ging zur Bar und goß sein Glas voll Whisky. Er wandte den anderen den Rücken zu und trank den Whisky pur. Seine Hand zitterte so stark, daß das Glas gegen die Zähne schlug. Daniel hörte es. Dann hören es auch alle anderen, dachte er. Nun, ich hätte mich an Connys Stelle ebenso über das Experiment des Intendanten aufgeregt. Ja, dachte Daniel, hätte ich?

VIERTES BUCH

I

»Hier spricht General Carlo Maria Alvarez. Diese Botschaft von äußerster Wichtigkeit ist für Miguel Morales bestimmt. Du hast meine Stimme sofort wiedererkannt, nicht wahr, Miguel? Du kannst dem Mann, der dir diese Kassette überbracht hat, absolut vertrauen. Laß dir trotzdem seinen Paß zeigen. Der Mann heißt James Douglas, ist Amerikaner und stammt aus Boston. Er arbeitet seit langem für uns und wird stets in den gefährlichsten Notfällen eingesetzt. Dies ist ein absoluter Notfall...«

»Sie haben die Stimme des Generals erkannt?« fragte Wayne Hyde.

Der hübsche junge Mann mit dem schwarzen Haar, den schwarzen Augen und der dunklen, samtigen Gesichtshaut nickte.

»Sind Sie ganz sicher, Miguel?«

»Ganz sicher, Señor.«

»Hier ist mein Paß. Schauen Sie ihn sich genau an.« Hyde hielt dem jungen Mann einen amerikanischen Paß geöffnet hin. Es war einer von sieben Pässen, die er besaß. Miguel betrachtete ihn lange. Er stellte den kleinen Sony-Kassettenrecorder, den er an das Ohr gehalten hatte, ab. Er sah das Foto im Paß an. Er sah Wayne Hyde an. Er nickte wieder. Hyde steckte den Paß ein. Es war zehn Minuten nach fünf Uhr nachmittag, und in der Kathedrale von Tucuman war es kühl und still. Die beiden Männer saßen auf einer Bank im Hintergrund des gewaltigen Kirchenschiffs. Die Kathedrale war zu dieser Zeit verlassen. Nur eine sehr kleine, schwarzgekleidete Frau kniete vor einem entfernten Seitenaltar, tief in ihr Gebet versunken. Vorne beim Hauptaltar, weit von Hyde und Miguel entfernt, leuchtete ein großes, goldenes Kreuz. Dieses Kreuz war mehr als vierhundert Jahre alt. 1565 hatten die Spanier, von Peru kommend, mit dem Bau Tucumans und der Kathedrale begonnen. Das goldene Kreuz hatten sie mitgebracht. Die wundervolle Kirche stand nördlich der Plaza Independencia, dem Zentrum der großen, modernen Stadt, die auch San Miguel de Tucuman genannt wird. Palmen und Orangenbäume säumten den Hauptplatz, in seiner Mitte ragte eine Freiheitsstatue empor. Auf der Südseite erhob sich der Regierungspalast, der aussah wie ein phantastisches Schloß aus »Tausendundeine Nacht«. Im Licht der Nachmittagssonne leuchteten Palast und Kathedrale, Palmen, Orangenbäume und die weiße Freiheitsstatue in psychedelischen, unwirklichen Farben.

Wayne Hyde war mit einem Leihwagen, den er auf dem Flugplatz von Salta gemietet hatte, gegen vier Uhr nachmittags in Tucuman angekommen. Dank eines Stadtplans fand er mühelos das Restaurant in der Rodriguez Peña, wo Miguel als Kellner arbeitete. Das Lokal war bis zum Abendessen geschlossen, aber Hyde fragte in einem benachbarten Espresso nach Miguel. Der habe frei bis 18 Uhr 45, sagte man ihm. Er wohne im Hause, im zweiten Stock, mit anderen Angestellten.

»Er hat sich, glaube ich, hingelegt«, sagte ein Mädchen hinter der Espresso-Theke. »Sie wohnen da immer zu zweit in einem Zimmer.«

»Kann wohl jemand hinaufgehen und ihm sagen, daß ich ihn sprechen muß? Es handelt sich um Señor Olivera.«

»Ich gehe selber«, sagte das Mädchen. Bald darauf kehrte sie mit Miguel zurück, der Bluejeans und ein loses, weißes Hemd trug. Es war sehr warm. Hyde hatte die Jacke seines beigefarbenen Tropenanzugs ausgezogen. Miguel musterte ihn verschreckt.

»Wer sind Sie? Was wollen Sie von mir, Señor?«

»Eine Nachricht. Dringend. Hier können wir nicht sprechen. Ich gehe in die Kathedrale. Kommen Sie in fünf Minuten nach!«

»Aber worum handelt es sich?«

Hyde sagte sehr leise an Miguels Ohr: »Die Nachricht, die ich bringe, ist von General Alvarez.« Er sprach ohne Akzent Spanisch. Als er den Namen erwähnte, sah er, wie Miguel zusammenzuckte. Die schwarzen Augen leuchteten auf.

»Was ist mit dem General?«

»Psst! Nicht hier. In der Kathedrale«, sagte Hyde. Er nickte dem Mädchen hinter der Theke zu. »Danke für Ihre Hilfe«, sagte er.

»Gerne geschehen«, sagte das Mädchen und lächelte.

»Sie haben schöne Zähne«, sagte Hyde.

»Oh, danke.«

»Und schöne Augen.«

»Sie sind sehr freundlich, Señor«, sagte das Mädchen.

Hyde trat auf die Straße hinaus und ging zu der nahen Kathedrale. Er schlenderte im Schatten der Häuser. Die Luft war sehr klar, und als er durch einen Park kam, sah Hyde die mächtigen Berge der Sierra de Aconquija, die hinter Tucuman in den tiefblauen Himmel hineinragten.

Um 11 Uhr 45 an diesem 12. März 1984 war Wayne Hyde mit einem Jumbo Typ Boeing 747 der LUFTHANSA, Flug 917, in Ezeiza, dem größten Flughafen Südamerikas, dreiunddreißig Kilometer von Buenos Aires entfernt, gelandet. Bei der Gepäckausgabe sah er den mittelgroßen jungen Mann mit dem langen, schwarzen Haar, den er zuletzt auf dem Frankfurter Flughafen getroffen hatte, wieder, eine Orchidee als Erkennungszeichen in der Hand.

»Tag, Pablo«, sagte Hyde.

»Guten Tag, Mister Hyde.«

»Ich heiße James Douglas, Pablo.«

»Oh, verzeihen Sie, Mister Douglas! Wie dumm von mir. Man hat gesagt, daß wir uns hier treffen sollen. Verrückt! Ihr Gepäck wird doch automatisch in die Maschine nach Salta umgeladen, nicht wahr?«

»Ja«, sagte Hyde. »Und die geht um zwölf Uhr zwanzig.«

»Kommen Sie, Mister Douglas!« Pablo drängte sich durch die Menge der angekommenen Passagiere. Hyde folgte ihm ins Freie auf einen riesenhaften Parkplatz und zu einem schwarzen Chevrolet. Pablo öffnete den linken Schlag. Hyde glitt in den Fond. Rechts saß ein völlig kahler, bleicher Mann von etwa sechzig Jahren. Er trug ein weißes Hemd über einer schwarzen Hose.

»Hallo«, sagte Hyde. »Sie sind Cristobal, wie?«

»Ja, Mister Douglas«, sagte der alte Mann. Er sah krank und schwach aus. »London hat angeordnet, daß ich Ihnen persönlich die Kassette und einen Recorder bringe. Sie sind sehr umsichtig in London.«

»Ja, das sind sie«, sagte Hyde und nahm den kleinen Sony-Recorder entgegen, den Cristobal ihm hinhielt.

»Die Kassette ist drin«, sagte der alte Mann.

Pablo war im Freien geblieben. Er stand vor der Kühlerhaube und rauchte eine Zigarette.

»Der General spricht zu Miguel?« fragte Hyde.

»Ja, Mister Douglas. Sie können es sich während des Fluges anhören. Erstklassig! Der General hat auch wirklich Schiß.«

»Na prima! Wie habt ihr das gemacht? Wärter bestochen?«

»Natürlich. Das geht bei uns glücklicherweise sehr einfach. Der General wurde falsch informiert. Geriet in Panik. Sprach aufs Band. Das Band wurde aus dem Gefängnis geschmuggelt.«

»Verflucht schnell habt ihr gearbeitet. Hut ab!«

»Vielen Dank. Ja, ich habe gute Leute hier. Und London sagte, es müsse ganz schnell gehen.«

»Hoffentlich hat der General in seinem Schiß herzbewegend genug gesprochen.«

»Es kommen einem die Tränen, Mister Douglas. Miguel wird außer sich sein. Der General ist doch seine große Liebe.«

»Was ist mit Waffen?«

»Wann kommen Sie zurück?«

»Wenn alles glattgeht, heute um dreiundzwanzig Uhr fünfzig. Mit der letzten Maschine aus Salta.«

»Dann wird Pablo wieder bei der Gepäckausgabe auf Sie warten und Sie zu einem Wagen führen. Er wird Ihnen Schlüssel und Papiere geben. Im Handschuhfach werden Sie Pistolen und Munition finden.«

»Was für Pistolen?«

»Welche wollen Sie, Mister Douglas?«

»Neun Millimeter Automatic am liebsten.«

»Sie werden da sein. Vor Oliveras Villa in der Cespedes tausendsechs parkt immer einer unserer Wagen mit zwei Mann. Ich sage das für den Fall, daß Sie Hilfe brauchen. Heute nacht sitzen die zwei Mann in einem grünen Oldsmobile.«

»Prima.«

Cristobal sah Hyde mit seinen alten, müden und trüben Augen ernst an.

»Können Sie noch einen Moment bleiben?«

»Was haben Sie?«

»Gedanken. So viele. Immer dieselben. Fragen. So viele. Immer dieselben. Ich hoffe, ich habe die rechte Antwort. Aber ich bin nicht sicher. Nachts liege ich oft wach und habe Angst, daß es falsche Antworten sind. Das wäre schrecklich. Sie sind ein so kluger, gerechter und erfahrener Mann...«

»Na!«

»Doch, doch. Man hat es mir gesagt.«

»Wer hat das gesagt?«

»London. Mister Morley. Gestern erst.«

»Da hat er aber reichlich übertrieben.«

»Nein, nein, überhaupt nicht. Ich habe viel erlebt und viel gesehen in meinem Leben, Mister Douglas. Ich verstehe mich auf Gesichter. Vor allem auf Augen. Sie sind ein weiser, guter Mensch. Darum muß ich Sie etwas fragen. Sehen Sie, heute bin ich arm und einsam. Sehr einsam. Ich habe mein Leben lang nach besten Kräften versucht, das Gute zu tun. Wie Sie, Mister Douglas.« Cristobal sah Hyde fast flehend an. »Ich meine, *wenn* jemand Gutes tut, *wenn* jemand versucht, das Böse, das Schreckliche, das dieser Olivera da in Gang gesetzt hat, zu verhindern, dann sind das doch Sie und Mister Morley und ich und all die andern, nicht wahr?«

»Nun, gewiß«, sagte Hyde.

»In einer Zeit, in der die Gefahr eines Krieges so groß und das Wort Pazifist ein Schmähwort geworden ist, in einer solchen Zeit *müssen* doch Sie und ich und wir alle einfach versuchen, Oliveras Pläne zu vereiteln – mit allen Mitteln. Das ist doch richtig, Mister Douglas, wie?«

»Selbstverständlich«, sagte Hyde mit unbewegtem Gesicht und dachte: Möchte wissen, was Morley diesem armen Kerl über unsere Tätigkeit erzählt hat.

»Ich weiß wohl um das Böse, Mister Douglas. ›Das Dichten des menschlichen Herzens ist böse von Jugend auf‹, sagt der HErr. Erstes Buch Moses.«

Donnerwetter, dachte Hyde.

»Seit Jahren«, fuhr der alte Mann fort, »beschäftige ich mich mehr und mehr mit der Frage: Wozu ist der Mensch da? Ich glaube, ich habe eine Antwort darauf gefunden. Wollen Sie sie hören?«

»Ja«, sagte Hyde.

»Der Mensch ist da zu einer höheren Verantwortung«, sagte Cristobal.

Donnerwetter, dachte Hyde.

»Was sagen Sie?«

»Daß Sie damit vollkommen recht haben, Señor Cristobal«, antwortete Hyde. Es braucht alle Arten von Leuten, um eine Welt zu machen, dachte er.

Ein Strahlen erhellte das bleiche Gesicht des alten Mannes. »Ich habe recht. Wie schön! Nun aber weiter. Warum der Mensch Böses tut, interessiert mich nicht. Das weiß ich.«

»Erstes Buch Moses«, sagte Hyde.

»Richtig.« Cristobal nickte. »Indessen: Warum tun Menschen wie wir Gutes?«

Ich weiß nicht, wie lange ich das aushalte, dachte Hyde. Wahrscheinlich hat jeder von uns seinen Hieb. Aber trotzdem!

»Zugegeben, Sie und ich und die andern haben auch einen finanziellen Vorteil davon. Ich kann sagen, daß ich und jene, die mit mir hier Gutes tun, einen jämmerlich geringen Vorteil davon haben.

Aber ich und meine Freunde und Sie, wir würden das Gute auch tun, ohne irgendeinen Vorteil davon zu haben, nicht wahr? Und auch wenn niemand davon weiß oder davon wissen darf und die Menschen niemals davon erfahren werden. Nun, und da denke ich, das hat eben auch mit der höheren Verantwortung zu tun. Was meinen Sie? Sie ahnen nicht, wie wichtig mir Ihre Meinung ist, Mister Douglas.«

Armer, einsamer Hund, dachte Hyde. Vollkommen einsam. Das erträgt offensichtlich kein Mensch, vollkommen einsam zu sein. Mit Ausnahme der Heiligen. Und für die ist es schwierig. Wo wäre ich ohne meine Mama? Man muß freundlich sein zu dem alten Mann. Ich werde ihm eine Freude machen. Hyde sagte: »Sie haben absolut recht, Señor Cristobal. Und diese höhere Verantwortung ist so etwas wie der Hauptschlüssel zu Ihrer menschlichen Identität.« Er erschrak. Großer Gott, dachte er, was für ein Quatsch ist mir da rausgerutscht! Hoffentlich verstöre ich den Alten nicht damit.

»Oh«, sagte Cristobal.

Na? dachte Hyde. Na?

»Wunderbar.« Cristobals bleiches Gesicht leuchtete jetzt von innen. Er ergriff eine Hand Hydes und drückte sie fest. »Wie wunderbar Sie das gesagt haben! Mit wie wenigen Worten. Der Hauptschlüssel zu meiner menschlichen Identität. Da quäle ich mich jahrelang herum, und dann kommen Sie und sprechen mit mir, und alles wird sogleich klar, völlig klar. Ich bin ja so glücklich. So unendlich glücklich, Mister Douglas. Diesen Tag werde ich niemals vergessen. Danke! Danke, danke, danke!«

»Schon gut«, sagte Hyde. Allerhand, dachte er. Wirklich allerhand. Erstaunlich. Ein Trottel ist Cristobal bestimmt nicht. Aber dieser Blödsinn macht ihn glücklich? Das Komischste, was es gibt, sind Menschen.

»Ja«, sagte Cristobal und nickte lächelnd. »Ja, so ist es. Und darum bleiben solche wie wir anonym, keiner kennt uns, keiner darf uns kennen.«

»Keiner, nein«, sagte Hyde und dachte: Gib dem armen Kerl noch ein Stück Zucker! Er sagte: »Die im Dunkeln sieht man nicht.«

»Bitte?«

»Die im Dunkeln sieht man nicht«, wiederholte Hyde. »Das ist aus der Schlußstrophe des ›Dreigroschenoper‹-Films. Sie kennen doch die ›Dreigroschenoper‹ von Bertolt Brecht?«

»Wer kennt die nicht?«

»Nun, nach dem Theaterstück wurde ein Film gedreht. Die letzte Einstellung zeigt eine alte Frau, die langsam über eine Straße geht, von der sonnigen Seite hinüber in den Schatten. Da verschwindet sie. Und dazu hört man die Worte des Moritaten-sängers...« Hyde ließ seine Stimme ein wenig melodisch wer-den: »›Und die einen sind im Dunkeln. Und die andern sind im Licht. Und man siehet die im Lichte. Die im Dunkeln sieht man nicht.‹«

»Großartig«, sagte Cristobal ergriffen. »Ganz und gar großar-tig! Ja, so ist es mit unsereinem. Wieviel Munition wünschen Sie für die beiden Pistolen, Mister Douglas?«

Zu dieser Zeit – in Mitteleuropa war es 16 Uhr 15 – sagte in Bonn der Regierungssprecher vor der Bundespressekonferenz: »Es sind in letzter Zeit unter mysteriösen Umständen zwei Männer ermordet worden: in Koblenz der Bibliothekar Her-bert Kramer vom Dokumentationszentrum der Bundesrepu-blik Deutschland und der Völkerrechtler Professor Doktor Emil Kant in Berlin. Nach den Erkenntnissen des Bundeskri-minalamts und des Verfassungsschutzes handelt es sich dabei um Opfer einer terroristischen Vereinigung. Weitere Informa-tionen können zur Zeit nicht gegeben werden. Menschenleben wären sonst gefährdet. Ich bitte um Verständnis dafür, daß die zuständigen Behörden, die fieberhaft an der vollständigen Klä-rung dieser Affäre arbeiten, eine Nachrichtensperre verhängt haben. Das ist alles.«

Daraufhin brach unter den versammelten Journalisten Tumult aus. Der Sprecher stand auf, hob die Schultern und verließ den Saal.

In der großen Kathedrale von Tucuman hatte die alte Frau, die ganz in Schwarz gekleidet vor einem der Seitenaltäre betete, begonnen, dabei rhythmisch ihren abgezehrten Körper zu be-wegen. Sie war in eine Art von Trance verfallen. Sehr groß schien das Unglück zu sein, in dem sie Gott um Beistand bat.

Auf einer Bank, die im Halbdunkel lag, saßen Wayne Hyde und Miguel Morales. Der junge Mann mit der olivfarbenen Haut hielt wieder den Sony-Recorder ans Ohr und lauschte der Stim-me seines ehemaligen Herrn Carlo Maria Alvarez: »...ich wie-derhole, Miguel, das ist ein absoluter Notfall. Olivera, dieser

Schuft, für den ich so viel getan habe, ist ein gemeiner Verräter. Wie ich soeben erfahre, hat er jahrelang Material gegen mich gesammelt und sich nun dem öffentlichen Ankläger im Prozeß gegen mich als Zeuge zur Verfügung gestellt...«

»Nein!« Miguel war sehr erschrocken. Er stoppte das Gerät und ließ es sinken.

»Leise, Vorsicht!« sagte Hyde.

»Olivera will gegen den General aussagen...« stammelte Miguel.

»Und wie!«

»Aber was soll ich...«

»Hören Sie weiter!« sagte Hyde.

Miguel schaltete das Gerät wieder ein und lauschte der Stimme des Generals. »...Olivera hat sich verkauft. Um sehr viel Geld. Sie haben das perfekt vorbereitet. Das ganze – natürlich gefälschte – Material gegen mich ist auf einen Videofilm aufgenommen worden. Wir können die Fälschung nicht beweisen. Meine Anwälte sagen, wenn der Film dem Gericht vorgeführt wird, habe ich unter allen Umständen mit der Höchststrafe zu rechnen...«

»Jesus Maria!« flüsterte Miguel.

»...Deshalb darf Olivera nicht als Zeuge auftreten, verstehst du, Miguel? Deshalb muß dieser Videofilm verschwinden. Du kennst die Kombination des Tresors in Oliveras Bibliothek. Der Film liegt aller Wahrscheinlichkeit nach darin. Wenn nicht, dann mußt du Olivera dazu bringen, das Versteck zu verraten, nötigenfalls unter Androhung seines Todes. Unser nordamerikanischer Freund wird dir behilflich sein. Du hast einmal – gewiß erinnerst du dich – gesagt, daß du alles für mich tun würdest, Miguel. Wenn es sein muß, auch töten. Du mußt Olivera töten, sonst bin ich verloren, und wir sehen einander niemals wieder. Niemals wirst du dann wieder bei mir sein können...«

Miguels Hand, die den Recorder hielt, bebte. Tränen traten in seine schönen Augen. Er liebte den General noch immer. Mehr denn je. Mehr als seine Eltern. Miguel lauschte der Stimme jetzt in größter Erregung.

»...Du mußt nun alles tun, was Señor Douglas dir sagt. Er ist jetzt dein Führungsoffizier... Das Grundstück Oliveras wurde vor einiger Zeit schwer gesichert. Auf der Mauer laufen elektrisch geladene Drähte entlang, und es gibt Selbstschußanlagen.

Du hast noch das kleine Gerät, mit dem man auch vom Auto aus das Haupttor zum Park öffnen und schließen kann. So kommst du ins Haus...«

Die kleine, schwarz gekleidete Frau vor dem Seitenaltar betete noch immer.

»...Señor Douglas wird dir genau sagen, was du zu tun hast – auch nachdem alles erledigt ist. Du mußt ihm bedingungslos vertrauen – wie mir, und so, wie ich dir vertraue, Miguel. Denke daran: Es geht nun um mein Leben. Olivera, dieses Schwein, hat das seine verwirkt. Denke an dein Versprechen! Ich bin jetzt ganz auf deine Treue und Ergebenheit angewiesen. Ich habe keinen Zweifel, daß ich da ruhig sein kann. Du wirst mich nicht im Stich lassen, Miguel. Denke immer daran: Wenn du jetzt alle Anordnungen befolgst, dann werden wir sehr bald wieder zusammen sein. Andernfalls nie mehr. Ich umarme dich ganz innig, mein Miguel. Viel Glück und danke! Immer bin ich dein General Alvarez.«

Dies war das Ende der Botschaft, das Band lief nun stumm weiter. Miguel schaltete den Recorder ab. Er sah Hyde zitternd an.

»Dieser Lump«, flüsterte er. »Dieser verfluchte Hund! Sagen Sie mir, was ich tun soll, Señor Douglas! Bitte, sagen Sie es mir!«

»Können Sie ein, zwei Tage hier weg? Ich meine vom Restaurant. Mit einer Ausrede. Mutter erkrankt. Oder so etwas.«

»Das brauche ich gar nicht, eine Ausrede. Der Patron, Señor Lerron, gehört zu uns. Darum haben sie mich ja auch hierher geschickt. Ich kann ihm ruhig sagen, daß ich etwas zu erledigen habe und daß er darüber vor jedermann schweigen muß. Auf ihn ist Verlaß.«

»Gut. Dann gehen Sie jetzt und sprechen Sie mit ihm! Packen Sie nur einen kleinen Koffer. Wir fliegen heute abend nach Buenos Aires und... erledigen alles. Kennen Sie wirklich die Kombination des Tresors?«

»Ja, Señor Douglas.«

»Und haben Sie noch die Fernsteuerung für das Haupttor?«

»Natürlich. Ich bin doch erst seit ein paar Wochen weg.«

»Gut. Können Sie mit einer Pistole umgehen?«

»Mit was für einer?«

»Neun Millimeter Automatic.«

»Ich habe damit einmal bei einem Profi-Schießen den zweiten Preis bekommen.«

»Dann gehen wir jetzt! Sie erledigen alles mit Ihrem Patron. Ich warte in einer Stunde mit einem Wagen vor der Kathedrale. Seien Sie pünktlich! Wir müssen nach Salta. Zum Flughafen. Wir nehmen die Nachtmaschine nach Buenos Aires. Geben Sie mir den Recorder zurück!« Hyde steckte ihn ein. Auf den Treppen vor der Kathedrale trennten sie sich.

»In einer Stunde«, sagte Hyde.

»Ja, Señor«, sagte Miguel. »Das Schwein«, sagte er erschüttert. »Dieses verfluchte Schwein Olivera!«

»Ja.« Hyde nickte. »Dieses verfluchte Schwein Olivera!« Er ging langsam über die große Plaza Independencia und setzte sich auf eine Bank unter einem Orangenbaum. Die Früchte leuchteten in der Sonne. Hyde betrachtete lange die hohe Bergkette der Sierra de Aconquija, die nun in blauem Dunst vor ihm lag. Dann nahm er den schmalen Band der Shakespeare-Sonette aus einer Tasche seiner Jacke, blätterte eine Weile und las dann, während aller Verkehrslärm für ihn versank und unendliche Ruhe ihn überkam, diese Worte: »Du, holder Knabe, hast der Zeit entwunden / Sanduhr und Sense und den Lauf der Stunden; / Dich stärkt Verfall, und die dich lieben, sehn / Dein Blühn und Wachsen, während sie vergehn...«

Ja, dachte Hyde, dich stärkt Verfall, mein holder Knabe Miguel.

»Klappe!«

»Statement Mercedes Olivera, Take eins, zum erstenmal.«

Mercedes stand im Studio II des Fernsehsenders Frankfurt vor einer schweren elektronischen Kamera. Scheinwerfer tauchten ihr Gesicht und ihre Gestalt in gleißendes Licht. Sie trug ein schwarzes Kostüm. Hellblau war die Leinwand hinter ihr. Ein »Galgen« mit angehängten Mikrofonen hing über Mercedes' Kopf, im Bild der Kamera unsichtbar. Seitlich saßen Daniel und Conrad Colledo. Der Chef der Abteilung Politik und Zeitgeschehen wollte die Aussagen von Mercedes und Daniel noch aufnehmen, bevor er an diesem Abend um 22 Uhr nach Buenos Aires abflog.

»Bitte«, sagte Colledo.

»Seit vierzig Jahren herrschen sie über uns«, sagte die junge Frau laut und leidenschaftlich in die Kamera. »In ihren Händen liegt die Entscheidung über die Zukunft der Menschheit. Wir, die wir Statisten in diesem Spiel um die Kraft und die Herrlichkeit sind, nennen sie die Supermächte. Mächtig sind sie – aber super?« Die junge Frau holte Atem. »Mein Name ist Mercedes Olivera. Ich bin die Stieftochter von Eduardo Olivera. Man hat mir wie allen anderen Zeugen gestattet, persönliche Ansichten zu äußern. Also: Mächtig sind sie, sagte ich – aber super?«

Das Mikrofon an dem »Galgen« senkte sich ein wenig, der Assistent des Tonmanns korrigierte die Entfernung zu Mercedes' Mund. Jetzt ist ihre Stunde gekommen, dachte Daniel. Ihre Stunde…

»Washington, im Frühjahr neunzehnhundertvierundachtzig«, fuhr Mercedes fort, und ihre Stimme vibrierte. »Die Weltmacht, die so gern die Nummer eins auf dem Globus sein möchte, wird angeführt von Männern, die davon überzeugt sind, daß die biblische Apokalypse bevorsteht. Da werden böse Witze gemacht über die Ausradierung der Sowjetunion, da faselt man über eine Annullierung des Siegermächteabkommens von Jalta, da wird die Umwelt nur noch durch die Sehschlitze von Panzern wahrgenommen…«

Fasziniert wie stets, wenn sie so sprach, starrte Daniel Mercedes an. Ihre Stimme wurde immer leidenschaftlicher, in ihrem Gesicht arbeitete alles.

»…Und wenn der Präsident wissen will, wie es mit seinen Atomstreitkräften bestellt ist, schickt ihm das Pentagon zum leichteren Verständnis komplizierter Verteidigungsfragen bunte Zeichnungen, auf denen Atompilze in unterschiedlichen Größen über die Feuerkraft informieren…«

Ganz groß nahm nun die Kamera Mercedes' Gesicht auf.

»Neuntausend Kilometer weiter östlich, in Moskau, bietet die Elite des Landes – setzt man voraus, daß sie im Kreml vertreten ist – ein ähnlich trauriges Bild. Mit tonloser Stimme, um Atem ringend und jedes Wort mühsam und mit starrem Gesicht vom Blatt ablesend, absolviert der Staats- und Parteichef ein paar protokollarische Pflichtübungen, um gleich danach von seinen Ärzten wieder aus dem politischen Verkehr gezogen zu werden – ein weiterer Kremlchef, den die Bevölkerung als leidenden, kaum noch handlungsfähigen Menschen erlebt…«

»Großartig, wie?« flüsterte Daniel Colledo zu.

Der nickte. Sein Gesicht war starr.

Die Kamera filmte das Gesicht von Mercedes weiterhin ganz groß.

»Unsere Supermächte sind krank. Die Diagnose eines Psychiaters würde lauten: Schwere Schübe von Verfolgungswahn, zeitweiser völliger Verlust von Realitätssinn. Sie spielen sich auf als Weltordnungsmächte und sind doch in Wahrheit Weltunordnungsmächte, die nicht im globalen, sondern allein im nationalen Interesse handeln. Und dabei erhebt sich noch die große Frage, ob sich das Vernunftdenken durchsetzt oder die Asozialität, die dem Menschen zu eigen ist – also reines Konkurrenzdenken...«

Buenos Aires.

Gegen ein Uhr morgens in dieser Nacht glitt ein silbergrauer Porsche durch das Stadtviertel Palermo in nördliche Richtung die Avenida Cabildo entlang, vorbei an weißen Villen in großen Gärten, am Polo-Club, an dem riesigen Parque de Febrero mit seinen Seen, dem Velodrom und dem Planetarium. Der Wagen hatte ein Funkgerät. Es war eingeschaltet. Am Steuer saß Miguel Morales, neben ihm Wayne Hyde.

Der Porsche erreichte die lange Straße Cespedes und bog links ein. Hohe, alte Palmen säumten nun seinen Weg. Er hielt in einiger Entfernung vor dem hohen, schmiedeeisernen Tor mit Blattgoldeinlagen an der hohen Steinmauer, die um das große Grundstück Oliveras lief. Auf der anderen Seite parkte ein grünes Oldsmobile nahe dem Eingang.

»Guten Abend, Señor Douglas. Guten Abend, Miguel. Wir sind vor Ihnen und warten. Viel Glück«, kam plötzlich laut und klar eine junge Stimme aus dem Lautsprecher des Funkgeräts.

»Unsere Freunde sind da«, sagte Hyde zufrieden. Er öffnete das Handschuhfach und entnahm ihm zwei Neun-Millimeter-Pistolen, zwei Schalldämpfer und acht Magazine. Vier behielt er, vier gab er Miguel, dessen Gesicht seltsam weiß aussah. »Schrauben Sie den Schalldämpfer an!« sagte Hyde. »Ein Magazin schieben Sie rein, die anderen stecken Sie in die Tasche. Haben Sie das Fernbedienungsgerät bereit?«

»Ja, Señor.«

»Dann kommen Sie.«

Die beiden verließen den Porsche und gingen schnell und leise auf das große Tor zu. Sie trugen Schuhe mit weichen Sohlen, die ihre Schritte unhörbar machten.

»Jetzt!« sagte Hyde.

Miguel holte das Gerät von der Größe einer Zigarettenpackung aus der Hosentasche und drückte auf einen Knopf. Die Torhälften des Eingangs schwangen zur Seite.

»Prima«, sagte Hyde.

»Das Schwein hat oben auf der Mauer wirklich Stacheldraht legen lassen, und der ist gewiß elektrisch geladen«, sagte Miguel.

»Worauf Sie sich verlassen können. Das hat Ihnen ja schon der General mitgeteilt.«

Sie liefen gebückt in die Einfahrt. Miguel schloß beide Türhälften wieder. Nun eilten sie ein weites Stück Weg durch den phantastischen Park mit seinen Palmen und Bäumen jeglicher Art, mit seinen riesigen Blumenbeeten. Von den Bäumen, deren mächtige Stämme Efeu, Jasmin und Bougainvilleen umschlangen, hingen Büschel von Orchideen herab. Ein heller Halbmond leuchtete am wolkenlosen Himmel, und alles war unwirklich, eine unwirkliche Welt. Sie hasteten am Swimmingpool vorbei. Weiße Korbmöbel standen nahe seinem Rand. Da war das große, weiße, zweistöckige Haus mit dem Flachdach und den französischen Fenstern. Der sehr große Balkon im ersten Stock, zu dem mehrere Fenster hinausgingen, ruhte auf schweren Marmorsäulen.

»Wo schläft Olivera?« flüsterte Hyde.

»Hinten hinaus.«

Sie hatten ein französisches Fenster erreicht, dessen Holzläden wie alle zu ebener Erde geschlossen waren.

Hyde trug eine mit Werkzeug gefüllte Ledertasche. In weniger als einer Minute hatte er die Läden des Fensters geöffnet. Nun nahm er eine große Rolle Verbandstoff-Klebeband und zog mit diesem kreuz und quer Bahnen über die Scheibe eines Türfensterflügels. Er klebte sie praktisch zu. Danach holte er einen kleinen Hammer aus der Tasche und schlug die Scheibe an zwei Stellen ein: in der Mitte nahe der Stelle, hinter der er den Türgriff vermutete. Das Glas, das in viele Teile brach, konnte nicht zu Boden fallen und Lärm verursachen – es hing an den rosafarbenen Klebebändern. Hyde löste ein dreieckiges Stück Glas vom Band, griff ins Innere, fand die Klinke, löste die Verriegelung, und die Tür ging auf. Eine Minute später waren die beiden in der großen Bibliothek mit ihren vielen Büchern. Miguel hatte eine starke Taschenlampe eingeschaltet. Er huschte voran.

»Achtung, Sessel!« flüsterte er. Sie erreichten den Kamin mit der antiken Standuhr. Miguel drückte auf eine verborgene Feder. Der Teil eines Regals schwang auf und ließ den großen, in die Mauer versenkten Tresor mit dem Nummernschloß zum Vorschein kommen. Miguel gab Hyde die Taschenlampe. Der leuchtete den Tresor an. Miguel hatte ihm auf dem Flug von Salta nach Buenos Aires erzählt, daß eine seiner ersten Aufgaben bei Olivera gewesen sei, die Zahlenkombination zu erkunden.

»Es war sehr leicht. Olivera paßte kaum auf. Nach drei Tagen kannte ich die Kombination. Aber es hat sich dann nie die Notwendigkeit ergeben, etwas aus dem Tresor zu holen.«

Nun stellte er schnell und geschickt eine fünfstellige Zahlenreihe ein. Die Stahltür schwang auf. Hyde leuchtete in das Innere des Safes. Er sah Akten und Papiere, Umschläge, Ordner und eine Videokassette.

»Da!« sagte er.

Miguel gab ihm die Kassette und den elektronischen Türöffner.

»Danke, mein Junge.« Hyde steckte sie in die Jackentaschen. »Jetzt müssen Sie eine Weile hier warten.« Miguel nickte. »Ich beeile mich, so sehr ich kann. Wenn wir Glück haben, schläft alles im Haus weiter. Wenn Sie entdeckt werden – Sie haben eine Waffe. Aber benützen Sie sie nur, falls Sie keine andere Möglichkeit mehr sehen.«

»Ja, Señor.«

»Vor allem, legen Sie Olivera nicht um, bevor ich zurück bin – wenn es irgendwie geht. Wir müssen sicher sein, daß das der Film ist, der den General belastet. Wenn er es nicht ist, werden wir uns mit Olivera unterhalten.«

»Das lassen Sie mich dann tun«, flüsterte Miguel. »Dieser verfluchte Verräter!«

»Sie lieben den General sehr, was?«

Miguel nickte stumm. Wie ich meine Mutter, dachte Hyde.

»Fester... fester... Schneller... noch schneller... Härter... ja... ja... ja...« Das schöne junge Mädchen wand sich nackt unter dem nackten Mann. Ihre Finger krallten sich in seinen Rücken, ihre Beine waren um seine Oberschenkel geschlossen. Er keuchte. Ein zweites Mädchen, nackt, nur mit schwarzen Strümpfen und hochhackigen Schuhen bekleidet, welches der Szene zusah, masturbierte mit rasend schnellen Bewegungen und verzerrtem Gesicht. »Ich komme!« schrie das erste Mädchen auf dem Fernsehschirm.

Eine Glocke schrillte: lang, lang, lang, kurz, lang.

Der hagere Mann im blauen Arbeitskittel, der den Pornofilm mit vier Videoapparaturen auf drei neue Kassetten gleichzeitig überspielte, sah zu einer Wanduhr. Es war knapp vor zwei Uhr früh.

Der Mann blickte auf die Skalenzeiger eines Kontrollgeräts, nickte zufrieden und erhob sich. Er arbeitete in der Werkstatt hinter einem großen Fernseh- und Video-Geschäft an der Avenida Rivadavia im Stadtteil Flores. Nun ging er durch das Geschäft zum Eingang und schloß die Tür auf. Hyde trat ein. Im nächsten Moment lagen die beiden Männer einander in den Armen und schlugen sich auf die Rücken.

»Wayne, mein Alter!«

»Mendez, mein Guter!«

Sie waren gleich alt und gleich hager. 1977 hatten sie gemeinsam auf seiten der Guerillas gegen argentinische Juntatruppen gekämpft. Bei dieser Gelegenheit verdiente Mendez Caballito so viel, daß er den Laden in der Avenida Rivadavia erwerben konnte. Durch den Verkauf der Pornos, die er von amerikanischen und französischen Hard-core-Produktionen in großen Mengen überspielte, war das Geschäft richtig in Schwung gekommen. Der Handel mit derartigen Filmen war in Argentinien untersagt, und entsprechend viel konnte Mendez Caballito für sie verlangen. Hyde hatte ihn von Tucuman aus angerufen und seinen Besuch annonciert.

Caballito versperrte die Ladentür wieder und ging in die Werkstatt. Der Pornofilm lief noch. Die beiden Mädchen bemühten sich gerade um den Mann. Eine ritt ihn, die andere saß über seinem Mund. Beide stöhnten laut und wiegten die üppigen Körper. Der Mann grunzte. Er hielt den Hintern des Mädchens umklammert.

»Aus Paris. Wirklich erstklassig«, sagte Caballito. »Willst du ein bißchen zuschauen, mein Lieber?«

»So was kotzt mich an«, sagte Hyde.

»Entschuldige!«

»Hast du alles vorbereitet für mich?«

»Natürlich.« Caballito sah wieder auf die Skalen des Kontrollgeräts, dann ging er mit Hyde in einen zweiten Raum. Hier stand ein Fernsehapparat mit angeschlossenem Videorecorder. »Du hast gesagt, du willst die Kopie gleich abspielen.«

»Die Zeit eilt, ja.«

»Kann ich dir etwas zu trinken bringen?«

»Ich trink' doch nie.«

»Kennst du dich aus?«

»Klar. Ist ja ganz einfach.« Hyde nahm die Kassette, die in Oliveras Tresor gelegen hatte, aus der Tasche. »Sei nicht beleidigt, Mendez, mein Alter, aber Porno scheißt mich wirklich an.«

»Verstehe ich doch. Wie geht es deiner Mutter?«

»Danke, lieb, daß du nach ihr fragst. Hat sich ein Bein gebrochen.«

»O Gott, in ihrem Alter!«

»Wird schon wieder. Wir haben den besten Arzt. Geh ruhig zu deiner Arbeit zurück. Ich komme hier schon zurecht.«

Sein Freund ging.

Hyde schaltete den Fernseher auf Videowiedergabe, knipste den Recorder an, schob die Kassette ein und drückte auf die Play-Taste. Er setzte sich. Von nebenan erklang die Stimme eines Mädchens: »O Gott, ich sterbe. Das halte ich nicht aus... Ich komme schon wieder... schon wieder...«

Über den Fernsehschirm von Hyde lief Schwarzfilm, dann erschienen die Zahlen 3, 2 und 1 und danach ein stilisierter Adler mit einem stilisierten Friedenszweig in der rechten und einem ebenso stilisierten Liktorenbündel in der linken Kralle, vor der Brust, viereckig und stilisiert, die amerikanische Flagge, über dem Kopf des Adlers ein auf beiden Seiten hochflatterndes Band mit den Worten E PLURIBUS UNUM.

Um den Adler lief ein geschlossener Kreis. Hyde las: SEAL OF THE PRESIDENT OF THE UNITED STATES. Das Signet blieb eine Weile stehen. Dann las Hyde in Großbuchstaben die Worte TOP SECRET und danach einen englischen Text: VON DIESEM FILM EXISTIERT NUR EINE EINZIGE WEITERE ANFERTIGUNG MIT RUSSISCHEM TEXT UND KOMMENTAR IN RUSSISCHER SPRACHE...

»Tief!« rief eine Mädchenstimme von nebenan. »Jetzt steck ihn mir ganz tief rein, bitte, bitte, bitte!«

Miguel Morales saß in der großen Bibliothek und wartete. Er wußte, daß er noch eine lange Weile warten mußte, denn Hyde hatte ihn erst vor einigen Minuten verlassen. Durch das offene französische Fenster fiel ein breiter Streifen Mondlicht auf den Teppich. Miguel dachte: Ich bin sehr glücklich darüber, daß der General mich ausgesucht hat, um ihm in seiner verzweifelten Lage zu helfen, und daß ich ihm wirklich helfen kann. Was für ein wunderbarer Mann, mein General. Werde ich wirklich bald bei ihm sein? Miguel lächelte. Er stellte sich das Wiedersehen vor. Plötzlich flammte die Deckenbeleuchtung der Bibliothek auf.

Miguel fuhr entsetzt hoch. Eduardo Olivera war eingetreten. Er trug nur einen blauen Pyjama und Pantoffeln. In der Hand hielt er eine Pistole der Marke Walther PP, Kaliber 7,65. Sein kurzgeschnittenes, sehr dichtes und schlohweißes Haar leuchtete im Licht. Das schmale Gesicht war braungebrannt, die hochmütig wirkenden Augen schienen gar nicht hochmütig, sondern maßlos verblüfft.

»Miguel…«, sagte Olivera sehr leise.

Miguel hatte seine Pistole auf den Tisch gelegt. Er riß sie an sich. Im nächsten Moment schossen sie, gleichzeitig. Miguels Kugel verfehlte ihr Ziel und schlug neben Oliveras Kopf in ein Wandpaneel. Der junge Mann wurde zurückgeschleudert und flog mit dem Rücken gegen eine Bücherwand. Olivera schoß das ganze Magazin leer. Die meisten Kugeln trafen Miguel in den Bauch. Die Augen traten hervor. Er öffnete den Mund. Blut schoß aus ihm. Miguel brach zusammen. Eine große Blutlache bildete sich um ihn. Olivera stand lange Zeit reglos. Dann ging er mit schleppenden Schritten zum Telefon und wählte eine zweistellige Nummer. Gleich darauf sprach er mit klangloser Stimme: »Polizei?… Hier ist Eduardo Olivera, Cespedes tausendsechs. Kommen Sie sofort! Ich habe einen Einbrecher erschossen.«

Eine halbe Stunde später verabschiedete sich Hyde von seinem alten Freund Mendez Caballito. Er stieg in den silbergrauen Porsche und fuhr los. Sogleich hörte er eine junge Männerstimme aus dem Sprechfunkgerät: »Rufen Douglas… rufen Douglas… Douglas, bitte melden… Rufen Douglas…«

Hyde nahm das Mikrofon und sagte: »Hier ist Douglas.«

»Endlich! Wir suchen Sie seit einer halben Stunde.«

»Wer sind Sie?«

Unter krachenden Störgeräuschen kam die Antwort: »Freunde. Ein Kollege und ich saßen in dem grünen Oldsmobile, das vor Cespedes tausendsechs parkte, als Sie kamen. Wir sitzen immer noch drin, aber wir sind schnellstens abgehauen. Fahren Sie auf keinen Fall in die Cespedes zurück, Douglas! Auf keinen Fall! Da ist jetzt alles voll Polizei.«

»Polizei?«

»Ja. Ist etwas schiefgegangen.«

»Was?«

»Olivera hat Miguel erschossen.«

»Verflucht! Woher wißt ihr das?«

»Wir können den Polizeifunk abhören, Douglas, wir können

den Polizeifunk abhören. Rufen Sie sofort Cristobal an! Er hat schon mit London gesprochen.«

2

Der kleine Herr Abad sah noch sorgenvoller aus, als Sibylle ihn in Erinnerung hatte. Und noch größer erschienen ihr die Nase und die Ohren. Mit einer Hand, die an jene eines Pianisten erinnerte, betastete der kleine, so zerbrechlich wirkende Herr die Perle in seinem Krawattenknoten. Er saß Sibylle am Tisch in einem der beiden Restaurants des Donauturms gegenüber. Vor dem großen Fenster glitten gerade die Lichter der Inneren Stadt vorbei. Sie hatten gegessen – Sibylle nur Horsd'oeuvres. Nun standen Kaffeetassen und Cognacgläser vor ihnen.

»Ich danke Ihnen, daß Sie meine Einladung angenommen haben, Frau Primaria«, sagte Abad. Er nippte an seinem Cognac. Das Restaurant war stark besucht.

»Sie haben gesagt, es handelt sich um meinen Bruder.« Sibylle fuhr sich mit einer Hand über das kurzgeschnittene kastanienbraune Haar. Ihre Augen von gleicher Farbe schlossen sich halb, während sie sprach. »Was ist mit meinem Bruder, Herr Abad?«

»Es geht ihm gut. Sie bekommen doch regelmäßig Post von ihm, nicht wahr?«

»Ja.«

»Nun, und schreibt er nicht, daß es ihm gutgeht, daß er alle nur möglichen Vergünstigungen genießt?«

»Um mich das zu fragen, haben Sie sich doch nicht mit mir verabredet.«

»Nein, nein, natürlich nicht, Frau Primaria.«

»Also weshalb?«

Die Lichter der Stadt blieben zurück, wurden spärlicher. Das Fenster drehte sich langsam in Richtung Kahlenberg.

»Nun, hrm, nun...« Abad befingerte mit Ausdauer die Perle und wiegte kummervoll den Kopf. »Sie haben einen alten Freund, Daniel Ross. Einen sehr alten und sehr guten Freund, nicht wahr?«

»Ja, Herr Abad.«

»Vor kurzem haben Sie ihn im Sanatorium behandelt. Er war recht heruntergekommen durch den Mißbrauch eines Beruhigungsmittels. Sie brachten ihn wieder auf die Beine. Sie sind eine großartige Ärztin.«

»Bitte, Herr Abad.«

»Sie sind es wirklich. Ross ist wie neugeboren. Frisch und lebendig, aktiv und erfolgreich wie noch nie.«

»Woher wissen Sie das?«

»Ein Bekannter hat es mir erzählt. Hören Sie denn nichts von Ihrem alten Freund?«

»Er ruft mich von Zeit zu Zeit an.«

»Nun, dann wissen Sie doch selbst, wie gut es ihm geht. Auf Ihr Wohl, Frau Primaria!« Er hob sein Glas, womit er sie nötigte, das gleiche zu tun. Sie tranken beide. An den Hängen des Kahlenbergs waren nur wenige einsame Lichter zu sehen und die Lichterschnur entlang der Höhenstraße. Bleicher Mondschein fiel auf Wald und Weinberge, Steinwände und Wiesen.

»Leider bereiten uns Ihr guter alter Freund Daniel Ross und seine Freundin Mercedes große Unannehmlichkeiten. Immer größere. Ich meine, die Unannehmlichkeiten, die sie uns bereiten, werden immer größer. Jetzt sind sie unerträglich groß geworden. Sie wissen nicht, wovon ich spreche?«

»Ich habe keine Ahnung, Herr Abad.«

»Sehen Sie, liebe Frau Primaria, Ihr alter Freund und seine junge Freundin glauben, der Menschheit einen Dienst zu erweisen mit dem, was sie vorhaben. Andere Leute glauben das auch. Sie alle sind in einem tragischen Irrtum befangen. Sie werden den Menschen keinen Dienst erweisen, sondern nur dafür sorgen, daß die Welt in noch größerer Unruhe, Unsicherheit und Angst lebt. Etwas Unheilvolles braut sich zusammen, Frau Primaria, etwas, das man unter allen Umständen verhindern muß.«

Der mächtige Strom erschien nun, silbern leuchtete das Wasser im Mondlicht.

»Unheilvoll für wen, Herr Abad? Für Ihre Auftraggeber? Die Herren, für die Sie arbeiten?«

»Nein, nein. Für alle Menschen, alle, ja.« Er schwieg und fügte nach einer Pause traurig hinzu: »Wirklich alle. Unordnung und Leid, das werden die Folgen der Tätigkeit von Herrn Ross und seiner Freundin sein. In der ganzen Welt. Wenn nicht noch Schlimmeres. Man muß es verhindern.«

»Das sagten Sie schon einmal, Herr Abad.«

Er sah sie stumm an.

Nach einer langen Pause fragte Sibylle: »Warum sehen Sie mich so an?«

»Ich erinnere mich an unsere erste Begegnung, liebe Frau Primaria«, sagte der kleine Herr. »Am Abend des achtzehnten Juni sechsundsiebzig ist das gewesen. Auch hier im Donauturm. Sie haben tiefen Eindruck auf mich gemacht, Frau Primaria. Als besonders schöne Frau. Und als Persönlichkeit. Ich werde dieses Datum niemals vergessen. Neunzehnhundertsechsundsiebzig! Mein Gott, das ist schon acht Jahre her... acht Jahre... Wie schnell die Zeit vergeht... und das Leben... Ich bin ein alter Mann... Bald werde ich sterben...«

»Herr Abad! Warum haben Sie mich hergerufen?«

»Nicht so laut, ich bitte Sie!« Er trank wieder und winkte dann einen Kellner herbei. »Noch zweimal dasselbe«, sagte er und deutete auf die Cognacgläser.

»Sehr wohl, der Herr. Noch zwei Remy Martins.«

Der kleine Herr Abad neigte sich vor. »Sehen Sie, liebe Frau Primaria...« Er fuhr sich über die Stirn. »Sie können nicht ahnen, wie oft ich meinen Beruf hasse... Sehen Sie, weil Sie in den vergangenen Jahren so großartig kooperiert haben, ist die Haftstrafe für Ihren Bruder auf fünfzehn Jahre herabgesetzt worden, nicht wahr. Und von denen hat er schon acht verbüßt. Er könnte also in sieben Jahren frei sein.«

»Was heißt könnte?« Sibylle fuhr auf.

»Wenn Sie wüßten, wie sehr ich meinen Beruf oft...«

»Ja, ja, ja. Was heißt könnte, Herr Abad?«

»Könnte heißt, wenn Ihnen gelingt, das zu erreichen, was ich heute leider von Ihnen verlangen muß.«

»Und was ist das?«

»Ich bitte Sie, nach Frankfurt zu fliegen und alles zu tun, damit Ross und seine Freunde die Arbeit an diesem Projekt einstellen.«

»Wie sollte ich das erreichen können?«

Der Kellner kam mit zwei neuen Gläsern.

Abad trank das seine mit einem Schluck leer.

»Das ist Ihre Sache. Wenn Sie es nicht erreichen, wird die Strafe für Ihren Bruder wieder auf fünfundzwanzig Jahre zurückverwandelt. Alle Vergünstigungen, alle, Frau Primaria, werden ihm entzogen. Das können Sie Ross sagen.«

»Was?«

»Was ich Ihnen gerade gesagt habe. Sie waren einander einmal sehr zugetan. Es besteht noch immer eine große innere Verbundenheit. Appellieren Sie an sein Mitgefühl! Tun Sie alles, was in Ihren Kräften steht!«

»Aber... aber Herr Ross weiß doch überhaupt nichts von meinem Bruder! Es ist mir doch streng verboten, mit irgend jemandem über ihn zu sprechen.«

»Das stimmt«, sagte Abad, plötzlich kalt und böse. »Trotzdem weiß Herr Ross alles über Ihren Bruder. Und diese Frau Olivera auch.«

»Das ist nicht wahr!«

»Natürlich ist es wahr! Sie haben den Pfleger Josef Aigner gebeten, den beiden alles zu erzählen – während einer Besichtigung des Stiftes Heiligenkreuz am fünften März.«

Jetzt trank Sibylle ihr Glas auf einen Schluck leer.

»Sie haben den Pfleger Josef für Ihren Vertrauten gehalten, Frau Primaria«, sagte Abad klagend. »Das war ein schwerer Fehler. Man soll keinem Menschen vertrauen. Niemals. Er ist mit Ihrem Bruder zur Schule gegangen, er war so viele Jahre lang sein bester Freund. Sie haben sich Josef anvertraut, oft...«

Sibylle sah ihn stumm an. Ihre Lippen zitterten.

»Es ist schlimm, daß Sie uns für Idioten halten, Frau Primaria«, fuhr Abad mit seiner Klage fort. »Meinen Sie, wir sehen uns nicht jeden Menschen, der in dem Sanatorium arbeitet, ganz genau an, bevor wir ihn anstellen?«

»Sie wußten...«

»Nun, natürlich. Josef war für uns von unschätzbarem Wert. Er hat uns immer sofort alles gemeldet, was Sie ihm als dem Mann anvertrauten, den Sie für den einzigen wahren Freund im Sanatorium hielten. Selbstverständlich berichtete er auch davon, daß er Ross und die Olivera in Ihrem Auftrag im Detail darüber informiert hat, warum Sie bei Heiligenkreuz arbeiten und was mit Ihrem Bruder los ist. Genauer gesagt: Er meldete uns Ihren Auftrag natürlich, bevor er ihn ausführte. Wir gaben ihm die ausdrückliche Ermächtigung dazu.«

»Sie gaben ihm... aber warum?«

»Weil wir in unsere Überlegungen auch eine Situation aufnehmen mußten, wie sie jetzt eingetreten ist, Frau Primaria. Und wie klug war das doch! Sie können Ihrem alten Freund Ross ruhig erzählen, daß ich Ihnen gesagt habe, was mit Ihrem Bruder geschieht, wenn Ross und die anderen ihr Vorhaben wirklich ausführen. Falls die Beteiligten nicht dichthalten und Außenstehende von der Sache erfahren, ist das Leben Ihres Bruders verwirkt – sofort. Das müssen Sie Ross auch sagen.«

Sibylle setzte zweimal an, bevor sie sprechen konnte. »Aber ich weiß doch nicht, was Ross vorhat.«

»Nein, das wissen Sie nicht. Fragen Sie ihn! Tun Sie, was in Ihrer Macht steht! Es geht um das Schicksal Ihres Bruders, Frau Primaria. Alles liegt jetzt in Ihrer Hand...« Abad sah aus dem Fenster. Die Bäume, Wäldchen und Sandbänke der Lobau zogen unter ihnen vorüber. Das Mondlicht schuf gewaltige Schatten und eine hell-dunkle Irrwelt. »Josef werden Sie übrigens nie mehr sehen«, sagte der kleine Herr gegen die Fensterscheibe. »Er hat das Sanatorium und Österreich bereits verlassen. Wir werden ihn anderswo einsetzen. Wirklich, liebste Frau Primaria, dieser elende, gemeine und menschenverachtende Beruf – er wird mich noch das Leben kosten. Mein Herz macht nicht mehr lange mit. Nein, nicht mehr lange...«

Ein Transatlantikgespräch.

»Herr Intendant, hier spricht Conrad Colledo. Ich komme gerade aus dem Polizeipräsidium. Olivera wird noch heute entlassen. Innerhalb der Achtundvierzig-Stunden-Frist. Der Fall ist völlig klar: Notwehr.«

»Werden wohl alle Journalisten und Korrespondenten in Buenos Aires da sein, wenn Olivera rauskommt.«

»Sicherlich. Darum rufe ich an.«

»Was heißt das?«

»Ich habe einen Kassiber von Olivera erhalten. Vor zehn Minuten. Ein bestochener Wärter hat ihn rausgeschmuggelt. Olivera schreibt, er habe der Polizei und dem Richter erklärt, aus dem Tresor sei nichts entwendet worden. Er habe Morales erwischt, unmittelbar nachdem dieser die Stahlkammer geöffnet hatte. In Wahrheit aber sei die Videokassette verschwunden, die Olivera mir hätte übergeben sollen.«

»*Was?*«

»Sie hörten schon richtig.«

»Wenn sie verschwunden ist, dann muß ein zweiter Mann mit Morales eingebrochen und mit der Kassette sofort verschwunden sein.«

»Oder Olivera lügt.«

»Sie meinen: Er hat die Kassette noch und will uns aufs Kreuz legen?«

»Wenn es einen zweiten Mann gab: Warum blieb dann Morales zurück? Warum haute auch er nicht sofort ab, nachdem er den Tresor geöffnet und die Kassette rausgenommen hatte?«

»Haben Sie eine Erklärung?«

»Könnte sein, daß der zweite Mann erst feststellen wollte, ob es die richtige Kassette war.«

»Und darum ließ er Morales zurück?«

»Ja.«

»Verstehe ich nicht.«

»Für den Fall, daß es die falsche Kassette gewesen wäre – ich gehe davon aus, daß hier unsere Freunde von der Gegenseite am Werk sind.«

»Natürlich.«

»Wenn es die falsche Kassette gewesen wäre, hätten die beiden vielleicht versucht, Olivera zu terrorisieren und so zur Herausgabe des echten Films zu bewegen.«

»Mit all den Angestellten im Haus? Das ist doch unmöglich!«

»Die einzige Erklärung, die mir einfällt.«

»Sie meinen, Morales oder der zweite Mann hätten Olivera erschossen, wenn die Kassette falsch gewesen wäre und er die echte nicht herausgerückt hätte?«

»Sie wollten ihn auf alle Fälle erschießen, Herr Intendant. Damit er sie nicht verraten konnte.«

»Fein, fein. Also sind die andern uns prompt wieder zuvorgekommen.«

»So ist es, Herr Intendant. Es sei denn, wie gesagt, Olivera lügt und hat die Kassette noch.«

»Dann macht es wieder keinen Sinn, daß – Theorie vom zweiten Mann – Morales zurückblieb, während der erste Mann die Kassette prüfte.«

»Vielleicht spielt uns Olivera Theater vor und hat den Einbruch selber vorbereiten geholfen, den angeblichen Einbruch.«

»Gehört es auch zu seinem Theaterspiel, daß er einen Menschen erschoß, Herr Colledo?«

»Herr Intendant! Was verlangen Sie von mir? Ich habe Ihnen eine mögliche Version vorgetragen. Mehr weiß ich nicht. Vielen Dank im übrigen für den taktvollen Hinweis darauf, daß die Gegenseite schon wieder informiert gewesen sein muß.«

»Mein Gott, seien Sie doch nicht albern! So *ist* es doch – leider. Habe ich etwa Sie verdächtigt? Na also. Schlechte Nerven, Herr Colledo?«

»Danke, es geht noch. Die Polizei hier ist ungemein kooperativ. Das BKA hat gute Freunde. Wir werden bewacht, Olivera wird Polizeischutz erhalten – auch für später. Man sagt mir, daß er ganz ruhig ist. Er glaubt fest an die ›Lebensversicherung‹ durch die Kassetten, die im Sender liegen… Sie erinnern sich, Sie haben ihm damit die Hergabe seiner dritten Kassette schmackhaft gemacht. Nun brauche ich schnellstens Ihre Entscheidung.«

»Entscheidung?«

»Olivera schreibt in dem Kassiber, es sei nicht seine Schuld, daß die Kassette verschwunden ist und er sie mir also nicht, wie mit Ihnen besprochen, übergeben kann. Immerhin hätten wir die beiden anderen Kassetten in unserem Besitz. Olivera verlangt die zehn Millionen Dollar. Sie sollen augenblicklich bei seiner Bank hinterlegt werden. Geschieht das, wird er vor Journalisten und Fernsehleuten – vor jedermann – dabei bleiben: Nichts wurde aus dem Tresor gestohlen. Sind die zehn Millionen nicht auf seiner Bank, wenn er rauskommt, wird er reden. Eine Menge reden. Er wird die ganze gottverfluchte Geschichte bekanntgeben. Alles, was er weiß. Alles, was den Film und seinen Inhalt betrifft. Er ist absolut verzweifelt und ruiniert, falls er das Geld jetzt nicht bekommt. Er ist dann bankrott und wird den Rest seines Lebens wegen seiner Finanzaffären im Gefängnis verbringen. Herr Intendant, ich bitte, mir zu sagen, was ich tun soll. In spätestens drei Stunden wird Olivera entlassen.«

»Colledo! Was verlangen Sie von mir?«

»Daß Sie mir sagen, ob ich die zehn Millionen anweisen lassen soll oder nicht.«

»Aber… aber… Gottverflucht noch einmal, dieser Kerl erpreßt uns ja schon wieder!«

»Würden Sie es in seiner Situation nicht tun? Er muß grausige Schulden haben. Das ist seine letzte Chance, jetzt, wo der Film weg ist.«

»Vielleicht ist er nicht weg. Vielleicht bescheißt uns das Schwein!«

»Wohl möglich!«

»Himmelherrgottnochmal, ist das eine gemeine Erpressung!«

»Herr Intendant! Soll ich die zehn Millionen Dollar anweisen lassen oder nicht?«

»Nein! Oder warten Sie, wenn wir ihm das Geld *nicht* geben…«

»Ja, eben.«

»Aber ich kann doch nicht allein… Ich muß mit Bonn telefonieren... Geben Sie mir eine halbe Stunde... Wo kann ich Sie erreichen?«

»Ich wohne im Hotel NOGARO wie das letzte Mal.«

»Bleiben Sie auf Ihrem Zimmer! Rühren Sie sich nicht weg! Ich rufe zurück.«

»Aber bevor eine Stunde vergeht, Herr Intendant. Sonst ist es zu spät.«

Vier Stunden später stand Eduardo Olivera neben dem Kamin in seiner Bibliothek, vor dem geöffneten Tresor. Er trug einen leichten blauen Sommeranzug und, um den Hals geschlungen, ein breites weißes Seidentuch. Das Tuch und sein dichtes weißes Haar leuchteten im Licht von Scheinwerfern. Zwei Kameramänner und ein Tonmann hatten – wie bei Harry Gold – ihre Geräte aufgebaut. Und an Harry Gold erinnerten auch die Sicherheitsvorkehrungen – nur waren sie hier viele Male größer. Bewaffnete Polizisten umstanden das Grundstück der Villa. Jeder Winkel war zuvor untersucht worden.

Die Männer des Teams, das mit Conrad Colledo aus Frankfurt hierher gekommen war, verharrten reglos. Kamera eins lief, der Ton lief, die Klappe war geschlagen. Die Hände in den Hosentaschen, sagte der Mann im Licht: »Mein Name ist Eduardo Olivera. Das ist der Name, den ich seit vielen Jahren trage. Früher einmal hieß ich Georg Ross. Ich schwöre bei Gott, daß ich hier die reine Wahrheit sagen werde. Ich spielte während des Zweiten Weltkriegs in Berlin eine führende Rolle im Geheimdienst des Außenministers Joachim von Ribbentrop. In dieser Stellung habe ich ein eigenes Netzwerk dieses Geheimdienstes für den gesamten Mittleren Osten aufgebaut...«

...Und seit zwei Stunden hast du zehn Millionen Dollar auf deiner Bank, dachte Conrad Colledo, der neben dem Tonmann hinter den Scheinwerfern saß, und brauchst keine Sorgen vor Ruin und Schande mehr zu haben. Es redet sich flüssig und wieder hochmütig mit so viel Geld auf der Bank.

Sibylle sagte: »Wie schön, daß du dich gemeldet hast, als ich gestern anrief, Danny. Ich hatte schon Angst, ihr wäret irgendwo unterwegs. Tut gut, euch wiederzusehen. Machst einen gesunden Eindruck, Danny, mein Alter!«

»Es geht mir auch prima«, sagte der. »Mercedes paßt auf. Ich habe ihr die Tabletten gegeben. Ich kriege eine abends und eine morgens – wie du es vorgeschrieben hast. Ja, ich bin völlig erholt. *Du* siehst überarbeitet aus, meine Liebe. Sehr überarbeitet. Oder hast du am Ende etwas?«

»Was soll ich haben?«

»Was weiß ich. Sorgen? Ist etwas passiert?«

»Überhaupt nichts, Danny. Wirklich nicht.«

»Sie sehen tatsächlich elend aus, Sibylle«, sagte Mercedes. »Ganz blaß, eingefallene Wangen, Ringe unter den Augen…«

»Überarbeitung. Danny sagte es gerade.« Sibylle lachte.

Sie lacht zu laut, dachte Daniel.

»Wir haben zwei Forschungsaufträge von einem Heilmittelkonzern hier bekommen. Neue Medikamente. Klinische Erprobung. Deshalb mußte ich nach Frankfurt.« Sie log leicht und perfekt. Hoffentlich lüge ich leicht und perfekt, dachte sie. »Mit den Chemikern hier reden. Große Konferenz. Wenn ich geahnt hätte, was für eine Riesenarbeit das wird, hätte ich sie nicht angenommen. Für alles Geld der Welt nicht.«

Sibylle saß zwischen Daniel und Mercedes in dem großen Arbeitszimmer der Wohnung an der stillen Sandhöfer Allee. Draußen war es noch immer eiskalt. Heftiger Nordwind pfiff um das Haus. Mercedes hatte Tee und Sandwiches serviert. Sibylle bemühte sich um Ruhe, Haltung und Fröhlichkeit. Sie sah tatsächlich elend aus. Gleich am folgenden Vormittag, nachdem sie mit dem kleinen Herrn Abad zu Abend gegessen hatte, war sie nach Frankfurt geflogen – nicht ohne sich telefonisch zu vergewissern, daß Daniel und Mercedes daheim waren. Sie hatte gefragt, ob sie zu Besuch kommen dürfe – da sie schon in der Stadt sei. Daniel hatte begeistert um einen Besuch gebeten. Jetzt saßen sie zusammen, erzählten, lachten, schwiegen, und Sibylle berichtete vom Leben im Sanatorium. Lieber Gott, laß mich einen Anfang finden, dachte sie. Ich muß einen Anfang finden, das zu sagen, weshalb ich hier bin. Ich muß noch viel mehr tun und erreichen, wenn mein Bruder nicht als Gefangener sterben soll. Noch einmal fünfundzwanzig Jahre…

Sie redete und redete. Ich finde den Anfang nicht, dachte sie verzweifelt.

Mercedes hatte sich erhoben und einen flachen Wandschrank geöffnet, vor dem sie niederkniete. Aus den hohen Stereoboxen, die in zwei Zimmerecken standen, erklang plötzlich Musik, ein Klavier, ein klagendes Saxophon. Die Musik besaß den seltsam blechernen, scheinbar zu hohen Klang der ganz alten Schallplatten. Eine junge, helle Frauenstimme, ach, so wehmütig, begann zu singen: »Man hat uns nicht gefragt, als wir noch kein Gesicht, ob wir leben wollten oder lieber nicht…«

»Oh«, sagte Sibylle. Ihr Blick irrte zwischen Daniel und Mercedes hin und her.

»Damit Sie sehen, daß wir die Platte in Ehren halten«, sagte Mercedes und kehrte zum Kamin zurück. »Eure Zeit, Sibylle, Danny. Euer Lied. Jetzt ist es unser Lied, Sibylle. Sie haben es uns geschenkt.«

»Wir haben nie gewußt, wer da singt«, sagte Sibylle. »Was, Danny? Und wieviel Mühe haben wir uns gegeben, es herauszufinden!«

»Wir auch«, sagte Mercedes. »Aber nun wollen wir es gar nicht mehr wissen. Es ist noch viel schöner so.«

»…Jetzt gehe ich allein durch eine große Stadt, und ich weiß nicht, ob sie mich lieb hat«, sang die junge Unbekannte aus einer anderen Zeit, einer anderen Welt. Ein Fenster klirrte, als eine besonders heftige Sturmböe das Haus erzittern ließ… »Ich schaue in die Stuben durch Tür und Fensterglas, und ich warte, und ich warte auf etwas…«

Mercedes sah Daniel lange an. Der nickte endlich.

»Ja«, sagte er.

»Ja, was?« fragte Sibylle.

»Ja, wir wollen dir sagen, was wir tun«, sagte Daniel. »Du hast diesen Pfleger Josef beauftragt, uns alles über dich zu erzählen, über dich und deinen Bruder, das ganze große Unglück – und wir haben dir noch nie von uns erzählt. Das ist sehr unfair, nicht wahr, Mercedes?«

»Sehr«, sagte diese.

»Wir wissen, Sie werden es niemandem weitererzählen«, sagte Mercedes.

»Doch. Werner«, sagte Daniel. »Werner darf es auch wissen. Ihr beide. Ihr gehört zusammen.«

»Wir gehören alle vier zusammen«, sagte Sibylle sehr leise.

»Danke«, sagte Mercedes, ebenso leise. »Ich danke dir.«

»Sie haben du zu mir gesagt…« Sibylle sah Mercedes an.

»Ja. Ist dir das unangenehm? Darf ich nicht…?«

»Doch. Ich wollte dir schon lange das Du anbieten, Mercedes! So wie wir zueinander stehen…«

»…Wenn ich mir was wünschen dürfte, möcht’ ich etwas glücklich sein…«

Daniel sagte: »Hast du auch Angst vor einem neuen Krieg, Sibylle?«

»Ja«, sagte sie. »Große Angst. Werner ebenfalls. Alle Menschen, die nur ein wenig denken können, haben Angst. Es wird schlimmer von Tag zu Tag. Wißt ihr, ich muß immer wieder daran denken, wie weise doch die Männer waren, die die Bibel geschrieben haben. ›Selig sind, die da geistlich arm sind, denn das Himmelreich ist ihrer‹... Die geistig Armen... Die nicht denken, die sich nichts vorstellen können... die haben keine Angst... Wahrhaftig, selig sind die!«

»... denn wenn ich gar zu glücklich wär', hätt' ich Heimweh nach dem Traurigsein«, sang die junge Stimme. Das Orchester setzte ein und brachte das Lied zu Ende. Mit einem Knacken stellte der Apparat sich ab.

»Wir haben uns gerade aus dem Archiv des Senders Aussprüche und Reden großer Politiker besorgt«, sagte Daniel. »Und fassungslos gelesen. Paß auf, Sibylle, ich zitiere aus dem Gedächtnis... ›Im Augenblick, da sich die Sowjets das Nötige zugelegt haben, um Amerika auszulöschen, so wie auch dieses die Mittel besitzt, die Sowjets zu vernichten, ist es da noch denkbar, daß die beiden Rivalen, außer im höchsten Notfall, aufeinander einschlagen? Was aber hielte sie davon ab, ihre Bomben auf den zwischen ihnen liegenden Bereich, auf Mittel- und Westeuropa zu werfen? Die NATO hat also aufgehört, den Westeuropäern ihre Existenz zu garantieren.‹ Wer hat das gesagt? Du kommst nie drauf! General de Gaulle! Vor mehr als zwanzig Jahren! Und der war weiß Gott kein Linker! Oder eine andere Stimme: ›Es gibt handfeste politische Interessen gegen eine Entspannung mit den Russen. Da steckt ungeheuer viel Geld drin, und das wirtschaftliche Interesse vieler Leute liegt im Bau von immer mehr Waffen. Das läßt sich gut als Patriotismus und als Verteidigungswille verkaufen.‹ Wer sagte das? Der amerikanische Senator Fulbright – voller Zorn. Hübsch, wie?«

»Hilflos«, sagte Mercedes, »müssen die Europäer mitansehen, wie das Unheil heraufzieht. Sie alle leben – und die Deutschen vorneweg – an der Grenze, wo die Blöcke aufeinanderprallen. Wenn in Washington Regierungsberater von der ›Vorkriegszeit‹ sprechen – von der ›Vorkriegszeit‹ sprechen sie wirklich und wahrhaftig, Sibylle! –, und wenn in Moskau vor westlichen ›Kriegsvorbereitungen‹ gewarnt wird, die es nötig machen, ›das Pulver trocken zu halten‹, dann erscheint nicht nur so pessimistisch gestimmten Philosophen wie Carl Friedrich von Weizsäcker der dritte Weltkrieg ›wahrscheinlich‹. Weizsäcker sagte: ›Wenn hinreichend viele Leute sich so verhalten, als käme ein solcher Krieg, so wird es leicht, daß er kommt.‹« Und der Nordwind pfiff weiter um das Haus und ließ das Fenster klirren.

»Gott wird uns schützen«, sagte Mercedes mit verzogenem Mund. Sibylle sah, wie in ihrem angespannten Gesicht viele kleine Muskeln zuckten. »Der Vatikan hat ja klar gesagt, daß atomare Abschreckung keineswegs unmoralisch ist. Für den Papst sind Atomwaffen angesichts dieser Kriegsgefahr sozusagen Verhütungsmittel. Und zwar solche«, Mercedes lachte böse, »für die er ausnahmsweise Sympathie hat.«

»Und die deutschen katholischen Bischöfe, Sibylle, stell dir das vor«, rief Daniel, »haben erklärt, daß sie für den Frieden sind – nach langem Nachdenken. Die deutschen Bischöfe sind für den Frieden. Und nicht für den Krieg. Großartig, wie?«

»Wir Kleinen. Wir Milliarden Kleinen«, sagte Sibylle. »Was können wir tun? Warten, bis man uns tötet, sonst nichts.«

»O nein!« sagte Mercedes.

»Bitte?«

»O nein«, sagte auch Daniel. »Natürlich erinnerst du dich daran, wie ich dich von hier aus im Sanatorium anrief, ganz kaputt von dem verfluchten Nobilam...«

»Natürlich. Ich habe gesagt, du mußt sofort zu mir kommen, und du hast gesagt, du mußt unbedingt vorher noch etwas erledigen. Zusammen mit Mercedes, die dir eine Nachricht gebracht hatte.«

»Richtig. Eine Nachricht von einem Mann in Buenos Aires, habe ich dir gesagt. Eine ganz wichtige Nachricht. Dieser Mann, sagte ich, hätte Arbeit für mich. Und ich müßte zu ihm. So schnell wie möglich... Weißt du, wer der Mann in Buenos Aires ist?«

»Wer ist es?« fragte Sibylle.

»Mein Vater.«

»Dein Vater... der ist doch im Krieg gefallen...«

»Ja, das glaubte ich auch. Er lebt! Mein Vater lebt, Sibylle! Unter anderem Namen. Alter Herr. Sehr rege. Gibt gerade ein großes Fernsehinterview, oder hat es schon gegeben.«

»Worüber?«

»Über... Wir werden dir alles erzählen, alles. Die ganze Geschichte...«

Eine halbe Stunde später.

Mercedes und Daniel hatten abwechselnd gesprochen, Sibylle hatte zugehört. Jetzt schwiegen sie alle drei. Der Sturm heulte. Sonst war es still in dem großen Raum.

»Ungeheuerlich«, sagte Sibylle zuletzt. »Wirklich das Ungeheuerlichste, was ich jemals gehört habe. Das also ist eure Arbeit.«

»Ja, das ist unsere Arbeit«, sagte Mercedes. »Wenn dieser Film ausgestrahlt wird, Sibylle... nicht, daß wir uns etwa vorstellen, die Menschen würden dann auf die Barrikaden gehen. Aber die Verbündeten der Großen Zwei, die Regierungen so vieler Staaten, sie müßten doch den beiden Supermächten ihre Gefolgschaft aufkündigen, wenn die schon neunzehnhundertdreiundvierzig unsere Welt unter sich aufgeteilt haben. Wenn die schon damals beschlossen haben, einander nichts zu tun und nicht einzugreifen, falls einer von ihnen Krieg mit einer widerspenstigen Nation in seiner Einflußsphäre führt. Wenn sie schon damals Europa und Deutschland im besonderen zum Erprobungsfeld ihrer neuen Waffen bestimmt haben.«

»Wir wissen immer noch nicht, ob der Film eine Fälschung ist oder echt«, sagte Daniel. »Die beiden Großmächte unternehmen mit Hilfe ihrer Leute alles, wirklich alles, um Zeugen für eine Echtheit des Films auszuschalten. Wir haben dir ja erzählt, daß es bereits Tote gegeben hat. Doch das sagt auch nicht, daß der Film echt ist. Das sagt nur, daß die beiden Supermächte Angst vor einer Ausstrahlung des Films haben, weil es schon genügt, wenn die Regierungen ihrer Verbündeten überlegen: Was die tatsächlichen Ereignisse seit fünfundvierzig angeht, *könnte* der Film echt sein. Und wir sind nur Schlachtvieh, zu vielen, vielen Millionen Schlachtvieh.«

»Darum wird dieser Krieg im Dunkeln mit solcher Erbitterung geführt, Sibylle«, sagte Mercedes. »Verstehst du jetzt?«

»Ja«, sagte Sibylle. Und sie dachte: Niemals, nein, niemals darf ich den beiden von meinem Bruder erzählen und sie bitten, die Arbeit, der sie sich verschrieben haben, aufzugeben. Es wäre auch technisch unmöglich, das Unternehmen, das da ins Rollen gekommen ist, zu stoppen. Und wenn es noch zu stoppen wäre... Natürlich könnte ich sagen: Diese Welt ist so und so verloren, ihr seid idealistische Phantasten, ich muß meinem Bruder helfen, nur das ist wichtig, nur mein Bruder zählt. Aber darf ich das? Will ich das?

Sibylle hörte und sah Mercedes und Daniel auf sie einreden,

doch sie verstand nicht, was die beiden sagten. Nein, dachte sie, ich darf sie nicht mit meinen Sorgen beunruhigen, unsicher machen, uneins, denn wer weiß, was geschehen würde, wenn ich von Eugen erzählte? Mercedes ist zu engagiert, zu fanatisch, sie ist mir auch zu fremd. Aber Danny... Er hat mich so geliebt... und ich ihn... Er hängt immer noch an mir... Wie ich an ihm... *Das* kann ich mir vorstellen, daß ich zumindest den armen Danny in einen furchtbaren Gewissenskonflikt stürzen würde... Nein, nein, nein, ich darf nicht von meinem Bruder sprechen. Ich darf es einfach nicht.

»...dir schlecht?« Mercedes hatte gesprochen. Nur die beiden letzten Worte verstand Sibylle.

»Nein. Warum?«

»Du siehst plötzlich ganz blaß aus«, sagte Mercedes. »Nicht wahr, Danny?«

»Ja«, sagte dieser. »Was hast du, Sibylle?«

»Wirklich nichts.« Jetzt muß ich lügen, dachte sie. »Nur müde... Ich bin sehr müde... Um fünf Uhr früh aufgestanden, um das Flugzeug zu erreichen. Die Besprechungen mit den Chemikern. Sehr anstrengend, wißt ihr. Müde, ja, müde bin ich plötzlich, das ist alles.«

»Bleib hier bis morgen! Schlaf hier!« sagte Mercedes.

»Nein, das geht nicht...«

»Natürlich geht es. Wir haben Platz genug.«

»Nicht deshalb. Ich muß ins Sanatorium zurück. Ich habe ein paar schwere Fälle... Mein Rückflug ist auch schon für heute abend gebucht... Ich wollte euch beide nur endlich einmal wiedersehen...« Sibylle fühlte, wie der Raum sich um sie zu drehen begann. »Ich... ich... bin wirklich todmüde. Ich muß wieder munter werden. Danny, mein Alter, würdest du mir wohl einen Whisky geben – einen großen, ohne Eis und Wasser, pur?«

Sibylle trank dann noch einen zweiten großen Whisky, und als Mercedes und Daniel sie schließlich mit ihrem Koffer in Daniels Wagen zum Rhein-Main-Flughafen fuhren, war sie ein wenig alkoholisiert.

»Wir müssen uns wiedersehen, auch mit Werner«, sagte sie immer wieder. »Wir müssen uns wiedersehen. Ich habe euch so gerne. Ihr seid so tapfer. Bald müssen wir uns wiedersehen, ja?«

Sie trafen um 20 Uhr 30 am LUFTHANSA-Schalter in der großen

Abflughalle ein. Sibylle bekam ihre Bordkarte, der Koffer wurde aufgegeben. Neben dem Schalter versuchten vier Funkstreifenbeamte, einen jungen Mann von etwa zwanzig Jahren, der in eine bunte Decke gehüllt war und auf einem Teppich gesessen hatte, fortzuschleppen, ohne ihm wehzutun. Der junge Mann hatte Gitarre gespielt. Als Sibylle mit Mercedes und Daniel angekommen war und die Beamten auf ihn einredeten, während die ersten Schaulustigen stehenblieben, sang der junge Mann noch: »Kommen Sie schaun! Das große Graun! Kommen Sie schaun...« Auf seinem Teppich lagen Hochglanzfotos. Sie zeigten Menschen, noch lebende oder schon tote, nach dem Abwurf der ersten Atombombe auf die japanische Stadt Hiroshima im August 1945. Die Aufnahmen zeigten auch, was von Hiroshima übriggeblieben war, wenige Minuten nach dem Abwurf. Einer der Beamten sammelte nun die Fotos ein.

»Maul halten, du Scheißkommunist!« schrie eine dicke Frau im Pelzmantel.

»Lassen Sie ihn, recht hat er!« rief eine andere Frau sehr erregt. Der junge Mann, dem die Polizisten nun die Gitarre weggenommen hatten und den gewaltlos zu entfernen sie bemüht waren, sang weiter: »Da gibt es nichts, wovor uns graut! Der atomare Holocaust ist immerhin fotografierbar und darum sicher auch probierbar! Die tollen Bilder, wenn sie sprengen, die Haut so liebevoll versengen! Der nächste Schritt läßt alle hoffen: Die Bombe trifft! Der Arsch ist offen!«

Nun trugen sie den Sänger schon zu einem Streifenwagen. Die Stimme des jungen Mannes wurde leiser. Er drehte und wand sich und schrie zurück: »Dieses Lied ist von Werner Schneyder. Es lebe Werner Schneyder! Es lebe das Leben!«

»Haben *Sie* die Polizei gerufen?« fragte Mercedes eine der LUFT-HANSA-Hostessen hinter dem Schalter.

»Jawohl, gnädige Frau«, sagte diese ernst. »Es war nicht mehr auszuhalten. Wir wären noch alle verrückt geworden. Der Kerl sang jeden Abend hier, gnädige Frau, und jeden Abend gab es Stunk und manchmal eine Schlägerei.«

Das war derselbe junge Mann, der hier schon gesungen hatte, als Wayne Hyde an diesem Schalter einen Flug nach Wien bezahlt hatte, auch mit der 21.10-Uhr-Maschine, die aus Paris kam – vor ein paar Wochen...

»Einer von der Friedensbewegung«, sagte ein Mann, der zugehört hatte.

»Friedensbewegung, Scheiße!« rief ein anderer. »Die wird doch direkt vom Osten gesteuert, von der DDR, das wissen alle. Verfluchte Zucht! Hier hetzen sie die Menschen auf zum Demonstrieren, und wenn bei ihnen drüben einer was gegen die Bombe sagt, sitzt er sofort im Knast.«

Mercedes hob ein beschmutztes Foto auf, das noch dalag. Es zeigte ein fast bis zur Unkenntlichkeit verbranntes kleines Kind. Mercedes zeigte der Ground-Hostess die Aufnahme.

»Ja, ja, schrecklich«, sagte diese. »Aber jeden Abend diesen Lärm und dieses Theater, wissen Sie… Wir ließen ihn lange genug hier singen. Zu lange.«

»Haben Sie Kinder?« fragte Mercedes.

»Nein«, sagte das Mädchen, plötzlich leidenschaftlich. »Und ich werde auch ganz gewiß niemals ein Kind haben – in dieser Zeit. Da hätte ich viel zu viel Angst.«

»Ich habe vier Kinder«, rief der Mann, der geschrien hatte, die Friedensbewegung werde von der DDR aus gesteuert. »Und ein fünftes ist unterwegs. Und ich habe *keine* Angst. Laßt euch doch nicht verrückt machen! Es gibt keinen Atomkrieg!«

»Warum nicht?« fragte Mercedes. Ihre Augen blitzten.

»Weil es einen Atomkrieg einfach nicht geben darf. Wichtig ist nur, daß die Amis und die Roten immer gleich stark bleiben«, rief der Mann.

»Kommt weg hier!« sagte Sibylle.

Sie gingen weiter und hörten noch, wie eine magere, sehr alte Frau sagte: »Ich danke Gott jeden Tag dafür, daß ich es nicht mehr erleben werde. Hoffentlich sterbe ich aber auch wirklich noch rechtzeitig!«

»Mercedes!« Daniel war stehengeblieben. Sie weinte. Tränen rollten über ihre Wangen. »Mercedes, bitte!«

»Das Kind auf dem Foto«, stammelte sie und hielt das dreckige Bild noch immer in den bebenden Händen. »Es ist nur das Foto.«

»Wirf es weg!« sagte Daniel scharf.

»Nein«, sagte Mercedes, faltete das Glanzpapier und steckte es ein. Sie wischte Tränen fort. »Entschuldigt!« sagte sie. »Bitte, entschuldigt!«

»Alle Passagiere des Lufthansa-Fluges dreihundertfünfundvierzig nach Wien«, erklang eine Mädchenstimme aus vielen Lautsprechern, »werden gebeten, zur Paß- und Zollkontrolle zu kommen!« Die Stimme wiederholte die Aufforderung in englischer und französischer Sprache.

»Das ist für mich«, sagte Sibylle. Die beiden begleiteten sie noch zur Paßkontrolle. Bei der Sperre blieb sie stehen und küßte zuerst Mercedes und danach Daniel lange und innig. Jetzt hatte *sie* Tränen in den Augen.

»Gott schütze euch und eure Arbeit!«

»Gott schütze dich und Werner«, sagte Mercedes.

»Wir telefonieren«, sagte Daniel. »Oft.«

»Ja, bitte«, sagte Sibylle. Sie schlang die Arme um ihn und küßte ihn auf den Mund und die Wange und flüsterte in sein Ohr: »Ich liebe dich, Danny, ich liebe dich immer noch.«

Danach ging sie schnell durch die Sperre. Bevor sie um eine Ecke zur Zollkontrolle verschwand, warf sie kurz eine Hand zum Gruß hoch.

»Wie Liza Minelli«, sagte Mercedes.

»Was?«

»Sie hat gewinkt wie Liza Minelli in dem Film ›Cabaret‹, wenn sie sich von Michael York auf dem Berliner Bahnhof verabschiedet – und sie werden sich nie wiedersehen. Ach, Danny!«

Sie hängte sich bei ihm ein und drückte sich an ihn, und so gingen sie langsam zu einem der gläsernen Ausgänge. Der Sturm war noch ärger geworden.

Der Flug nach Wien wurde sehr unruhig, die Maschine schwankte, sackte durch und rüttelte. Viele Passagiere hatten Angst, Kinder weinten. Sibylle saß an einem Fensterplatz. Sie bewegte sich nicht. Als die Maschine in Schwechat gelandet war und Sibylle ihren Koffer wieder hatte, ging sie in die Bar des Flughafens. Da war es beinahe 22 Uhr 45. In der Bar saß ein einsames Liebespärchen. Vom Band kam Musik. Das Orchester James Last spielte »I'm always chasing rainbows...«

Sibylles Augen gewöhnten sich bald an das Halbdunkel der Bar, und sie erkannte an einem Tischchen den kleinen Herrn Abad, der höflich aufsprang und ihr entgegenkam. Er begrüßte sie zeremoniell, nahm ihr den Koffer ab und geleitete sie zu seinem Tischchen.

»Was darf ich Ihnen bestellen?« fragte er, als ein müder Kellner auftauchte.

»Whisky. Einen doppelten. Ohne Eis und Wasser. Pur«, sagte Sibylle.

»Sehr wohl, gnädige Frau«, sagte der müde Kellner.

»Nun?« fragte Abad und fingerte an der Perle in seiner Krawatte.

»Ich habe mit den beiden gar nicht über meinen Bruder gesprochen«, sagte Sibylle.

»Sie haben gar nicht…«

»Kein Wort.«

»Aber warum nicht?«

Der müde Kellner brachte den Whisky. »Bittschön, gnä' Frau.«

»Danke.« Sibylle trank.

»Aber warum nicht, Frau Primaria?« fragte Abad. Sein Gesicht war grau, er sah plötzlich uralt aus.

»Weil ich nicht wollte. Und weil ich nicht konnte. Das ist es: Ich konnte einfach nicht.«

»Liebste Frau Primaria, ich bitte Sie: Es geht um Ihren Bruder!«

»Das weiß ich. Daran müssen Sie mich nicht erinnern.«

Sibylle trank wieder.

»Haben die beiden Ihnen erzählt, woran sie arbeiten?«

»Ja.«

»Und Sie haben nicht versucht, an die Gefühle Ihres alten Freundes Ross zu appellieren? Sie haben ihm nicht klargemacht, in welcher Lage Sie sich befinden? Sie und Ihr Bruder?«

»Nein.«

»Aber… aber Sie lieben Ihren Bruder doch über alles.«

»Über alles.«

»Sie haben acht Jahre getan, was wir von Ihnen verlangten. Nur, um ihm zu helfen.«

»Das stimmt, weiß Gott. Weiß Gott, das stimmt.«

»Und diesmal haben Sie nichts getan, um Ihrem Bruder zu helfen – gar nichts.«

»Gar nichts«, sagte Sibylle.

Es folgte eine Pause.

»Schön«, sagte Abad dann. »Mir tut das sehr leid für Ihren Bruder.«

»Lügen Sie nicht!« sagte Sibylle. »Es tut Ihnen überhaupt nicht leid. Nicht für meinen Bruder. Sonst schon. Bestimmt. Das bricht mir das Herz.«

»Ihr Bruder wird also noch siebzehn Jahre in Haft bleiben, alle Vergünstigungen wird man ihm entziehen, er wird Schreibverbot bekommen – das wird alles sehr schlimm für ihn sein. Und für Sie auch, Frau Primaria.«

»Ja, für mich auch.«

»Es war sehr unklug, daß Sie mit Ihren Freunden nicht darüber gesprochen haben.«

»Ja, sicherlich«, sagte Sibylle.

»Und Sie meinen, mit dieser Belastung leben zu können.«

»Es wird sich herausstellen.« Sibylle trank ihr Glas leer und stand auf. »Danke für den Whisky!«

Auch Abad erhob sich. »Hören Sie, Sie können doch nicht einfach so...«

»O ja, ich kann«, sagte Sibylle, während sie nach dem Koffer griff. »Bleiben Sie hier! Begleiten Sie mich nicht! Mein Wagen steht auf dem Parkplatz, ganz in der Nähe. Gute Nacht, Herr Abad!« Sie verließ schnell die Bar. ›April in Portugal‹ spielte das Orchester James Last jetzt.

Der kleine Herr sah Sibylle nach, bis sie verschwunden war. Dann winkte er dem Kellner, zahlte und ging in die große Halle hinunter. Dort betrat er eine der vielen Telefonzellen und wählte.

»Sanatorium Kingston, Doktor Herdegen«, meldete sich eine Stimme.

»Abad hier.«

»Ist sie schon gelandet?«

»Ja.«

»Und? Was sagte sie?«

»Sie hat mit Ross und der Olivera überhaupt nicht über ihren Bruder gesprochen.«

»*Was?*«

»Kein Wort. Sie konnte nicht, und sie wollte nicht, sagt sie. Da ist nichts zu machen.«

»Haben Sie ihr vor Augen geführt, was nun mit ihrem Bruder...« begann Herdegen.

»Herrgott, natürlich«, unterbrach ihn der zierliche kleine Herr. »Ich bin kein Idiot! Ich sage Ihnen, da ist nichts zu machen.«

»Und wie soll das jetzt weitergehen?«

»Das weiß ich nicht. Wir haben getan, was wir konnten. Sagen Sie das Morley. Was wir konnten, haben wir getan.«

»Ja, Herr Abad. Ich rufe ihn jetzt sofort an. Scheißpech.«

»Scheißglück, Doktor«, sagte Abad.

»Was ist ein Scheißglück?«

»Daß Sie Eugen Mannholz so viele Bogen auf Vorrat unterschreiben ließen und nur maschinengeschriebene Briefe zugelassen waren. So verlieren wir die Frau jedenfalls nicht als Ärztin. So wird sie weiter gute Arbeit leisten, damit endlich wieder wenigstens Briefe von ihrem Bruder kommen. In denen wird er dann – nach langer Zeit, versteht sich – von ersten neuen Vergünstigungen schreiben. Nachdem er ihr zuerst natürlich Vorwürfe machen wird.«

»Ich verstehe nicht. Was heißt das: Sie ließen ihn so viele Bogen auf Vorrat unterschreiben?«

»Na, er ist doch schon im September sechsundsiebzig gestorben. Drei Monate, nachdem ich seine Schwester dazu gebracht hatte, seinetwegen den Posten bei Heiligenkreuz anzutreten.«

»Er... er... ist tot?«

»Sage ich doch. Habe ich Ihnen das nie erzählt? Ich werde auch schon gaga. Natürlich ist er tot. Seit acht Jahren. Aber seine Briefe sind weiterhin gekommen, und er hat jede Frage seiner Schwester beantwortet. Die Zensoren haben das besorgt. Er vermochte nicht mehr zu antworten. Nun, und so kann es jetzt weitergehen. Er wird wieder alle Fragen seiner Schwester beantworten. Die haben noch viele Briefbögen...«

3

»Pünktlich auf die Minute«, sagte der kleine, pausbäckige Anwalt Roger Morley mit dem wirren grauen Haar und dem Spitzbauch, dieser Mann, der Wayne Hyde stets an eine Gestalt aus den Romanen von Charles Dickens erinnerte. Es war 9 Uhr früh am 22. März 1984. Morley rieb seine rosigen Patschhändchen. »Nehmen Sie Platz, nehmen Sie Platz, mein Lieber.« Er verschwand in der kleinen Küche neben dem altmodischen Büro und kehrte mit Teetassen, Teekanne und weiteren Utensilien auf einem Silbertablett zurück. »Heute versuchen wir einmal ›Queen's Tea‹«, sagte er fröhlich. Er lachte und entblößte dabei Mäusezähnchen. »Eine exquisite Darjeeling-Mischung, vollblumig und aromatisch. Ganz köstlich. Erlauben Sie... Zuerst der Kandiszucker... Und nun der Tee, durch das Sieb natürlich...« Er redete immer weiter, bis er auch seine Tasse gefüllt und es sich in dem Sessel hinter dem Schreibtisch bequem gemacht hatte. Dann änderte sich seine Stimme jäh. »Sie haben die Kassette?«

»Natürlich.« Hyde legte sie auf den Tisch. »So weit ging alles gut in Buenos Aires. Ich habe mir den Film angeschaut. Ist okay. Tut mir leid, daß der Rest schiefging. Dieser Miguel war ein Kretin.«

»Gott liebt auch Kretins, Mister Hyde. Er gebe Miguel den ewigen Frieden. Machen Sie sich keine Vorwürfe! Sie haben getan, was Sie konnten. Sie haben Ihr Bestes gegeben. Meine... Bekannten sprechen Ihnen ihr höchstes Lob aus. Man kann einfach nicht immer gewinnen. Jetzt haben wir wenigstens eine Kopie des Films. Das hilft enorm. Meine Bekannten werden nach einer Ausstrahlung dieser gemeinen Fälschung viel besser reagieren können, wenn sie sie vorher schon kennen. Ich denke, wir probieren ein Schlückchen, wie?«

»Denke ich auch.«

Sie tranken beide. Morley winkelte den kleinen Finger der Hand, mit der er die Tasse hielt, geziert ab. Er seufzte vor Wonne. »Das ist ein Teechen, was?«

»Ja, Mister Morley.«

»Nicht zu stark?«

»Gerade richtig.«

»Nicht zu süß?«

»Alles perfekt, Mister Morley.«

»Wissen Sie, was? Mein Geschmack hat sich geändert. Jetzt habe ich diesen ›Queen's Tea‹ am liebsten. Komisch, wie? Hahaha.«

»Hahaha. Natürlich hat Olivera inzwischen vor den Kameras gestanden und seine ganze Geschichte erzählt.«

»Ohne Bedeutung, Mister Hyde, ohne Bedeutung. Wenn der dämliche Miguel ihn erwischt hätte, wären immer noch der Sohn und die Stieftochter dagewesen. Die haben dieselbe – fast dieselbe – Geschichte inzwischen auch vor der Kamera erzählt. Sie gaben das wieder, was sie von Olivera wußten, höre ich.«

»Hören Sie von wem?«

»Nun, von unserem Freund im Sender. Ein Glück, daß wir den haben.«

»Großes Glück«, sagte Hyde. Es regnete in London an diesem Vormittag. Tropfen trommelten gegen die Fensterscheiben.

»Kann man gar nicht sagen, was für ein Glück.« Morley nippte an seiner Tasse. »Ich bekam gestern neue Nachrichten von ihm. Die Reporter haben jetzt endlich diesen Chan Ragai gefunden – Sie erinnern sich: das war der Resident des Ribbentrop-Dienstes in Teheran.«

»Mit dem berühmten Agenten CX einundzwanzig.«

»Richtig, Mister Hyde. Trinken Sie aus! Erlauben Sie, daß ich Ihre Tasse nachfülle?... Sehr schön. Freut mich, daß Ihnen der Tee so gut schmeckt wie mir... Ja, sie haben Chan Ragai lokalisiert. Es war nicht einfach. Sehen Sie, der Grund: Er ist ein Vertrauter des Ayatollah Khomeini – noch aus der Zeit, da Khomeini in Paris lebte. Die beiden kennen einander seit einer Ewigkeit. Als der Ayatollah dann in den Iran ging, blieb Chan Ragai in Frankreich. Er reiste viel in geheimer Mission für den Ayatollah. Er ist ein sehr vorsichtiger und kluger Mann, dieser Chan Ragai, sonst wäre er längst nicht mehr am Leben. Nun hat er sich ganz zurückgezogen. Die Reporter haben entdeckt, wohin.«

»Nämlich wohin?«

»Nach La Roquette sur Siagne. Das ist ein winziges Dorf landeinwärts von Cannes. Liegt völlig versteckt und aus der Welt. Sie müssen den Weg dahin schon auf einer Karte der Côte d'Azur suchen, so klein ist der Ort.«

»Klingt ja bezaubernd. Sie sind ganz sicher, daß Ihr Freund die Wahrheit sagt?«

»Ganz sicher, Mister Hyde. Ein Aufnahmeteam mit Conrad Colledo fliegt morgen nach Nizza. Via Zürich. Die Männer werden in Cannes im Hotel MAJESTIC wohnen. Das bedeutet: Sie müssen noch heute fliegen.«

»Ich komme herum«, sagte Hyde. »Ich kann nicht klagen.«

»Schon recht warm an der Riviera, Mister Hyde.«

»Ich habe leichte Kleidung. Habe sie gerade erst getragen, Mister Morley.«

»Sie haben leichte – wo? Ach so! Buenos Aires! Verzeihen Sie, natürlich! Sehen Sie, mein Alter, die Sache ist diesmal besonders delikat. Ich sagte Ihnen, Khomeini und Chan Ragai sind uralte Freunde. Ragai ist ein glühender Bewunderer Khomeinis.«

»Das haben Sie alles von Ihrem Freund im Sender?«

»Ja, und der hat es von den Rechercheuren. Das BKA erbat auch bei den Franzosen Gendarmerieschutz.«

»Gott sei bedankt für einen so präzisen Verräter!«

»Nicht wahr. Nun, Ragai weiß, was damals im Dezember dreiundvierzig in Teheran geschah. Schließlich war er doch Resident dieses Ribbentrop-Nazi-Vereins. Weil Ragai aber ein so getreuer Anhänger Khomeinis ist, können wir uns ausrechnen, was er vor den Kameras erzählen wird. Dieser Mann haßt die Amerikaner genauso, wie Khomeini sie haßt. Durchaus anzunehmen, daß er seine Aussage mit dem Alten abgestimmt hat. Sicherlich hat er ihm erzählt, deutsche Reporter hätten ihn aufgespürt und wollten genau wissen, was damals geschah. Meine Bekannten bitten mich, eine Frage an Sie zu stellen. Nämlich: Was meinen Sie, wird ein Mann, der die Amerikaner so haßt wie Chan Ragai, wohl über den Film berichten?«

»Daß es sich um *echtes* Material handelte. Daß der ganze Film echt ist, natürlich. Darauf wird es hinauslaufen.«

»Sehr richtig, Mister Hyde. Genau unsere Ansicht. Darauf wird es auf jeden Fall hinauslaufen. Wir können aber nun einmal keinen Zeugen brauchen, der die Echtheit des Films beschwört – und wenn er damit eine hundertprozentige Lüge beschwört. Sie verstehen, was ich meine, Mister Hyde?«

»Ich verstehe schon, Mister Morley. An diesen Chan Ragai darf überhaupt keine Kamera herankommen – solange er lebt. Und das heißt, er muß schnell sterben.«

»Sehr schnell, Mister Hyde. Ihre Maschine geht in dreieinhalb Stunden. Ich habe mir erlaubt, schon das Ticket zu buchen. Kennen Sie New York?«

»Wie meine Hosentasche.«

Morley öffnete die Schreibtischschublade und entnahm ihr einen amerikanischen Paß und zahlreiche Farbfotos.

»Sie heißen bis auf weiteres Andy Maree und sind ein Börsenmakler aus New York. Wir haben uns auch erlaubt, diesen Paß für Sie vorzubereiten. Ich weiß, Sie haben stets eigene Papiere. Nehmen Sie bitte diesmal den da!«

»Wie Sie wünschen. Was sind das für Fotos? Ist das Chan Ragai?«

»Ja. Sie müssen doch wissen, wie der Mann aussieht, den Sie töten sollen.«

Hyde betrachtete die Fotos aufmerksam. Sie zeigten einen sehr alt aussehenden Mann, der in einem verwilderten Garten stand und einen außerordentlich melancholischen Eindruck machte. Sein Anzug schien ihm viel zu groß zu sein, desgleichen der Kragen des Hemdes. Er hatte ein schmales, olivfarbenes Raubvogelgesicht und ein schwarzes Bärtchen auf der Oberlippe. Sein Haar war gleichfalls schwarz. Natürlich gefärbt, dachte Hyde. An eine Platane gelehnt, stand Chan Ragai da, hinfällig und traurig. Im Hintergrund sah man auf manchen Aufnahmen ein einstöckiges Haus, dessen Mauern rosafarben gestrichen waren.

»Ist das sein Heim in La Roquette?« fragte Hyde.

»Ja. Er nennt es VILLA BIBLOS. Das steht am Torpfeiler. Sie müssen vom Hauptplatz die Avenue du Roi Albert hinuntergehen. Nun wissen Sie auch schon, wie es da aussieht.«

»Wie alt ist Ragai?«

»Dreiundsiebzig.«

»Schaut aus wie neunzig. Wo haben Sie die Bilder her? Auch von Ihrem Freund im Sender?«

»Woher sonst? Reporter, die an der Côte waren und Ragai fragten, ob er sich filmen lassen würde, machten sie. Unser Freund muß sich Duplikate besorgt haben. Genügen Ihnen die Fotos?«

»Durchaus, Mister Morley.«

»Fein. Wohnen werden Sie im Hotel LE MAS CANDILLE in Mougins. Zimmer ist schon bestellt. Auf den Namen Andy Maree. Reizender Ort, Mougins. Ganz in der Nähe von La Roquette sur Siagne. Kennen Sie Mougins, Mister Hyde?«

»Ja. Ich habe da einmal zu Mittag gegessen«, sagte Hyde, in Erinnerungen versunken. Mit dieser Leiche im Kofferraum, dachte er.

Die Maschine der BRITISH EUROPEAN AIRWAYS flog weit über das Meer hinaus, zog dann eine gewaltige Schleife und setzte zum Landeanflug auf eine Piste des Aeroport International Côte d'Azur an. Alle Flugzeuge, die hier landeten oder starteten, gleich wohin, mußten zunächst auf das Meer hinaus. Wayne Hyde sah durch das Fenster an seiner Seite. Das Wasser war so dunkelblau wie der Himmel. Die Sonne stand schon tief über den Höhenzügen des Estérel in der Ferne. Ihr Licht ließ deren rote Erde magisch aufleuchten und spiegelte sich blendend in den hunderttausend Fensterscheiben von Nizza. Tiefer und tiefer sank die Maschine. Als Hyde schon davon überzeugt war, daß sie ins Wasser stürzen würde, berührte sie die Piste.

Es war hier wirklich schon recht warm. Hyde trug einen blauen, leichten Sommeranzug, ein weißes, am Kragen offenes Hemd, weiße Socken und weiße Slipper. Die Maschine blieb weit draußen auf dem Flugfeld stehen, ein Bus kam angerollt. Als Hyde die Paßkontrolle hinter sich hatte und durch die Sperre in die Halle hinaustrat, sah er, eine Etage tiefer gelegen, links die Bänder der Gepäckausgabe und das Büro des Zolls. Die Beamten trugen blaue Hemden. Einer von ihnen stritt mit einer grellblond gefärbten Frau, die einen winzigkleinen Hund mit langen Haaren unter dem Arm hielt. Der Hund hatte eine mächtige rote Schleife auf dem Kopf. Es standen viele Zöllner und noch viel mehr Passagiere bei der Gepäckausgabe, ununterbrochen landeten oder starteten Maschinen. Die Saison schien hier schon begonnen zu haben. Neben der Grellblonden (sieht aus wie ein ganzes Hurenrudel, dachte Hyde angeekelt) stand sein Freund Raymond Laforet.

Er trug Sandalen, eine weiße Leinenhose, ein über die Hose hängendes weißes Leinenhemd und war sehr braungebrannt. Als er lachend eine Hand hob, sah Hyde blitzendweiße Zähne. Hat der Zahnarzt prima hingekriegt, dachte Hyde und winkte gleichfalls. Der Neger war damals schon dabei, Raymond mit dem Gewehrkolben die Fresse zu zerschlagen, als ich ihn gerade noch umlegen konnte. Auch einen prächtigen plastischen Chirurgen hat Raymond gehabt. War nicht anzusehen, sein Gesicht. Alles wieder okay. Nur ein paar Narben. Im Tschad passierte das, 1978. Nein: 1979. Sehr komisch. Französische Truppen gegen Guerillas und militärische Rebellen. Der Neger ein französischer Soldat. Wir waren bei den Guerillas...

Hyde stand vor Laforet. »Na, du altes Arschloch, wie geht's?«
»Gut, du Scheißkerl, und dir?«
»Prima siehst du aus, Raymond. Warum gehst du nicht zum Film?«
»Ach, leck mich doch! Gott, bin ich froh, dich wiederzusehen.«
Bei der Grellblonden standen nun drei Zollbeamte. Sie hatte Schmuck im Koffer, sah Hyde. Einer der Inspektoren trug ihr Gepäck in das Büro. Die Grellblonde stolperte auf hohen Absätzen hinter ihm her und kreischte. Sie schrie: »Assassin!«
Hyde grinste. Das amüsierte ihn immer wieder in Frankreich. Wenn es hier Krach gab, egal weswegen, selbst wenn einer dem andern die Vorfahrt nahm oder wenn ein Hund einen Kinderwagen anpißte, sofort brüllte jemand dieses Wort: Assassin! *Mörder!*
Die beiden Kleidersäcke kamen auf dem Gepäckband. Hyde nahm sie und bahnte sich mit Laforet brutal einen Weg durch die Menge. Es waren mittlerweile zwei weitere Maschinen gelandet, und die ganze untere Halle war voller Menschen. Ein alter Mann, den Hyde mit einem Ellbogen getroffen hatte, schrie auf:
»Wahnsinnig geworden?«
»Ta gueule«, sagte Hyde.
»Assassin!« brüllte der Alte sofort los. »Assassin!«

Hyde kicherte. Er ging mit seinem Freund zum Hertz-Schalter in der oberen Halle und mietete einen BMW. Sie holten den Wagen vom Hertz-Parkplatz ab und stiegen ein. Es war ein schwarzer BMW.

»Wo steht deine Karre?« fragte Hyde.

»Drüben«, sagte Laforet. Die Narben von den kosmetischen Operationen bildeten helle Striche in seinem sonnengebräunten Gesicht. »Warst lange nicht da, mein Alter. Die haben das hier alles umgebaut. Längst zu klein geworden. Haben sie einen Haufen Parkplätze eingerichtet, drüben bei den Frachtabteilungen. Ist schon wieder alles zu klein. P zwo stehe ich. Ganz hinten. Da ist eine automatische Sperre. Mußt ein Ticket ziehen.« Die Luft war weich und lind, das Licht anders als in allen anderen Gegenden Europas, und überall gab es Beete voll Blumen in leuchtenden Farben. Die Menschen bewegen sich leichter, und alle sind fröhlicher als in Deutschland oder in England oder sonst irgendwo, dachte Hyde. Das dachte er immer, wenn er an die Riviera kam. Noch ein paar Jahre, überlegte er, und ich werde mir hier mit Ma ein Haus suchen. Abseits vom Rummel. Schönster Fleck auf der Welt, die Côte d'Azur.

Unter alten Palmen, in denen bunte Vögel sangen, fuhr er eine lange Einbahnstrecke auf dem riesigen Parkplatz P 2.

»Wie geht's Geschäft?« fragte er.

»Schaffe es kaum noch«, sagte Laforet. »Besonders jetzt, mit der Filiale in Cannes. Mensch, Junge, da ist im Sommer in der richtigen Hitze vielleicht was los! So viele reiche alte Säcke und reiche alte Weiber mit Asthma und Kreislauf und Herz. Was da umkippt – ich sage dir ja, ich schaffe es kaum noch. Und die Verwandten kaufen nur die allerteuersten Särge. Jetzt hätte ich die Chance, ein Bestattungsinstitut in Menton billig zu kriegen. Auch eine ideale Gegend. So viele Rentner! Aber ohne Kompagnon geht das nicht. Ich will schließlich auch was von meiner Familie haben. Monique sieht immer noch prima aus, und die beiden Kleinen sind unsere ganze Freude. Was machst du eigentlich mit deiner Penunze?«

»Börse«, sagte Hyde. »Habe da einen Makler. Mit der Hochzinspolitik von Reagan verdienst du dich blöd, wenn du viel Geld hast.«

»Ja, Reagan ist gut für die Reichen«, sagte Laforet. »Da vorne, der blaue Citroën. Für die Armen nicht so, was?«

»Nein, für die nicht so. Er sagt allerdings, keiner ist arm, wenn er sich nicht an Gott versündigt hat. Und die Reichen sind reich, weil sie ehrlich sind.«

»Er ist ein guter Mensch«, sagte Laforet. »Darum sagt er ja auch, der Kampf gegen das Böse in der Welt muß beginnen. Das Böse sind die Russen. Bleib stehen, Wayne!«

Hyde hielt neben einem blauen Citroën. Das Nummernschild trug wie das seines Leihwagens die Endziffern o6, Kennzahl für die Côte. Der Citroën stand vor einem hohen Zaun, an dem sich violett und kupferfarben die Blüten von Bougainvilleen aneinanderdrängten.

»Das Paradies«, sagte Laforet und sperrte seinen Kofferraum auf. »Könnte nie mehr woanders leben, Wayne.« Er holte eine prallgefüllte Segeltuchtasche aus dem Kofferraum und reichte sie dem Freund, der sie im Kofferraum des BMW verstaute. »Eine Parabellum mit Schalldämpfer, eine Springfield mit Zielfernrohr, auch mit Schalldämpfer, jede Menge Munition. Wie du es am Telefon gewünscht hast.«

»Ich danke dir, Raymond.«

»Ist doch selbstverständlich. Du bist in Eile, ja?«

»Ja.«

»Schade. Hätte mich so gerne mit dir vollaufen lassen und gequatscht. Über die alten Zeiten. Vielleicht, wenn du deine Arbeit erledigt hast.«

»Vielleicht.«

»Wär' schön«, sagte Laforet. »Wirklich schön. Zu blöd, ich liebe dich, Wayne, weißt du das?«

»Ach, Scheiße, Mensch. Hör auf damit!«

»Nein, wirklich. Ich liebe dich. Ganz echt und tief. Du kannst doch einen Mann wirklich lieben – nur so – oder?«

»Du liebst mich, weil ich rechtzeitig diesen Neger umgelegt habe, bevor er dir den Schädel zertrümmert hat«, sagte Hyde.

»Nein, nicht deshalb. Doch, deshalb auch. Aber das ist nicht der Hauptgrund. Wir beide, weißt du...«

»Ich verstehe schon, mein Alter.«

Sie umarmten einander.

»Mußt achtgeben«, sagte Laforet mit erstickter Stimme. »Die Springfield zieht ein wenig nach links.«

Auf der Autobahn war viel Verkehr.

Als er Nizza hinter sich gelassen hatte, sah Hyde bei Cagnes-sur-Mer die scheußlichen, vollkommen verrückt gebauten

Hochhäuser von Marina Baie des Anges. Die Straße stieg an. Er erinnerte sich, daß man von hier einen besonders schönen Blick nach Osten hatte, und drehte sich kurz um. Unter sich sah er das Meer und das Halbrund der Bucht von Nizza mit der Promenade des Anglais und dann die Berge von Monaco und hinter diesen, in Dunst und weiter Ferne, die italienischen Berge. Ja, dachte er wieder, hierher bringe ich Ma. Vielleicht finde ich was in Vallauris. Oder noch besser in Saint-Paul-de-Vence. Da habe ich auch die ganzen Bilder von meinen Lieblingsmalern. Bei der Ausfahrt nach Antibes warf Hyde an einer Mautstelle ein paar Franc-Stücke in einen Korb aus Blech, und die Verkehrsampel vor ihm sprang von Rot auf Grün. Er fuhr weiter. Die Gebühren sind schon wieder höher geworden, dachte er. Scheint, das arme, schöne Frankreich ist ziemlich im Arsch. Um so besser. Werden wir hier mit Dollars prima leben können.

Vor der Ausfahrt nach Cannes gab es eine heimtückische Kurve. Hyde erinnerte sich an sie. Diese Kurve war nur einmal und schlecht angezeigt, endlos lang und eng. Wer da mit einhundertzwanzig hineinfuhr, hatte beste Chancen, nicht mehr herauszukommen. Hyde trat auf die Bremse. Er kam glatt durch die Kurve, ließ die Ausfahrt nach Cannes rechts liegen und fuhr weiter, der sinkenden Sonne entgegen. Er dachte an seine Mutter und lächelte. Es wird ihr hier gefallen, sagte er sich. O ja, bestimmt.

Nachdem er die Autobahn verlassen hatte, ging es durch einen Wald bergauf. Mougins liegt auf einem Hügel. Hyde fuhr langsam an den Resten einer Befestigungsmauer und einem jahrhundertealten Tor vorüber und sah die Büste eines Mannes auf dem Hauptplatz. Er wußte sogar seit seinem ersten Besuch in der Stadt, wer der Mann war: der Commandant Lamy, 1900 bei einer Sahara-Expedition gefallen. Lamy stammte aus Mougins. Das Hotel LE MAS CANDILLE stand etwa dreihundert Meter außerhalb von Mougins. Eine Privatstraße führte durch einen großen Park. Hyde sah wieder Blumen in allen Farben. Die Privatstraße lag im Schatten der Kronen uralter Olivenbäume. Sehr vernünftig, daß Monsieur Maree habe anrufen lassen, sagte der Concierge. Sie seien ausgebucht. Aber für Monsieur hätten sie das schönste Zimmer reserviert. Nummer elf.

Ein Hausdiener schleppte die Kleidersäcke, die Segeltuchtasche behielt Hyde, und der Concierge ließ es sich nicht nehmen, ihn zu begleiten. Nummer elf war ein Eckzimmer mit zwei französischen Fenstern. Das eine ging zum Wald hinaus. Auf dem breiten Bett des im provencalischen Stil eingerichteten Raums lag anstelle von Kissen eine lange Rolle. Hyde fühlte sonderbare Rührung, während er diese Rolle sah. Es war, als fiele ihm alles ein, was er jemals in Frankreich erlebt hatte. Der Concierge öffnete die Flügeltüren des zweiten Fensters, vor dem ein kleiner Balkon lag.

»Wunderbare Aussicht, Monsieur Maree«, sagte er. »Das Tal und die ganze Gegend zwischen Grasse und dem Meer.«

»Wunderbar«, sagte Hyde überwältigt. Er gab dem Hausdiener Geld.

»Waren Sie einmal in Grasse, Monsieur?«

»Ja.«

»Unerträglich, der Gestank in den Parfumfabriken, wie?«

»Unerträglich, ja.«

»Aber wenn der Wind richtig steht, kommt ein ganz feiner Duft herüber, Monsieur Maree. Also, ich liebe diesen zarten Duft. Badezimmer ist hier, Monsieur. Restaurant ist exzellent. Ein paar Gäste haben sich Bouillabaisse zum Abendessen gewünscht. Der Koch macht sie phantastisch. Hätten Sie auch Lust? Beste Bouillabaisse, die Sie je gekriegt haben. Dazu ein Weinchen, ein Weinchen haben wir, Monsieur Maree…«

»Großartig. Auch für mich Bouillabaisse. Keinen Wein.«

»Um neun? Ist es recht? Vorher ein Aperitif in der Bar?«

»Neun ist fein. Auch keinen Aperitif.«

»Ist gut. Sehen Sie die Mimosen drüben hinter der alten Mauer? Bald wird hier alles voll von blühenden Mimosen sein, Monsieur Maree. Ich glaube, der Wind hat sich schon gedreht. Riechen Sie den Duft aus Grasse?«

»Nein.«

»Na, ich habe eine besonders feine Nase. Sie werden ihn auch bald riechen… Vielen Dank, Monsieur, das wäre nicht nötig gewesen. Gott, wie ich diesen Duft liebe…«

Als er allein war, zog sich Hyde nackt aus, duschte und legte sich auf das Bett, den Kopf auf die Rolle. Er hatte sich nicht abgetrocknet und ließ die Wassertropfen verdunsten. Die Hände hinter dem Kopf verschränkt, sah er zur Decke empor und dachte daran, daß jeder Mensch etwas zum Lieben haben mußte. Der Concierge den Duft, der aus Grasse herüberkam. Morley seinen Tee. Er seine Mutter. Laforet ihn. Es gab so viele Arten von Liebe.

Junge und sehr alte Deutsche und Engländer, doch nur wenige Franzosen wohnten in den anderen Zimmern. Nach dem Essen verließen die meisten bald den Speisesaal. Auch Hyde ging. Er setzte sich im Dunkeln auf das Bett neben dem offenen Fenster und sah hinaus auf das Tal und die vielen Lichter, die nun dort glitzerten. Es waren unglaublich viele Lichter. Zu den leuchtenden Perlenketten entlang der Straßen kamen die Lichter der Fabriken, wo auch nachts gearbeitet wurde, und die Lichter von Grasse und kleineren Flecken mit wenigen Lichtern, manchmal schimmerte nur ein einziges, das aus einem Haus kam, welches einsam stand. Dreimal in den eineinhalb Stunden bis Mitternacht, während der Hyde auf seinem Bett saß, glitt eine lange Lichterreihe schnell durch das Tal, und das waren drei Fernzüge, aber nicht das geringste Geräusch ihrer Räder drang bis zum Hotel. Es war unwirklich still, und jetzt nahm Hyde auch den zarten Duft von Parfum wahr, den der Wind von Grasse herübertrug. Der Himmel war voller Sterne und die Nacht sehr hell, mit einem zunehmenden Mond. Hyde saß reglos da und atmete tief. Er sah die Sterne und den Mond und die Lichter, und er dachte an viele Dinge.

Knapp nach Mitternacht erloschen die Außenlaternen des Hotels, und er hörte, wie der Concierge die Eingangstüren verschloß. Hyde stand auf, nahm die Segeltuchtasche, trat durch die offenen Glasflügel auf den Balkon und kletterte nach unten. Die Slipper, die er trug, waren sehr dünn und elastisch, und zwischen den großen Steinen der Hotelwand gab es tiefe Fugen. Hyde legte das letzte Stück im Sprung zurück und ging zum Parkplatz, auf dem etwa zwei Dutzend Wagen standen. Er setzte sich in den schwarzen Hertz-BMW, löste die Bremse, nahm den Gang heraus, und der Wagen rollte den abschüssigen Parkplatz hinab. Erst nach einer Weile schaltete Hyde den Motor und die Scheinwerfer ein und fuhr auf einer kurvenreichen Straße hinab in das Val de Moulins und dann in nördlicher Richtung über die Avenue de Tournamy auf die Nationalstraße Nummer sieben zu, die nach Mouans-Sartoux und nach Grasse führte. Vor Mouans-Sartoux bog er bei einer mächtigen Platane nach links ab und lenkte den Wagen wieder südwärts. Hier reichte dichter Wald an beiden Seiten bis zum Straßenrand. Bald erblickte Hyde, in den Wald hineingebaut, zur Linken zahlreiche teils noch unfertige neue Einfamilienhäuser. Baumaschinen und Laster standen herum, dazu viele Autos in Parkbuchten. Er lenkte den BMW auf die andere Straßenseite, hielt in einer solchen Bucht und stieg aus. In den schon bewohnten Häusern brannte kein Licht mehr. Es war sehr still. Einmal bellte ein Hund.

Hyde öffnete den Kofferraum und entnahm ihm die Segeltuchtasche. Eine starke Taschenlampe hatte er aus seinem Koffer im Hotel mitgebracht. Er trug nun ein Hemd mit aufgenähten Taschen und Schulterklappen sowie Bluejeans. Nach wenigen Minuten erreichte er den Dorfeingang. Auf einer Tafel las er: La Roquette sur Siagne. An der rechten Straßenseite, wo er entlang kam, standen ein Postamt und eine Kirche. Er überquerte, jedes Geräusch beachtend, einen großen Platz, auf dem Platanen wuchsen. Links erblickte er einen Brunnen und ein Gebäude, das aussah wie eine Schule, an dem aber Plakate klebten, die Neuerwerbungen einer Leihbücherei und Vorträge für das »troisième âge«, das dritte Alter, also für ältere Menschen, ankündigten. Auf der gegenüberliegenden Seite, tiefer gelegen, sah er eine große Bahn für Boule-Spieler, und vor sich, an der Schmalseite des Platzes, ein Lebensmittelgeschäft und die Bar de la Place. Nach links zweigte die Rue de la Baisse ab, nach rechts die Avenue du Roi Albert. An der Mauer der kleinen Bar klebte ein zerrissenes Plakat. Er las: Du-Dubon – Dubonnet – eine Aperitifreklame. Hyde bog in die sehr schmale Avenue du Roi Albert ein. Hier gab es nur wenige, weit voneinander entfernte Häuser. Chan Ragai wohnte in einem Haus namens »Biblos«, das hatte ihm Roger Morley gesagt. Hyde erreichte eine hohe Mauer und zwei verfallene Torpfeiler. Auf einem stand in schmiedeeisernen Buchstaben Villa Biblos. Der Boden war sandig. Die beiden Pfeiler in der hohen Mauer, welche das ganze Grundstück umgab, hielten die Hälften eines großen schmiedeeisernen Tores, das aussah, als würde es jeden Moment umfallen. Dahinter sah Hyde einen total verwilderten Garten. Hier wuchs alles durcheinander: Palmen, Pinien, Sträucher, Kletterpflanzen und Blumen. Im Hintergrund lag das einstöckige Haus, mit den rosarot gestrichenen Mauern, das Hyde von den Fotos Morleys her kannte. Er mißtraute dem Tor, kletterte samt seiner schweren Tasche über die hohe Mauer und sprang ins Gras. Er kniete nieder, öffnete die Tasche, nahm ein Schulterhalfter heraus, setzte die Springfield zusammen und schraubte ihr und der Parabellum die Schalldämpfer auf. Dann schob er die Magazine ein und steckte weitere in die Brusttaschen seines Hemdes. Die Pistole schob er in das Schulterhalfter.

Die Fensterläden des Hauses waren dunkelgrün gestrichen und zum Teil geschlossen. Der Mond schien sehr hell. Hyde ging gebückt durch das hohe Gras des Gartens und um das Haus herum. Er fand eine offene Kellerluke, glitt lautlos durch sie und knipste die Taschenlampe an. In dem niederen Keller sah er einen großen Metallkäfig voller Weinflaschen, eine Menge geschichtetes Kaminholz und Berge von zerlesenen Büchern. Nichts regte sich. Hyde trug jetzt das Gewehr über der Schulter, die Pistole in der Rechten. Er huschte die Treppe ins Erdgeschoß hinauf und öffnete leise eine Tür, die unter der Treppe zum ersten Stock in eine große Wohnhalle führte. Den Boden der Halle bildeten rote, abgeschliffene Ziegel. Provencalische Bauernmöbel standen neben modernen tiefen Lehnsesseln. In einer Eßecke erblickte Hyde einen sehr langen Tisch und viele Stühle. Darüber hing eine Ikone. Die ganze Kaminwand war mit bunten Kieselsteinen vom Strand und bunten Glasscherben, die man in den noch feuchten, weißen Kalk gedrückt hatte, bedeckt. An den anderen Wänden hingen surrealistische Bilder. Von der Halle zur Eßecke führte eine Stufe. Regale fehlten, Bücher mit Schutzumschlägen in deutscher, französischer und englischer Sprache türmten sich an vielen Stellen zu Gebirgen. Ein weißer, einen halben Meter hoher Fayence-Elefant trug ein Schachbrett mit Elfenbeinfiguren auf seinem Rücken. Eine Partie war offenbar unterbrochen worden. Der sehr schöne Barocksekretär mit den vielen Laden und den prächtigen Intarsien neben einem Fenster diente als Schreibtisch. Er war voller Papier. Ein Buch lag geöffnet da, und Hyde, welcher mit der Taschenlampe den ganzen Raum ableuchtete, sah, daß eine Stelle angestrichen war. Er trat näher und las in deutscher Sprache: »Ihr Herz ist krank, und Allah überläßt es mehr und mehr der Krankheit; bittere Strafe wird sie wegen ihres Leugnens treffen. Spricht man zu ihnen: ›Stiftet kein Unheil auf Erden!‹ so antworten sie: ›Wir fördern den Frieden.‹ Sagt man zu ihnen: ›Glaubt doch, wie die anderen glauben!‹ da erwidern sie: ›Sollen wir denn gleich Toren glauben?‹ Doch sie sind selbst Toren – und wissen es nicht.«

Der Füllfederhalter, mit dem jemand die Stelle angestrichen hatte, lag noch aufgeschraubt da. Eine halbgerauchte Pfeife lag im Aschenbecher. Daneben stand eine Vase mit frischen Blumen aus dem Garten. Hyde schloß das Buch und las auf dem Umschlag: DER KORAN – DAS HEILIGE BUCH DES ISLAM. In einer Ecke sah er einen japanischen Fernsehapparat, auf dem Tischchen daneben ein Telefon.

Hyde ging in die Küche. Die Spülmaschine war voll mit sauberem Geschirr. Er ging in den ersten Stock hinauf. Er bewegte sich schnell, geschmeidig und lautlos. Einmal glaubte er, ein Geräusch hinter einer der Türen zu hören. Er wartete einen Moment, dann stieß er die Tür auf und sprang zur Seite. Nichts regte sich. Hyde sah vorsichtig in das Zimmer. Ein zugedecktes Bett stand darin. Schränke waren in die Wände eingebaut. Hyde öffnete sie. Erstklassige Wäsche und Anzüge lagen und hingen ordentlich vor ihm. Hyde ging in das nächste Zimmer, gleichfalls einen Schlafraum. Er war so sauber aufgeräumt wie der andere. Nach einer halben Stunde hatte er das Haus vom Boden bis zum Keller durchsucht. Keinen Menschen, lebend oder tot, hatte er gefunden.

Er verließ die Villa, ging den Hügel hinter dem Haus hinauf – das Grundstück war sehr groß – und kletterte in einen uralten, mächtigen Baum mit verkrüppelten Ästen. Auf einer Gabelung blieb er sitzen. Um fünf Uhr früh verließ er seinen Beobachtungsplatz und kehrte zu dem Wagen zurück, den er in der Parkbucht vor der neuen Siedlung abgestellt hatte. Kein Mensch war gekommen, kein Mensch hatte sich sehen lassen. Hyde zerlegte die Waffen und verwahrte sie in der Tasche, die er im Kofferraum verstaute. Er fuhr ins Hotel zurück, parkte, ging um das Haus herum und kletterte wieder zu seinem Balkon empor. Angezogen legte er sich auf das breite Bett und schlief drei Stunden. Um halb neun erwachte er, duschte und rasierte sich und zog neue Sachen an. Dann ging er in den Speisesaal, um zu frühstücken.

Außer ihm war nur ein deutsches Paar da. Das Mädchen hatte blondes Haar und blaue Augen, der junge Mann einen Bart. Sie konnten beide nur mit einer Hand essen, die Finger der anderen hielten sie ineinander verflochten. Sie sahen einander fast unentwegt an und lächelten wie über ein Geheimnis, von dem bloß sie beide wußten. Wenn es wirklich ein Geheimnis ist, dann muß es ein schönes sein, dachte Hyde, und ein paar Sekunden lang überkam ihn Traurigkeit.

Er beendete bald sein Frühstück und ging in die Halle.

Der freundliche Concierge, den er schon kannte, stand hinter seiner Theke.

»Guten Morgen, Monsieur Maree! Haben Sie gut geschlafen?«

»Wie ein Murmeltier.«

»Das ist die Luft hier«, sagte der Portier. »Herrliche Luft. Was haben Sie heute vor, Monsieur Maree?«

»Bißchen in der Gegend herumfahren«, sagte Hyde.

»Aber nicht zu den Parfumfabriken in Grasse«, sagte der Concierge und zwinkerte.

»Nein, bestimmt nicht zu den Parfumfabriken in Grasse«, sagte Hyde.

»Heute steht der Wind falsch. Man riecht den Duft nicht. Es wird wohl sehr heiß heute, Monsieur Maree. Werden Sie zum Mittagessen da sein?«

»Ich weiß nicht«, sagte Hyde. »Wahrscheinlich nicht.«

»Ich habe nur aus Höflichkeit gefragt«, sagte der Concierge. »Es ist natürlich vollkommen Ihnen überlassen, Monsieur Maree.«

Hyde fuhr nach Cannes.

Er parkte den Wagen am alten Hafen hinter dem scheußlich modernen Gebäude, an dessen Stelle einmal das schöne Wintercasino gestanden hatte, und ging ein Stück die Croisette hinunter. Die Wedel der alten Palmen auf dem Mittelstreifen hingen reglos. Es war absolut windstill. Das Meer sah aus wie geschmolzenes Blei. Drei Zerstörer der Sechsten Amerikanischen Flotte lagen draußen vor Anker. Kleine Boote voller Matrosen fuhren eilig zwischen ihnen und einer Anlegestelle des alten Hafens hin und her. Hyde kannte Cannes und wußte, daß die Huren nun wieder Großeinsatz hatten. Er sah viele Matrosen in ihren weißen Ausgehuniformen. Alle wanderten die Croisette hinab in Richtung zum neuen Hafen Port Canto, wo die meisten Mädchen wohnten. Die Huren verdienten stets großartig, wenn Schiffe der Sechsten Flotte vor Cannes ankerten, am meisten verdienten sie um den 4. Juli, den amerikanischen Unabhängigkeitstag, herum, denn da erschienen hier immer riesenhafte Flugzeugträger und eine ganze Flotte von Begleitschiffen, und es gab Empfänge beim Präfekten und einen Galaabend im PALM BEACH. Dann kamen die Huren einfach nicht mehr nach. Hyde kannte die Geschichte von einem Mädchen, das an einem 4. Juli vollkommen verschwollen und mit einem Kreislaufkollaps in das große Hôpital des Broussailles eingeliefert werden mußte, nachdem es ohne Pause siebenundvierzig kräftige amerikanische Seeleute bedient hatte. Die Huren verdienten während der ganzen Saison gut, und promenierten gern auf der Croisette zwischen dem alten Hafen und dem PALM BEACH hin und her, immer an jener Seite, an der die Hotels und Geschäftshäuser standen. Die andere Seite, entlang dem Meer, war der Strich der Knaben. Hyde sah keinen einzigen. Die Matrosen wollten Mädchen, die Saison für die Knaben hatte noch nicht begonnen.

Hyde überquerte die Croisette bei dem großen Zeitschriftenladen Maison de la Presse, ging ein Stück die kleine Rue des Serbes hinauf und bog links in die Rue Notre Dame ein. Hier war die Hauptpost, jetzt klimatisiert. Vor acht Jahren, als Hyde hierhergeschickt worden war, um einen armenischen Politiker zu erschießen, war sie noch nicht klimatisiert gewesen, aber sauberer. Diesmal sah sie sehr dreckig aus. Hyde fand, daß Cannes in der Zwischenzeit überhaupt viel von seinem Reiz verloren hatte. Die Typen, die auf den Straßen herumlungerten, gehörten eigentlich nach Marseille. Hyde wußte, daß Cannes eine Gangsterstadt geworden war. Die Kriminalität, auch die schwerste, stieg sprunghaft immer weiter an, und die Polizei tat wenig. Sie wird wissen, warum, dachte Hyde und ließ sich von einer mißgelaunten Frau mit Brille am Telefonschalter ein schmutziges Stück Karton geben, auf dem die Nummer dreizehn stand. Er ging in die Kabine dreizehn, hielt die Tür einen Spalt geöffnet, so daß kühle Luft hineinkam und wählte Morleys Nummer in London. Dann bediente er den Decoder.

Er sagte: »Guten Morgen, Mister Morley! Hier spricht Hyde. Ich war in Chan Ragais Haus und habe es die ganze Nacht beobachtet. Kein Mensch war da oder kam. Es sieht aber so aus, als wäre Chan Ragai vor kurzem noch dagewesen. Was soll ich tun? Ich rufe in einer Stunde wieder an.«

Nachdem er bei der mißgelaunten Frau das Gespräch bezahlt hatte, ging Hyde in der Rue d'Antibes zu einem Friseur und ließ sich die Haare schneiden und die Fingernägel maniküren. Anschließend besuchte er einige Antiquitätenläden. Er wollte einen Buddha für seine Mutter kaufen, fand aber nichts Passendes. Schließlich wanderte er in der Rue d'Antibes, deren Gehsteige man verbreitert hatte, zurück zur Hauptpost. Dabei wurde er Zeuge, wie einer alten Frau, die am Rand der Fahrbahn ging, von zwei Halbwüchsigen auf einem schweren Motorrad die Handtasche weggerissen wurde. Die alte Frau schrie gellend und stürzte. Sie schrammte sich Knie und Wangen auf, Blut befleckte das Pflaster. Die beiden Jungen auf dem Motorrad waren mit Vollgas davongebraust. Zwei Männer halfen der alten Frau auf die Beine, alle anderen Passanten gingen ungerührt weiter. Die Männer führten die alte Frau in ein Geschäft für Damenunterwäsche, damit man ihre Verletzungen behandeln konnte, und Hyde hörte den einen ärgerlich sagen: »Sie sind selber schuld, Madame. Sie müssen doch wissen, daß Sie Ihre Handtasche niemals zur Fahrbahnseite hin tragen dürfen, immer nur zur Häuserseite! Alle wissen das, keiner tut es. Darum passiert so was in der gottverdammten Rue d'Antibes auch jeden Tag.«

»Was ist aus dieser Stadt geworden«, sagte die alte Frau klagend. »Was für eine Jugend! Und so was kriegt natürlich auch noch Arbeitslosenunterstützung.«

»Wenn man erst einmal anfängt, Menschen dafür Geld zu geben, daß sie arm sind, wird man sehr bald sehr viele Arme haben«, sagte der andere Mann.

Hyde erreichte die Hauptpost und wählte wieder Morleys Nummer. Dessen Stimme ertönte vom Band: »Guten Morgen, Mister Hyde! Es sieht so aus, als habe man Chan Ragai geraten, sein Haus zu verlassen und sich zu verstecken, bis die Fernsehleute und die Gendarmen da sind. Fest steht, daß Conrad Colledo und ein Aufnahmeteam heute mit der Frühmaschine von Frankfurt nach Zürich abgeflogen sind. Dort stiegen sie in eine Swiss-Air-Maschine um. Es ist jetzt elf Uhr fünfundzwanzig. Ihre Zeit. Die Swiss-Air-Maschine landet um elf Uhr fünfundvierzig in Nizza. Das Majestic bestätigt, daß Zimmer für Colledo und das Team reserviert wurden. Sie wissen natürlich am besten, was Sie zu tun haben, aber ich empfehle Ihnen, das Majestic im Auge zu behalten und auf die Ankunft der Leute zu warten. Sie bringen ihre Apparaturen mit, sind also leicht zu erkennen. Colledo haben Sie schon in der Wohnung von Ross gesehen. Leider ist er nun sehr vorsichtig geworden. Sie müssen ihm auf den Fersen bleiben, wenn er Chan Ragai aus seinem Versteck holt. Schade, daß Sie den nicht schon liquidieren konnten. Sie müssen es unbedingt schaffen, ehe er ein Wort vor den Kameras spricht. Viel Glück! Ende.«

Hyde ging zum alten Hafen zurück. Zwei amerikanische Matrosen begegneten ihm.

»Hey, Frenchy«, sagte der eine. »Speak English?«

»A little«, sagte Hyde.

»We wanna fuck. Understand?« Der zweite Matrose machte eine obszöne Bewegung mit Hand und Arm.

»Fuck, fuck. Understand?« sagte Hyde.

»Where are the girlies?«

»You go down this street. Left side. All way down. Rue de Canada. Many girls.«

»Rü de Canada?«

»Yes. Much fucking there. Very good fucking«, sagte Hyde. »Beautiful girls.«

»Thanks, buddy«, sagte der erste Matrose, der eine Flasche Scotch in einer Hand hielt. Und zu seinem Freund: »Come on, Joe, hurry up! Rü de Canada!« Sie liefen die Croisette auf dem Gehsteig am Meer hinab.

Hyde ging zu seinem Wagen, in dem es glühend heiß war. Er fuhr bis zum MAJESTIC, bog links ein und ließ den Wagen die Auffahrt des Hotels emporrollen. Ein paar Wagenmeister und Gepäckträger in blauen Hosen und Hemden standen im Schatten. Hyde fuhr um das große, runde Blumenbeet vor dem gläsernen Eingang herum, hielt und stieg aus. Ein sehr großer Wagenmeister mit rosigem Gesicht kam auf ihn zu und lächelte freundlich.

»Parken, bitte!« sagte Hyde.

»Wohnen Sie im Hotel, Monsieur?«

Hyde drückte dem großen Mann zwei Zehnfrancscheine in die Hand.

»Nein.«

»In Ordnung, Monsieur«, sagte der Wagenmeister, setzte sich hinter das Steuer und fuhr den Wagen in die Tiefgarage. Hyde ging vom Eingang weg zu einer kurzen Marmortreppe, die auf eine breite Terrasse führte. Unter einem ausgefahrenen Sonnensegel standen viele runde Tische und Stühle. Vor der Terrasse befand sich ein Swimmingpool aus weißem Marmor. Auch der Terrassenboden war aus weißem Marmor. Um den Pool blühten viele Blumen, und dichtes Gebüsch schirmte ihn zur Croisette hin ab. Ein paar Mädchen und ein alter Mann schwammen. Andere Mädchen lagen vor dem Pool in der Sonne. Unter dem mächtigen Sonnensegel saßen Amerikaner in Bermudashorts. Sie rauchten Zigarren und hatten Diplomatenkoffer und viele Papiere auf dem Tisch. Hyde setzte sich nahe der Treppe und bestellte Gini, ein alkoholfreies Getränk. Vor ihm lag ein sehr schönes Mädchen im Gras. Das sehr schöne Mädchen hatte das Oberteil eines winzigen Bikinis abgenommen, lag auf dem Bauch und las in einem roten Buch. Praktisch war das sehr schöne Mädchen nackt. Jetzt blickte es Hyde an und lächelte, während es sich auf die Ellbogen stützte und damit den Oberkörper so weit hob, daß Hyde die Brüste sehen konnte.

»Hallo«, sagte das sehr schöne Mädchen.

»Hallo«, sagte Hyde.

»Das Ende der Welt und Gottes Reich sind nahe gekommen«, sagte das sehr schöne Mädchen.

»Machen Sie Schabbes damit«, sagte Hyde.

»Wie bitte?«

»Machen Sie sich damit einen schönen Sonnabend.«

»Hören Sie, Monsieur, so können Sie mit mir nicht reden!«

»Hauen Sie ab!« sagte Hyde. »Los, los, hauen Sie ab!«

Das sehr schöne Mädchen stand gekränkt auf, ließ sich eine Menge Zeit damit, das Bikinioberteil anzulegen, nahm das rote Buch und ging dann mit wiegenden Hüften auf die andere Seite des weißen Pools.

Der Kellner brachte ein Glas, Eiswürfel, eine kleine Flasche Gini, eine Schale mit Salzmandeln und eine zweite mit Oliven.

»Voilà, M'sieur.«

»Merci«, sagte Hyde. Er trank durstig. Der Drink war so kalt, daß seine Zähne schmerzten.

Erst 13 Uhr 15 rollte ein blauer Opel Diplomat um das Blumenbeet und hielt vor dem Hoteleingang. Der Mann am Steuer stieg aus und redete mit einem Wagenmeister. Der Mann neben ihm redete mit zwei Gepäckträgern. Sie holten Koffer aus dem Opel. Ein weißer Volkswagen Kombi hielt hinter dem blauen Diplomat. Mehrere Männer stiegen aus. Sie trugen alle leichte Kleidung. Auch aus dem Kombi holten die Gepäckträger Koffer. Hinter den Windschutzscheiben beider Wagen steckten große Pappschilder mit schwarzgedruckter Aufschrift. Hyde hatte gute Augen. Unter dem Sonnensegel auf der Terrasse sitzend las er: FERNSEHEN FRANKFURT / TELEVISION ALLEMAGNE FEDERALE. Hyde trank langsam sein drittes Glas Gini aus. Er hatte Conrad Colledo erkannt. Colledo trug eine weiße Hose, weiße Slipper und ein dunkelblaues Hemd, das lose herabhing. Er hatte eine kleine Ledertasche in der Hand. Es war sehr still vor dem Hoteleingang und auf der Terrasse. Die meisten Menschen waren fortgegangen. Hyde hörte die Gespräche der Männer vom Fernsehen. Sie wollten auf ihre Zimmer, sich waschen und dann eine Kleinigkeit essen. Sie hatten es eilig. Einer fragte den großen, rosigen Wagenmeister, wie lange man nach La Roquette sur Siagne fahre. Hyde winkte dem Kellner und machte ein Zeichen, daß er zahlen wolle. Er hatte eine NICE-MATIN vom Zeitungsstand geholt und hielt das Lokalblatt vors Gesicht. Colledo durfte ihn nicht sehen. Zwei Wagenmeister fuhren die beiden Wagen schließlich zur Seite, nahe an die Mauer bei der Marmortreppe heran, nicht in die Tiefgarage.

Nun verschwanden die Männer im Hotel. Hyde zahlte und wartete, bis sie wieder ins Freie kamen und in den großen Speisesaal gingen, welcher sich der Terrasse gegenüber im Seitenflügel des Hotels zu ebener Erde befand. Einige Tische standen im Freien, durch eine Markise vor der nun sehr starken Sonne geschützt. Zwei Männer blieben draußen beim Essen. Mit Colledo waren es insgesamt sechs.

Hyde stand auf und verließ die Terrasse.

»Bitte, meinen Wagen«, sagte er zu dem rosigen Voiturier, »den schwarzen BMW.«

»Sofort, Monsieur.« Der Wagenmeister lief die Einfahrt zur Tiefgarage hinunter. Gleich darauf fuhr er den BMW nach oben – rückwärts und schnell, sehr geschickt. Hyde dankte und gab dem Mann noch einmal Geld.

»Aber Sie haben mir doch schon…«

»Trinken Sie ein Glas auf mein Wohl!«

»Merci mille fois, Monsieur!«

Aus dem Restaurant gegenüber kamen etwa zwanzig Minuten später die ersten Fernsehleute und gingen zu dem VW Kombi. Hyde hatte seinen Wagen um das Blumenbeet auf die andere Seite gefahren. Nach einer halben Stunde folgte der Rest der Gesellschaft. Colledo stieg in den blauen Opel Diplomat, ein Mann setzte sich neben ihn, die anderen kletterten in den Kombi. Colledo fuhr langsam an. Der Kombi folgte. Sie glitten die Zufahrt zum Hotel hinab. Hyde startete den Motor und fuhr dem Kombi nach. Auch auf der Croisette war es noch mittäglich ruhig. Colledo bog nach rechts ein, die beiden anderen Wagen blieben hinter ihm. Hyde vergrößerte den Abstand zu dem VW Kombi.

Die drei Wagen fuhren nach rechts durch die Rue de Belges, bogen kurz links in die Rue d'Antibes und gleich darauf wieder rechts in die Rue Foche ein, über welche sie die Schnellstraße Nummer zwölf erreichten. Diese breite *voie rapide*, die hier steil anstieg, brachte sie zu der großen und schlecht eingerichteten Kreuzung bei der Eisenbahnüberführung am Beginn des mächtigen Boulevard Carnot. Hier drängten sich die Wagen, und es gab jede Menge Ampeln und nervöse Verkehrspolizisten mit Trillerpfeifchen. Die drei Autos fuhren auf dem Boulevard Carnot mit seinen schattenspendenden Riesenbäumen bis zu einem Verkehrskreisel, bei dem der Zubringer zur Autobahn abbog. Am Straßenrand des schmalen Zubringers stand ein offener Mannschaftswagen der Gendarmerie. Auf den Bänken saßen etwa dreißig schwerbewaffnete Uniformierte. Hyde hielt an, denn die beiden Wagen vor ihm hatten beim Mannschaftswagen angehalten. Ein Offizier trat zu dem blauen Diplomat, salutierte und sprach mit Colledo. Hyde biß sich auf die Lippen. Unmittelbar vor ihm war eine Ampel, und sie zeigte immer noch grün. Hinter ihm hupten ein paar Fahrer in ihren Wagen wie die Irren. Sie brüllten durcheinander.

»Crevez, salopard!«

»Mon Dieu, quel con!«

»Allez, allez, assassin!«

Hyde rann der Schweiß von den Brauen in die Augen. Er mußte hier weg und das schnell. Er trat auf das Gaspedal. Der BMW schoß vor und brauste an dem VW Kombi, dem Opel Diplomat und dem Mannschaftswagen der Gendarmerie vorbei den Zubringer zur Autobahn hinauf. Hyde hatte keine Wahl mehr gehabt. Feine Scheiße! Wenn die jetzt Chan Ragai irgendwo aus seinem Versteck holen, ehe ich ihn umlegen kann, dachte er und fuhr langsamer. Das wird eine Freude werden mit all der Gendarmerie. Ich muß warten, bis sie wieder vor mir fahren, ich weiß ja nicht, wo dieser Chan Ragai steckt. Im Rückspiegel sah er den Mannschaftswagen auftauchen, dahinter den Diplomat und zuletzt den Kombi. Hyde ließ die drei Autos an sich vorbei. Der Mannschaftswagen und die Autos, die ihm folgten, blieben auf dem Zubringer, der an einer Kleeblattkreuzung vorbeiführte und wieder eine normale Straße wurde. Jetzt fuhren sie an dem Restaurant MOULIN DE MOUGINS vorbei. Gutes Fressen gibt es da, dachte Hyde idiotisch. Bald danach wurde er wieder nervös. Die Kirche Notre Dame de Vie tauchte rechts auf. Wenn die Kerle nach La Roquette sur Siagne wollten, dann mußten sie nach der großen Biegung auf die Nationalstraße Nummer fünfundachtzig einbiegen, und zwar nach rechts. Bei dem Kombi leuchtete der rechte Blinker. Na also! Hyde schaltete den rechten Blinker des BMW ein. Er überlegte fieberhaft, während er dem kleinen Konvoi auf der Nationalstraße, die in Richtung Grasse führte, folgte. Kein Zweifel, die Brüder waren nach La Roquette sur Siagne unterwegs. Hatte sich Chan Ragai so versteckt, daß sie ihn auf dem Weg dorthin noch mitnehmen konnten? Morley wußte: Die Aufnahmen sollten in der VILLA BIBLOS stattfinden. Er war bisher über alles, was den Sender betraf, immer zuverlässig informiert worden. Man mußte sich darauf verlassen. Auch diesmal.

Ausfahrt nach Le Val de Mougins. Der Konvoi blieb auf der Nationalstraße. Hyde auch. Die nächste Ausfahrt führte nach La Roquette sur Siagne. Der Konvoi bog bei der großen, alten Platane links ab. Hyde desgleichen. Er dachte: Ich muß es riskieren. Ich muß es einfach riskieren. Ich muß vor den Hunden dort sein. Ja, vor ihnen! Er trat das Gaspedal durch und raste los. Als er die drei Wagen überholte, kam ihm ein Peugeot entgegen. Ein Viertelmeter, und der BMW hätte ihn gerammt. Hyde sah das entsetzte Gesicht eines Mannes vorüberfliegen. Er fuhr jetzt so schnell es nur ging, völlig rücksichtslos. In den Kurven schleuderte der Wagen jedesmal. Die Reifen kreischten. Hyde ließ den Fuß auf dem Gaspedal.

Er parkte wieder in einer Bucht vor den neuen Häusern. In größter Eile holte er die Segeltuchtasche aus dem Kofferraum. Er sprang auf die Straße zurück. Noch war es still, aber sie mußten gleich da sein.

Hyde rannte los. Der Schweiß brach ihm aus und lief in Strömen über seinen Körper. Hyde keuchte. Sein Herz hämmerte wie das Blut an seinen Schläfen. Er rannte über den Platz mit dem Lebensmittelgeschäft und der Bar. Ein paar alte Männer spielten im Schatten der Platanen Boule. Niemand beachtete ihn. Er rannte die schmale Avenue du Roi Albert hinab. Er erreichte die Mauer und das schmiedeeiserne Tor, das schräg in den verrosteten Angeln hing. Er kletterte über die Mauer, er ließ sich in das hohe Gras des verwilderten Gartens fallen. Jetzt hörte er schon Motorenlärm, der anschwoll. Sie kamen!

Er hechtete durch den Garten, rannte um das Haus, das verlassen in der Sonne stand, ließ sich durch die Luke in den Keller gleiten und kroch hinter den großen Stapel Kaminholz. Die Scheite reichten fast bis zur Decke. Er schwitzte jetzt so stark, daß Hemd und Hose durchnäßt waren und Tropfen auf den Boden fielen. Er bemühte sich, ruhiger zu werden, langsamer zu atmen. Er öffnete die Tasche, setzte die Springfield zusammen und schraubte den Schalldämpfer auf das Gewehr und den Lauf der Parabellum. Sie werden kommen und alles durchsuchen, dachte er. Natürlich auch den Keller. Wenn ich Glück habe, entdecken sie mich nicht. Wenn ich kein Glück habe, nehme ich noch so viele von den Hunden mit wie möglich. Eine Schießerei wird es auf alle Fälle geben, sobald ich rauf muß, um Chan Ragai umzulegen. Ach, dachte Hyde, ich bin schon aus größeren Scheißhaufen herausgekommen.

Er hörte jetzt Stimmen, Sätze, deutsch und französisch durcheinander, dazu französische Befehle.

»Zehn Mann durchsuchen den Garten! Fünf kommen mit mir ins Haus! Der Rest sichert das Gelände! Moment. Ragai hat mir alle Schlüssel gegeben. Ich sperre auf.« Das muß der Offizier sein, dachte Hyde. Ragai hat ihm alle Schlüssel gegeben. Also wird man ihn hierherbringen, bewacht natürlich. Zuerst soll alles durchsucht werden. Fünfzehn Mann sichern das große Gelände, überlegte er, während schon Stiefel die Kellertreppe heruntertrampelten. Er lag nun flach im Dunkeln hinter dem Scheiterhaufen auf dem kalten Boden, die Springfield durchgeladen und entsichert. Zwei Mann kamen in den Keller. Sie hatten Taschenlampen. Und sie waren verärgert.

»Das alles in dieser Hurenhitze, Mensch!« sagte der eine wütend. »Meine Uniform bringt mich noch um!«

»Scheiß auf den verfluchten Capitaine«, sagte der andere. »Hier ist niemand. Affentheater!«

Die Tritte entfernten sich wieder auf der Steintreppe. Die Tür oben blieb offen. Hyde grinste. Na also, dachte er. Na also. Weiter so! Er hörte das Stiefeltrampeln jetzt über sich. Die durchsuchen wirklich das Haus, dachte er. Klar, Idiot, dachte er. Klar durchsuchen sie das ganze Haus. Plötzlich hörte er Colledos Stimme. »Fünfzehn Uhr. Wir sind pünktlich. Jetzt muß er kommen.«

»Hoffentlich«, sagte eine andere Stimme. »Junge, laß die Fenster zu! Kommt doch nur Hitze rein.«

»Wir werden im Freien drehen«, sagte Colledo. »Vor dem Haus.«

Hyde lag reglos auf dem feuchten Steinboden des Kellers. Es roch nach Moder, sehr stark nach Moder.

Eine halbe Stunde später lag er noch immer so da.

Oben war es still geworden. Die meisten Gendarmen hatten offenbar die Villa wieder verlassen. Die Männer vom Fernsehen rauchten, Hyde konnte es riechen. Er hätte auch gerne geraucht.

»Sauerei«, sagte eine Männerstimme. »Kann der blöde Sack nicht pünktlich sein?«

»Halt's Maul, Franz«, sagte eine andere Stimme. »Der wird schon kommen. Sei nicht so fickrig. Immer bist du so fickrig, Franz.«

»Ach, leck mich doch«, sagte die erste Stimme. Hyde sah auf das Leuchtzifferblatt seiner Armbanduhr. Es war 15 Uhr 33.

Drei Minuten nach vier war Chan Ragai noch immer nicht da. Hyde hörte Colledos Stimme: »Da ist was schiefgelaufen, verflucht.«

»Fürchte ich auch, Conny«, sagte eine Männerstimme.

»Was machen wir jetzt?« fragte jemand französisch.

»Ich werde Jean-Marie anrufen, mon capitaine«, erklang Colledos Stimme.

»Ja, das ist gut«, antwortete die Stimme des Capitaine.

Hyde hörte, wie eine Telefonnummer gewählt wurde. Nach einer Weile ertönte die Stimme Colledos, der französisch sprach: »Jean-Marie? Hier ist Colledo. Was…« Er verstummte und lauschte längere Zeit. »Danke, Jean-Marie… Nein, nein, hauen Sie jetzt ab! Sofort!« Der Hörer wurde aufgelegt. Colledo sprach mit dem Capitaine.

»Grande merde fumante«, sagte der Capitaine entsetzt.

»Was ist los, Conny?«

»Er ist weg«, sagte Colledo.

»Was heißt weg?«

»Heißt, was es heißt, Idiot!«

»Halblang, Conny, ja? Immer halblang. *Wo* ist er?«

»Jean-Marie sagt, er ist abgeflogen.«

»Wann?«

»Was?«

»*Wann?*«

»Heute vormittag. Zehn Uhr dreißig. Mit PANAM nach Athen.«

»*Athen?* Das sagt Jean-Marie?«

»Ja.« Colledo erklärte dies nun auch französisch, damit der Capitaine der Gendarmerie und seine Leute alles mitbekamen. »Ragai ist um acht Uhr dreißig vom Hotel in Mougins weggefahren.«

»Was für einem Hotel?«

»Hotel LE MAS CANDILLE. Dort sollte er auf uns warten und heute nachmittag um drei Uhr hier sein.«

O nein! dachte Hyde. O nein! Eine fürchterliche Lust zu lachen überkam ihn. Er biß in seinen Arm. O Gott, dachte er. O Gott, nein! Chan Ragai war im MAS CANDILLE. In meinem Hotel!

»Woher weiß Jean-Marie das?«

»Idiot! Der hat doch auf ihn aufgepaßt seit vorgestern. Hat auch im MAS CANDILLE gewohnt. Ragai wußte das nicht. Er hat sich doch jeden Schutz verbeten. Hatte Angst, aufzufallen.«

Nein, dachte Hyde. Nein, nein, nein!

»Und?«

»Und heute früh um halb acht ist Chan Ragai in die Halle heruntergekommen und hat seine Rechnung bezahlt, und dann haben sie seine Koffer im Wagen verstaut, und er ist abgehauen. Zum Flugplatz in Nizza. Jean-Marie immer hinter ihm her. Hat alles genau mitgekriegt beim PANAM-Schalter. Ragai hatte schon gebucht. Nach Athen.«

»Wieso hat Jean-Marie uns nicht im MAJESTIC eine Nachricht hinterlassen?«

»Der hat doch keine Ahnung, worum es wirklich geht! Er sollte bloß auf Ragai aufpassen, bis wir da waren.«

»Verflucht, und warum hat er nicht in Frankfurt angerufen, im Sender?«

»Mensch, ich sage dir doch, er weiß überhaupt nicht, was wir von Ragai wollen. Glaubst du, das habe ich ihm auf die Nase gebunden?«

»Wer ist denn dieser beschissene Jean-Marie überhaupt?«

»Ich kenne ihn nicht persönlich. Wir verwenden ihn immer, wenn einer hier in der Gegend auf Leute aufpassen soll.«

»Wer hat ihn auf Chan Ragai angesetzt?«

»Kleinhals, der Chefredakteur. Der hat mit ihm telefoniert. Jean-Marie und Kleinhals haben sich kennengelernt, als Kleinhals hier mal überfallen wurde. Da hat Jean-Marie ihn rausgehaut bei der Prügelei. Haben die beiden Freundschaft geschlossen. Vor drei Jahren im Sommer.«

»Wieso war Kleinhals hier?«

»Weil er hier im Urlaub war. Mach mich nicht wahnsinnig! Ragai ist abgehauen, diese Sau!« schrie Colledo.

»Und was tut dieser Jean-Marie, wenn er nicht auf Leute aufpaßt?«

»Da hat einmal ein Multimillionär gewohnt, in La Roquette sur Siagne. Schöne Villa. Auf dem Weg zum Friedhof. Hat mir

Kleinhals erzählt. Jean-Marie war einer seiner Leibwächter. Dann ist dieser Millionär gestorben. Lag sehr passend, die Villa. Jean-Marie war mal Boxer. Schwergewicht.«

»Das alles hat dir Kleinhals erzählt?«

»Ja doch, Trottel. Woher soll ich es sonst wissen? Jean-Marie war schon ganz verzweifelt. Wußte nicht, was tun. Kleinhals hat ihm gesagt, wenn was dazwischenkommt, wenn was passiert, soll er im Hotel LE MAS CANDILLE warten, bis einer von uns anruft. Na, jetzt habe ich angerufen. Endlich zufrieden? Oder immer noch Fragen?«

»Ja. Wieso ist Jean-Marie noch da, wenn sein Millionär tot ist?«

»Hat eine Klitsche hier gekauft. Liebt die Gegend. Will nie mehr woanders wohnen, sagt Kleinhals. Los jetzt, los, los, los!«

»Los wohin?«

»Zurück nach Cannes. Ich muß den Intendanten anrufen.«

»Na, dann ruf ihn doch an, Mensch!«

»Nicht von hier. Dieses Telefon ist vielleicht nicht koscher. Auch nicht vom Hotel. Von einem Postamt«, sagte Colledo.

»Herrgott, ist das eine verschissene Sauerei, eine verfluchte!« Dann sprach er wieder französisch mit dem Capitaine.

Zehn Minuten später hörte Wayne Hyde das Geräusch anspringender Motoren. Die Wagen fuhren ab. Auf dem engen Weg müssen sie rückwärts fahren, dachte er. Nein, sie werden im Garten gewendet haben. Ich muß auch an ein Telefon. Und genauso schnell. Warum ist dieser Chan Ragai ausgerückt?

»Es ist jetzt fünfzehn Uhr mitteleuropäischer Zeit am Freitag, dem dreiundzwanzigsten März neunzehnhundertvierundachtzig. Mein Name ist Chan Ragai. Ich wurde am zweiten August neunzehnhundertelf in Teheran geboren. Iranischer Staatsbürger, verwitwet, Religion: Islam. Ich bin unheilbar krank und habe höchstens noch fünf Monate zu leben.«

Der Mann, der diese Worte fast genau zu dem Zeitpunkt sprach, zu dem Colledo, sein Team und der Mannschaftswagen mit französischen Gendarmen den kleinen Ort La Roquette sur Siagne und die VILLA BIBLOS erreichten und Wayne Hyde hinter dem hohen Holzstoß im Keller lag, hatte ein schmales, olivfarbenes Raubvogelgesicht mit dunklen, melancholischen Augen. Sein Haar war tief schwarz. Auf der Oberlippe wuchs ein gepflegtes, schmales, schwarzes Bärtchen. Chan Ragais Anzug war viel zu groß für seinen stark abgemagerten Körper, desgleichen das Hemd, dessen Kragen einen Fingerbreit vom Hals abstand. Er hatte große gelbe Zähne. Seine Stimme klang sehr müde.

Er saß mit dem Rücken zu dem Schreibtisch in Daniel Ross' Wohnung an der Sandhöfer Allee in Frankfurt. Alle Vorhänge hatte man geschlossen. Scheinwerfer auf hohen Stativen brannten. Zwei Arriflex-Kameras in festen Positionen waren auf den elend aussehenden alten Mann gerichtet. Die eine lief. In einem Gewirr von Kabeln hatte ein Tonmann sein Gerät installiert und beobachtete, Kopfhörer an den Ohren, die Instrumentenanzeigen. Hinter den Kameras saßen Mercedes und Daniel. Neben ihnen standen zwei Polizisten mit Maschinenpistolen. Zwei weitere patrouillierten vor den Fenstern der Parterrewohnung. Auf der Straße parkte ein Funkstreifenwagen mit vier Mann Besatzung. In Frankfurt am Main regnete es. Hinter dem stillen Haus blühten Krokusse auf dem Rasen.

»Es ist diese mir von ersten Spezialisten in Paris nach eingehenden Untersuchungen noch zugestandene, bestenfalls zu erwartende kurze Zeit bis zu meinem Tode, die mich bewogen hat, nach mehrjähriger absoluter Zurückgezogenheit ein letztes Mal öffentlich in Erscheinung zu treten – vor Abermillionen Menschen in der ganzen Welt. Bis gestern, Donnerstag früh, lebte ich in meinem Haus in dem kleinen Dorf La Roquette sur Siagne in Südfrankreich nahe Cannes. Das Todesurteil der Ärzte ist mir schon seit einem Monat bekannt. Als Rechercheure des Senders Frankfurt mich endlich in La Roquette sur Siagne gefunden hatten und mir sagten, was sie von mir wünschten, erbat ich einen Tag Bedenkzeit. Dann erklärte ich mich bereit, vor die Kamera zu treten und alles zu berichten, was ich über einen Film weiß, den amerikanische und sowjetische Armeekameraleute während der Konferenz der sogenannten Großen Drei, Churchill, Roosevelt und Stalin, zwischen dem achtundzwanzigsten November und dem ersten Dezember neunzehnhundertdreiundvierzig drehten. Ich bin in der Lage, eine Aussage über diesen Film zu machen, weil ich zu jener Zeit in Teheran Resident für den geheimen Dienst des Naziaußenministers von Ribbentrop war.«

Chan Ragai hustete. Es war ein trockener, harter Husten, der zu schmerzen schien, denn der alte Mann verzog das eingefallene Gesicht und krümmte sich. Er hielt ein Taschentuch vor den Mund. Es dauerte einige Zeit, bevor er wieder sprechen konnte.

»Verzeihung. Ich hatte bis zum Auftauchen der Rechercheure mit der Vorstellung gelebt, dieser Film sei in Berlin während der letzten Kriegsjahre zerstört worden, verlorengegangen oder verschwunden. Als ich nun erfuhr, daß er – auf Videokassette übertragen – noch immer existiert und daß ein erbitterter Krieg im Dunkeln geführt wird mit dem Ziel, Menschen wie mich, die von dem Film wissen, zu liquidieren, um seine geplante Fernsehausstrahlung in der ganzen Welt wirkungslos werden zu lassen, habe ich mich auch bereit erklärt, mit allen Sicherheitsvorkehrungen der französischen und der deutschen Polizei zum Schutz meines Lebens einverstanden zu sein. Ich weiß, daß ich bald sterben muß – aber es soll nicht vor dem für mich bestimmten Zeitpunkt sein. Mein Zustand wird sich natürlich verschlechtern. Darum mache ich meine Aussage schon heute, einen Tag, nachdem ich mein kleines Haus in Südfrankreich verlassen habe. Ich werde nie mehr dorthin zurückkehren.«

Wieder wurde Chan Ragai von trockenem Husten geschüttelt. Feine Schweißperlen traten auf seine Stirn.

»Aus«, sagte Daniel. Der Kameramann stoppte seinen Apparat. »Lassen Sie sich Zeit, Herr Ragai. Sie dürfen sich nicht übernehmen. Wir werden immer wieder Pausen machen. Alle wissen, wie anstrengend es für Sie ist, zu sprechen.«

Mercedes war aufgestanden und goß aus einer Karaffe Wasser in ein Glas. Ragai sah sie dankbar an, während er es in die bis auf die Knochen abgemagerte rechte Hand nahm und in kleinen Schlukken daraus trank. Er lehnte sich zurück und schloß die Augen. Nach ein paar Minuten hatte er sich erholt. Kamera und Tonaufnahme liefen wieder.

»Man hat mich gewarnt und mir erklärt«, sagte Ragai, »daß sich ein Verräter im Sender befindet, der jeden geplanten Schritt des mit diesem Film beschäftigten Stabs denen bekanntgibt, die ein Vorankommen des Projekts unter allen Umständen verhindern wollen. Es war uns natürlich klar, daß gerade ich – angesichts der äußerst negativen Einstellung der iranischen Regierung gegenüber den Vereinigten Staaten und auch gegenüber der Sowjetunion – besonders gefährdet bin, denn die Widersacher des Unternehmens sind bei diesen beiden Mächten zu suchen. Aus diesem Grunde hat ein sehr kleiner Kreis von Eingeweihten einen abenteuerlichen Plan entwickelt. Den anderen wurde bekanntgegeben, der Hauptabteilungsleiter für Politik und Zeitgeschehen und ein Aufnahmeteam würden heute, Freitag, nach Nizza fliegen und zu mir fahren, um meine Aussage in meinem Haus in La Roquette sur Siagne zu dokumentieren. Das ist auch geschehen. Herr Colledo, das Team und zum Schutz angeforderte französische Gendarmen müßten jetzt auf meinem Grundstück und in meinem Haus sein – und potentielle Attentäter desgleichen, denn der unbekannte Verräter hat dieses Unternehmen ganz bestimmt gemeldet. Nur hohe Gendarmerieoffiziere des Departements Alpes-Maritimes wurden desgleichen eingeweiht. Zwei Gendarmerieoffiziere flogen gestern vormittag – nach einem kleinen Täuschungsmanöver – mit mir in einer Privatmaschine von Nizza nach Frankfurt. Am Flughafen erwartete mich deutsche Polizei. Die Nacht habe ich in dieser Wohnung verbracht, von der Sie aus begreiflichen Gründen nur den Vorhang hinter mir sehen. Wenn ich meine Aussage gemacht habe, werde ich unter Polizeischutz sofort nach Teheran fliegen, wo ein Haus an einem unbekannten Ort für mich bereitsteht. Das ist meine Situation. Ich berichte nun, was ich über den Film weiß.«

Ragai wischte sich mit dem Taschentuch Schweiß von der Stirn. »Mein direkter Vorgesetzter in Berlin, der mich angeworben hatte und für das Nachrichtennetz Mittlerer Osten verantwortlich war, hieß Georg Ross. Wie das bei derartigen Diensten üblich ist, hatten wir für unseren Funk- und Kurierverkehr einen häufig wechselnden Code. Rechtzeitig vor Beginn der Konferenz erhielt ich einen Funkspruch von Ross, in dem er mich anwies, alles, was mit dem Treffen der Großen Drei zusammenhing, auf das genaueste zu verfolgen. Das tat ich.«

»Wie gingen Sie vor, Herr Ragai?« fragte Daniel, der gleich Mercedes und Ragai ein kleines Mikrofon an einer dünnen Schnur um den Hals trug.

»Ich hatte ausgezeichnete Mitarbeiter. Es gelang mir, zwei Männer als Kellner bei der britischen Delegation unterzubringen, zwei weitere bei der sehr großen amerikanischen, einen bei den Sowjets. Diese fünf Kellner schleuste ich mit den vielen einheimischen Arbeitskräften ein, die damals angefordert wurden, denn natürlich mußte jemand die Zimmer aufräumen, die Gebäude sauber halten und servieren. Köche brachten die drei Delegationen selbst mit. Molotow kam bereits am sechsundzwanzigsten, die britische und amerikanische Delegation trafen im Lauf des siebenundzwanzigsten November in Teheran ein. Mit ihnen kamen sehr viele Journalisten, Fotografen und Wochenschaukameraleute. Einer der beiden Männer, die ich bei den Amerikanern eingeschleust hatte, war mein jüngster und erfolgreichster Agent.«

»Wie hieß er?« fragte Mercedes.

»Das weiß ich bis zum heutigen Tage nicht.«

»Ich verstehe nicht…«, begann Daniel.

»Dieser Mann war Deutscher. Er wurde mir von Georg Ross aus Berlin geschickt. Natürlich besaß der Mann Papiere und einen Namen. Das brauchte er für die Behörden in Teheran, um eine Aufenthaltserlaubnis zu bekommen. Und natürlich waren die Papiere gefälscht.«

»Was heißt natürlich? War es üblich, daß Ihre Mitarbeiter mit gefälschten Papieren lebten?«

»Üblich war es nicht. Aber es kam oft vor. So etwas kommt in jedem Dienst oft vor. Natürlich weiß dann irgend jemand ganz oben – der Leiter des Netzes – Bescheid, wer solche Leute wirklich sind und wie sie wirklich heißen. Sie müssen ja alle ganz genau durchleuchtet worden sein, bevor man sie einstellte. Dieser junge Mann, mein bester Agent, den mir Ross da aus Berlin geschickt hatte, nannte sich Werner Kalmann – in den Papieren. Für alle Einsätze im Funk- und Kurierverkehr bekam er die Bezeichnung CX einundzwanzig.«

»CX einundzwanzig«, wiederholte Daniel.

»Ja, CX einundzwanzig. Auch die Verwendung von solchen Kürzeln war nichts Ungewöhnliches.«

»Solange, wie Sie sagen, der Chef des Dienstes über einen Mann mit einem solchen Kürzel genau Bescheid wußte.«

»Richtig.« Ragai nickte.

Daniel sah Mercedes an. Er flüsterte: »Dann hat mein Vater gelogen, als er uns erzählte, er habe nicht gewußt, wer CX einundzwanzig war. Er wußte es genau.«

Mercedes nickte. »Oder Ragai lügt jetzt«, flüsterte sie.

Daniel sprach wieder laut: »Sie sagten ›der junge Mann‹, Herr Ragai. Wie jung war er?«

»Achtzehn.«

»*Wie* alt?«

»Achtzehn Jahre! Ich habe mich selbst gewundert über seine Jugend. Aber Ross wußte schon, wen er mir da schickte. Dieser geheimnisvolle CX einundzwanzig sprach fließend Persisch, Englisch und Französisch. Er war superintelligent, trotz seiner Jugend ungeheuer belesen, gebildet und einfach über alles infor-

miert. Er hatte glänzende Manieren. Er ließ sich überall ein-
schleusen – als Sohn aus gutem Hause, als reicher Playboy, als
Snob – und ebenso als Kellner. Er konnte nämlich hervorragend
servieren.«

Die beiden Kameramänner wechselten Blicke. Der erste gab
damit bekannt, daß seine Filmkassette nur noch wenige unbe-
lichtete Meter enthielt. Nach dem bewährten System ließ der
zweite nun seinen Apparat laufen. Der Kollege hatte anschließend Zeit, in aller Ruhe eine neue Kassette einzulegen.

»CX einundzwanzig kam ganz schnell zu Erfolg«, fuhr Chan
Ragai fort. Seine Stimme wurde leiser, seine müden Augen
schlossen sich halb. Während er berichtete, was geschehen war,
wurden die Ereignisse und Gespräche noch einmal Wirklichkeit
für ihn. »Schon in der Nacht vom achtundzwanzigsten zum
neunundzwanzigsten November suchte er mich gegen zwei Uhr
früh in meiner Wohnung auf, weil er, wie er sagte, eine Informa-
tion von größter Wichtigkeit erhalten habe. Er war sehr ruhig
und beherrscht. Um so erregter wurde ich…«

»Es geht um folgendes, Chef«, sagt der schlanke, gutaussehende
junge Mann mit dem Kürzel CX 21. »Alle amerikanischen Pres-
se- und Rundfunkleute und die Wochenschau-Kameramänner
bleiben in der amerikanischen Gesandtschaft. Sie wissen, daß
Roosevelt und sein großer Stab dagegen auf Drängen des sowjetischen Außenministers Molotow heute nachmittag in ein Gebäude auf dem Areal der sowjetischen Botschaft übersiedelt
sind.«

»Ja«, sagt Chan Ragai. Er hatte schon geschlafen, als CX 21 ihn
anrief, nun sitzt er in Pyjama und Morgenrock, das Haar wirr,
im Wohnzimmer auf einer Couch. »Aus Sicherheitsgründen,
hörten unsere Leute. Die sowjetischen Sicherheitsbeamten sind
angeblich einem deutschen Komplott auf die Spur gekommen.
Teheran, sagen sie, ist das Hauptquartier für die ganze Spionage
der Achse im Mittleren Osten, stand bis vor kurzem noch völlig
unter deutscher Kontrolle, und es gibt haufenweise Sympathisanten der Deutschen in der Bevölkerung. Jetzt soll ein Attentat
auf Roosevelt geplant sein. Schön wäre es. Zigarette?«

»Danke, nein, Chef.« Der braunhaarige CX 21 mit den emp-
findsamen, dunklen Augen schüttelt den Kopf.

»Dann setzen Sie sich wenigstens!« Ragai zündet sich eine Zigarette an und bläst den Rauch in die Luft. Die Zentralheizung in

seinem Haus arbeitet. Es ist bitterkalt in Teheran. »*Etwas* Wahres ist natürlich dran an dem Gerede von deutschem Einfluß und auch von Sympathien für Deutschland. Aber leider – kann ich nur sagen – übertreiben die Russen maßlos. Die Großen Drei hätten sich doch gewiß eine andere Stadt für ihr Treffen ausgesucht, wenn sie sich hier wirklich in Gefahr befinden würden. Schließlich haben die Sicherheitsbeamten von drei Nationen die Stadt auf ihre Tauglichkeit hin geprüft – Wochen bevor die Delegationen eintrafen.«

»So ist es«, sagt CX 21, der sich setzt und dabei die exakt gebügelten Hosenbeine hochzieht. Der Junge ist sehr gepflegt und trägt nun nicht mehr Kellnerkleidung, sondern einen blauen Anzug. »Selbstverständlich ist diese Geschichte mit dem Komplott nur ein Vorwand, den amerikanischen Präsidenten und seine Mitarbeiter auf sowjetisches Territorium und sehr wahrscheinlich in die unmittelbare Nähe sowjetischer Abhörgeräte zu bringen. Die Russen kennen die Angst der Amerikaner vor Attentaten; einige ihrer Präsidenten sind ja ermordet worden. Die Russen haben die daraus resultierende, leicht paranoide Grundeinstellung ihrer Verbündeten glänzend ausgenützt. Presse-, Funk- und Wochenschauleute der Amerikaner sind jetzt zwei Kilometer von der amerikanischen Delegation entfernt in der Gesandtschaft. Sie werden dort verpflegt. Man hat das einheimische Personal geteilt. Ich bin Gott sei Dank nach wie vor für die Leute in der Gesandtschaft zuständig.«

»Wieso Gott sei Dank?«

»Warten Sie, Chef, warten Sie! Ich mußte gar nichts tun. Es entwickelte sich alles ganz von selbst. Sehen Sie: Mir fiel schon gestern auf, daß zwei Kameraleute der Amerikaner den großen Verbrüderungsrummel aller anderen Korrespondenten nicht mitmachten. Sie waren vom ersten Moment an sonderbar isoliert – auf eigenen Wunsch, schien es. Sie essen an einem kleinen Tisch für zwei, sie reden kaum mit Kollegen, und auch ihre beiden Zimmer liegen etwas abseits in der Gesandtschaft. Der eine heißt William Mackenzie und kommt aus Kalifornien, der andere kommt aus New York und heißt Ernest Rosen. Ziemlich komisches Gespann, die beiden.«

»Wieso komisch?«

»Mackenzie ist vielleicht siebenundzwanzig, achtundzwanzig, Rosen mindestens vierzig. Rang von beiden: Corporal. Ich habe den Eindruck, daß sie sich Mühe geben müssen, um es miteinander auszuhalten. Rosen hat eine Frau, aber keine Kinder. Mackenzie eine große Familie mit drei Kindern. Rosen trinkt und raucht nicht. Mackenzie raucht wie ein Schlot, und er säuft. Man kann es nicht anders nennen, Chef. Als ich ihn vorhin verließ, war er komplett voll. Ich mußte ihn ausziehen und ins Bett bringen.«

»Sie waren bis jetzt in der Gesandtschaft?«

»Sage ich doch! Ich hatte ohnedies Spätdienst, und da hat mich dann Mackenzie noch zu sich raufgenommen.«

»Hören Sie, wenn man Sie entdeckt hätte…«

»Hat man aber nicht, Chef. Eine Menge Korrespondenten sind betrunken in der amerikanischen Gesandtschaft heute nacht. Und aufgeregt. Wegen der angeblichen Attentatspläne. Bekamen die Korrespondenten natürlich mit. Daß Hopkins alles dementierte und erklärte, nichts von diesen Gerüchten dürfe veröffentlicht werden, machte niemanden ruhiger. Und der tatsächliche Umzug heute, nein gestern nachmittag erst recht nicht. Wurde vorgestern schon viel getrunken. Die meisten Jungen waren blau. Mackenzie auch. Er bekam Krach mit seinem Kollegen Rosen – ich weiß nicht, warum –, und Rosen ließ ihn allein und ging auf sein Zimmer. Mackenzie blieb noch in der Mess Hall sitzen und quatschte mich an. Er wollte wissen, was ich von dem Komplott halte, ob es tatsächlich sehr viele deutsche Agenten in der Stadt gibt, ob ich aus Teheran stamme, ob ich mich hier auskenne, ob ich vielleicht auch weiß, wer für die Deutschen arbeitet und so weiter.«

»Ziemlich ungewöhnlich, wie?«

»Ja, Chef. Das fand ich auch. Aber betrunken, wie er war… Eine fixe Idee hielt ihn gefangen. Vorgestern wußte ich noch nicht, welche. Heute weiß ich es.«

»Was für eine fixe Idee?« fragt Ragai. Sein schwarzes Haar glänzt im Licht eines Lüsters.

»Der Reihe nach, Chef! Der Reihe nach! Also, ich ging natürlich sofort wie eine Mutter auf Mackenzie ein und sagte ihm, daß ich hier geboren bin, und als er mein fabelhaftes Englisch bewunderte, da sagte ich ihm, daß ich vor dem Krieg ein Jahr in Amerika als Kellner gearbeitet habe, und zwar in Kalifornien, in Los Angeles. Na, und er ist in San Diego daheim, ganz in der Nähe, und das machte ihn noch zutraulicher und sentimentaler, und dann fragte ich ihn, warum er und sein Partner sich abseits von den anderen hielten, und er sagte, sie hätten eine ›top secret mission‹, über die er nicht reden dürfte, und ich drängte ihn natürlich auch nicht, sondern gab nur acht, daß er ordentlich trank. Er wurde weinerlich und nannte mich Kind und sagte, ich solle ihn Bill nennen, und ich mußte ein paar Gläser mit ihm trinken – na ja, es waren sehr viele Gäste in der Mess Hall, es ging sehr laut zu, keiner achtete auf uns, und ich sagte also Bill zu ihm, und er erzählte mir, daß er in der Scheiße sitzt, aber richtig, und daß er vor Sorgen nicht aus und ein weiß...«

»Was für Sorgen? Wieso in der Scheiße?«

»Das sagte er mir nicht. *Vorgestern* sagte er es mir noch nicht. Vorgestern abend redete er nur so herum, und er fing wieder mit den deutschen Agenten an und daß ich doch den einen oder den anderen kennen müsse, und ich wiegte den Kopf und sagte na ja, na ja, ich höre natürlich dies und das und weiß eine Menge über viele Leute hier und habe Freunde. Aber dann kam ein Sicherheitsbeamter, der forderte Mackenzie auf, zu Bett zu gehen – vorgestern. Deshalb bat er mich auch gestern abend, auf sein Zimmer zu kommen.«

»Warum?«

»Damit wir ungestört reden konnten. Ich sagte schon, er war wieder besoffen, aber heute redete er nicht so herum, heute redete er Tacheles. Er sagte mir, daß er wahnsinnige Schulden hätte. Ein Vermögen beim Pferderennen verloren.«

»Wieviel?«

»Mehr als sechzigtausend Dollar.«

Ragai sagt: »Quatsch. Ein Besoffener quatscht. Die Army hat den Mann doch noch und noch gecheckt, wenn er wirklich in einer ›top secret mission‹ hier ist. Ein Mann, der solche Schulden hat, bedeutet doch ein Sicherheitsrisiko, Mensch! Er ist erpreßbar, er ist imstande, seine Mission für Geld zu verraten...«

»Eben«, sagt CX 21.

»Was eben?«

»Eben das hat er getan.«

»Er hat seine Mission verraten? Ihnen?«

»Ja, Chef.«

»In dieser Nacht?«

»In dieser Nacht. Er hat noch viel mehr getan. Ich komme sofort darauf zurück. Ich wollte nur sagen: Natürlich wurde er durchleuchtet. Daraufhin sprach ich ihn auch sofort an. Er sagte, keiner weiß etwas von seinen furchtbaren Schulden – er hat es sehr geschickt angefangen, hat Wechsel unterschrieben, seine

Gläubiger sitzen in Los Angeles, die Army hat nichts rausgefunden. Aber mein neuer Freund Bill hat auch einen Wechsel *gefälscht* und dazu zwei Schecks, und wenn das auffliegt und alle x-mal prolongierten anderen Wechsel fällig werden, dann geht Bill für mindestens zehn Jahre in den Knast. Na, ich sage, das täte mir ganz furchtbar leid, und wenn ich ihm doch nur helfen könnte, ich liebe die Amerikaner, seit ich drüben war, und da sagt er mir, ja, ich könnte ihm helfen, da ist er sicher, es ist nur, ob ich auch will. Ich frage ihn, woran er denkt, und er verrät mir diese ›top secret mission‹.«

»Also, Moment mal, ja?« sagt Ragai. »Das ist doch wohl nicht Ihr werter Ernst.«

»Was, bitte?«

»Daß dieser Mackenzie Sie gestern abend bat, auf sein Zimmer zu kommen.«

»Natürlich ist das mein Ernst.«

»Hören Sie! Die Amerikaner fliegen zwei Kameraleute in einer ›top secret mission‹ hierher, und einer von ihnen kann Sie einfach so anquatschen und ausfragen und mit aufs Zimmer schleppen und sich bei Ihnen ausjammern – und Sie sind nicht umgehend von Sicherheitsleuten geschnappt und hochkantig rausgeschmissen worden? Das soll ich Ihnen glauben, Mensch?«

»Das müssen Sie mir glauben, Chef!«

»Verflucht, aber so was von Schlamperei gibt es doch nicht! Die Amerikaner sind doch keine Idioten! Die werden doch noch auf zwei so wichtige Männer aufpassen!«

»Das taten sie ja auch – zu Beginn. Dann kam dieses Gerücht von dem geplanten Attentat auf Roosevelt, und alles geriet in Panik. Chef, Sie können sich nicht vorstellen, wie es jetzt zugeht in der amerikanischen Gesandtschaft! Die scheißen sich einfach alle in die Hosen. Das ist eine einzige Hysterie und ein Herumgerenne und eine totale Kopflosigkeit. Die Sicherheitsleute können einem leid tun. Jede Minute ein neues Gerücht. Natürlich hätte Mackenzie unter normalen Umständen niemals so mit mir reden können. Aber bei diesem Tohuwabohu... Glück... wir haben einfach Glück, Chef!«

Ragai steht auf, drückt die Zigarette aus und beginnt im Zimmer auf und ab zu gehen.

»Also«, sagt er.

»Also: Mackenzie und Rosen sind hier, um einen Film zu drehen, einen ganz besonderen Film. Nach langem Herumgerede kam Mackenzie damit raus. Es soll so eine Art Dokumentarfilm werden: die Ankunft der Delegationen, der Weg vom Flughafen in die Stadt, die Hauptpersonen, die Sitzungen und Treffen, die Arbeitssessen, alles nach einem genauen Plan. Die Ankunft und die ersten Sachen haben sie schon gedreht, sagte er, das Wichtigste kommt noch.«

»Das Wichtigste?«

»Besser, Sie setzen sich wieder, Chef, es kann Sie sonst leicht umhauen. Also, mein Freund Bill behauptet, daß die Amerikaner und die Russen entschlossen sind, hier in Teheran während der Konferenz ein beidseitiges Geheimabkommen zu treffen. Einen Vertrag zu schließen, von dem die Engländer nichts wissen dürfen. Diesen Vertrag wird angeblich Roosevelts Berater Harry Hopkins mit Stalins Berater General Woroschilow ausarbeiten, und Stalin und Roosevelt werden ihn dann unterzeichnen. Und das alles soll Bill mit Rosen filmen – wie sich Hopkins und Woroschilow treffen, heimlich, wie sie den Vertrag ausarbeiten, wie er dann unterschrieben wird –, und, jetzt kommt es, Chef, und außerdem sollen sie den ganzen Vertrag abfilmen, Seite um Seite, ganz langsam, damit man jedes Wort lesen kann, einmal in englischer, einmal in russischer Sprache.«

»Warum das?«

»Warum was?«

»Warum den Vertrag abfilmen?«

»Das habe ich auch gefragt. Antwort: Dieser Vertrag muß unter allen Umständen geheim bleiben. Der jeweilige Originalvertrag soll deshalb nach der Ablichtung in Gegenwart der Unterzeichner verbrannt werden. Jede der Mächte erhält eine Filmkopie. Diese ist so zu verwahren, daß sie für alle Zeit gegen ein Bekanntwerden, insbesondere durch die Öffnung der Staatsarchive, gesichert ist. Und einen Film mit allen Beteiligten im Bild kann man nicht ableugnen, wenn auch der Partner so einen Film hat. Leuchtet ein, wie?«

»Verflucht, was ist das für ein Vertrag, Mensch?«

»Das weiß Bill natürlich nicht. Das haben sie ihm nicht gesagt. Aber er und Rosen wissen jedenfalls, daß es ein Geheimvertrag zwischen Rußland und Amerika sein muß, von dem die Engländer und niemand anderer etwas erfahren dürfen. Bill und auch Rosen sind davon überzeugt, daß die Amerikaner und Russen, die Mächtigsten auf der Welt, sich hier und in dem Vertrag darüber einigen wollen, wie sie nach dem Krieg die Welt unter sich aufteilen.«

»Das hat dieser Bill Ihrem Agenten gesagt? Nach zweitägiger Bekanntschaft?«

»Die Welt unter sich aufteilen – so hat es William Mackenzie tatsächlich formuliert?«

»Das ist doch undenkbar!«

»Sind Sie sicher, daß Ihr großartiger CX einundzwanzig das zu Ihnen gesagt hat? Sind Sie sicher, daß er kein doppeltes Spiel trieb, Herr Ragai?«

Mercedes und Daniel sprachen durcheinander. Mercedes war aufgesprungen.

Der alte, kranke Mann vor der Kamera nickte. Er sagte grimmig: »Sehr verständlich, Ihre Erregung. Habe ich erwartet. Ich war genauso erregt. Ich habe zu CX einundzwanzig gesagt: »Machen Sie keine blöden Witze mit mir, Mensch...«

»... Das hat Ihnen Ihr besoffener Bill nie im Leben erzählt!« sagt Chan Ragai in der Nacht zum 29. November 1943 in seiner Wohnung in Teheran. Er sagt es aufgebracht und wütend. Und sehr laut.

»Okay, dann nicht. Dann vergessen Sie die Sache! Wiedersehen, Chef!« CX 21 steht auf.

»Was ist los?« fragt Ragai.

»Ich gehe nach Hause. Ich lasse mich von Ihnen doch nicht anschreien. Machen Sie sich Ihren Dreck alleine!«

Ragai beschleicht ein unheimliches Gefühl. Und wenn der junge Mann die Wahrheit spricht? Er ist offensichtlich ein Schützling des allmächtigen Georg Ross. Wenn CX 21 sich direkt an Ross wendet und beschwert... Ragai sagt hastig: »Ich habe nicht geschrien.«

»Doch haben Sie geschrien!«

»Nein. Ich habe nur laut geredet. Vor Verblüffung. Seien Sie nicht so empfindlich! Sie müssen mich doch verstehen. Das... das ist ungeheuerlich, wenn Ihr Amerikaner das wirklich gesagt hat. Finden Sie es denn nicht ungeheuerlich?«

»Natürlich finde ich es ungeheuerlich. Genauso wie Sie, Chef. Darum komme ich ja mitten in der Nacht zu Ihnen. Ich bin fassungslos. Ich bin überwältigt. Wir haben da den dicksten Brocken, das Phantastischste an der Hand, was es bislang in diesem Krieg gegeben hat. Ach was, in diesem Krieg! In diesem Jahrhundert! In den letzten Jahrhunderten!« Jetzt redet CX 21 sehr laut. Sein Gesicht läuft rot an. »Ich bin so außer mir wie Sie.

Aber genau das hat Bill gesagt. Genau das! Sie kennen ihn nicht. Sie kennen nicht das Ausmaß seiner Angst, wegen dieser Geld-affären ins Gefängnis zu kommen. Der Mann ist verzweifelt, absolut verzweifelt, zu allem fähig, zu jedem Verbrechen, jedem Verrat… dazu fast sinnlos besoffen… und dann, denken Sie bitte daran, sprach er mit mir, einem Mann, in den er alle seine Hoffnung gesetzt hat, nachdem ich ihm sagte, ich würde wohl einige wichtige deutsche Agenten in Teheran kennen… gut kennen… Noch einmal, Chef: Ich bin für diesen Bill, der vor Furcht nicht mehr klar denken kann, die letzte Hoffnung. Die allerletzte.«

»Setzen Sie sich endlich wieder! Was heißt das, die allerletzte Hoffnung?«

»Er hofft, daß deutsche Agenten ihm für eine Kopie dieses Films viel Geld bieten werden, wenn sie hören, was für ein Film das ist.«

»Das hat er gesagt?«

»Gesagt? Angefleht hat er mich, eine Verbindung herzustellen zu deutschen Agenten. Ich weiß gar nicht mehr, was für Ver-sprechungen er mir im Suff gemacht hat, wenn ich es fertigbrin-ge, daß deutsche Agenten ihm Geld geben für so eine Kopie. Er ist doch ganz stark in seiner Bewegungsfreiheit eingeengt. Er braucht einen Mittelsmann. Den hat er gefunden. Mich. Auf den Knien hat er vor mir gelegen und mich angefleht, ihm zu helfen, Chef. Auf den Knien!« CX 21 atmet jetzt hastig. Er zieht seine Jacke aus. Er hat zu schwitzen begonnen. Er reißt den Knoten der Krawatte herunter, er öffnet den Kragenknopf des weißen Hemds.

»Und Sie haben gesagt, daß Sie ihm helfen werden.«

»Selbstverständlich! Chef, diese Sache ist absolut gigantisch, ich fühle es, ich spüre es, fast will ich sagen: Ich weiß es. Sie müssen sofort Kontakt mit Berlin aufnehmen und das weitergeben. Na-türlich auch die Forderungen Bills.«

»Wie hoch sind die?«

»Sehr hoch – aber wenn er uns den Film liefert, und auf dem Film ist das drauf, was er verspricht, dann ist der Betrag, den er fordert, ein Witz.«

»Was fordert er?«

»Fünf Millionen Dollar.«

»Ganz hübsch.«

»Wenn wir eine Kopie dieses Films haben, können wir damit die

Einigkeit der Alliierten sprengen. Die ganze Kriegslage können wir damit verändern, Chef! Jesus, verstehen Sie denn nicht?«

»Natürlich verstehe ich. Ich bin kein Idiot.« Jetzt ist auch Ragai sehr aufgeregt. »Und natürlich werde ich Berlin verständigen. Ribbentrop muß entscheiden.«

»Aber schnellstens! Bill will das Geld sofort. In den nächsten achtundvierzig Stunden muß das Geld auf einem Schweizer Konto liegen. Technisch ist das kein Problem. Wir haben unsere Leute in der Schweiz.«

»Er will das ganze Geld, bevor wir einen Meter Film haben?«

»Ja, Chef. Das ganze Geld. Sofort. So weit müssen wir ihm vertrauen, sagt er. Wenn er bei der Sache auffliegt, kostet ihn das sein Leben. Da hat er weiß Gott recht. Er nimmt ein wahnwitziges Risiko auf sich. Und wenn wir ihn bezahlt haben, haben wir ihn in der Hand, sagt er. Wir können ihn dann jederzeit hochgehen lassen – mit dem Geld auf dem Konto. Dieses Wahnsinnsgeschäft läuft überhaupt nur, wenn einer dem anderen vertraut. Das müssen Sie Berlin auch klarmachen. *Nur dann*!«

»Wie sieht das praktisch aus?« fragt Ragai, der so nervös ist, daß er sich die Finger versengt, als er eine neue Zigarette in Brand setzen will.

»Einfach, Chef. Einfach. Hier in Teheran gibt es ein ziemlich ordentliches Studio, in dem die einheimische Wochenschau produziert wird. Angeschlossen ein Kopierwerk. Auch Schneideräume sind da. Alles, was man braucht. Die beiden Exemplare dieses Films – das amerikanische und das russische – sollen nach dem Wunsch der Großen Zwei in Teheran hergestellt werden. Gleich, wenn alles Rohmaterial vorhanden ist. Unter amerikanischer und russischer Aufsicht natürlich. Der Film soll einen Kommentar bekommen. Amerikanische und sowjetische Wochenschausprecher sind da. Es ist abgemacht, sagt Bill, daß die beiden fertigen Exemplare direkt von hier aus in die Panzerschränke des Kremls und des Weißen Hauses gebracht werden.«

»Wie will Ihr Bill dann zu einer Kopie kommen?«

»Den Film stellen natürlich nur amerikanische und russische Spezialisten her. Cutter. Tonmeister. Männer im Kopierwerk. Bill sagt, er hat einen Freund, der wird die Endabnahme der amerikanischen Fassung vornehmen. Und dabei für Bill eine Kopie ziehen. Auch das eine absolut lebensgefährliche Sache, aber der Freund hat zugesagt. Er nimmt das Risiko auf sich – für Geld natürlich. Keine Angst, Bill hat gesagt, diesen Mann bezahlt *er*. Ich weiß nicht, wieviel von den fünf Millionen er ihm gibt. Vielleicht die Hälfte, vielleicht weniger. Ich vermute weniger. Das wäre der finanzielle Teil. Nun noch der Liefertermin. Da müssen wir etwas warten.«

»Wie lange?«

»Vier Monate.«

»*Wie* lange?«

»Bis Ende März nächsten Jahres. Moment, Chef, Moment, lassen Sie mich reden! Natürlich wird die Kopie früher fertig sein. Bestimmt vor Weihnachten. Aber Bill sagt, er muß darauf bestehen, daß wir ihm diese Frist einräumen. Anders geht es nicht, sagt er. Wenn wir unsere Kopie schon vor Weihnachten bekämen und nach Berlin brächten, würde die Führung dort doch sofort aktiv werden, nicht?

»Ja, vermutlich...«

»Eben. Und das ist weder für Bill noch für seinen Freund akzeptabel. Sie würden dann automatisch verdächtigt werden. Sie würden dann auffliegen. Zeit muß vergehen, sagt Bill. Er und sein Freund müssen längst ganz woanders eingesetzt sein. Vor allem muß Bill unauffällig seine finanziellen Verpflichtungen regeln und alle Spuren, die auf sie hinweisen, verwischen, und dazu braucht er Zeit. Er ist in der Army. Er kann nicht einfach Urlaub verlangen und in Kalifornien alles in Ordnung bringen. Da muß eben Zeit vergehen. Alles verständlich, finde ich.«

»Aber bis März! Wir sollen in den nächsten achtundvierzig Stunden zahlen – und dann vier Monate auf die Kopie warten! Das ist doch eine Zumutung!«

»Anders ist es nicht zu machen, Chef. So – oder gar nicht, sagt Bill. Take it or leave it. Natürlich fleht er, verzweifelt, wie er ist, bestimmt Gott an, daß wir auf seine Bedingungen eingehen. So verzweifelt ist er aber nicht, daß er sich selbst ans Messer liefert.«

Es folgt Schweigen.

Dann fragt Ragai: »Und wenn Berlin darauf eingeht, wie bekommen wir dann Ende März die Kopie?«

»Von einem Freund, den sein Freund beim technischen Personal der Gesandtschaft hier hat. Der Mann ist Fahrer. Er wird wissen, wo die Kopie versteckt ist. Er wird sich mit mir in Verbindung setzen.«

»Mit Ihnen?«

»Natürlich mit mir. Ich konnte doch nicht gut Ihren Namen und Ihre Adresse angeben, Chef! Ich bin der Mann, der dann im

März eine Verbindung zwischen Ihnen und diesem Fahrer hergestellt.«

»Großer Gott, was für eine Geschichte!« Ragai raucht jetzt unablässig, er zündet eine Zigarette am Stummel der anderen an. »Auf der anderen Seite: Was für eine Chance!«

»Richtig, Chef. So eine Chance kommt nie wieder.«

»Ich werde Berlin von allem unterrichten. Was riskieren wir eigentlich? Daß wir reingelegt werden und keine Kopie bekommen. Oder daß wir eine Fälschung bekommen. Dann können wir Ihren Bill und seinen Freund immer noch hochgehen lassen und dafür sorgen, daß sie beide hingerichtet werden.«

»Das sage ich doch die ganze Zeit, Chef! Bills Risiko ist viel größer als unseres! Was sind fünf Millionen Dollar für die Reichsregierung? Ein Klacks. Was könnte dieser Film für uns bedeuten? Alles!«

Ein neuer Hustenanfall, schlimmer als der erste, quälte den alten Mann vor der Kamera. Chan Ragai rang nach Luft, sein Körper krümmte sich wieder zusammen, die Haut des Gesichts war durchsichtig weiß geworden. Er hielt das Taschentuch vor den Mund.

»Aus!« sagte Daniel.

Kamera II, die gerade lief, wurde angehalten.

»Pause!« sagte Daniel. »Wir machen jetzt eine Pause. Sie haben sich überanstrengt. Sie haben zu lange gesprochen, Herr Ragai. Scheinwerfer auch aus!«

Sie erloschen.

Ragai hustete noch immer, trocken und hart. Jeder, der diesen Husten hörte, dachte dasselbe: Noch fünf Monate zu leben. Höchstens. Allerhöchstens. Mercedes war wieder bei dem alten Mann. Sie hielt das Glas, aus dem er trank, an seine Lippen. Ragais Hände zitterten zu stark. Er sah dankbar zu ihr auf. In seinen Augen standen Tränen, der Hustenanfall strengte ihn maßlos an.

»Wir können auch ein oder zwei Stunden unterbrechen«, sagte Daniel. »Wenn Sie sich hinlegen wollen, Herr Ragai...«

Der alte Mann schüttelte den Kopf.

»Weiter... Ich will weiter... sprechen... Nur... ein paar... Minuten...«

Tatsächlich hatte er sich nach einer Viertelstunde erholt.

Die Scheinwerfer flammten wieder auf. Kamera II lief.

Ragai sagte: »Ich muß alles, was ich zu sagen habe, heute und jetzt sagen. Die Maschine... Ich will die Maschine erreichen... Ich will fort hier... Ich will nach Hause... nach Teheran...«

»Ich glaube, Sie haben fast alles erzählt«, sagte Daniel. »Wir sind gleich fertig. Es hat also tadellos funktioniert, denn Ende März vierundvierzig traf Ihr geheimnisvoller Agent CX einundzwanzig mit der Filmkopie in Berlin ein, das wissen wir.«

»Ja«, sagte Ragai. »Es hat funktioniert. Ich setzte noch am neunundzwanzigsten November einen langen Funkspruch nach Berlin ab. Ross antwortete am gleichen Tag. Er hatte mit Ribbentrop gesprochen. Die fünf Millionen waren in der Schweiz einbezahlt worden auf das von William Mackenzie angegebene Konto...«

»Unsere Reporter haben übrigens in San Diego einen Kameramann namens William Mackenzie gefunden, der nach Angabe von Bekannten damals in Teheran dabei war«, sagte Daniel.

»Ja?« Ragai sah schnell auf. Seine müden Augen leuchteten plötzlich. »Sehen Sie! Und was sagt er?«

»Nichts, Herr Ragai. Er ist vor drei Monaten gestorben. Herzinfarkt.«

»Mein Gott!«

»Ja, großes Pech. Obwohl...« Daniel brach ab.

»Obwohl?«

»Obwohl er natürlich niemals zugegeben hätte, fünf Millionen Dollar von den Nazis bekommen und dafür die Kopie dieses Films geliefert zu haben.«

»Aber meine Aussage würde ihn schwerstens belasten.«

»Ja, gewiß. Allerdings...«

»Was, allerdings?« Ragai regte sich auf.

»Ruhig, bleiben Sie ruhig! Erlauben Sie mir eine Frage: Dieser Agent CX einundzwanzig – kann es sein, daß er ein doppeltes Spiel gespielt hat?«

»Ich verstehe nicht...«

»Also ganz brutal: Kann es sein, daß CX einundzwanzig – ich habe gute Gründe, das zu fragen, Herr Ragai –, kann es sein, daß CX einundzwanzig von einem anderen deutschen Geheimdienst, beispielsweise von Kaltenbrunners SD, bestochen war und Ihnen Theater vorgespielt hat?«

»Das verstehe ich nun wirklich nicht, Herr Ross.«

»Ich will es Ihnen erklären. Wir haben einen Zeugen, der behauptet, den Film im Auftrag des SD mit von diesem geliefertem

Rohmaterial, also Teheraner Aufnahmen und Filmteilen, zusammen mit anderen Häftlingen im Konzentrationslager Sachsenhausen gefälscht zu haben.«

»Das ist absolut unmöglich. Der Mann lügt.«

»Warten Sie, Herr Ragai, warten Sie! Das alles ist reine Theorie natürlich... Aber wäre es möglich – ich weiß, es klingt phantastisch, doch was ist nicht phantastisch an dieser ganzen Affäre?–, wäre es möglich, daß der SD Ihren Agenten bestochen hat, um zu erreichen, daß er diesen Film, den er von Mackenzie oder irgendeinem anderen Menschen in Teilen, aber ohne das abgefilmte Geheimprotokoll bekam, in Teheran zuerst SD-Leuten übergab? Diese konnten dann alle Teile nach Deutschland befördern und im Konzentrationslager Sachsenhausen unter Verwendung eines in Deutschland hergestellten Geheimprotokolls eine ungeheuerliche Fälschung herstellen lassen, wie dieser Zeuge behauptet...«

»Völlig ausgeschlossen!«

»Bitte, unterbrechen Sie mich nicht, Herr Ragai! Ausgeschlossen ist das nicht. Theoretisch – als Gedankenspiel – wäre es durchaus möglich, daß es sich so verhielt. Sie konnten keine Ahnung davon haben, ja, Sie durften keine Ahnung davon haben. Es ist denkbar, Herr Ragai, es ist denkbar, daß der Film auf diese Weise gefälscht und dann nach Teheran zurückgebracht wurde, wo man ihn Ihnen, Herr Ragai, wie zwischen CX einundzwanzig und diesem William Mackenzie besprochen, Ende März vierundvierzig als den angekündigten Film übergab. Der erwähnte Zeuge sagt, er und seine Mithäftlinge wären mit dem gefälschten Film Anfang März vierundvierzig fertig gewesen. Kaltenbrunner und zwei andere Männer kamen persönlich in das KZ – so der Zeuge –, sahen sich die Fälschung in einer Filmvorführung an, beglückwünschten die Häftlinge und fuhren mit der Fälschung davon. Es wäre also – Hypothese alles, alles Hypothese! – noch Zeit genug geblieben, den Film nach Teheran zurück zu befördern und Ihnen als gewünschte Kopie zu übergeben. Ich sage nicht, daß es so war, Herr Ragai. Ich sage nicht, daß CX einundzwanzig sich tatsächlich vom SD bestechen ließ. Ich sage nur, wir verfügen über einen Zeugen, der behauptet, den Film mit anderen Häftlingen gefälscht zu haben. Ich sage: Es wäre möglich, daß er die Wahrheit sagt. Es wäre möglich, daß alles so ablief, wie ich es eben skizzierte. Ich sage nicht, daß es so war. Ich frage: Hätte es nicht so sein können?«

Ragai schwieg.

»Herr Ragai! Bitte! Ich habe Sie etwas gefragt!«

»Ich habe darüber nachgedacht«, sagte der alte Mann. »Theoretisch wäre so etwas – wenigstens zeitlich – möglich gewesen. Wie Sie sagen: Das ist reine Gedankenspielerei. Ich halte es für absolut ausgeschlossen, daß es so war. Ich erhielt von CX einundzwanzig die Filmkopie am siebenundzwanzigsten März. Das weiß ich noch genau. Ich weiß noch genau, daß CX einundzwanzig mit dieser Kopie am achtundzwanzigsten März über die neutrale Türkei nach Berlin flog. Und ich weiß genau, daß ich seine Ankunft nach Berlin funkte und auch, wo die Filmkopie von Georg Ross abzuholen war.«

»Nämlich wo?« fragte Daniel.

»Sie wissen es doch! Aber bitte: In der Gepäckaufbewahrung des Bahnhofs Zoo. Den Aufgabeschein, funkte ich, würde CX einundzwanzig in einem Kuvert an die Privatadresse von Georg Ross schicken. Da in Dahlem. Der Film lag in einem Koffer mit Nummernschlössern. Ich funkte auch die Nummern. Am einunddreißigsten März kam ein Funkspruch von Ross: Er hatte den Film selber im Bahnhof Zoo abgeholt und dankte. Das ist alles, was ich zu sagen habe.«

»Und Sie bleiben dabei: Was Ross da erhielt, war eine Kopie der echten amerikanischen Fassung, die in Teheran hergestellt wurde!«

»Jawohl, dabei bleibe ich. Dieser andere Zeuge lügt. Er muß seine Gründe haben, zu lügen. Er war im KZ, sagen Sie?«

»Ja.«

»Jude?«

»Ja.«

»Nun, dann ist sein Beweggrund zu lügen vielleicht der Wunsch oder der Auftrag, durch die Behauptung, der Film sei eine Fälschung, Amerika zu entlasten. Israel ist abhängig von Amerika. Hier hätten wir ein sehr starkes Motiv, nicht wahr?«

Daniel sagte: »Herr Ragai, ich bitte Sie dringend, nicht empfindlich zu reagieren: Khomeini und die iranischen Regierungsmitglieder hassen Amerika über alles. Liegt hier nicht ein ebenso starkes Motiv für die Behauptung, der Film sei keine Fälschung, sondern echt?«

Ragai nickte ungerührt. »Sie haben zwei Zeugen. Beide Zeugen haben sehr starke Motive. ›Man traue keinem erhabenen Motiv für eine Handlung, wenn sich auch ein niedriges finden läßt‹, sagt Edward Gibbon.«

»Wer ist das?«

»Ein englischer Historiker aus dem achtzehnten Jahrhundert. Zwei Zeugen, ja. Einer von den beiden muß lügen. Suchen Sie es sich aus!«

»Herr Ragai«, sagte Daniel, »wir danken Ihnen für dieses Gespräch.« Er wartete ein paar Sekunden, dann rief er: »Schluß!« Ragais Aussage war zu Ende. Die Techniker begannen ihre Apparaturen abzubauen, sie öffneten Vorhänge und Fenster, um die heiße, verbrauchte Luft durch frische zu ersetzen. Der alte Mann hatte sich auf seinem Sessel umgedreht und saß nun vor dem mit Unterlagen überhäuften Schreibtisch. Erschöpft, aber zufrieden betrachtete er im Garten hinter dem Haus die blühenden Krokusse und an den Zweigen der alten Bäume die Knospen junger Blätter.

Mercedes und Daniel traten zu ihm.

»Ich mache noch Tee für alle«, sagte Mercedes. »Für das Team, die Polizisten und uns. Trinken Sie auch Tee, Herr Ragai?«

»Gerne, Madame«, sagte der alte Mann. Mercedes ging in die Küche. Die Techniker sprachen leise miteinander, desgleichen die beiden Polizisten.

Chan Ragai betrachtete die kleine Silberplatte mit den Worten Bertrand Russells. Er las halblaut: »›Die Welt, in der wir leben, läßt sich als das Ergebnis von Wirrwarr und Zufall verstehen. Wenn sie jedoch das Ergebnis einer Absicht ist, muß es die Absicht eines Teufels gewesen sein. Ich halte den Zufall für eine weniger peinliche und zugleich plausiblere Erklärung.‹ ... Wunderbar!« sagte er. Er seufzte tief. Sein Blick glitt über etwa ein Dutzend verschiedene alte Fotografien, die einen Mann in verschiedenen Lebensaltern zeigten und die auf dem Schreibtisch lagen. Er neigte sich vor. Er griff nach einigen der Fotos. Seine Stimme war plötzlich heiser und atemlos: »Wer ist das?«

»Unser Intendant«, sagte Daniel, dem die Erregung des alten Mannes entging. »Herr von Karrelis. Feiert in zwei Monaten sein fünfzehnjähriges Dienstjubiläum. Ist dann dreimal fünf Jahre lang Intendant. Wir bereiten eine kleine Festschrift vor. Das heißt, ich soll sie vorbereiten. Um diese Aufnahmen hat ihn unsere Presseabteilung gebeten... Weshalb? Kennen Sie ihn?«

»Ja«, sagte der alte Mann. Er hielt jetzt eine leicht vergilbte Fotografie in der zitternden Hand, die einen jungen, gutaussehenden Mann mit schmalem, sensiblem Gesicht, braunen Augen und schön geschwungenen Lippen zeigte. Der junge Mann saß auf einer Gartenbank. Er trug einen dunklen Anzug, hatte die Beine übereinandergeschlagen und blickte nachdenklich den Betrachter an.

»Was haben Sie, Herr Ragai?« Jetzt war Daniel alarmiert.

»Das ist er«, sagte Chan Ragai. »Da bin ich absolut sicher, das ist er.«

»Ist wer?«

»Der Agent CX einundzwanzig«, sagte der alte Mann.

4

Coram Fields ist der größte Kinderspielplatz von London.

Am Nachmittag des 23. März 1984 – die Sonne schien, Blumen blühten und die Luft war lind – spazierten zwei Männer zwischen den vielen kleinen Jungen und Mädchen hin und her, die durcheinanderrannten, auf bunten Stahlgerüsten turnten, über Rutschbahnen sausten, schrien und lachten. Sie hatten sich um 17 Uhr verabredet. In Daniels Wohnung beendete Chan Ragai gerade seine Aussage. Zwischen Frankfurt und London lag eine Stunde Zeitunterschied.

»Wann kommt der Wagen?« fragte Emanuel von Karrelis. Sein übersensibles schmales Gesicht war bleich, in den warmen braunen Augen lagen Schatten der Furcht. Er trug einen Kamelhaarmantel, einen braunen Anzug, braune Wildlederschuhe und einen braunen Hut.

»Um halb sechs«, antwortete der kleine, rundliche Anwalt Roger Morley. »Seien Sie ganz ohne Sorge. Alles klappt wie am Schnürchen. War nicht in Frankfurt ein Lear-Jet bereit, nachdem Sie mich anriefen?«

»Natürlich, ja.«

»Als Sie in Heathrow landeten, war da nicht ein Kurier zur Stelle, der Sie hierher brachte und Ihr Gepäck schon nach Oval Green?«

»Gewiß doch.« Oval Green war ein amerikanischer Luftwaffenstützpunkt südlich der Hauptstadt. »Entschuldigen Sie, ich bin nervös.«

»Völlig verständlich, Herr von Karrelis, völlig verständlich. Ginge mir an Ihrer Stelle ebenso.« Morley war etwas außer Atem. Er trippelte neben dem großen Intendanten her. Von Zeit zu Zeit stießen Kinder mit ihnen zusammen. Morley strich dann jedesmal zärtlich über ihr Haar und hatte stets ein Scherzwort bereit. »Aber ruhig, ganz ruhig! Selbstverständlich stehen meine amerikanischen Bekannten zu ihrem Wort. Bei einem Mann, der ihnen derart wertvolle Dienste erwiesen hat! Klar, wir hätten einander auch erst in Oval Green treffen können, aber meine Bekannten wünschten das nicht. Hier, unter den Kindern, fallen wir keinem Menschen auf, es sind auch so viele Mütter und Väter da. Niemand sucht Sie in Coram Fields. Deshalb wurde dieser Spielplatz meiner Kanzlei vorgezogen für unsere letzte Besprechung.«

»Besprechung? Sie haben schon am Telefon dieses Wort benützt. Was gibt es noch zu besprechen?«

»Nun, Herr von Karrelis…« Der kleine Anwalt wurde plötzlich abgelenkt. Er wies mit seiner rosigen Hand auf ein Haus, das vor ihnen am Rande des riesenhaften Spielgeländes lag. »Dieser Platz für Kinder ist nach Thomas Coram benannt, der siebzehnhundertfünfundvierzig hier ein bekanntes Findelheim gründete. Neunzehnhundertsechsundzwanzig hat man es abgerissen und an seiner Stelle, am Brunswick Square vierzig, ein kleines Museum errichtet, welches die Geschichte dieser Institution schildert. Wissen Sie, daß jenes Findelheim von einem Ihrer größten Komponisten sehr unterstützt wurde?«

»Nein. Ich frage, was es noch…«

»Von Georg Friedrich Händel! Lieben Sie seine Musik auch so sehr? Oh, ich liebe einfach alles von ihm. Die Orgelkonzerte, die Concerti grossi, natürlich die Wasser- und die Feuerwerksmusik. Und die Oratorien!«

»Was gibt…«

»In diesem kleinen Museum da vor uns wird auch eine Originalpartitur des ›Messias‹-Oratoriums aufbewahrt. Denken Sie doch! Händel leitete den Kinderchor des Findelheimes. Er lebte seit siebzehnhundertzwölf in London, nicht wahr. Wollen wir vielleicht einen Sprung – nein, ich sehe schon, Sie möchten lieber nicht. Obwohl es wirklich sehenswert ist. Aber ganz wie Sie wünschen…«

»Mister Morley, was gibt es noch zu besprechen?«

»Wie? Was meinen… Ach so! Nun, Sie haben mir noch nicht erzählt – am Telefon waren Sie in solcher Eile –, wie man Ihnen auf die Spur gekommen ist, lieber Herr von Karrelis…«

Ein Transatlantikgespräch.

»Vater!«

»Mercedes! Welche Freude! Wo bist du?«

»In Frankfurt. Auf der Hauptpost.«

»Du klingst ganz atemlos. Ist etwas…«

»Ja.«

»Was?«

»Wir haben gerade Chan Ragai interviewt.«

»Oh.«

Pause.

»Vater!«

»Ja.«

»Ich habe gesagt…«

»Ich habe es gehört. Nun, und? Sagt er, der Film ist echt?«

»Ja.«

»Na, bitte!«

»Er hat uns auch gesagt, wer Agent CX einundzwanzig ist.«

Lange Pause.

»*Vater!*«

»Ja, ich bin da. Sehr überrascht. Wie konnte er das sagen?«

»Es lagen Fotos von Karrelis auf Dannys Schreibtisch – für eine
Festschrift. Auch Jugendfotos. Chan Ragai hat ihn wiedererkannt – mit absoluter Sicherheit.«

»Hm.«

»Was heißt hm?«

»Was sagt Karrelis zu dieser Behauptung?«

»Nichts! Er ist verschwunden.«

»Oh.«

»Vater, Karrelis wurde von *dir* nach Teheran geschickt, sagt
Chan Ragai. Unter einem falschen Namen. Mit falschen Papie-
ren. Er nannte sich Werner Kalmann. Du hast ihm das Kürzel
CX einundzwanzig gegeben. So etwas kam vor, sagte Chan
Ragai. In besonderen Fällen. Wenn es zum Beispiel der Chef des
Dienstes wollte. Warum hast du es gewollt, Vater?«

»Ich… Ich habe meine Aussage gemacht. Ausführlich. Für
mich ist die Sache erledigt.«

»Aber nicht für uns. Was glaubst du, was es jetzt hier für einen
Skandal geben wird? Wir müssen die Wahrheit wissen. Sag sie
mir, Vater! Wenn du sie nicht sagst, werden wir auch deine
Weigerung in die Dokumentation aufnehmen.«

»Hör mal, du kannst mit mir nicht so…! Ich verbitte mir das.«

»Ich bin sehr aufgeregt. Entschuldige! Und beantworte meine Frage!«

Lange Pause.

»Vater!«

»Ich kann nicht, Mercedes...«

»Du mußt!«

Wieder eine Pause.

»Also gut... Ich habe euch von Dora Holm erzählt... der jungen Schauspielerin in Berlin, die ich so sehr liebte und die dann bei einem Luftangriff auf so schreckliche Weise ums Leben kam... Du erinnerst dich, Mercedes? Dora Holm, sie spielte schon große Rollen bei der UFA...«

»Ich erinnere mich, Vater.«

»Nun, siehst du... Dora Holm war ihr Filmname...«

»Sie hieß in Wirklichkeit anders?«

»Ja.«

»Wie hieß sie in Wirklichkeit? Vater!«

»In Wirklichkeit... in Wirklichkeit hieß sie Dora von Karrelis.«

»Und dieser CX einundzwanzig...«

»... war ihr Bruder. Emanuel von Karrelis. Ich lernte ihn über Dora kennen... Er war hyperintelligent... genial. Ein Phänomen. Sprach mehrere Sprachen akzentfrei... sogar Persisch. War als Kind ein paar Jahre im Iran... mit seinem Vater, einem Ingenieur. War acht Jahre jünger als Dora... Beim Militär hätten sie den sensiblen Jungen kaputtgemacht... Dora liebte ihn abgöttisch... Hatte furchtbare Angst um ihn... Da nahm ich ihn in den Dienst Ribbentrop... aus Liebe zu Dora... Um Emanuel zu schützen... Kannst du das verstehen, Mercedes?«

»Ja, ich kann es verstehen... Aber es ist phantastisch, Vater. Absolut phantastisch. Der Intendant des Senders Frankfurt war einmal dein Agent in Teheran!«

»Und beschaffte mir den Film, ja, ja, ja.«

»Wer wußte damals davon? Ich meine, daß CX einundzwanzig von Karrelis hieß und als Agent arbeitete?«

»Nur zwei Männer im Amt und Dora.«

»Die Eltern nicht?«

»Die Eltern nicht. Er schrieb ihnen nach Hamburg, daß er Dolmetscher im Auswärtigen Amt sei. Auch Chan Ragai hatte keine Ahnung, keinen Verdacht, er wußte von nichts...«

»Bis heute. Bis er Fotos von Karrelis sah. Er ist bereit, öffentlich zu erklären, daß das sein Agent CX einundzwanzig gewesen ist.«

»Dann soll er es doch öffentlich erklären! Was ändert das an dem Vorhandensein des Films? Ich habe meinen Schock jetzt überwunden. Ich finde das alles großartig. Da habt ihr ja jetzt den Kronzeugen für die Echtheit des Films!«

»Wen?«

»Von Karrelis, verflucht! Nehmt ihn vor die Kamera! Laßt ihn seine Geschichte erzählen! Die Wahrheit, die ganze Wahrheit, so wie ich sie dir jetzt gesagt habe, Tochter.«

»Vater! Ich sage dir doch, er ist verschwunden.«

»Das verstehe ich nicht… Aber warum… aber wann?«

»Vor ein paar Stunden hat er den Sender verlassen, sagen sie uns. Niemand weiß, mit welchem Ziel. Man kann annehmen, daß er längst nicht mehr in Deutschland ist.«

»Aber weshalb?«

»Er war der Verräter. Alles deutet darauf hin.«

»Karrelis? Niemals!«

»Es steht schon so gut wie fest. Karrelis hat alle unsere Aktionen vorher der Gegenseite verraten. Danny und Colledo vermuteten es. Sie stellten ihm eine Falle. Er glaubte, wir würden Chan Ragai in Südfrankreich interviewen, der hat dort ein Haus in einem kleinen Dorf bei Cannes. Colledo flog auch mit einem Aufnahmeteam hinunter, um Karrelis ganz in Sicherheit zu wiegen. Ohne Zweifel hat Karrelis das seinen Freunden gemeldet, damit Chan Ragai umgebracht werden konnte da unten an der Riviera – wie die anderen umgebracht wurden, die Karrelis verraten hat. Aber diesmal waren Danny und Colledo schlauer. Heimlich ließen sie Chan Ragai nach Frankfurt kommen, in Dannys Wohnung, unter Bewachung. Und in Dannys Wohnung hat Chan Ragai soeben vor der Kamera sein Statement abgegeben. Der Intendant muß Verdacht geschöpft haben, daß wir ihm auf der Spur waren – wir wissen noch nicht, wie –, und da ist er geflohen, augenblicklich.«

»Unfaßbar. Ich…«

»Der Kontakt zwischen ihm und dir ist nie abgerissen, wie?«

»Doch. Nach Kriegsende. Einige Jahre. Dann hörte ich, daß Emanuel beim Norddeutschen Rundfunk zu arbeiten begonnen hatte. Ich ließ ihm eine Nachricht zukommen – über Dritte. Er antwortete umgehend. Es ging ihm gut. Er hatte knapp vor Kriegsende Westdeutschland erreicht. Alle Verwandten tot… Als es mit dem Fernsehen losging in Deutschland, hatte er seine Chance. Neunundsechzig wurde er Intendant des Senders

Frankfurt. Ist zweimal wiedergewählt worden. Großer Gott, seine Vergangenheit wäre nie herausgekommen, wenn man diesen Chan Ragai umgelegt hätte, bevor er aussagen konnte. Es ist wirklich phantastisch.«

»Es wäre auch so herausgekommen, Vater. Ich sage dir doch, Colledo und Danny hatten Verdacht geschöpft.«

»Aber, um alles in der Welt, warum soll Karrelis der Verräter gewesen sein? Welchen Grund hatte er, Mercedes?«

»Vielleicht den gleichen wie du, Vater.«

»Was soll das heißen? Was hatte ich für einen Grund?«

»Geld.«

»Das ist... das ist...«

»... die Wahrheit. Kein Grund, beleidigt zu sein. Du hast gewußt, daß Karrelis Intendant des Senders Frankfurt war, noch bevor du wußtest, wo Danny war, ob er noch lebte und wo, ja?«

»Ja.«

»Und als du das dann herausgefunden hast, kam dir alles sehr gelegen.«

»Sehr. Ich kann in demselben Ton mit dir reden wie du mit mir. Sehr gelegen kam es mir, Tochter. Ich brauchte einen Mittelsmann. Ich konnte doch nicht direkt mit Karrelis in Verbindung treten und ihm den Film geben. Es durfte doch nicht herauskommen, daß wir einander kannten. Niemand hätte sonst geglaubt, was jetzt durch die Aussage Chan Ragais feststeht – nämlich, daß der Film echt ist.«

»Aber du hast mit Karrelis über den Film und seine Ausstrahlung und insbesondere seinen Ankauf gesprochen, bevor du mich losschicktest, um Danny zu dir zu bringen, wie?«

»Natürlich. Hätte ich mich an den mir unbekannten Intendanten eines anderen Senders wenden sollen?«

»Es kommt noch einmal ein Team zu dir. Du wirst vor der Kamera auch all das erzählen.«

»Niemals!«

»Dann werde *ich* es erzählen. Alles, was du mir jetzt gesagt hast, jedes Wort. Ist dir das lieber?«

»Du... du erpreßt mich?«

»Natürlich. Wie soll ich anders mit dir umgehen? Das Team kommt schnellstens. Du hörst sehr bald wieder von mir. Leb wohl!«

»Mercedes! So warte doch! *Mercedes*... Aufgehängt. Das muß man sich bieten lassen! Als ob man ein Verbrecher wäre!«

Ein kleiner Junge rannte auf dem Kinderspielplatz Coram Fields in Roger Morley hinein. »Hoppla, mein Sohn«, sagte der Anwalt. »Ich bin kein Punching-Ball, weißt du?« Er beeilte sich, mit Karrelis Schritt zu halten. »Wie man Ihnen auf die Spur gekommen ist, wollen meine Bekannten noch wissen. Lassen Sie mich kurz rekapitulieren: Nachdem die Filmkopien bei Ihnen im Sender eingetroffen waren, haben Sie äußerst geschickt und umsichtig Kontakt mit der amerikanischen Botschaft in Bonn aufgenommen und angeboten, sich zu ihrer Verfügung zu stellen aus Gründen der Verantwortung für eine Ausstrahlung des Films, die plötzlich auf Ihren Schultern lag und die Sie nicht tragen wollten, und weil Sie – sehr zu Recht – der Meinung sind, daß eine solche Ausstrahlung, jedenfalls mit Zeugen, welche die Echtheit des Films beschwören, nur Unheil anrichten kann. Als Bezahlung Ihrer Dienste haben Sie einen – wenn ich so sagen darf – satten Betrag verlangt, den meine Bekannten Ihnen sogleich auf ein von Ihnen benanntes Konto in Toronto überwiesen haben.«

»Fünf Millionen Dollar«, sagte von Karrelis gekränkt. »Das nennen Sie einen satten Betrag – für mein enormes Risiko, für alles, was ich in dieser Sache getan und verhindert habe?«

»Verzeihen Sie die ungebührliche Bemerkung, Herr von Karrelis. Taktlos von mir. Sie haben recht: Das Risiko war enorm. Nun müssen Sie verschwinden. Ein neues Leben aufbauen. Natürlich brauchen Sie dafür Geld. Wirklich abscheulich, meine Bemerkung, wenn ich daran denke, daß Ihre Handlungsweise von so hohen ethischen Überlegungen bestimmt gewesen ist.« Ein Ball flog Morley gegen die Brust. Er warf ihn lachend einem kleinen Mädchen in einem roten Jogginganzug zurück, das die dünnen Arme gehoben hatte. »Niedliches Kind, wie? Nun müssen Sie für diese Überlegungen und Überzeugungen alles hinter sich lassen und weit, weit fort gehen. Sie haben mein aufrichtiges Mitgefühl, Herr von Karrelis.« Morley lüpfte seinen steifen Hut. »Und nun sagen Sie mir endlich, durch welchen teuflischen Zufall man Ihnen auf die Spur gekommen ist.«

»Es war kein Zufall, Mister Morley. Es war ein gründlich vorbereiteter Plan, mich zu stürzen. Colledo hat die Verantwortung dafür. Er haßt mich…«

»Warum?«

Von Karrelis ging nicht auf die Frage ein. Er sprach weiter: »…und hat mich offenbar schon lange im Verdacht gehabt. Er und Daniel Ross. Ich habe Ihnen doch sofort, als unsere Rechercheure Chan Ragai da unten in Südfrankreich aufgestöbert hatten, mitgeteilt, daß Colledo ihn – unter sorgfältigster Bewachung durch französische Gendarmerie – in La Roquette sur Siagne interviewen wollte, nicht wahr?«

»Ja, Herr von Karrelis. Sie riefen sofort an. Zuverlässig wie immer. Daraufhin schickte ich unseren besten Mann nach La Roquette sur Siagne, nachdem ich ihm die Fotos zeigte, die Sie mir geschickt hatten, die Fotos von Chan Ragai. Damit er wußte, wie der Mann aussah, den er töten mußte, bevor eine Kamera an ihn herankam.«

»Weil klar war, daß *er* ganz bestimmt die Echtheit des Films beschwören würde«, sagte von Karrelis. Er dachte: Und weil er den Agenten CX einundzwanzig kannte. Ein lebender Chan Ragai bedeutete das Ende meiner Sicherheit. Das ist der wirkliche Grund, weshalb Ragai sterben sollte. Großer Gott, wenn Morley und seine Freunde wüßten, daß *ich* CX einundzwanzig war! Nicht auszudenken! Sie würden fragen und fragen und nie mehr lockerlassen: Habe ich wirklich den Film von dem Fahrer der amerikanischen Gesandtschaft in Teheran bekommen? Ist er also echt oder habe ich mit dem SD zusammengearbeitet und geholfen, eine Fälschung herzustellen? Was immer ich antworten würde – ich wäre ein toter Mann danach. Ich bin der einzige, der die Wahrheit über diesen Film weiß. Nur ein toter Chan Ragai hätte mir genützt. Ein lebender ist tödlich für mich. Darum mußte ich schnellstens weg aus Frankfurt. Darum! Aber das hat diesen Anwalt und seine Bekannten nicht zu kümmern. Jetzt heißt es schleunigst untertauchen. Es geht um jede Stunde. Laut sagte er: »Ich mußte weg aus Frankfurt, sobald ich erfuhr, daß Colledo und Ross mich hintergangen, daß sie mich im Verdacht hatten, der Verräter zu sein. Das ging aus ihrer Handlungsweise klar hervor. Wer weiß, was für Beweise sie nun präsentieren werden. Ich mußte weg. Ich mußte weg.«

»Ganz klar, Herr von Karrelis, ganz klar«, sagte Morley.

Wenn du den wirklichen Grund kennen würdest, dachte der Intendant bebend. Ich muß verschwinden. Wann kommt endlich der verfluchte Wagen, der mich nach Oval Green bringt?

»Was ich von Ihnen nur noch wissen muß: Wer brachte Sie darauf, daß dieses Komplott gegen Sie existierte? Wer sagte Ihnen, daß Chan Ragai nicht in La Roquette sur Siagne war, sondern nach Frankfurt gebracht wurde?«

Karrelis begann wie verrückt zu lachen.

»Bitte!« sagte Morley.

»Ein Mädchen von der iranischen Fluggesellschaft«, sagte Karrelis, immer noch hysterisch lachend. »Ein Mädchen vom Flughafenschalter der IRANIAN AIR.«

»Verstehe ich nicht.«

»Das Mädchen rief im Sender an und verlangte Daniel Ross. Der war nicht da. Das Mädchen hatte eine wichtige Nachricht für ihn, sagte sie einer Telefonistin in unserer Zentrale. Die Telefonistin wollte sie mit Kleinhals verbinden, dem Chefredakteur. Der war nicht in seinem Büro. Die Ground-Hostess drängte. Es sei wirklich dringend. Da verband die liebe, gute Telefonistin – Gott segne sie – das Mädchen mit meiner Sekretärin, weil es sich in der Zentrale herumgesprochen hatte, daß bei uns im Sender etwas Wichtiges lief. Nun ja, und so kam das Gespräch dann zu mir, und das Mädchen sagte, was so wichtig war.«

»Nämlich?«

»Nämlich, daß die Maschine nach Teheran, die heute abend fliegt, ausgebucht sei. Auf der Warteliste stünden sechs Menschen. Und Daniel Ross habe die Tickets für Herrn Chan Ragai und zwei Begleiter zwar gebucht, aber versprochen, noch mitzuteilen, ob Herr Chan Ragai tatsächlich mit dieser Maschine fliegen werde. Das Mädchen erzählte mir, Herr Ross habe gesagt, es hänge davon ab, ob Herr Ragai hier in Frankfurt mit seiner Arbeit rechtzeitig fertig wird. Die Reservierung war also noch offen. Und weil doch sechs Leute auf der Warteliste standen, wollte das Mädchen nun wissen, ob die drei Plätze gebraucht werden oder nicht.« Karrelis fügte hinzu: »Vermutlich wollte Ross das aus Sicherheitsgründen so lange wie möglich offenlassen.«

»Warum rief das Mädchen nicht bei Ross zu Hause an?«

»Das hatte sie schon getan. Vermutlich war der Hörer schlecht aufgelegt, meinte sie. Jedenfalls kam immer nur das Besetztzeichen. In Wahrheit wird Ross den Hörer abgehoben und eine einzelne Nummer gewählt haben, damit er für niemanden zu erreichen war, solange sich Chan Ragai bei ihm aufhielt – besonders nicht während des Interviews.«

»Vielleicht eine verrückte Geschichte! Und was sagten Sie dem Mädchen?«

»Ich sagte, ich würde mich bemühen, Herrn Ross schnellstens zu erreichen und ihn veranlassen, sie anzurufen. Warten Sie, es kommt noch verrückter! Natürlich konnte ich nach diesem Anruf zunächst eine Zeitlang keinen klaren Gedanken fassen.«

»Natürlich nicht.«

»Ich war in Panik. In meinem Kopf drehte sich alles. Und da, vielleicht fünf Minuten später, stellte die Telefonistin das Mädchen von den IRANIAN AIR noch einmal zu mir durch. Und das Mädchen sagte, Ross habe soeben angerufen und die Reservierung bestätigt. Chan Ragai und die beiden Begleiter fliegen also heute abend mit dieser Maschine. Irre, wie? Absolut irre! Wenn er das Mädchen ein paar Minuten früher angerufen hätte!« Karrelis begann wieder zu lachen. »Ich hätte nichts erfahren. Ich hätte nicht geahnt, was gegen mich im Gange ist. Ein paar Minuten! O Gott, o Gott, o Gott!«

»Schluß!« sagte der kleine Anwalt mit völlig unerwarteter Schärfe. »Hören Sie auf damit!«

Der Intendant sah ihn erschrocken an. Er verstummte.

»Fehlt uns noch, daß Sie jetzt durchdrehen«, sagte Morley.

»Entschuldigen Sie meinen Ton! Aber daß das mit Chan Ragai schiefging, daß er nun die Echtheit des Films belegt, ist schon... sehr unangenehm für meine Bekannten, sehr unangenehm, in der Tat. Und jetzt auch noch der Skandal, der durch Ihr Verschwinden ausgelöst wird. Wirklich kein Grund zum Lachen!«

»Was werden Ihre Bekannten tun?«

»Das weiß ich nicht. Ich bin nicht in meiner Kanzlei, wo sie mit mir sprechen könnten. Auch unser bester Mann vermag mich im Moment nicht zu erreichen. Er versucht es gewiß. Ich denke, Herr von Karrelis, meine Bekannten werden jetzt zu dem äußersten Mittel greifen, das ihnen noch zur Verfügung steht, um zu verhindern, daß dieser Film gesendet wird.«

»Was für ein äußerstes Mittel steht ihnen noch zur Verfügung?«

»Das braucht Sie nicht zu kümmern, Herr von Karrelis. Sie sind alle Sorgen los. Sie gibt es bald nicht mehr.«

Die beiden Männer kamen an einem Kreis von Kindern vorüber, in dessen Mitte ein Junge stand und mit dem Finger auf einen nach dem anderen deutete, während er folgende Worte als Abzählreim sprach:

> »Humpty Dumpty sat on a wall.
> Humpty Dumpty had a great fall.
> All the King's horses and all the King's men
> Couldn't put Humpty Dumpty together again.«

»Alice im Wunderland««, sagte Karrelis.

»Fast«, sagte Morley. »Humpty Dumpty kommt im zweiten Buch von Lewis Carroll vor, in ›Durch den Spiegel‹.«

Am Brunswick Square hatte ein gelber Lieferwagen gehalten. Die hinteren Türen des geschlossenen Lasters öffneten sich, und zwei Männer in grauen Flanellanzügen sprangen auf die Straße.

»Sie sind da«, sagte Morley.

»Gott sei Dank!« sagte von Karrelis. »Endlich!«

Er verließ mit dem Anwalt den Spielplatz. Die Begrüßung der vier Männer war kurz und förmlich.

»Wir müssen uns beeilen, Sir«, sagte einer der Männer im grauen Flanell. »Die Maschine ist startbereit. Man sagte uns, Sie wünschten, so schnell wie möglich abzufliegen.«

»Das stimmt«, sagte von Karrelis. »Was ist das für eine Maschine?«

»Ein B-zweiundfünfzig-Langstreckenbomber.«

»Wir danken Ihnen für alles, was Sie für uns getan haben«, sagte Morley. Er schüttelte Karrelis die Hand.

»Ich danke auch Ihnen. Es tut mir leid, daß alles so gekommen ist.«

»Nicht Ihre Schuld, Herr von Karrelis«, sagte Morley.

»Der Mann hinter dem Steuer hupte. Er trug einen blauen Overall und eine Schirmmütze. Der Abendverkehr war sehr dicht. Viele Autos schoben sich langsam über den Brunswick Square. Es war jetzt laut hier.

Der zweite Mann im Flanell sagte: »Kommen Sie bitte, Sir! Wir sind mitten in der Rush-Hour.«

Die Männer sprachen Englisch mit amerikanischem Akzent.

»Gott schütze Sie!« sagte Morley zu Karrelis.

»Was ist mit Ihnen?« fragte der den ersten Mann im grauen Flanellanzug. »Kommen Sie nicht mit?«

»Nein, Sie werden von meinem Kollegen begleitet, Sir. Ich bringe Mister Morley neue Instruktionen. Wir haben viel zu besprechen. Gute Reise!«

»Danke«, sagte Karrelis. Mit dem zweiten Mann ging er zu dem geschlossenen Lieferwagen, dessen Laderaum auf jeder Seite ein kleines Fenster hatte. Der zweite Mann half Karrelis durch die geöffneten Türen in den Laderaum. Auch er stieg ein. Die Türen schlossen sich hinter ihm. Der Lieferwagen fuhr an. In der Guilford Street, die vor ihnen lag, steigerte sich der Verkehrslärm zu einem gewaltigen Brausen. Im Halbdunkel des Lieferwagens sah Karrelis einen dritten Mann, ebenfalls in grauem Flanell. Der nickte und bedeutete ihm, sich auf eine seitliche Bank zu setzen. Als Karrelis das getan hatte, zog der dritte Mann eine Pistole mit langem Lauf aus der Brusttasche, hielt sie Emanuel von Karrelis an die linke Schläfe und drückte ab. Die Explosion des Schusses war im Straßenlärm nicht zu hören. Karrelis kippte seitlich. Noch ehe Blut aus der Schußwunde den Wagen beschmutzen konnte, hatte der zweite Mann dem Intendanten eine große Plastiktüte über den Kopf gezogen, die er nun um den Hals des Toten festband. Der Lieferwagen fuhr in südlicher Richtung durch die Lumb's Conduit Street weiter, der breiten Theobald Road entgegen.

»Und jetzt?« fragte der dritte Mann.

»Wie besprochen«, sagte der zweite. »Zu den Docks an der Themse. Dort warten wir bis zehn. Um zehn kommt Joey mit dem Betonfaß. Da ist kein Mensch mehr bei den Docks. In das Betonfaß mit dem Herrn, und das Betonfaß in die Themse.«

»Scheiße«, sagte der dritte Mann. »Kann ich also das Fußballspiel nicht sehen. Habe mich so gefreut darauf.«

»Kauf dir doch ein Videogerät wie ich! Einfach prima. Du stellst die Zeit ein, das Ding zeichnet auf, was du sehen willst, und du siehst es dir an, wenn du heimkommst.«

Roger Morley und der erste Mann im grauen Flanellanzug standen noch immer am Rande des Kinderspielplatzes.

»Wann passiert es?« fragte Morley. Er hatte dem Wagen nachgesehen.

»Es ist schon passiert«, sagte der Mann. »Man hat uns gesagt, wir müssen ihn gleich erledigen.«

»Er ruhe in Frieden!« sagte Morley ernst.

»Es mußte sein«, sagte der Mann im grauen Flanell. »Er wußte zu viel.«

»Oh, natürlich«, sagte Morley. »Nun, wie schrieb doch Chesterton: ›Der Mann, der zu viel wußte, weiß jetzt, was wert ist, gewußt zu werden!‹«

Am Abend des 27. März, einem Dienstag, saßen zwei Männer und zwei Frauen vor einem kalten Kamin unter dem Bildnis eines kleinen Mädchens. Conrad Colledo und seine zarte, kleine Frau Lisa mit dem blonden Haar und den blauen Augen hatten

Daniel und Mercedes zum Essen in ihre Villa in der Siesmayerstraße am großen Grüneburgpark nahe dem Palmengarten eingeladen. Die alte Wiener Köchin Theres servierte und schnitt
wieder das Fleisch für Lisa klein, die, wie Colledo Mercedes
erzählt hatte, in einen Rasenmäher gestürzt war und sich dabei
die Sehnen an beiden Handgelenken zerschnitten hatte. Das
Essen war vorüber. Auch im Speisezimmer hingen wie im ganzen Haus Zeichnungen und Ölbilder des kleinen Mädchens,
Colledos Tochter, die im Alter von nur dreizehn Jahren im
Sommer 1983 gestorben war.
Natürlich kreiste das Gespräch um die Ereignisse der letzten
Tage. Colledo hatte von seinen Erlebnissen an der Riviera und in
La Roquette sur Siagne berichtet und Daniel von dem Interview
mit Chan Ragai in Frankfurt. Der alte Mann war längst nach
Teheran heimgekehrt. Colledo hatte inzwischen von der Sekretärin des Intendanten den Zwischenfall mit dem Anruf der
IRANIAN AIR erfahren. Vor dem Kamin sprachen sie nun über
Emanuel von Karrelis.
»Auf diesen Anruf hin ist er abgehauen«, sagte Colledo. »Er
begriff schnell, wie stark wir ihn verdächtigten. Daß es uns
gelungen ist, die Aussage von Chan Ragai zu erhalten und daß es
dank unserer Umsicht zu keinem Mordanschlag auf diesen kam,
das bedeutete für Karrelis das Ende. Auch wenn er zu dem
Zeitpunkt, zu dem er verschwand, noch nicht wissen konnte,
daß Ragai ihn an Hand der Fotos als CX einundzwanzig wiedererkannt hat. Er mußte zumindest befürchten, von dem alten
Mann entlarvt zu werden – auf die eine oder andere Weise. Er
und dein Vater, Danny... schon ein prächtiges Paar! Immer
gewesen. Was war eigentlich in Buenos Aires los, Mercedes? Sie
haben doch heute nachmittag mit Neumann telefoniert.«
Neumann hieß der junge, ehrgeizige Redakteur, den Colledo
mit einem Aufnahmeteam nach Argentinien geschickt hatte, um
noch einmal Olivera zu besuchen und seine zusätzliche Aussage
aufzunehmen.
»Alles gutgegangen«, sagte Mercedes. »Mein Stiefvater hat das
zweite Interview gegeben und alles über seine Beziehung zu
Karrelis erzählt, berichtete Neumann. Alles! Ich habe ihm freitags am Telefon aber auch mächtig angst gemacht. Ich habe
gesagt, wenn er nicht redet, dann werde ich es tun – in der
Dokumentation. Neumann sagt, mein Stiefvater habe die ganze
Kumpanei auf das sentimentale Gleis seiner so großen Liebe zu

der Schauspielerin Dora Holm geschoben. Wollte dem Bruder nur helfen und so weiter. Wollte nur Gutes tun. Ist natürlich völlig entsetzt darüber, daß Karrelis sich nun als der Verräter herausgestellt hat. Kann das immer noch nicht glauben. Muß es aber wohl – nach dem, was geschehen ist.«

»Könnt ihr euch noch erinnern, wie das war, als ich mit den beiden Kassetten von Buenos Aires im Sender ankam?« fragte Colledo. »Alle waren zuerst skeptisch, Brandt, der Justitiar, Kleinhals, der Chefredakteur – *und* von Karrelis! Der spielte seine Skepsis glänzend. Und wie elegant kriegte er dann den Bogen, alle *für* eine Ausstrahlung des Films zu gewinnen, indem er die große begleitende Dokumentation vorschlug!«

»Ob er damals schon vorhatte, alles zu verraten, damit Zeugen für die Echtheit des Films liquidiert werden konnten?« fragte Mercedes.

»Ganz gewiß«, sagte Daniel. »Daß er dabei politischen Motiven folgte, halte ich jedoch für ausgeschlossen. Karrelis hatte politisch an dem Film genausoviel Interesse wie mein Vater – nämlich überhaupt keines. Beiden ging es nur um Geld.«

»Richtig«, sagte Colledo.

Seine kleine, hübsche Frau fragte: »Wie geht es jetzt weiter, Conny?«

»Der Rundfunkrat hat beschlossen, daß bis zur Einsetzung eines neuen Intendanten Kleinhals den Sender leitet. Die Medien haben ihre Sensation, die Kollegen ihr Fressen, der Regierungssprecher redet von laufenden Ermittlungen, in die nicht eingegriffen werden darf. Der Mann hat's auch nicht leicht. Was unsere Arbeit betrifft: Wir haben jetzt genügend Material. Der Film soll so schnell wie möglich fertiggestellt werden, damit wir ihn anderen Sendern anbieten können. Kleinhals verspricht sich eine Riesennachfrage.«

»Ich bin sehr glücklich darüber, daß wir schon so weit gekommen sind«, sagte Mercedes.

»Hör mal, Conny«, sagte seine Frau Lisa. »Danny und Mercedes sind doch unsere guten Freunde. Ich muß ihnen etwas erzählen.«

Colledo fuhr auf. »Bitte nicht, Lisa!«

»Doch, laß mich, Conny! Sie müssen es wissen!«

Ihr Mann zuckte die Achseln.

»Letztes Jahr im Juni«, sagte Lisa leise, »gab es in New York diese internationale Konferenz für die verbesserte Zusammenarbeit der Fernsehanstalten. Sie begann am achten Juni und sollte zwei Wochen dauern. Es ging vor allem um den schnelleren und größeren Austausch von aktuellen Berichten über Weltereignisse und die Übertragung durch kommerzielle Satelliten. Conny mußte hin. Ich habe eine Schulfreundin in Kiel und sagte Conny, daß Hanni – so heißt sie – mit ihrem Verlobten eine Kreuzfahrt nach Schweden und Norwegen machen wolle und mich eingeladen habe. Hannis Verlobter besitzt eine wunderschöne große Hochseejacht mit drei Mann Besatzung. Ein reicher Mann. Ich sagte, ich würde gerne mitmachen – Conny mußte doch fort, und für Kathi war die Theres da. ›Natürlich‹, sagte Conny, ›mach die Kreuzfahrt mit und amüsier dich!‹ Am siebten Juni flog er nach New York...«

Am 11. Juni 1983 kam Conrad Colledo gegen elf Uhr nachts in das Hotel REGENCY an der New Yorker Park Avenue zurück. Er hatte einen anstrengenden Tag hinter sich und war todmüde. Der Portier reichte ihm ein rotes Kuvert der Telefonzentrale. Colledo zog einen gefalteten Bogen Papier heraus. Er las: »1 Uhr 32 p. m.: Mrs. Theres Poldinger aus Frankfurt am Main, Germany, ruft an. Bitte um Rückruf. Es ist sehr dringend.«
Colledo fuhr mit dem Lift in den zehnten Stock hinauf, rannte in sein Zimmer und wählte den Anschluß der Villa am Grüneburgpark. Hier ist es elf, in Europa schon fünf Uhr früh, dachte er. Was ist geschehen? Nach dem ersten Anläuten wurde in der Villa bereits der Hörer abgehoben. Die Stimme der alten Theres erklang: »Bei Colledo...«
»Theres, hier ist...«
Sie schrie auf: »Gott sei Dank! Endlich! Ich wart schon so lange...«
»Was ist passiert, Theres?«
Er hörte sie schluchzen. »Kathi...«
»Was ist mit Kathi?«
Über ein Weltmeer hinweg hörte er sie weinen, furchtbar weinen. *»Theres!«* schrie Colledo.
Theres konnte nur mit Mühe sprechen: »Das Unglück, gnä' Herr, das große Unglück! Du lieber Gott im Himmel... Meine kleine Kathi...«
»Was ist mir ihr?« schrie Colledo.
»Gestern war alles noch in Ordnung, gnä' Herr. In der Nacht hat sie Bauchweh gekriegt... Ich hab geglaubt, es ist, weil sie Obst

gegessen hat und Wasser getrunken... aber in der Früh war das Bauchweh noch schlimmer... und zu Mittag hat sie Fieber gekriegt. Fast neununddreißig, o Gott, o Gott...«

»Theres!«

»Hab ich den Herrn Doktor Eglin gerufen... Hat er gesagt, Blinddarmentzündung, sie muß ins Spital... Die Rettung ist gekommen... Sie haben die Kleine ins Clementine-Kinderkrankenhaus in der Theobald-Christ-Straße gebracht und sofort operiert... Die Ärzte haben dann alle sehr ernste Gesichter gemacht...« Colledo stöhnte. »Blinddarmdurchbruch, haben sie gesagt... Unsere Kathi liegt jetzt auf der Intensivstation... Es geht ihr schlecht, gnä' Herr...«

»Ich nehme die nächste Maschine!« rief Colledo. »Was ist mit meiner Frau? Haben Sie die erreicht?«

»Noch nicht... ich versuch es dauernd... über Seefunk... Sie ist doch auf diesem Schiff, gnä' Herr...«

»Versuchen Sie es weiter, Theres! Ich komme, so schnell ich kann.«

Colledo legte auf. Er rief den Portier an. Dieser reservierte ihm einen Platz in einer Morgenmaschine. Um 19 Uhr traf Colledo in Frankfurt ein. Mit einem Taxi fuhr er sofort zum Clementine-Kinderkrankenhaus. Der Pförtner erklärte ihm den Weg. Auf einer Bank vor der Intensivstation der Chirurgie saß die alte Theres. Ihr Gesicht war weiß, die Augen vom vielen Weinen verschwollen und entzündet. Colledo umarmte sie. Die alte Frau stammelte: »Der Herr Professor hat gesagt... ich soll beten... Ich bet die ganze Zeit, gnä' Herr, die ganze Zeit tu ich nix wie beten für meinen kleinen Liebling...«

»Haben Sie meine Frau erreicht?«

»Noch immer nicht, gnä' Herr...«

»Aber das ist doch unmöglich!«

»Ja, ich verstehe es auch nicht Die Leute vom Seefunk sagen, die Jacht meldet sich nicht...«

»So etwas gibt es doch nicht! Sie muß sich melden!«

»Ja, hab ich auch gesagt... Aber wenn sie sich doch nicht melden tut, gnä' Herr...«

Aus einer Schleuse der Intensivstation trat ein älterer Mann mit grauem Haar und müden, dunklen Augen. Er trug einen Ärztekittel.

»Das ist der Herr Professor!« rief die Köchin. Colledo trat ihm in den Weg.

Der Arzt sah auf. »Ja, bitte? Oh, Sie sind Herr Colledo?«
»Gerade gelandet. Wie sieht es aus, Herr Professor...«
»Goldberg.«
»Wie sieht es aus, Herr Professor Goldberg?«
Der Arzt mit den müden Augen und den schweren Lidern
blickte Colledo schweigend an. Dann legte er ihm einen Arm um
die Schulter und ging an seiner Seite den langen Gang hinunter.
Vor einer Fensternische blieb er stehen.
»Ihrer kleinen Tochter geht es sehr schlecht, Herr Colledo. Ich
sage Ihnen die Wahrheit.«
»Bitte! Alles andere hat keinen Sinn.«
»Eben. Also: Es ist nun leider eine schwere Peritonitis dazugekommen, eine Bauchfellentzündung.« Colledo fühlte plötzlich,
wie er am ganzen Körper zu zittern begann. Er ballte die Hände
zu Fäusten. Er preßte die Kiefer aufeinander. Das Zittern ließ
sich nicht unter Kontrolle bringen. »Wir haben mehrere Drains
zur Bauchhöhle gelegt, Herr Colledo. Wir spülen immer wieder,
um sie sauber zu bekommen. Mit Antibiotica natürlich, massen-
haft Antibiotica. Aber es hilft nichts. Die Kleine hat immer noch
hohes Fieber. An die vierzig Grad...«
»Darf ich zu ihr?«
Der Arzt zögerte.
»Bitte, Herr Professor! Ich bitte Sie, lassen Sie mich zu Kathi!«
Fünf Minuten später trat Colledo in Schutzkleidung an das Bett
seiner Tochter. Sie hing an vielen Schläuchen und einem Tropf.
Ihr Gesicht erschien Colledo so klein, so klein. Kathi hatte die
Augen geschlossen. Sie atmete mühsam. Er sprach sie an. Erst
nach einer Weile öffnete sie die milchig trüben Augen. Jetzt ging
ihr Atem rasselnd.
»Kathi! Ich bin es, Vati!«
»Tauben«, sagte das Kind, »so viele Tauben... ganz viele Tau-
ben...« Die Augen schlossen sich wieder. Colledo blieb zehn
Minuten neben dem Bett sitzen, dann hielt er es nicht mehr aus.
Er verließ die Station und schickte Theres heim. Er blieb im
Krankenhaus. Wieder und wieder versuchte er, über Seefunk
Kontakt mit der Jacht »Jasmin II« zu bekommen – vergebens.
»Jasmin II« antwortet nicht, sagte man ihm. Um neun Uhr
abends rief Colledo in Kiel die Mutter der Schulfreundin seiner
Frau an. Die Nummer hatte er durch die Auskunft erhalten.
Frau Clara Leisen war außerordentlich verlegen, nachdem Col-
ledo ihr berichtet hatte, was geschehen war und daß sich keine

Verbindung zu der Jacht herstellen ließ, auf der seine Frau Lisa mit Frau Leisens Tochter Hanni und deren Verlobten irgendwo in der Ostsee kreuzte. Zuletzt sagte sie: »Herr Colledo, das Ganze ist schrecklich für mich. Was soll ich bloß tun?«

»Sie sollen mir die Wahrheit sagen«, sagte Colledo. »Irgend etwas stimmt doch nicht. Was ist es?«

Frau Leisen seufzte.

»Ihre Frau ist nicht mit Hanni unterwegs, Herr Colledo. Das hat sie Ihnen nur erzählt.«

»Sie ist nicht auf der Jacht?«

»Nein, Herr Colledo… Ach, ist das schrecklich…«

»Wo ist sie dann? Frau Leisen, ich bitte Sie, mir zu sagen, was Sie wissen! Unsere kleine Tochter liegt im Sterben. Ich muß erfahren, wo meine Frau ist. Bitte! Wenn Sie eine Ahnung haben, sagen Sie es mir! Ich flehe Sie an!«

Sehr leise kam die Stimme aus Kiel: »Ihre Frau ist auf Sylt, Herr Colledo.«

»Auf Sylt?«

»Ja.«

»Aber wieso…«

»Herr Colledo, ich weiß nicht, was ich sagen soll… sagen darf…«

»Die Wahrheit!« schrie er.

»Die Wahrheit… Ihre Frau hat Hanni gebeten, ihr zu helfen…«

»Zu helfen? Mir zu sagen, sie würde mit Ihrer Tochter und deren Verlobten zusammen sein?«

»Ja. Aber in Wirklichkeit ist Ihre Frau auf Sylt.«

»Wo auf Sylt?«

»Das weiß ich nicht. Sie hat Hanni eine Telefonnummer gegeben, schon vor einem Jahr etwa… für alle Fälle… Die beiden sind alte Freundinnen…«

»Haben Sie diese Nummer?«

»Ich… Also wirklich…«

»Haben Sie diese Nummer? Im Telefonverzeichnis Ihrer Tochter vielleicht?«

»Ja, da steht sie, Herr Colledo. Aber ich weiß nicht…«

»Geben Sie mir die Nummer, Frau Leisen! Unser Kind stirbt!«

Sie gab ihm die Nummer. Frau Leisen war sehr betrübt.

Colledo wählte die Nummer auf Sylt. Das Signal ertönte lange, dann meldete sich eine Männerstimme,

»Karrelis!«

Colledo wäre um ein Haar der Hörer aus der Hand geglitten. Er schwieg.

»Hallo!« rief die Stimme seines Intendanten. Er erkannte sie genau. »Hallo! Wer ist da? Melden Sie sich, verflucht! Zum Teufel, melden Sie sich!«

Conrad Colledo legte den Hörer auf.

Gegen sechs Uhr früh am folgenden Morgen begann das Leben Kathis zu verlöschen. Ihr Blutdruck sank, der Puls wurde immer schwächer. Sie atmete jetzt nur noch ganz kurz und flach. Colledo hatte die ganze Nacht an ihrem Bett gesessen. Auch Professor Goldberg war auf der Station geblieben. Nun stand er neben Colledo. Das erste Licht der Morgensonne schien in den Raum. Ein Computerschirm, auf dem grünleuchtende Zacken die Herztätigkeit Kathis anzeigten, war über dem Bett angebracht. Die Spur wurde immer unregelmäßiger. Colledo fühlte, wie ihm Tränen über die Wangen liefen. Plötzlich schlug das Kind die Augen auf. In der letzten Minute ihres Lebens war Kathi wieder völlig klar. Sie lächelte, als sie Colledo sah.

»Vati!« Ihr Blick irrte umher. »Wo ist...?« Den Satz sprach sie nicht zu Ende. Die Augen schlossen sich. Kathi lag reglos. Sie atmete nicht mehr. Ein sehr schwaches Zucken ging durch den Körper. Danach waren auch die wirren Zacken auf dem Monitor verschwunden. Dort verlief jetzt eine gerade Linie.

»Es ist vorüber«, sagte Goldberg. Er trat dicht neben Colledo und legte ihm eine Hand auf die Schulter. »Es tut mir so leid für Sie. Wir haben getan, was wir konnten. Aber es war von Anfang an aussichtslos. Kommen Sie jetzt!«

»Ich möchte noch etwas bei ihr bleiben, bitte«, sagte Colledo. Goldberg nickte und verließ das Zimmer.

Colledo saß eine Viertelstunde am Bett seines toten Kindes und bemühte sich, ein letztes Mal in Gedanken mit ihm zu sprechen. Es war umsonst. Er hätte ebensogut von einer Statue Abschied nehmen können. Er erhob sich und ging fort. Als er in den Krankenhaushof mit seinen blühenden Blumen und Bäumen trat, glitt ein großer Wagen durch die Einfahrt und blieb dicht neben ihm stehen. Lisa und Karrelis sprangen ins Freie. Ihre Gesichter waren aschgrau.

»Conny!« Seine Frau lief auf ihn zu. Er wich zurück. Sie blieb stehen. »Conny, ich... Frau Leisen hat angerufen... gleich

nach dir... Wir sind sofort los... Es war ein Privatflugzeug
da... Von Hamburg sind wir dann mit dem Wagen...« Sie trat
vor und schlang die Arme um seinen Hals. »Bitte, verzeih mir!«
rief sie verzweifelt.

Er packte ihre Hände und riß die Arme fort.

»Lassen Sie mich alles erklären«, begann Karrelis. »Es ist meine
Schuld. Meine allein, ich habe...«

Colledo machte eine Bewegung, als wolle er den Intendanten
schlagen.

Der hob eine Hand.

»Kathi ist tot«, sagte Colledo mit einer Stimme, die ihm ganz
fremd erschien. Er ließ die beiden stehen und ging zu seinem
Wagen. Er ging, und bei jedem Schritt dröhnten die eigenen
Worte in seinem Schädel: Kathi ist tot... Kathi ist tot...

Er fuhr nach Hause, sehr vorsichtig, denn ihm war sehr
schwindlig.

Die weinende Theres empfing ihn. »Hab's schon gehört, gnä'
Herr. Sie haben angerufen aus dem Spital. Müssen S' noch
einmal kommen wegen die Papiere. So viele Papiere...«

Colledo schritt schweigend an der alten Frau vorbei. Er ging in
sein Schlafzimmer und legte sich angezogen auf das Bett. Ein
Fenster stand offen. Auch hier fiel Sonnenlicht in den Raum,
und in den Bäumen des Gartens sangen viele Vögel. Colledo lag
auf dem Rücken, starrte an die Decke und bewegte sich nicht.
Später hörte er seine Frau kommen. Sie sprach kurz mit Theres.
Dann hörte er, wie nebenan im Badezimmer Wasser in die
Wanne eingelassen wurde. Er lag unbeweglich.

Nach einer halben Stunde vernahm er ein schwaches Stöhnen. Er
sprang auf und wollte die Tür zum Badezimmer öffnen. Sie war
verschlossen.

»Lisa!« schrie er.

Keine Antwort, nur das Stöhnen.

Er trat ein paar Schritte zurück, nahm Anlauf und warf sich mit
einer Schulter gegen die Tür, die aufbrach. In der Wanne lag
seine nackte Frau im dunkelroten Wasser. Lisas Augen waren
weit geöffnet und ganz starr. Der Mund stand offen. In einer
Hand hielt sie noch das Rasiermesser, mit dem sie sich tief in die
Venen und Sehnen beider Handgelenke geschnitten hatte.

»Eine halbe Stunde später, und sie wäre tot gewesen«, sagte
Mercedes neben Daniel im Wagen. Sie fuhren durch die nächtli-

che Stadt. Es war spät geworden bei den Colledos, halb zwei Uhr früh. Die Straßen lagen verlassen. Monoton blinkten an den Kreuzungen die Verkehrsampeln.

»Ja, sie hat großes Glück gehabt«, sagte Daniel.

»Auch mit ihrem Mann«, sagte Mercedes. »Ein anständiger Kerl ist Conny. Er hat ihr vergeben – sofort.«

»Er liebt sie«, sagte Daniel. »Was blieb ihm übrig?«

»Muß eine große Liebe sein.«

»O ja«, sagte Daniel. »Sehr groß.«

»Und trotzdem hat sie ihn betrogen – über ein Jahr lang. Verstehst du das?«

»Nein«, sagte Daniel. »Ich verstehe jetzt nur, warum Conny Karrelis so sehr haßt.«

»Eigentlich hätte er Lisa hassen müssen«, sagte Mercedes. »Sie hat ihn verraten und hintergangen. Karrelis hat nur seine Chance wahrgenommen.«

»Das stimmt«, sagte Daniel. »Aber wenn es sich um Liebe handelt, gibt es keine Logik mehr.«

»Was meinst du, warum Lisa uns unbedingt die ganze Geschichte erzählen wollte?«

»Als Freundschaftsbeweis, denke ich. Um zu zeigen, wie viel Vertrauen sie zu uns hat. Die beiden leben sehr zurückgezogen. Sicherlich hätten sie gerne gute Freunde.«

»Das warst du doch immer – ein guter Freund, Danny.«

»Ja. Aber jetzt bist du dazugekommen. Wir vier – wir gehören nun zusammen. Ich glaube, so hat das Lisa gemeint.«

Daniel bog in die Sandhöfer Allee ein und parkte vor dem Haus, in dem er wohnte. Hier war kein Mensch zu sehen. Er schaltete den Motor und die Scheinwerfer ab. Sie stiegen beide aus und gingen zum Eingang. Als sie nahe herangekommen waren, passierte alles sehr schnell. Ein großer, hagerer Mann sprang aus der dunklen Nische vor der Haustür und schlug Daniel mit dem Griff einer Pistole über den Schädel.

»Danny!« schrie Mercedes, die sah, wie er zu Boden stürzte. Im nächsten Moment preßte ihr der große Mann ein feuchtes Tuch vor Mund und Nase. Äther, dachte sie. Der Mann hielt sie jetzt umklammert. Sie wand sich. Gleich darauf sackte sie ohnmächtig zusammen.

Wayne Hyde hob Mercedes auf und trug sie zu einem Wagen, der ein Stück weiter die Allee hinunter parkte. Er öffnete den rechten vorderen Schlag, ließ die Bewußtlose auf den Sitz gleiten und gurtete sie an. Er lief um den Wagen herum und kroch hinter das Steuer. Aus dem Handschuhfach nahm er eine flache silberne Dose. In ihr lag eine kleine Injektionsspritze. Flüssigkeit war aufgezogen. Mit einem alkoholgetränkten Stück Watte aus der Dose rieb Hyde eine Stelle am linken Unterarm von Mercedes ab. Dann stieß er die Nadel der Spritze in ihre Haut und drückte den Kolben nieder. Das hält sie eine Weile ruhig, unter Garantie, dachte er. Sekunden später fuhr er bereits. Nicht zu schnell, dachte Hyde. Ganz normal. Nur nicht auffallen! Hat ja prima geklappt. Ein bißchen lange habe ich warten müssen. Alles im Preis inbegriffen.

5

Daniels Schädel schmerzte so sehr, daß er glaubte, es nicht ertragen zu können. Ganz langsam kam er wieder zu sich. Er merkte, daß er auf dem Gehsteig lag, das Gesicht in einer Pfütze. Mühsam griff er mit der linken Hand an den Kopf. Auch sein Haar war naß. Er führte die Hand dicht vor die Augen. Im Licht einer Straßenlampe sah er, daß die Hand rot war. Blut. Sein Blut. Auch in der Pfütze, in der er lag, war sein Blut. Er stöhnte. Er versuchte aufzustehen und fiel sofort wieder hin. Beim vierten Versuch gab er es auf und kroch auf allen vieren zur Haustür. Mit unendlicher Mühe zog er sich an einer Wand hoch, bis er die Klingeltafel mit der Gegensprechanlage erreicht hatte. Er drückte auf alle Knöpfe. Nach einer Weile meldeten sich eine zornige Frauenstimme und zwei zornige Männerstimmen. Sie sprachen durcheinander.
»Was ist los?«
»Sauerei, fast zwei Uhr früh! Wer ist das?«
»Besoffen, wie?«
»Ross«, sagte Daniel. »Hilfe…« Er hatte keine Kraft mehr, sackte wieder zusammen und verlor das Bewußtsein.
Als er zu sich kam, lag er auf einem schmalen weißen Tisch unter einer sehr hellen Lampe. Zwei junge Ärzte und eine Krankenschwester verbanden gerade seinen Kopf. Es roch stark nach Desinfektionsmitteln.
»Wo bin ich?«
»Unfallstation. Uniklinik«, sagte der erste Arzt.

»Massel gehabt«, sagte der zweite. »Nur eine große Platzwunde am Hinterkopf. Schon genäht.« Daniel stöhnte. »Ja, natürlich tut das weh. Wird noch eine Weile weh tun. Gebrochen ist nichts. Wir haben gründlich geröntgt. Wahrscheinlich nicht mal Gehirnerschütterung.«

»Glauben Sie, Sie können sprechen?« fragte ein Funkstreifenpolizist. Er war plötzlich in Daniels Blickfeld getreten.

»Sie...« begann Daniel. Die Zunge kam ihm viel zu groß für seinen Mund vor. »Sie haben mich hierhergebracht...«

»Ja, Herr Ross. Hausbewohner riefen die Polizei. Sagen Sie mir bitte, was passiert ist.«

Daniel begann mühsam zu reden.

Elf Minuten später wurde von der Frankfurter Polizei die Ringfahndung nach Mercedes Olivera ausgelöst.

Eine Stunde zuvor war Wayne Hyde mit der immer noch bewußtlosen Mercedes in die Tiefgarage eines der Hochhäuser in der sogenannten Nordweststadt hinabgefahren. Viele tausend Menschen wohnten in dieser gewaltigen Trabantensiedlung. Sie kannten einander kaum. Sie kümmerten sich nicht umeinander. Die Anlage wurde auch »Schlafstadt« genannt, weil die meisten Bewohner hier nur die Abend- und Nachtstunden verbrachten und tagsüber in der City arbeiteten.

Hyde lenkte den Wagen auf einen freien Parkplatz und stellte den Motor ab. Er öffnete die rechte Vordertür, gurtete Mercedes los und zog sie aus ihrem Sitz. Sie lallte leise. Gut so, dachte Hyde. Wenn mir jemand begegnet, lallt sie hoffentlich auch. Macht dann einen hübsch besoffenen Eindruck. Er arbeitete systematisch, ohne jede Eile oder Erregung. Nachdem er einen Arm von Mercedes um seine Schultern geschlungen hatte, schleppte er sie, deren Füße nachschleiften, durch eine Kellertür in einen langen, schmalen Gang mit fünf Aufzugtüren zu den verschiedenen Blocks des Hochhauses. Vor der Tür des mittleren Lifts blieb er stehen und holte die Kabine durch Knopfdruck herunter. In seinem Schulterhalfter steckte die 9-Millimeter-SIG/Sauer-Pistole, die sein Frankfurter Freund Heinz Erkner ihm wieder besorgt hatte, als er, aus London kommend, vor drei Tagen in Frankfurt eingetroffen war. Das Sterling-Mk-9-Gewehr hatte er im Kofferraum gelassen.

Der Lift kam an.

Hyde öffnete die Tür und schleppte Mercedes in die Kabine. Er fuhr zum vierzehnten Stock empor. Auf jeder Etage befanden sich drei Wohnungen. Mit leisem Summen hielt der Lift. Hyde trat, Mercedes' Arm um seine Schultern geschlungen, auf den Vorplatz. Er nahm Schlüssel aus der Tasche und öffnete Schloß und Sicherheitsschloß der Wohnung rechts. In den beiden anderen Appartements war es still. Die Menschen hier schlafen längst, dachte Hyde.

Die Tür mit der Metallbuchstabennummer vierzehn-null-drei ging auf. Hyde keuchte jetzt. Mercedes war schwer. Er trat mit ihr in die dunkle Wohnung, die aus einem sehr großen und drei kleineren Zimmern, Bad sowie Küche bestand, und machte überall Licht. Er hatte die Vorhänge zugezogen, als er zum letztenmal hier gewesen war. Die Schlüssel hatte ihm der Anwalt Morley in London gegeben. Es schien, daß er Schlüssel zu zahlreichen derartigen Wohnungen in verschiedenen Städten besaß. Bei der ersten Inspektion hatte Hyde alles kontrolliert. Es gab nur zwei Eisenbetten in einem der kleineren Zimmer, zwei Stühle und einen Tisch. Sonst waren die Räume leer. Er hatte in einem Supermarkt der Nordweststadt Lebensmittel gekauft und den Eisschrank und die Tiefkühltruhe in der Küche gefüllt. Er hatte Seife, Toilettenpapier, Zahnbürste und ähnliches gekauft, auch einen Eimer. Dazu erwarb er eine große Rolle breites Klebepflaster sowie eine Schere und eine Polaroid-Kamera.

Hyde schleppte Mercedes, die jetzt lauter lallte, zu einem der beiden Eisenbetten, dessen Decken und Kissen frisch überzogen waren, und ließ sie daraufgleiten. Im nächsten Moment schlug Mercedes die Augen auf. Ihr Gesicht war weiß. Sie starrte Hyde an.

»Ich kenne Sie«, sagte Mercedes leise. »Ich habe Sie schon einmal gesehen… in der Wohnung von Daniel Ross… Sie heißen… Corley… Peter Corley…«

»Maul halten!« sagte Hyde.

Er holte aus einer Tasche seines Dufflecoats einen kleinen Sony-Recorder, dann zog er den Mantel aus und warf ihn über einen der beiden Stühle. Den Recorder legte er auf den Tisch neben die Polaroid-Kamera.

»Wo bin ich?« fragte Mercedes.

»Maul halten!« sagte Hyde.

»Wo ist Herr Ross?«

»Halt dein Maul!«

Hyde nahm die große Rolle Klebepflaster vom Tisch. »Ruhig

liegen, Mund zu!« befahl er. Danach zog er eine Bahn über Mercedes' Mund. Er nahm die Schere vom Tisch, schnitt das Band ab und klebte eine zweite Bahn quer zur ersten. »So«, sagte er und erhob sich vom Bettrand. »Du wirst bald wieder reden können. Kleine Nachricht für Ross. Auf Kassette. Morgen machen wir eine hübsche Aufnahme von dir mit der neuen BILD-Zeitung, so, daß man die Schlagzeile lesen kann. Tut mir leid, aber du mußt jetzt Handschellen kriegen. Am Bett festgemacht. Damit du auf keine blöden Ideen kommst.« Er ging zu dem Stuhl, über den er den Dufflecoat geworfen hatte, um ein Paar Handschellen aus der Innentasche zu nehmen. Dabei wandte er Mercedes den Rücken zu. Die Handschellen hatten sich im Futter der Tasche verhakt. Hyde zog und zerrte, bis der Stoff riß. Dann drehte er sich um und erstarrte mitten in der Bewegung. Auf dem Eisenbett wand sich Mercedes in grauenvollen Zuckungen. Sie hatte sich die Streifen vom Mund gerissen. Ihre Pupillen waren verdreht, das Gesicht lief violett an. Aus dem Mund quoll weißer Schaum. Der Körper bäumte sich auf. Plötzlich lag sie ganz still. Immer mehr Schaum quoll aus ihrem Mund. Ein kräftiger Geruch nach bitteren Mandeln verbreitete sich. Hyde sah Glassplitter auf den Lippen der jungen Frau. Er legte ein Ohr auf die Brust über ihrem Herzen. Er fühlte ihren Puls. Aber das alles tat er ohne Hoffnung. Er starrte die Tote an.

»O Jesus«, sagte Wayne Hyde. »Was für eine verfluchte Scheiße!«

Ein Telefongespräch.

»... Ich habe lange mit meinen Bekannten gesprochen, Doktor Herdegen. Wann ruft Mister Hyde Sie wieder an?«

»Um sechs Uhr früh, Mister Morley.«

»Gut. Sie sagen ihm, meine Bekannten wünschen, daß er so weiterarbeitet, als wäre nichts vorgefallen.«

»Das hat doch jetzt keinen Sinn mehr!«

»Wieso hat das keinen Sinn mehr, Doktor?«

»Weil die Olivera tot ist. Er kann kein Foto von ihr machen, keine Tonbandaufnahme, es ist doch alles viel zu schnell gegangen.«

»Er muß die Forderung trotzdem stellen.«

»Ohne ein Lebenszeichen von der Olivera werden sie auf nichts eingehen.«

»In letzter Konsequenz haben Sie recht. Aber was wir jetzt brauchen, ist Zeit. Sie können sicher sein, daß Ross und die andern die Verhandlungen keinesfalls sofort abbrechen – wenn Hyde es geschickt anfängt. Die haben doch keine Ahnung, daß die Olivera Selbstmord begangen hat. Woher hatte sie bloß die verfluchte Zyankalikapsel?«

»Hyde sagt, völlig unerklärlich. Hören Sie, Mister Morley, ich weiß, es steht mir nicht zu, Ihre Bekannten zu kritisieren, aber das ist doch Wahnsinn! Wie lange soll Hyde dieses Idiotenspiel spielen? Er muß sich doch jetzt auch noch vom letzten Hurensohn von einem Polizisten jagen lassen. Da läuft doch inzwischen eine Großfahndung.«

»Die wäre auf alle Fälle gelaufen. Das weiß Hyde. Sie müssen nicht an seiner Stelle Angst haben. Er hat keine. Und das ist kein Idiotenspiel, Doktor. Ich sagte, wir brauchen jetzt Zeit. Zeit, die Brüder weichzukochen, sie die Nerven verlieren zu lassen. Wenn dann noch jemand entführt wird – beispielsweise Frau Colledo –, dann werden sie nachgeben.«

»Sie wollen Hyde veranlassen, einen zweiten Menschen...?«

»Nun, selbstverständlich, Doktor. Colledo hängt genauso an seiner Frau wie Ross an der Olivera. Hyde wird eben noch viel vorsichtiger sein beim zweitenmal. Das ist kein Vorwurf. Er konnte nicht ahnen, daß die Olivera ständig Gift mit sich herumtrug. Bei der Colledo wird er das als erstes kontrollieren.«

»Aber...«

»Schluß jetzt! Ich habe genug von Ihrem ›Aber‹, Doktor. Sie geben Hyde den Befehl, weiterzumachen, als wäre nichts geschehen. Erzählen Sie ihm von der Colledo-Variante. Er bekommt schnellstens neue Instruktionen. Ende.«

Das Telefon auf Daniels Schreibtisch schrillte.

Außer ihm waren mehrere Männer im Raum: Conrad Colledo, der Chefredakteur Kleinhals, zwei Techniker der Polizei und ein älterer Kriminalkommissar namens Hollgand. Sofort, nachdem Daniel aus dem Krankenhaus heimgebracht worden war, hatten Techniker begonnen, eine Fangschaltung für seinen Telefonanschluß zu installieren. An den Apparat war auch ein großes Tonbandgerät angeschlossen, das alle Gespräche aufzeichnen sollte.

Das Telefon schrillte zum zweitenmal. Es war jetzt 6 Uhr 35 am 28. März 1984, einem Mittwoch. Der erste Techniker legte die

Hand auf den Hörer eines zweiten Telefons, das ebenfalls auf dem Schreibtisch stand.

»Vorsichtig«, sagte er und zählte. »Zwei, drei, eins – jetzt!«

Gleichzeitig hoben er und Daniel ab. Im selben Moment schaltete sich auch das Tonbandgerät ein. Die Spulen kreisten.

»Hallo?« sagte Daniel. Er litt unter starken Kopfschmerzen. Die Mittel, die man ihm gegeben hatte, halfen nicht.

»Wer ist ›hallo‹?« fragte eine metallisch verzerrte Männerstimme.

»Daniel Ross.«

»Herr Ross, Ihre Freundin befindet sich in unserer Gewalt. Sie bleibt es, bis der Vorsitzende des Rundfunkrates die schriftliche Erklärung abgegeben hat, daß der bewußte Film niemals ausgestrahlt werden wird und bis wir alle Unterlagen der Interviews mit Zeugen und all das Material in unserem Besitz haben, das wir Ihnen noch nennen werden.«

Der Techniker machte Daniel ein Zeichen: Weiterreden, das Gespräch fortsetzen, so lange wie möglich!

Daniel sagte: »Ich will mit Frau Olivera sprechen.«

»Das ist ausgeschlossen.«

»Woher weiß ich, daß sie noch lebt?«

»Sie lebt. Es geht ihr gut. Sie müssen mir glauben! Sprechen Sie mit Ihren Freunden und dem Vorsitzenden des Rundfunkrates und bleiben Sie in der Nähe des Telefons!«

»Wir werden…«

Klick. Der Anrufer hatte aufgelegt.

Daniel fluchte.

Der zweite Techniker stoppte das Band, ließ es zurücklaufen und startete es wieder. Alle hörten den Dialog zwischen Daniel und dem Unbekannten.

Das zweite Telefon läutete.

Der erste Techniker hob ab. »Ja?«

»Zu kurz«, sagte eine Stimme. »Wir konnten nicht feststellen, woher der Anruf kam.«

»Er wird wieder anrufen«, sagte der erste Techniker.

»Ja, sicherlich«, sagte sein Kollege in einer der großen Telefonzentralen der Stadt Frankfurt am Main.

»Ich muß mit dem Vorsitzenden sprechen«, sagte Kleinhals.

»Sind Sie wahnsinnig geworden?« fragte Colledo. »Wollen Sie auf eine Drohung hin ohne ein Lebenszeichen von Frau Olivera die Forderungen dieses Lumpen erfüllen?«

»Natürlich nicht!« sagte Kleinhals wütend. »Aber der Vorsitzende muß informiert sein darüber, was geschehen ist.«

»Nehmen Sie diesen Apparat«, sagte der erste Techniker. »Die Leitung von Herrn Ross bleibt frei.«

Daniel saß reglos.

Reglos hörte er dem Gespräch von Kleinhals zu. Der sagte, nachdem er wieder aufgelegt hatte: »Wir müssen den Kerl hinhalten, so lange es nur geht. Jetzt läuft die größte Fahndung, die es seit der Schleyer-Entführung gegeben hat. Und wenn es Tage dauert. Wir müssen ihn hinhalten. Lebenszeichen verlangen. Wenn wir die haben, über Einzelheiten sprechen. Ross muß dann zurückfragen. Und so weiter. Professor Klammer kommt schnellstens hierher.«

Professor Klammer war der Vorsitzende des Rundfunkrates.

»Was machen wir jetzt?« fragte Colledo.

»Warten, bis der Hund wieder anruft«, sagte Kleinhals.

»Kommen zwei Beamte«, sagte der Kommissar Hollgand, ein kleiner, stiller Mann mit Brille. »Bringen einen großen Thermosbehälter mit Kaffee und Sandwiches für alle. Schon veranlaßt. Wir werden verpflegt. Gearbeitet wird in drei Acht-Stunden-Schichten. Für Sie gilt das leider nicht, Herr Ross.«

»Ich werde mein Bett hierher schieben«, sagte der. Er fuhr plötzlich auf, stöhnte aber sofort, denn sein Schädel reagierte auf die schnelle Bewegung mit noch größerem Schmerz.

»Was hast du, Danny?«

»Das Tagebuch!«

Daniel ging schon in Richtung Schlafzimmer.

»Was für ein Tagebuch?«

»Das von Mercedes. Sie führte eines. Und es ist mir eben etwas eingefallen…« Er verschwand im Schlafzimmer und kehrte gleich darauf mit einem in rotes Leder gebundenen Band zurück. Dazu sagte er: »Mercedes hat mir einmal gesagt: ›Wenn mir etwas passieren sollte – wir haben ja erlebt, wozu diese Leute fähig sind –, wenn also etwas mit mir geschieht, dann sieh in meinem Tagebuch nach. Es liegt ein Brief für dich darin. Lies ihn! Aber nur dann!‹« Daniel blätterte in dem rotledernen Band. Ein Kuvert fiel zu Boden. Er hob es auf. Nun war es sehr still geworden.

Daniel öffnete den Umschlag. Mehrere Bogen Papier, bedeckt mit Mercedes Handschrift, waren darin. Daniel setzte sich und las.

Danny, mein geliebter Danny,

wenn Du diese Worte liest, bin ich schon tot. Bitte, verzeih mir, was ich getan habe. Ich liebe Dich so sehr. Ich hätte so gerne glücklich mit Dir gelebt. Aber das ist nun unmöglich geworden. Du weißt, mit wem wir es zu tun haben. Du weißt, daß die Kreaturen dieser Leute – sie selber machen sich nicht die Finger schmutzig – vor nichts zurückschrecken, um eine Ausstrahlung unseres Films zu verhindern. Von Anfang an war das so. Es wird immer ärger werden, je mehr Material wir zusammentragen. Der Gegenseite ist bekannt, wieviel wir besitzen. Dafür sorgt ein Verräter. Ich rechne täglich damit, entführt zu werden. Weil es bei uns nicht üblich ist, sofort ein Menschenleben zu opfern, wird man also versuchen, den Sender zu erpressen. Mein Leben gegen alles Material und eine bindende Zusage von höchster Stelle, den Film nie zu zeigen etwa. Ich weiß natürlich nicht genau, wie sie vorgehen werden.

Die Zerstörung der Welt droht. Wir haben den Beweis dafür. So gibt es vielleicht noch eine kleine Chance. Für alle Menschen. Darum bin ich fest entschlossen: Wenn man mich entführt, werde ich mich bei der ersten Gelegenheit vergiften. Giftkapseln habe ich von meinem Stiefvater. Er bekam sie einmal von Goebbels, Du erinnerst Dich. Der sagte ihm, daß das Gift in den zugeschmolzenen Kapseln sich nicht zersetzt. Ich trage das Gift ständig bei mir. Ich werde mich töten, damit man keine Gelegenheit hat, Dich oder Conny oder ganz einfach den Sender zu erpressen. Glaube also, wenn es zu meiner Entführung kommt, unter keinen Umständen irgendwelche Lügengeschichten, die sie dann erzählen werden, um ihr Ziel zu erreichen, denn ich werde dann gewiß bereits tot sein.

Sollte ich in einem solchen Fall noch gefunden werden, möchte ich nirgends aufgebahrt werden. An meinem Grab soll nicht gesprochen und nicht gebetet werden. Auch Musik, Blumen oder Kränze soll es nicht geben. Ich möchte, daß außer Dir, Liebster, und den Totengräbern niemand an meinem Grab steht. Beerdigt werden möchte ich auf einem Friedhof, der nahe dem Ort liegt, an dem Du lebst.

Du hast mich immer eine Fanatikerin genannt, Liebster. Nun, ich bin es. Laß uns hoffen, daß Du diesen Brief nie lesen mußt.

Ich umarme Dich in Liebe.
Mercedes

Darunter stand ein Datum: 10. März 1984. Der Brief war vor mehr als zwei Wochen geschrieben worden.

Daniel reichte die Bogen Colledo. Dann stützte er den schmerzenden Kopf in beide Hände und begann zu weinen. Das Weinen schüttelte seinen Körper wie ein schwerer Krampf.

Zwei Stunden später traten in Wiesbaden Vertreter der verschiedenen bundesdeutschen Sicherheitsorganisationen im Gebäude des BKA zu einem Krisenstab zusammen. Die Anti-Terror-Gruppe GSG-9 wurde eingesetzt. Ihre Spezialisten wichen nun nicht mehr von der Seite der Gefährdeten, zu denen neben anderen Daniel Ross, Conrad Colledo, seine Frau Lisa, der Chefredakteur Kleinhals und dessen Familie gehörten. Alle verfügbaren Kräfte der Polizei und Einheiten des Bundesgrenzschutzes und der Bundeswehr suchten im ganzen Land nach Mercedes Olivera.

Ein Telefongespräch.

»Mister Morley, hier ist Herdegen. Hyde rief eben an. Die Bundesrepublik ist...«

»In Alarmzustand. Wissen wir. Auch, daß alle in Frage kommenden Personen bewacht werden.«

»Unter diesen Umständen sieht Hyde keine Möglichkeit, Frau Colledo zu entführen.«

»Was heißt das: keine Möglichkeit? Es gibt immer eine Möglichkeit! Wir haben ihm inzwischen drei ausgezeichnete Leute zur Verfügung gestellt – oder? Verflucht, er wird hoch genug bezahlt für das, was er tut! Und er hat zu tun, was wir anordnen. Sagen Sie ihm das! Guten Tag, Doktor Herdegen!«

Es war 3 Uhr 41 früh am 29. März 1984, als das Telefon wieder schrillte. Daniel schlief in seinem Bett, das nun neben dem Schreibtisch mit den Apparaturen der Techniker stand. Eine andere Schicht tat Dienst. Colledo war anwesend. Er hatte in einem Sessel gedöst. Nun rüttelte er den Freund.

»Danny! Danny, wach auf!«

Daniel ächzte. Er setzte sich im Bett auf und legte eine Hand auf den Hörer seines Apparates. Ein Techniker legte die Hand auf den Hörer des zweiten Telefons und zählte laut von drei zurück. Gemeinsam hoben sie ab. Die Tonbandspulen begannen wieder zu kreisen.

Es erklang die metallisch verzerrte Stimme, die Daniel schon kannte: »Haben Sie mit Ihren Leuten gesprochen, Herr Ross?« Daniel rieb sich die brennenden Augen. Das Licht der Schreibtischlampe war grell, die Luft im Raum verbraucht und schlecht. »Ja«, sagte er mit belegter Stimme. Er räusperte sich.

»Und?«

»Hören Sie, das ist doch idiotisch! Welche Sicherheit haben Sie denn, daß nicht neue Kopien angefertigt wurden und der Film doch gesendet wird, auch wenn man Ihnen jetzt verspricht, ihn nicht zu senden, und alles Material aushändigt, damit Frau Olivera freigelassen wird?«

Jedes einzelne Wort bereitete Daniel Mühe. Aus seinen Augen rannen Tränen.

Die verzerrte Stimme: »So ist das auch nicht gedacht. Diese Entführung soll bloß zeigen, wozu wir fähig sind. Wenn Frau Olivera nach Erfüllung aller unserer Bedingungen freigelassen wird, ist sie nur eine Tote auf Urlaub. Im gleichen Augenblick, in dem Sie die Arbeit am Film fortsetzen oder in Verbindung mit anderen Sendern treten – wir erfahren das sofort –, wird Frau Olivera sterben. Niemand und nichts kann sie dann retten.«

»Ich will ein Lebenszeichen von ihr!« schrie Daniel. »Ich will ihre Stimme hören!«

»Das geht nicht. Ich habe es Ihnen schon einmal gesagt. Sie müssen mir glauben, daß es ihr gutgeht – noch. Sie bittet Sie flehentlich, zu tun, was wir verlangen.«

»Ihre Stimme!« schrie Daniel außer sich. »Ich will ihre Stimme hören!«

Die Verbindung war unterbrochen.

Nach ein paar Minuten meldete sich ein Spezialist aus der Telefonzentrale. Wiederum hatte es sich als unmöglich erwiesen, festzustellen, woher der Anruf gekommen war.

Daniel stand abrupt auf und ging schnell in das Schlafzimmer. Er knipste das Licht an und öffnete eine Schublade. In ihr lag, was er suchte. Im Badezimmer füllte er ein Zahnputzglas mit kaltem Wasser und öffnete dann den Verschluß einer großen Packung Amadam, dem Mittel, auf das Sibylle ihn nach seiner Entwöhnungskur umgestellt hatte und von dem Mercedes ihm bislang morgens und abends je eine Tablette gegeben hatte. Nun ließ er elf Tabletten aus der Packung in die hohle Hand fallen, warf sie in den Mund und spülte sie mit dem Wasser hinunter. Er hatte am Telefon – nach langer Zeit zum erstenmal – das entsetzliche

Gefühl gehabt, sterben zu müssen, wenn er nicht sofort sein Mittel nahm. Viel davon nahm. Er blieb eine Viertelstunde auf dem Wannenrand sitzen. Dann hatte er wieder genügend Kraft, um zu den anderen zurückzukehren.

Zwei Tage vergingen, ohne daß sich der Anrufer meldete. Zeitungen, das Fernsehen und der Rundfunk hatten unmittelbar nach dem Verschwinden von Mercedes sehr ausführlich über ihre Entführung berichtet, gewisse Boulevardblätter mit riesigen Auflagen ihrem Stil entsprechend grell sensationell. Radio- und Fernsehstationen gaben wiederholt die Beschreibung der Verschwundenen bekannt, und die Polizei bat alle Bürger um Hilfe bei der Suche nach ihr.
Der Regierungspressesprecher teilte verärgerten Journalisten lediglich mit, daß die Entführung der jungen Frau nach Ansicht von Experten im Zusammenhang mit den mysteriösen, noch immer unaufgeklärten zwei Morden der letzten Wochen stehe und daß er über Art und Ziele der kriminellen Vereinigung, die sich dahinter verberge, nichts sagen könne.
In Kommentaren und Attacken auf die Regierung stellten Presse-, Funk- und Fernsehleute daraufhin die abenteuerlichsten Vermutungen hinsichtlich der so im Dunkeln gehaltenen Vorgänge an – keine einzige kam der Wahrheit auch nur entfernt nahe.
Gleichzeitig durchsuchten viele Tausende von geduldigen, übermüdeten Soldaten, Polizisten und Angehörigen von Spezialeinheiten die Bundesrepublik – ein im Dschungel der großen Städte wohl von vornherein zum Scheitern verurteiltes Unterfangen. Eine Belohnung von hunderttausend D-Mark für sachdienliche Hinweise zur Auffindung Mercedes Oliveras und ihrer Entführer wurde ausgeschrieben, woraufhin eine kaum mehr zu überblickende Zahl von angeblichen Beobachtungen einlief. Jedem einzelnen Hinweis mußte nachgegangen werden. Die ganze riesige zusätzliche Arbeit brachte nicht die kleinste Spur. Das BKA hatte die entsprechenden Organisationen aller europäischen Staaten gleich zu Beginn um Mitarbeit gebeten, kurze Zeit später war Interpol eingeschaltet worden. Flug- und Seehäfen wurden überwacht, Reisende in Autos und Fernzügen kontrolliert, Grenzstationen hatten Alarm. In dieser Zeit nahm Daniel große Mengen von Amadam zu sich, immer wenn seine Angstgefühle wiederkehrten.

Am Abend des 1. April, einem Sonntag, versammelten sich acht Männer in Daniels großem Arbeitszimmer: Professor Abel Klammer, der Vorsitzende des Rundfunkrates, Dr. Volker Brandt, der so jugendlich wirkende Justitiar des Senders Frankfurt, Hans Kleinhals, der Chefredakteur, und Conrad Colledo, ferner zwei Techniker und der Polizeikommissar, die gerade Schichtdienst hatten, sowie Daniel Ross.

Er war sehr blaß und trug einen dicken Kopfverband. Die Schmerzen hatten nachgelassen. Daniel machte einen gefaßten Eindruck. In der Wohnung, im Treppenhaus und rund um den Block hatten zahlreiche schwerbewaffnete Polizisten und Männer der GSG-9-Anti-Terror-Gruppe Stellung bezogen. Die unablässige Bewachung sämtlicher mit der Produktion des Dokumentarfilms befaßten Personen und ihrer Angehörigen lief weiter.

Professor Abel Klammer, ein untersetzter, rotgesichtiger Mann von einundsechzig Jahren, sagte: »Ich war bei einem Treffen aller Mitglieder des Rundfunkrates und der Intendanten sämtlicher ARD-Stationen. Es ging um die Frage, ob der Sender Frankfurt die Produktion des Films fortsetzen, ihn ausländischen Stationen zum Kauf anbieten und ausstrahlen soll. Mit einer Gegenstimme ist die Versammlung zu dem Ergebnis gekommen, daß sie entschieden gegen jedes Zeichen von Erpreßbarkeit und für die Fortsetzung der Arbeit ist, wobei man natürlich sofort eine etwa andere Ansicht der unmittelbar mit der Sache Befaßten und des am schwersten Getroffenen respektieren wird. Die Frage, die ich Ihnen zu stellen habe, lautet daher: Sind auch Sie der Ansicht, daß wir in Kenntnis des Umstands, daß Frau Olivera mit an Sicherheit grenzender Wahrscheinlichkeit bereits seit Tagen tot ist – verzeihen Sie, Herr Ross –, und allen weiteren möglichen Terroranschlägen zum Trotz die Ausstrahlung und den Verkauf des Films weiter betreiben sollen oder nicht? Ich habe die Aufgabe, jeden einzelnen von Ihnen zu fragen. Herr Kleinhals?«

Der Mann, der aussah wie ein ehrgeiziger Buchhalter, sagte: »Weiterarbeiten.«

»Herr Doktor Brandt?«

Der junge Justitiar – er erinnerte an einen Beatle und galt unter Kollegen als bester Mann seines Fachs im Lande – sagte: »Ja, ich bin für die Ausstrahlung.«

»Herr Colledo?«

Der Hauptabteilungsleiter Politik und Zeitgeschehen, der wie fast immer einen blauen Anzug, ein blaues Hemd und eine mit kleinen silbernen Elefanten bestickte schwarze Krawatte trug, sagte: »Wenn ich nur die geringste Hoffnung hätte, daß Frau Olivera noch am Leben ist, wenn ich nicht zu meinem Schmerz – durch Kenntnis ihres Briefes und ihres Charakters sowie die offensichtliche Unfähigkeit der Entführer, uns ein akustisches oder optisches Lebenszeichen von ihr zu geben – davon überzeugt wäre, daß Mercedes tot ist, würde ich mit allen mir zur Verfügung stehenden Mitteln dafür kämpfen, den Forderungen der Entführer zu entsprechen und das Projekt abzubrechen. Wie die Dinge jedoch liegen, stimme auch ich dafür, den Film fertigzustellen und auszustrahlen.«

»Herr Ross?«

Daniel sagte: »Wir müssen unbedingt weitermachen – damit erfüllen wir nur den Wunsch von Frau Olivera.«

Der rotgesichtige, untersetzte Professor Klammer fragte Kleinhals: »Wann kann der Film fertiggestellt sein?«

»Wir haben nun noch einen Bericht über die letzten Ereignisse gedreht. Wenn wir uns beeilen, sollten wir in drei Wochen soweit sein, also um den zwanzigsten April herum. Zu diesem Zeitpunkt werden wir den fertigen Film anderen Sendern zum Kauf anbieten können. Diese Sender werden – das ist so üblich – die Bearbeitung in ihrer Landessprache übernehmen. Das heißt: Eine zweite Stimme wird über der Originalstimme liegen und übersetzen, was diese sagt. Natürlich wird diese zweite Stimme auch beim Protokolltext dolmetschen. Ich bin der Ansicht, daß der Film von allen Sendern am gleichen Tag ausgestrahlt werden sollte, um die größtmögliche Wirkung auf die Menschen in der ganzen Welt zu erzielen. Die Sowjetunion wird den Film bestimmt nicht kaufen. Die Ostblockstaaten werden das unter sowjetischem Druck auch nicht tun dürfen. Ein Teil der DDR kann uns empfangen. Das ist aber auch schon alles. Wir beabsichtigen deshalb, eine Radioversion der Dokumentation herzustellen und sie ebenfalls mit Texten in den einzelnen Landessprachen zu versehen. Ausgestrahlt können diese Adaptionen dann über den Deutschlandfunk werden. Er hat Relaisstationen in der ganzen Welt, so daß seine Sendungen jedes Land der Erde erreichen. Wir sind ganz sicher, daß wir zu einem Abschluß mit einer der großen amerikanischen Fernsehgesellschaften kommen werden, desgleichen mit dem chinesischen Staatsfernsehen. Wir erwarten sehr viele Interessenten. Die Verhandlungen mit ausländischen Intendanten müßten sofort aufgenommen werden.«

Eine Telefonnachricht.

»Mister Hyde, hier spricht Morley. Es ist elf Uhr dreiunddrei-
ßig, Freitag, sechster April. Meine Bekannten haben zur Kenntnis genommen, daß es Ihnen auch im Verein mit anderen unmöglich ist, erfolgreich eine weitere Entführung zu bewerkstelligen.
Durch die Großfahndung ist Ihre Lage so prekär geworden, daß
Sie dem Risiko, entdeckt zu werden, nicht länger ausgesetzt
werden dürfen. Sie haben hervorragende Arbeit geleistet. Meine
Bekannten sprechen Ihnen ihren Dank aus. Ich ersuche Sie,
Deutschland schnellstens zu verlassen. Ihre Mission ist beendet.
Die zweite Hälfte des Honorars wurde bereits auf das Konto bei
der Schweizer Bankgesellschaft in Zürich überwiesen. Damit
sind unsere Beziehungen beendet. Meine Bekannten und ich
wünschen Ihnen alles Gute. Sollten Sie zu irgendeinem Zeitpunkt – jetzt oder in der Zukunft – in Schwierigkeiten mit
Polizei oder Behörden geraten, werden weder meine Bekannten
noch ich die geringste Ahnung haben, wer Sie sind. Sie würden
sich dann vergeblich auf uns berufen und dürfen niemals damit
rechnen, daß ich oder irgend jemand anderer Ihnen dann auch
nur im geringsten hilft. So war das ja von Anfang an festgelegt.
Leben Sie wohl, Mister Hyde! Gott schütze Sie! Das ist das Ende
meiner letzten Nachricht für Sie.«

Zur Nordweststadt in Frankfurt gehört ein eigenes Polizei-
revier.

Am Samstag, dem 7. April 1984, gegen 7 Uhr früh, erschien hier
ein großer schlanker Mann von etwa vierzig Jahren. Er traf auf
den Wachtmeister Josef Niedermoser, einen gebürtigen Münchner, der seit einem halben Jahr in Frankfurt Dienst tat, und
wünschte ihm einen guten Morgen.

»Grüß Gott«, sagte Niedermoser, der gleichfalls groß, aber sehr
kräftig war. Er hatte gerade den Bericht über einen Fall von
Fahrerflucht in die Maschine getippt.

»Ich heiße Felix Zimmermann. Ich wohne hier am Gerhart-
Hauptmann-Ring zwölf, Block C, vierzehnter Stock, Appartement vierzehn-null-eins. Auf meinem Stockwerk gibt es noch
zwei andere Wohnungen, vierzehn-null-zwei und vierzehn-
null-drei. Herr und Frau Esser von null-zwei sind vor drei
Wochen verreist. Wir kennen sie flüchtig, meine Frau und ich.
Wer in null-drei wohnt, wissen wir nicht. Seit gestern kommt
aus dieser Wohnung ein süßlicher Gestank. Heute ist er noch viel

stärker. Meine Frau und ich haben nie gesehen, daß jemand in die Wohnung hineingegangen oder herausgekommen ist. Etwas stimmt da nicht. Vielleicht ist hier ein Mensch gestorben, und der Leichnam verwest. Meine Frau hat gesagt, daß ich Ihnen das unbedingt mitteilen muß, bevor ich in die Stadt fahre.«

Etwa eine Stunde später hielt ein Funkstreifenwagen vor dem Hochhaus Gerhart-Hauptmann-Ring zwölf in der Nordweststadt. Er parkte hinter einem Einsatzwagen der Feuerwehr. Aus dem Funkstreifenwagen stiegen Daniel Ross, die beiden Beamten, die ihn gerade bewachten, und – als einziger in Uniform – der Fahrer. Durch eine Gruppe von Neugierigen gingen die Männer zum Eingang des Hauses. Hier standen zwei weitere Uniformierte. Sie grüßten stumm. Daniel und sein Begleiter betraten eine sehr große und hohe Halle. Es gab fünf Aufzüge. Die Männer fuhren mit dem mittleren – Block C – in den vierzehnten Stock empor. Die Tür zur Wohnung vierzehn-null-drei war aufgebrochen worden. Die vier Männer begannen zu würgen. Der Gestank, der ihnen entgegenschlug, war sehr stark. Sie hielten sich Taschentücher vor den Mund und gingen in die Wohnung. Hier erwarteten sie drei Feuerwehrleute, die Gasmasken trugen. Alle Fenster der leeren Wohnung waren geöffnet. Ein Feuerwehrmann machte Daniel Zeichen, ihm zu folgen. Sie gingen durch ein großes Zimmer in ein kleineres, in dem ein Tisch, zwei Stühle und zwei Eisenbetten standen. Das eine war frisch überzogen. Auf dem anderen lag eine tote Frau. Ihr Gesicht war schwarz. Der Mund stand offen. Die Augen waren nur noch mit dunkler Flüssigkeit gefüllte Höhlen. Alle Männer sahen Daniel an, der zum Bett getreten war. Daniel nickte. Dann rannte er aus dem kleinen Raum in das nahe Badezimmer und übergab sich heftig.

Inzwischen bemühten sich andere Feuerwehrleute unten in der Halle, einen luftdicht verschließbaren, doppelwandigen Zinksarg in die Kabine des Lifts zu bringen, der zum Block C gehörte. Der Versuch erwies sich als aussichtslos. Die Kabine war zu klein. Als ungeeignet erwies sich auch die Feuertreppe hinter den Aufzügen. Sie war so schmal, daß die Männer den Sarg nicht um die engen Wendungen bringen konnten. Die Architekten dieses Hochhauses – und wohl aller anderen – hatten offensichtlich nicht daran gedacht, daß ein Mensch in einer der Wohnungen sterben könne. Zwei Wagen des Technischen Hilfswerks trafen ein. Zu diesem Zeitpunkt mußten zahlreiche Polizisten bereits eine Menschenmenge zurückdrängen, um die Fahrbahn freizuhalten. Ein Flaschenzug wurde an einem schweren Balken im Fenster des großen Zimmers im Appartement vierzehn-null-drei befestigt. Angeseilt glitt dann der Sarg in die Höhe. Mercedes' Leichnam hatte sich bereits so zersetzt, daß es nur möglich war, ihn mitsamt dem besudelten Laken, auf dem er lag, in den Sarg zu heben. Als dieser, durch acht Schrauben fest verschlossen, dann an der Außenwand des Hochhauses wieder in die Tiefe gelassen wurde, war längst ein schwarzer Wagen der Städtischen Leichenbestattung eingetroffen. Feuerwehrmänner schoben den Sarg in ihn. Die Türen wurden verriegelt. Der Wagen fuhr sofort ab.

Um 15 Uhr klingelte nach langer Zeit wieder das Telefon auf Daniels Schreibtisch. In Abstimmung mit den beiden Technikern, die gerade ihre Schicht absaßen, hob Daniel den Hörer ab.
»Ross.«
»Danny, hier ist Sibylle«, meldete sich eine Frauenstimme.
»Sibylle…« Er fühlte, wie ihm am ganzen Körper der Schweiß ausbrach. »Einen Moment, bitte!« Zu den beiden Technikern und einem Kriminalkommissar sagte er: »Das ist ein privates Gespräch.«
Die drei nickten und gingen in die Diele hinaus. Sie schlossen die Tür hinter sich.
Daniel nahm wieder den Hörer. »Entschuldige! Diese Leitung hängt an einer Fangschaltung.«
»Mein Gott… Danny, mein armer Danny, ich habe erst vor ein paar Minuten erfahren, was geschehen ist. Ich war in Belgrad auf einem Kongreß und bin eben zurückgekommen. Das ist ja furchtbar! Ich habe es im Radio gehört, aber nur ganz kurz… Die arme Mercedes…«
»Ja«, sagte Daniel. »Die arme Mercedes.« Vor ihm stand eine Tasse Tee. Während er sprach, holte er die Amadam-Packung, die er jetzt ständig bei sich trug, aus der Jackentasche und öffnete sie.
»Wann habt ihr sie gefunden?«
»Heute vormittag.« Er ließ die Tabletten auf die Schreibtischplatte gleiten. Die Angst war wieder in ihm hochgeschossen, die grauenvolle Angst.

»Wo? Kannst du es mir erzählen, Danny, bitte! Erzähle mir alles! Alles!«

Er erzählte ihr alles. Zwischen zwei Sätzen machte er eine längere Pause, als er neun Tabletten vom Schreibtisch nahm, in den Mund warf und mit Tee hinunterschluckte. Er bemerkte, daß seine Hände zitterten. Ihm war schwindlig und übel. Das kam nun oft vor. Amadam half.

»Danny...« Sibylles Stimme versagte. »Das... das tut mir so leid für dich... so schrecklich leid...«

»Mir tut es auch leid.«

»Was ist los? Hast du zu viel Amadam genommen?«

»Nein«, log er. »Wieso?«

»Du sprichst ein bißchen lallend. Du hast *doch* Amadam genommen, sag die Wahrheit!«

»Ich sage die Wahrheit«, log er.

»O Gott, Danny! Diese Schweine... Diese elenden Schweine... Das ist eine solche Gemeinheit...«

»Ja«, sagte Daniel.

»Ich komme nach Frankfurt. Sofort.«

»Nein! Ich... möchte allein sein. Versteh das, ja?«

»Natürlich... Natürlich verstehe ich... Wann ist das Begräbnis?«

»Montag vormittag. Sie haben die Leiche ins Gerichtsmedizinische Institut gebracht. Sie müssen eine Obduktion machen. Obwohl ganz klar ist, was passierte. Sie hat sich vergiftet.«

»Aber Montag komme ich zum Begräbnis.«

»Bitte nicht, Sibylle«, sagte er. »Mercedes hat mir einen Brief geschrieben... hinterlassen, meine ich... Sie wollte für den Fall ihres Todes keine Aufbahrung, keine Blumen, keinen Priester, keine Musik und keine Menschen am Grab – nur mich. Ich glaube, das müssen wir respektieren.«

»Freilich, Danny. Freilich. Ich... ich...«

»Ja, Sibylle?«

»Ich bin in Gedanken bei dir, mein Armer. Immer, Danny, immer. Ich liebe Werner wirklich. Aber nie kann ich unsere Zeit vergessen. Unsere wunderbare Zeit.«

»Ich auch nicht, Sibylle.«

»Es war eine so große Liebe. Und eine so große Liebe hört doch nie wirklich auf, nicht?«

»Nein, niemals wirklich.«

»Und darum – obwohl ich Werner so bewundere und mit ihm

glücklich bin – werde ich ihn doch immer betrügen mit dir, Danny. Betrügen in Gedanken. Das… das hast du gewußt, nicht wahr? Das hast du gespürt, wie?«

»Ja, Sibylle. Und du, du hast gespürt, daß es bei mir mit Mercedes genauso war, obwohl ich sie auch wirklich geliebt habe. Du wirst einfach niemals aus meinem Leben verschwinden.«

»Und du nicht aus meinem, Danny.«

»Und es ist alles nicht wahr«, sagte er laut.

»Bitte?« Ihre Stimme klang erschrocken. »Was soll das heißen, Danny?«

»Ach, Sibylle… Du bist so lieb… so bemüht, mir zu helfen… Du willst, daß ich wenigstens noch *einen* Halt habe, wenn ich daran denke, wie das war mit uns beiden.«

»Na, aber es war doch wunderbar!«

»Gewiß, Sibylle… ganz wunderbar war es… Und es hat auch etwas gedauert, bis ich Mercedes lieben konnte, ohne immer noch wie in all den vielen Jahren an dich zu denken… Endlich war es dann soweit… Ich mußte nicht mehr an uns beide denken, Vergleiche ziehen, mich erinnern… Ich konnte Mercedes lieben, wirklich und wahrhaftig… so wie ich dich geliebt habe… so wie du Werner liebst, sei ehrlich… Wir dürfen nicht lügen, bloß damit es leichter wird für mich… Es wird nicht leichter… Du liebst Werner mit deinem ganzen Herzen, und ich habe Mercedes geliebt mit meinem ganzen Herzen… Alles andere ist nur noch Erinnerung, Sibylle, nur noch eine Erinnerung, die wir beide haben.«

Sie schwieg lange. Als sie wieder sprach, war ihre Stimme sehr leise. »Sei mir nicht böse, Danny… Ich… ich habe tatsächlich gedacht, es hilft dir, wenn ich so rede. Wir müssen bei der Wahrheit bleiben… Du hast recht… Wir kennen uns so lange… Verzeih mir, was ich da versucht habe… Es war wirklich nur, weil…«

»Ja, Sibylle, ja… Und ich danke dir auch… Wir dürfen uns bloß nichts vormachen… Es wäre so gemein gegen Mercedes… und einfach nicht *wahr*! Ich umarme dich – fest, ganz fest.«

»Und ich dich, Danny.« Ihre Stimme war nur noch ein Flüstern. »Ruf an, ruf bald an, bitte, ja?«

»Ja, bald«, sagte Daniel. Er legte den Hörer auf und ließ noch ein paar Tabletten aus der Packung gleiten. Ich brauche mehr, dachte er.

Am Vormittag des 9. April wurden ein abseits gelegener Sektor des Südfriedhofs und die Zufahrtswege von zwei Hundertschaften Bereitschaftspolizei abgesperrt. Nur drei Wagen des Fernsehsenders Frankfurt erhielten die Erlaubnis zu passieren. Auf ihren Dächern standen Männer mit Kameras, welche die Beisetzung von Mercedes filmten. Diese ging in großer Hast vor sich. Ein Wagen der Städtischen Leichenbestattung mit dem Sarg fuhr dicht an ein frisch geschaufeltes Grab heran. Es gab keine Musik, und es gab keine Blumen. Es wurden keine Reden gehalten und keine Gebete gesprochen. Zwischen zwei Kriminalbeamten stand Daniel am Rand des Grabes. Vier Angestellte des Bestattungsinstituts ließen den Sarg in die Grube gleiten, und Totengräber begannen sofort danach, das Grab zuzuschaufeln. Polizisten mit Maschinenpistolen standen in einem großen Kreis um die Trauerstätte.

Daniels Gesicht war weiß und völlig erstarrt. Die Sonne schien an diesem schönen Frühlingstag, in den Bäumen sangen viele Vögel. Daniel sah den Totengräbern eine Weile zu, dann drehte er sich um und ging, gefolgt von seinen Begleitern, den weiten Weg zu einem Funkstreifenwagen zurück. Er hatte während der ganzen Zeit kein Wort gesprochen.

In der Sandhöfer Allee angekommen, legte Daniel sich auf das Bett, das nun wieder im Schlafzimmer stand. Die beiden Kriminalbeamten blieben im Arbeitszimmer. Daniel lag reglos und starrte die Decke an. Nach einer Weile war er eingeschlafen. Er erwachte gegen Mitternacht und fühlte sich schwach und benommen. Langsam ging er ins Arbeitszimmer. Die beiden Beschützer der Nachtschicht saßen vor der Bücherwand und spielten Karten. Sie wurden verlegen. Er machte ihnen ein Zeichen, sich nicht stören zu lassen, ging zum Schreibtisch – die Apparaturen für die Fangschaltung waren verschwunden – und rief seinen Vater in Buenos Aires an. Das tat er täglich um diese Zeit. Olivera meldete sich sofort. Seine Stimme bebte: »Hallo, Daniel?«

»Ja.«

»Was... was ist geschehen?«

»Heute vormittag haben wir sie begraben. Auf dem Südfriedhof. Wie sie es sich gewünscht hat. Wenn auch nicht ganz so.«

Olivera schwieg.

»Wann kommst du?« fragte Daniel.

Keine Antwort.

»Wann du kommst!«

»Überhaupt nicht...«

»*Was?*«

»Du mußt mich verstehen, Daniel... Ich kann nicht. Ich kann einfach nicht kommen... Es ist ausgeschlossen... Ich bin viel zu verzweifelt... und auch zu alt... Die Reise brächte mich um... Ich kann mich kaum im Haus bewegen... Weißt du, es ist so, als wäre *ich* gestorben und läge in einem Sarg und könnte ihn nie mehr verlassen... Verstehst du das? Sag, daß du das verstehst, Daniel!«

»Du Scheißkerl«, sagte Daniel Ross.

6

Am Sonntag, dem 13. Mai 1984, in allen Fällen zur jeweils besten Abendsendezeit, wurde das erste Drittel des Dokumentarfilms »Die geteilte Welt – Fälschung oder Wahrheit?« in achtundfünfzig Ländern von Fernsehsendern auf fünf Kontinenten ausgestrahlt. Hinzu kamen die verschiedensprachigen Radiofassungen des Deutschlandfunks. Wochen davor war in den Zeitungen, im Rundfunk und im Fernsehen sehr viel über diese Produktion geschrieben und gesprochen worden. Entsprechend groß war das Interesse der Menschen. Einer späteren Untersuchung zufolge saßen zu Beginn der Ausstrahlung fast neunhundert Millionen Menschen vor ihren Geräten: Weiße, Gelbe, Schwarze, Menschen aller Glaubensbekenntnisse, aller nur denkbaren Überzeugungen, Berufe und Einkommensverhältnisse. Vor flimmernden Bildschirmen und Radioapparaten saßen Multimillionäre und Familien, die unter der sogenannten Elendsgrenze lebten. Es saßen da Grubenarbeiter und Börsenmakler, Unternehmer der Schwerindustrie und Arbeitslose, Politiker und Huren, Priester und Mörder, die Krüppel oder Schwerbeschädigten aus einhundertsechsundfünfzig »kleinen Kriegen« nach 1945 und dem großen davor sowie Friedensnobelpreisträger, die nicht den kleinsten dieser Kriege hatten verhindern können. Es saßen da die Hinterbliebenen von Gefallenen und jene der Männer, Frauen und Kinder, welche unter Militär- und anderen Diktaturen zu Tode gefoltert, ertränkt, gehenkt, erschossen, erschlagen, verbrannt oder mittels Gift, elektrischem Strom, dem Beil sowie schweren Medikamenten aus dem Anwendungsgebiet der Psychiatrie hingerichtet worden waren; des weiteren Nonnen und Filmproduzenten, Generäle und Erdnußverkäufer, Atomphysiker und Versicherungsvertreter, Könige und Kanalräumer, Besitzer von Verlagskonzernen und Wasserträger, Rüstungsfabrikanten und Automechaniker, Schauspieler und Computerspezialisten, Süchtige, Olympiasieger, Dachdecker und Nachtclubsängerinnen, Gesunde und Kranke, alte und junge Menschen.

Der erste Teil der Dokumentation enthielt die Aussage Oliveras über die Herkunft des Streifens, das Statement von Mercedes sowie den alten Film mit dem Geheimprotokoll. Am nächsten und übernächsten Tag sollten zur gleichen Sendezeit der zweite und dritte Teil ausgestrahlt werden. Die Fortsetzungen bestanden aus den einander so widersprechenden Aussagen der Zeugen, der Aussage Daniel Ross', Berichten über die Telefongespräche des Intendanten mit den amerikanischen und sowjetischen Diplomaten und über die Entlarvung des Intendanten, ferner aus Reportagen über die Ermordeten sowie die Entführung und das Ende Mercedes Oliveras samt den Bildern von der gespenstischen Beisetzung auf dem Frankfurter Südfriedhof – das alles mit verbindenden Kommentaren und gewissenhaften Erläuterungen in journalistisch einwandfreier Form, informativ und völlig wertfrei. Hier sind nur einige Aussprüche oder Reaktionen anläßlich der Ausstrahlung des ersten Teils festgehalten...

In Kairo, Ägypten, sagt der Optiker Abdu Amarna zu seiner Frau Isis: »Man müßte die führenden Politiker der Vereinigten Staaten und der Sowjetunion vor ein internationales Tribunal stellen und hinrichten lassen. Sie sind schuld an allem Unglück in der Welt.«
Seine Frau Isis erwidert: »Rede keinen Unsinn, Abdu! So etwas wird niemals geschehen, und du weißt es. Sie sind so stark, und wir sind so schwach.«
In weiten Teilen Afrikas, besonders in Äthiopien, herrscht die größte Hungerkatastrophe der Geschichte. Hunderttausende sind schon gestorben, Millionen sollen folgen. Äthiopien besitzt fast keine Straßen. Ein Konvoi aus Zehn-Tonnen-Lastern fährt, vom Flugplatz der Hauptstadt Addis Abeba kommend, langsam über hartgetrocknete Erde von Schlagloch zu Schlagloch in

Richtung Lalibela im Norden des Landes. Die Riesenwagen haben Mehl, Milchpulver und Medikamente für das Hungergebiet dort geladen. Sie sind seit vier Tagen unterwegs. In der Kanzel eines Lasters lauschen zwei Fahrer der Sendung, die, von einer Relaisstation des Deutschlandfunks in Afrika weitergegeben, unter krachenden Nebengeräuschen aus dem Autoradio kommt.

Der Mann am Steuer, Kalo Negesti, sagt: »Teilt euch die Welt! Werdet glücklich mit eueren Teilen! Hier interessiert das keinen. Hier werden bald alle verreckt sein. Dann könnt ihr uns gemeinsam verscharren! Ihr könnt uns auch liegen lassen!«

»Und was mich angeht, so könnt ihr verrecken wie die Menschen hier«, sagt der zweite Fahrer, der Ko Yahuma heißt.

In Mampawah, einer Hafenstadt des südchinesischen Meeres an der Westküste von Borneo, sagt Romang Timor, ehemals Kochlehrling, zu seiner Mutter Banda: »Wir haben nie einen Amerikaner oder einen Russen gesehen. Meinetwegen sollen die Banditen mit dieser Welt machen, was sie wollen. Man hat mich in Pontianak aus dem Hospital heimgeschickt, weil die Metastasen jetzt auch schon im Kehlkopf sind. In einem Monat bin ich tot.«

Romang Timor ist gerade einundzwanzig Jahre alt geworden.

In Santiago de Chile sagt Taipal Chuzco, Detektiv in einem Supermarkt, zu seinen Brüdern: »Na und! Das ist ja eine Sendung für die Kinderstunde! Meine lieben Kleinen, stellt euch vor, da haben sich zwei die Welt geteilt! Wer dreht einen Film über die Verbrechen General Pinochets?«

In den Gebirgszügen des Hindukusch, der sich im Nordosten von Afghanistan fast achttausend Meter in den Himmel erhebt, hören Aufständische in ihrem fast unzugänglichen Felslager die Funkversion der Sendung aus einem erbeuteten sowjetischen Militärradio. Einer sagt: »Versteht ihr jetzt, warum die Amerikaner es hingenommen haben, daß wir von den Russen überfallen worden sind?«

»Die amerikanischen Politiker sind empört«, sagt ein anderer.

»Die ganze Welt ist empört«, sagt der erste. »Helfen tut uns auch nicht ein einziger Mensch.«

In Eisenach, Deutsche Demokratische Republik, sagt der Dreher Karl Zschinschke, der mit seiner Frau unbotmäßigerweise das Westfernsehen eingeschaltet hat: »Darum haben die Scheiß-Amis keinen Finger gerührt, als sie die Mauer bauten, Emma.

Und sie haben uns nicht geholfen damals, als die Arbeiter aufstanden und die sowjetischen Panzer kamen am siebzehnten Juni dreiundfünfzig. Da ist dein Bruder erschossen worden in Berlin, vor dem Brandenburger Tor. Elf Jahre war er alt. Verflucht sollen sie sein, alle beide!«

»Dreh ab, Karl!« sagt seine Frau. »Und wenn es so ist! Es macht meinen Bruder nicht mehr lebendig.«

In Bielefeld in der Bundesrepublik Deutschland sagt der Chefbuchhalter Hermann Eipel zu Frau und drei Kindern: »Dieser Film ist eine alte Nazifälschung, ganz klar. Und ganz klar, wer diesen Hundedreck jetzt ausstrahlen läßt.«

»Wer?« fragt seine Frau.

»Die Grünen und die Friedensbewegung. Sie haben ihre Leute überall. *Auch* in den Sendern! Glaubt mir das!«

In Hamburg sagt der arbeitslose Werftarbeiter Kuddel Heinke zu seiner Frau Elfie: »Fälschung oder Wahrheit – da scheiß ich drauf. Es *ist* so. Und es wird sehr bald losgehen. Und dann geht unser Land als erstes in Klump mit all den Raketen, die in den Wäldern stehen.«

»Was willst du machen dagegen, Kuddel?« fragt seine Frau Elfie, die schwanger ist.

In Düsseldorf sagt die Frau des Reinigungsmittel-Herstellers Kort zu ihrem Mann: »Das ist ja unerträglich, Karl-Heinz! Was gibt es im ZDF?«

»›Willi wird das Kind schon schaukeln‹ mit Heinz Erhardt«, sagt ihr Millionärsgatte.

»Dann schalte um! Ich muß über Heinz Erhardt immer so furchtbar lachen.«

In Lille, Frankreich, sagt der alte Vater des Rechtsanwalts Jean-Pierre Quemard: »Ich traue es ihnen zu, Jean-Pierre. Ich traue es ihnen zu. Ich traue ihnen alles zu. Auch daß sie in Europa Atombomben werfen und Krieg führen. Es wäre dann der dritte Krieg in meinem Leben.«

»Wir brauchen keine Atombomben mehr, Vater«, sagt Jean-Pierre. »Wir erledigen uns jetzt sehr schnell selber.«

In Lewes in der Grafschaft Kent in England sagt der Lokomotivführer Jack Tompkins zu Frau und Kindern: »Natürlich sind die Amerikaner und Russen Verbrecher. Aber sie wären niemals solche Verbrecher ohne Hitler. Hitler war der größte Verbrecher, den es je gab. Durch ihn ist die Welt so geworden, wie sie heute ist. Ach, Orwell war ein Optimist.«

In Saint Georges, der Hauptstadt von Grenada, dem sehr kleinen südlichsten Inselstaat der Antillen, sagt der Zitrusfrüchte-Exporteur Pai Owan zu seiner Frau: »Ist dir jetzt klar, warum die Sowjets nur herumgequatscht haben, als die Amerikaner hier landeten?«

»Leise, Pai«, sagt seine Frau, »leise! Du bist aufgeregt. Und dann sprichst du immer so laut. Du weißt, wie dünn die Wände sind und wer nebenan wohnt.«

In Athen, Griechenland, sagt der Besitzer einer Sauna, Joannis Pagniatopulos, zu seiner Frau Melina: »Und wir sind Mitgliedstaat der NATO!«

Seine Frau antwortet: »Und wenn wir Mitgliedstaat des Warschauer Pakts wären – was würde das ändern? Die einen werden uns töten, und die andern werden uns töten. Gib mir noch Wein, Joannis!«

»Du bist schon betrunken.«

»Ja, und?« sagt Melina. »Ich will mich sinnlos betrinken. Absolut sinnlos.«

In Amsterdam, Holland, sagt die Witwe Marie de Vries zu ihrem Hund, dem einzigen Wesen, das noch zu ihr gehört: »Nein, ich kann es nicht glauben. So schlecht sind Menschen nicht! Aber ich habe Angst. Wenn sie es doch sind?«

In Sorano, einer sehr kleinen Stadt in Italien, sagt Andreo Furno zu seiner Familie: »Und *wenn* es so ist, ich sage bravo! Solange sie beide nur gleich stark bleiben, wird es niemals den Atomkrieg geben. Darum müssen beide natürlich immer weiter aufrüsten. Aber selbst wenn einer schwächer wird und der andere losschlägt – auf unser winziges Sorano sind keine Raketen gerichtet. Wäre doch schade um das viele Geld. Sorano – lächerlich! Und falls es die Deutschen erwischt – ihr Pech! Sie haben uns in den Krieg hineingezogen. Papà und Onkel Marco sind gefallen.«

»Und was passiert mit uns bei Nordwind?« fragt seine Frau.

In Haifa, Israel, sagt Bob Bernstein zu seiner Frau Ruth: »Selbstverständlich ist das eine infame Fälschung. Und woher kommt sie natürlich? Aus Deutschland kommt sie natürlich. Sie haben alle deine Verwandten umgebracht, Ruth. Sie haben alle meine Verwandten umgebracht. Und nach wie vor ist das ein Naziland. Du siehst, welche Macht die Nazis noch haben.«

»Ja, es ist furchtbar«, sagt Ruth. »Und trotzdem habe ich oft solche Sehnsucht nach unserem Köln.«

In Managua, der Hauptstadt von Nicaragua, sagt der Volksschullehrer José Patuca zu seiner Frau: »Selbstverständlich hat der amerikanische Präsident den sowjetischen Präsidenten angerufen und ihm mitgeteilt, daß die CIA jetzt unsere Häfen verminen wird. Und bevor sie landen und unser Land überfallen, wird der amerikanische Präsident wieder seinen sowjetischen Kollegen anrufen, und der wird sagen, wenn ihr unbedingt müßt: bitte sehr. Sobald es in Polen soweit ist, werde ich *Sie* anrufen, Herr Präsident.«

In Beirut, der Hauptstadt des Staates Libanon, sagt der moslemische Teppichhändler Ali Ranpur, der in den Kämpfen der letzten Tage seine Frau, seine Tochter und sein Geschäft verloren hat, zu seiner Katze: »Wenn die verfluchten Schweine die Welt nur ordentlich geteilt hätten! Aber sie haben es schlampig getan oder gar nicht. Darum sind meine Frau und meine Tochter tot. Mich wird es sicher auch bald erwischen. Allah sei Dank nicht dich, meine Gute, Schöne! Katzen wittern Gefahr. Katzen können immer für sich selber sorgen.« Daß Katzen immer für sich selber sorgen können, ist die ganze Hoffnung, die Ali Ranpur geblieben ist.

In Gdansk, dem ehemaligen Danzig, an der Ostsee in Polen sitzen der Handelsschiffskapitän Josef Kowalski und seine Frau vor dem Radioapparat, lauschen der Sprecherstimme und weinen. Und viele Menschen in Polen weinen wie der Kapitän Kowalski und seine Frau.

In Witebsk in der Sowjetunion sagt der Stahlwerkarbeiter Mihail Bogolow zu seiner Frau Elisaweta: »Vielleicht haben sie es wirklich getan, Elisaweta. Vielleicht müssen wir dankbar sein, wenn sie es getan haben. Dann wird auch Deutschland für immer geteilt bleiben und uns nie mehr überfallen können. Zwanzig Millionen Russen sind umgekommen, als uns die Deutschen überfielen.«

»Wie viele Millionen werden umkommen, wenn uns die Amerikaner überfallen?« fragt Elisaweta.

In Novgorod sagt Maria Rakunin zu ihrem Mann Maxim, einem ehemaligen Tischler, der mit ihr vor dem Radioapparat sitzt: »Jetzt weißt du, wofür du blind geschossen worden bist in Afghanistan.«

»Sie haben uns gar nicht gesagt, daß wir in Afghanistan waren, Liebste«, sagt er.

In Prag, Tschechoslowakei, sagt die Frau des Universitätsprofessors Josef Krb zu ihrem Mann: »Siebzehn Jahre alt war unser

Sohn, als ein sowjetischer Panzer ihn zerquetscht hat, Josef. Siebzehn Jahre. Und dein Bruder ist damals verschwunden und nie wieder aufgetaucht. Und ›Radio Freies Europa‹ hat ununterbrochen gesagt, wir sollen durchhalten, die Amerikaner kommen uns zu Hilfe.«

»Sind die Russen den Nordvietnamesen zu Hilfe gekommen?« fragt ihr Mann. »Das da ist ein alter Nazifilm. Gefälscht oder echt, egal. Das einzige Mal, daß die Nazis die Wahrheit sagen wollten.« In Keszthely am Plattensee in Ungarn sagt der Chemiker Clemens Karoly, der hier mit seiner Frau Urlaub macht: »Die Russen haben neunzehnhundertsechsundfünfzig den Amerikanern vorher gesagt, daß sie unseren Aufstand niederschlagen werden. Die Amerikaner haben gesagt: ›Bitte sehr, wir haben nichts dagegen.‹ Das steht historisch fest. Es steht auch fest, daß bei den Kämpfen in Budapest meine Schwester und mein Bruder erschossen worden sind. Verflucht sollen sie sein, Amerikaner *und* Russen!«

In Hiroshima, Japan, liegt der fünfundvierzigjährige Eiji Kimura im Saal eines Krankenhauses, in dem außer ihm noch sieben Männer in ihren Betten liegen. Als neunzehnhundertfünfundvierzig die Amerikaner über der Stadt die erste Atombombe abwarfen, gab es sechsundachtzigtausend Tote, einundsechzigtausend Verwundete und keine Stadt mehr. Inzwischen hat man sie wieder aufgebaut, und es existieren noch immer Überlebende der Katastrophe. Fast alle sind verstümmelt oder strahlenverseucht – wie Eiji Kimura und die sieben anderen Männer in seinem Saal. Eiji Kimura lebt seit neununddreißig Jahren nur in Krankenhäusern. Er leidet an einer schweren Blutkrankheit. Eiji Kimura sagt: »Die Atombombe, die die Amerikaner abwarfen, als ich sechs Jahre alt war, wird ›Baby-Bombe‹ genannt. Weil sie im Vergleich zur Zerstörungskraft heutiger Atomraketen ein Baby ist. Fünfundvierzig waren wir und die Amerikaner Feinde. Seit langem sind wir Verbündete. Was für ein Glück für Japan! Denn die Amerikaner haben die furchtbarsten Bomben. Und ich bin sicher, sie werden den Erstschlag führen.«

In Detroit, in den Vereinigten Staaten von Amerika, sagt der Kaufhauskettenkönig Jack M. Langley zu seiner Frau Katherine: »Verfluchte deutsche Schweine! Ich habe immer gesagt, traut ihnen nicht! Was haben unsere Idioten getan? Hochgepäppelt haben sie Westdeutschland. Das ist jetzt der Dank. Feine Verbündete haben wir! Mit dieser alten Nazifälschung versuchen sie, die Welt gegen uns aufzubringen. Und gegen die Sowjets. Gemeinsam haben wir Hitler besiegt!«

»Das war einmal«, sagt seine Frau. »Heute sind die Sowjets unsere gefährlichsten Feinde.«

»Wir sind stärker als sie«, sagt Langley. »Sie wollen nur die ganze Welt und alle Menschen verwirren und unsicher machen.«

»Wer?«

»Die gottverfluchten deutschen Nazis«, sagt Langley. »Unsere feinen Verbündeten. Na ja, wenigstens kommen sie als erste dran, was immer sie tun. Wenigstens darin sind wir uns mit den Sowjets einig.«

In Philadelphia sagt die Frau des Flickschneiders Fainberg zu ihrem Mann: »Mojshe, Budd und Danny, unsere drei Söhne, sind umgekommen in Vietnam, Aaron.«

»Ja«, sagt er. »Für Freiheit und Demokratie. Weißt du, daß wir Nordvietnam nie den Krieg erklärt haben?«

»Und wenn wir's getan hätten«, sagt seine Frau. »Wären unsere Söhne dann noch am Leben? Aaron, diese Welt ist schrecklich!«

»Was willst du?« fragt Aaron Fainberg. »Schön soll sie auch noch sein?«

In Chicago sagt eine alte Frau im elektrischen Rollstuhl zu ihrem Sohn: »Ich fürchte mich so, Junge.«

»Ja«, sagt Wayne Hyde, »ich mich auch. Aber solange wir uns noch haben, Ma!«

7

Am Tag nach der Ausstrahlung des ersten Filmteils gaben die Vereinigten Staaten und die Union der Sozialistischen Sowjetrepubliken durch ihren Regierungssprecher und durch die staatliche Nachrichtenagentur TASS zwei kurze, gleichlautende Erklärungen ab. In ihnen hieß es, die beiden Staaten hätten weder auf der Teheraner Konferenz noch zu irgendeinem Zeitpunkt vorher oder nachher eine Vereinbarung geschlossen, wie sie das angebliche Geheimprotokoll in dem zur Zeit im Fernsehen von achtundfünfzig Staaten gezeigten Film »Die geteilte Welt – Fälschung oder Wahrheit?« auswies. Dieser in der Bundesrepublik Deutschland produzierte Streifen stelle eine eindeutige Fälschung dar, wobei der von einer Videokopie einmontierte Teil sehr wahrscheinlich noch eine Propagandafälschung der Nazis war. »Die geteilte Welt« sei hergestellt worden im Auftrag von außerordentlich gefährlichen und nach wie vor höchst aktiven faschistischen Gruppen mit dem Ziel, das unermüdliche Ringen der beiden Großmächte um die Erhaltung des Friedens und um die Koexistenz ihrer unterschiedlichen Gesellschaftssysteme zu stören. Der Vorfall zeige, mit welch großer Wachsamkeit friedliebende Menschen in der ganzen Welt die so schädlichen Aktivitäten faschistischer Kräfte, insbesondere in der Bundesrepublik Deutschland, beobachten müßten. Diese Kräfte zu zerschlagen sei wichtigste Aufgabe aller Gutgesinnten.

Mit höchst unterschiedlichen Kommentaren reagierten die großen Tageszeitungen der Welt auf diese Erklärung. Aufrufe zu aktivem oder passivem Widerstand oder zum Boykott der beiden Großmächte fanden sich nirgends, schon gar nicht in der Bundesrepublik, wo die Schlagzeile des auflagestärksten Massenblattes am Tag nach der Ausstrahlung des ersten Teils lautete: LADY DI'S BABY IN GEFAHR – ENTFÜHRER!

Den am Montag gesendeten zweiten Teil sahen – internationalen Untersuchungen zufolge – nur noch knapp vierhundert Millionen anstelle der anfänglichen neunhundert, den dritten Teil bloß knapp hundert Millionen. Die durch Mondovision ausgestrahlte Übertragung des Fußballspiels Brasilien gegen Italien sahen dagegen rund sechshundert Millionen Menschen.

Am Nachmittag des 18. Mai, einem Freitag, saßen Daniel Ross und Conrad Colledo in dessen Dienstzimmer im Verwaltungsgebäude des Senders Frankfurt.

Colledo hatte dem Freund gerade einen Bericht über die Aufnahme des Films und die so radikal sinkende Sehbeteiligung gegeben.

»Es ist also danebengegangen«, sagte Daniel. Er sprach mit etwas schwerer Zunge, denn er hatte viel Amadam genommen, wie er das seit der Entführung täglich tat.

»Total«, sagte Colledo.

»Hätte ich nicht gedacht.«

»Ich auch nicht.«

»Ich meine: Ich habe gedacht, er wird eine sehr geteilte Aufnahme finden, unser Film, das schon. Aber er wird auf sehr großes Interesse stoßen und eine riesige Diskussion auslösen. Das habe ich fest geglaubt. Ich habe mich geirrt.«

»Und wie!« sagte Colledo.

»Man kann also sagen, daß unsere ganze Arbeit umsonst gewesen ist.«

»Das kann man ohne Übertreibung sagen«, antwortete Colledo, stand auf und trat an eines der vier Statussymbol-Fenster seines Büros. Er blickte hinüber auf die in der Ferne im Sonnenschein blitzenden Millionen Fenster der großen Stadt Frankfurt am Main. Es war ein besonders schöner Tag.

»Mercedes ist ohne jeden Sinn gestorben«, sagte Daniel.

»Ohne jeden Sinn«, sagte Colledo und sah auf die gleißende Riesenstadt zu seinen Füßen.

»Arme Mercedes«, sagte Daniel.

»Glückliche Mercedes«, sagte Colledo. »Stell dir vor, sie hätte diese Reaktion noch erlebt! Gerade sie. Es hätte ihr das Herz gebrochen.«

»Ja«, sagte Daniel, »das stimmt.«

»Sie starb, als es noch Hoffnung gab«, sagte Colledo.

»Ja«, sagte sein Freund. »Mein Gott, was hat Mercedes für ein großes Glück gehabt!«

Gleich darauf fuhr Colledo entsetzt herum, denn Daniel war plötzlich aufgesprungen und schrie wie ein Wahnsinniger: »Ohne Sinn gestorben ist also auch Herbert Kramer, der Bibliothekar in Koblenz! Ohne Sinn gestorben ist also auch Professor Kant in Berlin! Ohne Sinn! Ohne irgendeinen Sinn!«

»Danny, bitte...« begann Colledo, doch Daniel ließ sich nicht unterbrechen. Er sprach weiter, nicht mehr so laut, aber voll Empörung und Leidenschaft, er ging mit großen Schritten im Zimmer hin und her dabei.

»Umsonst! Alles umsonst! Die Arbeit von so vielen, die ihr Leben riskiert haben. Umsonst! Verflucht noch mal, in was für einer Welt leben wir denn? Nichts und nichts als die Wahrheit haben wir den Menschen zeigen wollen. Warnen wollten wir sie. Die Menschen in der ganzen Welt. Die Politiker in der ganzen Welt. Sie sollten begreifen, daß es eins vor zwölf ist. Eins *nach* zwölf! Daß ihr Geschwätz aufhören muß! Daß ihre faulen Kompromisse aufhören müssen! Und die Feigheit und Dummheit und Gewissenlosigkeit! Und diese verbrecherische Lehre vom Gleichgewicht des Schreckens! Und dieses schwachsinnige Gelalle, daß es keinen Atomkrieg geben wird, weil es keinen Atomkrieg geben darf!«

»Herrgott, Danny! Das hilft doch alles nichts! Wir haben die Menschen falsch eingeschätzt.«

»Die *Menschen*!« schrie Daniel. Er schrie wieder. »*Menschen*
sagst du? Viereinhalb Milliarden Arschlöcher, sage ich. Zu dämlich, um zu sehen! Zu dämlich, um zu hören! Lassen sich wieder
und wieder und wieder abschlachten, seit es sie gibt. Lieber
verrecken, als *einmal* denken, als *einmal* sich wehren. Zum
Wahnsinnigwerden ist das!« Daniel blieb stehen. »Okay, können wir ihnen also nicht helfen. Kann ihnen keiner helfen. Diese
beschissene Welt ist eben einfach nicht zu retten. Muß sie eben in
die Luft fliegen. Und wenn schon! Was ist sie denn? Ein Staub-
korn im All! Ein mieser Witz! Ein Furz in der Unendlichkeit!«
Er sah Colledo an und sagte plötzlich ganz ruhig: »Und wir?
Was sind wir alle miteinander, die gedacht haben, wir können
etwas ändern? Die größten Idioten sind wir! Tote Idioten! Auf
Abruf lebende Idioten! Egal! *Idioten!* Mit fünf Groschen Verstand, ach was, mit *einem* Groschen hätte jeder von uns von
vornherein wissen müssen, daß alles vergebens und umsonst und
sinnlos ist, und hätte um Himmels willen diesen Scheißfilm auch
nicht mit der Feuerzange angerührt.« Er streckte einen Arm aus.
»Idiot«, sagte er, »nimm eines Idioten Hand!«
Colledo zögerte.
»Nun nimm schon!« brüllte Daniel. »Ich muß gehen.«
»Wohin?«
»Weiß ich nicht, wohin. Irgendwohin. Ich krieg' hier keine Luft
mehr. Idiot gibt einem Idioten also nicht die Hand. Kann man
auch nichts machen. Überhaupt nichts kann man mehr machen.
Jetzt wissen wir es wenigstens endlich.« Er stürzte aus dem
Zimmer.
Colledo sah ihm einen Augenblick erstarrt nach, dann rannte er
hinter dem Freund her auf den Gang hinaus. Der Gang war leer.
An den Zahlen, die über der Lifttür aufleuchteten, konnte Con-
rad Colledo erkennen, daß der Aufzug nach unten glitt.

8

Am Samstag, dem 19. Mai 1984, gegen 19 Uhr 30, ging Daniel
Ross daran, sich in seiner Wohnung zu ebener Erde eines Hauses
an der stillen Sandhöfer Allee in Frankfurt am Main das Leben zu
nehmen.
Auf dem Schreibtisch unter der Lampe mit dem grünen Schirm

hatte er alles zusammengetragen, was er brauchte: ein Glas, eine Flasche Whisky, Eiswürfel in einem kleinen silbernen Kübel, mehrere belegte Brote auf einem Teller, vier Packungen Nembutal, die Schraubdeckelgläser geöffnet.

Das Schlafmittel hatte er sich in den Wochen zwischen der Beisetzung von Mercedes und der Ausstrahlung des Films auf die gleiche Weise wie schon einmal besorgt.

Dieser Samstag war schon sehr warm, im Garten blühten viele Blumen. Die Sonne versank gerade im Westen und färbte den Himmel leuchtend rot.

Daniel Ross spülte eine weitere Handvoll Nembutal-Kapseln – er hatte den Inhalt aller vier Gläser auf die Tischplatte geschüttet – mit einem großen Schluck Whisky hinunter und aß wieder ein paar Bissen Schinkenbrot, denn er mußte verhindern, daß ihm schlecht wurde und er das Nembutal erbrach. Er dachte an viele Menschen und Ereignisse der letzten drei Monate, aber nur sehr flüchtig und verwirrt, denn er war schon sehr betrunken, und das Nembutal begann bereits zu wirken. Schemenhaft glitt die Gestalt seines ältesten Freundes Fritz vorüber, der im Dezember des vergangenen Jahres im Berliner Martin-Luther-Krankenhaus gestorben war und gesagt hatte: »Zeit, daß ich abhau'.« Danach hatte sein Freund Fritz die Augen geschlossen und war tot gewesen.

Wieder schluckte Daniel Ross eine Handvoll Kapseln, trank Whisky nach und aß Schinkenbrot. Zeit, daß auch ich abhau', dachte er. Und: Diesmal gibt es niemanden, der mich stören wird. Mercedes ist begraben, Conny und seine Frau machen Urlaub auf Capri, Kleinhals ist zu seiner Schwester nach Hamburg geflogen.

Daniel Ross war sehr ruhig und erfüllt von Frieden. Als er alle Kapseln geschluckt und alle Brote gegessen hatte, erhob er sich unsicher. Nun war er sehr betrunken. Er ging in Pantoffeln und Pyjama noch einmal zur Wohnungstür und sah nach dem Sicherheitsschloß und der Vorhängekette. Frau Glanzer, seine Haushälterin, kam erst Montag früh um neun Uhr. Daniel ging durch das Arbeitszimmer in das Schlafzimmer und legte sich ins Bett. Jetzt wirst du sterben, dachte er, und niemand wird dich dabei stören. Freude überkam ihn nach langer Zeit endlich wieder. Jetzt wirst du schlafen, sagte er zu sich selbst, schlafen und nie mehr erwachen müssen. Er lächelte. Es gibt kein Leben nach dem Tod, dachte er, und es gibt keinen Gott. Nach meinem Tod, wenn mein Körper zerfallen ist, werde ich in jedem Baum und in jedem Blatt, in jeder Blume, im Wind und im Regen sein. Ebenso in den Bergen und in der Luft und in allen Flüssen und Meeren. Ich werde ein Teil des Weltalls sein, das immer da war, das niemals begonnen hat, das es nicht nötig hat, jemals zu beginnen, jemals zu enden, in aller Ewigkeit nicht. Ja, auch ein winziger Teil der Ewigkeit werde ich sein. Er hörte, verweht und leise, eine Frauenstimme, die sang, was wäre, wenn sie sich was wünschen dürfte. Er erinnerte sich an die Wärme, das goldene Licht und die Stille zu dem Zeitpunkt, an dem er das erste Mal fast gestorben war. Er entsann sich, daß es da keine Sorge mehr gab und keine Mühsal, keine Eile, keine Traurigkeit und keine Angst, nein, keine Angst. Und dann fielen ihm die Wolken ein, die er gesehen hatte, silbern und phantastisch geformt. Später sah er noch einmal eine von ihnen. Sie schwamm in einem leuchtendblauen Himmel, und er dachte: Auch diese Wolke bin ich nun, auch diese Wolke. Er betrachtete sie lange Zeit, und plötzlich erblickte er eine zweite Wolke, majestätisch und wunderbar, die langsam über unendliche Weiten schwamm, und eine große Glückseligkeit überkam ihn, als er die Wahrheit erkannte. Näher und näher glitten die beiden weißen Gebirge aneinander heran, und zuletzt wurde Daniel eins mit der Wolke, die Mercedes war.